MÉMOIRES
DE GUERRE

★ ★

L'UNITÉ
1942-1944

OUVRAGES ANTÉRIEURS

DU GÉNÉRAL DE GAULLE :

La Discorde chez l'ennemi. (Librairie BERGER-LEVRAULT, 1924)

Le Fil de l'épée. (Librairie BERGER-LEVRAULT, 1932).

Vers l'armée de métier. (Librairie BERGER-LEVRAULT, 1934).

La France et son armée. Collection *Présences* (Librairie PLON, 1938).

La France et son armée. In-8° (21×16) avec 113 héliogravures hors texte. (Librairie PLON, 1945).

Discours et messages. 1940-1946. (Librairie BERGER-LEVRAULT, 1946).

Mémoires de guerre.

   ✶ *L'Appel. 1940-1942.* (Librairie PLON, 1954).

CHARLES DE GAULLE

MÉMOIRES
DE GUERRE

✶✶

L'UNITÉ
1942-1944

PARIS
LIBRAIRIE PLON
LES PETITS-FILS DE PLON ET NOURRIT
IMPRIMEURS-ÉDITEURS — 8, RUE GARANCIÈRE, 6ᵉ

23093

MÉMOIRES DE GUERRE

★ ★

L'UNITÉ

(1942-1944)

INTERMÈDE

Au troisième printemps de la guerre, le destin rend son arrêt. Les jeux sont faits. La balance se renverse. Aux États-Unis, d'immenses ressources sont transformées en moyens de combat. La Russie s'est ressaisie ; on va le voir à Stalingrad. Les Britanniques parviennent à se rétablir en Égypte. La France Combattante grandit au-dedans et au-dehors. La résistance des peuples opprimés, notamment des Polonais, des Yougoslaves, des Grecs, prend une valeur militaire. Tandis que l'effort de l'Allemagne a atteint sa limite, que l'Italie se démoralise, que les Hongrois, les Roumains, les Bulgares, les Finlandais, perdent leurs ultimes illusions, que l'Espagne et la Turquie s'affermissent dans leur neutralité, que, dans le Pacifique, est enrayée l'avance du Japon et renforcée la défense de la Chine, tout va porter les alliés à frapper au lieu de subir. Une action de grande envergure se prépare en Occident.

Je vois mûrir cette entreprise. Assez seul au milieu de partenaires très entourés, bien pauvre parmi les riches, je suis bercé par l'espoir, mais aussi rempli de soucis, car, au centre de l'opération, il y aura de toute façon la France. Pour elle, ce qui est en jeu, ce n'est pas seulement l'expulsion de l'ennemi hors de son territoire, c'est aussi son avenir comme nation et comme État. Qu'elle demeure prostrée jusqu'à la fin, c'en est fait de sa foi en elle-même et, par là, de son indépendance.

Elle glissera du « silence de la mer » à l'asthénie définitive, de la servitude imposée par l'ennemi à la subordination par rapport aux alliés. Au contraire, rien n'est perdu si elle rentre en ligne dans son unité recouvrée. Cette fois encore, l'avenir peut être sauvegardé, à condition, qu'au terme du drame, la France soit belligérante et rassemblée autour d'un seul pouvoir. Lequel? Non, certainement, le régime de Vichy. Aux yeux du peuple et du monde, il personnifie l'acceptation du désastre. Quelles que soient les circonstances qui puissent expliquer son erreur, celle-ci est d'une telle dimension que le démon du désespoir le contraindra d'y persévérer. Sans doute, tel ou tel de ses princes pourrait-il, en le reniant, jouer un rôle épisodique. Mais, dans ce repentir tardif, personne ne verrait autre chose qu'un calcul d'opportunité. Sans doute, un grand chef militaire, appelant l'armée au bon combat, entraînerait-il des professionnels qui, au fond, n'attendent que cela. Mais une pareille initiative ne changerait rien dans le peuple aux courants déjà établis. Il n'y a pas non plus la moindre chance pour que, dans la détresse française, la foi et l'espérance des masses se portent vers le système politique que le désastre a, naguère, balayé. Les hommes qui en furent les plus représentatifs sont, sur ce point, fixés mieux que personne. Quelques-uns s'incorporent à Vichy ; beaucoup adhèrent à de Gaulle ; certains se réservent encore ; pas un seul n'imagine de prendre la barre à bord du navire d'autrefois.

Mais le parti communiste est là. Depuis qu'Hitler envahit la Russie, il se pose en champion de la guerre. Engagé dans la résistance où il n'épargne pas ses pertes, invoquant les malheurs du pays et la misère populaire pour confondre en une seule révolte l'insurrection nationale et la révolution sociale, il ambitionne de se donner l'auréole du salut public. Pourvu d'une organisation que ne retient aucun scrupule et ne gêne aucune divergence, excellant à noyauter les autres et à parler tous les langages, il voudrait apparaître comme l'élément capable d'assurer une sorte d'ordre, le jour où l'anarchie déferlerait sur le pays. Au surplus, n'offrirait-il pas à la France dédaignée l'aide active de la Russie, la plus grande puissance de l'Europe? Ainsi, le parti communiste compte-t-il trouver, dans l'écroulement de Vichy, l'occasion d'établir chez nous sa dictature. Oui ! Mais ce calcul est vain si l'État est refait ailleurs, si dans l'âme des Français la première place est prise par un gouvernement national, si son chef, dans la lumière de la victoire, paraît tout à coup à Paris.

Voilà ma tâche ! Regrouper la France dans la guerre ; lui épargner la subversion ; lui remettre un destin qui ne dépende que d'elle-même. Hier, il suffisait de l'action d'une poignée de Français sur les champs de bataille pour se camper devant les événements. Demain, tout sera commandé par la question d'un pouvoir central que le pays acclame et suive. Pour moi, dans cette phase capitale, il ne s'agira plus de jeter au combat quelques troupes, de rallier ici et là des lambeaux de territoire, de chanter à la nation la romance de sa grandeur. C'est le peuple entier, tel qu'il est, qu'il me faudra rassembler. Contre l'ennemi, malgré les alliés, en dépit d'affreuses divisions, j'aurai à faire autour de moi l'unité de la France déchirée.

On comprend combien était pressant mon désir de percer le mystère dans lequel, au cours de l'intermède, Américains et Britanniques enveloppaient leurs projets. En fait, c'est aux États-Unis qu'appartenait la décision, puisque l'effort principal leur incombait dorénavant. A Washington, le Président, les ministres, les grands chefs, se sentaient devenus les dirigeants de la coalition. Leur ton et leurs manières le montraient assez clairement. En Grande-Bretagne, on pouvait voir les avant-gardes de l'armée, de l'aviation, de la marine américaines s'installer sur les bases et dans les camps anglais. Les rues, les magasins, les cinémas, les tavernes de Londres s'emplissaient de militaires yankees bons garçons et sans façons. Le général Eisenhower, commandant en chef, le général Clark, l'amiral Stark, le général Spaatz, commandant respectivement les forces terrestres, navales, aériennes, américaines en Europe, déployaient la machinerie toute neuve de leurs états-majors au milieu de l'appareil traditionnel du War Office, de l'Amirauté, de la Royal Air Force. Les Anglais, quel que fût le contrôle qu'ils avaient d'eux-mêmes, ne cachaient pas leur mélancolie de n'être plus maîtres chez eux et de se voir dépossédés du premier rôle que, depuis deux ans et avec quel mérite ! ils avaient joué dans la guerre.

Ce n'était pas sans inquiétude que je les voyais se placer à la remorque des nouveaux venus. Il est vrai qu'on pouvait discerner, dans l'opinion et dans les milieux dirigeants, maints éléments qui s'accommodaient mal de cette espèce de sujétion. C'était le cas, notamment, pour le Foreign Office. Mais les fournitures du « prêt-bail » pesaient d'un poids écrasant sur les élans de l'indépendance. M. Churchill lui-même, que ce fût par tactique ou par sentiment, prenait le parti de n'être plus que « le lieutenant de Roosevelt ». Faute que la France pût jouer son rôle traditionnel de chef de file du vieux continent, cet effacement de l'Angleterre, qui malgré son insularité y était étroitement liée, faisait assez mal augurer de la façon dont, pour finir, seraient réglées les affaires de l'Europe.

Pour l'heure, les Américains hésitaient quant à leur stratégie. Deux conceptions différentes sollicitaient Roosevelt et ses conseillers. Parfois, cédant à l'impulsion du dynanisme national qu'exaltait un magnifique effort d'armement et d'organisation, Washington caressait le projet d'un débarquement rapide. Les Russes, d'ailleurs, souffrant mort et passion sous l'étreinte des armées allemandes, réclamaient à grands cris l'ouverture du « second front ». Leur insistance impressionnait les Anglo-Saxons, sourdement inquiets d'une éventuelle volte-face de Moscou. Si secrets que fussent les plans des chefs américains, nous n'ignorions pas qu'ils préparaient une opération tendant à établir en France, vers la fin de l'année, tout au moins une tête de pont.

Mais, tout en caressant l'audace, l'Amérique écoutait la prudence. Le plan d'un débarquement en Afrique du Nord était aussi envisagé, quitte à remettre à plus tard les grands chocs sur le sol de l'Europe. Au moment d'engager au-delà de l'Atlantique les forces de leur pays, les dirigeants des États-Unis éprouvaient, en effet, beaucoup d'appréhensions. C'était la première fois dans l'Histoire que les Américains se trouvaient amenés à prendre la tête de grandes opérations. Même au cours du premier conflit mondial ils n'avaient paru en nombre sur les champs de bataille que lors des derniers combats. Encore était-ce à titre d'appoint et, pour ainsi dire, en sous-ordre. Sans doute, depuis 1939, les États-Unis s'étaient-ils mis en devoir d'édifier une puissance militaire de premier rang. Mais, tandis que leur marine, déjà la plus forte du monde, absorbait sans difficulté autant de navires et d'avions qu'on pouvait lui en offrir, il fallait à leurs armées de terre et de l'air, hier encore embryonnaires, quelque délai pour s'adapter à de colossales dimensions. C'est pourquoi, tandis que, dans les camps, de nombreuses divisions étaient fabriquées en série sous l'impulsion du général Marshall, au Pentagone, à peine achevé, on se demandait anxieusement ce que donneraient, face à la Wehrmacht, tant d'unités organisées en hâte, de cadres sommairement instruits, d'états-majors formés de toutes pièces. A la veille de s'engager, on inclinait à le faire par étapes et transitions.

D'autant plus que les Britanniques étaient, de leur côté, peu disposés à hâter les choses. Ayant dû renoncer à être les « leaders », ils entendaient qu'une victoire qui ne serait plus essentiellement la leur ne leur coûtât pas trop cher. En différant les grandes batailles, on prendrait le temps d'accroître les armées des États-Unis et on ménagerait les forces anglaises. Londres, d'ailleurs, voyant l'essor des armements américains, calculait que la supériorité matérielle, déjà acquise par les alliés, deviendrait considérable en 1943 et écrasante en 1944. Au surplus, à quoi bon précipiter les risques et, peut-être, courir à un nouveau Dunkerque, alors que chaque jour qui passait augmentait sur le front russe l'usure de l'ennemi? D'autant que les bombardements des villes allemandes par la Royal Air Force et par les escadres volantes des États-Unis commençaient à entamer fortement l'industrie du Reich, tandis que la Luftwaffe n'attaquait plus que rarement l'Angleterre. Enfin, l'entrée en ligne des cargos et des escorteurs américains tranchait la question des transports. Il faut ajouter que la stratégie de Londres, prolongeant sa politique, était tournée surtout vers la Méditerranée, où l'Angleterre défendait des positions acquises, en Égypte, dans les pays arabes, à Chypre, à Malte, à Gibraltar, et projetait d'en obtenir d'autres, en Libye, en Syrie, en Grèce, en Yougoslavie. C'était donc vers ce théâtre que les Britanniques tâchaient d'orienter l'offensive des Anglo-Saxons.

Mais, suivant que le Gouvernement de Washington penchait vers le débarquement en France ou bien vers la mainmise sur le Maroc, l'Algérie, la Tunisie, la conduite qu'il pensait tenir à l'égard de la France Combattante était complètement différente. Dans le premier cas, on aurait, tout de suite, besoin de la résistance française pour concourir à la bataille. Or, on n'ignorait pas, bien qu'on affectât d'en douter, quelle action le général de Gaulle serait en mesure d'exercer. Il faudrait donc lui faire une place. Mais, dans la seconde hypothèse, on se trouverait ramené au projet poursuivi depuis 1940 par le State Department : s'assurer de l'Afrique du Nord en obtenant le concours des autorités locales et en tenant de Gaulle en dehors de l'opération. Nous allions voir, effectivement, nos alliés américains pratiquer vis-à-vis de nous ces deux attitudes, tour à tour.

Vers la fin du mois de mai 1942, ils inclinaient vers le rapprochement. Le 21, John Winant, leur bon ambassadeur à Londres, me consulta dans les formes quant aux perspectives

qu'offrirait une offensive menée par-delà la Manche, au rôle
direct que nous pourrions y jouer, aux rapports qui devraient,
en conséquence, être établis entre le Comité national français
et les gouvernements alliés. Le 1er juin, deuxième entretien
demandé par l'ambassadeur. Cette fois, Eden était présent :
les Anglais tenaient, en effet, à prendre part aux conversations. Le 29 juin, Eden m'entretint seul à seul de l'affaire de
la reconnaissance, me soumettant, en honnête courtier, une
formule proposée par le gouvernement de Washington. Le
lendemain, ayant Pleven à mes côtés, j'avais avec Winant
une nouvelle conversation. Pendant ce temps, Churchill, qui
était à Washington pour y parler de stratégie, poussait le
Président à adopter, vis-à-vis de moi, quelque apparence
d'accommodement.

Le tout aboutit, le 9 juillet, à un mémorandum que m'adressait le State Department, après que j'en eus approuvé les
termes. Le document, dont, suivant son préambule, « le général
de Gaulle avait pris connaissance avec plaisir, » déclarait
que « le Gouvernement des États-Unis et le Comité national
français pratiquaient déjà une coopération étroite dans certaines zones... ; que, pour rendre cette coopération plus
efficace, l'amiral Stark était désigné comme représentant du
Gouvernement des États-Unis, afin de se concerter avec le
Comité national français sur toutes questions ayant trait à la
poursuite de la guerre... ; que le Gouvernement des États-
Unis reconnaissait la contribution du général de Gaulle et les
efforts du Comité national français afin de maintenir vivant
l'esprit traditionnel de la France et de ses institutions... ; que
nos buts communs seraient plus facilement atteints en prêtant toute l'assistance militaire et tout l'appui possibles au
Comité national français, symbole de la résistance française
contre les puissances de l'Axe. »

Quatre jours après, les Britanniques, par une déclaration
publique, élargissaient à leur tour les bases de leurs relations
avec nous. Acceptant que « le mouvement français libre fût
connu, dorénavant, sous le nom de France Combattante, »
le Gouvernement anglais reconnaissait, le 13 juillet, que « la
France Combattante était l'ensemble des ressortissants français, où qu'ils soient, et des territoires français qui s'unissent
pour collaborer avec les Nations Unies dans la guerre contre
les ennemis communs... et que le Comité national français
représentait les intérêts de ces Français et de ces territoires
auprès du Royaume-Uni. » Si les mots avaient un sens, cette

déclaration impliquait tout au moins, de la part de l'Angleterre, la garantie qu'elle ne m'empêcherait pas d'exercer mon
autorité sur les fractions de la France et de son Empire qui
retourneraient au combat.

D'autres gestes et démarches marquaient que, chez les
alliés, les intentions nous étaient devenues plus favorables.
Le 14 juillet, comme je passais à Londres la revue des troupes
françaises, j'y constatai la présence du général Eisenhower
et de l'amiral Stark. Le même jour, M. Eden, adressant par
radio ses vœux au peuple français à l'occasion de la fête nationale, déclarait : « Je vous parle, non comme à des amis,
mais comme à des alliés... Grâce à la décision du général de
Gaulle, la France n'a jamais été absente des champs de bataille... L'Angleterre a vu avec espoir et admiration grandir
la résistance du peuple de France... A nos yeux, le rétablissement de la France dans sa grandeur et son indépendance est,
non seulement une promesse, mais encore une nécessité, car,
sans cela, il serait vain de vouloir reconstruire l'Europe. »
Le 23 juillet, le général Marshall et l'amiral King, se trouvant
de nouveau à Londres, demandaient cette fois à me rencontrer. Je les voyais, en effet, ainsi qu'Arnold, Eisenhower et
Stark. Au cours de notre entretien, je mis les chefs américains
au fait de notre position quant à l'ouverture du second front,
du concours que la France pourrait y apporter du dehors et
du dedans, enfin des conditions auxquelles les alliés devraient
souscrire pour qu'il y eût entre eux et nous une satisfaisante
collaboration.

J'étais, naturellement, pour l'offensive directe en Europe à
partir de la Grande-Bretagne. Nulle autre opération ne mènerait à la décision. D'ailleurs, pour la France, la meilleure solution était celle qui abrégerait les épreuves de l'invasion et
hâterait l'union nationale, c'est-à-dire la bataille portée sur
le sol de la Métropole. Sans doute, Vichy continuerait-il de
se soumettre aux Allemands. Mais il y perdrait ce qui lui restait de crédit. Sans doute, l'envahisseur occuperait-il la zone
libre. Mais alors, toutes équivoques dissipées, l'armée d'Afrique
et, peut-être, la flotte retourneraient au combat, tandis qu'en
France même beaucoup passeraient à la résistance. Il deviendrait possible de réunir en un seul pouvoir les diverses autorités françaises, d'empêcher ainsi la subversion à l'intérieur et
d'assurer au-dehors une imposante représentation de la France.

Encore faudrait-il que les alliés ne fussent pas rejetés à la
mer. Dans mes échanges de vues avec Churchill, Eden,

Winant, Marshall, etc., je faisais le compte des forces qui se-raient, d'après moi, nécessaires au débarquement. « Les Alle-mands, disais-je et écrivais-je, ont en France, d'après les renseignements que nous fournissent nos réseaux, un nombre de divisions qui atteint, suivant les moments, 25, 26 ou 27. Ils pourront en trouver en Allemagne une quinzaine d'autres. C'est donc, au début, quelque 40 divisions que les alliés auront à combattre. Compte tenu de l'inexpérience d'une grande partie des troupes anglo-saxonnes et de l'avantage que donnera à l'ennemi l'organisation préalable du terrain, il faudra disposer, au départ, d'au moins 50 divisions, dont 6 ou 7 cuirassées. En outre, la supériorité en fait d'aviation devra être écrasante. Si l'offensive a lieu au cours de l'automne prochain, les Allemands, qui seront alors engagés à fond en Russie, ne pourront que difficilement en retirer des troupes. En outre, l'action combinée de l'aviation alliée et de la résis-tance française sur les communications ennemies, conformé-ment au « plan vert » établi par la France Combattante, gênera gravement, en territoire français, les transports des réserves et du matériel allemands. »

J'exposais aux chefs alliés que nous, Français Libres, serions en mesure d'engager, à l'avant-garde, une division venant d'Orient, une brigade mixte prélevée sur l'Afrique équatoriale, des détachements de commandos et de parachutistes, 4 groupes d'aviation, tous les navires de guerre et cargos dont nous dis-posions. J'avais, d'ailleurs, dès le début de juillet, donné les instructions voulues pour que ces divers éléments fussent tenus prêts aux transports éventuellement nécessaires. En outre, je prévoyais, qu'une fois la tête de pont créée en France, nos forces y seraient complétées grâce aux ressources du lam-beau de territoire libéré. Je tenais pour probable que 8 divi-sions et 15 groupes d'aviation, à constituer en Afrique du Nord et Occidentale, ainsi que beaucoup de nos bâtiments immobi-lisés pour l'instant à Toulon, Alexandrie, Bizerte, Casa-blanca, Dakar, Fort-de-France, voudraient et pourraient, après quelques semaines de remise en condition, prendre part à un second débarquement, effectué, celui-là, sur notre côte méditerranéenne et en Italie. Enfin, à mesure de l'avance des alliés sur le sol national, serait mis sur pied un troisième échelon de forces françaises ayant pour noyaux les éléments de l'armée secrète. Le 21 juillet, j'avais adressé à M. Chur-chill et au général Marshall et communiqué à Moscou une note concernant le concours militaire que la France était susceptible d'apporter dans les phases successives de la bataille et précisant quelles fournitures d'armement et d'équipement je demandais aux alliés.

Cependant, il apparut bientôt que les Anglo-Saxons ne risqueraient pas, cette année-là, le débarquement en France. Ils viseraient donc l'Afrique du Nord en excluant notre participation. Beaucoup de faits précis nous montraient, effectivement, que les Américains ne voulaient pas laisser les Français Libres s'occuper du Maroc, de l'Algérie, de la Tunisie. Alors que nous avions pu, jusqu'au printemps de 1941, y maintenir des intelligences, nous étions coupés, depuis, de toute communication directe avec ces territoires. Jamais nos émissaires n'y arrivaient à destination. Jamais ne nous parvenaient les messages qui nous en étaient adressés, notamment par le colonel Breuillac en Tunisie, Luizet en Algérie, le colonel Lelong et Franck Brentano au Maroc. Il était clair, qu'en l'espèce, s'appliquait une consigne édictée par Washington. Mais, utilisant les détours, nous n'en étions pas moins tenus au courant des efforts déployés par les États-Unis, tant sur place qu'à Vichy, pour se procurer des concours.

Nous savions que M. Robert Murphy, consul-général à Alger, inspirait l'action « spéciale » menée en France par l'ambassade, les consulats et les services secrets américains. M. Murphy, habile et résolu, répandu depuis longtemps dans la bonne société et, semblait-il, assez porté à croire que la France c'était les gens avec qui il dînait en ville, organisait en Afrique du Nord une conjuration destinée à aider les débarquements. Il tentait aussi de susciter, à Vichy même, une révolution de palais. C'est ainsi que M. Murphy avait, d'abord, appuyé le général de La Laurentie qui, à son retour de Paris, prétendait prendre la résistance sous sa coupe afin de faire pression sur le Maréchal et d'accéder au gouvernement. « Et de Gaulle? » lui demandait-on. « Eh bien ! nous l'amnistierons ! » Murphy avait, d'autre part, poussé certains officiers de l'entourage de Weygand à entraîner celui-ci dans une sorte de pronunciamiento pour prendre la place de Laval. En dernier lieu, comme La Laurentie ne ralliait personne et que Weygand refusait de s'insurger contre Pétain, M. Murphy prenait contact avec le général Giraud, évadé de captivité, brûlant de combattre à nouveau et qui lui paraissait susceptible de soulever l'armée d'Afrique dès qu'il se présenterait devant elle.

De mon côté, j'avais cherché à nouer des rapports avec le général Giraud. Dès le mois de mai 1942, au cours d'une con-

férence de presse, j'avais parlé de lui dans les meilleurs termes.
En juin et juillet, plusieurs de mes correspondants l'avaient
vu et revu pour lui exprimer l'espoir que nous pourrions nous
unir. Ce grand chef, que j'estimais fort, n'avait pu, en 1940,
saisir le succès à la tête de la VII⁰ Armée. Nommé ensuite,
à l'improviste, au commandement de la IX⁰ Armée qui se
trouvait en pleine déroute, il s'était vu submergé et enlevé
par l'ennemi avant d'avoir rien pu faire. Mais on pouvait
penser que, mis à même d'agir dans des circonstances différentes, il prendrait sa revanche sur l'infortune. Or, voici que
sa splendide évasion d'une forteresse allemande lui en offrait
l'occasion. Qu'il passât à la résistance, ce devait être, à mon
avis, un événement très important. Tenant pour essentiel que
l'Afrique du Nord rentrât dans la guerre, je pensais que Giraud pourrait assumer un grand rôle dans cette conversion
et j'étais prêt à l'y aider dans la mesure de mes moyens,
pourvu qu'il le fît sans équivoque à l'égard de Vichy ou vis-
à-vis de l'étranger. Après quoi, il serait normal qu'il exerçât
dans la bataille de la libération le commandement de l'armée
française réunifiée. Telles étaient les perspectives qu'on lui
découvrit de ma part. J'espérais qu'il y répondrait d'une
manière ou d'une autre et qu'il adresserait secrètement quelque
hommage à ceux qui, depuis deux années, tenaient le drapeau
devant l'ennemi. Il n'en fut rien. Mes avances au général
Giraud ne recueillirent que son silence. Mais, comme il était
aussi prolixe à la cantonade que réservé vis-à-vis de moi, je
ne tardai pas à apprendre quel était son état d'esprit.

Pour lui, le problème n'était que d'ordre militaire. Il suffirait qu'une force française importante réapparût sur les
champs de bataille pour que toutes autres questions fussent
reléguées aux accessoires. Ce qui était moral et politique dans
le drame de notre pays lui paraissait secondaire. Il pensait
que le fait seul de détenir le commandement de la force la
plus nombreuse lui vaudrait aussitôt le pouvoir. Il ne doutait
pas que son grade et son prestige lui assureraient l'obéissance
de tous les éléments mobilisés et mobilisables et la collaboration déférente des états-majors alliés. Dès lors que lui-même,
Giraud, se trouverait à la tête d'une armée, et par là du pays,
il traiterait le Maréchal comme un ancien très vénérable, qu'il
faudrait, au besoin, libérer mais qui aurait droit seulement
au piédestal. Quant au général de Gaulle, il ne pourrait rien
faire d'autre que de venir se placer sous les ordres de son
supérieur. Ainsi, l'unité nationale serait-elle rétablie par le

fait même qu'elle se confondrait avec la hiérarchie militaire.
La manière dont le général Giraud voyait les choses ne laissa
pas de m'inquiéter. Outre qu'elle répondait à une conception
tant soit peu simpliste des domaines respectifs de l'armée et
de la politique, outre qu'elle procédait évidemment d'une illusion quant à l'autorité naturelle que l'intéressé attribuait à
sa personne, j'y voyais la source probable de divisions nationales et d'empiètements étrangers. Car, la plus grande partie
de la résistance française n'accepterait certainement pas un
pouvoir fondé uniquement sur une belle carrière de soldat.
D'autre part, Pétain ne manquerait pas de le condamner.
Enfin, les alliés, tenant à leur discrétion ce gouvernement sans
assise, seraient portés à en abuser au détriment de la France.
Il est vrai que le général Giraud se croyait en mesure d'apporter à la coalition un avantage capital. Les rapports qui
m'arrivaient à Londres m'indiquaient qu'il avait un plan de
son cru. Suivant Giraud, la tête de pont existait déjà et c'était
la zone dite libre. Il ne tenait qu'aux Anglo-Saxons d'y arriver
à un jour convenu ; lui-même se faisant fort d'assurer la couverture de leur débarquement grâce à l'armée de l'armistice
dont il prendrait le commandement et que renforceraient les
contingents de la résistance. Mais, à mon sens, ce projet
n'avait pas de chances de réussir. Si l'on pouvait, à la rigueur,
imaginer que quelques unités de la zone « libre » suivraient,
ici et là, Giraud malgré les injonctions et les malédictions que
lancerait le Maréchal, il était plus que douteux que, dans l'état
ultra-réduit de leur armement, ces fractions dispersées pourraient résister à la ruée de la Wehrmacht et aux coups de la
Luftwaffe. Au surplus, les alliés n'adopteraient pas un plan
qui comportait, pour eux-mêmes, le plus grand risque possible. Le succès du débarquement et des opérations consécu-
tives impliquait, en effet, l'engagement d'une aviation et d'une
flotte très considérables, par conséquent l'utilisation de terrains et de ports nombreux et rapprochés. Or, si les alliés
prenaient pied dans le Midi sans s'être, au préalable, assurés
de l'Afrique du Nord, ils ne disposeraient comme bases que
de celles de Gibraltar et de Malte, terriblement exiguës, dé-
pourvues et vulnérables. Quelle serait, enfin, dans cette hypothèse, l'attitude de la flotte de Toulon ? Celle-ci, sur le moment,
n'obéirait qu'à Pétain et à Darlan. Or, pour peu que, suivant
leurs ordres, elle s'opposât aux alliés, l'entreprise deviendrait
plus aléatoire encore.
A la fin du mois de juillet, je pressentais ce qui allait ad-

venir. Bien qu'on nous cachât avec soin ce qu'on projetait de faire, il me paraissait très probable que les Américains borneraient leur effort de l'année à mettre la main sur l'Afrique du Nord, que les Britanniques s'en accommoderaient volontiers, que les alliés y emploieraient le général Giraud, qu'ils me tiendraient en dehors de l'affaire et qu'ainsi ces préliminaires de notre libération, pour heureux qu'ils fussent à maints égards, comporteraient, cependant, pour nous Français, des épreuves intérieures qui dresseraient de nouveaux obstacles devant l'unité nationale.

Dans ces conditions, j'estimai n'avoir à jouer que le jeu français, puisque les autres ne jouaient que le leur. Je jugeai qu'il fallait, avant tout, renforcer la cohésion de la France Combattante, afin qu'à travers toutes les péripéties elle pût s'offrir comme un môle solide au consentement général. J'adoptai, délibérément, l'attitude raidie et durcie qu'imposait cette concentration. Pour y pousser, durant l'intermède, je décidai d'aller revoir les territoires du Levant et d'Afrique française libre, ainsi que nos troupes engagées en Orient et au Tchad. Les alliés qui, au mois de mai, s'y étaient nettement opposés et, depuis, m'en détournaient en alléguant l'ouverture prochaine du second front, ne tentèrent pas, cette fois, d'empêcher mon voyage, ce qui, d'ailleurs, me donnait à comprendre qu'ils préparaient une opération à laquelle ils ne me mêleraient pas. D'autre part, tout en resserrant les liens intérieurs dans notre morceau d'Empire et dans notre fragment d'armée, j'entendais hâter l'unification de la résistance en France. Comme André Philip venait d'en arriver, je le nommai, le 27 juillet, commissaire national à l'Intérieur, avec la tâche d'appuyer, par tous les moyens dont nous disposions en fait de matériel, de personnel, de propagande, la mission confiée à Jean Moulin. En même temps, je chargeai Jacques Soustelle du commissariat à l'Information. Je convoquai à Londres Frenay, d'Astier, Jean-Pierre Lévy, respectivement chefs de *Combat*, *Libération* et *Franc-Tireur*, afin de les amener décidément à une action commune. Dans le but de hâter la fusion des éléments paramilitaires, je choisis le général Delestraint pour commander la future armée secrète. Enfin, voulant donner plus de poids à notre organisation, j'appelai à nous rejoindre des hommes de qualité, comme Viénot, Massigli, le général d'Astier de La Vigerie, le général Cochet, etc... Il incombait à Passy d'établir les liaisons et de régler les transports entre la France et l'Angleterre de telle sorte que je puisse

fixer à chacun son rôle à mon retour d'Afrique et d'Orient.
Je partis le 5 août, ayant vu auparavant MM. Churchill et
Eden et tiré de leurs propos, quelque peu embarrassés, confirmation de mon sentiment qu'ils allaient prêter la main à une
entreprise contraire au pacte qui nous liait depuis juin 1940.
Dans l'avion qui m'emportait vers Le Caire, se trouvait
M. Averell Harriman envoyé à Moscou par Roosevelt comme
ambassadeur ; ce diplomate, ordinairement ouvert et disert,
semblait, cette fois, replié sur un lourd secret. En passant à
Gibraltar, j'eus le spectacle des vastes travaux qui y étaient
engagés et je notai le comportement sibyllin du gouverneur,
le général Mac Farlane, si détendu en d'autres occasions.
Tous ces indices m'assuraient qu'une grande affaire se jouerait
bientôt, sans nous, dans la Méditerranée. J'arrivai au Caire
le 7 août.

L'ambiance y était aussi lourde que la chaleur. Les récents
revers de la VIIIe Armée pesaient encore sur les esprits. Bien
que Rommel eût arrêté sa marche en avant depuis déjà six
semaines, il était à El-Alamein, d'où le premier assaut pouvait porter, en deux heures, ses blindés à Alexandrie. Au ministère d'État, à l'ambassade, au quartier-général britanniques,
on observait avec inquiétude l'attitude énigmatique du roi
Farouk et de beaucoup de notables égyptiens qui semblaient
prêts à s'adapter à une victoire éventuelle de l'Axe. Il est
vrai que Nahas-Pacha, l'ancien adversaire des Anglais, ré-
concilié avec eux à l'avantage des deux parties, avait été
mis par le roi à la tête du gouvernement sur la chaude recom-
mandation de sir Miles Lampson, ambassadeur d'Angleterre,
à qui il arrivait de se rendre en audience au palais escorté d'un
escadron de tanks. Nahas-Pacha m'avait dit, l'année précédente : « Entre nous deux, il y a un trait commun. Vous et
moi, dans notre pays, avons la majorité, pas le pouvoir. »
Lui, maintenant, était au pouvoir. Mais où serait sa majorité
si les forces italo-allemandes défilaient dans la capitale?

Quant aux militaires britanniques, je trouvai le général
Auchinleck tranquille, simple et droit comme naguère et l'Air
marshall Tedder en pleine possession de son art et de lui-
même. Mais, au-dessous d'eux, beaucoup se montraient amers
et inquiets, s'attendant à de grands changements dans les
hauts grades, irrités par les critiques du parlement et des journaux de Londres, énervés par les gestes et propos désobli-
geants des Égyptiens qui, par exemple, affectaient d'applaudir
les seules troupes françaises libres dans les rues ou les cinémas

et, dès mon arrivée au Caire, répétaient que de Gaulle venait prendre le commandement en Orient. Il est vrai que, par compensation, les chefs et les états-majors voyaient affluer en Égypte les belles et bonnes troupes, les vaillantes escadrilles, le matériel de grande qualité que le Gouvernement de Londres y expédiait sans lésiner en vue des prochaines revanches.

Si les Anglais semblaient partagés entre l'espoir et la mélancolie, nos hommes, eux, étaient dans l'euphorie. Bir-Hakeim les avait consacrés à leurs propres yeux. J'allai les voir. Le 8 et le 11 août, Larminat me les présenta. Au cours d'une magnifique revue de la 1re Division légère, je remis la croix de la Libération au général Kœnig et à quelques autres, parmi lesquels le colonel Amilakvari. J'inspectai aussi la 2e Division légère, ayant à sa tête Cazaud, et le groupement mécanique de Rémy, toutes unités bien équipées et très désireuses de combattre. Nos aviateurs et nos parachutistes eurent, à leur tour, ma visite. L'ensemble constituait une force trempée par les épreuves et dont j'étais sûr que rien ne la détournerait de moi. L'aspect des bataillons, des batteries, des blindés, des services, motorisés de pied en cap, mêlant dans leurs rangs de bons soldats de toutes les races, conduits par des officiers qui, d'avance, sacrifiaient tout à la gloire et à la victoire, défilant radieux sous l'écrasant soleil du mois d'août, me comblait de confiance et de fierté. Il s'établissait entre eux et moi un contact, un accord des âmes, qui faisaient déferler en nous une espèce de vague de joie et rendaient élastique le sable que foulaient nos pas. Mais, tandis que s'éloignaient les derniers rangs de nos troupes, je revenais de ce vertige. Alors, se présentait à mon esprit la pensée des soldats, des marins, des aviateurs français qu'ailleurs des ordres absurdes destinaient à combattre les « gaullistes » et les alliés.

A notre délégation du Caire, je pris contact avec l'importante colonie française d'Égypte. Le baron de Benoist y représentait dignement la France. Grâce à lui, que secondaient le baron de Vaux, René Filliol et Georges Gorse, nos intérêts, culturels, religieux, économiques, trouvaient un soutien efficace, en attendant que le gouvernement égyptien reconnût le Comité national français. La presse et la radio d'Égypte recevaient de notre délégué toutes indications utiles. La plupart des Français se tenaient moralement rassemblés autour de lui. En même temps, M. de Benoist, que nous ne laissions pas d'appuyer fortement de Londres, parvenait à maintenir

aux services du canal de Suez leur caractère français, bien que
l'Amirauté britannique les eût volontiers pris sous sa propre
coupe. En fait, ce sont des Français qui ont assuré le fonctionnement du canal pendant toute la durée de la guerre ; contribution importante et méritoire à l'effort des alliés, puisque
les communications des flottes et des armées d'Orient, ainsi
que les ravitaillements destinés à la Syrie, au Liban, à la
Palestine, à la Transjordanie passaient par Port-Saïd, tandis
que les Allemands bombardaient constamment les convois et
les écluses. Aussi allai-je, à Ismaïlia, saluer le personnel du
canal et visiter la petite chambre d'où Lesseps avait dirigé
l'exécution de ce grandiose ouvrage, vital dans la guerre en
cours.

Tout en donnant sur place aux Français Libres l'impulsion qui convenait, j'abordai avec nos alliés anglais les questions qui nous divisaient. M. Churchill se trouvait au Caire.
Nous déjeunâmes ensemble le 7 août. « Je suis venu, me dit-il,
pour réorganiser le commandement. En même temps, je
verrai où en sont nos disputes à propos de la Syrie. Ensuite,
j'irai à Moscou. C'est vous dire que mon voyage a une grande
importance et me cause quelques soucis. » — « Il est de fait,
répondis-je, que ce sont là trois graves sujets. Le premier
ne regarde que vous. Pour le deuxième, qui me concerne, et
pour le troisième, qui touche surtout Staline à qui vous allez
sans doute annoncer que le second front ne s'ouvrira pas cette
année, je comprends vos appréhensions. Mais vous les sur-
monterez aisément du moment que votre conscience n'a
rien à vous reprocher. » — « Sachez, grogna M. Churchill,
que ma conscience est une bonne fille avec qui je m'arrange
toujours. »

Je pus constater, en effet, que l'Angleterre continuait à
traiter sans scrupule la question de la Syrie. Le 8 août, je
vis M. Casey qui, bien qu'Australien, était ministre d'État
dans le Gouvernement de Londres et chargé, à ce titre, de
coordonner les affaires britanniques en Orient. Il me parla
aussitôt des élections qu'il jugeait d'urgence nécessaires dans
les États du Levant. Je crus devoir fixer tout de suite mon
sympathique interlocuteur. « Le Comité national français,
lui dis-je, a décidé qu'il n'y aurait pas d'élections, cette
année, en Syrie et au Liban, parce que la puissance mandataire n'entend pas y faire voter les gens tandis que Rommel
est aux portes d'Alexandrie. Vote-t-on en Égypte, en Irak,
en Transjordanie ? »

Prenant, alors, l'offensive, j'énumérai au ministre d'État les griefs que nous inspirait la politique menée par l'Angleterre en dépit des accords conclus. Il m'entendit, à son tour, en tirer la même conclusion que j'avais souvent exprimée. « Il est vrai, lui dis-je, que vous êtes en ce moment, dans cette région du monde, beaucoup plus forts que nous ne le sommes. En raison de notre affaiblissement et compte tenu des crises successives qui vont, à Madagascar, en Afrique du Nord et, un jour, dans la Métropole, s'ajouter à celles où nous nous débattons, vous êtes en mesure de nous contraindre à quitter le Levant. Mais vous n'atteindrez ce but qu'en excitant la xénophobie des Arabes et en abusant de votre force à l'égard de vos alliés. Le résultat sera, pour vous, en Orient, une position chaque jour plus instable et, dans le peuple français, un ineffaçable grief à votre égard. » M. Casey, contrarié, protesta de ses bonnes intentions, tout en faisant allusion aux « responsabilités supérieures que la Grande-Bretagne exerçait dans cette zone. » Toutefois, ce jour-là, non plus que le 11 août où je le vis de nouveau, il ne reparla d'élections.

Le maréchal Smuts, Premier Ministre de l'Union sud-africaine, était au Caire, lui aussi. Nous eûmes un long entretien. Ce personnage, éminent et attrayant mais avec quelque chose d'étrange, ce héros de l'indépendance du Transvaal devenu chef du gouvernement d'un dominion de Sa Majesté, ce Boer habillé en général britannique, était, par sa valeur, de plain-pied avec tous les problèmes de cette guerre. Bien que sa capitale, Prétoria, fût aussi excentrique que possible, bien que son pays, où Blancs et Noirs se mêlaient sans s'unir, fût aux prises avec d'extrêmes difficultés raciales, bien que lui-même eût à lutter contre une opposition puissante, Smuts exerçait une réelle influence sur les dirigeants de Londres. Il devait ce privilège, non seulement au fait qu'il incarnait aux yeux des Anglais la réussite de leur conquête, mais encore à l'amitié de Churchill, capturé par lui pour quelque mois lors des combats de jadis et qui avait saisi cette occasion de le captiver lui-même pour toujours.

Le Premier Ministre de l'Union m'exprima l'estime qu'il portait à la France Combattante. « Si vous, de Gaulle, me dit-il, n'aviez pas rallié l'Afrique équatoriale, moi Smuts, je n'aurais pu tenir en Afrique du Sud. Car, l'esprit de capitulation ayant triomphé à Brazzaville, le Congo belge y eût, à son tour, succombé et, dès lors, les éléments qui chez moi condamnent la guerre faite aux côtés des Anglais auraient sûrement pris le dessus et pratiqué la collaboration avec les puissances de l'Axe. L'hégémonie allemande se serait établie depuis Alger jusqu'au Cap. Ne fût-ce que par votre action au Tchad et sur le Congo, vous avez rendu un grand service à notre coalition. Il est essentiel pour nous tous que votre autorité s'étende maintenant dans l'Empire français et, bientôt je l'espère, en France. » Je remerciai le maréchal Smuts de cette aimable appréciation mais lui indiquai que d'autres alliés ne semblaient pas toujours la partager. Je lui en donnai pour preuves, d'abord l'action des Anglais en Syrie et au Liban, ensuite ce qui se passait à Madagascar, enfin l'entreprise prochaine des Anglo-Saxons en Afrique du Nord où ils tâcheraient d'instaurer un pouvoir qui ne fût pas le mien.

Smuts convint qu'il y avait là de quoi blesser la France Libre. « Mais, affirma-t-il, ces fâcheux procédés ne peuvent être qu'épisodiques. Les Américains se trompent toujours au départ. Sitôt qu'ils l'ont reconnu, ils en tirent les conséquences. Quant aux Anglais, dans la conduite de leurs affaires, entrent en jeu deux points de vue différents : celui de la routine, soutenu par les bureaux, les comités, les états-majors, et celui des vues lointaines qu'incarne de temps en temps un homme d'État, — aujourd'hui Churchill, — appuyé par le sentiment du peuple. Vous avez contre vous le premier de ces points de vue. Mais, croyez-moi, le second vous est favorable et, en dernier ressort, c'est celui-là qui s'impose toujours. »

Comme nous passions aux questions pratiques qui se posaient à Madagascar, Smuts me dit que les Anglais poursuivaient encore la chimère d'un arrangement avec le gouverneur obéissant à Vichy, qu'une fois perdue cette illusion ils reprendraient les opérations arrêtées après la prise de Diégo-Suarez, qu'ils essaieraient d'établir dans l'île une administration fonctionnant sous leur autorité directe et, qu'en définitive, ils passeraient la main au Comité national français, solution que lui-même, Smuts, recommandait depuis le premier jour. Il me donna à entendre que, dans le jeu mené à mon égard, les Britanniques réservaient comme un précieux atout le fait d'accepter, à un moment donné, que la Croix de Lorraine fût hissée sur Madagascar. Londres aurait, par là, le moyen de compenser tels désagréments que la politique alliée ménagerait, ailleurs, à la France Combattante. Pour conclure, le maréchal Smuts me promit que l'Afrique du Sud ne se prêterait à aucune dépossession de la France à Mada-

gascar, mais, au contraire, pousserait Londres à laisser le
général de Gaulle y établir son autorité. Je dois dire qu'à
Prétoria les actes répondirent à cette assurance.
Le 12 août, je partis pour Beyrouth. Je voulais passer
un mois en Syrie et au Liban, y reprendre en main les hommes
et les choses, resserrer les contacts avec les gouvernements
et les milieux dirigeants, réveiller le sentiment des populations, marquer dans les faits et dans les esprits la prépondérance de la France. A cet égard, l'accueil du pays fournit
une démonstration aussi éclatante que possible. A Beyrouth,
quand j'y entrai, ayant auprès de moi M. Alfred Naccache,
Président de la République libanaise, on vit se produire un
extraordinaire déferlement populaire. Il en fut de même dans
la Bekaa, au Liban Sud, notamment à Saïda, et chez les
montagnards maronites venus en masse à Bekerbé pour
entourer leur Patriarche à qui je rendais visite. Accompagné
du général Catroux, je parcourus le Hauran, maintenant
paisible et fidèle. Puis, je gagnai le Djebel-Druze, territoire
à tous égards volcanique. A Soueïda, après la revue des
escadrons druzes, je reçus à la Maison de France les autorités
et les notables, puis, au Sérail, la foule ardente et pittoresque
des délégués de tous les cantons. Là, au milieu d'une tempête
d'acclamations, les orateurs m'affirmèrent l'attachement d'une
population par qui, quelquefois, les Français furent traités
moins bien.
Ayant à mes côtés le cheik El-Tageddine, Président de la
République syrienne, je fis mon entrée à Damas, vibrante
d'un enthousiasme qu'elle ne montrait que rarement. La
réception officielle par le chef de l'État et le gouvernement,
les visites que me firent les corps constitués, les autorités
des diverses religions, les représentants de toutes les fractions
et de toutes les activités, me permirent de constater combien,
depuis l'année précédente, la jeune république s'était conso-
lidée dans sa noble capitale. Je me rendis ensuite à Palmyre,
où m'attendait l'hommage des tribus bédouines. Puis, je
gagnai le territoire antique et, cependant, neuf de l'Euphrate.
A Deir-ez-Zor, comme ailleurs, la situation, politique, administrative, économique, ne souffrait pas de comparaison avec
celle que j'y avais trouvée au lendemain des tristes combats
de 1941. Alep, la grande cité du Nord, où se mêlent, depuis
des siècles, les courants ethniques, religieux, commerciaux
qui traversent l'Asie Mineure, m'entoura de ses démonstrations. A son tour, le pays des Alaouites prodigua, en mon

honneur, les témoignages de sa traditionnelle amitié pour
la France. Mais c'est dans les villes de Homs et de Hama,
tenues de tout temps pour les citadelles de la méfiance isla-
mique et syrienne, que la ferveur de l'accueil, dont l'ancien
Président Hachem - Bey - el - Atassi donnait gracieusement
l'exemple, parut la plus spectaculaire. Tripoli et Batroun
m'offrirent, sur le chemin du retour, les preuves d'une émouvante confiance.

Cependant, sous les vagues des manifestations populaires,
se découvraient les charges qui incombaient à la France
mandataire. Il ne pouvait être question qu'elle en portât
toujours le fardeau sur des territoires qui ne lui appartenaient
pas et que les traités lui défendaient de s'attribuer. D'autre
part, on voyait clairement que les élites syriennes et libanaises, quelles que fussent leurs divisions, étaient unanimes
dans leur volonté d'instaurer chez elles l'indépendance, à quoi
la France s'était, depuis toujours, engagée à les conduire et
que je leur avais moi-même promise solennellement. Il y
avait là un état d'esprit assez fort pour qu'il eût été absurde
de s'y opposer. Sans doute, fallait-il sauvegarder les intérêts,
économiques, diplomatiques, culturels, qui étaient le lot de
la France au Levant depuis maintes générations. Mais cela
semblait conciliable avec l'indépendance des États.

Pourtant, nous n'entendions pas abolir tout à coup, à
Damas et à Beyrouth, le principe de notre autorité. Y eus-
sions-nous consenti que les Anglais auraient pris notre place
en invoquant les nécessités stratégiques. J'estimais, au surplus, n'avoir pas le droit de déchirer le mandat. Outre que,
de cela comme du reste, je devais compte au pays, la responsabilité internationale assumée par la France mandataire ne
pouvait, sous peine d'abdication, être déposée que par accord
avec les mandants, accord que les circonstances empêchaient,
alors, de conclure. C'est pourquoi, tout en transmettant aux
gouvernements de Damas et de Beyrouth les attributions
dont nous pouvions nous dépouiller compte tenu de l'état de
guerre, tout en décidant de rendre, par la voie des élections,
une base normale aux pouvoirs publics dès que Rommel
serait repoussé, tout en prenant l'engagement d'accomplir,
quand il serait possible, les actes internationaux qui ren-
draient juridiquement valable le régime de l'indépendance,
je ne voulais pas, pour l'instant, renoncer au droit suprême
de la France en Syrie et au Liban. Quelque impatience que
ce délai pût susciter parmi les politiques de profession, nous

étions certains d'accomplir sans heurts graves les transitions nécessaires si l'Angleterre ne gâchait pas le jeu. Mais elle le gâchait bel et bien. C'est ainsi que M. Naccache subissait les assauts de Spears qui excitait ouvertement ses adversaires et allait jusqu'à menacer le Président parce que tels de ses ministres ne plaisaient pas aux Britanniques ou parce qu'il ne prenait pas sur lui de procéder au Liban à des élections immédiates. D'autre part, sous la pression des Anglais qui ne parlaient de rien de moins que d'interrompre tous échanges avec l'extérieur, Catroux avait accepté de les introduire dans l'office franco-syrien-libanais du blé. Ils en profitaient pour contrarier le fonctionnement de l'office et provoquer l'opposition des gouvernants de Damas. Passant outre à notre droit d'option, ils avaient pris à leur compte la construction et la propriété du chemin de fer d'Haïfa à Tripoli. Comme, près de cette dernière ville, au débouché du pipe-line de l'Irak-Petroleum, l'autorité française faisait fonctionner une raffinerie qui permettait de fournir le Levant d'essence par prélèvement sur la part de pétrole qui appartenait à la France, les Britanniques cherchaient par tous moyens à fermer notre établissement afin que nous-mêmes et les États du Levant fussions, en cette matière, sous leur complète dépendance. Arguant, enfin, de l'accord financier que j'avais passé avec eux le 19 mars 1941 et en vertu duquel leur trésorerie nous fournissait, sous forme d'avances, une partie de nos fonds publics, ils prétendaient contrôler l'emploi qui en était fait en Syrie et au Liban et, par extension, les budgets des gouvernements de Damas et de Beyrouth. Dans tous les domaines, tous les jours, partout, c'étaient, du fait de nos alliés, des ingérences multipliées par une armée d'agents en uniforme.

J'étais résolu à m'opposer à cet étouffement et, s'il devait arriver que nous succombions cependant, à faire en sorte que l'abus fût mis en pleine lumière. Ayant vérifié sur place l'état des choses, je commençai ma campagne en adressant à M. Churchill, le 14 août, une protestation formelle.

« Dès le début de mon séjour dans les États du Levant sous mandat français, lui écrivais-je, j'ai regretté de constater que les accords conclus entre le Gouvernement britannique et le Comité français au sujet de la Syrie et du Liban subissent des atteintes... Les interventions constantes des représentants du Gouvernement britannique... ne sont compatibles, ni avec le désintéressement politique de la Grande-Bretagne en Syrie et au Liban, ni avec le respect de la position de la France, ni avec le régime du mandat... En outre, ces interventions et les réactions qu'elles entraînent donnent à penser aux populations, dans tout l'Orient arabe, que de graves divergences compromettent ici la bonne entente entre la Grande-Bretagne et la France Combattante, cependant alliées... Je me vois amené à vous demander de rétablir dans ces pays l'application des accords dont nous avions convenu... »

Le Premier Ministre reçut mon message tandis qu'il était à Moscou. Il y répondit, le 23 août, du Caire sur le chemin qui le ramenait à Londres. « Nous ne cherchons nullement à ruiner, au Levant, la position de la France... Nous reconnaissons pleinement que, dans le domaine politique, l'initiative doit rester aux autorités françaises... Nous admettons parfaitement que le mandat, au point de vue technique, ne peut prendre fin actuellement... » Mais, ayant fait sa révérence aux accords conclus, M. Churchill, comme à l'habitude, invoquait pour y contrevenir les prétentions unilatérales dont se targuait la Grande-Bretagne : « La Syrie et le Liban font partie d'un théâtre d'opérations vital et autant vaut dire chacun des événements qui se passent dans cette zone affecte directement ou indirectement nos intérêts militaires... Nous nous préoccupons de veiller à ce que notre garantie de la proclamation Catroux déclarant l'indépendance des États soit réellement suivie d'effet... Dans mon discours du 9 septembre 1941 à la Chambre des Communes, j'ai précisé que la position des Français Libres en Syrie ne peut être celle dont jouissait précédemment Vichy... » M. Churchill concluait, d'une manière à dessein banale et lénitive : « Je conçois pleinement l'importance d'une étroite collaboration entre nos représentants respectifs au Levant... Notre objectif suprême est la défaite de l'ennemi... »

Je m'attendais, de la part des Anglais, à ce refus déguisé de changer leur politique. Mais j'étais décidé à tirer celle-ci de l'équivoque dont elle cherchait à se couvrir. En outre, pensant à la suite, je croyais bon d'adopter une attitude générale excluant les compromis. Je télégraphiai, derechef, à M. Churchill : « Il ne m'est pas possible d'accepter votre conception suivant laquelle les ingérences politiques des représentants britanniques au Levant seraient compatibles avec les engagements pris par le Gouvernement britannique relativement au respect de la position de la France et de son mandat... De plus, l'espèce de rivalité franco-britannique

créée sur place par les interférences et les pressions de vos
représentants est nuisible à l'effort de guerre des Nations
Unies... Je vous prie instamment de reconsidérer cette affaire
urgente et essentielle. »

En tenant ce langage, je jouais moins sur le présent, qui
m'offrait peu de moyens de soutenir la querelle, que sur
l'avenir où la France, peut-être, aurait de quoi la reprendre,
pourvu que ceux qui parlaient en son nom eussent la fermeté
voulue pour refuser l'abandon. D'autant plus que d'autres
abus du même ordre étaient, au même moment, commis à
Madagascar, le seraient, demain, en Afrique du Nord et risquaient, un jour, de l'être à Paris. Nous ne pourrions résister
à ceux qui s'annonçaient que si nous nous opposions, dès à
présent, à ceux qui étaient en cours. D'ailleurs, dépouillés
pour dépouillés, il n'y avait aucune raison pour que nous
nous laissions faire en silence. Je jugeai donc nécessaire de
mettre l'Amérique et la Russie au courant. Si leurs gouvernements, dûment avertis, ne faisaient rien, cependant, pour
amener les Britanniques à résipiscence, du moins le litige
prendrait-il une résonance mondiale.

Le 16 août, j'avais reçu la visite du consul-général des
États-Unis, l'excellent M. Gwynn, venu aux nouvelles et
passablement inquiet. Je ne fis rien pour le rassurer. Le
24 août, je le convoquai et lui remis une note à l'intention
de son gouvernement. Le document exposait en quoi consistait l'affaire et quelles suites elle risquait d'avoir. Le lendemain, revint M. Gwynn. Il me communiqua le texte d'un
télégramme adressé par M. Cordell Hull à M. John Winant,
ambassadeur d'Amérique à Londres, et le chargeant de poser
nettement la question aux Anglais. C'était bien là ce que je
désirais. Le secrétaire d'État mandait à son ambassadeur :
« Nous sommes pleinement conscients du sérieux de la situation... Le ministre britannique à Beyrouth (Spears) semble,
à tout le moins, avoir conçu sa mission dans un sens plus
large qu'il n'est de coutume pour un représentant diplomatique étranger... Veuillez examiner, à nouveau, cette affaire
avec M. Eden... Notre gouvernement ne peut rester indiffé-
rent à une controverse qui affecte l'effort de guerre commun. »

D'autre part, M. Cordell Hull chargeait M. Gwynn « de
remercier le général de Gaulle de l'avoir si complètement
informé. » Mais, comme à la fin de sa missive il fallait bien
un peu de venin, il l'invitait à « préciser au Général avec
une égale franchise la sérieuse importance qu'attachaient

les États-Unis, en tant que nation engagée dans la lutte
commune, à ce que l'assurance donnée à la Syrie et au Liban
soit scrupuleusement respectée... »

Entre-temps, Dejean, à Londres, avait exposé nos querelles
à M. Bogomolov et prévenu notre délégation de Moscou.
Le 11 septembre, l'ambassadeur soviétique venait lui dire
« que son gouvernement était disposé à nous aider suivant
ses moyens. »

Je me sentais d'autant moins porté aux ménagements que
les décisions prises par les Anglo-Saxons au sujet de l'Afrique
du Nord m'étaient, maintenant, connues avec certitude. Non,
certes, que les alliés me fissent rien savoir de leurs plans.
Au contraire, tous ceux qui, chez eux, s'occupaient des préparatifs continuaient d'observer un silence absolu. Mais, si
cette conjuration du secret nous semblait désobligeante, elle
était, de surcroît, inutile. Car, d'Amérique, d'Angleterre, de
France, affluaient les renseignements. Une sorte de rumeur
glissait à travers le monde, tandis qu'en Orient tout ce qu'on
pouvait voir montrait qu'il s'agissait bien d'une campagne
africaine. Au Caire, M. Churchill, lors de son passage, avait
nommé commandant en chef le général Alexander et mis
Montgomery à la tête de la VIIIᵉ Armée. De nombreux renforts, notamment en unités blindées, continuaient d'arriver
de Grande-Bretagne. Tedder, chef de l'aviation, recevait
force appareils. Tout annonçait de grands desseins qui ne
visaient point l'Europe.

Le 27 août, j'étais en mesure d'annoncer à notre délégation
de Londres : « Les États-Unis ont maintenant pris la décision
de débarquer des troupes en Afrique du Nord française...
L'opération sera déclenchée en conjugaison avec une offensive prochaine des Britanniques en Égypte... Les Américains
se sont ménagé sur place des concours, utilisant la bonne
volonté de nos partisans et leur laissant croire qu'ils agis-
saient d'accord avec nous... Le cas échéant, le maréchal
Pétain donnera, sans aucun doute, l'ordre de se battre en
Afrique du Nord contre les alliés... Les Allemands trouveront
dans l'affaire un prétexte pour accourir... » J'ajoutais : « Les
Américains avaient, d'abord, cru qu'il leur serait possible
d'ouvrir un second front en France cette année. C'est pourquoi, ayant besoin de nous, ils étaient entrés dans la voie
définie par leur mémorandum du 9 juillet. Maintenant, leur
plan a changé... »

Tout était clair, désormais. La stratégie des alliés se trou-

vait bien déterminée. Quant à leur comportement politique,
il avait pour fondement l'égoïsme sacré. Aussi étais-je, moins
que jamais, enclin à ajouter foi aux formules idéologiques
dont ils usaient pour le couvrir. Comment prendre au sérieux
les scrupules affichés par Washington, qui affectait de tenir
à distance le général de Gaulle sous prétexte de laisser aux
Français la liberté de choisir un jour leur gouvernement et
qui, en même temps, conservait des relations officielles avec
la dictature de Vichy et s'apprêtait à traiter avec quiconque
ouvrirait aux troupes américaines les portes de l'Afrique du
Nord? Comment croire à la sincérité des déclarations de
Londres qui, pour justifier ses interventions dans les territoires du Levant où la France était mandataire, invoquait le
droit des Arabes à l'indépendance, alors qu'au même moment
les Anglais mettaient en prison, aux Indes, Gandhi et Nehru,
châtiaient durement, en Irak, les partisans de Rachid Ali
et dictaient à Farouk, roi d'Égypte, le choix de son gouvernement? Allons! aujourd'hui comme hier, il n'y avait à écouter
que l'intérêt de la France.

M. Casey, sur les entrefaites, crut devoir se manifester.
Mais, si bonnes que fussent ses intentions, il le fit d'une
manière qui ne pouvait arranger les choses. Le 29 août, il
me proposa une « franche discussion » pour établir des relations plus satisfaisantes dans l'intérêt des deux pays, « car,
écrivait-il, j'ai le sentiment que ces relations en Syrie et au
Liban ont atteint un point critique. » Malheureusement, le
ministre d'État britannique croyait devoir ajouter : « Je vous
invite à me rencontrer au Caire... A défaut de cette rencontre,
je serais contraint de soumettre au Premier Ministre la
situation telle qu'elle m'apparaît. » Les termes de son message m'obligèrent à répondre « que j'étais prêt à discuter
avec lui de ces graves affaires, mais à Beyrouth, puisqu'au
cours des deux visites que j'avais eu le plaisir de lui faire au
Caire nous n'avions pu nous mettre d'accord... »

Ce fut, alors, M. Churchill qui entra, de nouveau, en ligne.
Le 31 août, il me télégraphia, de Londres, « qu'il tenait
comme moi la situation pour sérieuse..., que, d'après son
sentiment, il était essentiel qu'il en discutât avec moi dans
le plus bref délai possible... ; qu'il me priait de hâter mon
retour à Londres et de lui faire savoir à quelle date il pourrait
m'attendre. » Je ne pus que « remercier le Premier Ministre
britannique de l'invitation qu'il voulait bien m'adresser... ; »
lui dire que « j'entreprendrais certainement ce voyage dès

que possible, mais que la situation ne me permettait pas de
quitter le Levant actuellement..., » lui répéter « qu'en tous
cas, aujourd'hui encore, j'étais prêt à en discuter à Beyrouth
avec M. Casey. » Enfin, le 7 septembre, portant la tension à
son comble, je faisais remettre à Casey par l'ambassadeur
Helleu, qui m'arrivait de Téhéran, un mémorandum précisant
nos griefs.

Tout en animant ainsi la controverse, je m'appliquais à
éclaircir les affaires à l'intérieur du pays. Il s'agissait d'obtenir
des deux gouvernements locaux qu'ils jouent fermement leur
rôle, notamment dans les domaines des finances et du ravitaillement où les choses ne marchaient guère. D'autre part,
il convenait de les fixer sur nos intentions à propos des élections. M. Alfred Naccache et le cheik Tageddine vinrent me
voir, respectivement le 2 et le 4 septembre. Je les reçus en
grande pompe. L'un et l'autre me prodiguèrent des assurances de bonne volonté. De fait, ils se sentaient redressés
devant leur propre tâche par la solidité de l'autorité française
et n'hésitaient plus à envisager les mesures susceptibles d'établir l'équilibre des budgets, de faire marcher l'office du blé,
de limiter la spéculation. D'accord avec eux et avec le général
Catroux, je maintins la décision prise par le Comité national
de ne faire procéder qu'au cours de l'été suivant à la consultation électorale. Mais, alors, celle-ci aurait lieu, à moins
d'évolution fâcheuse de la conjoncture stratégique.

Pendant le temps que je passai à Beyrouth, je pris de
nombreux contacts, suivant la coutume d'Orient où il paraît
à la fois malhabile et malséant de juger et de trancher sans
avoir recueilli les avis et prodigué les égards. A la résidence
des Pins, où je m'étais installé, passèrent beaucoup de visiteurs ; les uns et les autres m'affirmant leur désir de voir
dans leur pays l'État s'acquitter pleinement de ses obligations, mais chacun se faisant l'apôtre de tel ou tel des parti-
cularismes qui, depuis l'aurore de l'Histoire, empêchaient
qu'il en fût ainsi ; tous me confirmant dans ma conviction
que la Syrie et le Liban, accédant à l'indépendance, avaient
tout à gagner, rien à perdre, à la présence de la France.

Les avantages que cette présence valait aux deux pays
étaient incontestables et, au surplus, incontestés. Qu'il s'agît
de services publics, de grands travaux, d'œuvres d'enseignement, d'établissements hospitaliers, du concours des Français,
à titre de conseillers, dans les administrations, l'instruction
publique, la justice, le service d'ordre, les travaux publics,

des relations, professionnelles, intellectuelles, familiales, nouées
par des gens de chez nous avec des Syriens et des Libanais,
ces mille liens répondaient, de part et d'autre, à l'intérêt et
au sentiment. De maints bureaux, chantiers, écoles, cercles,
hôpitaux, qui reçurent ma visite, tout le monde pensait et
disait qu'il fallait les maintenir, quelque régime qu'on appli-
quât aux relations politiques futures entre Paris, Damas et
Beyrouth.

Bien entendu, je tâchais aussi de donner à l'organisation
militaire la plus forte impulsion possible. La plupart des éléments de l'armée proprement française se trouvaient alors
en Égypte. Nous n'avions laissé sur place que quelques détachements. Cette extrême exiguïté des effectifs français prou-
vait, du reste, que l'autorité de la France avait d'autres
bases que la seule force. Il incombait donc aux troupes
« spéciales », c'est-à-dire syriennes et libanaises, d'assurer la
sécurité immédiate des deux États. Or, celle-ci pouvait être,
à tout moment, mise en cause. En effet, vers cette fin de
l'été 1942, la Wehrmacht pénétrait au cœur du Caucase, tandis
que l'armée italo-allemande du désert menaçait le delta du
Nil. Que l'ennemi remportât la victoire sur l'un ou l'autre
de ces théâtres, l'Asie Mineure lui serait ouverte. C'est pourquoi, nous ne cessions de déployer nos efforts pour accroître
la valeur des forces autochtones du Levant.

Ainsi, se formaient des embryons d'armées ; la Syrie fournissant 9 bataillons d'infanterie, 1 régiment de cavalerie,
3 groupements d'escadrons en partie motorisés ; le Liban
3 bataillons de chasseurs ; tandis que 2 groupes d'artillerie,
1 bataillon de chars, des unités du génie, de transport, de
transmissions, restaient communs aux deux pays. De l'école
militaire de Homs sortait chaque année une belle et bonne
promotion. Il est vrai que quelques officiers français concou-
raient à l'encadrement des troupes spéciales. Mais on voyait
pousser dans leurs rangs des officiers de valeur, soit syriens
comme les colonels Znaïm et Chichakli, soit libanais comme
les colonels Chehab et Naufal. Le matériel repris à Dentz
nous permettait de pourvoir ces troupes d'un armement et
d'un équipement honorables, dont le parc d'artillerie de Beyrouth, doté d'un très bon outillage, assurait l'entretien.

Je me fis à moi-même l'honneur d'inspecter les éléments,
français, syriens, libanais, restés à la garde du Levant sous le
commandement du général Humblot pour les forces de terre,
du capitaine de frégate Kolb - Bernard pour la marine, du lieu-

tenant-colonel Gence pour l'aviation. C'étaient 25 000 hommes
dévoués qui protégeaient les deux États de tout coup de
main de l'ennemi et, avec les gendarmeries locales, suffisaient
à maintenir l'ordre dans un pays formé, depuis des millé-
naires, de fractions inconciliables, étendu comme le tiers de
la France, ayant 2 500 kilomètres de frontières et voisin de
régions : Irak, Transjordanie, Palestine, où régnait une chronique agitation. Le fait que le Levant sous mandat français
fut, dans cette période de la guerre, aussi calme et tenu par
des troupes aussi sûres aidait notablement la stratégie des
alliés, en ôtant à leurs armées, qui se battaient en Égypte,
en Libye, en Éthiopie, tout souci sérieux sur leurs arrières,
en affermissant les Turcs dans leur refus de livrer passage
aux Allemands, en détournant d'actes hostiles l'ensemble des
peuples arabes secoués par les événements.

Cependant, si rempli que fût mon voyage, les problèmes
restaient en suspens. J'avais pu changer l'atmosphère et
donner un coup de barre qui nous faisait gagner du temps.
Comment obtenir davantage dès lors que je n'apportais aucun
renfort d'hommes ni d'argent? Une politique vaut par ses
moyens. En Orient, plus sûrement encore qu'ailleurs, le rapport des forces finirait par trancher, non point l'argumentation.

Un visiteur de marque vint d'Amérique me le confirmer.
C'était Wendell Wilkie. Le parti républicain l'avait opposé à
Roosevelt pour l'élection présidentielle de novembre 1940.
Maintenant, le Président, voulant marquer que la guerre
faisait l'union sacrée, mandatait son adversaire de la veille
pour s'informer à travers le monde auprès de ceux qui me-
naient le jeu. Wendell Wilkie avait demandé à passer au Levant, en route pour aller voir Staline et Chiang-kai-shek. Il
arriva le 10 septembre et demeura vingt-quatre heures, pendant lesquelles il fut mon hôte.

A sa demande, je lui exposai les conditions de la présence
française au Levant. Mais Wendell Wilkie, qui y venait pour
la première fois, était déjà, apparemment, fixé sur tous les
points. Revenu à Washington, il affecta d'être convaincu, à
la façon sommaire de l'opinion américaine, qu'il n'y avait
dans les frictions de Beyrouth qu'un épisode de la rivalité
entre deux colonialismes également détestables. Au sujet de
ma personne, il ne se déroba point, dans le livre qu'il signa
à son retour, au conformisme plaisantin de la malveillance.
Comme, à Beyrouth, nous nous étions entretenus dans le

bureau du haut-commissaire, pourvu naguère par M. de
Martel d'un mobilier de style Empire, il me représenta sin-
geant les manières de Napoléon. Comme je portais la tenue
de toile blanche, réglementaire l'été pour les officiers français, il y vit une ostentation imitée de Louis XIV. Comme l'un
des miens avait parlé de « la mission du général de Gaulle, »
M. Wilkie insinua que je me prenais pour Jeanne d'Arc. A
cet égard, le concurrent de Roosevelt était aussi son émule.

Cependant, le jour même où je conférais avec l'envoyé du
Président, un fait nouveau concernant la France apparaissait sur l'écran de l'actualité. A l'aurore du 10 septembre,
les Anglais avaient repris l'action à Madagascar. Ayant constaté, en effet, qu'après cinq mois de négociations, ils ne pouvaient obtenir du gouverneur-général Annet aucune garantie
sérieuse, qu'à tout moment Vichy était susceptible de laisser
les Japonais se servir de l'île et que le ministre Laval avait
donné l'ordre de laisser faire ceux-ci le cas échéant, nos alliés
se décidaient à l'occuper eux-mêmes.

Cette fois encore, ils allaient opérer sans le concours des
forces Françaises Libres. Mais, du moins et par contraste
avec ce qui s'était passé lors de l'attaque de Diégo-Suarez,
nous avaient-ils avisés avant que les faits s'accomplissent.
Le 7 septembre, M. Eden, exprimant à Pleven et à Dejean
l'irritation de son gouvernement quant à mon attitude au
Levant, laissait prévoir qu'un événement prochain à Madagascar exigerait qu'on s'entendît. Le 9 septembre, appelant
auprès de lui nos deux commissaires nationaux, il leur faisait connaître « que les troupes britanniques devaient débarquer le lendemain à Majunga, que son gouvernement avait
l'intention arrêtée de reconnaître l'autorité du Comité national
français sur Madagascar dès que serait terminée la campagne
militaire et qu'il serait désireux d'entreprendre avec moi, dès
que possible, des négociations pour un accord à ce sujet. »
Le 10 septembre, Londres annonçait que les forces britanniques avaient pris pied à Majunga et « qu'une administration amie, désireuse de collaborer pleinement avec les Nations
Unies et de contribuer à la libération de la France, serait
établie dans l'île. » Le 11, M. Strang déclarait à Maurice Dejean : « Dans l'esprit du gouvernement britannique, le Comité
national français doit être « l'administration amie » mentionnée
dans le communiqué. Il ne dépend que de vous qu'il en soit
ainsi. Quant à nous, nous sommes convaincus que nous pouvons arriver à une entente. »

Je décidai de me rendre à Londres. Sans doute y trou-
verais-je une atmosphère désagréable. Sans doute y eût-il eu
pour moi, à certains égards, avantage à résider dans un territoire de souveraineté française quand serait déclenchée l'opération américaine en Afrique du Nord. Sans doute le règlement de l'affaire de Madagascar ne se ferait-il pas sans délais
et sans douleurs. Mais l'enjeu était tel que je ne pouvais
hésiter. J'adressai donc à M. Eden un message de bonne
volonté, lui disant « que j'avais pris connaissance des rapports
de Pleven et Dejean et que mon intention était de me rendre
prochainement à son aimable invitation et à celle du Premier
Ministre. » Il me répondit aussitôt : « Je serai heureux de discuter avec vous de nos relations au Levant et de la future
administration civile de Madagascar, conformément à ce qui
a été envisagé dans ma conversation du 9 septembre avec
MM. Pleven et Dejean. »

Avant de gagner l'Angleterre, j'allai passer une dizaine de
jours en Afrique française libre. Là, comme en Orient, j'entendais resserrer la cohésion de la France Combattante à la
veille d'événements qui risquaient de l'ébranler et fixer leur
mission à nos forces militaires dans la grande entreprise prochaine. Pour la première fois, je pus gagner le Congo en partant
de la Syrie sans recourir aux avions britanniques. C'est qu'en
effet, sous la direction du colonel de Marmier, secondé par le
colonel Vachet, plusieurs lignes aériennes françaises recom-
mençaient à fonctionner, soit d'Alep et de Deir-ez-Zor à
Damas et à Beyrouth, soit de Damas à Brazzaville, soit entre
Fort-Lamy, Bangui, Brazzaville, Pointe-Noire et Douala,
grâce à quelques avions civils récupérés au Levant, mais surtout aux 8 appareils « Lockheed » obtenus des États-Unis en
échange de l'autorisation que nous leur avions donnée d'utiliser la base de Pointe-Noire et au personnel d'Air-France
qui, longtemps, s'était morfondu en Argentine et au Brésil
et nous avait, maintenant, ralliés. Le 13 septembre, par un
vol sans escale de 3 000 kilomètres, je me rendis de Damas à
Fort-Lamy, marquant par là qu'il était possible de circuler
entre le Taurus et l'Atlantique sans se poser ailleurs qu'en
terre française libre.

A Fort-Lamy, Leclerc m'attendait. Épiant la reprise de
l'offensive en Libye, il achevait la mise en condition de ses
forces du désert. Une fois encore, j'allai voir les colonnes
motorisées, escadres formées de véhicules de combat et de
transport, armées et outillées pour le grand large, dotées

d'équipages avides d'aventures lointaines, prêtes, sous les
ordres des Ingold, des Delange, des Dio, des Massu, à quitter
sans retour les ports de Faya, Zouar, Fada, pour naviguer et
combattre sur l'océan des pierres et des sables. Je visitai le
petit corps motorisé qui se disposait à saisir Zinder en partant
des bords du lac Tchad. Je pris contact, à Douala, Libreville,
Pointe-Noire, Bangui, Brazzaville, avec les fractions diverses
des deux brigades destinées, l'une à se rendre à Tananarive,
l'autre à gagner, à l'occasion, Cotonou, Abidjan ou Dakar.
Le colonel Carretier tirait le meilleur parti des éléments d'aviation laissés par nous sous l'équateur. Le capitaine de frégate
Charrier, avec quatre petits navires, quelques avions et des
postes de garde, surveillait la longue côte du Cameroun, du
Gabon et du Bas-Congo. L'artillerie, l'intendance, le service
de santé, faisaient des prodiges pour fournir à tous le nécessaire, malgré les distances et le climat. Chacun pressentait
impatiemment les opérations qui allaient se déclencher entre
l'Atlantique et le Nil et dont l'ennemi lui-même montrait
qu'il les attendait en bombardant Fort-Lamy.

Le 22 septembre, sous forme d'une « Instruction personnelle et secrète », je fixai à Leclerc sa mission. Il avait à s'emparer des oasis du Fezzan, à en organiser l'administration au
nom de la France, puis à en déboucher pour atteindre Tripoli, tout en s'assurant de Ghât et Ghadamès. L'opération
devait se déclencher dès que la VIIIe Armée britannique aurait
repris la Cyrénaïque et pénétrerait en Tripolitaine. Leclerc ne
serait subordonné aux généraux Alexander et Montgomery
qu'une fois effectuée sa jonction avec leurs forces. Alors, il
participerait, sous leur commandement stratégique, à la bataille éventuelle de Tunisie. D'autre part, dans le cas où les
gens de Vichy s'opposeraient au débarquement et où, aidés
par les Allemands, ils livreraient bataille aux alliés, nous
devrions leur arracher les territoires français à notre portée.
D'ailleurs, nos missions : Ponton en Gold-Coast et Adam en
Nigéria, nous ménageaient, en Côte d'Ivoire, en Haute-Volta,
au Togo, au Dahomey, au Niger, les intelligences utiles. Mon
intruction prescrivait donc à Leclerc de porter ses troupes,
le cas échéant, en Afrique occidentale française en commençant par le Niger. Enfin, il lui fallait préparer les unités destinées à Madagascar pour y servir de noyau au futur regroupement militaire. C'était beaucoup de choses à la fois. Mais
nous ne doutions de rien. Les Français Libres d'Afrique cons-
tituaient un faisceau qu'aucune épreuve ne pourrait rompre.

Quant aux Africains autochtones, leur loyalisme ne laissait rien à désirer. Qu'il s'agît des souverains et chefs traditionnels, comme les sultans du Ouadaï, du Kanem, de Fort-Lamy, le notable Orahola à Fort-Archambault, à Maho le bey Ahmed, naguère chassé du Fezzan par les Italiens, le chef Mamadou M'Baïki à Bangui, la reine des Batékés au Congo, le roi des Vilis à Pointe-Noire, le prince Félix au Gabon, le chef supérieur Paraiso à Douala, le roi des Abrons, évadé de la Côte d'Ivoire avec les siens pour rallier le général de Gaulle, etc. ; ou des évolués appartenant à l'administration, à l'armée, au commerce, à l'enseignement ; ou de la masse des humbles : cultivateurs, soldats, ouvriers, serviteurs, ils faisaient leur la cause de la France Combattante et assumaient avec conviction une large part de ses sacrifices. Mais, en même temps, un frisson d'espérance et de libération humaine faisait frémir les Africains. Le drame qui ébranlait le monde, l'épopée quelque peu merveilleuse que les « gaullistes » avaient entreprise sur leur propre continent, le spectacle des efforts que suscitait la guerre et qui modifiaient les conditions de leur existence, faisaient que, dans les cases et les campements, dans la savane et la forêt, dans le désert et au bord des fleuves, des millions d'hommes noirs, jusqu'alors courbés sous une misère millénaire, levaient la tête et interrogeaient leur destin.

Le gouverneur-général Éboué s'appliquait à diriger ce mouvement venu des profondeurs. En humaniste convaincu, Éboué tenait la tendance pour salutaire, puisqu'elle visait à élever les populations au-dessus de ce qu'elles étaient, mais, en grand administrateur, il estimait que l'autorité française devait en tirer parti. Il ne reculait aucunement devant la transformation, matérielle, morale, politique, qui s'apprêtait à pénétrer l'impénétrable continent. Mais, cette révolution, il voulait qu'elle prît la marque de l'Afrique elle-même et que les changements apportés à la vie, aux mœurs, aux lois, loin d'abolir les règles ancestrales, fussent au contraire accomplis en respectant les institutions et les cadres coutumiers. C'est par là que, suivant Éboué, on servirait le progrès de l'Afrique, la puissance et le rayonnement de la France, l'association des races. Lui-même engageait dans cette voie l'administration dont il était le chef. Il lui donnait, en conséquence, ses directives pour ce qui concernait le commandement des territoires et des cercles, les conditions du travail des indigènes, la justice, la police, les prestations. A Brazzaville, je l'en félicitai. Sa manière de voir répondait à la mienne. Dans ce do-

maine, comme dans les autres, l'unité de la France Combattante paraissait solidement cimentée.

25 septembre ! arrivée à Londres. D'un seul coup, tout est
changé. Elles sont loin les terres fidèles, les troupes ardentes,
les foules enthousiastes, qui, hier encore, m'entouraient du
réconfort de leur dévouement. A présent, voici, de nouveau,
ce qu'on appelle le pouvoir dépouillé des contacts et des témoignages qui viennent, parfois, l'adoucir. Il n'est plus ici que
dures affaires, âpres négociations, choix pénibles entre des
hommes et des inconvénients. Encore, ai-je à porter la
charge au cœur d'un pays, amical, certes, mais étranger,
où tout le monde poursuit un but et parle un langage qui ne
sont pas les nôtres et où tout me fait sentir que l'enjeu est
sans proportion avec nos pauvres moyens.

La reprise du contact avec le Gouvernement britannique ne
pouvait être que rude. Le 29 septembre, accompagné de
Pleven, je me rendis au 10 Downing Street, où nous attendaient Churchill et Eden. Il était à prévoir que les ministres
anglais exhaleraient leur irritation au sujet des affaires du
Levant. Nous étions disposés à leur manifester la nôtre. Après
quoi, on pouvait supposer que la conversation prendrait un
tour pratique. Peut-être, en particulier, le règlement du problème de Madagascar serait-il, tout au moins, ébauché. Mais,
cette fois et par le fait du Premier Ministre, l'âpreté alla croissant. M. Churchill commença, il est vrai, par me remercier
d'être venu à Londres à son invitation. J'accueillis ce compliment avec un humour égal à celui qui l'inspirait. Puis, le
Premier britannique engagea avec moi, au sujet de l'Orient,
l'ordinaire confrontation de nos griefs respectifs. Il en vint
à dire que le Gouvernement britannique exigeait qu'il y eût,
cette année même, des élections en Syrie et au Liban, ce qui
m'amena à lui répondre qu'il n'y en aurait pas. Il conclut
cet échange de diatribes en affirmant qu'aucun accord n'était
possible avec moi dans le domaine de la collaboration franco-
britannique au Levant. « Nous en prenons acte, » dit-il. Ce
à quoi je n'objectai rien.

Il aborda, ensuite, la question de Madagascar. Mais ce fut
pour déclarer : « Étant donné l'état des choses à Damas et à
Beyrouth, nous ne sommes nullement pressés d'ouvrir à Tananarive un nouveau théâtre de coopération avec vous... Je ne
vois pas pourquoi nous y instaurerions nous-mêmes un commandement gaulliste. »

J'accueillis fort mal cette déclaration qui me semblait

contenir, tout à la fois, la négation d'un engagement de l'Angleterre et l'intention d'un marchandage dont nous aurions à faire les frais. Pleven ne cacha pas, non plus, son sentiment sur ce point. M. Churchill s'en prit alors à moi sur un ton acerbe et passionné. Comme je lui faisais observer que le fait d'instituer à Madagascar une administration contrôlée par les Britanniques serait une atteinte aux droits de la France, il s'écria avec fureur : « Vous dites que vous êtes la France ! Vous n'êtes pas la France ! Je ne vous reconnais pas comme la France ! » Puis, toujours véhément : « La France ! Où est-elle ? Je conviens, certes, que le général de Gaulle et ceux qui le suivent sont une partie importante et respectable de ce peuple. Mais on pourra, sans doute, trouver en dehors d'eux une autre autorité qui ait, elle aussi, sa valeur. » Je le coupai : « Si, à vos yeux, je ne suis pas le représentant de la France, pourquoi et de quel droit traitez-vous avec moi de ses intérêts mondiaux ? » M. Churchill garda le silence.

M. Eden intervint alors et ramena la discussion sur le sujet du Levant. Il répéta les motifs que l'Angleterre prétendait avoir de s'y mêler de nos affaires. Puis, s'emportant à son tour, il se plaignit amèrement de mon comportement. M. Churchill surenchérit, criant que « dans mon attitude d'anglophobie j'étais guidé par des soucis de prestige et par la volonté d'agrandir, parmi les Français, ma situation personnelle. » Ces imputations des ministres anglais me parurent inspirées par leur désir de se créer des griefs justifiant, tant bien que mal, le fait que la France Combattante allait être tenue en dehors de l'Afrique du Nord française. Je le leur dis sans ambages. L'entretien, parvenu à ce point, ne pouvait plus servir à rien. On en convint et on se sépara.

Les semaines qui suivirent furent tendues à l'extrême. La malveillance nous entourait. Les Anglais allèrent jusqu'à suspendre, pendant onze jours, l'envoi des télégrammes adressés, de Londres, par le Comité national aux autorités françaises en Afrique, au Levant, au Pacifique. Le Foreign Office, concentrant sur Maurice Dejean la pression de ses bureaux et agitant devant lui le spectre de la rupture — épouvante suprême des diplomates — l'impressionna suffisamment pour l'amener à envisager quelles concessions nous pourrions faire afin de rétablir les bons rapports. Des concessions ? Je n'en voulais pas ! Dejean quitta donc son emploi. Il le fit avec dignité et, quelques semaines plus tard, devint notre représentant auprès des gouvernements réfugiés en Grande-Bretagne.

Pleven, transmettant les Finances à Diethelm, prit l'intérim des Affaires étrangères, en attendant l'arrivée de Massigli que je faisais venir de France.

Cependant, suivant l'usage, la tempête se calma bientôt. Les postes émetteurs de Londres voulurent bien, de nouveau, laisser partir nos télégrammes. M. Churchill, le 23 octobre, m'envoya M. Morton, son chef de cabinet, pour me féliciter de l'exploit du sous-marin français *Junon* qui venait de couler deux grands navires ennemis près de la côte de Norvège, m'exprimer les remerciements du Gouvernement britannique pour la contribution importante et sanglante que nos troupes avaient prise, la veille, à l'offensive alliée d'El-Alamein, me faire part, enfin, des bons sentiments que lui-même, Churchill, n'avait jamais cessé de me porter. Le 30 octobre, le maréchal Smuts, qui était venu à Londres, ayant demandé à me voir, m'affirma que les Britanniques étaient décidés à reconnaître l'autorité de la France Combattante à Tananarive. Il ajouta qu'il en serait de même, tôt ou tard, en Afrique du Nord. Quelques jours auparavant, le Foreign Office s'était, effectivement, résolu à ouvrir avec nous des négociations pour un accord sur Madagascar.

On nous proposa, d'abord, qu'une fois notre administration mise en place, le commandement britannique exerçât sur celle-ci un droit de contrôle et, qu'en outre, les Anglais eussent en propre la disposition de toutes les bases, communications, transmissions, existant dans l'île. Nous repoussâmes ces prétentions. Suivant nous, l'autorité française à Madagascar devait être souveraine dans le domaine politique et administratif. Quant à la défense éventuelle de l'île, nous proposions que le commandement stratégique, en cas d'opérations menées contre l'ennemi commun, fût exercé par un officier général britannique tant que les Anglais auraient sur place plus de moyens que nous. Si le rapport des forces venait à changer, un Français prendrait la direction. D'autre part, il appartiendrait à l'autorité française de prêter à nos alliés, suivant leurs besoins, le concours de nos établissements et de nos services publics. D'avance, j'avais désigné le général Legentilhomme comme haut-commissaire pour l'océan Indien avec les plus larges pouvoirs civils et militaires. En même temps, Pierre de Saint-Mart, gouverneur de l'Oubangui, était choisi pour devenir gouverneur-général de Madagascar. L'un et l'autre partiraient dès que la fin des opérations dans la grande île et l'aboutissement de nos propres négociations

avec les Anglais leur permettraient d'exercer effectivement
leurs fonctions.

Le Gouvernement britannique se déclara bientôt d'accord
avec nous sur l'essentiel. Il faut dire qu'à Madagascar même,
à mesure que s'y évanouissait Vichy, les Anglais découvraient,
chez les Français comme chez les autochtones, le désir quasi-
unanime de se rallier au général de Gaulle. Si le cabinet de
Londres différait encore la solution, c'était manifestement
dans l'intention de nous l'offrir, à titre d'apaisement, lorsque
le débarquement allié à Alger et à Casablanca provoquerait
dans nos relations les secousses qu'on pouvait prévoir. Aussi,
quand le 6 novembre, lendemain du jour où l'armistice
était conclu à Madagascar, M. Eden, tout sucre et miel, me
proposa de publier un communiqué conjoint du Gouvernement
britannique et du Comité national français annonçant le
départ prochain du général Legentilhomme, j'en conclus
qu'en Afrique du Nord les faits allaient s'accomplir.

D'autres s'en doutaient aussi, qui tenaient à nous donner
des preuves de leur préférence. Le 6 août, alors que je volais
vers l'Orient, le Président Benès avait solennellement déclaré
à Maurice Dejean « qu'il considérait le Comité national français, sous la direction du général de Gaulle, comme le véritable gouvernement de la France. » Il priait le commissaire
aux Affaires étrangères de me demander, de sa part, si nous
ne jugions pas le moment venu de répudier, au nom de la
France, les accords de Munich et les amputations qui en étaient
résultées pour la Tchécoslovaquie. J'avais répondu favorablement. A mon retour, je vis Benès et nous nous mîmes aisément d'accord. L'aboutissement fut, le 29 septembre, un
échange de lettres entre moi-même et Mgr Shramek, président
du Conseil tchécoslovaque. J'y déclarai : « Le Comité national
français, rejetant les accords de Munich, proclame qu'il considère ces accords comme nuls et non avenus... et qu'il s'engage
à faire tout ce qui sera en son pouvoir pour que la République
tchécoslovaque, dans ses frontières d'avant 1938, obtienne
toutes garanties concernant sa sécurité, son intégrité et son
unité. » Par la réponse de Mgr Shramek, le Gouvernement
tchécoslovaque s'engageait, de son côté, à faire tous ses efforts
pour que « la France fût restaurée dans sa force, son indépendance et l'intégrité de ses territoires métropolitains et d'outre-
mer. » Le lendemain, parlant à la radio, je rendis publiques
ces promesses réciproques et en soulignai la portée morale et
politique.

De Moscou, nous vinrent également des signes encoura-
geants. Le Gouvernement soviétique, sachant ce que les Anglo-
Saxons comptaient faire en Afrique du Nord, voyant quelle
était, à notre égard, l'attitude des États-Unis, discernant,
par les rapports que Litvinov envoyait de Washington, l'intention de Roosevelt de devenir l'arbitre entre les fractions
françaises, éprouvait de sérieuses inquiétudes devant cette
tendance américaine à l'hégémonie. M. Bogomolov me fit
entendre, de la part de son gouvernement, que la Russie,
engagée dans une bataille à mort contre l'envahisseur, ne
pouvait actuellement intervenir d'une manière directe, mais
qu'elle n'en désapprouvait pas moins cette politique des
Anglo-Saxons et qu'à la limite elle saurait s'y opposer. Le
28 septembre, Moscou, par un communiqué largement répandu, publiait que l'Union soviétique reconnaissait la France
Combattante comme « l'ensemble des citoyens et des territoires français qui, par tous les moyens en leur pouvoir, contribuent, où qu'ils se trouvent, à la libération de la France »
et le Comité national comme « l'organe directeur de la France
Combattante, ayant seul qualité pour organiser la participation des citoyens et des territoires français à la guerre. »
Aux yeux de la Russie, il ne pouvait donc y avoir, entre Vichy
et la France Combattante, ni troisième force, ni troisième
pouvoir.

Il faut dire que si l'Amérique, nouvelle vedette de l'Histoire
du monde, pouvait se croire en mesure de diriger la nation
française, les États européens, après l'expérience des siècles,
n'avaient point cette illusion. Or, la France avait choisi
d'elle-même. Les renseignements qui en arrivaient chaque
jour démontraient, en effet, que la résistance ne cessait pas
d'y grandir, qu'autant vaut dire tous ceux qui y prenaient
part avaient moralement rallié le général de Gaulle et que
tout gouvernement bâti en dehors de lui serait rejeté par la
masse dès l'instant de la libération.

La façon dont se comportaient dans la Métropole les occupants et leurs collaborateurs poussait, d'ailleurs, à cette évolution. Le 22 juin, Laval déclarait, à l'indignation générale :
« Je souhaite la victoire de l'Allemagne. » En juillet, une
« légion » formée de jeunes Français était engagée en Russie
sous les ordres et l'uniforme allemands. Au mois d'août, le
Maréchal promulguait une loi mettant fin à « l'activité » des
bureaux des deux Chambres, lesquels, jusque-là, affectaient
de subsister. Du coup, les parlementaires maudissaient le

régime qu'ils avaient eux-mêmes institué. Une lettre publique de protestation était adressée au Maréchal par M. Jeanneney, Président du Sénat, et M. Herriot, Président de la Chambre. Ce dernier, ayant renvoyé sa croix de la Légion d'honneur, pour marquer sa réprobation de voir décorer des « volontaires » combattant les Russes, était arrêté peu après, tandis que MM. Paul Reynaud, Daladier, Blum, Mandel, le général Gamelin, etc., demeuraient au fond des prisons où Vichy les avait jetés au lendemain de son avènement, sans que la justice les eût condamnés, ni même normalement inculpés. Au cours de l'été, s'aggravait la persécution des Juifs, menée par un « commissariat » spécial de concert avec l'envahisseur. En septembre, comme le Reich exigeait de la France une main-d'œuvre sans cesse plus nombreuse et que les ouvriers volontaires n'y suffisaient pas, on procédait à une levée obligatoire de travailleurs. Le montant total des frais d'occupation atteignait 200 milliards au début de ce mois, soit le double de ce qu'il était en septembre de l'année d'avant. Enfin, la répression allemande redoublait de violence. Pendant ces quatre mêmes semaines, un millier d'hommes étaient fusillés, dont 116 au mont Valérien ; plus de 6 000 allaient en prison ou aux camps de concentration.

A mon retour du Levant et d'Afrique, je trouvai, m'attendant à Londres, des témoins et des témoignages qu'on ne pouvait récuser. Frénay, chef de *Combat*, d'Astier, chef de *Libération*, me firent leur rapport sur l'action en zone non occupée. Leurs comptes rendus mettaient en relief l'ardeur des organisations et la pression de la base vers l'unité, mais aussi l'individualisme extrême des dirigeants d'où résultaient leurs rivalités. Cependant, en découvrant les obstacles que nos alliés nous opposaient et dont, en France, on ne se doutait guère, en apprenant, en particulier, ce qui allait se passer en Algérie et au Maroc, ces responsables purent mesurer à quel point était nécessaire la cohésion dans la Métropole.

Je leur donnai pour instruction de hâter la formation, autour de Jean Moulin, du Conseil national de la résistance qui comprendrait les représentants de tous les mouvements, syndicats et partis. Je les pressai, également, de se résoudre à verser à l'armée secrète, qui allait être instituée, leurs éléments de combat. Ceux-ci dépendraient alors, dans chaque région, d'une autorité unique : le délégué militaire, nommé par moi. Pour la zone occupée, je chargeai Rémy d'y porter les mêmes directives à nos mouvements : « Organisation civile et militaire », « Ceux de la Libération », « Ceux de la Résistance », « Libération-Nord », « la Voix du Nord », et même à l'organisation des « Francs-Tireurs et Partisans » qui, menée par les communistes, demandait à nous être rattachée.

Bien entendu, nous ne manquions pas de faire connaître à Londres et à Washington ce qu'on nous rapportait de France. Frénay et d'Astier voyaient les ministres et les services anglais, ainsi que les diplomates et informateurs américains. André Philip partait pour Washington, bardé de preuves et de documents et chargé de remettre à Roosevelt une lettre du général de Gaulle lui exposant les réalités de la situation française. Mendès-France, évadé de la Métropole, remplissait aux États-Unis une mission destinée à renseigner les ignorants. Félix Gouin, arrivé en août et mandaté par les socialistes, apprenait au parti travailliste que, chez nous, l'ancienne gauche se rangeait à présent sous la Croix de Lorraine. Peu après, Brossolette, revenant de zone occupée, amenait avec lui Charles Vallin, l'un des espoirs de l'ancienne droite et de la ligue des « Croix de Feu ». Vallin, naguère adepte du régime de Vichy, reniait maintenant son erreur. Ce patriote ardent, cet apôtre de la tradition, se ralliait à moi de toute son âme. Il en exposait publiquement les raisons, puis allait prendre au combat le commandement d'une compagnie. Le général d'Astier de La Vigerie, le général Cochet, grands chefs de l'aviation, nous rejoignaient à leur tour. Les communistes n'étaient point en reste ; de France, ils s'apprêtaient à envoyer auprès de nous Fernand Grenier, tandis qu'à Moscou André Marty venait voir et revoir notre délégué Garreau pour lui dire qu'il se tenait à ma disposition. Enfin, des hommes aussi divers que Mandel, Jouhaux, Léon Blum, alors détenus par Vichy, ou bien Jeanneney, Louis Marin, Jacquinot, Dautry, Louis Gillet, etc., m'adressaient leurs avis ainsi que leur adhésion.

Ainsi, quelles que fussent les difficultés immenses de l'action en France, en raison des dangers et des pertes, de la concurrence des chefs, des entreprises séparées de certains groupes qu'employait l'étranger, la cohésion de la résistance ne cessait pas de s'affermir. Ayant pu lui assurer l'inspiration et la direction qui la sauvaient de l'anarchie, j'y trouvais, au moment voulu, un instrument valable dans la lutte contre l'ennemi et, vis-à-vis des alliés, un appui essentiel pour ma politique d'indépendance et d'unité.

Nous voici aux premiers jours de novembre 1942. D'un moment à l'autre, l'Amérique va commencer sa croisade en

Occident et diriger vers l'Afrique ses navires, ses troupes,
ses escadrilles. Depuis le 18 octobre, les Britanniques, aidés
par des forces françaises, entreprennent de chasser de Libye
les Allemands et les Italiens pour se joindre, plus tard, en
Tunisie, à l'armée des États-Unis et, peut-être, à une armée
française. Là-bas, sur la Volga et au fond du Caucase, l'ennemi
s'épuise contre la puissance russe.

Quelle chance, encore, s'offre à la France ! Pour ses fils dans
le malheur, comme tout serait, maintenant, clair et simple,
n'étaient les démons intérieurs qui s'acharnent à les diviser
et le mauvais génie qui pousse l'étranger à se servir de leurs
querelles. Ce n'est pas sans anxiété que j'attends le lever du
rideau sur le nouvel acte du drame. Mais je me sens sûr des
miens. Je crois qu'ils sont sûrs de moi. Je sais vers qui la
France regarde. Allons ! Qu'on frappe les trois coups !

TRAGÉDIE

Toute la journée du 7 novembre, les postes radio d'Amérique et d'Angleterre répètent : « Robert arrive ! Robert arrive ! » A les entendre, je ne doute pas que ce « Robert » — prénom de Murphy — soit le terme convenu pour désigner la force américaine à ceux des Français d'Afrique dont on s'est ménagé l'appui. C'est donc que le débarquement commence. La matinée du lendemain nous en apporte la nouvelle.

A midi, je suis à Downing Street où Churchill m'a prié de venir. Il a Eden auprès de lui. Pendant la conversation, le Premier Ministre va me prodiguer des marques d'amitié, sans me cacher, toutefois, qu'il se sent quelque peu gêné. Il me dit que, si la flotte et l'aviation anglaises jouent un rôle essentiel dans l'opération engagée, les troupes britanniques, elles, n'y agissent qu'à titre d'appoint. Pour le moment, la Grande-Bretagne a dû laisser aux États-Unis la responsabilité entière. Eisenhower a le commandement. Or, les Américains exigent que les Français Libres soient exclus. « Nous avons été, déclare M. Churchill, contraints d'en passer par là. Soyez assuré, cependant, que nous ne renonçons aucunement à nos accords avec vous. C'est à vous que nous avons, depuis juin 1940, promis notre soutien. Malgré les incidents qui ont pu se produire, nous entendons continuer. D'ailleurs, à mesure que l'affaire prendra son développement, nous, Anglais, devrons entrer en ligne. Nous aurons, alors, notre mot à dire. Ce sera pour vous appuyer. » Et M. Churchill ajoute, en donnant des signes d'émotion : « Vous avez été avec nous dans les pires moments de la guerre. Nous ne vous abandonnerons pas dès lors que l'horizon s'éclaircit. »

Les ministres anglais m'exposent alors que les Américains sont en train de débarquer en plusieurs points du Maroc, ainsi qu'à Oran et à Alger. L'opération ne va pas sans douleur, notamment à Casablanca où les forces françaises résistent

avec vigueur. Le général Giraud s'est embarqué au large de
la côte d'Azur sur un sous-marin britannique qui l'a amené à
Gibraltar. Les Américains comptaient sur lui pour prendre le
commandement des troupes françaises d'Afrique du Nord et
retourner la situation. Mais, déjà, sa réussite paraît douteuse.
« Saviez-vous, me dit encore Churchill, que Darlan est à
Alger ? »

Aux explications de mes interlocuteurs, je réponds en substance ceci : « Le fait que les Américains abordent l'Afrique,
où vous Anglais, et nous Français Libres, luttons depuis
plus de deux ans, est par lui-même très satisfaisant. J'y vois
aussi, pour la France, la possibilité de recouvrer une armée et,
peut-être, une flotte qui combattront pour sa libération. Le
général Giraud est un grand soldat. Mes vœux l'accompagnent
dans sa tentative. Il est dommage que les alliés l'aient dé-
tourné de se mettre d'accord avec moi, car j'aurais pu lui
procurer d'autres concours que des souhaits. Mais, tôt ou
tard, nous nous entendrons et d'autant mieux que les alliés
s'en mêleront moins. Quant à l'opération actuellement engagée,
je ne suis pas surpris qu'elle soit dure. Il y a, en Algérie et
au Maroc, beaucoup d'éléments militaires qui nous ont, l'an
dernier, combattus en Syrie et que vous en avez laissé partir
en dépit de mes avertissements. D'autre part, les Américains
ont voulu, en Afrique du Nord, jouer Vichy contre de Gaulle.
Je n'ai jamais cessé de croire que, le cas échéant, ils devraient
le payer. De fait, voici qu'ils le paient et, bien entendu, nous
Français devons le payer aussi. Toutefois, étant donné les
sentiments qui sont au fond de l'âme de nos soldats, je crois
que la bataille ne sera pas de longue durée. Mais, si brève qu'elle
soit, les Allemands vont accourir. »

J'exprime, alors, à MM. Churchill et Eden mon étonnement
de constater que le plan des alliés ne vise pas, avant tout,
Bizerte. Car c'est évidemment par là que les Allemands et
les Italiens vont arriver en Tunisie. Faute, pour les Américains,
de vouloir courir le risque d'y aborder directement, on aurait
pu, pour peu qu'on me l'eût demandé, y débarquer la Division Kœnig. Les ministres anglais l'admettent, tout en répétant que l'opération est sous la responsabilité des Américains.
« Je comprends mal, leur dis-je, que vous, Anglais, passiez
aussi complètement la main dans une entreprise qui intéresse
l'Europe au premier chef. »

M. Churchill me demande comment j'envisage la suite en
ce qui concerne les rapports de la France Combattante et des

autorités d'Afrique du Nord. Je lui réponds que, pour moi,
il ne s'agit que de faire l'unité. Cela implique que des relations
puissent s'établir au plus tôt. Cela implique également qu'à
Alger le régime et les personnages marquants de Vichy soient
écartés de la scène, car la résistance tout entière n'admettrait
pas qu'ils fussent maintenus. Si, par exemple, Darlan devait
régner sur l'Afrique du Nord, il n'y aurait pas d'accord possible. « Quoi qu'il en soit, dis-je enfin, rien n'importe aujour-
d'hui davantage que de faire cesser la bataille. Pour le reste,
on verra après. »

Le soir, m'adressant par radio « aux chefs, soldats, marins,
aviateurs, fonctionnaires, colons français d'Afrique du Nord, »
je leur crie : « Levez-vous ! Aidez nos alliés ! Joignez-vous à
eux sans réserves ! Ne vous souciez pas des noms, ni des formules ! Allons ! Voici le grand moment. Voici l'heure du bon
sens et du courage... Français d'Afrique du Nord, que par
vous nous rentrions en ligne d'un bout à l'autre de la Méditerranée, et voilà la guerre gagnée grâce à la France ! »

En fait, les informations qui parviennent à « Carlton Gardens » indiquent que les Américains continuent de se heurter
partout à une sérieuse résistance. Sans doute, les intelligences
qu'ils s'étaient d'avance assurées ont-elles effectivement joué.
Sans doute, le général Mast, commandant la division d'Alger,
et le général de Monsabert, commandant la subdivision de
Blida, ainsi que les colonels Jousse, Baril, Chrétien, le capitaine de frégate Barjot, etc., ont-ils pu, pendant quelques
heures, leur faciliter les choses, tandis qu'à Casablanca le
général Béthouart essayait, en vain, d'en faire autant. Sans
doute, des groupes de « gaullistes », agissant sous la conduite
des Paufilet, Vanhecke, Achiary, Esquerre, Aboulker, Calvet,
Pillafort, Dreyfus, dont les deux derniers seront tués dans
l'affaire, sont-ils momentanément parvenus à occuper à Alger
certains bâtiments administratifs et même à tenir, toute une
nuit, l'amiral Darlan en résidence obligée à la villa des *Oliviers*.
Sans doute, quelques notables, tels que MM. Rigault, Lemaigre-Dubreuil, de Saint-Hardouin, qui avaient négocié avec
les Américains, jouent-ils sur place le rôle prévu en matière
de renseignements et de liaison. Sans doute, enfin, la proclamation de Giraud — qui ne fait aucune mention de la France
Combattante — est-elle largement diffusée par radio et tracts
américains, tandis que des officiers dévoués et des résistants
de toutes sortes organisent pour lui à Dar-Mahidine un poste
de commandement. Mais, dans l'ensemble, il est clair que le

plan préparé par Leahy, Murphy et Clark pour permettre
aux alliés de débarquer sans coup férir et les messages adressés
par Roosevelt à Pétain, à Noguès, à Estéva n'ont pas eu le
résultat cherché.

Le 9 novembre, la situation est rien moins que brillante.
Les autorités de Vichy ont partout gardé ou repris le dessus.
Le Maréchal a donné l'ordre formel de combattre « l'assaillant ». A Gibraltar, le général Giraud, s'apercevant que les
alliés ne se soucient nullement de se placer sous son commandement, n'est pas encore parti pour l'Afrique du Nord, où,
du reste, sa proclamation n'a produit aucun effet. A Alger,
Darlan, bien qu'il vienne d'ordonner le « cessez le feu » à la
garnison, laisse partout ailleurs s'exécuter le « plan de défense »
et continue de se réclamer de Pétain et de Laval. A Oran, on
se bat sans aucun ménagement. Mais c'est surtout au Maroc
que s'acharne la bataille. Casablanca, Port-Lyautey, Fédala,
sont le théâtre de durs combats. A Tunis, enfin, a atterri
l'amiral Platon, dépêché par Vichy pour prescrire à l'amiral
Estéva, résident général, et à l'amiral Derrien, préfet maritime à Bizerte, de livrer passage aux Allemands. Ceux-ci, en
effet, dans le courant de la journée, débarquent leurs parachutistes sur le terrain d'El-Alaouina sans essuyer un seul coup
de fusil.

Ce soir-là, les mines sont longues dans les milieux alliés de
Londres. On s'y demande si l'entreprise ne va pas aboutir à
une lutte prolongée entre les troupes françaises et celles d'Eisenhower et à l'irruption, dans toute la région, des forces
ennemies auxquelles se joindraient, bon gré mal gré, les Espagnols.

Mais, sur place, le bon sens l'emporte. Le général Juin, qui
commandait en chef jusqu'à l'arrivée de Darlan et en second
dès lors que celui-ci est présent en Afrique du Nord, discerne
à quel point est absurde le combat livré aux alliés et quelles
conséquences désastreuses entraînerait le déferlement des
Allemands et des Italiens. Il sait que telle est l'opinion profonde de ses subordonnés. Il presse Darlan de prescrire un
« cessez le feu » général, ce à quoi celui-ci se résout le 10 novembre. Juin prend alors contact avec Giraud qui, finalement,
a gagné Dar-Mahidine. Le recevant aux *Oliviers*, il lui indique
qu'il se tient prêt à lui laisser sa propre place. Il donne au
général Barré, commandant les troupes en Tunisie, l'ordre de
grouper ses forces vers Medjez-el-Bab et de s'y mettre en
mesure d'ouvrir le feu sur les Allemands. Le 11 novembre,

dans la matinée, la lutte a partout cessé entre Français et alliés.

Elle a coûté cher. Du côté français, 3 000 hommes ont été tués ou blessés. Quant aux navires, sont coulés ou irrémédiablement avariés : le croiseur *Primauguet*, les contre-torpilleurs : *Albatros*, *Épervier*, *Milan*, 7 torpilleurs, 10 sous-marins, bon nombre de petits bâtiments, avisos, patrouilleurs, escorteurs, ainsi que plusieurs cargos. En outre, le cuirassé *Jean-Bart* est fortement endommagé ; 2 sous-marins ont gagné Toulon où ils seront, bientôt, sabordés. Enfin, sur les 168 avions basés au Maroc et en Algérie, 135 ont été détruits au sol ou bien au combat. Du côté allié, les pertes s'élèvent à plus de 3 000 tués, blessés, disparus. La marine britannique a perdu les destroyers *Broke* et *Malcolm*, les escorteurs *Walney* et *Hartland* et plusieurs navires transporteurs. Dans la flotte américaine, le cuirassé *Massachusetts*, les croiseurs *Wichita* et *Brooklyn*, les destroyers *Murphy* et *Ludlow* ont subi d'importantes atteintes ; une centaine de petits bâtiments, utilisés pour le débarquement, sont détruits en mer ou sur les plages ; 70 avions sont abattus.

Tandis que s'éteignent ces absurdes combats, je me soucie de prendre contact avec l'Afrique du Nord française. Dès l'après-midi du 9 novembre, je convoque l'amiral Stark. Il se présente, les larmes aux yeux, rempli d'émotion, me dit-il, par mon appel radiodiffusé de la veille, mais aussi fort impressionné par la lutte franco-américaine à laquelle il ne croyait pas. « Eisenhower, m'indique l'amiral, en est, lui aussi, surpris et désolé. » — « Je voudrais, lui dis-je, envoyer une mission à Alger. Je demande au Gouvernement des États-Unis de prendre les dispositions voulues pour que cette mission puisse atteindre sa destination. » Stark me promet de le faire. Le lendemain, j'écris à Churchill pour le prier d'intervenir dans ce sens auprès de Roosevelt et je désigne Pleven, Billotte, d'Astier et Frénay pour partir au premier signal.

Le 11 novembre, a lieu une grande réunion que les « Français de Grande-Bretagne » ont prévue depuis longtemps. Jamais l'Albert-Hall ne contint plus de monde. Évidemment, la pensée de l'Afrique du Nord plane sur la foule. En la voyant et en l'entendant, je sens que, sous la houle de l'enthousiasme, les esprits sont partagés entre la joie et l'anxiété. S'il est clair qu'on espère l'union, on ne laisse pas de redouter que de Gaulle et la France Combattante soient entraînés dans quelque basse combinaison. Comme,

du haut d'une galerie, un général en retraite, réfugié en
Angleterre, élève la voix pour m'adjurer de me soumettre
à Giraud, le pauvre homme est, à l'instant même, arraché de
sa place par des groupes exaspérés et précipité au-dehors où
le poursuit la clameur publique.

Dans mon discours, j'affirme notre but au milieu des événements qui s'accomplissent ou qui s'annoncent. Je le fais assez
modérément pour tenir les portes ouvertes aux hommes de
bonne volonté, mais aussi assez nettement pour qu'on sache
que ce qui est dit c'est cela même qui sera fait. Pour commencer, je salue la phase nouvelle de la guerre où, après tant
de reculs, la balance des forces penche enfin vers la liberté.
Je constate que, comme toujours, au centre du drame est
la France. Puis, appelant à l'unité, je crie : « La France !
c'est-à-dire une seule nation, un seul territoire, une seule loi ! »
Et de montrer comment notre peuple, dispersé par le désastre,
se rassemble dans la résistance et que, ce mouvement national,
ce qui le guide et l'encadre c'est la France Combattante et
rien d'autre.

« Le ciment de l'unité française, dis-je, c'est le sang des
Français qui n'ont jamais, eux, tenu compte de l'armistice,
de ceux qui, depuis Rethondes, meurent tout de même pour
la France... Le centre autour duquel se refait l'unité, c'est
nous, c'est la France qui combat. A la nation mise au cachot,
nous offrons, depuis le premier jour, la lutte et la lumière et
c'est pourquoi la nation plébiscite la France Combattante tous
les jours... Aussi, prétendons-nous rassembler tout notre
peuple et tous nos territoires... Aussi, n'admettons-nous pas
que quiconque vienne diviser l'effort de guerre de la patrie
par aucune de ces entreprises dites parallèles, c'est-à-dire
séparées, dont l'expression sourde mais puissante de la volonté nationale saurait, d'ailleurs, faire justice... Aussi est-ce
au nom de la France que parle le Comité national français,
quand il requiert de tous leur concours pour arracher à
l'ennemi et à Vichy notre pays qu'ils écrasent, pour rétablir
intégralement les libertés françaises et pour faire observer les
lois de la République. » Je termine en m'écriant : « Un seul
combat, pour une seule patrie ! »

Les assistants ont bien compris que, dans le jeu difficile
qui s'engage, je suis prêt à m'unir à quiconque le mérite mais
que je n'abandonnerai rien de ce que j'ai, une fois pour toutes,
pris en charge. Une immense clameur m'apporte l'approbation de cette assemblée de Français. Après quoi, j'aurai à

constater que, chez les alliés, l'effet produit est très différent.
Leurs dirigeants et porte-parole, soupirant et hochant la tête,
blâmeront notre intransigeance.

Eux-mêmes sont moins difficiles. Assurément, les Américains, sur lesquels les Anglais s'alignent, ont été étonnés et
contrariés de l'échec de Giraud. Mais, puisque Eisenhower n'a
pas trouvé d'autre moyen de faire cesser la résistance que de
s'entendre avec Darlan, eh bien ! c'est avec lui que l'Amérique
fera affaire. Le 10 novembre, le général Clark, recevant communication de l'ordre de « cessez le feu » que vient de donner
l'amiral, déclare sur le ton du vainqueur qui dispose du
vaincu que, dans ces conditions, « toutes les autorités civiles
et militaires sont maintenues dans leurs fonctions. » Le 13 novembre, Noguès, Chatel, Bergeret, se réunissent autour de
Darlan. Il est entendu entre eux que l'amiral devient haut-
commissaire pour l'Afrique du Nord. Boisson se placera bientôt
sous son obédience. Giraud, isolé du côté des vichystes aussi
bien que des «gaullistes», l'a fait, lui, immédiatement, moyennant quoi il est nommé commandant en chef des troupes.
Le 15, Darlan, fait l'annonce de ces mesures et proclame qu'elle
sont prises « au nom du Maréchal. »

Vu l'impureté de leurs sources, il faut bien, en effet, leur
donner une apparence de légalité. Aussi déclare-t-on que
Noguès, ayant reçu du Maréchal, lors de la détention momentanée de Darlan, une délégation de pouvoirs, l'a transmise à
l'amiral qui se trouve ainsi réinvesti. Mais, bientôt, cette
casuistique ne suffit plus, même aux moins scrupuleux. En
effet, Pétain lui-même, après des conseils agités où, suivant
nos informations, Weygand et Auphan l'ont adjuré d'approuver le « cessez le feu » en Afrique du Nord, tandis que
Laval exigeait qu'il le condamne, a pris ce dernier parti. Par
la voie de la radio et de la presse, il s'indigne hautement de la
« félonie » de ses proconsuls. Il déclare que « Darlan a failli à
sa mission. » Il fait publier une lettre que Giraud lui avait
écrite, le 4 mai, pour s'engager sur l'honneur à ne faire jamais
rien qui contrariât sa politique non plus que celle de Laval.
Il fait connaître qu'il prend lui-même le commandement des
armées françaises. Il réitère son ordre de combattre les Anglo-
Saxons et de laisser la voie libre aux forces de l'Axe. Le
1er décembre, l'amiral Platon, ministre du Maréchal et chargé
par lui « de la coordination des affaires militaires des trois
armes, » s'adressant par radio aux troupes d'Afrique, déclare :
« C'est en France, qu'après tant d'épreuves, le Maréchal et

son gouvernement vont reconstituer l'armée nationale... La France reconquerra l'Afrique. Vous verrez alors fuir les traîtres dans les fourgons étrangers. »

Il faut donc trouver un autre subterfuge pour « légitimer » l'autorité de Darlan. On alléguera un télégramme, expédié par un subordonné et dont nul, jamais, ne publiera le texte, ni le nom du signataire, mais dont la simple évocation permettra au clan des augures d'insinuer, pour la galerie, que Pétain donne à l'amiral son approbation secrète. Enfin, l'argument suprême de ceux que Vichy appelle « les parjures » sera, qu'en raison de l'occupation de la zone sud, le Maréchal est, désormais, à la merci des Allemands, qu'il ne peut plus donner d'ordres valables et que, par suite, l'autorité appartient à ceux à qui il l'avait conférée quand il était libre.

Il n'en faut pas davantage pour que le Président Roosevelt surmonte, à l'égard de Darlan, les scrupules démocratiques et juridiques que, depuis plus de deux années, il opposait au général de Gaulle. Par son ordre, Clark reconnaît le haut-commissaire et entame avec lui des négociations qui aboutissent, le 22 novembre, à un accord en vertu duquel Darlan gouverne et commande pourvu qu'il donne satisfaction à ses vainqueurs anglo-saxons. Sans doute, le Président fait-il publier une déclaration affirmant que les arrangements politiques conclus entre Eisenhower et Darlan ne sont « qu'un expédient temporaire. » Mais recevant, le 23, André Philip et Tixier et s'irritant de leurs protestations, il leur crie : « Bien entendu, je traite avec Darlan, puisque Darlan me donne Alger ! Demain, je traiterai avec Laval si Laval me donne Paris ! » Il ajoute, cependant : « Je voudrais beaucoup voir le général de Gaulle pour discuter de tout cela et je vous demande de lui dire combien serait souhaitable sa visite à Washington. » Enfin, le 7 décembre, Darlan, ayant obtenu l'accord des alliés, se décrète chef de l'État français en Afrique du Nord et commandant en chef des forces terrestres, navales et aériennes avec l'assistance d'un « Conseil impérial » composé de Noguès, Giraud, Chatel, Boisson et Bergeret.

Tandis qu'à Alger, Casablanca, Dakar, les gens en fonction font demi-tour pour garder leur place, en France même se déclenche la réaction de l'ennemi. Les forces allemandes déferlent sur la zone « libre ». Vichy interdit qu'on leur résiste. L' « armée de l'armistice » doit déposer les armes en attendant qu'on la démobilise. Le général de Lattre, qui s'était fait quelque illusion, tente vaillamment d'appliquer le plan de

défense et d'occuper, avec les troupes de la région de Montpellier, une position dans la Montagne Noire. Il est aussitôt
désavoué, abandonné de tous, mis en prison. C'est de là qu'il
entre en contact avec la France Combattante qui, plus tard,
aidera à son évasion et le fera venir à Londres où il se ralliera
à moi une fois pour toutes. Le général Weygand, qui a tenté
d'aller s'abriter à Guéret, a été arrêté par la Gestapo et conduit en Allemagne. Ainsi achève de se dissiper, sans que
Vichy ait fait, ni laissé, tirer sur l'ennemi un seul coup de feu,
la mensongère fiction d'indépendance dont ce régime s'était
couvert pour justifier sa capitulation et tromper tant de bons
Français. Des apparences de sa souveraineté il ne reste plus
que la flotte de Toulon. Ce ne sera pas pour longtemps.

Cette flotte, dont une partie, à tout instant disponible, a
pour chef l'amiral de Laborde et dont une autre, plus ou
moins désarmée, dépend directement de l'amiral Marquis,
préfet maritime, demeure, en effet, sous l'obédience de Pétain,
se refuse à gagner l'Afrique en dépit des adjurations de Darlan et voit les Allemands arriver à portée immédiate du port.
L'accord « de neutralité » que Vichy a conclu avec l'ennemi
contribue à détourner nos marins de quelque ultime sursaut.
C'est l'étape vers l'anéantissement. J'en suis, pour ma part,
d'autant plus convaincu, qu'ayant écrit secrètement naguère
à l'amiral de Laborde pour tâcher de l'éclairer sur la voie
commandée par l'honneur et le devoir, j'ai su qu'il s'est répandu en propos outrageants à mon égard et a menacé mon
émissaire, le colonel Fourcault, non toutefois sans conserver
ma lettre. Dès le 26 novembre, les Allemands se ruent sur Toulon pour y saisir nos bateaux.

Comme ils ont, à l'avance, occupé les hauteurs qui dominent l'arsenal, installé des bombardiers à proximité immédiate du port, semé des mines dans la rade, la flotte française
est à leur merci. Aussi, le Maréchal, ses ministres, le préfet
maritime, le commandant en chef de la flotte, paralysés par
les conséquences de leur propre abandon, ne trouvent rien
à prescrire à ces puissants navires de guerre que de s'envoyer
eux-mêmes par le fond. Trois cuirassés : *Dunkerque, Strasbourg, Provence,* 8 croiseurs : *Colbert, Dupleix, Foch, Algérie,
Jean-de-Vienne, la Galissonnière, Marseillaise, Mogador,*
17 contre-torpilleurs, 16 torpilleurs, 16 sous-marins, 7 avisos,
3 patrouilleurs, une soixantaine de transports, pétroliers,
dragueurs, remorqueurs, commettent ainsi, par ordre, le sui-
cide le plus lamentable et le plus stérile qu'on puisse imaginer.

Encore, 1 contre-torpilleur, 1 torpilleur, 5 pétroliers, n'ont-ils pu être sabordés et serviront aux Allemands. Seuls, 5 sous-marins, à l'initiative de leurs vaillants commandants, sont passés à la « dissidence » et ont tenté la sortie : *Casabianca*, commandant Lherminier ; *Glorieux*, commandant Meynier ; *Marsouin*, commandant Mine, parviennent à rallier Alger. *Iris*, commandant Degé, doit, faute de combustile, se réfugier dans un port espagnol. *Vénus*, commandant Crescent, coule en rade. Quant à moi, submergé de colère et de chagrin, j'en suis réduit à voir sombrer au loin ce qui avait été une des chances majeures de la France, à saluer par les ondes les quelques épisodes courageux qui ont accompagné le désastre et à recevoir au téléphone les condoléances, noblement exprimées mais sourdement satisfaites, du Premier Ministre anglais.

Cependant, le tour des événements ne laissait pas de renforcer partout la cohésion des Français qui, déjà, tenaient pour de Gaulle et de lui rendre favorables beaucoup de ceux qui ne l'étaient pas. Les ultimes abandons de Vichy et l'occupation totale de la Métropole achevaient, en effet, de montrer qu'il n'y avait pour le pays de salut que par la résistance. D'autre part, l'avènement de Darlan en Afrique du Nord avec l'appui des Américains provoquait une indignation générale. A ce point que, jamais encore, je n'avais sur aucun sujet rencontré parmi les nôtres une pareille unanimité.

Sans doute, des gens — c'était notre cas — qui voyaient leurs alliés traiter avec les opposants se sentaient-ils frustrés et dépités. Mais, dans leur réprobation, il y avait aussi la révolte de l'idéalisme. Par exemple, c'était avec colère que nous entendions les speakers de la radio américaine, retransmise par la B. B. C., nasiller la devise des émissions de la France Libre : « Honneur et Patrie ! » pour annoncer les propos, faits et gestes de l'amiral Darlan. Enfin, percevant les réactions du peuple qui, au fond de ses épreuves, condamnait à la fois le régime de la défaite et celui de la collaboration, nous étions sûrs que si de Gaulle s'effaçait ou, pire encore, s'il se compromettait c'était l'idéologie communiste qui l'emporterait dans les masses dégoûtées. Le Comité national en était convaincu. Nos compagnons, où qu'ils fussent, n'en doutaient pas davantage. Pour cette raison, comme pour beaucoup d'autres, je m'appuyais sur un bloc sans fissures quand j'avisais les Gouvernements de Washington et de Londres qu'il n'y avait pas la moindre chance d'un arrangement entre la France

Combattante et le « haut-commissaire » d'Afrique du Nord.

Dès le 12 novembre, j'invitai l'amiral Stark à le dire, de ma part, à son gouvernement. A Washington, Philip et Tixier tenaient un langage identique, le 13 à Sumner Welles, le 14 à Cordell Hull. Le 20, le colonel de Chevigné le répétait à MacCloy. Le 23, Philip et Tixier l'affirmaient très haut à Roosevelt. Le 16 novembre, j'avais été voir MM. Churchill et Eden, qui m'avaient prié à un entretien dès qu'était parvenue à Londres la proclamation de Darlan annonçant qu'il gardait le pouvoir au nom du Maréchal et avec l'accord des alliés. Il faut dire que cette nouvelle avait causé un profond mécontentement dans beaucoup de milieux britanniques et même au sein du cabinet anglais et qu'on percevait à Londres les échos d'une opinion scandalisée. L'atmosphère, ce jour-là, était donc plus tendue que jamais et le Premier Ministre, sans toutefois désavouer Roosevelt, tenait à marquer quelques réserves vis-à-vis de la politique suivie par le Président.

Il me déclara, tout de go, qu'il comprenait et partageait mes sentiments, mais que ce qui comptait, d'abord, c'était de chasser d'Afrique les Allemands et les Italiens. Il me garantit que les dispositions prises à Alger par Eisenhower étaient essentiellement temporaires et me donna à lire les télégrammes échangés à ce sujet entre lui-même et Roosevelt. « C'est, affirma-t-il, sous la condition qu'il ne s'agit que d'un expédient que l'Angleterre a donné son consentement. »

« Je prends acte, dis-je aux ministres anglais, de la position britannique. La mienne est très différente. Vous invoquez des raisons stratégiques, mais c'est une erreur stratégique que de se mettre en contradiction avec le caractère moral de cette guerre. Nous ne sommes plus au dix-huitième siècle où Frédéric payait des gens à la cour de Vienne pour pouvoir prendre la Silésie, ni au temps de la Renaissance italienne où on utilisait les sbires de Milan ou les spadassins de Florence. Encore, ne les mettait-on pas ensuite à la tête des peuples libérés. Aujourd'hui, nous faisons la guerre avec l'âme, le sang, la souffrance des peuples. » Je montrai, alors, à Churchill et à Eden les télégrammes reçus de France et qui traduisaient la stupeur de l'opinion. « Songez, leur dis-je, aux conséquences que cela risque d'entraîner. Si la France devait, un jour, constater que, du fait des Anglo-Saxons, sa libération c'est Darlan, vous pourriez peut-être gagner la guerre au point de vue militaire, vous la perdriez moralement et, en définitive, il n'y aurait qu'un seul vainqueur : Staline. »

On parla, ensuite, d'un communiqué que le Comité national français publiait pour faire connaître qu'il n'avait rien de commun avec les combinaisons des alliés à Alger. Pour que la diffusion fût large, il fallait que nous disposions des antennes de la B. B. C. Je demandai au Premier Ministre de ne pas s'y opposer, bien que la radio de Londres fût, pour ce qui concernait la question de l'Afrique du Nord, subordonnée aux Américains. « C'est entendu, répondit Churchill. Je vais, d'ailleurs, télégraphier à Roosevelt que le général de Gaulle doit avoir les moyens de rendre publique sa position. »

Comme on allait se séparer, Eden, ému jusqu'aux larmes, me prit à part pour me dire à quel point il était personnellement troublé. Je lui répondis que, le connaissant, je n'en étais pas surpris, car, « d'homme à homme, nous devions convenir que cette affaire n'était pas propre. » L'attitude d'Eden me confirma dans mon sentiment que lui-même et, sans doute, une partie du Cabinet anglais répugnaient à suivre aussi volontiers que Churchill la politique des Américains.

Après le déjeuner à Downing Street, où toute la bonne grâce de Mme Churchill eut fort à faire pour animer la conversation parmi les dames, inquiètes, et les hommes, lourdement soucieux, le Premier Ministre et moi reprîmes en tête à tête l'entretien. « Pour vous, me déclara Churchill, si la conjoncture est pénible, la position est magnifique. Giraud est, dès à présent, liquidé politiquement. Darlan sera, à échéance, impossible. Vous resterez le seul. » Et d'ajouter : « Ne vous heurtez pas de front avec les Américains. Patientez ! Ils viendront à vous, car il n'y a pas d'alternative. » — « Peut-être, dis-je. Mais, en attendant, que de vaisselle aura été cassée ! Quant à vous, je ne vous comprends pas. Vous faites la guerre depuis le premier jour. On peut même dire que vous êtes, personnellement, cette guerre. Votre armée avance en Libye. Il n'y aurait pas d'Américains en Afrique si, de votre côté, vous n'étiez pas en train de battre Rommel. A l'heure qu'il est, jamais encore un soldat de Roosevelt n'a rencontré un soldat d'Hitler, tandis que, depuis trois ans, vos hommes se battent sous toutes les latitudes. D'ailleurs, dans l'affaire africaine, c'est l'Europe qui est en cause et l'Angleterre appartient à l'Europe. Cependant, vous laissez l'Amérique prendre la direction du conflit. Or, c'est à vous de l'exercer, tout au moins dans le domaine moral. Faites-le ! L'opinion européenne vous suivra. »

Cette sortie frappa Churchill. Je le vis osciller sur son siège.

Nous nous séparâmes, après avoir convenu qu'il ne fallait pas laisser la crise présente rompre la solidarité franco-britannique et que celle-ci demeurait, plus que jamais, conforme à l'ordre naturel des choses dès lors que les États-Unis intervenaient dans les affaires du Vieux monde.

Dans la soirée, la radio de Londres publia, comme je l'avais demandé, que « le général de Gaulle et le Comité national ne prenaient aucune part et n'assumaient aucune responsabilité dans les négociations en cours à Alger » et que, « si ces négociations devaient conduire à des dispositions conservant le régime de Vichy en Afrique du Nord, celles-ci ne seraient évidemment pas acceptées par la France Combattante. » Notre communiqué concluait : « L'union de tous les territoires d'outre-mer dans le combat pour la libération n'est possible que dans des conditions conformes à la volonté et à la dignité du peuple français. »

Mais la bonne velléité anglaise ne devait pas résister longtemps à la pression américaine. Trois jours après, le cabinet britannique nous refusait l'utilisation de la B. B. C. pour diffuser une déclaration faite à l'appui de la nôtre par les organisations de résistance françaises. Il s'agissait d'une note, envoyée de France à l'adresse des gouvernements alliés et signée par les représentants des trois mouvements de la zone sud : « Combat », « Libération », « Franc-Tireur », du « Mouvement ouvrier français » groupant la C. G. T. et les syndicats chrétiens, de quatre partis politiques : Comité d'action socialiste, Fédération républicaine, Démocrates populaires, Radicaux. La note déclarait : « Le général de Gaulle est le chef incontesté de la résistance et, plus que jamais, groupe tout le pays derrière lui... En aucun cas, nous n'admettrons que le ralliement des responsables de la trahison militaire et politique soit considéré comme une excuse pour les crimes passés... Nous demandons instamment que les destins de l'Afrique du Nord française libérée soient, au plus tôt, remis entre les mains du général de Gaulle. » Les censeurs venus de Washington avaient mis leur veto à la publication de ce document.

Le 21 novembre, je rencontrai moi-même leur opposition. Dans une allocution destinée à la nation française et qui était déjà enregistrée par la B. B. C., je demandais « si la libération nationale devrait être déshonorée ? » et, bien sûr, je répondais : « Non ! » Quelques instants avant l'heure de la diffusion, M. Charles Peake vint me dire que « par application des arrangements pris entre les alliés et pour des raisons militaires, la radio de Londres ne pouvait procéder à des émissions concernant l'Afrique du Nord sans l'accord du Gouvernement des États-Unis, qu'au sujet de mon allocution cet accord était demandé, mais que la réponse exigeait des délais dont s'excusait le Gouvernement britannique. » Ce furent donc les postes-radio de la France Combattante, à Brazzaville, Douala et Beyrouth, soustraits, eux, à toute ingérence étrangère, qui diffusèrent mon message et celui de la résistance.

Le 24 novembre, au cours d'une de nos entrevues, M. Churchill crut devoir, non sans quelque embarras, me parler du retard mis par la B. B. C. à diffuser mon discours. « Comme le problèmes qui y sont traités, me dit-il, mettent en jeu la vie des soldats américains et britanniques, j'ai jugé bon de télégraphier au Président Roosevelt pour avoir son approbation. Il ne l'a pas encore donnée. » — « Je n'ignore pas, répondis-je, qu'en territoire britannique la radio ne m'appartient pas. » Mais le comportement de Churchill me faisait voir qu'elle ne lui appartenait pas non plus.

Ainsi, au milieu des secousses, je tâchais d'être inébranlable. C'était, d'ailleurs, par raisonnement autant que par tempérament. Car le système bâti à Alger me semblait trop artificiel pour résister longtemps au bélier des événements, quelque appui qu'il reçût du dehors. Les hommes qui le dirigeaient se trouvaient, d'une manière évidente, en porte à faux par rapport à chacune des tendances de l'opinion. Opposés qu'ils étaient à de Gaulle, maudits par Pétain, alarmant les attentistes, aucun courant ne portait, aucune mystique n'appuyait, des chefs dont on voyait trop bien que chacune de leurs attitudes successives procédait d'une spéculation. Pourquoi donc concéder quelque chose à cette oligarchie sans avenir et sans espoir? D'autant moins que, dans l'instant même où elle s'instaurait à Alger, ailleurs des échéances bien préparées nous faisaient grandir nous-mêmes. Aussitôt après le débarquement des Américains au Maroc et en Algérie, la France Combattante étendait son autorité à tout l'ensemble des possessions françaises dans l'océan Indien.

De ces possessions, c'est la Réunion qui fut ralliée la première. L'île Bourbon, isolée dans les loitains des mers du Sud, écartée de la route des convois qui doublaient le Cap, pauvre en ressources, habitée par une population très diverse mais ardemment française, n'entrait pas directement dans les plans des alliés. Mais elle était exposée à quelque coup de main combiné des Japonais et des Allemands, surtout depuis que l'accès éventuel à Madagascar leur était interdit. D'autre part, nous n'ignorions pas qu'une grande partie des Réunionnais souhaitaient que leur pays prît part à l'effort de guerre. Depuis longtemps, je cherchais donc l'occasion de joindre l'île à la France Combattante. Mais les Anglais, tant qu'eux-mêmes préparaient leur action sur Madagascar et tant que les Américains se disposaient à aborder l'Afrique, retardaient mon intervention afin de ne pas alerter Vichy et l'ennemi. Maintenant, ils n'avaient plus de prétexte à m'opposer. Aussi, le 11 novembre, pris-je la décision d'effectuer le ralliement.

Depuis plusieurs mois, le contre-torpilleur *Léopard*, commandé par le capitaine de frégate Richard-Evenou, participait, dans cette intention, aux escortes et aux patrouilles au large de l'Afrique du Sud. Je lui donnai l'ordre de gagner la Réunion et d'y faire le nécessaire, en emmenant à son bord l'administrateur en chef Capagorry nommé par avance gouverneur. Le 28 novembre, le navire arrivait devant Saint-Denis. A la vue du pavillon à Croix de Lorraine, la population se porta en masse vers le port pour accueillir nos marins, tandis que beaucoup de fonctionnaires et de militaires manifestaient leur sympathie. Seule, la batterie de la pointe des Galets fit acte d'hostilité. Le *Léopard* répondit par une bordée de coups de canon et mit à terre un détachement qui, avec le concours du chef des Travaux publics Decugis et d'un groupe local rempli d'ardeur, eût tôt fait de régler l'incident. Decugis y fut malheureusement tué, ainsi que quelques spectateurs. Comme le gouverneur Aubert s'était retiré dans sa résidence de montagne, le commandant Richard-Evenou entra en rapport avec lui. Il fut entendu, « dans un but d'apaisement, » que toute résistance cessait et que le gouverneur Capagorry assumait la responsabilité de l'île. Au milieu du plus vif enthousiasme, le représentant du général de Gaulle prit ses fonctions.

Il en fut de même, un mois plus tard, à Madagascar. A vrai dire, depuis la reddition aux Britanniques du gouverneur-général Annet, le destin de la grande île était théoriquement fixé. Mais, en pratique, tout restait en suspens. Sans doute, le 11 novembre, sur la proposition réitérée de M. Eden, avais-je accepté la publication d'un communiqué commun annonçant que « le Comité national français et le Gouvernement britannique étaient en conversation au sujet de Madagascar » et que « le Comité national français avait désigné le général Legentilhomme pour y être haut-commissaire. » Mais je n'entendais pas prendre la grande île en mains si ces mains n'étaient pas libres. Il fallait donc que les Britanniques consentissent à s'effacer dans les domaines politique et administratif.

Or, sur ce point, les négociations traînaient ; la conclusion étant retardée par les démarches des coloniaux anglais. Ceux-ci après avoir, naguère, tenté d'amener l'administration de Vichy à fonctionner sous leur coupe par le truchement du commandement militaire britannique, avaient, ensuite, fait l'essai de l'autorité directe et chargé lord Rennel de diriger les affaires en s'aidant du concours des fonctionnaires français de bonne volonté. Lord Rennel et son équipe y renonçaient, à présent, et admettaient la nécessité de laisser faire la France Combattante. Mais ils auraient désiré garder, tout au moins, un droit de contrôle, ce que pour notre part nous n'admettions naturellement pas. Finalement, l'accord qui fut signé, le 14 décembre, par M. Eden et par moi sauvegardait tout ce qui devait l'être. Le soir, parlant à la radio, j'annonçai l'heureux événement, déclarant que, de ce fait, « notre belle et grande colonie allait pouvoir déployer dans la guerre un effort militaire et économique important » et soulignant « la loyauté entière dont venait de faire preuve notre bonne et vieille alliée l'Angleterre. »

L'accord spécifiait, en effet, que les dispositions arrêtées « avaient pour but de rétablir l'exercice de la souveraineté française à Madagascar et dans ses dépendances (îles Comores, Crozet, Kerguelen, Saint-Paul, Amsterdam)... que le haut-commissaire assumait tous les pouvoirs dévolus par la loi française au gouverneur-général, ainsi que les attributions de commandant des forces françaises... et que la défense de Madagascar, de ses dépendances et de la Réunion serait assurée en commun. » Le haut-commissaire procéderait, aussi rapidement que possible, à la réorganisation des forces françaises. En attendant qu'il pût disposer des moyens nécessaires, un général britannique aurait, le cas échéant, à diriger la défense du territoire. Pour Diégo-Suarez, c'est un officier de marine anglais qui y exercerait le commandement.

Une fois signée cette convention, le général Legentilhomme partit pour Tananarive où allait le rejoindre un détachement de toutes armes envoyé par l'Afrique française libre. Legentilhomme, secondé par le gouverneur-général de Saint-Mart et par le colonel Bureau commandant militaire, allait remettre en marche l'administration, l'économie, les services publics, renouer les échanges extérieurs, reconstituer les troupes. En même temps, il ramènerait l'ordre dans les esprits. C'est ainsi que, quelques semaines après son arrivée, la moitié des officiers, les deux tiers des sous-officiers, la totalité des soldats des unités qui venaient de combattre les alliés par ordre de Vichy avaient repris leur service sous l'autorité de la France Combattante. Le reste, transféré en Angleterre, rejoignit l'Afrique du Nord dès que l'union put y être faite.

En envoyant à Tananarive le général Legentilhomme, j'eus la satisfaction de pouvoir lui prescrire de passer par Djibouti. En effet, le 28 décembre, la France Combattante en avait pris possession. C'était là, sans doute, une conséquence des événements survenus à Madagascar, car depuis le début de l'intervention britannique les autorités de la côte des Somalis se trouvaient empêchées de faire venir de la grande île le ravitaillement nécessaire. Mais c'était aussi le résultat des efforts menés, pendant deux ans, par notre mission d'Afrique Orientale. Tour à tour, Palewski, puis Chancel, entretenant tous les rapports possibles avec la colonie, y répandant notre propagande, représentant activement notre cause auprès du Négus à Addis-Abéba et du commandement britannique à Nairobi, avaient préparé le ralliement. D'autre part, le colonel Appert et son détachement, postés au contact immédiat de la garnison, l'appelant à nous rejoindre, lui donnant l'exemple d'un chef et d'une troupe de la meilleure qualité, avaient influé peu à peu sur l'état d'esprit d'un grand nombre. Malgré tout, il avait fallu, pour que les faits s'accomplissent, l'entrée de nos forces dans la colonie.

En effet, le général Dupont gouverneur de Djibouti, où il avait remplacé Noailhetas, ne se décidait pas à changer d'obédience, bien qu'au fond il le désirât et que je lui eusse écrit pour le presser de le faire. Ce que voyant, une partie de la garnison, entraînée par le lieutenant-colonel Raynal, avait franchi la frontière et s'était réunie au détachement du colonel Appert au début du mois de novembre. D'autres éléments faisaient dire qu'ils étaient prêts à en faire autant. Là-dessus, le Gouvernement de Washington, pour détourner la colonie de se rallier à de Gaulle, avait envoyé sur place son consul d'Aden. Mais celui-ci ne découvrait aucune solution conforme à la politique américaine, c'est-à-dire excluant à la fois Vichy et de Gaulle. Par contre, son intervention avait pour résultat d'irriter les « gaullistes » et de les pousser à agir. Le 26 décembre, les troupes de la France Combattante, sous les ordres

d'Appert et de Raynal et d'accord avec les Anglais, entraient
en Somalie française et gagnaient par le train, sans coup férir,
les abords de la ville. La question était tranchée. Le 28, le
général Dupont signait avec Chancel, mon délégué, et le
général Fowkes, représentant le commandement britannique,
un accord qui transférait la colonie au Comité national français. Chancel prenait, aussitôt, les pouvoirs. Le 30 décembre,
Bayardelle, nommé gouverneur de Djibouti, y assumait ses
fonctions.

Le ralliement de la Somalie revêtait une notable importance. De ce fait, tous les territoires français de l'océan Indien
étaient rentrés dans la guerre, apportant aux Occidentaux
des positions stratégiques qui couvriraient l'Afrique et l'Orient
en cas de réapparition de la menace japonaise. La ville même
de Djibouti allait jouer, à nouveau, son rôle de port de transit
à l'entrée de la mer Rouge et de débouché de l'Abyssinie.
En outre, la France Combattante trouvait, dans les 300 officiers, les 8 000 hommes et le matériel qui garnissait le point
d'appui, un précieux renfort pour nos troupes engagées en
Libye et pour celles que nous nous disposions à reformer à
Madagascar. Enfin, dans l'ordre politique, il était significatif
qu'au cours de ces mêmes semaines où le système d'Alger
étalait sa confusion le Comité national eût réussi à ramener
dans l'unité et dans la guerre des territoires aussi lointains
et aussi convoités.

Mais, plus que tout, c'est le fait qu'en Afrique les deux tronçons de l'armée française luttaient, désormais, contre le même
ennemi qui allait pousser à l'union. Aucune argutie ne pouvait, en effet, dissimuler aux officiers et aux soldats qui prenaient position sur la « Dorsale » de Tunisie qu'ils faisaient, à
présent, exactement la même chose que leurs camarades
engagés en Libye et au Fezzan. Le même « gouvernement »,
qui hier condamnait ceux-ci, maudissait aujourd'hui ceux-là,
sous le prétexte identique que tous « ajoutaient aux malheurs
du pays. » En France, la même résistance, liée aux hommes
qui n'avaient cessé de combattre, allait s'unir également à
ceux qui, en Tunisie, tournaient leurs pauvres armes contre
l'envahisseur. Le même peuple, qui portait ses souhaits vers
de Gaulle et vers les siens, confondait dans le même espoir
tous les soldats français luttant dans la même bataille. J'étais
donc sûr que le désir de la fusion irait chaque jour en grandissant depuis Rabat jusqu'à Gabès. Aussi, bien que je n'eusse
pas encore à répondre des troupes d'Afrique du Nord fran-

çaise, suivais-je leur action avec la même ardente attention
que je faisais pour les autres.

Après quelques jours de confusion, dont l'ennemi avait
profité pour prendre pied dans la Régence, les troupes de
Tunisie, sous les ordres de Barré, s'étaient regroupées, d'une
part vers Béja et Medjez-el-Bab, d'autre part vers Tebessa,
pour barrer les routes de l'Algérie. Puis, la Division de Constantine, commandée par le général Welwert, gagnait à son
tour Tebessa, constituant avec les unités de Barré un secteur
de corps d'armée confié au général Koeltz, tandis que, plus
au sud, le général Delay, entrait en compagne avec ses Sahariens. Le 16 novembre, Juin venait prendre le commandement
de ce « détachement d'armée » qui, le 19, ouvrait le feu sur
les Allemands à Medjez-el-Bab et, le 22, réoccupait Gafsa et
Sbeïtla. A la fin de novembre, du nord au sud de la Tunisie,
une sorte de front, faible et discontinu, mais tenu par des gens
décidés, assurait une première couverture à la mise en place
du corps de bataille allié.

Le mois de décembre vit se renforcer les deux camps. Les
Allemands et les Italiens, sous les ordres du général Nehring,
recevant troupes et matériel transportés d'une rive à l'autre
du détroit de Sicile ou bien amenés de Tripolitaine par la
route de Gabès ; la Iʳᵉ Armée britannique du général Anderson mettant en ligne son corps d'avant-garde dans la région
côtière à l'ouest de Tunis et de Bizerte ; le général Giraud
faisant compléter les forces de Juin, d'abord par la Division
d'Alger ayant Deligne pour chef, puis par une division et des
tabors venus du Maroc sous la conduite de Mathenet ; les
Américains mettant, d'une part, une division blindée à l'appui
des Anglais, d'autre part, des parachutistes et des chars en
soutien des Français.

En somme, deux mois après le débarquement, le général
Eisenhower n'avait encore pu porter au contact de l'ennemi
qu'un petit nombre d'unités anglo-saxonnes, retardé qu'il était
dans son déploiement par la crainte de voir les Espagnols
prendre l'offensive au Maroc, le désir de ne pas engager ses
jeunes troupes précipitamment, enfin les difficultés qu'il éprouvait à mettre en place son aviation, à transporter ses approvisionnements, à organiser ses communications, dans un pays
aussi étendu que l'Afrique du Nord française, alors qu'au
large sous-marins et avions ennemis attaquaient sans cesse
les convois. Les premiers mois de 1943 verraient, en effet, les
plus grandes pertes en tonnage subies de toute la guerre.

Pendant cette période de crise, le sort de la campagne tint, en somme, essentiellement, à l'effort des troupes françaises. Rôle d'autant plus méritoire qu'elles le jouaient avec un armement désuet, puisqu'elles se trouvaient, autant vaut dire, privées d'avions, de blindés, d'artillerie lourde, de canons de défense aérienne, d'antichars, de camions, tous matériels naguère remis aux commissions d'armistice ou bien détruits au cours de la bataille contre les Américains. Il n'en restait que les rares exemplaires gardés dans les unités ou camouflés dans les refuges du bled.

Entre-temps, Bizerte avait été le théâtre d'un suprême abandon. L'amiral Derrien, suivant les ordres apportés de Vichy par Platon, avait laissé les troupes allemandes pénétrer librement dans la place. Le 7 décembre, Nehring sommait le malheureux de désarmer la garnison et de lui remettre les navires, le port, l'arsenal, les ouvrages, ce qui fut fait aussitôt. Un point d'appui capital passait ainsi aux mains de l'ennemi qui, en outre, mettait la main sur 1 contre-torpilleur, 3 torpilleurs, 2 avisos, 9 sous-marins, livrés intacts en rade ou au bassin. Ce lamentable épisode marquait le terme d'une honteuse série. Désormais et exception faite de la « Phalange africaine », qui aux côtés de l'ennemi combattait les alliés, Vichy, nulle part en Afrique, ne disposait plus de nos armes. Le peu qui en restait était aux mains de soldats qui sauraient les employer pour le service de la France, les uns en Tunisie et les autres en Libye.

C'est, en effet, avec le concours du Groupement Larminat que les Britanniques avaient entamé l'offensive contre Rommel. Dans l'attaque de rupture brillamment déclenchée, le 23 octobre, par Montgomery près d'El-Alamein, la 1re Division légère, commandée par Kœnig, avait été engagée à l'aile sud du dispositif sur les pentes abruptes d'Himeimat. Ayant à combattre en terrain difficile et sur un front très étendu un adversaire solidement retranché, elle subissait des pertes importantes, notamment celle du brave Amilakvari tué à la tête de la Légion. Quelques jours plus tard, la 2e Division légère, sous les ordres du colonel Alessandri et la colonne blindée des colonels Rémy et de Kersauson participaient allègrement au début de la poursuite entreprise par la VIIIe Armée. J'avais, au préalable, approuvé l'emploi qui était fait de nos forces. Mais, sur les entrefaites, le débarquement anglo-saxon au Maroc et en Algérie et l'ouverture du front de Tunisie m'amenèrent à penser qu'il serait fâcheux

de laisser s'épuiser, dès à présent, le Groupement Larminat.
Mieux valait le mettre à même de prendre part avec tous ses
moyens à la phase ultérieure des opérations, celle qui verrait
la jonction des armées alliées venant de l'est et de l'ouest,
la réunion en térre française de nos troupes à Croix de Lorraine avec celles d'Afrique du Nord et la destruction de
l'ennemi sur le rivage de « notre mer ».

Aussi avais-je entériné la décision du commandement britannique, qui, le 10 novembre, retirait du front les Français
Libres pour les placer en réserve dans la région de Tobrouk.
Peu après, j'acceptai la proposition que me faisait Larminat
de former une division de ligne en réunissant les moyens des
deux divisions légères. Nous eûmes, bientôt, la possibilité de
porter cette magnifique grande unité à l'effectif de trois brigades : Brosset, Alessandri, Lelong, et de la doter d'une artillerie complète, grâce aux éléments de toutes armes récupérés
à Djibouti. Ainsi était constituée la 1re Division française
libre. Larminat et ses troupes, dominant leur impatience,
attendirent le moment d'entrer de nouveau en ligne, mais
cette fois pour la décision, dans la grande bataille d'Afrique
qui durait depuis deux ans et à laquelle jamais nos troupes
n'avaient cessé de participer.

Pendant ce temps, nous trouvions l'occasion tant souhaitée
de conquérir le Fezzan et de porter au combat sur la Méditerranée un corps français venu du Tchad à travers le Sahara.
L'exécution de ce projet, que j'avais formé le jour même du
ralliement d'Éboué et de Marchand à Fort-Lamy, avait été
préparée par Leclerc, depuis 1940, par une série de tours de
force : formation des colonnes du désert, mise à pied d'œuvre
des approvisionnements, prise de Koufra, reconnaissances
poussées jusqu'au cœur des positions italiennes. Le moment
était venu de jouer le tout pour le tout. Le 14 novembre,
confirmant mon instruction du 22 septembre précédent, je
prescrivis au général Leclerc de passer à l'offensive « en prenant pour premier objectif l'occupation française du Fezzan,
avec exploitation éventuelle, soit vers Tripoli, soit vers Gabès,
en conjonction avec les opérations alliées en Tripolitaine. »
J'ajoutais : « Pour cette offensive, vous ne dépendrez que de
moi. Mais vous devrez agir en accord avec le général Alexander
commandant en chef britannique en Orient, de façon qu'à
partir du moment où vous atteindrez le Fezzan vous puissiez
recevoir un appui aérien effectif... Je compte déclencher votre
action au plus tard quand les alliés parviendront au golfe de

Syrte. » A la vérité, lors du débarquement anglo-saxon en
Algérie et au Maroc, j'avais pensé faire coïncider l'irruption
de nos troupes en Libye du sud avec leur entrée au Niger et
donné l'ordre de pousser sur Zinder la colonne préparée à cette
intention. Mais la fin de la lutte entre Français et alliés
m'amena à suspendre l'opération secondaire. Seule aurait lieu
la principale.

Celle-ci devait comporter des préliminaires ardus : débouché des colonnes à partir des bases du Tchad, marche d'approche longue d'un millier de kilomètres jusqu'au contact des
postes fortifiés de l'ennemi, transport à pied d'œuvre des
approvisionnements en carburant, munitions, vivres, réserves
de matériel, sur lesquels serait bâtie l'attaque proprement
dite. Comme à la fin de novembre l'offensive de Montgomery
progressait dans de bonnes conditions et qu'en Tunisie le
front des alliés était en voie de s'établir, je donnai à Leclerc,
le 28, l'ordre d'exécution, en spécifiant : « Vous pourrez déboucher, à partir du 2 décembre, à votre initiative et en tenant
compte des suggestions du général Alexander. » Mais, quelle
que fût la hâte d'en découdre qui animait Leclerc et ses
troupes, leur débouché n'eut lieu que le 12 décembre, en raison d'un arrêt dans l'avance de la VIIIe Armée à hauteur
d'El-Agheila.

Entre temps, il nous avait fallu parer à l'intention des Britanniques d'étendre leur autorité sur le Fezzan dès que nous
l'aurions conquis. Le général Alexander avait, le 28 novembre, écrit à Leclerc pour lui annoncer l'envoi d'officiers
anglais chargés de l'administration des pays occupés. « Ces
officiers, précisait le commandant en chef britannique, sont
délégués pour accompagner les forces sous vos ordres. Ils
seront responsables des territoires occupés par vous jusqu'à
ce que soit réalisée l'unité de toute la Tripolitaine sous l'autorité militaire britannique. » D'autre part, Alexander avertis-
sait Leclerc que « la politique économique de Londres prohibait
au Fezzan, en fait de monnaie, l'utilisation des francs. » Le
1er décembre, M. Charles Peake, à qui, en dépit ou à cause de
son mérite, incombaient souvent des tâches ingrates, venait
sans grande illusion m'apporter de la part de M. Eden une
note ayant le même objet. Je répondis à M. Peake par une fin
de non-recevoir aussi aimable que possible et je télégraphiai au
général Leclerc : « Le Fezzan doit être la part de la France
dans la bataille d'Afrique. C'est le lien géographique entre
le Sud-tunisien et le Tchad. Vous devez décliner purement et

simplement toute immixtion britannique dans cette région
sous n'importe quelle forme, politique, administrative, monétaire, etc... »

Le 22 décembre, l'approche étant terminée, commença
l'attaque. En deux semaines de combats acharnés, les groupements Ingold et Delange, agissant respectivement vers Oum-
el-Araneb et vers Gatroum et appuyés par le groupe d'aviation « Bretagne », s'emparèrent des positions de l'ennemi après
avoir réglé leur compte à ses colonnes mobiles. Sous leurs
ordres, Dio, Massu, Geoffroy, Sarazac, d'Abzac, etc..., ramas-
sèrent force gloire et trophées. Le 12 janvier, la prise de Sebha
ouvrait la route de Tripoli. Le 13, le poste de Mourzouk tombait aux mains de nos troupes. Nous avions fait un millier
de prisonniers, dont une quarantaine d'officiers, pris vingt
canons, nombre de blindés et des centaines de mortiers, mitrailleuses, armes automatiques. Tandis que les troupes de Leclerc s'apprêtaient à pousser vers le nord, le colonel Delange
prenait les fonctions de commandant militaire du Fezzan.

Ainsi était enfin cueilli, à force d'audace et de méthode, ce
fruit savoureux du désert. Le 13 janvier 1943, j'annonçai au
pays ce succès de nos armes. « Peut-être, disais-je à la radio,
l'effort de ses bons soldats a-t-il quelque peu consolé la misère
de la France... Oui ! Les longues et dures épreuves d'une rigoureuse préparation sous le ciel équatorial, les mortelles
fatigues des colonnes lancées dans les déserts de pierre et de
sable, les vols épuisants des escadrilles, les combats sanglants
menés contre les postes, les troupes de manœuvre et les avions
de l'ennemi, tous les hommes purs et forts qui en ont porté le
poids, depuis leur jeune et glorieux général jusqu'au plus
obscur soldat, en ont fait un humble don offert de toute leur
ferveur à la douleur et à la fierté de la France. »

Mais si, dans l'ordre militaire, les perspectives allaient
s'éclaircissant, dans le domaine politique elles étaient plus
obscures que jamais. A « Carlton Gardens », nous étions bien
renseignés. Car, parmi les militaires, fonctionnaires, journalistes, qui allaient et venaient entre l'Afrique et l'Angleterre,
beaucoup se faisaient un devoir de nous apporter messages
et informations. En outre, certains « gaullistes » d'Algérie et
du Maroc, mettant à profit la confusion générale, parvenaient
à nous rejoindre.

Nous savions donc que le maintien de Darlan au poste
suprême soulevait sur place des critiques passionnées. Les
vichystes se sentaient ébranlés par la réprobation formelle du

Maréchal. Les « gaullistes » étaient révoltés contre « l'expédient temporaire. » Les notables qui avaient négocié avec Murphy l'avènement manqué de Giraud se trouvaient frustrés dans leurs espoirs. Parmi ceux-ci, plusieurs militaires et fonctionnaires subissaient des sanctions sévères. C'est ainsi que le général Béthouart, le colonel Magnan, le contrôleur Gromand, arrêtés au Maroc par ordre de Noguès, avaient failli être fusillés. C'est à grand peine qu'Eisenhower les avait fait transférer à Gibraltar. D'Algérie, le général Mast et le colonel Baril s'étaient vus contraints de gagner le Levant. D'autre part, dans la marine, l'aviation, l'armée, on s'indignait de voir Darlan tirer profit de sa volte-face, tandis qu'on dénombrait les épaves des navires, les carcasses des avions, des cadavres des soldats, dont la perte lui incombait. Enfin, le fait que la flotte de Toulon venait de se saborder plutôt que de lui obéir laissait penser à beaucoup que sa présence à la tête des affaires n'offrait plus, désormais, que des inconvénients.

Cet état des choses augmentait ma hâte de prendre contact avec Alger. La mission dont j'avais, d'abord, demandé à Roosevelt et à Churchill qu'on la laissât gagner l'Afrique n'avait pu, bien entendu, s'y rendre ; Washington et Londres invoquant mille prétextes pour la retenir. Au début de décembre, je m'adressai au général Eisenhower, le priant de recevoir lui-même à Alger le général d'Astier de La Vigerie, chargé par moi d'y prendre avec les chefs français toutes liaisons utiles. En cette occasion, comme plus tard en plusieurs autres, je trouvai chez le commandant en chef américain une compréhension que me refusaient les instances politiques de son pays. Il accéda à ma demande. Il est vrai qu'Eisenhower, frappé par la résistance qu'il avait rencontrée lors du débarquement, dérouté par les intrigues dont trop de Français lui donnaient le spectacle, inquiet du trouble qu'il percevait dans les esprits, était hanté par la crainte de voir cette agitation tourner au désordre et compromettre la sécurité de ses communications en pleine bataille de Tunisie. Aussi, mon intention de chercher en Afrique du Nord un terrain d'entente avec ceux qui en étaient dignes lui paraissait-elle répondre à l'intérêt commun des alliés.

Le général d'Astier arriva à Alger le 20 décembre. Ce qu'il y vit et entendit lui donna l'impression d'une crise aiguë, tant bien que mal contenue par l'appareil policier dont s'entourait le pouvoir, mais bouillonnant sous le couvercle.

Il trouva le général Giraud vexé de n'avoir pu, au moment

du débarquement, décider l'armée à le suivre, rendu amer par
le refus opposé par les Américains à sa demande de lui confier
le commdandement des forces alliées, humilié de n'avoir de
fonctions qu'en vertu des décisions de Darlan. Son mécontentement le rendait accessible à nos suggestions. Comme mon
envoyé l'invitait à nouer des rapports avec la France Combattante, notamment pour ce qui concernait la coordination des
opérations militaires et le recrutement des troupes, Giraud
s'y montra disposé.

Le comte de Paris, venu du Maroc, indiqua au général
d'Astier combien la situation lui semblait grave et nuisible
aux intérêts de la France. Rien n'était, suivant lui, plus
nécessaire et plus urgent que d'écarter l'amiral et, cela fait,
de rassembler tous les Français de bonne volonté. Il se trouvait, pour sa part, à Alger afin d'y grouper ses fidèles, de s'en
servir pour aider à l'union et de s'offrir pour tout arbitrage
qui lui serait demandé. Le prince se montra, d'ailleurs, aussi
désintéressé que possible en ce qui, le cas échéant, intéresserait sa personne.

M. Lemaigre-Dubreuil, lui, ne cacha pas qu'il était, ainsi
que ses amis, ulcéré de n'avoir pas accès aux postes de commande qu'auraient dû, disait-il, lui valoir ses capacités politiques et les services rendus aux Américains. Sous l'égide du
général Giraud, qui suivant M. Lemaigre-Dubreuil devrait
devenir chef de l'État, lui-même serait prêt à assumer, dans
un gouvernement d'union, la présidence du Conseil et à
confier au général de Gaulle le portefeuille de la Défense
nationale.

D'Astier fut, d'autre part, informé que les milieux politiques locaux, longtemps muets et résignés, s'éveillaient sous
la tornade. Le 24 novembre, MM. Saurin, Froger, Deyron,
présidents respectifs des Conseils généraux d'Oran, d'Alger, de
Constantine, à qui s'était joint un député d'Algérie M. Sarda,
avaient écrit à Darlan : « En vous plaçant sous l'autorité du
gouvernement du Maréchal, dont cependant vous avez reconnu qu'il n'était plus libre de s'exercer, et en prenant les
fonctions d'un délégué de ce gouvernement en Afrique du
Nord, vous ne remplissez aucune des conditions qui vous
conféreraient les pouvoirs d'un gouvernement légal et indépendant. »

Enfin, chez les Américains, mon représentant nota que,
tout en collaborant avec l'amiral Darlan, Eisenhower et son
état-major affirmaient que le haut-commissariat ne devait

être que transitoire et insistaient sur leur désir de se tenir en
rapport direct avec le général de Gaulle.

Quant à la foule de ceux qui, pour des motifs divers, avaient
été, sous Vichy, acquis à la résistance, dont certains avaient
prêté main-forte à l'intervention alliée et qui se voyaient, à
présent, persécutés autant que jamais, le général d'Astier
constata qu'ils étaient secrètement en proie à la plus vive
effervescence. Son frère Henri, qui occupait un poste important
au haut-commissariat, le professeur Capitant, chef du mouvement « Combat » en Afrique du Nord, et beaucoup d'autres
visiteurs renseignés lui décrivirent l'atmosphère de complot
dans laquelle baignaient ces résistants et d'où pouvait, à
tout instant, sortir quelque incident sanglant.

Impressionné par cet ensemble et pressé par M. Murphy,
le général d'Astier accepta de s'entretenir avec Darlan. Il
comptait que la rencontre serait discrète. Mais il trouva
l'amiral au milieu d'un aréopage où siégeaient, en particulier, les généraux Giraud et Bergeret. Tout ce monde lui
parut sombre, tendu, plein de cautèle et de griefs. Darlan,
visiblement lassé mais voulant, sans doute, raffermir son entourage, crut devoir plastronner devant mon envoyé. Il déclara
qu'il avait les affaires en main, qu'à coup sûr s'imposait la
nécessité de faire l'union des Français, que d'ailleurs, pour la
faciliter, lui-même consentait à amnistier ceux qui, depuis
l'armistice, avaient aidé les alliés et à publier son intention de
prendre sa retraite dès le lendemain de la guerre, mais qu'en
attendant il représentait le seul centre possible de ralliement.
Ce simulacre d'assurance contrastait trop cruellement avec
les réalités de la situation, la nervosité dont faisait preuve
l'amiral lui-même, l'atmosphère qui l'entourait, pour que
l'on pût s'y tromper.

D'Astier le dit à Darlan, non sans faire, au surplus, état
de l'opinion en France, d'où il arrivait justement. Alors,
l'amiral, s'emportant, lui reprocha d'être à Alger pour susciter le désordre. « Est-ce votre avis, demanda d'Astier à Giraud, vous dont j'attends la réponse à la proposition que je
vous ai faite, de la part du général de Gaulle, d'organiser une
coordination entre l'action des troupes sous vos ordres et
celle des forces de la France Combattante? » Giraud ayant
observé qu'il était prêt à régler la question, Darlan le coupa
sèchement : « Non ! mon Général. Ceci est mon affaire. » Il
s'ensuivit un profond silence. Terminant cette scène pénible,
le général d'Astier dit tout haut à l'amiral que sa présence

était le principal obstacle à l'unité et qu'il n'avait rien de
mieux à faire que de s'effacer au plus tôt. A la suite de l'entretien, les Américains firent savoir à d'Astier que Darlan exigeait son départ et qu'eux-mêmes étaient d'accord. D'Astier
revint à Londres, le 24 décembre. De son passage à Alger, il
rapportait la conviction que Darlan, sentant le sol se dérober
sous ses pas, quitterait, à bref délai, la place.

Dans l'après-midi du même jour, sortant d'une séance
d'arbre de Noël de nos marins, j'appris la mort de l'amiral Darlan. Celui qui l'avait tué, Fernand Bonnier de la
Chapelle, s'était fait l'instrument des colères exaspérées qui
mettaient autour de lui les âmes en ébullition, mais derrière
lesquelles, peut-être, remuait une politique décidée à liquider
un « expédient temporaire » après l'avoir utilisé. Ce tout jeune
homme, cet enfant, bouleversé par le spectacle d'événements
odieux, pensait que son acte serait un service rendu à la patrie
déchirée en débarrassant d'un obstacle à ses yeux scandaleux
le chemin de la réconciliation française. Il avait cru, d'autre
part, comme il ne cessa de le dire jusqu'à l'instant de son
exécution, qu'une intervention extérieure, assez haute et
assez puissante pour que l'autorité de fait en Afrique du Nord
ne pût lui refuser rien, se produirait en sa faveur. Certes,
nul particulier n'a le droit de tuer en dehors du champ de
bataille. D'ailleurs, la conduite de Darlan, comme gouvernant
et comme chef, relevait de la justice nationale et non point,
assurément, de celle d'un groupe ou d'un individu. Pourtant,
comment méconnaître la nature des intentions qui soulevè-
rent cette juvénile fureur? C'est pourquoi, la façon étrange
et brutale dont l'enquête fut menée à Alger en quelques
heures, le procès hâtif et tronqué devant un tribunal militaire
réuni sur-le-champ et siégeant de nuit, à huis clos, l'exécution
immédiate et secrète de Fernand Bonnier de la Chapelle, les
ordres donnés aux censeurs pour qu'on ne sût même pas son
nom, donnèrent à croire qu'on voulait à tout prix cacher
l'origine de sa décision et furent une sorte de défi aux circonstances qui, sans justifier le drame, l'expliquaient et, dans une
certaine mesure, l'excusaient.

Cependant, si le caractère tragique de la disparition de
Darlan ne pouvait manquer d'être réprouvé par beaucoup, le
fait même qu'il dût quitter la scène semblait conforme à la
dure logique des événements. Car ceux-ci, dans les grands
moments, ne supportent aux postes de commande que des
hommes suceptibles de diriger leur propre cours. Or, au point

où en étaient les choses, Darlan ne pouvait plus rien ajouter,
ni retrancher, à ce qui de toutes façons était en train de s'accomplir. Chacun — et d'abord l'amiral — se rendait compte
que, pour lui, la page était maintenant tournée.

L'occasion, il l'avait manquée. En 1940, la marine s'était
trouvée, en effet, à même de jouer le premier rôle national,
alors que depuis des siècles le destin continental de la France
la maintenait au rang secondaire. Au milieu de l'effondrement militaire dans la Métropole, elle était, par fortune, intacte. En cet instant, les océans, les distances, la vitesse, qui
étaient les éléments de sa destination, devenaient tout l'essentiel. Elle disposait de l'Empire, lui aussi inentamé. Les alliés,
menacés sur la mer, ne lui eussent pas marchandé leur concours. Combinant sa force à la leur, elle pouvait bloquer et
harceler l'ennemi, couvrir et commander l'Afrique, y transporter les moyens nécessaires à l'armée libératrice et, un jour,
ramener celle-ci sur nos rivages. Mais, pour une pareille
tâche, il eût fallu à son chef, outre le goût du risque, une passion nationale qui ne voulût servir que la France quoi qu'il
advînt de la flotte. Ce n'était pas le propre de Darlan.

Ses ambitions, ses efforts, il les avait voués à la marine, mais
à la marine seulement. Dans l'atonie de la nation et l'inconsistance de l'État, où s'était déroulée presque toute sa vie
active, c'est ce grand corps, son intérêt, son attrait, sa technique, qui l'absorbèrent exclusivement. A force d'ardeur et
d'habileté, il avait su en temps de paix tirer des pouvoirs
publics de quoi bâtir une marine bien dotée, mais comme un
fief qui n'existait que par soi-même et pour son seul compte.

Quand la France fut défaite, ce qui parut primordial à
Darlan c'est que la marine, elle, ne le fût pas. Quand la capitulation fut conclue, il lui suffit, pour l'accepter, de croire que
la marine resterait en dehors du désastre. Quand le conflit,
devenu mondial, multiplia devant la flotte les occasions d'être
le recours, il eut pour but, non de l'engager, mais bien de la
conserver. C'est en son nom qu'il voulut devenir le chef du
gouvernement de Vichy. C'est en vue de lui assurer un champ
d'action et une raison d'être, qu'en dépit de la sujétion exigée
par l'ennemi, il donna à maintes reprises l'ordre de combattre
les « gaullistes » et les alliés. C'est parce qu'il voulut soutenir
ce qu'il croyait être une querelle essentiellement navale qu'il
pratiqua contre l'Angleterre la collaboration avec l'envahisseur allemand. Dans la décision qu'il prit, finalement, de faire
cesser la lutte menée, d'après ses plans, sur les rivages de

l'Afrique contre les Anglo-Saxons, ce qui l'emporta dans son
âme fut-ce la passion tardive de vaincre l'envahisseur de la
patrie ou bien, plutôt, l'espoir de recouvrer, en changeant de
camp, les tronçons épars de la flotte? Mais, dès lors qu'à Toulon, à Fort-de-France, à Alexandrie, les marins refusèrent de
l'entendre et qu'à Casablanca, Oran, Bizerte, les navires ne
furent plus qu'épaves, l'amiral Darlan connut que, si la France
allait gagner la guerre, il avait, lui, perdu sa partie.

La France, sans une grande marine, ne saurait rester la
France. Mais cette marine doit être sienne. Il appartient au
pouvoir de la former, de l'inspirer, de l'employer, comme un
instrument de l'intérêt national. Hélas ! c'est ce que ne sut
faire le régime qui, pendant tant de lustres, avait flotté sur
la nation sans diriger ses forces vives. A mes yeux, l'attentat
d'Alger éclairait, à son tour, la cause principale de nos
épreuves. Comme d'autres malheurs insignes qui avaient
fondu sur la France, les fautes de l'amiral Darlan, le triste sort
de notre flotte, l'insondable blessure portée à l'âme de nos
marins, étaient les conséquences d'une longue infirmité de
l'État.

COMÉDIE

Pour l'unité française, la disparition de Darlan comportait de grandes conséquences. Il me fallait en tirer parti. Le 25 décembre, je télégraphiai au général Giraud que « l'attentat d'Alger était un indice et un avertissement et qu'il était, plus que jamais, nécessaire qu'une autorité nationale s'établît. » Puis, j'écrivais : « Je vous propose, mon Général, de me rencontrer au plus tôt en territoire français, soit en Algérie, soit au Tchad. Nous étudierons les moyens qui permettraient de grouper, sous un pouvoir central provisoire, toutes les forces françaises de l'intérieur et de l'extérieur du pays et tous les territoires français susceptibles de lutter pour la libération et le salut de la France. »

Si je me hâtais d'envoyer ce message, c'était pour marquer qu'on n'était pas en droit d'attendre, dès que se présentait une possibilité d'accord. Mais, si je l'adressais au général Giraud, c'était parce que je pensais qu'il allait succéder à Darlan. Les Américains, en effet, avaient maintenant le champ libre pour installer à Alger celui-là même qu'ils avaient choisi dès l'origine et dont la présence de l'amiral avait retardé l'avènement. Quant aux formalités nécessaires, elles ne dépendaient que du « Conseil impérial », c'est-à-dire de Noguès, Boisson, Châtel et Bergeret, dont Eisenhower et Murphy disposaient, évidemment. De fait, le général Giraud se trouva, le 26 décembre, investi de tous les pouvoirs, avec le titre assez étonnant de « Commandant en chef civil et militaire ». Qu'il acceptât ma proposition, que nous nous réunissions tous deux à part des intrigants et des étrangers, que nous appelions à s'assembler, à notre exemple, ceux qui voulaient chasser l'ennemi de chez nous, les bases d'un gouvernement de guerre capable de s'imposer pourraient être jetées aussitôt. Par là, de longs mois d'incohérence auraient été évités. Mais, en dehors des rancunes et des prétentions de certains des Français qui

se trouvaient en place, le désir qu'avaient les alliés de maintenir sous leur dépendance le pouvoir en Afrique du Nord et
d'empêcher la France de reparaître, comme puissance souveraine, avant la fin de la guerre allait retarder le succès du
bon sens national.

C'est, en effet, une réponse dilatoire que le général Giraud
m'adressa, le 29 décembre. Après avoir exprimé son accord
quant à l'union nécessaire des Français, il recourait, pour la
différer, au même motif que j'invoquais pour la hâter. « En
raison, disait-il, de l'émotion profonde qu'a causée dans les
milieux civils et militaires d'Afrique du Nord le récent assassinat, l'atmosphère est actuellement défavorable pour une
rencontre entre nous. » Toutefois, évoquant la situation militaire et prenant à son compte, non sans la modifier quelque
peu, la proposition que je lui avais fait faire par le général
d'Astier d'organiser une liaison réciproque, il ajoutait : « Je
crois, qu'en ce qui vous concerne, il serait préférable de m'envoyer un représentant qualifié pour la coopération des forces
françaises engagées contre l'ennemi commun. »

Je ne pouvais, évidemment, m'accommoder de cette attitude évasive. A peine reçue la réponse du général Giraud, je
lui télégraphiai, derechef, le 1ᵉʳ janvier. Dans cette deuxième
communication, je me félicitais « qu'un premier échange de
vues ait eu lieu entre nous. » Mais j'affirmais que « la réunion
de tout l'Empire et de toutes les forces françaises, en liaison
avec la résistance, ne devait être aucunement différée. » —
« Ma conviction, écrivais-je, est que seul un pouvoir central
provisoire, sur la base de l'union nationale pour la guerre,
est susceptible d'assurer la direction des efforts français, le
maintien intégral de la souveraineté française et la juste
représentation de la France à l'étranger. » Je renouvelais donc
à Giraud ma proposition de rencontre et j'ajoutais : « La complexité de la situation à Alger ne m'échappe pas. Mais nous
pouvons nous voir sans entraves, soit à Fort-Lamy, soit à
Brazzaville, soit à Beyrouth, à votre choix. J'attends votre
réponse avec confiance. »

Tout en couchant sur le papier mes appels à l'unité, je
doutais fort du résultat que pourraient avoir les télégrammes.
Il ne fallait pas compter que des documents secrets, épluchés
à Alger sous la surveillance des agents anglo-saxons, suffi-
raient à faire lever le grand souffle capable de balayer controverses et oppositions. Aussi voulais-je m'adresser à l'opinion
française, comptant qu'en dernier ressort sa pression serait

irrésistible. Le 2 janvier, je la pris à témoin par une déclaration publique.

Il se trouva qu'un grave incident, survenu à Alger l'avant-veille, renforçait mes arguments. Giraud avait fait arrêter plusieurs dizaines de personnes qui toutes avaient, lors du débarquement, aidé les Américains et dont plusieurs appartenaient à la police ou à l'administration. Le « Commandant en chef civil et militaire » expliquait aux journalistes alliés accourus pour l'interroger qu'il s'agissait de prévenir un complot visant à de nouveaux meurtres, notamment, disait-il, « à celui de M. Robert Murphy. » Il semblait, en effet, que sous l'empire de la désillusion, certains qui, jusqu'alors, s'étaient liés à l'action du diplomate américain voulussent maintenant régler les comptes. J'eus donc beau jeu de noter, dans ma déclaration, « la confusion qui régnait en Afrique du Nord française. » J'en donnais pour raison principale l'exclusion de la France Combattante. J'en constatais les conséquences : « Situation gênante pour les opérations militaires, fait que la France était privée, au moment décisif, de l'atout que constituerait l'union de son Empire, stupeur du peuple français bouleversé dans sa misère... » J'indiquais le remède : « Établissement d'un pouvoir central provisoire et élargi, ayant pour fondement l'union nationale, pour inspiration l'esprit de guerre et de libération, pour lois les lois de la République. » Mais aussi, je faisais connaître solennellement ma proposition de rencontre avec Giraud et ma conviction que « la situation de la France et la situation générale de la guerre ne permettaient aucun retard. »

Cette déclaration et les commentaires qu'elle suscita touchèrent au vif le Gouvernement de Washington. Il lui était désagréable qu'on mesurât la distance qui séparait sa doctrine de sa politique. Dès que l'on sut que j'offrais l'entente à Giraud et que celui-ci tardait à l'accepter, chacun comprit que son attitude reflétait directement les suggestions de Murphy. Mais alors, comment ne pas conclure que les Américains, tout en prônant l'union, s'appliquaient à la contrarier?

En réalité, le président Roosevelt, sous le couvert de proclamations qui publiaient le contraire, entendait que la question française appartînt à son propre domaine, que les fils de nos divisions aboutissent entre ses mains, que les pouvoirs publics qui sortiraient, un jour, de ce désordre naquissent de son arbitrage. C'est pour cela qu'il avait, d'abord, misé à la fois sur de Gaulle et sur Pétain, puis lancé Giraud dans la

carrière quand il fallut prévoir la rupture avec le Maréchal,
abaissé ensuite la barrière devant Darlan dès que fut constaté
l'échec de l'évadé de Kœnigstein, en dernier lieu remis Giraud
en piste après le meurtre de l'amiral. Maintenant, le Président trouvait bon que la France Combattante et le système
d'Alger demeurassent séparés jusqu'au moment où lui-même
imposerait aux deux parties la solution de son choix, laquelle,
au surplus, ne serait sûrement pas la formation d'un vrai gouvernement français.

Ces intentions de Roosevelt ne m'échappaient évidemment
pas. Je ne fus donc pas surpris d'apprendre que ma déclaration était mal accueillie à Washington. Le 4 janvier, le sous-
secrétaire d'État Sumner Welles, recevant notre délégué Tixier,
lui dit que son gouvernement désapprouvait mes invites à
Giraud et la publicité qui leur était donnée, parce que j'y
plaçais au premier plan le problème politique. Comme Tixier
lui demandait en quoi cela lui paraissait fâcheux, le ministre
américain allégua, une fois de plus, les exigences de la situation
militaire, tout comme si l'entente proposée par de Gaulle
menaçait les communications d'Eisenhower en Afrique du
Nord !

Que le Président fût décidé à intervenir sur place, j'en avais
eu implicitement la preuve quand, au lendemain de la mort de
Darlan, les Américains m'invitèrent à ajourner mon voyage
imminent à Washington. Pourtant, Roosevelt lui-même, après
le débarquement de ses troupes en Afrique, m'avait fait demander d'aller le voir. Tout était, apparemment, arrangé
pour cette visite. Je devais partir le 27 décembre, gagner en
avion Accra et y embarquer à bord d'un croiseur américain
qui m'amènerait aux États-Unis. L'amiral Stark me précé-
dait, ayant quitté Londres le 20 décembre pour préparer les
voies. Le général Catroux, désigné pour m'accompagner, était
arrivé à Accra le 24, venant de Beyrouth. Mais, ce jour-là,
disparaissait Darlan et, du même coup, se dessinait l'intervention nouvelle du Président. Je m'aperçus aussitôt du tour-
nant, car, le 26, M. Churchill, agissant évidemment pour le
compte de M. Roosevelt, me demanda si, vu les circonstances,
je ne croyais pas devoir différer mon départ. Le lendemain,
le Gouvernement américain me fit remettre une note dans le
même sens.

J'étais donc fixé sur les raisons qui déterminaient Giraud
à réclamer des délais. Sa réponse à mon second message, qui
m'arriva le 6 janvier, acheva de m'édifier. Il me donnait

son accord de principe pour un entretien à Alger et ne parlait plus, cette fois, de l'atmosphère défavorable créée par la mort de Darlan. Mais, invoquant « des engagements antérieurs, » il disait ne voir aucune date possible avant la fin de janvier. Là-dessus, je lui mandai, cette fois avec quelque rudesse : « Je regrette que vos engagements antérieurs vous amènent à me proposer de différer jusqu'à la fin de janvier l'entrevue que je vous ai suggérée le 25 décembre. Je dois vous dire franchement que le Comité national et moi-même avons une autre opinion quant au caractère d'urgence que présentent la réalisation de l'unité de l'Empire et l'union de ses efforts avec ceux de la résistance nationale. »

Mais, tandis que je m'attendais à un geste de M. Roosevelt, ce fut M. Churchill qui, soudain, se manifesta. Le 17 janvier, M. Eden me remettait un télégramme que le Premier Ministre m'avait adressé du Maroc. M. Churchill me demandait de venir l'y rejoindre. « Je suis en mesure, écrivait-il, de ménager ici un entretien entre vous et Giraud dans des conditions de complète discrétion et sous les meilleurs auspices. »

Ma réaction fut défavorable. Sans doute, M. Eden me donnait-il à entendre que Roosevelt était, lui aussi, au Maroc, où les chefs alliés tenaient une conférence pour arrêter leurs plans communs. Mais, alors, pourquoi Churchill ne me l'indi-quait-il pas? Pourquoi ne donnait-il pas d'autre objet à l'invi-tation qu'une rencontre avec Giraud? Pourquoi cette invita-tion m'était-elle faite en son seul nom? S'il me fallait me rendre à Anfa pour figurer dans une compétition à titre de « poulain » des Britanniques, tandis que les Américains y enga-geraient le leur, ce serait là une comédie inconvenante, voire dangereuse. Ma réponse à Churchill fut négative. Elle partit en même temps qu'un message que j'adressai à Giraud : « Sou-venez-vous, lui écrivais-je, que je reste prêt à vous rencontrer, en territoire français et entre Français, où et quand vous le souhaiterez. »

Deux jours après, Eden me remit un nouveau télégramme de Churchill. Celui-ci, mortifié par mon refus et d'autant plus qu'il l'avait essuyé devant les Américains, m'adjurait de recon-sidérer la question. Faute de quoi, annonçait-il, l'opinion me serait sévère et lui-même ne ferait plus rien pour aider la France Combattante vis-à-vis des États-Unis tant que je resterais à la tête du « mouvement ». Mais, cette fois, il se déclarait « autorisé à me dire que l'invitation à la conférence m'était adressée par le Président des États-Unis en même

temps que par lui, ... qu'on y traiterait, avant tout, des
questions concernant l'Afrique du Nord, ... que le Président,
comme lui-même, serait heureux que je participe aux discussions sur ce sujet. »

Sans relever ce que le message comportait de menaçant et
qui, après maintes expériences, ne m'impressionnait plus beaucoup, j'admis que « la situation de la guerre et l'état où se trouvait provisoirement la France ne me permettaient pas de
refuser de rencontrer le Président des États-Unis et le Premier
Ministre de Sa Majesté britannique. » C'est dans ces termes
que je rédigeai finalement mon acceptation, non sans souligner que les questions qui allaient être débattues « étaient la
suite d'une entreprise à laquelle la France Combattante ne
participait pas et qui avait conduit à une situation peu satisfaisante, semblait-il, pour les alliés et pas du tout, en tout cas,
pour la France. »

Avant d'expédier ma réponse, je réunis solennellement le
Comité national, qui après un examen approfondi de l'affaire
m'approuva de me rendre à Anfa, fût-ce seulement pour y
voir personnellement Roosevelt. La délibération prit, à dessein, quelque temps. Je ne mis, ensuite, aucune hâte à commencer mon voyage avec mes compagnons désignés : Catroux,
d'Argenlieu, Palewski devenu chef de mon cabinet, Hettier
de Boislambert arrivé tout récemment de France après son
évasion de la prison de Gannat où, en raison de son rôle dans
l'affaire de Dakar, Vichy l'avait incarcéré. Enfin, de mauvaises
conditions atmosphériques retardèrent encore notre départ.
Nous n'arrivâmes que le 22 janvier au terrain de Fédala.

Il s'y trouvait, pour nous accueillir en grand mystère, le
général américain Wilbur que j'avais connu autrefois à l'École
supérieure de guerre et qui me salua de la part du président
Roosevelt, M. Codrington qui m'apporta les compliments de
M. Churchill, et le colonel de Linarès envoyé par le général
Giraud pour nous prier à déjeuner. Aucune troupe ne rendait
les honneurs. Mais des sentinelles américaines gardaient autour de nous un large périmètre. Des voitures américaines
vinrent se ranger auprès de l'avion. Je montai dans la première. Wilbur, avant d'en faire autant, trempa un chiffon
dans la boue et en barbouilla les glaces. Ces précautions
avaient pour but de cacher la présence au Maroc du général
de Gaulle et de ses compagnons.

A Anfa, les alliés avaient mis en réquisition un ensemble
de villas dont tous les habitants étaient allés loger ailleurs.

En outre, on avait fait le vide tout autour. Un réseau de barbelés encerclait la conférence. Des postes américains veillaient au-dehors et au-dedans et ne laissaient entrer, ni sortir, personne. Des troupiers américains faisaient le ménage de chacun. Bref, c'était la captivité. Que les Anglo-Saxons se l'imposassent à eux-mêmes, je n'y voyais pas d'objection. Mais le fait qu'ils me l'appliquaient et, de surcroît, en terre de souveraineté française me fit l'effet d'une sorte d'outrage.

Les premiers mots que j'adressai au général Giraud manquèrent donc d'aménité. « Eh quoi? lui dis-je, je vous ai, par quatre fois, proposé de nous voir et c'est dans cette enceinte de fil de fer, au milieu des étrangers, qu'il me faut vous rencontrer? Ne sentez-vous pas ce que cela a d'odieux au point de vue national? » Giraud, gêné, me répondit qu'il n'avait pu faire autrement. A vrai dire, je n'en doutais pas, étant donné les conditions dans lesquelles il s'était placé par rapport aux Américains.

Le repas fut, néanmoins, cordial. On évoqua des souvenirs communs et, à ma demande, notre hôte fit le récit de son extraordinaire évasion de Kœnigstein. Mais, quand nous fûmes sortis de table, le général Giraud parla d'autres sujets. Il répéta avec insistance : « Qu'il ne pensait qu'au combat ; ... qu'il ne voulait pas s'occuper de politique ; ... qu'il n'écoutait jamais quiconque prétendait lui exposer une théorie ou un programme ; ... qu'il ne lisait aucun journal et ne prenait pas la radio... » Que ce fût en vertu de ses convictions ou par suite d'engagements pris, il s'affirma solidaire des « proconsuls » : Noguès, « indispensable au Maroc » ; Boisson, « qui avait su défendre sa colonie contre toute attaque étrangère, même allemande » ; Peyrouton, venu récemment remplacer Chatel au gouvernement général de l'Algérie et « qui avait de la poigne » ; Bergeret, « par exception, une bonne tête stratégique. » Il ne cacha pas qu'indépendamment de sa volonté — sans nul doute résolue — de combattre les Allemands, il n'avait rien contre le régime de Vichy. Il marqua, enfin, que le caractère élémentaire, populaire, révolutionnaire de la résistance intérieure lui était incompréhensible à moins qu'il le désapprouvât. Après cette première conversation, nous laissâmes Giraud dans sa villa et nous en fûmes dans la nôtre.

Comme l'après-midi s'avançait et que je demeurais chez moi sur une réserve calculée, je reçus la visite de M. MacMillan, ministre d'État britannique, que son gouvernement détachait à Alger pour y coordonner les affaires en Méditerranée occidentale. MacMillan m'indiqua, qu'en liaison avec Murphy, il s'efforçait de trouver une formule d'union acceptable à la fois par Giraud et par moi-même et qui nous serait proposée par Roosevelt et Churchill. C'était bien là l'intervention prévue. Je fis comprendre à MacMillan qu'une entente Giraud - de Gaulle ne pouvait se réaliser autrement qu'entre Français. Cependant, à la demande instante du ministre britannique, je me rendis chez Churchill.

En abordant le Premier Ministre, je lui dis avec vivacité que je ne serais pas venu si j'avais su qu'il me faudrait être encerclé, en terre française, par les baïonnettes américaines. « C'est un pays occupé ! » s'écria-t-il. Nous étant tous deux radoucis, nous abordâmes le fond des choses. Le Premier Ministre m'expliqua qu'il s'était mis d'accord avec le Président sur un projet de solution du problème de l'Empire français. Les généraux Giraud et de Gaulle seraient placés conjointement à la présidence d'un comité dirigeant, où eux-mêmes, ainsi que tous les autres membres, seraient égaux à tous égards. Mais Giraud exercerait le commandement militaire suprême, en raison notamment du fait que les États-Unis, devant fournir de matériel l'armée française réunifiée, n'entendaient régler la question qu'avec lui. « Sans doute, avança M. Churchill, mon ami le général Georges pourrait-il vous compléter à titre de troisième président. » Quant à Noguès, Boisson, Peyrouton, Bergeret, ils conserveraient leur poste et entreraient au Comité. « Les Américains, en effet, les avaient maintenant adoptés et voulaient qu'on leur fît confiance. »

Je répondis à M. Churchill que cette solution pouvait paraître adéquate au niveau — d'ailleurs très estimable — des sergents-majors américains, mais que je n'imaginais pas que lui-même la prît au sérieux. Quant à moi, j'étais obligé de tenir compte de ce qui restait à la France de sa souveraineté. J'avais, il n'en pouvait douter, la plus haute considération pour lui-même et pour Roosevelt, sans toutefois leur reconnaître aucune sorte de qualité pour régler la question des pouvoirs dans l'Empire français. Les alliés avaient, en dehors de moi, contre moi, instauré le système qui fonctionnait à Alger. N'y trouvant, apparemment, qu'une satisfaction médiocre, ils projetaient, à présent, d'y noyer la France Combattante. Mais celle-ci ne s'y prêterait pas. S'il lui fallait disparaître, elle préférait le faire avec honneur.

M. Churchill ne parut pas saisir le côté moral du problème.

« Voyez, dit-il, ce qu'est mon propre gouvernement. Quand je l'ai formé, naguère, désigné que j'étais pour avoir lutté longuement contre l'esprit de Munich, j'y ai fait entrer tous nos Munichois notoires. Eh bien ! ils ont marché à fond, au point qu'aujourd'hui on ne les distingue pas des autres. » — « Pour parler ainsi, répondis-je, il faut que vous perdiez de vue ce qui est arrivé à la France. Quant à moi, je ne suis pas un homme politique qui tâche de faire un cabinet et de trouver une majorité parmi des parlementaires. » Le Premier Ministre me pria, cependant, de réfléchir au projet qu'il m'avait exposé. « Ce soir, ajouta-t-il, vous conférerez avec le Président des États-Unis et vous verrez que, sur cette question, lui et moi sommes solidaires. » Par le jardin, il m'accompagna jusqu'à la grille d'entrée où une garde anglaise présentait les armes. « Constatez, me dit-il, que s'il y a ici des postes américains il s'y trouve, côte à côte et d'accord avec eux, des soldats britanniques. »

Peu après, M. Roosevelt m'envoya quelqu'un pour arranger notre rencontre. J'y fus, tard dans la soirée. Nous passâmes une heure ensemble, assis sur le même canapé, dans une grande pièce de la villa où il s'était installé. Bien que mon interlocuteur affectât d'être seul en ma compagnie, je discernais des ombres au fond d'une galerie supérieure et je voyais des rideaux remuer dans les coins. Je sus, plus tard, que M. Harry Hopkins et quelques secrétaires écoutaient sans se découvrir et que des policiers armés veillaient sur le Président. En raison de ces présences indistinctes, c'est dans une atmosphère étrange que nous eûmes, Roosevelt et moi, notre première conversation. Ce soir-là, comme il en fut chaque fois que je le vis ensuite, il se montra empressé à porter son esprit vers le mien, usant du charme, pour me convaincre, plutôt que des arguments, mais attaché une fois pour toutes au parti qu'il avait pris.

Les plus hautes ambitions possédaient Franklin Roosevelt. Son intelligence, son savoir, son audace, lui en donnaient la faculté. L'État puissant, dont il était le chef, lui en procurait les moyens. La guerre lui en offrait l'occasion. Si le grand peuple qu'il dirigeait avait été longtemps enclin à s'isoler des entreprises lointaines et à se défier de l'Europe, sans cesse déchirée de batailles et de révolutions, une sorte de messianisme soulevait, à présent, l'âme américaine et la tournait vers les vastes desseins. Les États-Unis, admirant leurs propres ressources, sentant que leur dynamisme ne trouvait

plus au-dedans d'eux-mêmes une assez large carrière, voulant
aider ceux qui, dans l'univers, sont misérables ou asservis,
cédaient à leur tour au penchant de l'intervention où s'enro-
bait l'instinct dominateur. C'est cette tendance que, par excellence, épousait le président Roosevelt. Il avait donc tout fait
pour que son pays prît part au conflit mondial. Il y accom-
plissait, à présent, sa destinée, pressé qu'il était d'aboutir par
l'avertissement secret de la mort.

Mais, dès lors que l'Amérique faisait la guerre, Roosevelt
entendait que la paix fût la paix américaine, qu'il lui appartînt
à lui-même d'en dicter l'organisation, que les États balayés
par l'épreuve fussent soumis à son jugement, qu'en particulier la France l'eût pour sauveur et pour arbitre. Aussi, le fait
qu'en pleine lutte celle-ci se redressât, non point sous forme
d'une résistance fragmentaire et, par là, commode, mais en
tant que nation souveraine et indépendante, contrariait ses
intentions. Politiquement, il n'éprouvait pas d'inclinaison à
mon égard.

Il en éprouvait d'autant moins qu'il se trouvait, sans relâche, battu en brèche chez lui par l'opinion. C'est d'elle qu'il
tenait le pouvoir. Mais elle pouvait le lui ôter. Au cours même
de la guerre, Roosevelt, dut, par deux fois, se soumettre à
l'élection. Encore, dans les intervalles, la presse, la radio, les
intérêts, harcelaient le Président. Celui-ci, appliqué à séduire,
mais gêné au fond de lui-même par l'infirmité douloureuse
contre laquelle il luttait vaillamment, était sensible aux reproches et aux brocards des partisans. Or, justement, sa politique vis-à-vis du général de Gaulle soulevait en Amérique
les plus ardentes controverses. Il faut ajouter qu'il était, ainsi
qu'une vedette, ombrageux quant au rôle des autres. Bref,
sous les manières courtoises du patricien, c'est sans bienveillance que Roosevelt considérait ma personne.

Ce soir-là, nous fîmes assaut de bonne grâce, mais nous
tînmes, d'un commun accord, dans une certaine imprécision
à propos de l'affaire française. Lui, traçant d'un pointillé
léger la même esquisse que, d'un trait lourd, m'avait dessinée
Churchill et me laissant doucement entendre que cette solution s'imposerait parce que lui-même l'avait résolu. Moi, lui
marquant délicatement que la volonté nationale avait, déjà,
fixé son choix et que, plus tôt ou plus tard, le pouvoir qui
s'établirait dans l'Empire, puis dans la Métropole, serait celui
que la France voulait. Cependant, nous prîmes soin de ne pas
nous heurter de front, sentant que le choc ne mènerait à rien

et sachant que, pour la suite, nous avions tous deux intérêts à nous ménager l'un l'autre.

Le lendemain, je reçus le général Giraud. Nous causâmes à loisir, seul à seul. « Que proposez-vous ? » lui dis-je. Il m'exposa son plan qui était, en somme, celui de MM. Roosevelt et Churchill. A la tête, nous serions trois : lui, le premier ; moi, le second ; comme troisième, le général Georges, que les Anglais iraient chercher en France. Pour qu'il y eût équivalence, on me nommerait général d'armée ! Mais Giraud se réservait entièrement la direction du domaine militaire. Il serait Commandant en chef des forces françaises, y compris celles de la France Libre et des éléments armés de la résistance et, à ce titre, ne dépendrait que du seul Eisenhower. Les « proconsuls » resteraient en place. Seul, Bergeret pourrait être écarté. Un « Conseil impérial », comprenant Noguès, Boisson et Peyrouton, auxquels seraient adjoints Catroux et, peut-être, Éboué, ainsi que quelques « secrétaires », coordonnerait l'administration des territoires de l'Empire, sans exercer, toutefois, aucune action politique.

La conception de Giraud me sembla inacceptable. « Ce que vous imaginez, lui dis-je, consiste à vous attribuer la réalité du pouvoir sous la protection de Roosevelt en instituant, à vos côtés, une figuration plus ou moins impressionnante. En somme, c'est le Consulat à la discrétion de l'étranger. Mais Bonaparte, Premier Consul, dans la guerre et l'indépendance obtenait du peuple une approbation pour ainsi dire unanime. Quel plébiscite ferez-vous ? Si vous en faites un, vous sera-t-il favorable ? Bonaparte, d'ailleurs, se présentait comme un chef qui avait, pour la France, remporté de grandes victoires et conquis de vastes provinces. J'espère, de toute mon âme, que vous en ferez autant. Mais, pour l'instant, quels sont vos triomphes ? J'ajoute que le Premier Consul excellait en matière législative et administrative. Sont-ce bien là vos aptitudes ? Au surplus, vous n'ignorez pas qu'en France l'opinion condamne, désormais, Vichy. Or, c'est de Darlan, d'abord, puis de Noguès, Boisson, Chatel, Bergeret, que vous tenez vos fonctions. C'est au nom du Maréchal que vous les avez prises. Tout le monde connaît votre lettre à Pétain lui donnant votre parole que vous ne ferez jamais rien contre sa politique. Croyez-vous, dans ces conditions, obtenir du peuple français cette adhésion élémentaire sans laquelle un gouvernement ne peut être qu'une fiction, à moins qu'il ne devienne la cible d'une révolution ? Enfin, dans la situation de dépendance où

vous maintiendra, par rapport aux Anglo-Saxons, le caractère artificiel de vos pouvoirs, comment pourrez-vous sauvegarder la souveraineté française ? »

Le général Giraud déclara, une fois de plus, que « c'était là
de la politique ; qu'il ne voulait pas s'y mêler ; qu'il ne s'agissait, pour lui, que de refaire l'armée française ; qu'il avait
pleine confiance dans les alliés américains. » — « Je viens,
dit-il, de conclure avec le président Roosevelt un accord en
vertu duquel les États-Unis s'engagent à équiper autant
d'unités que je pourrai en constituer. Je compte disposer,
dans six mois, d'une douzaine de divisions. Quant à vous,
dans le même temps, en aurez-vous seulement la moitié?
Et qui vous donnera des armes ? »

— « Il ne s'agit pas, répliquai-je, d'une concurrence entre nous
dans le domaine des effectifs. Les troupes qui, pour le moment,
se trouvent en Afrique du Nord, appartiennent à la France.
Elles ne sont pas votre possession. Vous vous en apercevrez
vite si nous ne nous arrangeons pas. Le problème, c'est l'unité
française dans l'Empire et dans la Métropole, ce qui commande
d'instituer un pouvoir central répondant à la question. Cela
fait, les diverses forces seront sans difficulté unifiées et employées. Les événements ont voulu que la France Combattante symbolisât la résistance contre l'ennemi, le maintien de
la République, la rénovation nationale. C'est naturellement
vers elle que se tourne le sentiment général au moment où se
dissipe l'illusion que fut Vichy. D'autre part, beaucoup vous
estiment fort en tant que chef militaire. Je vous tiens moi-
même, à cet égard, comme un élément du capital français que
je déplorerais de perdre. La solution de bon sens consiste donc
en ceci : Que de Gaulle forme, à Alger, un gouvernement de
guerre qui deviendra, au moment voulu, celui de la République. Que Giraud reçoive de ce gouvernement le commandement de l'armée de la libération. A la rigueur, si une transi-
tion devait paraître nécessaire, formons ensemble le pouvoir
central. Mais que celui-ci, dès l'abord, condamne Vichy, proclame que l'armistice fut toujours nul et non avenu, se rattache à la République et s'identifie, vis-à-vis du monde, avec
l'indépendance de la France. »

Le général Giraud s'en tint à sa manière de voir. Pourtant,
le voyant plus obstiné que convaincu, je gardai l'espoir qu'un
jour la force des choses l'amènerait à changer sa conception.
En attendant, des problèmes d'intérêt national exigeaient des
solutions concertées. C'était le cas pour l'action militaire, les

finances, les échanges, la monnaie, le sort de la Tunisie, celui
de l'Indochine, le ralliement des Antilles, de la Guyane, de
la flotte d'Alexandrie. Nous convînmes donc d'établir entre
nous une liaison réciproque. J'indiquai au général Giraud
que mon intention était d'envoyer en Afrique du Nord une
mission ayant à sa tête le général Catroux, ce qu'il accepta
aussitôt. Après quoi, Giraud et les siens déjeunèrent à notre
table. Catroux, d'Argenlieu, Palewski, Boislambert, aussi bien
que Linarès, Beaufre, Poniatowski, avertis par les contacts
qu'ils avaient pris de leur côté, connurent sans surprise, mais
non sans chagrin, que l'entente ne se faisait pas. Le repas fut
mélancolique.

M. Robert Murphy me fit, ensuite, sa visite. Il semblait
certain que tout s'arrangerait suivant le projet dont lui-même
était l'auteur. Comme je lui marquais mes doutes et lui demandais de quelle façon réagirait, à son avis, l'opinion au
Maroc et en Algérie quand on saurait qu'à Anfa l'accord n'était
pas conclu, il me répondit que beaucoup en seraient satisfaits
et soulagés. « L'Afrique du Nord, ajouta-t-il, ne compte pas
10 pour 100 de gaullistes. » Il me confirma que le président
Roosevelt et M. Churchill venaient de conclure avec le général
Giraud un accord prévoyant certaines livraisons d'armes et
de vivres à l'Afrique du Nord — ce que j'approuvai sans réserves — mais, d'autre part, accordant conjointement au
« Commandant en chef civil et militaire » une reconnaissance
qui, jusqu'à présent, n'avait été ni formulée par les États-
Unis, ni acceptée par la Grande-Bretagne.

« Dans l'intérêt du peuple français, spécifiait l'accord, et
afin de sauvegarder le passé, le présent et l'avenir de la
France, le Président des États-Unis et le Premier Ministre
britannique reconnaissent au Commandant en chef français,
dont le quartier général est à Alger, le droit et le devoir d'agir
comme gérant des intérêts français, militaires, économiques
et financiers, qui sont associés ou s'associeront avec le mouvement de libération maintenant établi en Afrique du Nord et
en Afrique occidentale françaises. Ils s'engagent à l'aider dans
cette tâche par tous les moyens en leur pouvoir. » Ainsi,
l'Amérique et l'Angleterre, se faisant les juges de l'intérêt du
peuple français, traitaient ensemble avec le seul Giraud,
lequel, sous le prétexte de ne pas faire de politique, acceptait
leur autorité. J'appris que M. Churchill avait de lui-même,
la veille, en causant avec Giraud, écrit sur un coin de table
que la livre sterling en Afrique du Nord vaudrait 250 francs

français. Elle ne valait, d'après les accords que nous avions passés avec Londres, que 176 francs. J'appris aussi que le président Roosevelt avait reçu à dîner le sultan du Maroc pour lui tenir un langage qui cadrait mal avec le protectorat français, sans que Giraud y vît rien à redire. Dans la soirée, M. Harold MacMillan vint me faire entendre le couplet de l'inquiétude, quant à l'avenir de la France Combattante. Enfin, le général Wilbur m'annonça que la conférence se terminerait dans les vingt-quatre heures et me remit des messages que des officiers français, en service à Casablanca, l'avaient prié de me transmettre. Je l'invitai à faire savoir à ses chefs combien je trouvais étrange qu'en pleine bataille d'Afrique du Nord, à laquelle l'armée française — y compris les forces françaises libres — participait largement, aucune des autorités militaires alliées venues conférer à Anfa n'ait jugé à propos de me dire le moindre mot, ni des plans, ni des opérations.

Le lendemain, de bonne heure, MacMillan et Murphy me soumirent un communiqué arrêté au cours de la nuit par MM. Roosevelt et Churchill et que ceux-ci demandaient aux généraux de Gaulle et Giraud de prendre à leur propre compte et de publier conjointement. Giraud l'avait, déjà, accepté pour sa part. Suivant ce texte anglo-saxon, qui par là deviendrait français, les deux généraux se proclameraient d'accord « sur les principes des Nations Unies » et annonceraient leur intention de former en commun un comité pour administrer l'Empire français dans la guerre. Sans doute, la formule était-elle trop vague pour nous engager à grand-chose. Mais elle avait le triple inconvénient de provenir des alliés, de laisser entendre que je renonçais à ce qui n'était pas simplement l'administration de l'Empire, enfin de donner à croire que l'entente était réalisée alors qu'elle ne l'était pas. Après avoir pris l'avis — unanimement négatif — de mes quatre compagnons, je répondis aux messagers que l'élargissement du pouvoir national français ne saurait résulter d'une intervention étrangère, si haute et si amicale qu'elle pût être. Toutefois, j'acceptai de revoir le Président et le Premier Ministre avant la dislocation prévue pour l'après-midi.

Mon entretien avec M. Churchill revêtit, de son fait, un caractère d'extrême âpreté. De toute la guerre, ce fut la plus rude de nos rencontres. Au cours d'une scène véhémente, le Premier Ministre m'adressa des reproches amers, où je ne pus voir autre chose que l'alibi de l'embarras. Il m'annonça qu'en rentrant à Londres il m'accuserait publiquement d'avoir empêché l'entente, dresserait contre ma personne l'opinion de son pays et en appellerait à celle de la France. Je me bornai à lui répondre que mon amitié pour lui et mon attachement à l'alliance anglaise me faisaient déplorer l'attitude qu'il avait prise. Pour satisfaire, à tout prix, l'Amérique, il épousait une cause inacceptable pour la France, inquiétante pour l'Europe, regrettable pour l'Angleterre.

Je me rendis, ensuite, chez Roosevelt. Là, l'accueil fut habile, c'est-à-dire aimable et attristé. Le Président m'exprima le chagrin qu'il éprouvait à constater que l'entente des Français restait incertaine et que lui-même n'avait pu réussir à me faire accepter même le texte d'un communiqué. « Dans les affaires humaines, dit-il, il faut offrir du drame au public. La nouvelle de votre rencontre avec le général Giraud, au sein d'une conférence où je me trouve, ainsi que Churchill, si cette nouvelle était accompagnée d'une déclaration commune des chefs français et même s'il ne s'agissait que d'un accord théorique, produirait l'effet dramatique qui doit être recherché. » — « Laissez-moi faire, répondis-je. Il y aura un communiqué, bien que ce ne puisse être le vôtre. »

Là-dessus, je présentai au Président mes collaborateurs. Il me nomma les siens. Entrèrent, alors, M. Churchill, le général Giraud et leur suite, enfin une foule de chefs militaires et de fonctionnaires alliés. Tandis que tout le monde s'assemblait autour du Président, Churchill réitéra à voix haute contre moi sa diatribe et ses menaces, avec l'intention évidente de flatter l'amour-propre quelque peu déçu de Roosevelt. Celui-ci affecta de ne pas le remarquer, mais, par contraste, adopta le ton de la meilleure grâce pour me présenter l'ultime demande qui lui tenait à cœur. « Accepteriez-vous, tout au moins, me dit-il, d'être photographié à mes côtés et aux côtés du Premier Ministre britannique en même temps que le général Giraud ? » — « Bien volontiers, répondis-je, car j'ai la plus haute estime pour ce grand soldat. » — « Iriez-vous, s'écria le Président, jusqu'à serrer la main du général Giraud en notre présence et devant l'objectif ? » Ma réponse fut : « *I shall do that for you.* » Alors, M. Roosevelt, enchanté, se fit porter dans le jardin où étaient, d'avance, préparés quatre sièges, braquées des caméras sans nombre, alignés, stylo en main, plusieurs rangs de reporters. Les quatre acteurs arborèrent le sourire. Les gestes convenus furent faits. Tout allait bien ! L'Amérique serait satisfaite en croyant voir, d'après les images, que la question française trouvait son *deus ex machina* en la personne du Président.

Avant de quitter Anfa, je rédigeai un bref communiqué que je proposai à Giraud sans l'avoir, bien entendu, fait connaître aux alliés : « Nous nous sommes vus. Nous avons causé... » Nous affirmions notre foi dans la victoire de la France et dans le triomphe des « libertés humaines. » Nous annoncions l'établissement d'une liaison permanente entre nous. Giraud signa. A sa demande, l'expression : « libertés humaines » avait, dans le texte, pris la place des mots : « principes démocratiques », que j'y avais, d'abord, fait figurer.

Les semaines qui suivirent nous furent pénibles. J'avais pensé me rendre, depuis Anfa, en Libye où combattaient nos troupes. Mais les alliés s'y étaient opposés. Alléguant des prétextes techniques, ils ne nous laissaient d'autre moyen de quitter l'enceinte d'Anfa qu'un avion anglais qui se rendait obligatoirement à Londres. Nous y rentrâmes le 26 janvier. Par une conférence de presse, tenue le 9 février, j'exposai au public ce qui s'était passé réellement à Anfa et qui ne ressemblait guère à ce que répandaient les sources anglo-saxonnes. Je soulignai sans ménagements les arrière-pensées des officiels et officieux Américains qui reprochaient aux Français Combattants de « faire de la politique » et comptaient, de cette façon, empêcher que la France en ait une. Par la suite, comme je manifestais de nouveau mon intention de gagner l'Orient, le gouvernement britannique me fit savoir, cette fois par écrit, le 3 mars, qu'il m'en refusait les moyens.

Le concours de malveillance engagé entre Washington et Londres trouvait largement son écho dans la presse et la radio. A de nobles exceptions près, les journaux et les commentateurs en Amérique et, même, en Grande-Bretagne ne paraissaient pas mettre en doute que l'unité française dût se faire autour de Giraud. Presque tout ce que l'on trouvait à lire et à entendre étalait à mon endroit les jugements les plus sévères. Certains disaient : « déplorable orgueil, » ou bien « ambition déçue. » Mais la plupart avançaient que j'étais candidat à la dictature ; que mon entourage, noyauté de fascistes et de cagoulards, me poussait à instituer en France, lors de la libération, un pouvoir personnel absolu ; qu'au contraire, le général Giraud, soldat sans prétentions ni intentions politiques, était le rempart de la démocratie ; que le peuple français pouvait faire confiance à Roosevelt et à Churchill pour m'empêcher de l'asservir.

Bien entendu, les éléments de l'émigration française qui ne m'avaient pas rallié et qui, par le fait même, dépendaient des étrangers épousaient et inspiraient cette thèse. En Amérique le journal *Pour la Victoire*, en Angleterre le quotidien *France*, l'*Agence française indépendante*, la revue *la France Libre*, voire, à la B. B. C., une grande partie de l'équipe *les Français parlent aux Français*, prenaient ouvertement parti pour Giraud. En revanche, les organes d'expression «gaulliste», tels : à New York *la Voix de la France* d'Henry Torrès, à Londres *la Marseillaise* de François Quillici, à la radio anglaise la parole de Maurice Schumann, à Brazzaville le grand poste de la France Combattante, clamaient notre résolution.

Il faut dire que, si les alliés nous criblaient de désagréments, en Afrique française les témoignages favorables allaient se multipliant. Le mouvement « Combat », où s'assemblaient les « gaullistes », voyait affluer les adhésions. René Capitant venait m'en rendre compte à Londres. Ceux des éléments de Leclerc qui prenaient, vers Ghadamès, le contact des troupes sahariennes en recevaient un accueil enthousiaste et de nombreuses demandes d'engagement. Au Niger, au Dahomey, au Togo, en Guinée, en Côte d'Ivoire, en Haute-Volta, nos émissaires trouvaient, maintenant, l'accès le plus facile. Mais c'est surtout parmi les marins que le choix populaire apparaissait au grand jour. Une grande partie des équipages des navires de guerre et de commerce, qui, du Maroc, d'Afrique occidentale, d'Algérie, passaient par les ports américains ou britanniques, en profitaient pour s'inscrire aux bureaux de recrutement de la France Combattante. C'est ainsi que le *Richelieu*, s'étant rendu de Dakar à New York pour y être remis en état, voyait 300 marins quitter son bord afin de servir sur des navires de la marine française libre. Le contre-torpilleur *Fantasque*, le ravitailleur *Wyoming*, le cargo *Lot*, abordant eux aussi l'Amérique, se vidaient de la même façon. Dans le port écossais de Greenock, les équipages des bateaux de transport : *Éridan*, *Ville d'Oran*, *Champollion*, *Groix*, *Meonia*, *Jamaïque*, se ralliaient au général de Gaulle et exigeaient que leur bâtiment arborât la Croix de Lorraine.

Cette affaire des marins exaspéra Washington. D'autant plus que beaucoup d'indices donnaient à prévoir, qu'une fois réduite, en Tunisie, l'armée allemande et italienne qui séparait encore les troupes de Giraud de celles de Leclerc et de Larminat, un courant irrésistible entraînerait vers les forces Françaises libres maints éléments militaires d'Afrique du Nord.

Aussi, les Américains, redoutant que la fin de la bataille
d'Afrique y provoquât un raz de marée « gaulliste », firent
un grand effort pour nous amener à composition.

Ils essayèrent la manière forte. Aux États-Unis, certains
des marins qui avaient quitté leur bord pour rallier la France
Combattante furent arrêtés et emprisonnés. Notre délégué
Adrien Tixier, l'amiral Gayral chef de notre mission navale,
étaient assaillis des démarches comminatoires du State Department et de l'Amirauté. En Grande-Bretagne, tandis que les
Anglais se contentaient de prendre une attitude attristée, les
Américains menaçaient les équipages français venus d'Afrique
qui demandaient mes ordres. Même, un jour, le navire *Jamaïque*, amarré dans le port de Greenock, fut occupé par un
détachement de soldats de marine américains. A « Carlton
Gardens », l'amiral Stark, désolé d'avoir à contrarier une cause
à laquelle étaient attachés sa raison et son sentiment mais lié
par ses consignes, déposait des plaintes instantes à destination d'Auboyneau commissaire à la Marine, de Diethelm qui,
dans ses attributions, avait la marine marchande, de moi-
même, à l'occasion. La presse et la radio des États-Unis publiaient des déclarations d'officiels et d'officieux qui accusaient
le général de Gaulle de saboter l'effort de guerre en empêchant
les navires français de remplir leur mission.

En fait, j'avais, bel et bien, donné l'ordre d'incorporer les
volontaires, considérant que leur choix était souhaitable tant
que l'organisation d'Alger fonctionnerait en-dehors de nous,
estimant qu'il était conforme à l'intérêt du service de les
employer là où ils rêvaient d'être, plutôt que de les refouler
dans un cadre où ils se trouveraient en état de sourde révolte,
jugeant, enfin, que la démonstration éclairait l'opinion mondiale. Mais, en même temps, je faisais inviter Alger, par l'intermédiaire de l'amiral Fénard son chef de mission navale
en Amérique, à remplacer sur les navires de guerre ceux qui
changeaient d'affectation. Les disponibles, en effet, ne manquaient pas en Afrique du Nord depuis que nombre de bâtiments avaient été coulés en combattant les alliés. Quant aux
navires de commerce, j'entendais leur donner moi-même
l'ordre de regagner, sous la Croix de Lorraine, leur port d'attache algérien ou marocain, pourvu que leur ralliement fût
tenu pour acquis. Recevant l'amiral Stark, le 11 mars, je lui
notifiai ces dispositions qui furent, effectivement, appliquées.

Les États-Unis, d'ailleurs, nous offraient le miel en même
temps que le vinaigre. Le 22 février, Sumner Welles écrivait

à Tixier que Roosevelt, une fois de plus, souhaitait recevoir
ma visite à Washington. Une fois de plus, je répondais que
j'étais prêt à m'y rendre. Une fois de plus, l'invitation ne serait
pas précisée. Sans doute, ce projet, disparaissant dès qu'il
s'était montré, jouait-il dans la politique de la Maison Blanche
le même rôle distrayant et merveilleux qu'on attribue au ser-
pent de mer.

Mais le tumulte de l'étranger ne nous détournait pas d'interroger le sentiment de la nation française. Or, sur ce point,
il n'y avait plus l'ombre d'un doute depuis le jour où l'ennemi,
occupant tout le territoire, asservissait entièrement Vichy.
Le 17 novembre, Laval, pour pouvoir opérer sans entraves,
s'était à son retour du quartier général du Führer fait donner
par Pétain le droit de promulguer toutes lois et tous décrets
sous sa seule signature. Au cours de l'hiver, redoublait la
persécution des Juifs malgré l'indignation publique, les protestations des évêques — comme Mgr Saliège à Toulouse, le
cardinal Gerlier à Lyon — la réprobation du pasteur Bœgner,
président de la Fédération protestante de France. Le 30 janvier 1943, était créée la milice, dont Darnand, déjà incorporé
dans la police allemande, devenait le secrétaire général et
qui s'employait activement à traquer les patriotes. Le 16 février, s'instituait le Service du travail obligatoire, procurant
au « gouvernement » le moyen de fournir sans limites à l'ennemi
la main-d'œuvre qu'il exigeait. Le 29 avril, Hitler, recevant
à nouveau Laval, réglait avec lui des mesures supplémentaires de collaboration. Si une partie de la population demeurait encore, par détresse ou par pitié, indulgente au Maréchal,
la raison de tous les Français — excepté quelques énergumènes
— condamnait la politique qui se faisait en son nom. L'école
dirigeante de la nation, c'était, maintenant, la résistance et
celle-ci se confondait avec la France Combattante.

Les allées et venues ne cessaient donc pas entre la Métropole
et Londres. Les bureaux de « Carlton Gardens », la maison de
Duke Street où travaillait le B. C. R. A., diverses demeures discrètes en ville et dans la banlieue, voyaient se glisser sous le
camouflage ceux que les avions, les vedettes, les chalutiers,
avaient été chercher en France ou s'apprêtaient à y conduire.
Au cours des quatre premiers mois de 1943, tandis que la
crise africaine battait son plein, notre « Service des opérations
aériennes et maritimes » transportait, dans l'un ou l'autre
sens, plusieurs centaines d'émissaires et de délégués. Notre
siège central était rejoint par maintes personnalités ; ainsi :

René Massigli que je nommai, le 5 février, commissaire national aux Affaires étrangères ; le général d'armée Beynet
destiné à diriger notre mission militaire à Washington ; le général de Lavalade bientôt nommé commandant supérieur des
Troupes du Levant ; le général Vautrin envoyé en Libye comme
chef d'état-major du Groupement Larminat et qui allait, en
cette qualité, être tué en service commandé ; Jules Moch qui,
aussitôt, prenait à titre militaire son service dans la marine ;
Fernand Grenier, amené par Rémy à la demande des communistes et qui, sous le contrôle de Soustelle, s'employait à la
propagande en affichant un « gaullisme » rigoureux ; Pierre
Viénot, idéaliste, intelligent, sensible, dont je projetais de
faire l'ambassadeur de France en Angleterre quand le Comité
national irait s'établir à Alger et qui devait mourir à la tâche ;
André Maroselli, mis en charge de notre organisation de secours
aux prisonniers de guerre, laquelle réussirait à expédier
chaque mois plus d'un million de colis ; Georges Buisson et
Marcel Poimbœuf, délégués respectivement par la C. G. T. et
par les Travailleurs chrétiens et formant, avec Albert Guigui
qui les avait précédés et Henri Hauck mon compagnon de la
première heure, une active représentation syndicale. Des parlementaires connus : Gouin, Queuille, Farjon, Hymans et, bientôt, Jacquinot, Auriol, Le Troquer, Louis Marin, se hâtaient
dès leur débarquement de déclarer aux agences, de proclamer à
la radio, de répéter aux hommes politiques, diplomates, journalistes alliés, ce qu'affirmaient, d'autre part, les messages de
MM. Jeanneney, Herriot, Blum, Mandel, Paul-Boncour, etc.,
savoir : qu'aucun gouvernement ne serait concevable, lors de
la libération, sinon celui du général de Gaulle.

En France même, la résistance, à mesure qu'elle souffrait
et agissait davantage, resserrait son unité. D'ailleurs, l'occupation de la zone qu'on avait dite « libre » effaçait certaines
différences et poussait à la concentration. A la fin de 1942,
j'avais pu faire la connaissance des chefs de plusieurs mouvements. J'en voyais d'autres, à présent, venus d'une lune à
l'autre, émergeant soudain du brouillard de fièvre, de ruse,
d'angoisse, où ils cachaient leurs armes, leurs coups de main,
leurs imprimeries, leurs boîtes aux lettres, et y retournant
tout à coup. Au cours de cette période, passèrent, notamment : Cavaillès, philosophe que sa nature eût porté à la prudence, mais que sa haine de l'oppression poussait au plus
fort de l'audace, jusqu'à ce qu'il souffrît, pour la France, la
torture et la mort ; Daniel Mayer, méthodique artisan de

« l'action socialiste » ; Jean-Pierre Lévy, modeste et résolu ;
Saillant, syndicaliste de qualité, envoyé par Léon Jouhaux.
Plusieurs renouvelaient leur visite, tels : Pineau, Sermoy-
Simon. En même temps, nos propres délégués parcouraient
le territoire. C'est ainsi que Rémy, animateur magnifique et
organisateur pratique, menant l'action secrète comme un
sport grandiose mais calculé, opérait principalement à Paris
et dans l'Ouest ; que Bingen rayonnait dans le Midi ; que
Manuel inspectait sur place nos réseaux et nos transmissions.
En janvier Brossolette, un mois plus tard Passy-Dewavrin,
gagnèrent, à leur tour, la France. Un jeune officier britannique, Yeo Thomas, accompagnait, à notre invitation, le chef
du B. C. R. A. afin de fournir au cabinet de Londres des informations directes. Passy et Brossolette, agissant de concert,
devaient prendre le contact des diverses organisations, déterminer celles du Nord à faire fonctionner entre elles une réelle
coordination, à l'exemple de celles du Sud, préparer l'union
des unes et des autres par le moyen d'un conseil commun et
d'un seul système militaire.

En février, arrivèrent Jean Moulin mon délégué dans la
Métropole et le général Delestraint commandant l'armée
secrète. Je revoyais le premier, devenu impressionnant de
conviction et d'autorité, conscient que ses jours étaient
comptés, mais résolu à accomplir, avant de disparaître, sa
tâche d'unification. J'orientais le second, investi d'une mission
à laquelle, à maints égards, sa carrière ne le préparait pas,
mais qu'il assumait, cependant, avec la fermeté du soldat que
rien n'étonne s'il s'agit du devoir.

A Moulin, qui avait longuement préparé les voies, je prescrivis de former, sans plus attendre, le Conseil national de
la résistance, où siégeraient les représentants de tous les
mouvements des deux zones, de tous les partis politiques et
des deux centrales syndicales. L'ordre de mission que je lui
donnai réglait cette composition, définissait le rôle du Conseil
et précisait la nature des rapports qui le liaient au Comité
national. Jean Moulin aurait à présider lui-même l'organisme
nouveau. Je le nommai membre du Comité national français
et lui remis, dans ma maison d'Hampstead, la croix de la
Libération, au cours d'une cérémonie dont aucune, jamais, ne
fut plus émouvante. Delestraint, pendant son séjour, put
travailler utilement avec les chefs alliés, notamment le général
Brooke, le général Ismay, l'amiral Stark, qui reconnaissaient
en lui un de leurs pairs. De la sorte, l'action de l'armée secrète

lors du débarquement en France serait, autant que possible, liée aux plans du commandement. L'instruction que le général Delestraint reçut de moi lui fixait ses attributions. C'étaient celles d'un inspecteur-général avant que la grande bataille commençât. Ce seraient, éventuellement, celles d'un commandant d'armée, dès qu'il faudrait conjuguer les opérations du dedans avec celles du dehors. Mais, peu de mois après son retour en France, cet homme d'honneur devait être arrêté par l'ennemi, déporté et, pour finir, hypocritement abattu à la porte d'un camp de misère, offrant à la patrie sa vie qu'il lui avait, d'avance, sacrifiée. Moulin et Delestraint partirent, le 24 mars, pour le combat et pour la mort.

Tant de signes marquant les progrès de l'unité de la France allaient aider à celle de l'Empire. Le Comité national prit, tout de suite, l'initiative des négociations à mener avec Alger. Huit jours après notre retour d'Anfa, le général Catroux se rendait en Afrique du Nord. Il y vit beaucoup de monde. Ensuite, ayant fait comprendre que notre but était l'entente et que les indésirables dont nous voulions l'élimination se comptaient sur les doigts des deux mains, il regagna provisoirement Beyrouth, tandis que Marchal, Charbonnières, Pechkoff, Pélabon, etc., installaient à Alger notre mission de liaison. Peu après, arrivait à Londres le général Bouscat délégué auprès de moi par le général Giraud. Les échanges de vues commençaient. Le 23 février, le Comité national arrêtait les termes d'un mémorandum, adressé au « Commandant en chef civil et militaire » et précisant les conditions indispensables de l'unité.

Tenir les armistices de 1940 comme ayant toujours été nuls et non avenus ; admettre l'impossibilité politique et morale de laisser aux postes de direction certains des hommes qui s'y trouvaient ; rétablir en Afrique du Nord la légalité républicaine ; puis, ces principes une fois acceptés par l'organisation Giraud, former un pouvoir central ayant toutes les attributions d'un gouvernement, afin que la France disposât dans la guerre d'une seule autorité responsable et d'une seule représentation ; créer, en outre, une assemblée consultative de la résistance, destinée à fournir une expression aussi large que possible de l'opinion de la nation souffrante et militante. Ainsi était, de nouveau, formulée notre position. Le mémorandum fut remis à Giraud le 26 février et publié le 12 mars.

Il était, désormais, impossible au système d'Alger de prendre publiquement une attitude différente. Car, indépendamment de ce qui se passait en France, c'est à un rythme accéléré, qu'en Afrique même, les choses allaient dans notre sens. Parmi les masses prévalait, maintenant, le sentiment élémentaire que de Gaulle avait gagné puisque Vichy avait perdu. Dans les cadres, le caractère artificiel des pouvoirs du « Commandant en chef civil et militaire » et son état de dépendance vis-à-vis des Américains suscitaient un malaise grandissant. D'ailleurs, sous la pression des missions anglo-saxonnes, elles-mêmes épiées par les journalistes et les parlementaires de leur pays, la censure politique se relâchait. Bien des yeux étaient dessillés. Les nouvelles venues de France, les propos tenus par ceux que l'occupation de l'ancienne zone libre ou le désir du combat amenaient en Afrique du Nord, la bataille qui faisait rage en Tunisie, achevaient de démentir les billevesées antigaullistes que les autorités avaient professées si longtemps.

Quelques-uns des hommes qui entouraient le général Giraud avaient assez de sens politique pour essayer de capter le courant. M. Jean Monnet fut l'inspirateur de cette évolution. Il avait, en février, quitté Washington pour Alger afin d'apporter à Giraud le concours de ses capacités économiques et administratives et de ses relations américaines. Le mémorandum du Comité national lui fit penser qu'il fallait se hâter de transformer les traits du « Commandement en chef civil et militaire ». Sur ce point, M. Monnet se trouva vite d'accord avec l'habileté de M. Murphy et l'esprit délié de M. MacMillan. Le mois de mars fut donc rempli des manifestations démocratiques de Giraud.

Le 4, un statut nouveau de la « Légion des Combattants » était décrété à Alger. Le 5, Giraud déclarait par radio : « La France n'a pas de préjugés racistes. » Le 8, il faisait retirer de la circulation un numéro du *Journal officiel d'Afrique du Nord* paru la veille et qui, comme les précédents, promulguait des décrets du maréchal Pétain captés par la voie des ondes. Le 14, au cours d'une réunion d'Alsaciens et de Lorrains, Giraud donnait lecture d'un discours condamnant Vichy et rendant hommage à la République. Le 15, il écrivait au général Catroux : « J'ai tenu à exposer hier les principes qui guident ma conduite. Il ne subsiste donc aucune équivoque entre nous... Je suis prêt à accueillir le général de Gaulle afin de donner à l'union une forme concrète. Je vous demande de lui en faire part. » Le 18 mars, il signait une série d'ordonnances abolissant, en maints domaines, la législation de Vichy.

Le lendemain, on entendit MM. Churchill et Cordell Hull, qui n'avaient pas paru remarquer, en son temps, le mémoran-

dum du Comité national français, déclarer que leurs gouvernements respectifs donnaient leur adhésion complète aux
principes affirmés par le général Giraud. Le 19 le général
Noguès, le 21 le gouverneur-général Boisson, faisaient connaître leur plein assentiment « quant aux actes et discours
républicains du Commandant en chef civil et militaire. » Puis,
le général Bergeret, M. Rigault, M. Lemaigre-Dubreuil, donnaient leur démission des postes qu'ils occupaient. Au fur et
à mesure de ces faits et de ces gestes, la plupart des journaux
et des commentateurs d'Amérique et d'Angleterre élevaient
un concert d'éloges et pressaient la France Combattante de
se rallier à Giraud à l'égard de qui, d'après eux, les « gaullistes »
ne pouvaient plus soulever d'objections valables.

Cependant, tirant avantage du discours prononcé, le
14 mars, par le général Giraud et du message qu'il avait prié
Catroux de me transmettre, le Comité national publiait que
« les déclarations faites à Alger marquaient, à beaucoup
d'égards, un grand progrès vers la doctrine de la France Combattante, telle qu'elle avait été soutenue depuis juin 1940 et,
de nouveau, exprimée par le mémorandum du 23 février. »
Je faisais moi-même connaître au général Giraud « que j'avais
reçu son message avec plaisir et que je comptais pouvoir me
rendre prochainement en Afrique du Nord. » J'annonçai la
nouvelle par radio, en invoquant l'union nationale d'une telle
manière et sur un tel ton que ceux qui m'écoutaient connurent que l'unité française n'avait pas changé de champion,
ni celui-ci de principes. Je télégraphiai au général Eisenhower
que je serais heureux de le voir à mon arrivée à Alger, ce à
quoi il répondit qu'il s'en féliciterait fort. Je demandai au
Gouvernement britannique de mettre, le moment venu, un
avion à ma disposition. Mais, en même temps, je déclarai
bien haut que je m'en tenais strictement à ma position bien
connue et, qu'avant de me mettre en route, j'attendrais que
le Comité national eût reçu d'Alger une réponse satisfaisante
au mémorandum du 23 février. C'est alors que, pour nous
réduire, l'effort suprême fut déclenché.

M. MacMillan ouvrit le feu. Le 17 mars, à Alger, il con-
voqua Guy de Charbonnières, en l'absence du général Catroux.
« A présent, lui dit-il, que le Commandant en chef civil et
militaire s'est publiquement rallié aux principes dont se réclame la France Combattante, rien ne s'oppose à ce que l'unité
se réalise autour du général Giraud. » Comme Charbonnières
marquait des réserves, le ministre d'État britannique laissa

COMÉDIE 95

éclater une violente irritation. « Si le général de Gaulle, cria-t-il, refuse aujourd'hui la main qui lui est tendue, sachez que l'Amérique et la Grande-Bretagne l'abandonneront complètement et qu'il ne sera plus rien. » Bien que M. MacMillan eût montré plus de modération dans la suite de l'entretien, on ne pouvait considérer sa démarche que comme une vague d'assaut.

La suivante fut menée par Mgr Spellman, archevêque de New York. Il arrivait d'Alger et demandait à me voir avec une mission explicite du Président des États-Unis. C'est le 23 mars que je rencontrai l'archevêque-ambassadeur. Ce prélat, d'une éminente piété, abordait les problèmes de ce monde avec l'évident souci de ne servir que la cause de Dieu. Mais la plus grande dévotion ne saurait empêcher que les affaires soient les affaires. Aussi, fut-ce d'une façon pressante que l'archevêque de New York me donna les conseils de sa sagesse.

« Liberté, égalité, charité, » telle était, suivant lui, la devise dont il convenait que s'inspirât ma conduite. « Liberté » signifiait que je devais m'abstenir de poser des conditions à l'union de la France Combattante avec le général Giraud ; « égalité » qu'il me fallait entrer dans le triumvirat dont on m'avait parlé à Anfa ; « charité » que le pardon s'imposait à l'égard des hommes en place à Alger, Rabat et Dakar. « Songez, me dit Mgr Spellman, quel malheur ce serait pour vous si l'on venait à vous refuser le bénéfice d'une formule que vous auriez refusée aux autres ? Vous voyez-vous condamné à rester en Angleterre et tenu, d'office, en dehors de l'action, pendant que, sans vous, la France serait libérée ? »

Je répondis à l'archevêque que, dans ce cas, il n'y aurait pas de libération de la France, puisque la victoire consisterait pour mon pays à se voir imposer par les Anglo-Saxons une autorité de leur choix aux lieu et place de celle qui régnait grâce aux Allemands. On pouvait, d'avance, être sûr qu'alors le peuple français suivrait une troisième sorte de libérateurs, dont ne se féliciteraient pas les alliés occidentaux. Mieux valait laisser faire la volonté nationale. En conclusion, je dis à l'archevêque que celle-ci, malgré tous les obstacles, était en train de se faire jour. Je lui en donnai comme exemples le mouvement des esprits en Afrique du Nord, l'attitude des marins et, surtout, les nouvelles de France. Au total, Mgr Spellman n'en parut pas contrarié. Je dois dire même que j'eus, plus tard, la preuve que dans nos entretiens j'avais gagné sa sympathie.

M. Churchill, ensuite, donna de sa personne. A sa demande, le 2 avril, j'allai le voir accompagné de Massigli. Le Premier Ministre, assisté de sir Alexander Cadogan, m'exposa que mon arrivée à Alger présenterait de graves inconvénients si l'entente n'était pas, auparavant, réalisée entre Giraud et moi. L'entente, pour M. Churchill, signifiait, bien entendu, l'acceptation des conditions qui m'avaient été notifiées à Anfa. Faute que l'accord fût conclu sur ces bases, il évoquait les fâcheuses conséquences qu'aurait, suivant lui, au point de vue de l'ordre public et de la situation militaire, ma présence en Afrique du Nord. L'avion que j'avais demandé était prêt, affirmait le Premier Ministre. Mais, de toutes façons, ne convenait-il pas d'attendre que M. Eden, alors en voyage aux États-Unis, eût le temps de revenir et que le général Catroux, qui n'était à Alger que depuis une semaine, pût exercer son influence ? Voulant que M. Churchill se découvrît, je publiai, en sortant de chez lui, que je prétendais toujours m'envoler vers Alger sans accepter de conditions. Le Premier Ministre annonça, alors, que le général Eisenhower me demandait d'ajourner mon voyage. Mais j'eus bientôt fait d'établir qu'Eisenhower ne m'avait rien demandé du tout, ce qui amena Churchill à reconnaître publiquement que la démarche n'incombait qu'à lui-même et que c'était bien lui qui s'opposait à mon départ.

Le 6 avril, je vis, tour à tour, M. Eden et M. Winant qui revenaient de Washington. L'un et l'autre me firent le tableau, évidemment concerté, des colères que mon obstination soulevait en Amérique et du manque à gagner qu'allait en éprouver la France. Ils me dépeignirent, par contraste, les avantages que lui vaudrait la bienveillance des alliés si je consentais à subordonner la France Combattante à Giraud. « Je l'aurais fait de grand cœur, leur dis-je, si Giraud s'était trouvé à la tête de l'Afrique du Nord le 18 juin 1940 et avait poursuivi la guerre en repoussant les injonctions de Pétain et de Weygand. Mais, aujourd'hui, des faits sont accomplis. La nation française en a pris acte. »

Tout en résistant à la pression des alliés, il me fallait subir celle de plusieurs de mes collaborateurs. Quelques-uns, en effet, sous l'empire de l'inquiétude que leur causait le parti pris de Washington et de Londres, des démarches insinuantes dont eux-mêmes étaient l'objet, du désir immense qu'ils

avaient de voir l'union s'accomplir coûte que coûte, finissaient
par se résigner. Au sein du Comité national, tel et tel de ses
membres ne le cachaient pas. Le général Catroux lui-même,
forcément plongé à Alger dans le milieu des gens en place et
des équipes Murphy et MacMillan, me proposait dans ses
dépêches de laisser à Giraud la prépondérance politique et
le commandement militaire. Sans méconnaître les intentions,
je ne suivis pas les conseils. Car, derrière les arbres qu'étaient
pour nous les difficultés immédiates, il y avait la forêt, c'est-
à-dire la nation française.

Or, c'était bien l'avenir de la nation qui se jouait dans le
débat. Le Comité national unanime le reconnut quand, le
10 avril, il reçut communication de la réponse faite par Giraud
au mémorandum du 23 février. Catroux l'apportait d'Alger.
Sans doute le document accordait-il aux bons principes une
adhésion ostentatoire. Mais l'application suggérée consistait,
en réalité, à empêcher que la France eût un gouvernement
jusqu'à la fin de la guerre et à faire en sorte que l'autorité
du Commandant en chef, c'est-à-dire en fait celle des alliés,
pût s'exercer sans limites.

Il nous était, en effet, proposé, une fois de plus, de n'établir
à Alger qu'un « Conseil des territoires d'outre-mer » où siégeraient Giraud, de Gaulle, les résidents et gouverneurs-généraux
en fonctions et des « commissaires » ayant certaines tâches
particulières. Le dit Conseil devrait s'interdire toute capacité
politique. Il aurait un rôle de coordination administrative
mais nullement de direction nationale. Quant au Commandant
en chef, le général Giraud, il devrait être subordonné au commandement interallié et ne relèverait, dans ses fonctions
militaires, d'aucune autorité française. Bien plus, c'est à lui
qu'il appartiendrait, à mesure de la libération et sous couvert
de l'état de siège, d'assurer l'ordre public et de nommer les
fonctionnaires sur tout le territoire de la Métropole. Ainsi,
faute d'un réel pouvoir central français, l'essentiel serait à
la discrétion d'un chef militaire placé sous la dépendance d'un
général étranger. Ce bizarre appareil devrait rester en place
tant que durerait la guerre. Après quoi, loin de procéder
aussitôt à la consultation du pays, on envisageait de faire
jouer une loi de 1872, dite loi Tréveneuc et prévoyant qu'en
l'absence d'Assemblée nationale c'est aux conseils généraux
qu'il incombait de pourvoir à l'administration et de nommer
un gouvernement. En somme, d'après le mémoire signé par
le général Giraud, tout se passerait comme si, en tant qu'État,

la France n'existait plus, tout au moins jusqu'à la victoire.
C'était bien la thèse de Roosevelt.

Ce document eut pour résultat de refaire l'unanimité de
notre Comité de Londres. Tous ses membres virent clairement où était la voie nationale. Le 15 avril, pour arrêter le
texte de la note que le général Catroux devait porter à Alger,
il n'y eut, en séance, qu'un seul mouvement. La note était
simple et ferme. Donnant acte au général Giraud de ce que
ses déclarations de principe offraient de satisfaisant, le Comité
réitérait les conditions nécessaires d'application : formation
d'un pouvoir effectif exerçant son autorité sur tous les territoires qui étaient ou seraient libérés, notamment celui de
la Métropole, et ayant sous sa coupe toutes les forces françaises
sans exception ; subordination au pouvoir de tous les officiers
généraux, résidents et gouverneurs et, d'abord, du Commandant en chef ; éloignement des hommes qui avaient pris une
responsabilité personnelle dans la capitulation et la collaboration avec l'ennemi. Pour constituer l'organe gouvernemental,
il était, répétions-nous, indispensable que le président et
plusieurs membres du Comité national aient la possibilité de
se rendre en Afrique du Nord sans qu'on leur fît aucune condition. D'autre part, afin de couper court aux bruits que répandait la presse au sujet de nos divergences, tous les membres
du Comité firent solennellement connaître qu'ils étaient, plus
que jamais, solidaires du général de Gaulle.

La France Combattante demeurant inébranlable, l'obstination apportée par le système d'Alger à nous subordonner
à lui touchait, maintenant, à son terme. En Afrique même,
la situation ne permettait plus d'attendre. Ce qui dominait
les esprits, s'inscrivait sur les murs, retentissait dans les rues,
c'était : « Que de Gaulle arrive ! » Le 14 mars, comme Giraud
sortait de la salle où il avait annoncé son orientation nouvelle,
la foule rassemblée sur la place l'accueillait aux cris de « Vive
de Gaulle ! » Personne ne doutait que l'attitude récemment
adoptée par les autorités locales, les changements apportés
à la législation de Vichy, la dissolution de la Légion, l'élargissement des prisonniers politiques, la démission de personnages en vue, fussent autant de succès pour le Comité national.
La Croix de Lorraine apparaissait partout. Le mouvement
« Combat » tenait le haut du pavé. Le 19 avril, les conseils
généraux d'Alger, d'Oran et de Constantine m'adressaient leur
hommage à l'ouverture de leur session. Le 26, M. Peyrouton,
rendant visite au général Catroux, lui déclarait que, dès mon

arrivée et pour faciliter l'union, il se démettrait de ses fonctions de gouverneur-général de l'Algérie et demanderait à servir à titre militaire. Le 1er mai, les cortèges organisés pour la fête du Travail scandaient leur marche en criant : « C'est de Gaulle qu'il nous faut ! » La veille, M. Churchill avait eu avec moi une satisfaisante conversation. M'ayant lu les plus récents rapports de M. MacMillan, il reconnut, qu'à son sens, j'avais gagné la première manche.

Comment, d'ailleurs, justifier l'éloignement où j'étais tenu, quand le sol de la Tunisie voyait, engagées dans la même bataille, du même cœur, vers les mêmes objectifs, les troupes d'Afrique et les Forces françaises libres ? Or, la lutte y était dure. À la fin de février, Rommel était entré en scène. Retardant par des arrière-gardes la marche victorieuse de Montgomery, puis se couvrant au sud sur la ligne fortifiée Mareth, il fonçait de Sfax vers Tebessa pour s'ouvrir le passage de l'Algérie. Un corps d'armée américain et la division française Welwert — dont le vaillant général serait tué peu après — l'avaient péniblement contenu. En même temps, le général von Arnim, successeur de Nehring, attaquait, d'une part le long de la côte nord dans la région de Tabarca défendue par le Corps franc du général de Monsabert et les tabors marocains, d'autre part vers Medjez-el-Bab tenu par les Britanniques. On avait pu craindre un grave revers. Mais l'ensemble du dispositif allié s'était, malgré tout, maintenu, grâce notamment à l'énergie des troupes françaises si mal armées et équipées qu'elles fussent et à l'autorité du général Juin qui, des pièces et des morceaux qu'il avait entre les mains, trouvait moyen de faire un efficace instrument de combat. Or, voici qu'au milieu de mars l'entrée en ligne de la VIIIe Armée, avec laquelle marchaient les unités de la France Combattante, emportait la décision.

En effet, Montgomery, dont Leclerc formait l'aile gauche et Larminat l'une des réserves, abordait, puis tournait la ligne Mareth et atteignait Gabès. Cette irruption permettait à Patton de reprendre Gafsa. Le 11 avril Sfax, le 12 Sousse et Kairouan, étaient, à leur tour, libérées. Alors, se déclenchait l'offensive générale des alliés. Le 7 mai, Bradley et Magnan prenaient Bizerte, Anderson entrait à Tunis, Kœltz enlevait Pont-du-Fahs. Le 11 mai, la Division Larminat s'emparait de Takrouna. Le lendemain, le général von Arnim, bloqué dans le cap Bon, capitulait avec 250 000 hommes.

Mais, à mesure que nos soldats du Tchad et d'Orient pre-

naient, tout en combattant, contact avec leurs braves camarades de Tunisie, d'Algérie, du Maroc et avec les populations,
l'enthousiasme se levait autour d'eux. Le 26 mars, Larminat
me télégraphiait que les centres du Sud-Tunisien, Medenine,
Djerba, Zarzis, etc., multipliaient les démarches pour être
rattachés à la France Combattante. Le 6 avril, Leclerc me
mandait, qu'en le voyant avec ses hommes, Gabès avait
donné le spectacle d'une explosion de joie. Le 14 avril, la
presse américaine relatait, qu'à l'entrée à Sfax des Anglais
et des Français Libres, tout le monde criait : « Vive de Gaulle ! »
Le *New York Herald Tribune*, sous le titre : *Où est notre force?*
écrivait : « Un enthousiasme indescriptible éclata quand un
fanion tricolore poussiéreux, flottant au-dessus d'un camion,
annonça les soldats de la France Combattante... Les journalistes qui rapportent la scène en furent étourdis de surprise...
Devant l'ardeur avec laquelle, en France, des hommes de tous
les partis répondent à l'appel de de Gaulle, devant les larmes,
les ovations, les fleurs de la Tunisie libérée, est-il encore permis
de chercher où se trouvent la force et la gloire de notre cause? »
Le 30 avril, le colonel Vanecke, naguère commissaire aux Chantiers de jeunesse, à présent commandant le 7ᵉ Chasseurs
d'Afrique, demandait à passer sous mes ordres avec tout son
régiment. Le 3 mai à Sfax, le 4ᵉ Spahis, à l'exception de
quelques officiers, s'adressait en corps au général Leclerc pour
obtenir la même faveur. Sitôt la bataille terminée, de nombreux militaires appartenant aux unités d'Afrique allaient
jusqu'à quitter les rangs dans l'espoir d'être incorporés dans
les troupes à croix de Lorraine. Le 20 mai, de tous les vivats
soulevés à Tunis par le défilé des alliés en l'honneur de la
victoire, le détachement Français libre recueillait sa juste part.

C'est donc le jugement populaire qui, finalement, réglait
leur compte aux tergiversations. Le 27 avril, le général Giraud
m'écrivait qu'il renonçait à la prépondérance. Toutefois, il
maintenait encore sa conception du « Conseil » sans réels
pouvoirs où siègeraient, avec lui et moi, les résidents et gouverneurs. D'autre part, redoutant sans doute les réactions
de la foule, il proposait que notre première réunion se tînt
dans un lieu écarté, soit à Biskra, soit à Marrakech. Je lui
répondis, le 6 mai, en affirmant encore une fois la volonté
arrêtée du Comité national quant au caractère, à la composition, aux attributions de l'organe gouvernemental qu'il s'agissait de former, en repoussant l'idée que cela pût se faire dans
une oasis lointaine et en exigeant de venir à Alger. L'avant-

veille, dans un discours public, j'avais, assez rudement,
déclaré qu'il fallait en finir.

Or, dans la nuit du 15 mai, Philip et Soustelle triomphants
m'apportaient un télégramme reçu à l'instant de Paris. Jean
Moulin m'annonçait que le Conseil national de la résistance
était constitué et m'adressait, au nom du Conseil, le message
suivant :

« Tous les mouvements, tous les partis de la résistance, de
la zone nord et de la zone sud, à la veille du départ pour
l'Algérie du général de Gaulle, lui renouvellent, ainsi qu'au
Comité national, l'assurance de leur attachement total aux
principes qu'ils incarnent et dont ils ne sauraient abandonner
une parcelle.

« Tous les mouvements, tous les partis, déclarent formellement que la rencontre prévue doit avoir lieu au siège du Gouvernement général de l'Algérie, au grand jour et entre Français.

« Ils affirment, en outre : que les problèmes politiques ne
sauraient être exclus des conversations ; que le peuple de
France n'admettra jamais la subordination du général de
Gaulle au général Giraud, mais réclame l'installation rapide
à Alger d'un gouvernement provisoire sous la présidence du
général de Gaulle, le général Giraud devant être le chef militaire ; que le général de Gaulle demeurera le seul chef de la
résistance française quelle que soit l'issue des négociations. »

Le 27 mai, le Conseil national, réuni au complet, 48 rue
du Four, tenait sa première séance sous la présidence de Jean
Moulin et me confirmait son message.

Ainsi, sur tous les terrains et, d'abord, sur le sol douloureux de la France, germait au moment voulu une moisson
bien préparée. Le télégramme de Paris, transmis à Alger et
publié par les postes-radio américains, britanniques et français
libres, produisit un effet décisif, non seulement en raison de
ce qu'il affirmait, mais aussi et surtout parce qu'il donnait
la preuve que la résistance française avait su faire son unité.
La voix de cette France écrasée, mais grondante et assurée,
couvrait, soudain, le chuchotement des intrigues et les palabres
des combinaisons. J'en fus, à l'instant même, plus fort, tandis
que Washington et Londres mesuraient sans plaisir, mais non
sans lucidité, la portée de l'événement. Le 17 mai, le général
Giraud me demandait « de venir immédiatement à Alger pour
former avec lui le pouvoir central français. » Le 25 mai, je
lui répondais : « Je compte arriver à Alger à la fin de cette

semaine et me félicite d'avoir à collaborer avec vous pour le
service de la France. »

Avant de quitter l'Angleterre, j'écrivis au roi Georges VI
pour lui dire combien j'étais reconnaissant, à lui-même, à son
gouvernement, à son peuple, de l'accueil qu'ils m'avaient fait
aux jours tragiques de 1940 et de l'hospitalité qu'ils avaient,
depuis, accordée à la France Libre et à son chef. Voulant aller
faire visite à M. Churchill, j'appris qu'il venait de partir
« pour une destination inconnue. » Ce fut donc de M. Eden
que j'allai prendre congé. L'entretien fut amical. « Que pensez-
vous de nous? » me demanda le ministre anglais. « Rien,
observai-je, n'est plus aimable que votre peuple. De votre
politique, je n'en pense pas toujours autant. » Comme nous
évoquions les multiples affaires que le Gouvernement britannique avait traitées avec moi : « Savez-vous, me dit M. Eden
avec bonne humeur, que vous nous avez causé plus de difficultés que tous nos alliés d'Europe? » — « Je n'en doute pas, »
répondis-je, en souriant, moi aussi. « La France est une grande
puissance. »

ALGER

Le 30 mai, à midi, un avion de la France Combattante, ayant Marmier pour chef de bord, me dépose à Boufarik. Massigli, Philip, Palewski, Billotte, Teyssot et Charles-Roux m'accompagnent. Le général Giraud est là ; le général Catroux, aussi. Les représentants des missions américaine et britannique se sont placés derrière les Français. La garde mobile rend les honneurs. Une musique joue *la Marseillaise*. Quant aux voitures, elles sont françaises. Ces signes, comparés à ceux qui marquaient l'accueil d'Anfa, me montrent qu'en Afrique du Nord la France Combattante et, par elle, la France tout court ont, depuis, gagné des points.

Le public ignore notre arrivée. Toutes les censures d'Alger, de Londres, de New York ont interdit d'annoncer la nouvelle. Aussi, les localités que le cortège traverse à vive allure ne se livrent-elles, dans l'ensemble, à aucune manifestation. Seuls, des « gaullistes » vigilants applaudissent à tout hasard. A Bir-Kadeim, la population, alertée à l'improviste, afflue en criant : « Vive de Gaulle ! » Mais les autorités locales ont pris leurs dispositions pour que notre entrée à Alger ait lieu sans concours populaire. De Boufarik, dont l'aérodrome, éloigné et isolé, a été avec intention préféré à celui de Maison-Blanche, nous atteignons le Palais d'Été sans avoir traversé la ville.

Un grand déjeuner est servi. Cette bonne habitude française s'impose, quels que soient les rapports et les soucis des convives. Giraud et moi sommes en face l'un de l'autre. A ma droite, je vois, sans surprise, s'asseoir le général Georges qui me raconte comment les Anglais viennent de le faire venir de France. A ma gauche est M. Jean Monnet qui m'entretient, aussitôt, de questions économiques. Catroux et Massigli encadrent mon vis-à-vis. André Philip et René Mayer, Palewski et Couve de Murville, Linarès et Billotte, entrent en conversation, ainsi que trente autres invités. Les voilà donc réunis ces

Français, si divers et, pourtant, si semblables, que les vagues
des événements ont roulés vers des plages différentes et qui
se retrouvent, à présent, aussi remuants et assurés d'eux-
mêmes qu'ils l'étaient avant le drame ! En parcourant des
yeux la table, on pourrait croire, qu'en trois ans, rien de tragique ne s'est passé. Cependant, deux équipes sont là.

Entre elles, le rapport apparent des forces est facile à
établir. D'un côté, tout ; de l'autre, rien. Ici, l'armée, la police,
l'administration, les finances, la presse, la radio, les transmissions, sont sous l'unique dépendance du « Commandement
en chef civil et militaire ». La puissance des alliés, grâce à laquelle il fut mis en place, est alertée en sa seule faveur. Pour
moi, je n'ai, dans ce pays, ni troupes, ni gendarmes, ni fonctionnaires, ni compte en banque, ni moyens propres de me
faire entendre. Pourtant, les attitudes, les propos, les regards
de ceux que, depuis deux heures, j'ai rencontrés m'ont révélé
déjà où se trouve l'ascendant. Chacun, au fond de lui-même,
sait comment finira le débat.

La foule, elle, le crie à pleins poumons sur la place de la
Poste où je me rends, à 4 heures, pour déposer une Croix de
Lorraine au pied du monument aux morts. Bien que cette
manifestation ait été improvisée, qu'aucun journal n'en ait
rien dit, qu'aucune troupe ne soit venue, des milliers de patriotes, alertés soudain par le mouvement « Combat », se
sont rassemblés en hâte et m'accueillent par une immense
clameur. Après le salut adressé à tous les Algériens qui donnèrent leur vie pour la France, j'entonne *la Marseillaise* que
reprennent d'innombrables voix. Ensuite, au milieu d'un
enthousiasme débordant, je gagne la villa *les Glycines* où est
prévue mon installation.

Déjà, y affluent les messages. La première lettre que je lis
est celle du général Vuillemin, ancien chef d'état-major général de l'armée de l'air, qui depuis les malheurs de 1940
s'est retiré dans sa demeure avec sa peine et son espoir. Dans
les termes les plus nobles, ce grand chef me demande de lui
donner, avec le grade correspondant, le commandement d'une
escadrille de la France Combattante. Après les vivats de la
masse, le geste de Vuillemin éclaire pour moi le fond des
choses. Ici, comme ailleurs, le sentiment national a choisi.
Dans le jeu qui va s'engager, l'atout maître est donc entre mes
mains. Parmi les Français d'Afrique, je n'aurai, pour me faire
obstacle, que l'entêtement de gens en fonctions et la méfiance
de certains notables. Par contre, il me faudra compter avec

l'opposition résolue des alliés qui soutiendront le clan rival. Pénible combat ! Il s'engage le lendemain matin. Au lycée Fromentin, où le futur gouvernement tiendra ses séances et installera certains de ses services, je me rencontre avec le général Giraud. Il est assisté par Monnet et Georges, moi par Catroux, Philip et Massigli. Nous sommes tous d'accord sur la procédure à suivre. Les sept présents se constitueront en comité de gouvernement et s'adjoindront, ensuite, d'autres membres pour compléter le ministère. Mais j'entends prendre l'avantage avant que rien soit conclu.

« Pour que nous puissions, dis-je, nous former en une seule équipe et travailler de concert, il faut que certains points essentiels soient acquis. Jusqu'à ce que notre pays soit à même d'exprimer sa volonté, le pouvoir doit assumer toutes les responsabilités nationales. Le commandement militaire, quand bien même celui qui l'exerce serait ministre ou président, sera donc nommé par le gouvernement et lui restera subordonné. Si l'on conçoit que tel chef d'armée soit placé, pour les opérations, sous la direction stratégique d'un général étranger, ce ne peut être que par ordre de l'autorité française. Je ne saurais, pour ma part, consentir à remplacer le Comité national français par un autre, s'il n'est pas, d'abord, entendu que l'autorité et la responsabilité de l'organisme nouveau seront entières dans tous les domaines, notamment dans celui-là. D'autre part, afin de bien marquer que la France n'a jamais cessé la guerre et qu'elle rejette entièrement Vichy, il est nécessaire que nous retirions leurs fonctions au général Noguès, au gouverneur-général Boisson et au gouverneur-général Peyrouton. »

Giraud se fâche. Il n'accepte pas que le commandement soit subordonné au gouvernement. Quant aux « proconsuls », il déclare avec une véhémence extrême qu'il ne les sacrifiera pas. Je m'en tiens à mes conditions. On convient de lever la séance et de reprendre plus tard le débat sur la base de projets écrits. Au long de la discussion, seul Georges a soutenu Giraud ; Monnet cherchant des compromis ; Catroux, Philip et Massigli approuvant tous les trois, quoique sur des tons différents, la position que j'ai prise. Après cette rude entrée en matière, le gouvernement n'est pas fait. Mais je me vois comme un navigateur enveloppé par un grain épais et qui est sûr, s'il maintient le cap, que l'horizon va s'éclaircir.

En attendant, la bourrasque redouble. Une crise éclate, dont on pourrait croire qu'elle va tout compromettre si l'on

ne sentait pas que l'essentiel est fixé. Le 1er juin, je réunis,
aux *Glycines*, tout ce qu'Alger compte de journalistes. Voici
leur nombreuse cohorte dévorée de curiosité ! En tête, les
alliés qui ne cachent pas leur satisfaction de respirer, désormais, cet air vif d'où se tirent les gros titres et les articles
percutants. Un peu en retrait, les Français partagés entre la
sympathie à mon égard et la crainte de la censure que manie le
directeur de l'Information du « Commandement en chef civil
et militaire ». En une brève déclaration, j'indique que je viens
en Afrique du Nord avec mes compagnons afin d'y créer un
pouvoir français effectif, dirigeant l'effort national dans la
guerre, exigeant la souveraineté de la France, établi en accord
avec la résistance et excluant quelques hommes qui sont symboliques d'autre chose. Ce langage et ce ton, jusqu'alors
inconnus sur la place, sont immédiatement et partout rap-
portés.

Dans la soirée du même jour, le colonel Jousse m'apporte
une lettre de M. Peyrouton. Le gouverneur-général de l'Algérie,
« considérant que l'union sans arrière-pensée entre les Français est le seul moyen d'obtenir une victoire qui nous restitue
notre grandeur, et dans le souci d'en faciliter l'avènement, »
m'adresse sa démission et me demande d'intervenir auprès de
l'autorité militaire pour que lui soit donnée la possibilité de
servir dans l'armée. Rien dans le texte n'indique qu'une missive semblable soit adressée à Giraud. Je réponds à M. Peyrouton que j'accepte sa démission et que, « dans l'épreuve terrible
que traverse la patrie, je suis sûr que les Français apprécieront, comme moi-même, la valeur désintéressée de son geste. »
Je fais porter, sans délai, au général Giraud la copie de la
lettre du gouverneur-général et celle de ma réponse et je
communique le tout aux représentants de la presse. Le lendemain, la nouvelle paraîtra dans tous les journaux du
monde.

Le retrait de M. Peyrouton, effectué dans de telles conditions, produisit, à l'instant même, une impression considérable.
Le fait qu'on apprit qu'il avait, après coup, écrit dans les mêmes
termes au général Giraud n'y changea rien. Que l'ancien ministre de Vichy, venu du Brésil où il était ambassadeur afin
d'assumer sur les instances de Roosevelt le gouvernement
général de l'Algérie, remît ses fonctions entre mes mains et
se conformât publiquement à ce que j'avais exigé, c'était un
désaveu que le système d'Alger s'infligeait à lui-même. Le
trouble des hommes de ce système et de leurs conseillers

alliés en fut porté à son comble. D'autant plus, qu'au même
moment, l'effervescence couvait en ville et qu'on signalait,
de toutes parts, l'exode massif de volontaires frétant des
camions et filant sur les routes pour tâcher de rejoindre les
troupes de Larminat et de Leclerc. Quelques jours auparavant, Giraud, avec l'accord d'Eisenhower, avait refoulé hors
du territoire français les unités à Croix de Lorraine. Celles-ci
se retrouvaient donc aux environs de Tripoli. Mais leurs
campements lointains n'en attiraient pas moins des milliers
de jeunes soldats. Giraud, cédant à l'inquiétude, se laissa
aller à charger du maintien de l'ordre, dans la ville et aux
alentours, l'amiral Muselier, amené par les Anglais et qui
comptait, comme préfet de police, prendre sa revanche de ses
anciennes mésaventures.

Je ne fus donc pas étonné de recevoir, le 2 juin, une lettre
signée par le « Commandant en chef civil et militaire » mais
dont le style révélait d'où venait l'inspiration. Sur le ton
habituel aux émigrés non ralliés de Londres, je m'y voyais
accusé de vouloir chasser de leur poste des hommes dignes de
confiance, porter atteinte à nos alliances et établir ma dictature et celle des cagoulards qui formaient ma compagnie.
Tandis que cette missive parvenait à ma connaissance, on
m'informait que la garnison était consignée dans les casernes,
que dans le parc du Palais d'Été se concentraient force
blindés, que dans Alger toutes réunions et tous cortèges
étaient interdits, que la troupe et la gendarmerie occupaient
les issues de la ville et les aérodromes voisins. Pendant ce
temps, aux *Glycines*, sous la seule garde de dix spahis que Larminat m'y avait envoyés, je constatais que ce remue-ménage
n'altérait pas l'empressement avec lequel les personnalités que
je désirais consulter répondaient à ma convocation. Tard
dans la nuit, je fis dire à Giraud que cette atmosphère de
« putsch », créée devant l'étranger, me paraissait déplorable,
qu'il nous fallait rompre ou aboutir et qu'une nouvelle explication s'imposait dès le lendemain. Le 3 juin, à 10 heures,
les « Sept » étaient réunis.

Cette fois, le général Giraud fléchit dans son obstination.
J'avais apporté le texte d'une ordonnance et d'une déclaration instituant le nouveau Comité. Les deux projets furent
adoptés tels quels. Nous déclarions : « Le général de Gaulle
et le général Giraud ordonnent, conjointement, la création du
Comité français de la libération nationale. » Nous en devenions
tous deux les présidents ; Catroux, Georges, Massigli, Monnet

et Philip étant les premiers membres ; d'autres devant être
désignés bientôt. Nous proclamions : « Le Comité est le pouvoir central français... Il dirige l'effort français dans la guerre
sous toutes ses formes et en tous lieux... Il exerce la souveraineté française... Il assure la gestion et la défense de tous
les intérêts français dans le monde... Il assume l'autorité sur
tous les territoires et sur toutes les forces militaires relevant,
jusqu'à présent, soit du Comité national français, soit du
Commandant en chef civil et militaire. » Nous ajoutions :
« Jusqu'à ce que le Comité ait pu remettre ses pouvoirs au
futur gouvernement provisoire de la République, il s'engage
à rétablir toutes les libertés françaises, les lois de la République, le régime républicain et à détruire entièrement le
régime d'arbitraire et de pouvoir personnel imposé aujour-
d'hui au pays. »

En même temps, la question des « proconsuls » avait été
réglée. Nous avions décidé que la démission de M. Peyrouton
était acquise et que le général Catroux devenait gouverneur-
général de l'Algérie, tout en restant membre du Comité ;
que le général Noguès devait quitter le Maroc ; que M. Boisson serait rappelé de Dakar dès que le ministère des Colonies
aurait reçu un titulaire. D'autre part, le général Bergeret
était mis à la retraite.

Malgré d'évidentes malfaçons, l'organisme ainsi créé constituait, à mes yeux, une base de départ utilisable. Sans doute,
faudrait-il momentanément supporter la dualité absurde qui
existait à la tête. Sans doute, devait-on prévoir que la politique des alliés, intervenant au sein du Comité par personnes
interposées, y ferait naître d'âpres incidents avant que le
Commandant en chef en Afrique du Nord fût, dans les faits,
soumis au pouvoir central, comme il l'était désormais dans
les textes. Mais le Comité français de la libération nationale
répondait bien aux principes dont les Français Combattants
n'avaient cessé d'être les champions. Quant à l'application
qui en serait faite, il m'incombait de la diriger. En confron-
tant le Comité avec ses responsabilités, je comptais que son
évolution interne, sous la pression de l'opinion, le resserrerait
autour de moi et m'aiderait à écarter ce qu'il contenait d'erra-
tique et de centrifuge. Dans l'immédiat, l'espèce de juxtapo-
sition qui était adoptée au départ me mettait, malgré tous
ses inconvénients, en mesure d'agir sur les éléments militaires
et administratifs d'Afrique du Nord jusque-là soustraits à
mon autorité. Quant à tous ceux qui, en France et ailleurs,

m'avaient donné leur confiance, j'étais sûr qu'ils continueraient
à ne vouloir suivre que moi. En levant la séance, j'avais le
sentiment qu'un grand pas venait d'être fait dans la voie de
l'unité. Passant outre, pour ce prix-là, à de pénibles péripéties
je donnai de bon cœur l'accolade au général Giraud.

Mais, si j'étais assez content, les alliés, eux, n'éprouvaient
qu'une satisfaction mitigée. L'institution en Afrique du Nord
d'un pouvoir central français, se donnant les attributions
d'un gouvernement, se réclamant de la souveraineté française
et excluant les « proconsuls », était en contradiction flagrante
avec la position affichée par Roosevelt et ses ministres. Aussi,
la déclaration, publiée le 3 juin à midi par le Comité français
de la libération nationale et faisant part de sa propre naissance,
resta-t-elle, jusqu'à 9 heures du soir, sous le boisseau de la
censure américaine. De mon côté, je m'étais empressé de
mettre les représentants de la presse au courant de ce qui était
acquis, sachant que cela ferait, tôt ou tard, tomber le bar-
rage. Le lendemain, parlant à la radio, où déjà, d'autorité,
s'introduisaient les « gaullistes », j'annonçai aux Français de
France que leur gouvernement fonctionnait maintenant à
Alger en attendant de venir à Paris. Le 6 juin, une réunion
de « la France Combattante », où se pressaient des milliers
d'auditeurs, me donnait, ainsi qu'à Philip et à Capitant, l'occasion de faire publiquement entendre le ton et la chanson qui
seraient, désormais, officiels. Il va sans dire que les missions
américaine et britannique ne montraient guère d'empressement à laisser nos discours se répandre à travers le monde.

La mauvaise humeur des alliés ne se limitait pas, d'ailleurs,
au domaine de l'information. C'est ainsi, qu'ayant télégraphié
à Londres pour mander d'urgence plusieurs de mes compagnons appelés à faire partie du gouvernement, je ne vis, de
dix jours, venir personne ; les Anglais, sous divers prétextes,
tardant à les laisser partir. D'ailleurs, à Alger même, le Gouvernement britannique, que ce fût ou non pour son seul
compte, suivait sans bienveillance le développement de nos
affaires.

A peine avais-je, le 30 mai, atterri à Boufarik, j'apprenais
que M. Churchill, rejoint ensuite par M. Eden, était arrivé
lui-même en grand mystère. Depuis, il se tenait dans une villa
retirée, non sans se faire informer secrètement par le général
Georges de la marche de nos discussions. Une fois institué le
Comité français, le Premier Ministre se manifesta, le 6 juin,
en invitant Giraud et moi, ainsi que plusieurs commissaires,

à un dîner dit « de campagne » que les égards dus à sa personne m'empêchèrent de refuser. Comme je lui marquais ce
que sa présence, pendant ces journées et dans ces conditions,
avait pour nous d'insolite, il protesta qu'il n'essayait nullement de se mêler des affaires françaises. « Cependant, ajouta-
t-il, la situation militaire impose au Gouvernement de Sa
Majesté de tenir compte de ce qui se passe à l'intérieur de
cette zone essentielle de communications que constitue
l'Afrique du Nord. Nous aurions eu des mesures à prendre, s'il
s'était produit ici quelque trop brutale secousse, par exemple
si, d'un seul coup, vous aviez dévoré Giraud. »

Ce n'était point mon intention. Pour résolu que je fusse à
faire en sorte que le Gouvernement français en fût un, j'entendais procéder par étapes, en considération, non des appréhensions étrangères, mais de l'avantage national. J'espérais
amener le général Giraud à se ranger, de lui-même, du côté
de l'intérêt public. Bien qu'il eût déjà trop tardé, j'étais toujours disposé à faire en sorte qu'il jouât le premier rôle dans
le domaine militaire, pourvu qu'il y fût cantonné et qu'il y
tînt son poste de l'autorité française.

A vrai dire, ce ne pourrait être en la qualité effective d'un
véritable commandant en chef. Plus que quiconque je le
déplorais. Mais quoi ? La stratégie des puissances alliées ne
comportait, à l'Occident, que deux théâtres imaginables :
celui du Nord et celui de la Méditerranée. Il nous serait,
hélas ! impossible de mettre sur pied assez de forces, terrestres,
navales, aériennes, pour exiger qu'un général français exerçât,
sur l'un ou sur l'autre, le commandement en chef proprement
dit. Les hommes, certes, ne nous manquaient pas. Nous
pouvions, à volonté, recruter dans les populations braves et
fidèles de l'Empire. Mais l'effectif des cadres et des spécialistes
dont nous disposions limitait étroitement le nombre de nos
unités. Encore, étions-nous hors d'état de leur fournir nous-
mêmes l'armement et l'équipement. Par comparaison avec
les moyens que chacun des deux empires anglo-saxons allait
aligner dans les combats d'Italie et de France, la force que
nous y engagerions ne serait pas la principale. Sur terre, en
particulier, elle ne dépasserait pas, de longtemps, la valeur
d'un détachement d'armée et, à la rigueur, d'une armée. Il
n'y avait donc guère de chance pour que, soit au nord, soit
au sud, Américains et Anglais acceptassent de confier à un
chef français la direction de la bataille commune.

Il en eût, certes, été autrement, si en juin 1940 le Gouver-

nement de la République, revêtu de l'appareil de la légitimité,
accompagné du noyau de l'administration centrale, disposant
de la diplomatie, s'était transporté en Afrique avec les
500 000 hommes qui remplissaient les dépôts, celles des unités
de campagne qu'on pouvait faire embarquer, toute la flotte
de guerre, toute la flotte de commerce, tout le personnel de
l'aviation de chasse, toute l'aviation de bombardement —
qui s'y rendit, d'ailleurs, en effet, et qu'on en fit revenir
pour remettre ses appareils aux mains de l'envahisseur. — Ce
que la France avait, à cette époque, d'or et de crédit aurait
permis d'acheter en Amérique un abondant matériel en
attendant le « prêt-bail ». Grâce à l'ensemble de ces moyens,
joints à ceux qui se trouvaient déjà en Algérie, au Maroc, en
Tunisie, au Levant, en Afrique Noire, il y avait de quoi rebâtir
une force militaire imposante à l'abri de la vaste mer et sous
la protection des escadres françaises et britanniques, notamment de 100 sous-marins. De ce fait, les alliés, venant s'installer auprès de nous sur les bases de départ de l'Afrique du
Nord française, à notre propre demande et, sans doute, un
an plus tôt, eussent tout naturellement reconnu sur ce théâtre
l'autorité suprême d'un général ou d'un amiral français.

Mais l'affreuse panique, puis le désastreux abandon, qui
avaient interdit de porter dans l'Empire les moyens encore
disponibles, livré ou démobilisé la plupart de ceux qui s'y
trouvaient, mis les pouvoirs publics et le commandement militaire à la discrétion de l'ennemi, ordonné de recevoir les
alliés à coups de canon, avaient d'avance ôté à la France cette
chance-là comme beaucoup d'autres. Jamais encore, je n'en
avais ressenti autant de chagrin qu'en ces amères circonstances.

Cependant, si l'expérience et la capacité du général Giraud
ne pouvaient se déployer à la tête des opérations, elles n'en
étaient pas moins susceptibles de rendre de grands services.
Soit que, renonçant à présider le gouvernement, il y exerçât
les fonctions de ministre des Armées, soit que, peu enclin à
jouer ce rôle administratif, il devînt l'inspecteur général de
nos forces en même temps que le conseiller militaire du Comité
et son représentant auprès du commandement interallié. Je
dois dire que, sans m'opposer à la première solution, c'est la
seconde que je tenais pour la mieux appropriée. A maintes
reprises, je les proposai toutes deux au choix du général
Giraud. Mais il ne se résolut jamais à faire sienne ni l'une,
ni l'autre. Ses illusions, l'appel de certains milieux et intérêts,

l'influence des alliés, le déterminèrent à vouloir garder personnellement la disposition entière de l'armée et, en même temps, grâce à la cosignature des ordonnances et des décrets, la possibilité d'empêcher que le pouvoir fît rien sans son propre consentement.

Il était donc inévitable que Giraud se trouvât, peu à peu, isolé et refoulé, jusqu'au jour où, enfermé dans des limites qu'il n'acceptait pas et, d'autre part, privé des appuis extérieurs qui étaient causes de son vertige, il se jetterait dans la retraite. Quant à moi, ce n'est pas sans chagrin que je me trouvai aux prises avec cette pénible affaire, touchant au plus vif un soldat de haute qualité pour qui j'éprouvais, depuis toujours, déférence et attachement. Le long de la route qui menait à l'unité du pays, j'ai rencontré, maintes fois, de ces questions de personne, où les devoirs de la charge dépassent, mais blessent, les sentiments. Je puis dire qu'en aucun cas il ne m'en coûta davantage d'imposer la loi d'airain de l'intérêt national.

Ce ne fut, d'ailleurs, que par degrés. Le 5 juin, le Comité des « Sept » se réunit. Il s'agissait, cette fois, de choisir d'autres membres et d'attribuer des fonctions. Georges fut nommé « commissaire d'État » et Catroux conserva ce titre qu'il détenait précédemment. Massigli et Philip gardèrent, respectivement, les Affaires étrangères et l'Intérieur dont ils avaient déjà la charge. Monnet reçut la responsabilité de l'Armement et du Ravitaillement. A la demande du général Giraud, entrèrent au Comité : Couve de Murville pour les Finances, René Mayer pour les Transports et les Travaux publics, Abadie pour la Justice, l'Éducation et la Santé. Moi-même y appelai : Pleven pour les Colonies, Diethelm pour l'Économie, Tixier pour le Travail, Bonnet pour l'Information. D'autre part, les ambassadeurs Puaux et Helleu étaient nommés, l'un au Maroc, l'autre au Levant, tandis que nous confirmions le général Mast dans ses fonctions en Tunisie.

Ces choix m'assuraient de la suite. A Alger, Rabat, Tunis, comme c'était déjà le cas à Beyrouth, Brazzaville, Douala, Tananarive, Nouméa, l'autorité serait exercée par des hommes décidés à l'effort de guerre et sur qui je savais pouvoir compter. A Dakar, le remplacement de Boisson par Cournarie, muté du Cameroun, aurait lieu quinze jours plus tard. A Fort-de-France, tout annonçait qu'on serait bientôt en mesure de mettre les choses en ordre. Quant au gouvernement lui-même, il était composé d'hommes de raison et de

valeur, qui en majorité m'étaient depuis toujours acquis
et dont les autres, sauf exceptions, ne demandaient qu'à
l'être à leur tour. Certain que cet ensemble était prêt à me
soutenir, j'entrepris de jouer la manche suivante. Mais, avant
de jeter les dés, je les secouai fortement.

Le 8 juin, le Comité, qui ne comptait toujours que sept
présents, — en attendant qu'arrivent ceux de ses membres
qui étaient à Londres, — aborda le problème crucial du commandement. Nous nous trouvâmes devant trois projets. L'un,
apporté par Georges, prévoyait l'unification de toutes les
forces françaises sous l'autorité de Giraud agissant à la fois
comme ministre et comme commandant en chef, gardant, en
outre, sa fonction de président, mais demeurant indépendant
du Gouvernement français dans le domaine militaire. Le second
projet, émanant de Catroux, visait à charger directement de
Gaulle du département de la Défense nationale et Giraud du
commandement des troupes. Le troisième, qui était le mien,
donnait au Commandant en chef la mission d'instruire toutes
les forces françaises et de collaborer avec les chefs militaires
alliés aux plans communs d'opérations. Dès que ce serait
possible, il prendrait un commandement effectif en campagne,
en cessant, par là même, de faire partie du gouvernement.
Suivant mon plan, l'organisation et la répartition des forces
seraient réglées par un Comité militaire comprenant de Gaulle
et Giraud, les ministres intéressés et les chefs d'état-major,
sous réserve, le cas échéant, de l'arbitrage du gouvernement.
La majorité du conseil repoussa le premier projet. Giraud,
soutenu par Georges, n'accepta aucun des deux autres. La
plupart des membres n'en étant pas encore venus au point
d'obliger le « Commandant en chef » à se soumettre ou
à se démettre, il fallut bien reconnaître l'impossibilité
d'aboutir.

Mais, alors, à quoi servait le Comité? C'est la question que
je posai, par écrit, à ses membres. Constatant : « Qu'en l'espace
de huit jours, nous ne sommes même pas parvenus à trancher
le problème des pouvoirs respectifs du gouvernement et du
commandement dont la solution logique et nationale crève
les yeux » et que : « la moindre question, qui devrait être
réglée en quelques instants, nous engage dans des discussions
interminables et désobligeantes, » je déclarai : « ne pouvoir
m'associer plus longtemps aux travaux du Comité dans les
conditions où il fonctionne. » Puis, je me cantonnai aux
Glycines, tout enveloppé d'affliction, laissant entendre aux

ministres, fonctionnaires, généraux, qui venaient m'y voir,
que je m'apprêtais à partir pour Brazzaville.

En fait, l'impression produite par cet éclat délibéré préci-
pita l'évolution. Le général Giraud ayant, à tout hasard,
convoqué le Comité en une séance où je n'étais pas, chacun
lui fit observer qu'on ne pouvait, dans ces conditions, prendre
aucune décision valable. D'autre part, la carence du système
bicéphale, étalée devant les renseignés et provoquant, à
l'étranger, un débordement de sarcasmes, soulevait dans
tous les milieux français l'inquiétude et l'irritation. L'armée
n'y échappait pas. Le général Juin vint à Alger m'en rendre
compte et adjurer Giraud de rabattre de ses prétentions. Le
général Bouscat, chef d'état-major général de l'Air, s'employait dans le même sens. Le gouvernement général, l'université, les salles de rédaction, bouillonnaient d'alarmantes
rumeurs.

Après six jours de confusion, je jugeai que l'affaire avait
mûri. D'ailleurs, ceux des commissaires que Londres avait
jusqu'alors retenus venaient d'arriver à Alger. Le gouvernement était, de ce fait, en mesure de siéger au complet et je
comptais trouver dans cet ensemble un appui moins réservé
que celui que m'apportaient les « Sept ». Je pris donc l'inita-
tive de réunir le Comité des « Quatorze » afin qu'il tentât, à
son tour, de trancher la question qui étouffait le pouvoir. La
réunion eut lieu, en effet. Mais alors, devant ses collègues,
Giraud refusa tout net que cette question fût posée, déniant
au Comité la compétence qu'avait définie une ordonnance
signée de sa main. Ainsi, même au dernier acte de ce vaude-
ville désolant où les séquelles de Vichy et l'ingérence des
étrangers traînaient, depuis sept mois, l'humiliation de la
France, il s'obstinait à jouer le rôle d'un président du Conseil
qui ne veut pas de gouvernement.

Il est vrai que les alliés n'en voulaient pas davantage.
Voyant dans quelle direction poussait la force des choses, ils
tentèrent un nouvel effort pour empêcher que la France en
eût un. Mais leur intervention même allait achever d'ébranler
la position du général Giraud.

Le 16 juin, MM. Murphy et MacMillan remettaient à Massigli,
pour être soumise au Comité français de la libération nationale, une requête du général Eisenhower priant les généraux
de Gaulle et Giraud de venir conférer avec lui « au sujet des
problèmes relatifs au commandement et à l'organisation des
forces armées françaises. » L'entretien eut lieu le 19. Nous y

étions trois interlocuteurs, avec un témoin muet : le général
Bedell Smith. Mais MM. Murphy et MacMillan, ainsi que plusieurs fonctionnaires et militaires américains et britanniques,
se tenaient dans le voisinage, attentifs et bruissants.

A dessein, j'arrivai le dernier et pris la parole le premier.
« Je suis ici, dis-je à Eisenhower, en ma qualité de Président du
Gouvernement français. Car il est d'usage, qu'en cours d'opérations, les chefs d'État et de gouvernement se rendent, de
leur personne, au quartier général de l'officier qui commande
les armées dont ils lui confient la conduite. Si vous désirez
m'adresser une demande concernant votre domaine, sachez
que je suis, d'avance, disposé à vous donner satisfaction, à
condition, bien entendu, que ce soit compatible avec les intérêts
dont j'ai la charge. »

Le Commandant en chef interallié, s'efforçant à l'aménité,
déclara alors en substance : « Je prépare, comme vous le
savez, une opération très importante qui va se déclencher
bientôt vers l'Italie et qui intéresse directement la libération
de l'Europe et de la France. Pour la sécurité des arrières au
cours de cette opération, j'ai besoin d'une assurance que je
vous prie de me donner. Il faut que l'organisation actuelle du
commandement français en Afrique du Nord ne subisse aucun
changement. En particulier, le général Giraud doit demeurer
en place avec toutes ses attributions actuelles et conserver
la disposition entière des troupes, des communications, des
ports, des aérodromes. Il doit être le seul à traiter avec moi
de tous les sujets militaires en Afrique du Nord. Bien que je
n'aie pas à m'occuper de votre organisation intérieure, qui
ne regarde que vous, ces points-là sont, pour nous, essentiels.
Je vous le dis de la part des gouvernements américain et
britannique qui fournissent des armes aux forces françaises
et qui ne sauraient continuer les livraisons si les conditions
que j'indique n'étaient pas remplies. »

« Je prends acte, répondis-je, de votre démarche. Vous me
demandez une assurance que je ne vous donnerai pas. Car
l'organisation du commandement français est du ressort du
Gouvernement français, non point du vôtre. Mais, vous ayant
entendu, je vais vous poser quelques questions.

« Tous les États qui font la guerre, — l'Amérique, par
exemple, — remettent à des généraux le commandement de
leurs troupes en campagne et confient à des ministres le soin
de les mettre sur pied. Prétendez-vous interdire au Gouvernement français d'en faire autant ? » Le général Eisenhower se

borna à répéter que sa demande visait le maintien intégral des attributions de Giraud.

« Vous avez évoqué, dis-je, vos responsabilités de commandant en chef vis-à-vis des gouvernements américain et britannique. Savez-vous que j'ai, moi, des devoirs envers la France et, qu'en vertu de ces devoirs, je ne puis admettre l'interférence d'aucune puissance étrangère dans l'exercice des pouvoirs français ? » Eisenhower garda le silence.

Je repris : « Vous, qui êtes militaire, croyez-vous que l'autorité d'un chef puisse subsister si elle repose sur la faveur d'une puissance étrangère ? »

Après un nouveau et lourd silence, le Commandant en chef américain me dit : « Je comprends très bien, mon Général, que vous ayez des préoccupations à longue échéance en ce qui concerne le sort de votre pays. Veuillez comprendre que j'ai, quant à moi, des préoccupations militaires immédiates. »

— « J'en ai aussi, lui répondis-je. Car il faut que mon gouvernement réalise, d'urgence, la fusion entre les diverses sortes de forces françaises : celles de la France Combattante, celles d'Afrique du Nord, celles qui se forment dans la Métropole, que le système actuel l'oblige à tenir séparées. Il faut encore qu'il les arme, grâce aux moyens que vous lui fournissez dans l'intérêt de notre alliance et en échange des concours multiples que lui-même vous apporte. A ce propos, également, j'ai une question à vous poser.

« Vous rappelez-vous, qu'au cours de la dernière guerre, la France a eu, quant à la fourniture d'armes à plusieurs pays alliés, un rôle analogue à celui qu'aujourd'hui jouent les États-Unis ? C'est nous, Français, qui avons, alors, entièrement armé les Belges et les Serbes, procuré beaucoup de moyens aux Russes et aux Roumains, doté enfin votre armée d'une grande partie de son matériel. Oui ! Pendant la première guerre mondiale, vous, Américains, n'avez tiré le canon qu'avec nos canons, roulé en char que dans nos chars, volé en avion que sur nos avions. Avons-nous, en contrepartie, exigé de la Belgique, de la Serbie, de la Russie, de la Roumanie, avons-nous exigé des États-Unis, la désignation de tel ou tel chef ou l'institution d'un système politique déterminé ? » Encore une fois pesa le silence.

Le général Giraud, qui n'avait pas encore ouvert la bouche, déclara à ce moment : « J'ai, moi aussi, mes responsabilités, plus particulièrement vis-à-vis de l'armée. Cette armée est petite. Elle ne peut vivre que dans le cadre allié. Cela est

vrai pour son commandement et son organisation, comme
pour ses opérations. »

Sur ce, je me levai, quittai la pièce et rentrai chez moi.

Le lendemain, comme je l'avais demandé, le grand-quartier
allié me fit remettre, ainsi qu'à Giraud, une note écrite précisant les exigences des Anglo-Saxons en ce qui concernait
l'appartenance de l'armée française. De ces exigences, en
effet, je voulais qu'il restât trace. La note, après avoir formulé
la sommation concernant les attributions de Giraud, se terminait par cette phrase : « Le Commandant en chef allié tient à
souligner les assurances données par les gouvernements américain et britannique et garantissant que, dans les territoires
français d'Afrique du Nord et d'Afrique Occidentale, la souveraineté française sera respectée et maintenue. »

Bien que cette clause de style, servant d'ironique conclusion à la mise en demeure qui la contredisait, fût prise en
compte par le Commandant en chef allié, j'y reconnus le
procédé maintes fois employé par Washington et par Londres.
On rendait hommage au droit, tout en y portant atteinte. Mais
je savais qu'une telle manière de faire, si elle répondait à la
politique menée, à l'égard de la France, par les gouvernements
américain et britannique, ne procédait pas de l'initiative, ni
du caractère, du général Eisenhower.

Il était un soldat. Par nature et par profession, l'action lui
semblait droite et simple. Mettre en œuvre, suivant les règles
traditionnellement consacrées, des moyens déterminés et d'une
espèce familière, c'est ainsi qu'il voyait la guerre et, par conséquent, sa tâche. Eisenhower abordait l'épreuve, façonné
pendant trente-cinq ans par une technique et une philosophie
qu'il n'était aucunement porté à dépasser. Or, voici que de
but en blanc il se trouvait investi d'un rôle extraordinairement complexe. Tiré du cadre, jusqu'alors étroit, de l'armée
américaine, il devenait commandant en chef d'une colossale
coalition. Par le fait qu'il avait à conduire les forces de plusieurs peuples dans des batailles dont dépendait le sort de
leurs États, il voyait, à travers le système éprouvé des unités
sous ses ordres, faire irruption des susceptibilités et des ambitions nationales.

Ce fut une chance de l'alliance que Dwight Eisenhower
découvrît en lui-même, non seulement la prudence voulue
pour affronter ces problèmes épineux, mais aussi l'attirance
pour les horizons élargis que l'Histoire ouvrait à sa carrière.
Il sut être adroit et souple. Mais, s'il usa d'habileté, il fut

aussi capable d'audace. Il lui en fallut, en effet, pour jeter
sur les plages d'Afrique une armée transportée d'un bord à
l'autre de l'Océan ; pour aborder l'Italie en présence d'un
ennemi intact ; pour débarquer de lourdes unités sur une
bande de côte normande devant un adversaire retranché et
manœuvrier ; pour lancer, par la trouée d'Avranches, l'armée
mécanique de Patton et la pousser jusqu'à Metz. Cependant,
c'est principalement par la méthode et la persévérance qu'il
domina la situation. En choisissant des plans raisonnables,
en s'y tenant avec fermeté, en respectant la logistique, le
général Eisenhower mena jusqu'à la victoire la machinerie
compliquée et passionnée des armées du monde libre.

On n'oubliera jamais, qu'à ce titre, il eut l'honneur de les
conduire à la libération de la France. Mais, comme les exigences
d'un grand peuple sont à l'échelle de ses malheurs, on pensera
sans doute aussi que le Commandant en chef aurait pu, mieux
encore, servir notre pays. Qu'il liât sa stratégie à la grande
querelle de la France, comme il la pliait aux desseins des puissances anglo-saxonnes, qu'il armât massivement nos troupes,
y compris celles de la clandestinité, que dans son dispositif
il attribuât toujours une mission de premier ordre à l'armée
française renaissante, notre redressement guerrier eût été
plus éclatant, l'avenir plus profondément marqué.

Dans mes rapports avec lui, j'eus souvent le sentiment que
cet homme au cœur généreux inclinait vers ces perspectives.
Mais je l'en voyais revenir bientôt et comme à regret. C'est
qu'en effet la politique qui, de Washington, régentait son
comportement lui commandait la réserve. Il s'y pliait, soumis
à l'autorité de Roosevelt, impressionné par les conseillers que
celui-ci lui déléguait, épié par ses pairs — ses rivaux — et
n'ayant pas encore acquis, face au pouvoir, cette assurance
que le chef militaire tire, à la longue, des grands services
rendus.

Pourtant, s'il se laissa aller à soutenir quelquefois les
prétextes qui tendaient à nous effacer, je puis affirmer qu'il
le fit sans conviction. Je le vis même s'incliner devant mes
propres interventions à l'intérieur de sa stratégie chaque fois
que j'y fus conduit par l'intérêt national. Au fond, ce grand
soldat ressentait, à son tour, la sympathie mystérieuse qui,
depuis tantôt deux siècles, rapprochait son pays du mien
dans les grands drames du monde. Ce ne fut pas de son fait
que, cette fois, les États-Unis écoutèrent moins notre détresse
que l'appel de la domination.

En tous cas, la démarche que la politique avait, le 19 juin,
dictée à Eisenhower produisit un effet contraire à celui
qu'escomptait Washington. Le Comité de la libération nationale, prenant connaissance, le 21, de l'exigence des Anglo-
Saxons, décida, comme je l'y invitais, de passer outre sans
faire aucune réponse. Mais le Comité, mécontent et humilié,
notifia à Giraud qu'il lui fallait, décidément, ou bien accepter
d'être subordonné au Gouvernement français, ou bien cesser
d'en être membre et quitter son commandement.

En outre, comme Giraud alléguait l'inconvénient que présenterait, au point de vue du secret, l'examen des questions
militaires par un aréopage de quatorze ministres, il fut décidé,
comme je le proposais, d'instituer un « Comité militaire »
comprenant, sous ma présidence, le Commandant en chef et
les chefs d'état-major et ayant délégation du gouvernement
pour arrêter les mesures relatives à l'organisation, au recrutement, à la fusion de nos forces, ainsi qu'à leur répartition entre
les divers théâtres et les différents territoires. Quant à l'exécution, deux commandements militaires subsistaient provisoirement : Giraud demeurant responsable des forces d'Afrique
du Nord, de Gaulle l'étant des autres, y compris celles de la
clandestinité. Cependant, les décisions principales demeuraient réservées au Comité de la libération nationale siégeant
en séance plénière.

Cette cote mal taillée ne me donnait nullement satisfaction.
J'aurais voulu qu'on allât plus loin dans la voie du bon sens,
que l'unité de direction du gouvernement lui-même fût établie
une fois pour toutes, que le général Giraud vît ses attributions
nettement délimitées, qu'un ou plusieurs ministres prissent
en mains l'administration des armées, ainsi que l'exercice
direct de l'autorité militaire hors de la zone des opérations,
que dans ce cadre la fusion des forces françaises d'Afrique du
Nord et de celles de la France Combattante pût, enfin, se
réaliser. Mais le Comité, s'il voyait le but à atteindre, était
encore trop incertain pour y aller rapidement. D'ailleurs, le
général Giraud annonça, sur les entrefaites, qu'il avait reçu
du président Roosevelt l'invitation de se rendre à Washington afin d'y traiter la question des livraisons d'armes. Le
Commandant en chef demandait instamment qu'on attendît
son retour pour discuter de la structure du Comité et du
commandement. La plupart des ministres choisirent de
temporiser. Pour moi, je m'accommodai des dispositions
transitoires avec l'idée bien arrêtée de mettre, avant peu,

chaque pièce du service à la place qu'elle devait avoir.
Giraud partit le 2 juillet. Son voyage avait été organisé
d'accord entre le Gouvernement américain et lui-même sans
consultation du Comité de la libération nationale. Indépendamment de son but pratique quant à l'armement de nos
troupes, la visite était envisagée par les États-Unis comme
l'occasion de manifester leur politique à l'égard de la France,
d'affirmer, qu'en traitant d'affaires militaires avec l'un de
nos chefs, ils se refusaient à admettre que nous eussions un
gouvernement, de rendre public le soutien qu'ils continuaient
d'accorder au général français choisi par eux pour l'Afrique
du Nord, enfin de bâtir celui-ci dans l'opinion américaine.
M. Churchill avait cru devoir prêter, à ce sujet, main-forte
au président Roosevelt en adressant aux représentants britanniques à l'étranger et aux directeurs des journaux anglais
un « mémorandum » dans lequel étaient exposés les griefs du
Premier Ministre à l'égard du général de Gaulle. Bien entendu,
ce mémorandum, pour désobligeant qu'il fût, avait été publié
par les journaux américains.

Mais, en dépit des efforts déployés, le résultat ne répondit
pas à ce qu'on attendait. Car, le Président et ses ministres
s'appliquant à recevoir Giraud au seul titre militaire et
celui-ci n'en invoquant pas d'autre, l'opinion américaine ne
prit à son passage qu'un assez médiocre intérêt. La technique
de l'opération qui consistait à armer quelques divisions françaises ne passionnait pas les foules et leur sentiment ne dési-
gnait aucunement comme le champion de la France le docile
visiteur que louangeaient beaucoup de leurs journaux. Quant
aux milieux informés, ils trouvèrent déplaisantes l'attitude
de subordination que le général Giraud crut devoir adopter
et l'insistance mise par la Maison Blanche à exploiter sa présence pour afficher une politique que beaucoup n'approuvaient
pas.

Ainsi de la déclaration faite par Giraud devant la presse de
Washington et dont on savait qu'il avait accepté de la soumettre à l'avance au Gouvernement des États-Unis et, même,
d'en corriger le texte quelques instants avant la conférence.
Ainsi des propos tenus, le 10 juillet, par Roosevelt à propos
de la visite, qui, disait le Président, « était seulement celle
d'un soldat français combattant pour la cause des alliés,
puisque dans le moment présent la France n'existe plus. »
Ainsi du dîner de la Maison-Blanche, auquel n'assistaient que
des personnalités militaires, de telle sorte que même l'ambassa-

deur de France Henri Hoppenot, représentant accrédité du
Comité de la libération nationale, n'y était pas invité. Ainsi
des discours échangés, ce soir-là, entre Giraud et le Président
et qui ne faisaient pas la moindre allusion au Gouvernement
d'Alger, ni à l'unité, à l'intégrité, à l'indépendance de la
France. Ainsi de ce qui se passa, le 14 juillet, jour de la fête
nationale, où Giraud ne reçut ni témoignage, ni message, du
gouvernement dont il était l'hôte, ne lui en adressa aucun et
se borna, le matin à monter à bord du *Richelieu*, l'après-midi
à assister dans un hôtel de New York à une réception offerte
par la colonie française.

Sur le chemin du retour, l'arrêt qu'il fit au Canada, puis
son passage en Angleterre, ne modifièrent pas l'effet produit
aux États-Unis. Aux journalistes d'Ottawa, Giraud déclara
que « son seul but était de refaire une armée française, car
tout le reste ne comptait pas. » A la presse de Londres, qui
depuis trois années assistait à l'effort de la France Libre
pour soutenir la cause nationale, il affirma : « Personne n'a
le droit de parler au nom de la France ! » Au total, chez les
alliés, les gens, responsables ou non, qui avaient vu et entendu
le général Giraud, en tirèrent l'impression que, si sa personne
et sa carrière méritaient le respect, il n'était pas fait pour
diriger son pays en guerre. On en conclut que son rôle dans
le redressement de la France ne pouvait être que secondaire.

Pendant ce temps, à Alger, le gouvernement, tiré de sa
bicéphalie, prenait de la consistance. La réunion de l'Empire,
les nécessités matérielles et morales de l'effort de guerre, les
relations étrangères, les rapports avec la résistance métropolitaine, l'obligation de préparer ce qui devrait être fait en
France lors de la libération, confrontaient notre Comité avec
de multiples problèmes. Nous tenions, chaque semaine, deux
séances. Les sujets dont nous traitions étaient hérissés
d'épines ; chaque ministre exposant, d'une part ses difficultés,
d'autre part l'insuffisance de ses moyens. Du moins, tâchions-
nous que les débats fussent bien préparés et aboutissent
positivement. D'ailleurs, si les avis différaient, mon arbitrage
se prononçait sans peine, car il n'y avait sur aucune question,
à l'intérieur du gouvernement, aucune divergence profonde.
Il faut dire que, faute de parlement, de partis, d'élections, il
n'existait pas de jeu politique entre les membres du Comité.
Ma tâche de direction en était facilitée.

D'autant plus que, techniquement, je me trouvais bien
secondé. Dès le 10 juin, nous avions doté le gouvernement

d'un « secrétariat-général » et mis Louis Joxe à sa tête avec, comme adjoints, Raymond Offroy et Edgar Faure. Joxe reliait les ministres entre eux et avec moi, constituait les dossiers au vu desquels, d'après l'ordre du jour, délibérait le Comité, prenait acte des décisions, assurait la publication des ordonnances et des décrets, en suivait l'application. Modèle de conscience et tombeau de discrétion, il devait assister pendant trois ans, en témoin muet et actif, à toutes les séances du Conseil. Le secrétariat-général, inauguré à Alger, demeurerait par la suite l'instrument du travail collectif du gouvernement.

En juillet, naquit le « Comité juridique », dont René Cassin reçut la direction et qui, avec le concours de François Marion, du président Lebahar, etc., joua, quant aux avis à fournir et aux textes à mettre en forme, le rôle normalement dévolu au Conseil d'État. Comme il fallait au Gouvernement d'Alger adapter l'application des lois aux circonstances de la guerre et préparer les mesures législatives, judiciaires, administratives qui devraient être prises en France lors de la libération, on peut mesurer l'importance de ce comité. D'autre part, le « Comité du contentieux », présidé par Pierre Tissier et suppléant, lui aussi, à l'absence du Conseil d'État, rendait les arrêts temporaires de sanction ou de réparation que les abus commis par Vichy imposaient de prendre à l'intérieur des services publics. Enfin, le « Comité militaire » était pourvu d'un secrétaire : le colonel Billotte, qui m'assistait directement.

Tout au long du mois de juillet, les administrations, les états-majors, l'opinion, s'aperçurent que les hommes chargés des divers départements, en quoi traditionnellement se répartit l'autorité gouvernementale, étaient devenus des ministres, revêtus de l'autorité et de la responsabilité inhérentes à leur fonction ; que l'improvisation chronique, pratiquée par le système d'Alger depuis la fin du régime de Vichy en Afrique du Nord, faisait place à l'action d'un organisme compétent et dirigé ; qu'une administration centrale fonctionnait, maintenant, au lieu de la fausse fédération : Algérie, Maroc, Tunisie, Afrique occidentale, qui s'était instituée pour des raisons de personnes et à défaut d'une autorité de caractère national ; bref, que le pouvoir avait une tête, suivait une ligne, agissait en ordre. L'effet produit en fut tel que, dans les milieux dirigeants, l'unité autour de ma personne, si elle n'avait été, jusqu'alors, souhaitée que par certains, se trouvait mainte-

nant admise par tout le monde, comme c'était le cas pour
la masse des Français.

En somme, c'est l'État qu'on voyait reparaître dans les
faits et dans les esprits avec d'autant plus de relief qu'il
n'était pas anonyme. Dès lors que Vichy ne pouvait plus
faire illusion, les enthousiasmes ou les consentements, sans
parler des ambitions, se portaient vers de Gaulle d'une manière automatique. En Afrique du Nord, la structure ethnique
et politique des populations, l'attitude de l'autorité, la pression des alliés, avaient retardé l'évolution. Mais celle-ci,
désormais, était irrésistible. Une espèce de marée des volontés
et des sentiments consacrait cette légitimité profonde qui procède du salut public et que, toujours, reconnut la France au
fond de ses grandes épreuves, quelles que fussent les formules
dites « légales » du moment. Il y avait là une exigence élémentaire dont, pour être le symbole, je ne me sentais pas moins
l'instrument et le serviteur. C'étaient surtout, naturellement,
les cérémonies publiques qui le démontraient à chacun. Le
concours passionné des foules, l'hommage des corps constitués, l'agencement des gestes officiels, me prenant d'office
pour centre, servaient d'expression à l'instinct populaire.
La résolution nationale, plus puissante qu'aucun décret formel, me chargeait ouvertement d'incarner et de conduire
l'État.

Le 26 juin, je me rendis en Tunisie. Je trouvai la Régence
sous l'effet des secousses que lui avaient fait subir l'invasion,
le parti pris de Vichy en faveur des forces de l'Axe, la collu-
sion de certains éléments nationalistes locaux avec l'Allemand et l'Italien. Les dégâts matériels étaient graves. Les
contrecoups politiques aussi. Avant mon arrivée à Alger, le
« Commandement en chef civil et militaire » avait destitué
le bey Moncef, dont l'attitude, lors de l'occupation, s'était
révélée fâcheuse eu égard aux obligations qui le liaient à la
France. Nombre de membres des deux « Destour » étaient en
prison. Dans les campagnes, on avait dû châtier les attentats
commis contre la personne et les biens de beaucoup de colons
français par des pillards ou des fanatiques avec la tolérance
de l'envahisseur et, parfois, sa complicité.

Le résident-général Mast était à l'œuvre pour rétablir la
situation. Il le faisait avec intelligence, limitant le lot des
réprouvés, prenant le plus possible de contacts conciliateurs
et modérant l'école de la vengeance. Je lui donnai mon
appui. Aux autorités, délégations, notabilités françaises et tuni-

siennes qui m'étaient présentées, je montrai qu'il n'y avait que trop de circonstances atténuantes à ce qui s'était passé. Pour juger des fautes commises par les autochtones, il fallait tenir compte de l'exemple d'abandon donné sur place par Vichy, par exemple du scandale de la « Phalange africaine » constituée sur son ordre pour combattre aux côtés de l'ennemi. Je déclarai que rien, maintenant, n'importait davantage que de resserrer l'union de la France et de la Tunisie en commençant par remettre en marche l'activité du pays. Je dois dire que, depuis lors, jamais mon gouvernement ne rencontra en Tunisie de difficulté grave. Au contraire, ce noble royaume s'associa, une fois de plus, à la France par son concours à l'effort de guerre et la valeur de ses soldats incorporés dans notre armée.

J'allai voir le bey Sidi-Lamine, qui était monté sur le trône, suivant l'ordre de succession, après la déposition de Moncef. Il me reçut à Carthage, ayant près de lui ses ministres, notamment M. Baccouche. Malgré les remous d'opinion que soulevait le départ de son populaire prédécesseur, le nouveau souverain assumait la charge avec une digne simplicité. Je fus frappé de voir paraître en sa personne, à travers la sagesse de l'âge et du caractère, un grand dévouement au service de son pays. Lui-même, j'ai lieu de le croire, me considéra comme personnifiant cette sorte de France assurée d'elle-même et, par là, généreuse, que la Tunisie a souvent imaginée et qu'elle a parfois rencontrée. Depuis lors, j'éprouvai pour Sidi-Lamine une estime et une amitié qui ne se sont pas altérées.

Le dimanche 27 juin, au milieu du déferlement populaire, après la revue des troupes et l'office à la cathédrale, je gagnai l'esplanade Gambetta. Là, m'adressant à la multitude des Français auxquels se mêlaient de nombreux Tunisiens, je parlai de la France, prévenant l'ennemi, de sa part, qu'elle le frapperait par tous moyens en son pouvoir jusqu'à ce qu'il fût abattu, saluant, en son nom, ses grands alliés et les assurant de sa compréhension fidèle pourvu que ce fût réciproque. Après quoi, je proclamai que si, jusqu'à la fin de l'épreuve, je requérais le concours de tous je dépouillais à l'avance, toute prétention pour la suite, que le terme de l'œuvre que j'avais entreprise pour la libération et la victoire serait marqué par la victoire et la libération et que, cela fait, de Gaulle ne serait candidat à rien.

« A la France, m'écriai-je, à notre Dame la France, nous

n'avons à dire qu'une seule chose c'est que rien ne nous importe, excepté de la servir. Nous avons à la libérer, à battre l'ennemi, à châtier les traîtres, à lui conserver ses amis, à arracher le bâillon de sa bouche et les chaînes de ses membres pour qu'elle puisse faire entendre sa voix et reprendre sa marche au destin. Nous n'avons rien à lui demander, excepté, peut-être, que le jour de la liberté elle veuille bien nous ouvrir maternellement ses bras pour que nous y pleurions de joie et, qu'au jour où la mort sera venue nous saisir, elle nous ensevelisse doucement dans sa bonne et sainte terre. »

Le 14 juillet, c'est Alger, capitale de l'Empire et de la France Combattante, qui offrit la démonstration de la renaissance de l'État et de l'unité nationale recouvrée. La traditionnelle prise d'armes revêtait le caractère d'une espèce de résurrection. En saluant les troupes qui défilaient, je voyais en une sorte de flamme monter vers moi leur immense désir de prendre part aux prochaines batailles. Le souffle d'allègre confiance qui passait sur l'armée et le peuple révélait l'accord des âmes, qu'avaient ébranlé les déceptions d'antan, puis détruit les malheurs d'hier, mais qu'aujourd'hui l'espoir ressuscitait. C'est la même impression que donnait, sur le Forum, la foule innombrable à laquelle, ensuite, je m'adressai.

« Ainsi donc, déclarai-je, après trois années d'indicibles épreuves, le peuple français reparaît. Il reparaît en masse, rassemblé, enthousiaste, sous les plis de son drapeau. Mais, cette fois, il reparaît uni. Et l'union que la capitale de l'Empire prouve, aujourd'hui, d'une éclatante manière, c'est la même que prouveront, demain, toutes nos villes et tous nos villages dès qu'ils auront été arrachés à l'ennemi et à ses serviteurs. » Partant de cette constatation, je soulignai, à l'intention des alliés dont je savais qu'ils étaient tout oreilles, l'absurdité des projets qui visaient à utiliser l'effort militaire français en faisant abstraction de la France. « Dans le monde, dis-je, certains ont pu croire qu'il était possible de considérer l'action de nos armées indépendamment du sentiment et de la volonté des masses profondes de notre peuple. Ils ont pu imaginer que nos soldats, nos marins, nos aviateurs, différant en cela de tous les soldats, de tous les marins, de tous les aviateurs du monde, iraient au combat sans se soucier des raisons pour lesquelles ils affronteraient la mort. Bref, ces théoriciens, prétendument réalistes, ont pu concevoir que,

pour les Français et pour les Français seulement, l'effort de
guerre de la nation était susceptible d'exister en dehors de
la politique et de la morale nationales. Nous déclarons à ces
réalistes qu'ils ignorent la réalité. Les citoyens français qui
combattent l'ennemi, où que ce soit, depuis quatre années ou
depuis huit mois, le font à l'appel de la France, pour atteindre
les buts de la France, d'accord avec ce que veut la France.
Tout système, qui serait établi sur d'autres bases que
celles-là, mènerait à l'aventure ou à l'impuissance. Mais la
France, elle, qui joue sa vie, sa grandeur, son indépendance,
n'admet dans cette grave matière ni l'impuissance, ni l'aventure. »

A la nation, demain victorieuse, il faudrait après sa libération un but qui pût la passionner et la maintenir dans l'effort.
Aussi, après avoir glorifié l'action et les sacrifices de la résistance, j'invoquai la flamme du renouveau qui l'inspirait dans
son combat. « La France n'est pas la princesse endormie que
le génie de la libération viendra doucement réveiller. La
France est une captive torturée qui, sous les coups, dans son
cachot, a mesuré une fois pour toutes les causes de ses malheurs
comme l'infamie de ses tyrans. La France a, d'avance, choisi
un chemin nouveau ! » Et d'indiquer quels objectifs la résistance entendait atteindre à l'intérieur et au-dehors, une fois
la victoire remportée. Je terminai en appelant le peuple à la
fierté. « Français ! Ah ! Français ! Il y a quinze cents ans que
la patrie demeure vivante dans ses douleurs et dans ses gloires.
L'épreuve présente n'est pas terminée. Mais voici que se dessine la fin du pire drame de notre Histoire. Levons la tête !
Serrons-nous fraternellement les uns contre les autres et
marchons tous ensemble, dans la lutte, par la victoire, vers
nos nouvelles destinées. »

Le déchaînement d'émotion par lequel la multitude répondit
à ces paroles marquait sur place l'échec définitif des intrigues
que certains m'avaient longtemps opposées. Il était bien évident que les systèmes artificiels, successivement bâtis à Alger
pour ménager l'erreur et convenir aux étrangers, s'écroulaient
sans rémission et que, si des formalités restaient encore à
accomplir, de Gaulle avait partie gagnée. Dans la tribune,
M. Murphy, apparemment impressionné, vint me faire son
compliment. « Quelle foule énorme ! » me dit-il. « Ce sont là,
lui répondis-je, les 10 pour 100 de gaullistes que vous aviez
comptés à Alger. »

Le Maroc, à son tour, fournit un spectacle semblable. Le

6 août, j'arrivai à Rabat. Longtemps, ceux qui laissaient voir leur accord avec la France Libre y avaient été durement punis et vilipendés, tandis que, dans l'ombre, beaucoup gardaient le silence. A présent, sous l'éclatant soleil, la population, les autorités, les notables, m'acclamaient sans réticence. L'ambassadeur Puaux, résident-général, me fit son rapport. Il lui fallait, dans l'immédiat, faire vivre le Maroc coupé de tout et menacé par la misère. Quant à l'avenir, il voyait s'y dessiner les problèmes posés par le développement politique du Protectorat. Pourtant, le résident-général était sûr que le Maroc demeurait attaché à la France et prendrait sa large part de l'effort déployé par l'Empire pour la libérer.

Sous l'apparat officiel, je pris contact d'homme à homme avec le sultan Mohamed-Ben-Youssef. Ce souverain, jeune, fier, personnel, ne cachait pas son ambition d'être à la tête de son pays dans la marche vers le progrès et, un jour, vers l'indépendance. A le voir et à l'entendre, parfois ardent, parfois prudent, toujours habile, on sentait qu'il était prêt à s'accorder avec quiconque l'aiderait à jouer ce rôle, mais capable de déployer beaucoup d'obstination à l'encontre de ceux qui voudraient s'y opposer. D'ailleurs, il admirait la France, croyait à son redressement et n'imaginait pas que le Maroc pût se passer d'elle. S'il avait, à tout hasard, prêté l'oreille à certains avis que l'Allemagne, dans ses triomphes, lui avait fait parvenir et écouté, lors de la conférence d'Anfa, les insinuations de Roosevelt, il s'était cependant montré fidèle à notre pays. On doit reconnaître que l'influence de Noguès s'était heureusement exercée, à cet égard, sur l'esprit du souverain.

Je crus devoir prendre le sultan Mohamed-Ben-Youssef directement pour ce qu'il était, c'est-à-dire résolu à grandir, et me montrer à lui tel que j'étais, à savoir le chef d'une France suzeraine mais disposée à faire beaucoup pour ceux qui tenaient à elle. Utilisant le crédit que m'ouvraient, dans son âme, le succès et l'inspiration de la France Combattante, je nouai avec lui des liens d'amitié personnelle. Mais aussi, nous conclûmes une sorte de contrat d'entente et d'action commune, auquel nous ne manquâmes jamais, ni l'un ni l'autre, aussi longtemps que moi-même pus lui parler au nom de la France.

Le dimanche 8 août, je fis mon entrée à Casablanca. Les murs y disparaissaient sous les drapeaux et les oriflammes. Six mois plus tôt, il m'avait fallu résider dans la banlieue de la ville, contraint au secret et entouré des barbelés et des

postes américains. Aujourd'hui, ma présence servait de preuve
et de centre à l'autorité de la France. Une fois passée une
brillante revue, je m'adressai à la marée humaine qui couvrait
la place Lyautey. J'y pris le ton de l'assurance tranquille.
La présence de la France à la victoire était, désormais, certaine grâce à l'unité française et à celle de l'Empire. Je citai
en exemple le Maroc « qui crie sa ferveur, sa confiance, son
espérance, par la grande voix de Casablanca. » L'après-midi,
je visitai Meknès. La journée du 9 août fut consacrée à Fez.
La ville arabe, que je parcourus en tous sens, dans le hourvari
des trompettes et sous la forêt des bannières, éclata en manifestations tout à fait exceptionnelles pour cette cité séculai-
rement farouche. Le 10 enfin, dans la région d'Ifrane, je reçus
l'accueil magnifique des Berbères et de leurs chefs.

Au moment même où, en Tunisie, en Algérie, au Maroc,
se dissipaient les dernières équivoques, les Antilles françaises
se ralliaient, d'un grand élan. Elles le faisaient d'elles-mêmes
sans que les alliés y eussent directement concouru.

Depuis 1940, l'amiral Robert, haut-commissaire, maintenait
ces colonies sous l'obédience du Maréchal. Disposant des croiseurs : « *Emile-Bertin* et *Jeanne d'Arc*, du porte-avions *Béarn*,
des croiseurs auxiliaires : *Barfleur*, *Quercy*, *Esterel*, des pétroliers : *Var*, et *Mékong*, ainsi que d'une importante garnison, il
appliquait un régime de rigueur et, moyennant la garantie
de sa neutralité, obtenait des Américains le ravitaillement
nécessaire. Mais, à mesure des événements, la population et
de nombreux éléments militaires marquaient leur désir de se
joindre à ceux qui combattaient l'ennemi.

Dès le printemps de 1941, j'avais envoyé Jean Massip,
alias le colonel Perrel, dans les parages de la Martinique et
de la Guadeloupe, avec mission d'y faire pénétrer l'influence
de la France Libre et d'expédier vers nos forces combattantes
les volontaires qui s'évaderaient des îles. Massip, malgré beaucoup d'obstacles, avait fait tout le possible. Agissant depuis
les territoires anglais de Sainte-Lucie, de la Dominique, de
Trinidad, aidé sur place par quelques bons Français, tels
Joseph Salvatori et Adigard des Gautries, il était parvenu à
établir le contact avec les éléments résistants de Fort-de-
France et de Basse-Terre et à envoyer sur les théâtres d'opération plus de 2 000 engagés. Au début de 1943, tout annonçait qu'un grand mouvement entraînerait bientôt dans le
camp de la libération les territoires français d'Amérique et
les forces qui s'y trouvaient.

Au mois de mars, la Guyane se débarrassait de l'autorité de Vichy. Depuis longtemps, elle y aspirait. Déjà, en octobre 1940, j'avais vu débarquer en Afrique française libre, sous les ordres du commandant Chandon, un détachement de 200 hommes venus des rives du Maroni. Plus tard, un « Comité du ralliement », présidé par M. Sophie, maire de Cayenne, avait été constitué. Le 16 mars 1943, la population se rassembla sur la place du Palmiste, réclamant à grands cris le départ du gouverneur, et défila dans la ville sous des pancartes à croix de Lorraine en acclamant le nom du général de Gaulle. Devant cette effervescence, le gouverneur s'était retiré. Sophie, alors, m'avait télégraphié pour rendre compte du ralliement et demander l'envoi à Cayenne d'un nouveau chef de la colonie. Mais, sur l'avis pressant du consul des États-Unis, il avait expédié un télégramme semblable au général Giraud. Or, à cette date, l'union n'était pas faite entre le comité de Londres et l'organisation d'Alger. Aussi, les Américains, disposant des communications extérieures de la Guyane, s'étaient-ils arrangés pour que le gouverneur Rapenne, délégué par Giraud, atteignît Cayenne au plus vite, tandis que le gouverneur Bertaut, envoyé par moi, ne pouvait y parvenir. Après quoi, usant du fait que le ravitaillement de la colonie ne dépendait que de leurs bons offices, nos alliés avaient contraint la Guyane à s'accommoder d'un administrateur, au demeurant fort honorable, mais qui ne répondait pas à ce qu'elle avait réclamé. Il est vrai que, deux mois plus tard, la formation à Alger du Comité de la libération allait permettre de régulariser ce qui ressemblait fort à une mystification.

En juin, la Martinique accomplit les actes décisifs. Depuis des mois, l'amiral Robert recevait de ses administrés d'innombrables pétitions l'adjurant de laisser ce territoire ardemment français faire son devoir envers la France. J'avais moi-même trouvé l'occasion de faire passer à Fort-de-France, en avril 1943, le médecin général Le Dantec pour offrir à Robert une issue satisfaisante, puis, au mois de mai, proposé à Giraud d'adresser au haut-commissaire une lettre signée de nos deux noms et l'invitant à reprendre la guerre à nos côtés. Ces démarches avaient été faites auprès de l'amiral. Mais elles restaient sans réponse. Par contre, menaces et sanctions redoublaient sur place contre les résistants.

Cependant, le « Comité de la libération », ayant à sa tête Victor Sévère, député-maire de Fort-de-France, Emmanuel

Rimbaud, Léontel Calvert, etc., apparaissait au grand jour.
Le 18 juin, anniversaire de mon appel de 1940, ce comité
déposait une croix de Lorraine devant le monument aux morts.
Puis, il appelait la population à manifester en masse, ce qui
eut lieu le 24 juin. Cinq jours après, le commandant Tourtet et
son bataillon se joignaient au mouvement. L'effervescence
gagnait la marine. L'amiral Robert dut s'incliner. Il publia,
le 30 juin, « qu'il avait demandé au Gouvernement des États-
Unis l'envoi d'un plénipotentiaire pour fixer les modalités
d'un changement de l'autorité française et qu'il se retirerait
ensuite. » Cette annonce ramena le calme, bien que l'on n'admît
aucunement qu'il fût besoin des Américains pour régler cette
affaire nationale. Deux jours plus tard, une délégation venue
de la Martinique arrivait à la Dominique, faisait part à Jean
Massip du ralliement de la colonie et demandait l'envoi par
le général de Gaulle d'un délégué muni de pleins pouvoirs.

A la Guadeloupe, les événements avaient suivi un cours
analogue. Depuis longtemps, la population portait vers la
France Libre ses vœux et ses espérances. MM. Valentino,
président de la commission exécutive du conseil général, Me-
loir, Gérard et d'autres notabilités avaient formé un « Comité
de la résistance ». Valentino, arrêté, puis transféré à la Guyane,
parvenait après la libération de cette colonie à regagner secrètement la Guadeloupe. Le 2 mai 1943, une manifestation en
faveur de la France Combattante avait lieu à Basse-Terre et
se terminait par une fusillade sanglante dirigée sur la foule
par le service d'ordre. Le 4 juin, Valentino tentait en vain
avec ses amis de s'emparer du pouvoir, mais réussissait ensuite
à se rendre auprès de Jean Massip. A la fin du même mois,
le renoncement de Robert à la Martinique achevait de régler
la question à la Guadeloupe.

Le 3 juillet, le Comité de la libération nationale, informé de
ces événements, mandatait comme « délégué extraordinaire
aux Antilles » son représentant à Washington, l'ambassadeur
Henri Hoppenot. Celui-ci, accompagné d'officiers supérieurs
de l'armée, de la marine et de l'air, arrivait à Fort-de-France
le 14 juillet. Sous une mer de drapeaux à croix de Lorraine,
dans la tempête des « Vive de Gaulle ! » il y était accueilli
par Sévère et son comité avec l'immense concours du peuple.
Hoppenot et sa mission prirent aussitôt les affaires en mains.
Avec doigté et fermeté, ils mirent tout et chacun à sa place.
L'amiral Robert se rendit à Porto-Rico et, de là, partit pour
Vichy. Le gouverneur Ponton, venu d'Afrique équatoriale,

fut nommé gouverneur de la Martinique. Le secrétaire-général
Poirier, puis le gouverneur Bertaut, reçurent la charge de la
Guadeloupe. L'or de la Banque de France, entreposé à Fort-
de-France, passa sous le contrôle du Comité d'Alger. L'escadre fut dirigée sur les États-Unis et, après remise en état,
gagna l'Afrique du Nord. Les troupes furent incorporées dans
l'armée de la libération. En particulier, le Bataillon des
Antilles, sous les ordres du lieutenant-colonel Tourtet, devait
prendre une part brillante aux combats de Royan où son chef
serait tué à l'ennemi.

Le ralliement des Antilles achevait l'accomplissement d'un
grand dessein national, entrevu au cours du désastre par le
dernier gouvernement de la IIIe République, adopté par la
France Libre immédiatement après les « armistices » et, depuis
lors, poursuivi coûte que coûte, mais auquel les gouvernants
de Vichy, répondant, consciemment ou non, aux intentions
de l'ennemi, s'étaient opposés sans relâche. Sauf l'Indochine,
que le Japon tenait à sa merci, toutes les terres de l'Empire
avaient maintenant repris la guerre pour la libération de
la France.

Quant aux forces françaises d'outre-mer, toutes avaient
également rallié. L'escadre d'Alexandrie, échouée depuis 1940
dans la neutralisation, s'était, en juin 1943 par décision de
son chef, placée aux ordres du gouvernement. En août, l'amiral
Godfroy amenait dans les ports d'Afrique du Nord, par la
mer Rouge, le Cap et Dakar, le cuirassé *Lorraine*, les croiseurs :
Duguay-Trouin, Duquesne, Suffren, Tourville, les contre-torpilleurs : *Basque, Forbin, Fortuné* et le sous-marin *Protée*. Ces
belles unités, comme celles qui venaient des Antilles, reprenaient la lutte à leur tour. Un tel renfort, joint aux navires
restés à flot dans les ports d'Afrique et à ceux au mât desquels
flottait la Croix de Lorraine, allait permettre de faire reparaître une importante force navale française sur les mers par
où l'Europe verrait arriver la victoire.

L'obscure harmonie d'après laquelle s'ordonnent les événements faisait coïncider le renouveau de la puissance française
avec le fléchissement de celle de l'ennemi. L'Italie, devenue
de nouveau, suivant le mot de Byron, « la triste mère d'un
empire mort » et sur le point d'être envahie, prenait le chemin
de la rupture avec le Reich allemand. Mais, pour le Comité
français de la libération nationale, les problèmes posés par le
changement de front de l'Italie allaient le conduire à s'affermir
lui-même en tant que gouvernement. En même temps, les

alliés seraient contraints de constater qu'il ne pourrait y
avoir de règlement valable au sujet de l'Italie sans la participation française. Et puis, la dure campagne qu'ils entamaient
dans la péninsule leur ferait désirer, bientôt, le concours de
nos troupes et de nos navires. Ils seraient donc amenés à nous
faire une part plus large dans le domaine diplomatique
comme sur le terrain des combats. Ayant besoin de la France,
il leur faudrait, bon gré mal gré, s'adresser au pouvoir français.

Le 10 juillet, une armée anglaise et une armée américaine,
placées sous le commandement du général Alexander, débar-
quaient en Sicile. Nous n'avions pas été invités à prendre part
à l'opération. La raison qu'on nous en donnait était l'insuffisance d'armement de nos unités qui, en effet, ne recevaient
encore que peu de matériel américain. En réalité, Washington et Londres, escomptant l'effondrement prochain de l'Italie,
préféraient que nous ne fussions pas mêlés à la bataille décisive,
non plus qu'à l'armistice qui viendrait la couronner.

Nos alliés se heurtèrent, en Sicile, à une très vive résistance
des Allemands accourus pour défendre l'île. Pourtant, après
six semaines de durs combats, les forces anglo-saxonnes
finissaient par l'emporter. Mais, entre temps, on avait appris
que le Grand Conseil fasciste désavouait Mussolini, que le
roi d'Italie avait fait arrêter le Duce, que le maréchal Badoglio était nommé Premier Ministre. Sans doute, celui-ci se
proclamait-il résolu à continuer la guerre dans le camp de
l'Axe. Mais il était clair que cette attitude couvrait des intentions contraires. Moins que personne le Führer en doutait.
Dans le discours qu'il prononça, le lendemain, à la radio, on
discernait sous les cris d'une menaçante assurance l'inquiétude de l'allié trahi. On y reconnaissait aussi une note humaine,
rare chez le dictateur. Hitler saluait en Mussolini le camarade
tombé. Il le faisait sur le ton d'un homme qui bientôt tombera lui aussi, mais qui entend, jusqu'au bout, se mesurer
avec le destin.

Le coup de théâtre de Rome avait eu lieu le 25 juillet. Le 27,
je pris publiquement position. Parlant à la radio, je déclarai
que « la chute de Mussolini, signe de la défaite certaine de l'Axe
et preuve de l'échec du système fasciste, était pour la France la
première revanche de la justice. » — « L'exemple de Mussolini,
disais-je, s'ajoute à l'histoire de tous ceux qui outragèrent
la majesté de la France et que le destin a châtiés. » Ayant
insisté sur le fait qu'il fallait redoubler d'efforts pour atteindre
à la victoire, je constatai : « L'écroulement du fascisme italien

peut poser prochainement la question du règlement des
comptes. Or, il est bien évident que, malgré la situation terrible où se trouve encore notre pays, un tel règlement ne saurait être ni valable, ni durable, sans la France. » Je faisais,
d'ailleurs, entendre que dans cette participation nous serions
animés par le désir de réconciliation, plutôt que par l'esprit
de vengeance, « car le voisinage étroit et, dans une certaine
mesure, l'interdépendance des deux grands peuples latins demeurent, malgré les griefs du présent, des éléments sur lesquels
la raison et l'espoir de l'Europe ne renoncent pas à se poser. »
Enfin, j'affirmai « les devoirs imposés et les droits conférés,
en cette matière, au Comité de la libération nationale par la
confiance ardente de l'immense majorité française et son
propre caractère d'organisme responsable des intérêts sacrés
du pays. »

Mais, comment soutenir une telle politique si nous restions
nous-mêmes plongés dans la confusion? Le 31 juillet,
Giraud étant rentré de son voyage à l'étranger, je pris la
question corps à corps en séance du Comité. Cette fois, le
gouvernement adopta des décisions qui nous rapprochaient
du but.

La direction du Comité et la présidence des séances incombaient, désormais, au seul de Gaulle. Si Giraud gardait, avec le
titre de président, la faculté de signer, comme moi, les ordonnances et les décrets, ce ne devait plus être là qu'une simple
formalité, puisque les textes étaient auparavant arrêtés en
Conseil et sous mon seul arbitrage. Dans l'ordre militaire, la fusion de toutes les forces était décidée. Le Haut-comité militaire
devenait, sous ma présidence, le « Comité de la Défense nationale ». Le général Giraud était nommé, par décret, Commandant en chef des forces françaises, étant entendu qu'il cesserait de faire partie du gouvernement si l'occasion se présentait,
un jour, de le mettre à la tête des opérations sur un théâtre
déterminé. Le général Legentilhomme, rappelé de Madagascar, prenait les fonctions de vice-commissaire et, peu après,
de commissaire à la Défense nationale. Le général Leyer,
l'amiral Lemonnier, le général Bouscat, devenaient chefs
d'état-major, respectivement de l'Armée, de la Marine et de
l'Air, avec, pour les seconder en tant que sous-chefs, le général
Kœnig, l'amiral Auboyneau, le général Valin. Quant à Juin,
il était confirmé dans sa mission de préparer et, bientôt, de
commander le corps expéditionnaire destiné à l'Italie.

Ces dispositions réglaient, en principe, l'essentiel. Encore

fallait-il qu'elles fussent appliquées. Malgré les expériences
antérieures je voulais espérer que ce serait possible ; que le
général Giraud, ayant reçu le titre le plus élevé et les attributions les plus étendues que le Comité pût, sans se dessaisir,
donner à un chef militaire, renoncerait à se soustraire à l'autorité du gouvernement ; qu'il se garderait d'agir, dans son
domaine, en dehors de celui qui portait la charge de diriger
le pouvoir. On put le croire, tout d'abord.

Au long du mois d'août et des premiers jours de septembre,
le Comité de la libération nationale, continuant à fonctionner
comme il l'avait fait en juillet, joua son rôle de gouvernement. Ainsi, pour ce qui concernait : la mobilisation, les
finances, le ravitaillement, les transports, les logements, la
marine marchande, l'aménagement des ports et des aérodromes, la santé publique, etc., purent être tranchés maints
problèmes ; ceux-ci rendus très difficiles par la situation
d'extrême pénurie où se trouvaient des territoires dépendant,
en temps normal, de ce qui venait du dehors, mais qui maintenant ne venait plus, privés au profit de l'armée d'éléments
de qualité, soumis à des prestations multiples, surpeuplés par
la présence des troupes alliées et d'un grand nombre de réfugiés venus de la Métropole.

En même temps, le Comité précisait sa position, tant à
l'égard de la résistance que de Vichy. Une ordonnance convo-
quait pour novembre l'Assemblée consultative, tandis que, le
3 septembre, le Comité prenait, sans objection d'aucun de
ses membres, la décision suivante qui était aussitôt publiée :
« Assurer, dès que les circonstances le permettront, l'action
de la justice à l'égard du maréchal Pétain et de ceux qui
ont fait ou font partie des pseudo-gouvernements formés par
lui, qui ont capitulé, attenté à la constitution, collaboré
avec l'ennemi, livré des travailleurs français aux Allemands
et fait combattre des forces françaises contre les alliés ou
contre ceux des Français qui continuaient la lutte. »

A l'extérieur, l'action du Comité s'affirmait de la même
manière. Les missions, diplomatiques, économiques, militaires, que la France Combattante et l'organisation d'Alger
avaient respectivement et séparément entretenues en Angleterre et aux États-Unis, se voyaient unifiées. Viénot à Londres,
Hoppenot à Washington, étaient maintenant nos seuls représentants, chacun d'eux ayant sous sa coupe tous fonctionnaires et militaires présents dans le pays où il était accrédité.
En août, nous chargions Jean Monnet, commissaire au Ravi-

taillement et à l'Armement, d'engager avec les gouvernements
américain, britannique et canadien des négociations qui devaient aboutir à des accords réciproques de prêt-bail embras-
sant les matériels, denrées, services, fournis de part et d'autre
et préparant ce qui serait fait lors de la libération pour
assurer les besoins élémentaires de la France. Pendant ce
temps, Couve de Murville, commissaire aux Finances, réglait
avec le Chancelier de l'Échiquier la fin de l'accord financier
passé en mars 1941 entre la France Libre et l'Angleterre. Le
7 septembre, nous adressions à Washington et à Londres un
projet d'accord précisant « les modalités de la coopération à
établir, du jour où les forces alliées débarqueront en France,
entre ces forces d'une part, les autorités et la population
d'autre part, » et demandant que cette affaire fût mise d'urgence en discussion entre les trois gouvernements. Nous nous
doutions bien, en effet, que nos alliés caressaient le projet
d'assumer eux-mêmes, sous le couvert de leur commandement
militaire, le gouvernement de notre pays à mesure qu'ils y
pénétreraient et nous étions, naturellement, résolus à les en
empêcher.

Enfin, voyant venir la capitulation italienne et certains que
nos alliés ne nous associeraient aux avantages et honneurs
du triomphe que dans la moindre mesure possible, nous leur
faisions officiellement connaître « que le Comité français de
la libération nationale entendait prendre part aux négociations d'armistice, puis aux délibérations et décisions des organismes qui feraient exécuter les conditions imposées. » C'est
ainsi que nous nous exprimions dans une note remise, le
2 août, par René Massigli à MM. MacMillan et Murphy. La
même note spécifiait les points intéressant directement la
France et qui devraient, selon nous, être insérés dans la future
convention.

Dans le domaine militaire, la collaboration du chef du
gouvernement et du commandant en chef paraissait, maintenant, satisfaisante. Le général Giraud, enchanté de se voir
confirmer un titre qui lui était cher et de prendre sous ses
ordres les unités des forces françaises libres, affichait son
loyalisme. Le comité de la Défense nationale prenait, sans
heurts, les mesures concernant la fusion. Leclerc et sa colonne
gagnaient le Maroc. Le Groupement Larminat venait stationner en Tunisie. Divers navires et plusieurs groupes d'aviation, provenant d'Afrique du Nord, étaient envoyés en
Grande-Bretagne pour opérer à partir des bases anglaises aux

côtés d'éléments à croix de Lorraine. En même temps, le comité de la Défense nationale arrêtait le plan de réorganisation de l'armée, de la marine, de l'aviation, sur la base des cadres et effectifs dont nous pouvions disposer et suivant l'armement venant des États-Unis. Quant à l'emploi de ces forces à l'intérieur de la coalition, nos intentions étaient fixées sous la forme d'un mémorandum signé : de Gaulle - Giraud et adressé, le 18 septembre, à Roosevelt, à Churchill et à Staline.

Ayant fait le compte des unités que nous pouvions mettre sur pied, nous indiquions que, sans préjudice de ce qui pourrait être fait auparavant en Italie avec le concours de nos troupes, l'effort principal français, sur terre, sur mer et dans les airs, devrait être directement consacré à la libération de la France et engagé, à partir de l'Afrique du Nord, par le sud de la Métropole. Toutefois, il était, écrivions-nous, nécessaire que certaines forces fournies par nous prissent part aux opérations du Nord. Il faudrait qu'au moins une division blindée française fût transportée à temps en Angleterre pour assurer la libération de Paris. D'autre part, un régiment de parachutistes, des commandos, plusieurs navires et 5 ou 6 groupes d'aviation devraient être engagés dès le début du débarquement. Enfin, nous faisions connaître notre volonté de diriger sur l'Extrême-Orient, dès que la bataille en Europe serait gagnée, un corps expéditionnaire et le gros de nos forces navales afin de concourir à la lutte contre le Japon et de libérer l'Indochine. Tout cela serait, en effet, accompli à mesure, de point en point.

Dans le courant du mois d'août, je passai l'inspection des troupes en Algérie, des navires de guerre parés dans les ports d'Alger et d'Oran et des bases de l'aviation. Partout, à cette occasion, je réunis les officiers. Depuis le désastre de 1940, la défaillance des dirigeants de Vichy, les réflexes de la discipline, le hasard des circonstances, avaient pu conduire ces hommes d'honneur et de devoir dans d'autres chemins que celui qu'ils suivaient à présent. Mais aucun, au fond de lui-même, n'avait jamais perdu l'espoir de reprendre le combat contre les ennemis de la France. Ils étaient, sous leur attitude d'attention et de respect, profondément impressionnés par la présence de ce de Gaulle, qu'une certaine politique leur avait souvent commandé de blâmer et, parfois, prescrit de combattre, mais que l'instinct national et la logique des événements plaçaient, maintenant, au sommet du pouvoir et dont pas un seul d'entre eux n'imaginait de récuser l'autorité. Je

les voyais, tendus à m'entendre et à me comprendre, tandis
que je leur parlais avec la dignité, mais aussi avec la franchise, qui convenaient à eux et à moi. L'allocution terminée, les saluts échangés, les mains serrées, je quittais leur
compagnie et j'allais à quelque autre tâche, plus résolu que
jamais à faire en sorte que l'armée française arrachât sa part
de la victoire et, par là, rouvrît l'avenir à la nation.

L'affermissement du pouvoir français contraignit les alliés
à se départir quelque peu de l'attitude de doute et de méfiance
qu'ils avaient, jusqu'alors, adoptée à son égard. La reconnaissance officielle du Comité de la libération par les États-
Unis, la Grande-Bretagne et la Russie soviétique fut accomplie le 26 août. Déjà, Cuba, le Mexique, la Norvège, la Grèce,
la Pologne, le Chili, la Belgique, avaient fait le nécessaire.

A vrai dire, les formules choisies par les trois autres grandes
puissances marquèrent de profondes différences. Washington s'en tint à la plus restreinte : « Le Comité est reconnu
comme administrant les territoires d'outre-mer qui reconnaissent son autorité. » Londres employa les mêmes termes,
mais en y ajoutant : « Aux yeux de la Grande-Bretagne,
le Comité est l'organisme qualifié pour exercer la conduite
de l'effort français dans la guerre. » Moscou se montra très
large. Pour la Russie soviétique, le Comité représentait « les
intérêts d'État de la République française. » Il était « le seul
organisme dirigeant et le seul représentant qualifié de tous
les patriotes français en lutte contre l'hitlérisme. » L'exemple
des « grands » fut rapidement suivi par d'autres. Le 3 septembre, parlant à la radio à l'occasion du quatrième anniversaire de la guerre et prenant acte de ces démarches, je pouvais déclarer : « La reconnaissance, par vingt-six États, du
Comité français de la libération nationale fournit une preuve
éclatante de notre solidarité pour le triomphe et pour la
paix. »

Cependant, l'organisation du pouvoir, telle qu'elle avait été
arrêtée le 31 juillet, ne pouvait subsister que si la subordination du commandement au gouvernement était acquise sans
équivoque au-dedans et au-dehors. L'affaire italienne va faire
voir que ce n'est pas le cas.

Le 3 septembre, Badoglio, qui avait pris depuis plusieurs
semaines des contacts secrets avec les Anglo-Saxons, capitule
entre leurs mains par le truchement d'une délégation envoyée
à Syracuse. En même temps, les forces alliées prennent pied

en Calabre. Une armée américaine, sous les ordres du général
Clark, s'apprête à débarquer dans la région de Naples pour
joindre et, au besoin, recueillir le roi d'Italie et son gouverne-
ment ainsi que les troupes fidèles qu'ils ont concentrées à
Rome. Or, le 29 août, MacMillan et Murphy avaient remis à
Massigli un mémorandum faisant prévoir la reddition des
Italiens et demandant au Comité français de la libération
« d'accepter qu'en son nom, comme au nom de toutes les
Nations Unies, le général Eisenhower fût habilité à signer avec
le maréchal Badoglio une convention d'armistice qui couvrirait tous les besoins des alliés, notamment ceux de la France. »
Le mémorandum indiquait les grandes lignes de l'instrument
envisagé et concluait : « Les gouvernements du Royaume Uni
et des États-Unis feront leur possible pour que le Comité
français de la libération nationale envoie, s'il le désire, un
représentant à la signature. »

Nous avions répondu, le 1er septembre, par une note approuvant qu'Eisenhower conclût l'armistice en notre nom, comme
au nom de tous les alliés, demandant que le texte du projet
nous fût communiqué d'urgence et nous déclarant prêts à
envoyer, à tout moment, là où l'acte serait signé, un représentant du commandement français.

Voici donc, pour Londres et pour Washington, l'occasion
de montrer s'ils entendent, ou non, que la France soit leur
associée à part entière dans les règlements successifs qui ter-
mineront les hostilités. Cette occasion paraît d'autant plus
favorable qu'il s'agit, d'abord, de l'Italie, que des forces françaises n'ont jamais cessé de combattre, dont on sait déjà que
le territoire ne sera pas arraché aux Allemands sans le concours de notre armée et qui, parmi les Occidentaux, n'a d'autre
voisine que la France et ne saurait voir fixer, en dehors de
la France, son avenir territorial, politique, économique, colonial. Pourtant, nous devrons constater que, dans cette affaire
capitale, Américains et Britanniques vont procéder sans scrupule à l'égard de notre Comité, quelques jours à peine après
l'avoir formellement reconnu.

En effet, le 8 septembre après-midi, MacMillan et Murphy
viennent dire à Massigli que la capitulation italienne est un
fait accompli et que le général Eisenhower l'annoncera dans
une demi-heure. Ils remettent au commissaire aux Affaires
étrangères — formalité dérisoire ! — le texte de la déclaration par laquelle le Commandant en chef allié fait publier,
pour ainsi dire au moment même, « qu'il a accordé au Gouver-

nement italien un armistice militaire dont les termes sont
approuvés par les Gouvernements britannique, américain et
soviétique. »

Comme Massigli observe qu'il n'est pas fait mention de la
France, contrairement à ce que l'Angleterre et les États-
Unis nous ont, par écrit, donné à croire le 29 août, ses interlocuteurs répondent que la déclaration d'Eisenhower est avant
tout une manœuvre, employée précipitamment pour impressionner l'armée et la population italiennes tandis que les
alliés exécutent dans la péninsule une nouvelle et difficile
opération. « Manœuvre, ou non, reprend Massigli, vous me
dites qu'un armistice est signé. Quand a-t-il été signé? Quelles
en sont les conditions? » MacMillan et Murphy se bornent à
dire que le général Giraud, Président du Comité français, a
été tenu au courant par le Grand quartier général et qu'il n'a
fait, de notre part, aucune observation. Dans la nuit, Massigli revoyant MacMillan et le pressant de questions, le ministre d'État britannique convient que les négociations des
Gouvernements de Londres et de Washington avec le Gouvernement italien durent depuis le 20 août. Mais il répète que
Giraud a été averti de tout.

Le 9 septembre, je réunis le Comité de la libération. Le
rapport du commissaire aux Affaires étrangères suscite, naturellement, l'émotion et le mécontentement au sujet des procédés et, sans doute, des intentions des puissances anglo-
saxonnes. Nous publions un communiqué, exprimant la
satisfaction que cause à la France la défaite de l'Italie, rappelant la contribution des armées et de la résistance françaises,
prenant acte de la déclaration du général Eisenhower, mais
précisant que « les intérêts vitaux de la Métropole et de l'Empire impliquent la participation de la France à toute convention concernant l'Italie. »

Au cours de la séance, je demande au général Giraud pour
quelles raisons il n'a pas fait connaître au gouvernement et,
notamment, à son chef les graves nouvelles qui lui ont été
communiquées par les alliés et qui, si nous les avions connues
à temps, nous eussent permis de faire valoir ce qui est dû à
la France. Giraud assure qu'il n'a reçu aucune information
relative à l'armistice. Comme, dans la soirée du même jour,
Massigli rapporte ce démenti à MacMillan et à Murphy, ils
maintiennent leurs affirmations, tout en alléguant avec quelque
embarras que l'ignorance du français au quartier-général
d'Eisenhower et de l'anglais à l'état-major de Giraud pour-

rait être la cause du malentendu. Le lendemain, ils viennent
dire, en s'excusant : « Après enquête, nous avons constaté
que c'est ce matin seulement que le général Eisenhower a
fait connaître au général Giraud les conditions de l'armistice. »

Point de doute ! Nos alliés sont d'accord pour nous écarter,
autant qu'ils le pourront, des décisions concernant l'Italie.
Il faut prévoir qu'ils le seront, demain, pour tenter d'arrêter
sans la France le destin de l'Europe. Mais ils doivent savoir
que la France n'admet pas cette exclusion et qu'ils ne sauraient, dans l'avenir, compter sur elle s'ils la méconnaissent,
à présent. Le 12 septembre, à l'occasion de ma visite officielle
à Oran, je mets les points sur les i.

Parlant devant une foule immense sur le parvis de l'Hôtel
de Ville, j'affirme : « Le pays veut redoubler d'efforts pour
hâter la défaite de l'ennemi. Il veut aussi prendre part, à
son rang, au règlement du conflit et à la reconstruction du
monde. » Sur ce point, j'en appelle à « la solidarité des nations
de bonne volonté. » — « Il existe entre elles, ajouté-je, une interdépendance telle que toutes ont l'obligation de tenir compte
de l'intérêt vital et de la dignité des autres. » Évoquant le
peuple français qui souffre et les combattants français de
l'Empire et de l'intérieur qui prennent et prendront leur part
des grandes batailles, je lance cet avertissement : « Le véritable réalisme, c'est de ne pas les décevoir. » Certes, je le
reconnais : « En la cinquième année de la guerre, la France
n'est pas, hélas ! en mesure d'aligner beaucoup de ces divisions, de ces navires, de ces escadrilles, par quoi l'on voudrait
sommairement décompter la contribution des États. A la
faveur d'un désastre essuyé quand la France, à peu près seule,
faisait face à Hitler et à Mussolini, l'esprit d'abandon de
certains a, en partie, saboté l'effet national dans la guerre...
Nous avons chancelé ! Oui ! C'est vrai ! Mais n'est-ce pas,
d'abord, à cause de tout le sang que nous venions de répandre,
quelque vingt ans auparavant, pour la défense des autres
autant que pour notre défense? » Je termine, en déclarant :
« La France prétend, dans l'intérêt de tous, à la place qui lui
revient dans le règlement du drame dont la liquidation commence. » Toute l'éloquence du monde est dans la clameur
populaire qui répond à mon discours.

Il ressort, en tout cas, des démarches de MM. MacMillan et
Murphy que nos alliés ont invoqué, sinon utilisé, l'absurde
dualisme de notre gouvernement comme un alibi pour mas-

quer leur manquement. Or, voici que, presque aussitôt, le
même dualisme étale sa malfaisance à propos d'une importante opération nationale et militaire : la libération de la
Corse.

Dès 1941, la France Libre avait envoyé dans l'île le capitaine Scamaroni avec mission de préparer l'action. Pendant
deux ans, Scamaroni avait fait d'excellent travail, réussissant
à coiffer tous les éléments de résistance, afin qu'aucun parti,
aucun clan, ne pût monopoliser à son profit l'effort de tous.
C'est ainsi que le « Front national », ayant pour chef politique
Giovoni, pour chef militaire Vittori, tous deux communistes,
avait pris l'attache du délégué de la France Libre, comme
l'avaient fait, de leur côté, les patriotes moralement rassemblés autour de Raimondi et des frères Giaccobbi, ou bien les
équipes formées par d'anciens militaires, telle celle du lieutenant Alphonse de Peretti. Par malheur, le vaillant délégué
était tombé aux mains des Italiens qui avaient occupé l'île
au lendemain du débarquement des alliés en Afrique du Nord.
Affreusement torturé, Scamaroni s'était donné la mort pour
sauvegarder ses secrets.

A cette époque — mars 1943 — la bataille de Tunisie
approchait de son terme. Tout faisait prévoir que la Corse
serait prochainement englobée dans les opérations qui viseraient l'Italie et le Midi de la France. Dans ce pays de maquis,
ardemment attaché à la France et dont les prétentions et la
présence de l'envahisseur exaspéraient le patriotisme, un grand
courant de révolte se répandait secrètement. Des milliers
d'hommes décidés, soutenus par la sympathie active de la
population, attendaient impatiemment l'occasion d'entamer
le combat.

L'organisation d'Alger s'était, à son tour, mise en rapport
avec la Corse. Le « Commandant en chef civil et militaire » y
envoyait, d'abord, quelques agents, puis en avril 1943 le
commandant Colonna d'Istria. Rien, là, qui ne fût très
louable. Ce qui l'était moins, c'est qu'une fois constitué en
juin notre Comité d'Alger, le général Giraud ne me souffla
mot de l'action qu'il menait en Corse. Colonna se donnait
sur place, sans doute en toute bonne foi, comme le représentant du gouvernement tout entier. En cette qualité, Colonna
traita exclusivement avec les chefs communistes Giovoni et
Vittori, soit qu'il n'aperçût pas l'inconvénient de cette préférence, soit qu'il voulût simplifier le problème, soit qu'il en
eût reçu l'ordre. Il faut ajouter que le parti communiste avait

envoyé de France en mission auprès de Giraud le député des
Alpes-Maritimes Pourtalet qui, de Nice, s'était tenu longtemps
en liaison avec Giovoni. Pourtalet n'avait pas manqué de
fournir au commandant en chef sur la situation en Corse des
renseignements et des suggestions dont son parti tirerait
avantage.

Au cours des mois de juillet et d'août, les services secrets
du général Giraud déployèrent, à mon insu, une grande activité pour armer la résistance corse. L'« Intelligence » britannique, qui n'avait pas coutume de se montrer généreuse sans
arrière-pensées, procura 10 000 mitraillettes. Celles-ci furent
transportées d'Alger, soit par le sous-marin *Casabianca* qui
accomplit plusieurs traversées périlleuses, soit par des avions
anglais qui les parachutèrent sur les terrains désignés par
Colonna. Toutes ces armes, reçues et réparties par les chefs
du « Front national », achevèrent de conférer à Giovoni et à
Vittori le monopole de l'autorité. Les chefs communistes
prirent sous leur coupe l'ensemble des résistants où, cependant, les membres de leur parti n'étaient qu'une minorité.
Toute communication se trouvant empêchée entre Alger et
les « gaullistes » de l'île, ceux-ci, faute d'autre chose, s'accom-
modèrent de cette organisation, au point que mon propre
cousin, Henri Maillot, accepta de faire partie du comité du
« Front national », croyant répondre à mes intentions.

Le 4 septembre, lendemain du jour où Badoglio a signé
l'armistice dont la nouvelle me sera, cependant, cachée jusqu'au 8, Giovoni est à Alger où l'a amené le *Casabianca*. Il
y est sans que je le sache. Il vient s'entendre avec le commandant en chef au sujet d'une opération que l'acte de Syracuse
va permettre de réaliser en rendant neutres ou favorables les
80 000 Italiens qui occupent la Corse. Giraud ne me dit rien
de la visite qu'il reçoit. Giovoni ne prend aucun contact avec
moi. Il repart le 6 septembre. Dans la soirée du 9, on apprend
que les résistants se sont rendus maîtres d'Ajaccio, que le
préfet a lui-même proclamé le ralliement du département au
Comité de la libération nationale et que la garnison italienne
n'a fait aucune opposition. C'est alors que le général Giraud
vient, pour la première fois, me parler de ce qu'il a fait en
Corse.

A son compte rendu, je réponds : « Au milieu des bonnes
nouvelles qui nous arrivent, je suis, mon Général, froissé et
mécontent de la manière dont vous avez procédé à mon égard
et à l'égard du gouvernement en nous cachant votre action.

Je n'approuve pas le monopole que vous avez donné aux chefs communistes. Il me paraît inacceptable que vous ayez laissé croire que c'était fait en mon nom comme au vôtre. Enfin, vous ayant entendu sur la récente visite de Giovoni, l'opération dont vous avez convenu, les conditions dans lesquelles elle s'est déclenchée, je ne m'explique pas comment vous avez pu dire, ce matin, à notre conseil des ministres que vous ignoriez l'imminence de l'armistice italien. De tout cela je tirerai les conséquences qui s'imposent, dès que nous aurons franchi la passe où nous voici engagés. Pour le moment, il nous faut faire face à la situation militaire. La Corse doit être secourue au plus tôt. Le gouvernement fera, ensuite, ce qu'il doit pour tarir, une bonne fois, la source de nos discordances. » Giraud et moi sommes d'accord, tout au moins, pour que des troupes soient, d'urgence, portées en Corse. Quant à l'exécution, c'est à lui qu'elle incombe. A ce point de vue, je ne doute pas qu'il fera pour le mieux.

Le Comité de la libération, réuni le lendemain, adopte la même attitude vis-à-vis du commandant en chef. Tout en lui faisant confiance pour régler la question militaire, il lui adresse le reproche d'avoir agi délibérément seul dans un domaine qui ne lui appartenait pas en propre. Au cours de la même séance, Charles Luizet est nommé préfet de la Corse. Il partira sans délai avec une solide équipe. Le général Mollard l'accompagnera comme gouverneur militaire de l'île.

C'est avec beaucoup d'ardeur qu'est menée l'action militaire en Corse. Pourtant, l'intervention des troupes régulières et des bâtiments qui les portent est tout à fait improvisée. A vrai dire, un plan complet avait été, depuis plusieurs semaines, dressé par le général Juin à la demande du commandant en chef. Dans l'hypothèse où les Italiens garderaient la neutralité, il faudrait, suivant Juin, débarquer en Corse à la fois par l'ouest et par l'est afin de couper aux Allemands les deux routes côtières. Il prévoyait l'engagement de deux divisions, dont une de montagne, d'un groupement de tabors, d'une centaine de blindés et de quelques commandos. Ainsi pourrait-on détruire ou capturer les forces allemandes déjà stationnées dans l'île et celles qui viendraient de Sardaigne. Le 9 septembre, les éléments d'une telle expédition sont disponibles et brûlent d'agir. Mais leur transport exigerait un tonnage considérable, ainsi qu'une sérieuse protection navale et aérienne. Comme les bâtiments de guerre, les navires marchands, les avions qui seraient nécessaires n'ont pas été à

l'avance réunis, le commandant en chef est hors d'état
d'exécuter un plan aussi vaste avec nos propres moyens. Se
tournant vers les alliés pour leur demander leur aide, il se
heurte à un refus, car ceux-ci sont, au même moment, engagés
à fond dans leur tentative de débarquement à Salerne.

Cependant, les choses en sont au point qu'il faut agir tout
de suite. Giraud décide, et je l'en approuve, d'effectuer l'opération sur une échelle réduite. Les troupes qu'il parviendra,
en l'espace de trois semaines, à faire passer en Corse réussiront, avec l'aide de la résistance, à protéger la plus grande
partie de l'île contre les pointes offensives des Allemands, à
harceler les colonnes germaniques au cours de leur retraite,
à leur infliger des pertes importantes en personnel et en matériel. Toutefois, malgré la vigueur de leur action, elles ne
pourront empêcher l'ennemi de prendre le large. Il n'en restera pas moins que la libération de la Corse, ayant comporté
l'engagement des forces françaises, et de celles-là seulement,
aura parmi les Français et parmi les alliés un profond retentissement.

C'est dans la nuit du 12 septembre que le vaillant *Casabianca* débarque à Ajaccio nos premiers éléments. Y arriveront, jour après jour, le « Bataillon de choc », le 1er Régiment
de tirailleurs marocains, le 2e Groupement de tabors, un escadron mécanique du 1er Régiment de spahis, des fractions
d'artillerie, du génie, des services, ainsi que le matériel, les
munitions, l'essence, indispensables, le tout transporté par les
croiseurs : *Jeanne d'Arc* et *Montcalm*, les contre-torpilleurs :
Fantasque et *Terrible*, les torpilleurs : *Alcyon* et *Tempête*, les
sous-marins : *Aréthuse* et *Casabianca*. Une escadrille d'aviation
de chasse gagne la base de Campo del Oro. Quant aux Allemands, leur but est d'évacuer la brigade de S. S. qu'ils ont
sur place et la 90e Panzerdivision qu'ils replient, en hâte, de
Sardaigne. Leur mouvement s'exécute à l'est, par la route
Bonifacio-Bastia, sous la protection d'une aviation importante et de fortes reconnaissances qu'ils lancent vers l'intérieur de l'île. De nombreux chalands à moteur les embarquent,
à Bastia, pour l'île d'Elbe et pour Livourne.

Le général Henry Martin est à la tête des troupes françaises.
Il conduira l'affaire parfaitement bien ; s'assurant, d'abord,
d'une tête de pont à Ajaccio ; puis, poussant des commandos
à l'appui de la résistance qui accroche durement l'ennemi à
Bastia, Bonifacio, Quenza, Levie, Inzecca, etc., et tient les
passages de la « dorsale » de l'île ; faisant, ensuite, nettoyer

Porto-Vecchio, Bonifacio, Favone, Ghisonaccia ; abordant enfin Bastia, en refoulant les Allemands par le terrain montagneux et boisé de Saint-Florent et du cap Corse. Le général
Martin s'est, d'ailleurs, utilement entendu avec le général
Magli commandant les forces italiennes. Celui-ci, malgré le
trouble de la situation étrange où il se trouve, fournira aux
nôtres des camions et des mulets et les fera, en certains points,
appuyer par ses batteries. Le général Louchet, qui mène
la progression dans le Nord, le commandant Gambiez pour les
« chocs », les colonels : de Latour pour les goums, de Butler
pour les tirailleurs, de Lambilly pour les blindés, entraînent
brillamment leurs troupes. Le général Giraud se rend lui-même
en Corse peu de jours après les premiers débarquements,
parcourant le terrain, communiquant à tous la résolution qui
l'anime. Le 4 octobre, les nôtres pénètrent dans Bastia, d'où
l'ennemi a pu replier par mer son arrière-garde non sans laisser
sur le terrain un abondant matériel.

Dans la soirée du même jour, je me rends auprès du commandant en chef pour le féliciter, au nom du gouvernement,
de l'heureuse issue de l'opération militaire. Il l'avait prescrite
et lancée. Il en avait assumé le risque. Le mérite lui en revenait. Bien que les moyens mis en œuvre fussent à assez petite
échelle, les difficultés étaient grandes puisqu'il fallait jeter
vers l'inconnu, à 900 kilomètres de nos bases, et combiner en
une seule action des éléments pris, à l'improviste, dans l'armée,
la marine, l'aviation. Dès le 24 septembre, j'avais dit à la
radio d'Alger : « Le pays et l'Empire saluent les combattants
français de Corse, à qui le Commandant en chef de l'armée
française vient d'aller, sur le terrain même, donner ses instructions pour les engagements de demain. A ces combattants et
à leurs chefs, à ceux qui se sont levés du sol corse pour se
libérer eux-mêmes et à ceux que l'armée, la marine, l'aviation
françaises renaissantes y ont hardiment envoyés, le Comité
de la libération nationale adresse le témoignage ardent de
l'amour et de la fierté de la France. »

Mais, justice étant rendue aux capacités militaires du général
Giraud, il n'en restait pas moins qu'il avait procédé, vis-à-
vis du gouvernement, d'une manière qu'on ne pouvait admettre. Je le lui répétai, ce soir-là, après lui avoir adressé
mon compliment. « Vous me parlez politique, » dit-il. — « Oui,
répondis-je. Car nous faisons la guerre. Or, la guerre, c'est une
politique. » Il m'entendait, mais ne m'écoutait pas.

Au fond, Giraud ne se résignait à aucune forme de dépen-

dance. Ce qu'il paraissait accepter n'était jamais acquis. Par
nature et par habitude, mais aussi en vertu d'une sorte de
tactique, son esprit s'enfermait dans le seul domaine militaire, refusait de considérer les réalités humaines et nationales,
fermait les yeux à ce qui appartient au pouvoir. Dans cette
psychologie, il ne pouvait, vis-à-vis de moi, faire abstraction
de la hiérarchie d'antan. Non qu'il ne ressentît, lui aussi, le
caractère exceptionnel de la mission qui m'incombait. Il sut,
d'ailleurs, m'en donner, en public comme en privé, des preuves
généreuses et émouvantes. Mais il n'en tirait pas de conséquences pratiques. Il faut ajouter que les circonstances qui
l'avaient, naguère, porté à la première place en Afrique du
Nord, le soutien que lui accordait la politique américaine,
les préventions et les rancunes nourries à mon égard par
certains éléments français, n'étaient pas sans influer sur ses
idées et sur sa manière d'être.

Il fallait mettre un terme à une situation fausse. Désormais,
j'avais résolu d'amener le général Giraud à quitter le gouvernement, tout en continuant à faire l'emploi de ses services.
Au reste, les membres du Comité de la libération comprenaient,
eux aussi, qu'on ne pouvait plus différer. Deux nouveaux
membres, que j'y avais fait entrer dans le courant de septembre, renforçaient la tendance aux solutions catégoriques.
François de Menthon, arrivant de France, était devenu commissaire national à la Justice. Pierre Mendès-France, quittant sur mon ordre le groupe d'aviation « Lorraine », assumait
la charge des Finances en remplacement de Couve de Murville qui devenait, comme il l'avait demandé, représentant
de la France à la commission des Affaires italiennes. Or, ce
qui, dans l'ordre politique, semblait se passer en Corse impressionnait les ministres. André Philip, étant allé visiter l'île
pour voir où en étaient les choses, avait constaté comment les
communistes, utilisant la résistance, installaient des municipalités de leur choix et saisissaient les moyens d'information.
A aucun prix, les ministres ne voulaient voir ce précédent se
reproduire, demain, dans la Métropole. Ils me pressaient donc
de réaliser le changement de structure qui mettrait le gouvernement à l'abri de telles surprises.

Leur souci était le mien. Mais j'entendais procéder, jusqu'au bout, avec ménagements à l'égard du grand soldat qui,
au long de sa carrière, avait rendu tant de brillants services
et dont l'ennemi, au même moment, traitait d'une manière
odieuse la famille qu'il avait saisie.

Quant à la Corse, tout allait s'arranger. J'y arrivai le 8 octobre pour y passer trois magnifiques journées. Ma visite
dissipa les ombres. A Ajaccio, je m'adressai au peuple sur la
place de la mairie. Devant l'accueil qui m'y fut fait, mes premiers mots furent pour constater « la marée d'enthousiasme
national qui nous soulève tous aujourd'hui. » Je confondis
dans le même hommage les patriotes corses et l'armée
d'Afrique. Je notai l'effondrement total du régime de Vichy.
« Où en est donc ici, m'écriai-je, la fameuse Révolution
nationale? Comment se fait-il que tant de portraits et d'insignes aient fait place, en un clin d'œil, à l'héroïque Croix de
Lorraine?... Il a suffi que le premier frisson libérateur ait
parcouru la terre corse pour que cette fraction de la France
se tournât, d'un seul mouvement, vers le gouvernement de
la guerre, de l'unité, de la République. »

Alors, observant que ma voix s'élevait « du centre de la
mer latine, » je parlai de l'Italie. Je soulignai « à quel point
étaient absurdes les ambitions d'un voisin latin poussé, hier,
dans une monstrueuse alliance avec la cupidité germanique
et qui prétextait notre décadence pour tâcher de saisir la
Corse. » Mais je proclamai : « Une fois la justice rendue, la
France de demain ne se figera pas dans une attitude de rancœur à l'égard d'une nation qui nous est apparentée et que
rien de fondamental ne devrait séparer de nous. » — « La
victoire approche, dis-je en terminant. Elle sera la victoire
de la liberté. Comment voudrait-on qu'elle ne fût pas, aussi,
la victoire de la France? »

A Ajaccio, je pus constater que le préfet Luizet, le gouverneur militaire Mollard, le maire Eugène Macchini étaient à
leur affaire. Corte, vibrait d'acclamations sans perdre sa rude
dignité. Je me rendis à Sartène. Je visitai Bastia, aux rues
emplies de décombres, où l'ennemi avait incendié ou fait
sauter, avant de fuir, de vastes dépôts de matériel et de
munitions et dont le pauvre cimetière, bouleversé par les
explosions, étalait le plus triste spectacle. Au milieu des
premiers habitants qui avaient regagné leur demeure, le
général Martin me présenta les troupes victorieuses. Partout, les groupes paramilitaires se montraient justement fiers
d'avoir soutenu la gloire de la Corse en combattant pour la
France. Chaque village où je m'arrêtai prodiguait les plus
touchantes démonstrations, tandis que les troupiers italiens,
qui s'y trouvaient cantonnés, ne cachaient pas leur sympathie. A l'arrivée et au départ, le visage cinglé par le riz que

mes hôtes lançaient, suivant la coutume corse, en signe de
bienvenue, j'entendais crépiter les mitraillettes de la libération.

Quatre semaines plus tard, la transformation du Comité
d'Alger allait être un fait accompli. De toute manière, la
réunion, au début de novembre, de l'Assemblée consultative
imposait son remaniement. On voyait arriver après de péril-
leux voyages les délégués de la résistance. Ils apportaient en
Afrique du Nord l'état d'âme de leurs mandants. Du coup,
un souffle âpre et salubre passait dans les réunions, les bureaux, les journaux d'Alger. Les délégués publiaient les messages de confiance dont ils étaient chargés pour de Gaulle. Ils
ne tarissaient pas sur le sujet de l'action clandestine, de ses
héros, de ses besoins. Ils bouillonnaient de projets concernant l'avenir de la nation. Tout en tirant le gouvernement
de son état de bicéphalie, je voulais m'y associer certains des
hommes qui venaient de France.

Dans le courant d'octobre, le Comité de la libération adopta,
à mon invitation, une ordonnance en vertu de laquelle il
n'aurait qu'un président. Giraud lui-même y apposa sa signature. Au reste, voyant se préciser la perspective de l'envoi
d'un corps expéditionnaire français en Italie, il se reprenait
à espérer que les alliés feraient appel à lui pour exercer le
commandement en chef dans la Péninsule. Le 6 novembre,
en la présence et avec l'accord explicite du général Giraud,
le Comité « demanda au général de Gaulle de procéder aux
changements qu'il jugerait nécessaire d'apporter à sa composition. »

Ce fut fait le 9 novembre. Un an après le débarquement
sanglant des Anglo-Saxons en Algérie et au Maroc, cinq mois
après ma hasardeuse arrivée à Alger, la volonté nationale,
pour opprimée et assourdie qu'elle fût, avait fini par l'emporter.
Si évident était le courant, que la malveillance des opposants
ne pouvait plus subsister que dans l'ombre. Quant aux alliés,
il leur fallait se résigner à voir la France en guerre conduite
par un gouvernement français. Renonçant, désormais, à
invoquer « les nécessités militaires » et « la sécurité des communications, » leur politique s'accommodait de ce qu'elle ne
pouvait empêcher. L'effort commun allait y gagner beaucoup.
Pour moi, je me sentais décidément assez fort pour être sûr
que, demain, la bataille et la victoire des autres seraient aussi
la bataille et la victoire de la France.

POLITIQUE

L'hiver approche. Tout annonce qu'il sera le dernier avant que les armes décident. Mais quel pouvoir va, demain, s'établir à Paris ? Ce pouvoir, que fera-t-il ? Questions qui prennent, dans tous les esprits, un tour pressant et passionné. Il s'agit, en effet, non plus d'une perspective éloignée, mais d'une échéance prochaine. C'est pourquoi, les calculs s'éveillent et viennent à la lumière. Le débat politique peut, quelque temps encore, être amorti par le sang et les larmes, voilé par les contraintes imposées à l'opinion. Malgré tout, il est ouvert, non seulement entre les gens en place et au fond des chancelleries, mais bien dans la pensée d'une masse immense de Français et dans les discussions d'un grand nombre d'étrangers. Tous savent que la France va reparaître. Tous se demandent ce qu'elle sera.

C'est cela que j'ai en vue quand je reforme, au début de novembre 1943, le Comité de la libération. La chance du pays, dans la période décisive qui commence, est l'unité nationale. J'entends que celle-ci marque le gouvernement. Chacun des principaux partis ou, pour mieux dire, des familles spirituelles, en quoi traditionnellement se divise le peuple français, y aura sa représentation assurée par des hommes dont l'appartenance est connue. Mais c'est la résistance qui, aujourd'hui, fournit l'effort de guerre et porte en elle l'espoir du renouveau. Il faut donc que certains de ses chefs qui n'ont encore aucune étiquette siègent également auprès de moi. Enfin, plusieurs éminentes compétences doivent faire partie du Comité pour éclairer son action et renforcer son crédit.

Henri Queuille commissaire d'État, Pierre Mendès-France commissaire aux Finances, sont des parlementaires radicaux. André Philip chargé des rapports du Comité avec l'Assemblée consultative, André Le Troquer à la Guerre et à l'Air, — tous deux députés, — Adrien Tixier au Travail et à la Prévoyance sociale, viennent du parti socialiste. Louis Jacquinot, à la

Marine, est un député modéré. François de Menthon, garde
des Sceaux, appartient à l'état-major des démocrates-chrétiens. Tel est le lot des politiques. René Pleven commissaire
aux Colonies, Emmanuel d'Astier à l'Intérieur, René Capitant
à l'Éducation nationale, André Diethelm au Ravitaillement
et à la Production, Henri Frénay aux Prisonniers, Déportés
et Réfugiés, sont des résistants qui, jusqu'à présent, n'ont
jamais fait état d'une tendance déterminée. Le général Catroux commissaire d'État chargé des Affaires musulmanes,
Henri Bonnet à l'Information, René Massigli aux Affaires
étrangères, René Mayer aux Communications et à la Marine
marchande, Jean Monnet commissaire en mission aux États-
Unis pour l'Approvisionnement et l'Armement, s'imposent
par leur valeur et leur notoriété. Faute de l'agrément explicite
de la hiérarchie religieuse, je ne puis, comme je l'aurais voulu,
voir Mgr Hincky se joindre au gouvernement.

Ainsi, le remaniement n'est pas un bouleversement. Des seize
membres qui composent, à présent, le Comité de la libération,
quatre seulement viennent d'y entrer. Il est vrai que quatre
le quittent. Il s'agit du général Giraud, dont il est désormais
reconnu par tous, lui compris, que ses fonctions militaires
sont incompatibles avec l'exercice du pouvoir, du général
Georges qui se retire dignement, du Dr Abadie qui a souhaité
retourner à ses travaux scientifiques, du général Legentilhomme que je désigne, suivant son désir, pour un poste en
Grande-Bretagne.

Et les communistes ? La part qu'ils prennent à la résistance,
ainsi que mon intention de faire en sorte que leurs forces
s'incorporent à celles de la nation au moins pour la durée de la
guerre, m'ont conduit à la décision d'en mettre deux au gouvernement. Depuis la fin du mois d'août, le « parti », pressenti,
a volontiers promis le concours de plusieurs de ses membres.
Mais, au moment de s'exécuter, toutes sortes de traverses
viennent empêcher ceux que j'appelle au Comité de la libération de me donner une réponse positive. Tantôt la délégation du parti m'en propose d'autres, tantôt elle s'enquiert du
détail de mon programme, tantôt elle insiste pour que les siens
reçoivent tels portefeuilles déterminés. Bientôt, indisposé par
ce marchandage prolongé, j'interromps les pourparlers.

En réalité, deux tendances divisent la délégation. Il y a
celle des violents qui, à la suite d'André Marty, voudrait que
le parti ne se liât à personne et, à travers la lutte contre
l'ennemi, préparât d'une manière directe l'action révolution-

naire pour la prise du pouvoir. Il y a celle des manœuvriers qui vise à pénétrer l'État en collaborant avec d'autres et, d'abord, avec moi-même ; l'inspirateur de cette tactique étant Maurice Thorez, toujours à Moscou et qui adjure qu'on lui permette d'en revenir. Finalement, en mars 1944, les communistes se décideront. Ils laisseront Fernand Grenier et François Billoux prendre les postes que je leur offre : le ministère de l'Air au premier, un commissariat d'État au second. A cette occasion a lieu, à l'intérieur du gouvernement, une modification des tâches. Le Troquer est nommé commissaire national délégué pour les territoires libérés. Diethelm le remplace à la Guerre, tandis que Mendès-France réunit sous sa direction l'Économie et les Finances.

Le Comité, ainsi composé, s'absorbe dans son labeur consacré à lever et à organiser les moyens de faire la guerre, mais aussi à préparer ce qu'il faut pour que le pays puisse être nourri, administré, redressé, lors de sa libération. Longtemps, c'est le souffle venu d'au delà de la mer qui porta la Métropole à l'effort et à l'espérance. A présent, c'est l'appel du pays qui pousse à l'action tous ceux qui, hors de France, entendent lui porter secours. L'harmonie est établie entre les éléments actifs du dehors et du dedans. Afin d'en tirer parti, j'ai fait coïncider, dans les premiers jours de novembre, le remaniement du Gouvernement d'Alger avec la réunion de l'Assemblée consultative de la résistance.

Ainsi que l'avait fixé l'ordonnance du 17 septembre, les délégués qui venaient de France étaient, pour une cinquantaine mandatés par les organisations de résistance, pour une vingtaine par les partis politiques et, dans ce cas, choisis en principe parmi les parlementaires qui n'avaient pas voté, en juillet 1940, les pleins pouvoirs à Pétain. La désignation des uns et des autres procédait de comités forcément restreints et secrets. Cependant, tous arrivaient avec le sentiment d'être là au nom de la masse de ceux qui luttaient dans l'ombre. A ces deux catégories s'ajoutaient : une douzaine de communistes, notamment leurs députés de la Seine, arrêtés en 1939, détenus depuis à Alger et que le général Giraud avait remis en liberté ; 20 représentants des « résistants » de l'Empire ; 10 conseillers généraux d'Algérie. Quelle que fût leur origine, les délégués avaient des traits communs qui donneraient sa figure à la « Consultative ».

Ce qui les rendait semblables et les tenait rapprochés, c'était, d'une part, un souci lancinant de l'aide à fournir aux

camarades de la résistance, quant à l'armement, à l'argent,
à la propagande, et que, bien naturellement, ils jugeaient toujours insuffisante. C'était, d'autre part, l'idéologie assez confuse mais passionnée qui remplissait l'esprit des clandestins,
exposés à toutes les trahisons, ignorés ou réprouvés par la
lâcheté d'un grand nombre, engagés, non point seulement
contre l'envahisseur allemand, mais aussi contre l'appareil
judiciaire et policier de ce qui, dans la Métropole, passait encore
pour l'État français. La solidarité chaleureuse de tous ceux
qui « en étaient », la méfiance et, même, l'aversion à l'égard
de l'administratif, du régulier, de l'officiel, enfin un désir
obstiné d'épuration, voilà ce qui les hantait et, à l'occasion,
les unissait en d'ardentes démonstrations.

Il s'y ajoutait l'attachement qu'ils portaient à Charles de
Gaulle, parce qu'il s'était dressé contre le conformisme, parce
qu'on l'avait condamné à mort, parce que dans le pays sa
parole lointaine et brouillée bousculait les prudences et se-
couait les nostalgies. Toutefois, l'effort qu'il menait pour la
restauration de l'unité nationale, la sauvegarde de la souveraineté, le redressement de l'État, était moins accessible à la
plupart des délégués. Non, certes, qu'ils ne fussent préoccupés
de l'avenir de la nation. Au contraire, les idées, les plans,
foisonnaient parmi leurs groupes. Mais, s'ils étaient fervents
de formules qui rebâtirent l'univers, ils se montraient réservés
par rapport à l'autorité sans laquelle aucun pouvoir n'accom-
plirait quoi que ce fût. S'ils rêvaient de revoir la France au
premier rang des nations, ils redoutaient la rude action qui
pourrait l'y remettre et préféraient caresser l'illusion d'un
Roosevelt et d'un Churchill empressés à lui rendre sa place.
S'ils n'imaginaient pas qu'un autre Français que moi fût à la
tête du pays lors de la libération, s'ils entrevoyaient que je
pusse y rester tandis qu'eux-mêmes, devenus les élus du peuple,
marcheraient vers quelque rénovation imprécise et merveilleuse, ils demeuraient réticents quant aux attributions qu'il
me faudrait pour diriger la tâche. Tout en acclamant de Gaulle
d'un cœur sincère, ils chuchotaient déjà contre « le pouvoir
personnel. »

D'accord entre eux dans le domaine du sentiment, les délégués se répartissaient en diverses familles d'esprits. Certains
étaient de simples combattants, absorbés par la lutte elle-
même. D'autres, poètes de l'action, s'enchantaient de l'air
d'héroïsme et de fraternité que respirait la résistance. Par
contre, les communistes, formés en bloc compact, traitaient

âprement les affaires, pratiquaient la surenchère, s'acharnaient
à la propagande. Enfin, les « politiques », convaincus que notre
cause était celle de la France et la servant de leur mieux, ne
s'empêchaient pas cependant de penser à leur carrière, de
manœuvrer pour se faire valoir suivant les normes de leur
profession, de considérer l'avenir sous l'angle de l'élection,
des fonctions, du pouvoir, qu'il pourrait un jour leur offrir.

Parmi ceux-ci, les « anciens », fiers d'avoir fait leur devoir
en refusant naguère l'abdication, mais sachant sous quel
océan d'impopularité avait sombré le régime, marchaient sur
la pointe des pieds, parlaient tout doux, reniaient l'ambition.
Au fond d'eux-mêmes, cependant, ils escomptaient le retour
aux jeux d'autrefois moyennant quelques réformes. Les «nouveaux » se montraient sévères quant au système d'hier. Ils
y voulaient maints changements. Toutefois, sous ces réserves,
ils en subissaient à l'avance les attraits. Au total, voyant
autour de moi ces compagnons courageux et d'une immense
bonne volonté, je me sentais rempli d'estime pour tous et
d'amitié pour beaucoup. Mais aussi, sondant leurs âmes, j'en
venais à me demander si, parmi tous ceux-là qui parlaient
de révolution, je n'étais pas, en vérité, le seul révolutionnaire.

La séance inaugurale de l'Assemblée consultative eut lieu
le 3 novembre 1943. Ce fut une cérémonie profondément émouvante. Les assistants avaient l'impression d'être là au nom
d'une armée de souffrants et de militants et de représenter
une grande force française. Après avoir adressé à l'assemblée,
« réunie malgré d'extraordinaires obstacles, » le salut du
Comité de la libération, j'indiquai les raisons qui m'avaient,
depuis longtemps, décidé à la convoquer dès que ce serait
possible et je montrai pourquoi et comment je lui demandais
son concours. Ce qui la qualifiait, c'est qu'elle procédait de la
résistance, « réaction fondamentale des Français et expression
élémentaire de la volonté nationale. »

Soutenir le gouvernement dans son effort de guerre « qui
exige la cohésion morale autant que les moyens matériels ; »
appuyer son action extérieure « qui tend à mettre la France à
même de reprendre, à l'avantage de tous, son grand rôle
international ; » contribuer à l'éclairer dans le choix des mesures « qui seront imposées, lors de la libération, par la nécessité de vivre, alors que la fin des combats laissera notre sol
couvert de destructions et vidé de toutes réserves d'aliments
et de matières premières, par l'obligation de rétablir partout, dans l'ordre et dans la dignité, l'autorité de la Répu-

blique, par le devoir d'assurer la justice de l'État qui est la
seule valable et admissible, par les changements à apporter
dans les administrations, par le retour de notre jeunesse prisonnière et déportée ; » enfin, étudier avec lui « les grandes
réformes qui devront être accomplies au lendemain de la
guerre, » voilà, disais-je, ce que le Comité de la libération
attendait de l'assemblée. Je m'affirmais, d'avance, « certain
du résultat, car vingt siècles peuvent attester qu'on a toujours raison d'avoir foi en la France. »

L'assemblée, ayant élu pour son président Félix Gouin, puis
s'étant répartie en groupes : « Résistance métropolitaine »
présidé par Ferrière, « Résistance extérieure » par Bissagnet,
« Résistants indépendants » par Hauriou, « Parlementaires »
par Auriol, « Communistes » par Marty, ne manqua pas, en
effet, de discuter les grandes questions que je proposais à son
examen. Entre la date de sa première réunion et celle du
débarquement, elle siégea plus de cinquante fois et travailla
beaucoup en commissions. Tous les ministres eurent affaire à
elle. Philip chargé des rapports du comité avec l'assemblée,
d'Astier commissaire à l'Intérieur, Menthon commissaire à la
Justice, Massigli commissaire aux Affaires étrangères, Mendès-
France commissaire aux Finances, furent ceux qui s'en firent
entendre le plus souvent.

Pour ma part, j'assistai à une vingtaine de séances. J'inter-
venais, alors, soit par exposés d'ensemble, soit au cours de la
discussion. Je pris souvent grand intérêt aux idées et aux sentiments que découvraient les échanges de vues, car ce que je
recherchais c'était l'opinion profonde. Aussi m'efforçai-je
d'animer l'assistance, de la révéler à elle-même, de lui faire
dire ce qu'elle pensait. En fait, l'assemblée fit preuve d'une
conscience et d'une conviction qui impressionnèrent le public
français et les informateurs étrangers. Cependant, les sujets
qui l'absorbèrent le plus longtemps furent, naturellement,
ceux qui lui tenaient le plus à cœur ; l'épuration, l'aide à la
résistance, l'établissement des pouvoirs publics en France lors
de la libération.

On assista, en effet, à des débats âpres et prolongés sur les
poursuites à engager contre les personnalités de Vichy, les
sanctions à infliger aux fonctionnaires accusés d'avoir ajouté
aux rigueurs qui leur étaient prescrites, les compensations à
donner à ceux qui avaient souffert. Sur ces points-là, les délégués pressaient le comité d'agir vigoureusement, quitte à
changer, autant qu'il le faudrait, les règles et les procédures

normales. Si vive était l'émotion soulevée par le problème
que plusieurs commissaires nationaux se virent rudement pris
à partie pour leur faiblesse supposée. Tout en ne comprenant
que trop bien que cette question de justice préoccupât, au
premier chef, l'Assemblée de la résistance, je ne m'en tins pas
moins à la ligne de conduite que je m'étais fixée : limiter
les sanctions aux personnages qui avaient joué un rôle éminent dans la politique de Vichy et aux hommes qui s'étaient
faits les complices directs de l'ennemi. Pour les territoires
d'outre-mer, cela faisait très peu de monde. Mais l'état d'esprit révélé par les débats de la « Consultative » me laissait
prévoir les difficultés que je trouverais dans la Métropole à
contenir la vengeance et à laisser la seule justice se prononcer
sur les châtiments.

L'assemblée apporta autant de soin et de passion à formuler
son opinion sur les secours envoyés aux résistants de France,
les liaisons établies avec eux, le parti que notre propagande
tirait de leurs actions et de leurs suggestions. Il va de soi
que les clandestins, terriblement démunis et menacés, éprouvaient souvent l'impression que Londres et Alger ne faisaient
pas pour eux tout le possible. Aussi, beaucoup de délégués se
montrèrent-ils, au premier abord, gonflés de blâmes et de
récriminations à l'égard des « services ». Mais, après vérifi-
cation, ils reconnurent l'étendue de l'œuvre accomplie et des
obstacles rencontrés. Il leur fallut, également, mesurer l'inconvénient que présentait l'action menée en France par les
services alliés, d'où résultaient sur place toutes sortes de
discordances et qui privait l'autorité française d'une partie
de l'audience que lui assurait, au-dehors, l'effort de guerre des
Français. Toutefois, la crainte de heurter les Anglo-Saxons,
qui était pour les « politiques » une seconde nature, détourna
l'assemblée d'adopter sur ce point la motion catégorique que
j'aurais souhaitée.

Plus sereines, mais aussi approfondies, furent les délibérations que l'assemblée consacra à la façon dont les pouvoirs
de la République se reconstitueraient en France. Personne,
bien entendu, n'imaginait que le Maréchal et son « gouvernement » fissent autre chose que disparaître. Par contre, tout
le monde estimait que le peuple français devrait être aussitôt
consulté et qu'une assemblée nationale aurait à se saisir de
la question constitutionnelle. Mais, quant à l'espèce d'assemblée qui devrait alors le faire, les délégués n'étaient pas unanimes.

Les communistes, sous un langage prudent, laissaient deviner leur projet d'élections effectuées sur la place publique, de préférence par acclamations, sous le contrôle des organisations et des troupes de la résistance. Ils comptaient, évidemment, que leur propre savoir-faire tirerait d'un pareil système des résultats avantageux. Des parlementaires chevronnés, tels les sénateurs Marcel Astier, Marc Rucart, Paul Giacobbi, suggéraient de réunir l'Assemblée nationale de juillet 1940. Celle-ci, sous le coup de la libération, ne manquerait pas d'abolir les pouvoirs qu'elle avait donnés à Pétain, de recevoir, pour la forme, la démission d'Albert Lebrun, d'élire un nouveau président de la République et de voter la confiance à mon gouvernement. Ensuite, elle se séparerait pour laisser la place à une Chambre et à un Sénat élus suivant le mode d'antan. Après quoi, les changements à apporter, éventuellement, à la constitution de 1875 le seraient suivant les règles que celle-ci avait fixées. C'était là la thèse de ceux qui souhaitaient le retour pur et simple aux institutions de la IIIᵉ République.

Ils n'étaient pas nombreux. A entendre la très grande majorité, « l'ancien régime » était condamné. Mais on devait bien constater que, dans l'esprit de maints délégués, ce qu'il avait eu de vicieux consistait moins en un excès qu'en un défaut de démagogie. La confusion des pouvoirs et des responsabilités, qui l'avait privé d'un gouvernement fort, lui interdisait toute politique ferme et continue, le mettait à la dérive des événements, n'était pas, aux yeux de la plupart, ce qu'il fallait réformer. Ou, plutôt, on prétendait le faire en allant encore plus avant dans la voie où l'exécutif ne serait plus qu'une figuration.

Attribuer à une seule assemblée tous les droits sans exception, lui donner qualité pour investir et fournir les ministres, abolir le Sénat qui pouvait faire contrepoids, supprimer le chef de l'État ou, tout au moins, le réduire à une condition plus dérisoire encore que celle où l'avait enfermé le système d'autrefois, telle était la conception d'un grand nombre de délégués. On rêvait à haute voix d'une assemblée « unique et souveraine, » d'une sorte de Convention qui, tout en s'épargnant à elle-même la guillotine, ne trouverait cependant pas d'obstacle à ses impulsions et où comptaient siéger, un jour, la plupart des politiques issus de la résistance.

Cette tendance n'était pas la mienne. Ce qui me semblait essentiel pour le futur redressement du pays, c'était, au con-

traire, un régime d'action et de responsabilité. Il fallait, suivant moi, que les pouvoirs fussent séparés, afin qu'il y eût,
respectivement et effectivement, un gouvernement, un parlement, une justice. Il fallait que le chef de l'État fût, par le
mode de son élection, sa qualité, ses attributions, en mesure
de remplir une fonction d'arbitre national. Il fallait que le
peuple eût à s'associer directement, par voie de référendum,
aux décisions capitales qui engageraient son destin. J'éprouvais de l'inquiétude à constater l'état d'esprit de ceux qui,
demain, auraient en charge l'État et qui tendaient à rebâtir
le régime pour les jeux des politiciens, plutôt que pour le
service du pays. De cette confusion, de cette inconsistance,
qui avaient mené la France au désastre et la République à
l'abdication, ne tirerait-on d'autre leçon que d'aller à une
inconsistance et à une confusion plus graves?

Mais ce n'était pas le moment d'organiser la discussion
publique sur ce sujet. Laissant passer le flot des théories et
mettant à profit la prudence de quelques-uns : Dumesnil de
Gramont, Vincent Auriol, René Cassin, Louis Vallon, etc.,
je conduisis l'assemblée à une conclusion réservée. Il fut admis,
qu'au cours de la libération, la « Consultative », transférée dans
la Métropole et convenablement élargie, continuerait son
office auprès du gouvernement, qu'une fois le territoire libéré,
les prisonniers et les déportés revenus, le pays élirait, successivement, les conseils municipaux, les conseils généraux et
une assemblée nationale, mais que pour celle-ci sa composition et son rôle ne seraient fixés que plus tard. En outre, les
droits de vote et d'éligibilité étaient attribués aux femmes.
L'ordonnance du 21 avril 1944, en réalisant cette vaste réforme, mettait un terme à des controverses qui duraient depuis cinquante ans.

Bien que la « Consultative » n'eût d'autre droit que celui
d'exprimer son opinion et que la responsabilité de ce qui était
fait, ou non, continuât de m'incomber jusqu'au jour où le
peuple aurait la possibilité de parler, les alliés ne laissaient
pas d'être attentifs à ce qui se disait à la tribune et dans les
antichambres. Les membres de leurs missions, ainsi que leurs
journalistes, étaient assidus aux séances et dans les couloirs.
Les journaux américains et anglais faisaient une large place
aux discussions d'Alger. Sans doute, regrettaient-ils que cette
figuration parlementaire n'eût pas qualité pour renverser le
gouvernement, que le dompteur ne pût être mangé. Tout au
moins essayaient-ils de surprendre des divergences.

Tous ces observateurs étaient là le jour où l'assemblée
aborda le sujet de la situation extérieure de la France. Or, par
la voix des « résistants » : Bissagnet, le P. Carrière, Mayoux...,
par celle des « politiques » : Auriol, Hauriou, Rucart..., par
celle des communistes : Bonte, Grenier, Mercier..., les délégués
approuvèrent très haut la position de principe que j'avais
prise, face à l'ennemi, devant les alliés. L'assemblée fit connaître avec éclat que, pour elle, le général de Gaulle représentait la France en guerre et que son gouvernement était celui
de la République. C'est en cette qualité que le Comité de la
libération avait à collaborer avec les Nations Unies et que
celles-ci devaient le reconnaître. L'ordre du jour, qui formulait
cet avis unanime et qu'allaient répercuter les sources mondiales de l'information, apportait à ma politique un appui
très appréciable. Je ne manquai pas, pour ma part, de le faire
retentir au loin.

Mais l'assemblée s'en tint là. Elle préféra n'aborder franchement aucun des problèmes brûlants : Italie, Orient, Afrique,
sur lesquels s'exerçait dans le présent l'action extérieure du
comité, ni aucun de ceux : Allemagne, Europe de l'Est,
Indochine, qu'un proche avenir poserait devant la France et
le monde. La même circonspection la détourna d'insister sur
les attributions politiques et administratives que les alliés
méditaient d'exercer en France sous le couvert de leur commandement. Quant à la conduite de la guerre et à la part qui
y était faite au gouvernement et à l'état-major français, la
« Consultative » m'écouta, dans une attention religieuse, lui
exposer cette question capitale, le plan que j'avais suivi depuis 1940, les difficultés qui ne cessaient pas de nous être
opposées. Elle adopta des vœux de principe sur la place à
faire à la France dans la stratégie mondiale et la contribution
à fournir par les forces françaises. Mais elle ne se décida pas à
formuler des exigences vis-à-vis de nos alliés.

En somme, sur les grands sujets, l'assemblée s'en tenait
d'instinct à des généralités déployées à la tribune dans des
termes assez larges pour être approuvées par tous. On applau-
dissait le général de Gaulle quand il venait expliquer quelle
action était entreprise ou quand il soulevait l'émotion en
ramassant un débat pour en tirer la conclusion. On se piquait,
par compensation, de froideur et de critique vis-à-vis de tel
ou tel des commissaires nationaux qui précisaient les mesures
appliquées. Mais on ne se risquait guère aux avis concrets,
aux projets déterminés.

A cette réserve contribuait, certainement, le fait que l'assemblée était seulement consultative, qu'elle ne ressentait pas l'aiguillon d'une clientèle électorale, que ses attitudes et ses votes ne pouvaient pas comporter l'excitation d'une crise ministérielle. Comptaient, aussi, l'intention de me laisser les mains libres, le désir de ménager les alliés, le souci de l'unanimité. Mais, surtout, il y avait là comme un aveu d'inaptitude. L'assemblée se sentait capable d'exprimer des penchants, non de résoudre des problèmes, susceptible d'effleurer une politique, mais non d'en assumer une. La mélancolie qu'elle en éprouvait réapparaîtrait plus tard, désolée et décuplée, dans les assemblées représentatives, détentrices de tous les pouvoirs et inaptes à les exercer. Pour moi, voyant, à travers les propos tenus par les groupes, se dessiner les futures prétentions et, en même temps, l'impuissance des partis, je discernais ce que serait, demain, le drame constitutionnel français. « Délibérer est le fait de plusieurs. Agir est le fait d'un seul. » Pour cette raison même, on ne voudrait que délibérer.

En attendant, l'unité du Gouvernement d'Alger, la réunion auprès de lui de l'Assemblée consultative, enfin le choix fait par l'opinion française, réglaient, en principe, la question politique pour la période de la libération. Mais, si les faits semblaient fixés d'avance aux yeux d'une vaste majorité, les spéculations malveillantes ne cessaient pas en France, ni ailleurs. Au contraire, ceux qui, dans des milieux divers, voire opposés, persistaient à envisager mon succès comme détestable multipliaient, pour l'empêcher, les combinaisons astucieuses à mesure que la force des choses s'apprêtait à l'imposer. Tous ceux-là, sans exception, tenaient maintenant pour assuré l'écroulement de Vichy. Mais il n'était pas un seul d'entre eux qui ne cherchât ce qu'il fallait faire pour remplacer ce régime sans que de Gaulle triomphât pour autant.

Cependant, le comportement des occupants à l'égard de Vichy précipitait sa dislocation. C'est qu'en effet les Allemands, convaincus par ce qui s'était passé en Afrique du Nord que le Maréchal et son gouvernement n'avaient pas l'autorité nécessaire pour empêcher les Français de se tourner contre eux à la première occasion, voyant venir la grande épreuve du débarquement allié, inquiets de ce que pourrait faire, alors, sur leurs arrières l'insurrection nationale, ayant besoin des ressources françaises pour leur propre économie dévorée par l'effort de guerre, n'attribuaient plus au soi-disant État français qu'une importance minime et resserraient l'étreinte di-

recte de l'oppression. Par là, la fiction d'autonomie interne,
à laquelle s'accrochait Vichy, achevait de se dissiper.

De toute façon, Pétain, ayant transmis en fait tout le pouvoir à Laval, ne pouvait plus affecter de jouer le rôle de bou-
clier dont il s'était targué jusque-là. Il s'effaçait, à présent,
renonçant à intervenir dans le travail du « gouvernement »,
lequel, d'ailleurs, ne faisait plus guère que prendre des mesures
de contrainte ou de répression. En novembre, Pétain se voyait
littéralement interdire de parler à la radio. En décembre,
Laval, au retour d'une visite au Führer, reformant son ministère en vue d'une collaboration plus complète avec l'envahisseur, y faisait entrer Brinon et Darnand, en attendant que
ce fût Déat, sans que le Maréchal s'y opposât finalement.
Celui qui se disait toujours « Chef de l'État » supportait auprès
de lui la présence d'un surveillant allemand en la personne
de M. Renthe-Fink. Il en venait à écrire à Hitler, le 18 décembre : « Les modifications des lois françaises seront, désormais, soumises aux autorités d'occupation. » Si, par la suite,
il devait néanmoins trouver la possibilité de se montrer en
public, à Paris, à Rouen, à Nancy, à Saint-Étienne, où jusqu'au bout des témoignages de pitié et de sympathie s'adres-
seraient à sa personne de vieillard infortuné, il le ferait sans
dire un seul mot où l'on perçût le sanglot de l'indépendance
violée.

Dès lors, certaines apparences pouvaient bien entourer
encore le dérisoire pouvoir de Vichy, des vantards ou des
enragés se prétendre ministres, des propagandistes — tels :
Philippe Henriot, et Hérold Paquis — déployer, pour tromper
les foules, les ressources d'un talent dévoyé, des feuilles publiques déborder d'outrages à l'égard de ceux qui combattaient, en fait, le peuple tout entier condamnait, maintenant,
le régime et ne voulait que le voir s'effondrer quand s'enfuie-
raient les Allemands.

Les masses françaises n'avaient, naturellement, aucun doute
sur la sorte de gouvernement qui s'installerait, alors, à Paris
et qu'elles se préparaient à acclamer avec ferveur. Mais, parmi
les politiques qui avaient instauré Pétain et craignaient que
leur carrière en restât compromise, on ne se résignait pas à
une pareille perspective. Dès la fin de 1943, maintes intrigues
se nouaient pour ménager une solution qui limiterait, le
moment venu, le pouvoir du général de Gaulle et, si possible,
le tiendrait écarté. Le Maréchal lui-même prenait secrètement
les dispositions voulues pour que, s'il se trouvait hors d'état

d'exercer sa fonction, celle-ci fût assumée par un collège de personnalités notoires et qui avaient adopté des attitudes très diverses devant les événements. Un « acte constitutionnel » instituant, le cas échéant, ce directoire de la neutralité était remis en des mains sûres. Peu après, le Maréchal, par un autre « acte constitutionnel » apparemment contradictoire avec le précédent et destiné, celui-là, à être publié, précisait que, si lui-même venait à décéder avant d'avoir promulgué la constitution qu'il était censé préparer, les pouvoirs que lui avait conférés l' « Assemblée nationale » de 1940 reviendraient à cette même assemblée. Il est vrai que les Allemands s'opposèrent à la diffusion, bien que pour le grand public le codicille de Pétain fût pratiquement sans intérêt.

Dans le même temps, ceux des parlementaires qui ne m'avaient rallié ni en fait, ni en esprit, ne laissaient pas de s'agiter. Ils invoquaient leur mandat — comme s'ils ne l'avaient pas trahi. — Ils affirmaient que l' « Assemblée nationale » de juillet 1940 était toujours légitime — bien qu'elle eût formellement abdiqué. — Ils réclamaient qu'on la convoquât afin qu'elle pût, en tout état de cause, régler la question du gouvernement. Anatole de Monzie, protagoniste de ce plan, recueillait l'assentiment de plusieurs centaines de ses collègues et, tandis que s'accentuait la détresse du Maréchal, le sommait d'obtempérer. Mais Hitler, agacé par ce remue-ménage, fit écrire à Pétain, par Ribbentrop, une lettre comminatoire lui notifiant qu'il lui interdisait de faire jamais état d'un parlement disqualifié, « alors que la Wehrmacht allemande était la seule garante de l'ordre public en France. » Les parlementaires impatients se replièrent dans le silence, quitte à reprendre plus tard leur projet.

Les alliés, de leur côté, ne pouvant plus compter sur Giraud pour faire équilibre à de Gaulle, cherchaient quelque expédient nouveau. Des avis venus de France m'annoncèrent que, cet expédient, ils avaient cru le trouver dans la personne du président Lebrun. Celui-ci, depuis le vote de l'assemblée de Vichy qui l'avait dépouillé de ses fonctions et contre lequel, au demeurant, il n'avait pas protesté, s'était retiré à Vizille. N'y aurait-il pas moyen, se demandaient à Washington et à Londres ceux qui visaient à manipuler la destinée politique de la France, de faire passer le président en Afrique du Nord ? Comme il n'avait pas formellement donné sa démission et que son attitude à l'égard de l'ennemi ne laissait rien à désirer,

ne pourrait-il se réclamer, en arrivant à Alger, d'une légitimité intacte? Reconnu, tout aussitôt, comme le Président de
la République française par les puissances alliées et aussi —
du moins l'espérait-on — par un grand nombre de citoyens,
comment serait-il récusé par de Gaulle et par les siens? Dès
lors, c'est à lui qu'il appartiendrait de nommer les ministres,
de présider leurs conseils, de signer les lois et les décrets. En
comparaison des soucis que causait à la Maison-Blanche et à
Downing Street l'intransigeante primauté du Général, quel
changement et quel soulagement! Il me fut rapporté que,
dans les derniers jours du mois d'août, les conspirateurs amé-
cains et britanniques pensèrent tenir l'occasion.

C'était le moment, en effet, où Badoglio aux abois entrait
secrètement en contact avec les Anglo-Saxons en vue de
négocier la reddition de l'Italie. On traitait, à Lisbonne, dans
le plus profond mystère. Les vainqueurs y étaient en mesure
de faire aux vaincus des suggestions officieuses qu'on leur
saurait gré d'accueillir. Or, Vizille, où résidait Lebrun, se
trouvait en zone italienne d'occupation. Un soir, des officiers
venus de Rome se présentèrent au président. Insistant sur
la situation grave où le cours prochain de la guerre risquait
de jeter la région et de le jeter lui-même, ils proposèrent à
Albert Lebrun, de la part de leur gouvernement, de se rendre
en Italie où il trouverait la sécurité et une résidence convenable. Toutes escortes et garanties lui seraient, d'avance,
assurées. On sait que, dans le temps même où avait lieu ce
contact, le commandement allié, d'accord avec Badoglio, préparait une opération qui, sitôt annoncé l'armistice italien,
devait porter les Anglo-Saxons à Naples et, si possible, à
Rome et recueillerait, en tous cas, le roi Victor-Emmanuel,
ses ministres et d'autres personnalités. Dans la pensée de ceux
qui « tenaient les fils, » Lebrun, une fois en Italie, pourrait
être, lui aussi, transféré là où l'on désirait.

D'après ce qui me fut dit, le président refusa catégoriquement la proposition, soit qu'il n'en vît pas le but véritable,
soit plutôt que, l'ayant discerné, il ne voulût point s'y prêter.
Il répondit aux Italiens : « Votre pays est en état de guerre
avec le mien. Pour moi, vous êtes l'ennemi. Vous pouvez
m'emmener de force. Je ne vous suivrai pas de bon gré. »
La mission se retira. Mais, peu après, Hitler, alerté et décidément excédé des « histoires françaises, » envoya la Gestapo
arrêter le président Lebrun. Celui-ci, transféré en Allemagne,
fut contraint d'y résider un an.

Je dois dire que ces combinaisons, inventées de divers côtés
pour éviter l'inévitable, me faisaient l'effet d'un jeu d'ombres
chinoises. Au milieu des réalités terribles qui étreignaient le
monde, j'admirais combien l'intrigue peut être vivace et
tenace. Mais, vraiment, je m'en souciais peu. Ce qui m'inquié-
tait davantage, c'était, dans la Métropole, le sort de la résistance. Or, au cours de cette période, la tragédie, frappant à
la tête, compromettait son armature et son orientation.

Le 9 juin, quelques jours après mon arrivée à Alger, le
général Delestraint avait été arrêté à Paris. La mise hors de
combat du Commandant de l'armée secrète risquait d'entraîner
la désorganisation des éléments paramilitaires au moment
précis où leur chef commençait à les unifier. Aussi Jean Moulin
crut-il devoir convoquer à Caluire, le 21 juin, les délégués des
mouvements pour régler avec eux les mesures nécessaires. Or,
ce jour-là, au cours d'une opération menée par la Gestapo et,
pour le moins, étrange quant aux indications de temps, de lieu
et de personnes sur lesquelles elle s'était déclenchée, mon
délégué tombait, lui aussi, aux mains de l'ennemi avec ceux
qui l'entouraient. Il devait, quelques semaines plus tard,
mourir à force de tortures.

La disparition de Jean Moulin eut de lourdes conséquences.
Il était de ceux qui incarnent leur tâche et, qu'à ce titre, on
ne remplace pas. Le seul fait qu'il n'était plus là entraînait
un trouble profond dans le fonctionnement des services :
liaison, transport, répartition, information, etc., qu'il dirigeait personnellement. Or, c'étaient ces services qui faisaient
un tout cohérent de l'action de la résistance. Mais, surtout,
cette décapitation devait avoir des suites politiques et dresser
devant l'unité d'importantes difficultés.

Non, certes, que les sentiments des combattants en fussent
influencés. Pour la masse de ceux-là, les organismes divers
qui s'occupaient de les inspirer étaient quasi inconnus et les
hommes qui en faisaient partie le plus souvent anonymes.
Moralement, dans la lutte clandestine, c'est à de Gaulle qu'on
se rattachait, tandis que pratiquement pour la vie au maquis,
le coup de main, le sabotage, le coltinage des armes, la transmission du renseignement — toutes affaires menées forcément
à petite échelle — on ne suivait que des chefs d'équipe. Mais,
au plan des comités, des influences, des mots d'ordre, les
choses n'étaient pas aussi simples. Si les éléments politiques
consentaient dans une certaine mesure à faire, au plus fort
du combat, abstraction de leurs ambitions, ils ne s'en dépouil-

laient pas, au moment surtout où ils entrevoyaient, avec la
fin de l'épreuve, l'occasion du pouvoir. La personnalité de
Moulin, délégué et appuyé directement par moi-même, avait
pu les réunir et les contenir. Lui mort, certains allaient être
portés à jouer plus activement leur jeu.

Ce serait, d'abord, le cas des communistes. Ils le feraient
notamment à l'intérieur du Conseil national de la résistance,
visant à y acquérir la prépondérance de fait et, d'autre part,
à lui donner la figure d'un organisme souverain, théoriquement rattaché à mon gouvernement, mais qualifié pour agir
de son côté et pour son compte. Il serait alors possible d'utiliser le Conseil pour mener sous son couvert telles activités,
mettre en place telles autorités, formuler tel programme et,
peut-être, saisir tels pouvoirs grâce auxquels, dans le bouleversement de la libération, les lendemains pourraient chanter
enfin.

Si j'avais été en mesure de nommer, sans délai, le successeur de Jean Moulin et si mon nouveau mandataire avait pu,
lui aussi, s'imposer personnellement à tous les éléments représentatifs de la résistance, il eût pris la tête de ma délégation
et la présidence du Conseil national. La dualité que certains
cherchaient à créer ne se serait pas produite. Mais les circonstances m'empêchèrent de trouver aussitôt celui qu'il fallait.

Ce n'était point qu'on manquât, à la tête des mouvements,
d'hommes de valeur et de courage, malgré la décimation
continuelle que subissait la résistance. Mais chacun d'eux,
faisant partie d'une fraction, ne pouvait s'imposer aux autres,
tant était rigoureux le particularisme des chefs et de leurs
équipes. D'ailleurs, le jour approchait où la France, émergeant
soudain de l'oppression, la vie du pays, l'ordre public, le jugement du monde, dépendraient pour beaucoup de l'armature
administrative française. Pour me représenter à l'intérieur et
y diriger nos services, mais aussi pour préparer partout la
confirmation ou la substitution des autorités, il me fallait
quelqu'un du type « grand fonctionnaire », qui eût pris part
à notre combat, en connût les données passionnées et enche-
vêtrées, mais n'appartînt en propre à aucune tendance et fût,
au surplus, capable de rallier au moment voulu l'administration dont le gouvernement aurait prochainement besoin. Des
mois allaient s'écouler avant que j'aie pu choisir et instaurer
l'homme qui répondrait à ces multiples conditions.

En attendant, Claude Bouchinet-Serreulles et Jacques Bingen, que j'avais envoyés de Londres pour travailler avec Jean

Moulin, assurèrent l'intérim de la délégation. Le premier, à
Paris, trouva moyen de garder tous les contacts, en dépit des
ravages effrayants qui dévastèrent pendant cette période les
états-majors des mouvements. Le second, dans la zone sud, se
consacra principalement à l'organisation des secours à fournir
aux réfractaires qui se multipliaient dans le Sud-Ouest, le
Massif Central et les Alpes, jusqu'à ce que, pris par l'ennemi,
il mît lui-même fin à ses jours. En septembre, je nommai Émile
Bollaert représentant du général de Gaulle et délégué du
Comité de la libération nationale. Ce grand préfet avait,
dès 1940, refusé de prêter serment au Maréchal et pris sa
retraite. Ses sentiments et ses capacités le qualifiaient pour le
poste auquel je l'appelais à présent. Mais, peu après sa désignation, Bollaert était arrêté par les Allemands sur la côte
bretonne tandis qu'il s'apprêtait à s'embarquer pour venir
prendre à Alger les instructions du gouvernement. Il serait,
ensuite, déporté à Buchenwald. Pour comble de malheur,
Pierre Brossolette était, en même temps que Bollaert, tombé
aux mains de l'ennemi. Il allait bientôt se tuer en cherchant à
fuir par une fenêtre du bâtiment de la Gestapo. Or, ce vaillant compagnon se trouvait, lui aussi, naturellement désigné
pour le poste en raison de sa valeur, de son ardente volonté,
du prestige dont il jouissait parmi les éléments si divers de
la résistance, du fait, enfin, qu'il était comme Jean Moulin
détaché de tous les partis politiques et n'attendait rien d'efficace, aujourd'hui dans la guerre et demain dans la paix, que
du « gaullisme » érigé en doctrine sociale, morale et nationale.
Au mois de mars 1944, Alexandre Parodi, membre du Conseil
d'État et directeur-général au ministère du Travail, qui lui
aussi s'était refusé à servir sous Vichy et dont le frère René
avait été, dans la résistance, l'un des premiers qui fût mort
pour la France, recevait à son tour la charge.

Les avatars de ma délégation favorisèrent les intentions des
communistes vis-à-vis du Conseil national de la résistance.
Ils parvinrent à faire en sorte que, parmi ses quinze membres,
cinq fussent de leur obédience notoire ou dissimulée. Le conseil,
de son propre chef, décida de se donner à lui-même un président et élut Georges Bidault. Celui-ci, résistant éminent,
ayant au plus haut point le goût et le don de la chose politique,
connu avant la guerre pour son talent de journaliste et son influence chez les démocrates-chrétiens, ambitieux de voir ce
petit groupement devenir un grand parti dont il serait le chef,
accepta volontiers la fonction qu'on lui offrait et en assuma

les risques. L'un de ceux-ci, non le moindre, était de se trouver
débordé au sein de l'aréopage par un groupe discipliné, rompu
à l'action révolutionnaire et qui excellait à utiliser la surenchère aussi bien que la camaraderie. J'eus, bientôt, l'indication
des empiètements de ce groupe, des aspérités que sa pression
comportait pour Georges Bidault, des difficultés que, de son
fait, je trouverais bientôt devant moi. Le Conseil fit savoir,
en effet, que, ses réunions plénières étant par force exceptionnelles, il déléguait ses attributions à un bureau de quatre
membres, dont deux étaient des communistes, et instituait
pour s'occuper des questions militaires un comité dit « d'action » que dominaient des hommes du « parti ».

Ce qu'il advenait en France de notre mouvement, en cette
fin de 1943 et ce début de 1944, me préoccupait d'autant plus
que, résidant à Alger, j'avais l'impression d'être, moins qu'à
Londres, en mesure de me faire entendre. Le contact personnel
que la radio me permettait de prendre avec la nation française
se relâchait peu ou prou. En effet, les ondes d'Alger étaient
en France moins familières que celles de la B. B. C. Sans doute,
les efforts d'Henri Bonnet commissaire à l'Information, de
Jacques Lassaigne directeur de Radio-France, de Jean Am-
rouche, Henri Bénazet, Jean Castet, Georges Gorse, Jean
Roire, etc... réussissaient-ils à donner de l'intérêt et du caractère à nos émissions d'Alger, de Tunis et de Rabat. D'autre part,
le grand poste de Brazzaville, maintenant en plein fonctionnement sous la coupe de Géraud Jouve, obtenait une audience
croissante d'un bout à l'autre du monde. Malgré tout, je
sentais que ma voix parvenait aux Français comme assourdie.
Et, tandis qu'il m'était plus difficile de parler tout haut à la
nation, les liaisons secrètes avec la France devenaient, elles
aussi, plus compliquées.

Car, c'est à partir de Londres que celles-ci s'étaient organisées. C'est de là qu'étaient envoyées, par des moyens agencés
à la longue, nos instructions et nos missions. C'est là qu'arrivaient les rapports, les agents, les visiteurs, les évadés. Dans
l'emploi des avions, des vedettes, des télégrammes, des mes-
sages-radio, des courriers, une sorte de gymnastique, rythmée
depuis la capitale anglaise, était devenue habituelle à la vaillante armée des informateurs, des transporteurs, des pour-
voyeurs. Il ne pouvait être question de déchirer cette trame.
Quant à en tisser une autre à partir de l'Afrique du Nord, nous
ne pouvions le faire que sommairement, faute de moyens
spécialisés et en raison des distances. Par exemple : un mono-

moteur léger, partant d'une base anglaise, se posait après
deux heures de vol sur un terrain de fortune au centre de la
France et en revenait aussitôt. Mais il fallait un bimoteur,
volant longtemps, disposant pour atterrir d'une piste longue
et plane et trouvant, avant de repartir, de quoi refaire le
plein d'essence, pour relier à la Métropole Alger, Oran, ou
même Ajaccio. Nous avions donc laissé en Grande-Bretagne
le principal appareil de nos communications. Mais il en résultait force retransmissions, retards et malentendus.

D'autant plus qu'en dehors des organismes spécialisés de
la France Combattante il en existait un autre : l'ancien Service
des renseignements de l'État-major de l'armée. Ce service, de-
meuré à Vichy jusqu'en novembre 1942 et qui, sous la direction des colonels Ronin et Rivet, s'y était, d'ailleurs, opposé
aux Allemands dans toute la mesure du possible, avait gagné
l'Afrique du Nord lors de l'occupation de la zone sud par
l'ennemi. Le « Commandant en chef civil et militaire » en avait
fait son instrument pour les contacts avec la Métropole. Tant
que dura la bicéphalie du Comité de la libération, cet état de
choses subsista avec tous les inconvénients que comportait
la dualité entre l'équipe d'information et d'action qui m'était
attachée et celle qui servait Girault. Dès que celui-ci eut quitté
le gouvernement pour se voir assigner une tâche purement
militaire, rien, semblait-il, n'aurait dû empêcher l'unification
des services spécialisés.

Mais plusieurs mois s'écoulèrent encore avant que cela fût
fait. Pourtant, le Comité de la libération avait, par décret
du 27 novembre 1943, prescrit la fusion, nommé Jacques
Soustelle directeur-général des Services spéciaux et rattaché
directement l'ensemble au chef du gouvernement. Cette organisation ne visait aucunement à éliminer les officiers appartenant à l'ancien Service des renseignements. Au contraire,
nous entendions que leur capacité fût employée largement
dans le domaine qui était le leur. Mais la sorte de guerre qu'il
nous fallait mener exigeait que notre système fût constitué
en un tout, qu'il dépassât le cadre et les recettes d'autrefois,
que, par les voies complexes des réseaux, des maquis, des
groupes francs, des mouvements, des tracts et journaux clandestins, des destructions, du sabotage administratif, il em-
brassât toutes les formes de la résistance et pénétrât toutes
les branches de l'activité nationale. Par malheur, le général
Giraud s'opposa obstinément aux décisions que le gouvernement avait prises à ce sujet.

Arguant de son titre de Commandant en chef, il prétendit
conserver à son entière disposition le même service qui s'y
trouvait la veille. Au cours de nombreux entretiens, je
m'épuisai à lui représenter que l'unité était nécessaire et que
lui-même, Giraud, avait toute latitude pour actionner directement l'ensemble. Rien n'y fit. Le général Giraud continua
de peser de toute son autorité sur les officiers qui se trouvaient en cause afin de les maintenir en dehors de l'obédience prescrite.

S'il agissait de la sorte, ce n'était pas évidemment pour des
raisons de stratégie. Car, quelque titre qui lui eût été laissé,
il n'avait pas à exercer effectivement le commandement des
opérations, que nos alliés, bien pourvus, se réservaient jalou-
sement. Mais une certaine politique n'avait pas renoncé à
se servir de lui. En France, en Afrique et parmi les notables
français émigrés aux États-Unis, divers milieux lui donnaient
encore sa chance dans l'intention que ce fût la leur. D'autre
part, les missions et les états-majors alliés restaient sourdement fidèles à leurs projets d'hier et ne décourageaient pas
Giraud de caresser, en dépit de tout, l'espérance du premier
rôle. C'est pourquoi, malgré mes avertissements, il s'obstinait
à garder des contacts séparés avec tels ou tels éléments de la
Métropole, y envoyant, grâce à l'aide américaine, des agents
qui n'étaient que les siens et créaient de la confusion.

Le vase finit par déborder. Au mois d'avril 1944, à la suite
d'un incident plus sérieux que les autres, je dus mettre le
général Giraud en demeure de cesser ce jeu. Comme il s'en
tenait à une attitude dilatoire, le gouvernement lui retira,
par décret, sa fonction théorique de Commandant en chef et
le nomma Inspecteur-général, ce qui décidément supprimait
l'équivoque et, au surplus, correspondait à ce qu'il pouvait
faire d'utile. Afin d'adoucir la blessure, je lui écrivis une lettre
officielle qui lui adressait le témoignage du gouvernement
pour les services qu'il avait rendus et une autre, personnelle,
l'adjurant de donner dans les circonstances tragiques où se
trouvait la patrie l'exemple de l'abnégation. En même temps,
le Comité de la libération nationale décidait de lui conférer
la médaille militaire avec une très belle citation.

Le général Giraud préféra se retirer. Il déclina le poste auquel
il était appelé, refusa la médaille militaire et s'en fut résider
aux environs de Mazagran. « Je veux, dit-il, être commandant
en chef ou rien. » Son départ ne provoqua aucun mouvement,
ni dans les troupes, ni dans la population. Il faut dire, qu'à

cette même époque, ceux des anciens tenants de Vichy qui
lui avaient été attachés blâmaient son comportement lors du
procès de Pucheu. Appelé à témoigner devant le tribunal, il
n'avait pas, lui reprochait-on, pris catégoriquement la défense
de l'accusé, alors que celui-ci n'était venu en Afrique du Nord
que sous la garantie formelle du « Commandant en chef civil
et militaire ». Pour moi, voyant le général Giraud s'écarter
de l'activité alors que la guerre était loin de son terme, je
déplorai son obstination. Mais quel regret peut compter s'il
s'agit de l'ordre dans l'État ?

Alors, surtout, que la France souffre. Les renseignements
qui nous en arrivent par courriers, ceux, notamment, que nous
fournit, depuis Paris, notre service du « noyautage des administrations publiques », les indications apportées par les délégués à l'Assemblée consultative ou bien par les évadés qui
ont pu passer les Pyrénées, les rapports qui nous sont faits
par nos chargés de mission allant et venant entre Alger et la
Métropole : Guillain de Bénouville, Bourgès-Maunoury, François Closon, Louis Mangin, le général Brisac, le colonel Zeller,
Gaston Defferre, François Mitterand, mon neveu Michel Cailliau, etc., nous tiennent, à mesure, au courant.

Jamais encore n'a été pire la condition matérielle des Français. Pour presque tous, le ravitaillement est une tragédie de
chaque jour. Du printemps de 1943 à celui de 1944, la ration
officielle ne vaut pas mille calories. Faute d'engrais, de main-
d'œuvre, de carburant, de moyens de transport, la production
agricole atteint à peine les deux tiers de ce qu'elle était autrefois. D'ailleurs, l'occupant prélève une grande partie de ce
que fournit la réquisition ; pour la viande, il en prend la moitié.
Encore, par le marché noir, taille-t-il dans ce qui reste et
qui devrait être livré au public. Ce que l'Allemand mange de
cette façon, il le paie avec l'argent qu'il puise dans le Trésor
français. Plus de 300 milliards au total jusqu'en août 1943,
plus de 400 jusqu'en mars 1944. Un million cinq cent mille
prisonniers de guerre français sont toujours dans les camps de
l'ennemi. Celui-ci en a, il est vrai, renvoyé spectaculaire-
ment 100 000. Mais, en revanche, un million de civils lui auront
été, au total, livrés par le « Service du travail ». En outre, le
Reich fait travailler directement pour son compte un tiers de
nos usines, brûle la moitié de notre charbon, enlève 65 pour 100
de nos locomotives, 50 pour 100 de nos wagons, 60 pour 100
de nos camions, emploie nos entreprises, notre outillage, nos
matériaux, à lui construire le Mur de l'Atlantique. Se nourrir,

se vêtir, se chauffer, s'éclairer, se déplacer, autant de problèmes épuisants, souvent insolubles, dans la misère où s'étiole le plus grand nombre des Français.

Et voici que, de nouveau, la guerre fait fondre sur notre sol les destructions et les pertes. Au répit qui, à cet égard, avait suivi les « armistices » et dont s'étaient vantés les auteurs de la capitulation, succèdent maintenant de sanglantes alertes. A Dieppe, puis à Saint-Nazaire, les forces britanniques, aidées par des groupes français, mènent au milieu des habitants des combats de va-et-vient. Les bombardements se multiplient sur nos villes. En particulier, Paris, Nantes, Rouen, Lyon, Saint-Étienne et leurs environs subissent de graves dégâts, préludant à tous ceux qui nous seront infligés pendant la future grande bataille. Avant le débarquement, 30 000 personnes sont tuées par les raids aériens. En beaucoup d'endroits, notamment l'Ain, le Massif Central, les Alpes, le Limousin, la Dordogne, les maquis engagent en détail la lutte contre l'occupant, qui se venge par des fusillades, des incendies, des arrestations d'otages, des amendes. Il y est aidé par la milice, dont les cours martiales jugent sommairement et condamnent à mort une foule de patriotes.

Au reste, la répression est devenue, pour l'ennemi, une véritable opération de guerre. Il la conduit avec une méthode aussi précise qu'elle est affreuse. Il veut « nettoyer » ses arrières avant que commence la bataille qu'il sent venir. C'est pourquoi, l'action de la Gestapo et de la gendarmerie allemandes, combinée avec celle de la police et de la milice dont dispose maintenant Darnand « secrétaire-général au maintien de l'ordre », s'acharne contre nos réseaux et nos mouvements. Toutes les formes de l'épouvante, de la torture, de la corruption sont mises en œuvre pour arracher aux malheureux qu'on a pu saisir les aveux qui en livreront d'autres. La période qui précède le débarquement est marquée par la mort d'un grand nombre de chefs, tels : Cavaillès, Marchal, Médéric, Péri, Politzer, Ripoche, Touny, etc., l'exécution de 20 000 résistants, la déportation de 50 000 autres. Pendant la même période s'étalent les honteuses horreurs de la persécution juive. Enfin, c'est l'époque où le Reich se fait livrer les prisonniers politiques de Vichy, notamment : Herriot, Reynaud, Daladier, Blum, Mandel, Gamelin, Jacomet, en arrête d'autres comme Albert Sarraut, François-Poncet, le colonel de La Roque, se saisit de hauts fonctionnaires, d'hommes d'affaires, d'officiers généraux et transfère en Allemagne ces personnalités afin qu'elles

lui servent d'otages ou, un jour, d'éléments d'échange.
Il n'empêche que la résistance s'étend de plus en plus.
Tandis qu'elle frappe et tue par les combats, attentats, coups
de main, déraillements, où périssent beaucoup d'Allemands,
et par l'exécution d'un nombre croissant de traîtres et de
délateurs, elle est, en même temps, formulée, publiée, affichée
partout. Grand mouvement humain et national, elle suscite
idées et sentiments, dessine des doctrines, inspire l'art et la
littérature. Par des prodiges d'ingéniosité, les journaux clandestins sont, régulièrement, pourvus de papier, composés,
imprimés, distribués. *Franc-Tireur, Combat, Résistance, Défense de la France,* tirent ensemble, au total, 600 000 numéros
par jour. Des revues : *les Lettres françaises, les Cahiers de la
libération, les Cahiers du témoignage chrétien, l'Université libre,
l'Art libre,* etc., passent secrètement nombre de portes. Les
Éditions de Minuit répandent sous le manteau des livres
parmi lesquels *le Silence de la mer* de Vercors se copie et se
répand en d'innombrables exemplaires. Par les soins du Gouvernement d'Alger, les efforts de ceux qui luttent par la
pensée et par la plume sont constamment répercutés au
moyen de la radio. Je leur adresse, au nom de ceux qui sont
libres comme de ceux qu'enferme le silence, un solennel témoignage à l'occasion d'une grande réunion organisée, le 30 octobre, par « l'Alliance française » et à laquelle les ondes font
écho en direction de Paris.

La floraison de la pensée française affermit notre politique.
Les intrigues qui ne cessent pas, les ambitions camouflées,
la subversion que certains méditent, comment pourraient-elles
prévaloir contre cette source jaillissante de courage et de
renouveau? Peut-être n'y aura-t-il là qu'un épisode, après
lequel reprendront, demain, l'engourdissement et l'abaissement. Mais « demain sera un autre jour. » Tant que durera
la guerre, j'ai là de quoi, moralement parlant, rassembler le
peuple français.

D'autant mieux que l'instinct national me prend, plus
nettement que jamais, comme centre de l'unité. C'est bien
par rapport à moi que manœuvrent les politiques qui cherchent des garanties en vue du proche avenir. C'est vers moi
que se tourne la classe qualifiée de dirigeante, c'est-à-dire
établie dans les emplois, la fortune, la notoriété. Dans cette
catégorie, une fraction — en général celle que l'argent touche
le moins — m'a suivi depuis longtemps ; quant à l'autre,
dont la conscience troublée attend que je lui évite de redou-

tables bouleversements, elle s'incline maintenant en toute déférence et reporte à plus tard ses critiques et ses outrages. La masse, pour laquelle le drame ne comporte aucune spéculation, n'attend plus que mon arrivée qui sera sa libération. Enfin, pour ceux qui combattent, je me trouve être comme le symbole de ce qu'ils veulent obtenir au prix de leur sacrifice. Comment décrire de ce que je ressens quand, un soir, Sermoy-Simon, arrivant de France où lui-même trouvera bientôt la mort, m'apporte des témoignages suprêmes venus de jeunes condamnés? Photos des murs de prison où ils ont gravé mon nom pendant leur ultime veillée ; dernières lettres écrites aux leurs et m'invoquant comme leur chef ; récits de témoins qui, avant le feu du peloton d'exécution, ont recueilli leur cri : « Vive la France ! Vive de Gaulle ! »

Ceux-là me dictent mon devoir au moment même où j'en ai le plus besoin. Car je ne sens que trop l'usure à laquelle me soumettent les fatigues et l'épreuve morale de ma tâche. Au début de 1944, je suis tombé sérieusement malade. Mais les soins éclairés des Drs Lichtwitz et Lacroix m'ont permis de surmonter la crise au moment où courait le bruit d'une possible disparition du « Général ». Certes, les deux années qu'a duré la France Libre avaient été, elles aussi, remplies de secousses et de déceptions. Mais il nous fallait, alors, jouer le tout pour le tout. Nous nous sentions entourés d'une atmosphère héroïque, soutenus par la nécessité de l'emporter à tout prix. Entre moi et ceux — tous volontaires — qui se plaçaient sous ma direction, existait un accord profond qui m'était d'un puissant secours. Maintenant, le but se rapproche, mais, à mesure, j'ai l'impression de fouler un terrain plus meuble, de respirer un air moins pur. Autour de moi les intérêts se dressent, les rivalités s'opposent, les hommes sont chaque jour plus humains.

Dans mon bureau des *Glycines*, je pétris leur lourde pâte. Papiers à lire ; bien que mes collaborateurs immédiats : Palewski, Billotte, Soustelle, ne me présentent, par ordre, que l'essentiel. Décisions à prendre ; quoiqu'il s'agisse seulement des principales. Personnes à recevoir ; malgré le système que j'emploie de limiter les audiences aux commissaires nationaux, aux diplomates étrangers, aux grands chefs alliés et français, à quelques hauts fonctionnaires, aux messagers qui viennent de France ou qui y sont envoyés, à certains visiteurs de marque. Par principe, je ne téléphone qu'à de très rares exceptions et personne, jamais, ne m'appelle à l'appareil. La confrontation des points de vue et le choix des mesures à prendre, je les réserve, à dessein, pour les conseils du gouvernement. Ma nature m'avertit, mon expérience m'a appris, qu'au sommet des affaires on ne sauvegarde son temps et sa personne qu'en se tenant méthodiquement assez haut et assez loin.

Il n'en est que plus nécessaire de prendre, aux moments voulus, le contact des gens et des choses. Je le fais, le mieux qu'il m'est possible, en allant les voir sur place. Pendant les quinze mois où mon poste sera à Alger, j'aurai, indépendamment des réunions et des cérémonies qui ont lieu dans la capitale, passé cent jours en déplacement. En Algérie, visites aux villes et aux campagnes, inspections des troupes, des navires, des escadrilles. Au Maroc, quatre séjours. En Tunisie, trois. En Libye, un. En Afrique Noire, une vaste randonnée qui me la fait parcourir tout entière. J'aurai trois fois traversé la Corse. Je me serai, à trois reprises, rendu en Italie pour y passer quelque temps auprès des forces en opérations. Lors du débarquement des alliés en Normandie, j'irai en Angleterre et, de là, en France, à Bayeux. Peu après, aura lieu mon premier voyage aux États-Unis et au Canada. Ces tournées me réconfortent. Les hommes, si lassants à voir dans les manœuvres de l'ambition, combien sont-ils attrayants dans l'action pour une grande cause !

Par goût et par convenance ma vie privée est très simple. J'ai établi ma résidence à la villa des *Oliviers*, où ma femme m'a rejoint, ainsi qu'Anne dont l'état de santé nous attriste toujours autant et, bientôt, Élisabeth revenue d'Oxford pour servir au bureau qui dépouille la presse étrangère. Quant à Philippe, il continue de naviguer et de combattre dans la Manche et l'Atlantique. Aux *Oliviers*, le soir, je m'efforce d'être seul pour travailler aux discours qui me sont une sujétion constante. Mais, souvent, nous recevons. Beaucoup d'hôtes étrangers et français nous font ainsi le plaisir de s'asseoir à notre table ; les menus étant, d'ailleurs, très courts, car le rationnement doit s'appliquer à tout le monde. Il arrive que nous passions le dimanche dans une petite maison de Kabylie.

Par intervalles, arrivent quelques nouvelles des nôtres. Mon frère Xavier a pu trouver refuge à Nyons, d'où il adresse à Alger d'utiles renseignements ; sa fille Geneviève, tombée aux mains de l'ennemi avec les dirigeants de « Défense de la France », est déportée à Ravensbrück ; son fils aîné combat en Italie. Ma sœur, Mme Alfred Cailliau, arrêtée par la Gestapo,

passe un an en prison, à Fresnes, d'où elle sera transférée en
Allemagne, tandis que son mari est, à l'âge de soixante-sept
ans, envoyé au camp de Buchenwald ; un de leur fils, Charles,
jeune officier de chasseurs, a été tué à l'ennemi lors de la
bataille de France ; trois autres ont franchi la mer pour s'engager dans nos forces. En ont fait autant trois des fils de mon
frère Jacques. Celui-ci, paralytique, est soustrait à la police
allemande par l'abbé Pierre et son équipe qui le transportent,
à bras, au delà de la frontière suisse. Mon frère Pierre n'a cessé
d'être étroitement épié. Il est, en 1943, arrêté par les Allemands
et déporté au camp d'Eisenberg. Sa femme, leurs cinq enfants,
auxquels ils ont joint la fille d'un résistant fusillé, traversent
à pied les Pyrénées et, par l'Espagne, gagnent le Maroc. Chez
les Vendroux, frères et sœur de ma femme, on a choisi de servir
la même cause. En France et en Afrique, tous nos parents et
alliés paient, eux aussi, de leur personne. Avec tant d'autres
encouragements, j'évoque ceux qui me viennent des miens
quand le fardeau s'alourdit à l'excès.

Il est vrai que, de ce fardeau, mes ministres portent leur
part. Si, naguère, la dimension réduite de notre organisation
concentrait tout entre mes mains, aujourd'hui, pour embrasser
un domaine qui va s'élargissant, le pouvoir doit se répartir.
Parmi les commissaires nationaux sévissent, bien sûr, des rivalités et des sollicitations centrifuges. Mais, au total, ils forment
autour de moi une équipe disciplinée. Chacun d'entre eux,
cependant, a son autorité propre et sa responsabilité.

Chacun aussi a sa manière. Henri Queuille apporte à la
présidence des commissions interministérielles dont il a été
chargé tout ce qu'il possède, par nature, de bon sens, et de
prudence et tout ce qu'il a acquis d'expérience, sous la IIIe République, comme membre de douze gouvernements. René
Massigli, brillant, plein de ressources, rompu aux méthodes
de la diplomatie, travaille à rétablir le réseau des relations
étrangères déchiré par les événements. Pierre Mendès-France,
esprit clair et volonté forte, résout les problèmes apparemment
insolubles qui écrasent nos finances d'Alger. René Mayer,
tout pétri de capacités, fait rendre leur maximum aux chemins de fer, aux ports, aux routes d'Afrique du Nord. André
Le Troquer, bourru et généreux, se fait le premier serviteur
de l'Armée qu'il administre. André Philip est aux prises avec
le flot d'idées qui jaillit de son propre esprit et avec les « ma-
laises » successifs de l'assemblée. Jean Monnet, jouant d'un
clavier étendu de solutions et de relations, s'applique à obtenir

des alliés américains qu'ils organisent à temps les secours qu'ils
veulent nous prêter. Henri Bonnet joue son rôle de concilia-
teur entre les groupes qui se disputent, déjà, les moyens de
l'Information. François de Menthon, Emmanuel d'Astier,
René Capitant, Henri Frénay, dont les départements ministériels : Justice, Intérieur, Éducation nationale, Prisonniers,
ont surtout à préparer ce qui demain sera fait en France,
rivalisent d'ardeur novatrice. Fernand Grenier et François
Billoux, l'un brusque, l'autre habile, tous deux capables,
divisent leur soucieuse attention entre, d'une part, leurs
postes respectifs : Air et Commissariat d'État et, d'autre
part, leur parti qui veille sur eux du dehors. Quant à ceux des
ministres qui m'entouraient au temps de la France Libre :
Georges Catroux, rompu à la pratique des grandes affaires,
René Pleven, André Diethelm, Adrien Tixier, qui s'y sont mis
depuis quatre ans et dans quelles dures conditions ! chacun
d'eux apporte à sa tâche : Questions musulmanes, Colonies,
Production, Travail, une valeur que rien ne rebute, ni ne surprend.

Tous ces ministres, quelles que soient leur origine, leurs
tendances, leur personnalité, s'associent fièrement à Charles
de Gaulle et assument avec lui les responsabilités. Ils y ont
d'autant plus de mérite que leurs administrations sont faites
de pièces et de morceaux. Cependant, malgré les lacunes,
celles-ci se dévouent comme eux à leurs fonctions, non sans
ce foisonnement de plans que provoque la perspective d'un
pays à restaurer, mais avec une intelligence et une ardeur
auxquelles je rends justice. Si, dans les bureaux d'Alger comme
à l'assemblée ou au sein des réunions, on imagine toutes sortes
de projets pour rebâtir la France et le monde, on n'en fait
pas moins son métier en conscience et pour pas cher. Des
fonctionnaires comme Hubert Guérin, Chauvel, Alphand,
Paris, aux Affaires étrangères ; Chevreux, à l'Intérieur ;
Gregh, Guindey, Leroy-Beaulieu, aux Finances ; Laurentie,
aux Colonies ; Anduze-Faris, aux Transports ; Postel-Vinay,
à la Caisse centrale ; des chefs d'état-major comme Leyer
à la Guerre, Lemonnier à la Marine, Bouscat à l'Air, sont les
piliers et les modèles de nos services. En fin de compte, d'ailleurs, c'est à moi que tout aboutit et je ne puis ignorer combien nos limites sont étroites. Or, s'il faut à la politique un
élan qui la soulève, elle ne saurait être autre chose que l'art
des possibilités.

Les séances du gouvernement se tiennent, maintenant, au

Palais d'été. Elles ont lieu deux fois par semaine. Assisté de
Louis Joxe, j'en ai fixé l'ordre du jour. Sur chaque question,
le comité entend le rapport des ministres intéressés. La délibération s'engage. Chacun donne son avis. Au besoin, je l'y
invite. J'expose le mien, généralement en fin de débat. Puis,
je conclus, en formulant la résolution du conseil et, s'il le faut,
en tranchant les litiges. Les décisions sont ensuite notifiées
aux départements ministériels. Souvent, elles revêtent la
forme d'ordonnances ou de décrets. En ce cas, les textes sont
d'abord mis au point par René Cassin et son Comité juridique,
puis délibérés en conseil, enfin publiés au *Journal officiel de
la République française* qui paraît à Alger sous l'aspect traditionnel.

C'est ainsi que des ordonnances du 10 janvier, du 14 mars,
du 21 avril, du 19 mai 1944, règlent l'organisation des pouvoirs
et l'exercice de l'autorité au cours de la libération. Dix-sept
« commissaires régionaux de la République », dotés de pouvoirs
exceptionnels et résidant à : Lille, Nancy, Strasbourg, Châlons,
Dijon, Clermont-Ferrand, Lyon, Marseille, Montpellier, Limoges, Toulouse, Bordeaux, Poitiers, Rennes, Angers, Rouen,
Orléans, ainsi que le préfet de la Seine, seront chargés « de
prendre toutes mesures propres à assurer la sécurité des armées
françaises et alliées, à pourvoir à l'administration du territoire, à rétablir la légalité républicaine et à satisfaire aux
besoins de la population. » D'autre part, dans chaque ministère, un haut fonctionnaire, nommé d'avance secrétaire-général, assurera la marche des services jusqu'à l'arrivée du
ministre. Les communes verront rétablir les conseils municipaux de 1939 que Vichy a souvent remplacés par des délégations de son cru. Afin d'attribuer localement à la résistance
un rôle dans la remise en marche, un moyen normal d'expression, voire un exutoire à d'inévitables bouillonnements, la
création d'un « Comité de libération » est prévue dans chaque
département. Ce comité, formé des délégués locaux des mouvements et partis représentés au Conseil national de la résistance, donnera ses avis au préfet, comme le faisait naguère
le conseil général, en attendant que celui-ci soit rétabli par
des élections. Enfin, un « commissaire national délégué en
territoire libéré » prendra sur place les mesures immédiates
qui paraîtront nécessaires.

André Le Troquer est, en avril, désigné pour cette fonction. Quant aux commissaires de la République et aux préfets
de la libération, proposés au choix du gouvernement par

Alexandre Parodi assisté de Michel Debré, ils sont nommés
en secret, reçoivent le texte authentique du décret qui les
institue et se tiennent prêts à surgir des fumées de la bataille.
Deux d'entre eux : Verdier et Fourcade, seront tués à l'ennemi ;
deux : Bouhey et Cassou, grièvement blessés ; neuf préfets
mourront pour la France. Mais, parmi les Français, devant les
alliés, au milieu des ennemis défaits, apparaîtra entière, responsable, indépendante, l'autorité de l'État.

Il faut, qu'en même temps, paraisse sa justice. Eu égard
aux épreuves subies, la libération déclenchera, sans nul doute,
une impulsion élémentaire de châtiment. Alors que des hommes
et des femmes qui défendaient leur pays auront été, par
dizaines de mille fusillés, par centaines de mille déportés dans
des camps d'affreuse misère d'où il en reviendra bien peu,
que des milliers de combattants des réseaux, des maquis,
des groupes d'action, considérés par l'ennemi comme en dehors
des lois de la guerre, auront été abattus sur place, que d'innombrables meurtres, incendies, pillages, brutalités, auront en
outre été commis, le tout à grand renfort de tortures et de trahisons et avec le concours direct de « ministres », fonctionnaires,
policiers, miliciens, délateurs français ; alors que, pendant
des années, maints journaux, revues, livres, discours, auront
prodigué les insultes à ceux qui se battent pour la France et
les hommages à l'occupant ; alors que, dans le « gouvernement »,
l'administration, les affaires, l'industrie, le monde, certains
auront étalé, au milieu de l'humiliation et de la détresse nationales, leur collaboration avec l'envahisseur, la fuite des
Allemands risquera fort d'être le signal de sommaires et sanglantes revanches. Pourtant, en dépit de tout, nul particulier
n'a le droit de punir les coupables. C'est là l'affaire de l'État.
Encore faut-il que celui-ci le fasse et que, dans les moindres
délais, sa justice instruise les causes et rende les verdicts, sous
peine d'être débordée par la fureur des groupes ou des individus.

Le Comité de la libération va donc, par ordonnance du
26 juin 1944, qui sera complétée par celle du 26 août, fixer les
conditions dans lesquelles les crimes et délits de collaboration
devront être réprimés. La base juridique des inculpations
existe dans nos codes, c'est l'intelligence avec l'ennemi. Mais,
cette fois, les circonstances auront été exceptionnelles, en
certains cas atténuantes, en raison de l'attitude et des ordres
du « gouvernement » de Vichy. Pour tenir compte de cette situation politique sans précédent et mettre les juges à même de

ne pas appliquer forcément les sanctions habituelles à des
fautes qui ne le sont pas, il est institué une peine nouvelle :
l'indignité nationale. Celle-ci comporte la privation des droits
politiques, l'exclusion des emplois publics et, au maximum,
l'exil. Ainsi, éclairés sur l'espèce des délits et des crimes à
réprimer et disposant d'une échelle assez élastique de peines,
les tribunaux apprécieront.

Quels tribunaux? Il va de soi que les juridictions criminelles
et correctionnelles ordinaires ne sont pas faites pour juger
de telles causes. Elles ne le sont pas par leur nature. Elles ne
le sont pas par leur composition, car beaucoup de magistrats
ont été contraints de prêter serment au Maréchal et de rendre
des arrêts conformes aux ordres de Vichy. Il nous faut donc
innover. C'est ce que fait le Comité de la libération en prescrivant, par avance, la création des « Cours de justice » auprès
du siège des cours d'appel. La présidence de la Cour et le
ministère public devront y être occupés par des magistrats
choisis par la Chancellerie. Les quatre jurés seront tirés au
sort sur une liste établie par le président de la cour d'appel
assisté de deux représentants de la résistance qu'aura désignés
le commissaire de la République. A tous égards, il paraît, en
effet, indiqué d'associer la résistance à l'œuvre officielle de la
justice. Quant à ceux qui ont pris, soit au « gouvernement »,
soit dans les principaux emplois, une responsabilité éminente
dans la capitulation ou dans la collaboration, ils seront justiciables de la Haute-Cour.

Pourtant, le sort de l'un d'eux va être réglé à Alger. Il
s'agit de Pierre Pucheu. Comme ministre de l'Intérieur dans
le « gouvernement » de Vichy, il s'était signalé par son action
rigoureuse à l'encontre des résistants, au point d'apparaître à
leurs yeux comme un champion de la répression. Ayant quitté
son « ministère » dans le courant de 1942, Pucheu se rendait
en Espagne. Sur sa demande, le général Giraud, alors « Commandant en chef civil et militaire », l'autorisait à venir au
Maroc afin de servir dans l'armée, à condition qu'il le fît en
secret. Mais, comme l'ancien ministre se montrait ostensi-
blement, Giraud l'avait fait mettre en résidence surveillée. Par
la suite, le Comité de la libération décidant d'assurer l'action de la justice à l'égard des membres du « gouvernement »
de Vichy, Pierre Pucheu était emprisonné. A présent, se pose
cette question : doit-il être, aussitôt, jugé?

A l'unanimité de ses membres, le gouvernement décide de
faire ouvrir le procès. Au point de vue des principes, il n'y a

pas motif à le remettre. Surtout, la raison d'État exige un
rapide exemple. C'est le moment où la résistance va devenir,
pour la prochaine bataille, un élément essentiel de la défense
nationale. C'est le moment où le ministère Laval, dont Darnand fait partie comme « chargé du maintien de l'ordre »,
s'acharne à la briser de connivence avec les Allemands. Il
faut que nos combattants, il faut que leurs adversaires, aient
sans délai la preuve que les coupables ont à répondre de leurs
actes. Je le déclare à la tribune de l'Assemblée consultative
en citant Georges Clemenceau : « La guerre ! Rien que la
guerre ! La justice passe. Le pays connaîtra qu'il est défendu. »

Pour juger Pucheu, le Comité de la libération, faute de
pouvoir réunir la Haute-Cour, fait traduire l'accusé devant le
« tribunal d'armée ». Le président est M. Vérin, premier président de la cour d'appel d'Alger. Les juges sont : le conseiller
Fischer et les généraux : Chadebec de Lavalade, Cochet et
Schmidt. Le ministère public est occupé par le général Weiss.
L'accusé se défend habilement et énergiquement. Mais deux
faits, entre autres, décident le tribunal à prononcer la plus
sévère sentence. Pucheu, ministre, a envoyé aux préfets des
circulaires impératives pour que soient fournis au Reich les
travailleurs qu'il réclame. En outre, tout donne à penser,
qu'au moment où les Allemands se disposaient à fusiller un
certain nombre des détenus de Châteaubriant en représailles
d'attentats dirigés contre leurs soldats, le malheureux leur a,
spontanément, adressé la liste de ceux qu'il leur demandait
d'exécuter de préférence. L'ennemi lui a donné cette odieuse
satisfaction. On en trouvera la preuve formelle lors de la
libération.

Au cours du procès, le général Giraud, cité comme témoin,
n'a parlé de l'accusé qu'avec beaucoup de réticence. Après la
condamnation, il vient me demander de faire surseoir à
l'exécution. Je ne puis que refuser. Pierre Pucheu, lui, affirme
jusqu'au bout qu'il n'a visé que l'intérêt public. Dans la
dernière déclaration qu'il prononce devant ses juges, faisant
allusion à de Gaulle, il s'écrie : « Celui-là, qui porte aujourd'hui
l'espérance suprême de la France, si ma vie peut lui servir
dans la mission qu'il accomplit, qu'il prenne ma vie ! Je la
lui donne. » Il meurt courageusement, commandant lui-même :
« Feu ! » au peloton d'exécution.

Dans la tempête où chancelle la patrie, des hommes, séparés
en deux camps, prétendent conduire la nation et l'État vers
des buts différents, par des chemins opposés. A partir de ce

moment, la responsabilité de ceux-ci et de ceux-là se mesure ici-bas non à leurs intentions, mais à leurs actes, car le salut du pays est directement en cause. Quoi qu'ils aient cru, quoi qu'ils aient voulu, il ne saurait aux uns et aux autres être rendu que suivant leurs œuvres. — Mais ensuite? — Ensuite? Ah! Que Dieu juge toutes les âmes! Que la France enterre tous les corps!

Mais le pays, lui, doit vivre. Le Comité de la libération s'applique à faire en sorte qu'il le puisse quand ses chaînes lui seront arrachées. Étant, quant à moi, convaincu que, devant l'océan des problèmes, financiers, économiques, sociaux, qui se poseront aussitôt, rien ne se fera pratiquement qui n'ait été auparavant élaboré et décidé, je concentre sur cet objet futur une grande part de l'effort actuel du gouvernement. Or, trois périls mortels nous attendent : l'inflation, le niveau intolérablement bas des salaires et du prix des services, la pénurie du ravitaillement.

C'est, qu'en effet, la circulation fiduciaire, en raison des versements qu'il faut faire à l'occupant, dépasse, au printemps de 1944, le triple du montant de 1940, tandis que la quantité des marchandises a en moyenne baissé de moitié. Il en résulte une hausse énorme des prix réels, un marché noir effréné et, pour une grande partie de la population, d'indicibles privations. En même temps, sous la pression de l'ennemi qui cherche à attirer en Allemagne les travailleurs français, les salaires des ouvriers et les traitements des employés sont bloqués à des taux très bas. Au contraire, certains commerçants, hommes d'affaires, intermédiaires, réalisent des gains scandaleux. Le pays, à la libération, compte tenu du déferlement psychologique que celle-ci doit entraîner, risquera simultanément : l'effondrement monétaire, l'explosion des revendications sociales, la famine.

Pour le gouvernement, laisser faire et laisser passer ce serait livrer la nation à des troubles irrémédiables, car sous le choc de la libération l'inflation serait déchaînée et l'on verrait crouler toutes les digues. Mais, bloquer à la fois les avoirs, les billets, les salaires et les prix, ce serait faire sauter la chaudière. Cela impliquerait d'écrasantes contraintes, dont on voit mal comment les supporterait la nation à peine sortie de l'oppression ; cela provoquerait des secousses sociales incompatibles avec la nécessité de ranimer la production et de réparer les ruines ; cela viderait les marchés sans que les pouvoirs publics aient les moyens de pourvoir autrement à

l'alimentation du peuple, puisque toutes les réserves ont
disparu, que le trésor n'a pas de devises pour payer des
achats massifs au-dehors et que la flotte marchande des
alliés sera, alors, employée aux transports vers la bataille.
Entre deux extrêmes, le Comité de la libération adopte
une solution moyenne qui n'en sera pas, d'ailleurs, plus
facile.

Échanger les billets, taxer les enrichissements, confisquer
les profits illicites, réglementer les comptes en banque en ne
laissant aux porteurs que la disposition d'une somme correspondant à leurs besoins immédiats, mettre à profit l'optimisme
que la victoire inspirera au pays pour ouvrir un grand emprunt
et absorber les liquidités, on limitera ainsi la circulation fiduciaire. Réajuster les prix payés aux producteurs, tout en
subventionnant les denrées de première nécessité afin de
maintenir les tarifs au plus bas, on permettra de cette façon
l'approvisionnement des marchés. Accorder aux salaires et
aux traitements une augmentation « substantielle » — de
l'ordre de 30 pour 100 — on évitera par là la crise sociale.
Mais aussi, il faut, dès à présent, s'assurer d'un renfort de
vivres à l'extérieur. C'est pourquoi, le gouvernement constitue,
au printemps de 1944, dans les territoires d'outre-mer, des
stocks d'une valeur de 10 milliards de l'époque et met sur
pied, avec Washington, un « plan de six mois » prévoyant une
première aide américaine.

Ces mesures empêcheront le pire. Mais rien ne fera que la
nation, une fois libérée, ne doive subir longtemps encore la
pénurie et le rationnement. Aucune formule magique et aucune
astuce technique ne changeront sa ruine en aisance. Quoi
qu'on invente et qu'on organise, il lui faudra beaucoup de
temps, d'ordre, de travail, de sacrifices, pour reconstruire ce
qui est détruit et renouveler son équipement démoli ou périmé.
Encore doit-on obtenir pour cet effort le concours des classes
laborieuses, faute duquel tout sombrera dans le désordre et la
démagogie. Faire acquérir par la nation la propriété des principales sources d'énergie : charbon, électricité, gaz, qu'elle
est, d'ailleurs, seule en mesure de développer comme il faut ;
lui assurer le contrôle du crédit, afin que son activité ne
soit pas à la merci de monopoles financiers ; frayer à la classe
ouvrière, par les comités d'entreprise, la voie de l'association ; affranchir de l'angoisse, dans leur vie et dans leur
labeur, les hommes et les femmes de chez nous, en les assurant d'office contre la maladie, le chômage, la vieillesse ;

enfin, grâce à un système de larges allocations, relever la
natalité française et, par là, rouvrir à la France la source
vive de sa puissance ; telles sont les réformes dont je proclame,
le 15 mars 1944, que mon gouvernement entend les accomplir et, qu'en effet, il accomplira.

Dans ce secteur de notre politique, nous pouvons compter
sur l'opinion. Car il y a concordance entre le malheur des
hommes et leur élan vers le progrès. Beaucoup ont le sentiment
que les épreuves de la guerre devront aboutir à un vaste changement dans la condition humaine. Si l'on ne fait rien dans
ce sens, on rendra inévitable le glissement des masses vers le
totalitarisme communiste. Au contraire, en agissant tout de
suite, on pourra sauver l'âme de la France. D'ailleurs, l'opposition des privilégiés ne se fera guère sentir, tant cette catégorie sociale est compromise par l'erreur de Vichy et effrayée
par le spectre révolutionnaire. Quant à la résistance, elle est
tout entière favorable à l'évolution ; les combattants, qui
courent ensemble des périls semblables, étant enclins à la
fraternité.

Mais les mêmes raisons profondes, qui commandent de faire
rapidement de grandes réformes dans la Métropole, exigent
aussi que l'on transforme le statut des territoires d'outre-mer
et les droits de leurs habitants. Je le crois autant que personne, tandis que je mène la guerre avec le concours des hommes
et des ressources de « l'Empire ». Comment pourrais-je douter,
d'ailleurs, qu'au lendemain du conflit qui embrase la terre,
la passion de s'affranchir soulèvera des lames de fond ? Ce qui
se passe ou s'annonce, en Asie, en Afrique, en Australasie, aura
partout ses répercussions. Or, si dans nos terres d'outre-mer
nos malheurs n'ont pas détruit le loyalisme des populations,
celles-ci n'en ont pas moins assisté à des événements bien
cruels pour notre prestige : écroulement de 1940, abaissement
de Vichy sous le contrôle de l'ennemi, arrivée des Américains parlant en maîtres après les combats absurdes de novembre 1942. Il est vrai, qu'en revanche, dans toute l'Afrique
française, les autochtones ont été sensibles à l'exemple de la
France Combattante, qu'ils constatent, sur leur propre sol,
le début du redressement français, qu'ils y participent de
grand cœur. C'est de là que tout peut repartir. Mais à la condition formelle de ne pas maintenir ces États et ces territoires au point où ils en étaient jadis. Et comme, en pareille
matière, pour bien faire il n'est jamais trop tôt, j'entends
que mon gouvernement prenne sans tarder l'initiative.

En décembre 1943, j'approuve donc le général Catroux, commissaire national chargé des questions musulmanes, quand il propose au Comité de la libération une importante réforme concernant l'Algérie. Jusqu'à présent, les habitants y sont divisés en deux collèges électoraux. Le premier, formé des Français, qu'ils le soient par origine ou par naturalisation, dispose, par rapport au deuxième qui comprend la masse musulmane, d'une majorité écrasante dans les conseils municipaux et dans les conseils généraux. Il est seul représenté au sein du Parlement français. Nous décrétons que plusieurs dizaines de milliers de musulmans, parmi les « capacités », feront partie du premier collège sans qu'il soit tenu compte de leur « statut personnel ». En outre, tous les autres auront le droit de voter au sein du deuxième collège. Enfin, la proportion des élus du deuxième collège dans les assemblées, y compris les Chambres françaises, sera accrue jusqu'à la parité. C'est là un pas considérable fait dans le sens de l'égalité civique et politique de tous les Algériens.

Bien entendu, la réforme soulève des critiques feutrées, tant du côté des colons que dans certains clans musulmans. Mais beaucoup d'Arabes et de Kabyles éprouvent comme un choc d'espoir et de gratitude à l'égard de la France qui, sans attendre d'être elle-même sortie de ses malheurs, rehausse leur condition et associe plus étroitement leur destin à son destin. En même temps, dans tous les milieux, on est frappé par l'autorité et la rapidité avec lesquelles le gouvernement a adopté des mesures où le régime d'autrefois butait depuis tant de lustres. Le 12 décembre 1943, accompagné du général Catroux et de plusieurs ministres, je me rends à Constantine. Là, sur la place de la Brèche, au milieu d'une foule innombrable, je publie nos décisions. Devant moi, près de la tribune, je vois pleurer d'émotion le Dr Bendjelloul et maints musulmans.

Pour affirmer la politique nouvelle qui conduit à l'Union française, nous faisons naître une autre occasion : la Conférence africaine de Brazzaville. René Pleven, commissaire national aux Colonies, l'a proposée et organisée. Autour de lui seront réunis vingt gouverneurs-généraux et gouverneurs, au premier rang desquels Félix Éboué. Seront également présents Félix Gouin, président, et une dizaine de membres de l'Assemblée consultative, ainsi que diverses compétences non officielles. La Conférence a pour but de confronter les idées et les expériences « afin de déterminer sur quelles bases pra-

tiques pourrait être progressivement fondée une communauté
française englobant les territoires de l'Afrique noire » en remplacement du système d'administration directe.

Avec une solennité voulue, je prends le chemin de Brazzaville. Par le Maroc, je gagne Dakar, où les autorités, l'armée, la
flotte, les colons, la population, déploient un enthousiasme
indescriptible. C'est là pourtant que, voici trois ans, l'accès
du Sénégal m'était barré à coups de canon ! Konakry, Abidjan,
Lomé, Cotonou, Douala, Libreville, reçoivent à leur tour ma
visite et éclatent en démonstrations où l'on sent vibrer la
certitude de la victoire. Brazzaville me fait un accueil émouvant, marquant sa fierté d'avoir, dans les pires années, servi
de refuge à la souveraineté de la France. Je descends à la
« case de Gaulle », résidence que le territoire, dans son généreux attachement, a construite pour mon usage sur la rive
splendide du Congo.

Le 30 janvier, j'ouvre la conférence. Après le discours que
m'adresse Pleven, j'indique pourquoi le gouvernement a décidé de la convoquer. « Sans vouloir, dis-je, exagérer l'urgence
des raisons qui nous pressent d'aborder l'ensemble des problèmes africains, nous croyons que les événements qui bouleversent le monde nous engagent à ne pas tarder. » Ayant salué
l'effort accompli par la France en Afrique, je note qu'avant
la guerre, déjà, « apparaissait la nécessité d'y établir sur des
bases nouvelles les conditions de sa mise en valeur, celles du
progrès de ses habitants, celles de l'exercice de la souveraineté française. » Combien est-ce urgent, aujourd'hui, « puisque
la guerre, qui aura été pour une bonne part une guerre africaine, a pour enjeu la condition de l'homme et que, sous l'action des forces psychiques qu'elle a partout déclenchées,
chaque population regarde au delà du jour et s'interroge sur
son destin ! » Or, la France, je le déclare, a choisi de conduire
par la route des temps nouveaux « les 60 millions d'hommes qui
se trouvent associés à ses 42 millions d'enfants. » — Pourquoi ?
« En premier lieu, parce qu'elle est la France... Ensuite, parce
que c'est dans ses terres d'outre-mer et dans leur fidélité
qu'elle a trouvé son recours et sa base de départ pour sa
libération... Enfin, parce qu'elle est, aujourd'hui, animée...
d'une volonté ardente de renouveau. »

La conférence commence, alors, ses travaux. Ceux-ci aboutiront à des propositions qui seront surtout d'ordre administratif, social et culturel. Car la réunion des gouverneurs ne
peut, évidemment, trancher les questions constitutionnelles

que pose la transformation de l'Empire en Union française.
Mais la route est tracée qu'il n'est que de suivre. L'esprit a
soufflé qui, si on le veut, fera de cette réforme une œuvre
nationale à l'échelle universelle. Nul ne s'y trompe dans le
monde dont, soudain, l'attention s'est fixée sur Brazzaville.
Cela s'est produit du seul gré de la France, au moment où
sa puissance renaissante et sa confiance ranimée la mettent
en mesure d'octroyer ce que nul n'oserait encore prétendre
lui arracher. Ayant donné l'accolade à Éboué qui, épuisé par
trop d'efforts, mourra trois mois plus tard sans avoir vu la
libération, puis, quittant la capitale de l'Afrique équatoriale
et volant par Bangui, Fort-Lamy, Zinder, Niamey, Gao, je
regagne Alger où, sur mon toit, flotte une bannière dont nul
ne doute plus qu'elle soit celle de la légitimité.

Mais ce qui est acquis dans les faits doit être marqué dans
les termes. Il est temps que le gouvernement prenne le nom
qui lui revient. Malgré d'affreux déchirements, j'aurai jusqu'à
l'extrême limite laissé subsister l'espoir, qu'un jour, cette
proclamation pourrait se faire dans l'unanimité nationale et
donner lieu au regroupement de l'État avant que les événements aient, à tout jamais, tranché. A certains des hommes
qui se crurent, naguère, investis de l'autorité publique en assu-
mant l'abandon national, j'aurai, pendant quatre longues et
terribles années, ménagé la possibilité de dire un jour : « Nous
nous sommes trompés. Nous rallions l'honneur, le devoir, le
combat. Nous voici, avec les apparences de qualification que
peuvent nous laisser les formes de la légalité, accompagnés
par ceux qui, sans avoir rien fait d'indigne, nous suivent encore par discipline et fidélité. Quoi que l'ennemi puisse nous
le faire payer, nous donnons l'ordre de le combattre, par tous
moyens, là où il se trouve. A plus tard, si vous le voulez bien,
le verdict de la politique, de la justice et de l'Histoire ! Pour
le suprême effort, faites-nous place à vos côtés, au nom de
l'unité et du salut de la France ! »

Mais ce cri n'a pas retenti. « Il y a, de par le monde, plus
de repentirs que d'aveux. » Or, d'un jour à l'autre, les armées
de la libération vont aborder le sol de la patrie. Pour le pays
et pour l'univers, il importe et il est urgent que notre pouvoir,
tel qu'il est, s'affirme jusque dans son titre le détenteur de
tous les droits que confère le choix du peuple. Le 7 mai, à
Tunis, je déclare : « A ceux qui supposent, qu'à la libération,
la France pourrait en revenir à l'époque féodale et se répartir
entre plusieurs gouvernements, nous leur donnons rendez-

vous, un jour prochain, à Marseille sur la Canebière, à Lyon
sur la place Bellecour, à Lille sur la Grand-Place, à Bordeaux
sur les Quinconces, à Strasbourg sur le cours de Broglie, à
Paris quelque part entre l'Arc de Triomphe et Notre-Dame ! »
Le 15 mai, j'accueille une motion, votée à l'unanimité par
l'Assemblée consultative sur la proposition d'Albert Gazier
et qui sera traduite en ordonnance le 3 juin 1944. Au moment
même où je m'envole pour l'Angleterre, d'où partira, trois
jours après, l'assaut libérateur, le Comité de la libération nationale devient le Gouvernement provisoire de la République
française.

DIPLOMATIE

La diplomatie, sous des conventions de forme, ne connaît
que les réalités. Tant que nous étions dépourvus, nous pouvions
émouvoir les hommes ; nous touchions peu les services. Mais,
aujourd'hui, l'unité française renaissante, cela pèse et cela
compte. A mesure, la France réapparaît dans les perspectives
du monde. Pas plus que les Français ne doutent, désormais,
du salut de leur pays, les alliés ne contestent qu'on doive,
un jour, lui rendre sa place. En prévision de cette échéance,
voici que leur politique se préoccupe notablement de nous.

Au reste, notre concours leur est, chaque jour, plus appréciable. Sans nos troupes, la bataille de Tunisie se fût, d'abord,
soldée par un échec. Bientôt, l'action des Français dans le
secteur décisif déterminera la victoire d'Italie. Quant à la
lutte prochaine en France, gouvernements et états-majors
escomptent la part qu'y prendront nos forces de l'intérieur,
l'armée venue de l'Empire et ce qu'il nous reste de flotte.
Et de quel prix sont, pour les alliés, la disposition de nos bases
d'Afrique et de Corse et l'aide efficace qu'ils y trouvent !
Encore notre présence à leurs côtés constitue-t-elle un atout
moral considérable. C'est pourquoi, la France, son intérêt,
son sentiment, ne laissent pas de jouer un rôle de plus en plus
important dans la façon dont ils traitent les affaires.

Cependant, s'ils se soucient de nous, Washington, Londres
et Moscou limitent les rapports officiels à ce qui est indispensable. Pour les États-Unis, qui redoutent les enchevêtrements
de l'Europe et projettent d'y régler quelque jour la paix par
arrangement direct avec la Russie des Soviets, l'admission
de la France dans le concert des dirigeants contrarierait leurs
desseins. Déjà, la présence anglaise leur paraît souvent intem-
pestive, en dépit du soin que prend Londres de ne point gêner
l'Amérique. Mais que de difficultés si la France en était aussi
avec ses principes et ses ruines ! Elle y serait, au surplus,

comme le porte-parole des moyennes et des petites nations.
Comment, dès lors, obtenir des Soviets cette coopération à
quoi rêve la Maison Blanche et dont le prix sera forcément
le sacrifice de l'indépendance des États de la Vistule, du Danube, des Balkans? Quant à l'Asie et à ses marches, c'est le
plan américain qu'il y soit mis fin aux empires des nations
européennes. Pour les Indes, la question est déjà virtuellement tranchée. Pour l'Indonésie, on ne croit pas que la Hollande puisse tenir tête. Mais, pour l'Indochine, comment
faire si les Français ranimés se retrouvent parmi les grands?
Aussi, tout en constatant volontiers notre redressement, tout
en s'entendant avec nous lorsque cela est utile, Washington
affectera, aussi longtemps que possible, de considérer la France
comme une jachère et le gouvernement de Gaulle comme un
accident incommode, auquel n'est pas dû, en somme, ce que
l'on doit à un État.

L'Angleterre ne se laisse pas aller à des façons aussi sommaires. Elle sait que la présence, la puissance, l'influence de
la France seront demain, comme elles l'étaient hier, nécessaires à l'équilibre. Elle n'a jamais pris son parti du renoncement français qu'était Vichy et qui lui a coûté cher. Son
instinct et sa politique souhaitent que la France reparaisse
sous la forme du partenaire d'antan, maniable et bien connu.
Mais, à quoi bon précipiter les choses? La victoire est, désormais, certaine et il est acquis que les forces françaises aideront
les alliés de tous leurs moyens. Quant aux règlements successifs, peut-être vaudrait-il mieux que la France y participât,
mais ce serait à la condition qu'elle le fasse à titre auxiliaire,
qu'elle s'incline devant le jeu américain auquel se prête la
Grande-Bretagne. Or, le général de Gaulle s'en tiendrait-il à
cette plasticité? Rien n'est moins sûr. A tout prendre, il est
avantageux que la souveraineté de la France demeure quelque
peu nébuleuse. D'autant plus que cette imprécision pourra
être mise à profit pour en finir, en Orient, avec ce qui subsiste
de l'ancienne concurrence française.

La Russie soviétique observe, calcule et se méfie. Assurément, tout porte le Kremlin à désirer qu'il renaisse une France
capable de l'aider à contenir le monde germanique et de rester
indépendante à l'égard des États-Unis. Mais rien ne presse.
Pour le moment, il faut vaincre, obtenir que le second front
s'ouvre depuis la Manche jusqu'à l'Adriatique, ne pas prendre
une position politique trop différente de celle des Anglo-
Saxons. D'ailleurs, si la France du général de Gaulle devait

être associée directement aux règlements européens, accep-
terait-elle de voir disparaître l'indépendance de la Pologne,
de la Hongrie, des États balkaniques et, qui sait? de l'Autriche
et de la Tchécoslovaquie? Enfin, la France de demain, que
sera-t-elle? Sa situation intérieure influera grandement sur sa
politique au-dehors, notamment vis-à-vis des Soviets. Qui
peut assurer qu'elle ne leur sera pas hostile sous l'action des
mêmes éléments qui ont créé Vichy? A l'opposé, n'est-il pas
concevable que les communistes accèdent au pouvoir à Paris?
Dans un cas comme dans l'autre, mieux vaudrait n'avoir
pas fait trop d'avances au Gouvernement d'Alger. Bref, tout
en nous marquant une prévenante compréhension, la Russie,
quant au fond des choses, croit qu'il faut attendre et voir.

En somme, si, à Washington, à Londres, à Moscou, les
chancelleries diffèrent dans leurs arrière-pensées, elles sont
d'accord pour nous réserver notre place sans se hâter de nous
la rendre. Quant à de Gaulle, qu'il soit le guide et le symbole
du relèvement de la France, on en prend acte. Mais on tient
pour essentiel que son action soit contenue. Déjà, le fait qu'il
soit en voie de rassembler un peuple aussi divisé que le sien
et qu'il ait pu constituer un pouvoir solide et cohérent semble
aux experts étrangers anormal, voire scandaleux. On veut
bien que, sous cette impulsion, la France sorte de l'abîme.
Mais il ne s'agirait pas qu'elle parvienne jusqu'aux sommets.
Officiellement, on traite donc de Gaulle avec considération,
non point avec empressement. Officieusement, on encourage
ce qui se dit, s'écrit, se trame à l'encontre du Général. Plus
tard, on fera tout pour retrouver cette France politique, si
malléable du dehors, dont on avait l'habitude.

Pour moi, il me faut le dire, je m'inquiète peu de voir la
situation diplomatique du Gouvernement d'Alger demeurer
encore imprécise. Par rapport à ce qui était, j'ai l'impression
que le plus fort est fait et que, si nous persévérons, les formalités qui restent à accomplir le seront, tôt ou tard, par surcroît.
En outre, il ne convient pas que ce que nous sommes ou allons
être dépende du choix des autres. Dès à présent, nous nous
trouvons suffisamment établis pour nous faire entendre où et
quand bon nous semble. Quant à l'avenir de la France, il est
en elle-même, non point dans les convenances des alliés. Une
fois le Reich abattu, compte tenu des difficultés qui étreindront
les plus grands États, rien n'empêchera la France de jouer le
rôle qu'elle voudra, à condition qu'elle le veuille. La certitude
que j'en ai me porte à considérer avec détachement la grise

mine des alliés. Sans leur cacher que je regrette, au point
de vue de l'action commune, les réserves qui marquent leur
collaboration, la position que je prends n'est jamais celle du
demandeur.

Sans doute, à Alger, Massigli, qui est en contact permanent
avec le corps diplomatique et qui, de par sa profession, souffre
particulièrement d'une position extérieure mal définie ; à
Londres, Viénot, qui toute sa vie fut un apôtre de l'alliance
britannique et qui s'attriste de rencontrer la réticence de
l'Angleterre ; à Washington, Monnet, dont les négociations
« pour l'aide et le relèvement » ne peuvent être menées à
terme parce que la question des rapports franco-américains
est toujours en suspens, ou bien Hoppenot, dont l'intelligence
et la sensibilité déplorent le parti pris négatif des États-Unis ;
à Moscou, Garreau, qui compare les déclarations faites en faveur de la France par les commissaires du peuple avec leurs
actes circonspects, ont-ils moins de sérénité. Je les laisse le
montrer, à l'occasion. Je sympathise avec l'impatience ressentie par nos représentants chez les autres alliés : Dejean,
délégué auprès des États réfugiés en Grande-Bretagne ; Baelen, chargé de nos rapports avec les gouvernements hellénique
et yougoslave installés au Caire ; Coiffard à Tchoung-King ;
Bonneau à Ottawa ; Pechkoff, puis Grandin de l'Éprevier,
à Prétoria ; Clarac, puis Monmayou, à Canberra ; Garreau-
Dombasle, Ledoux, Lancial, Arvengas, Raux, Casteran,
Lechenet, en Amérique latine ; Grousset à La Havane ; Milon
de Peillon à Port-au-Prince. Je mesure tout ce qu'a d'ardu
la condition de nos délégués dans les pays neutres : Truelle
en Espagne ; du Chayla au Portugal ; de Saint-Hardouin en
Turquie ; de Benoist en Égypte ; de Vaux Saint-Cyr en Suède ;
de Leusse en Suisse ; de Laforcade en Irlande. Toutefois, je
m'en tiens moi-même, délibérément, à l'attitude d'un chef
d'État prêt à s'entendre avec les autres s'ils viennent le lui
demander, mais qui n'a rien à solliciter de ce qu'on pourrait
lui offrir aujourd'hui, parce qu'il est sûr de l'avoir demain.

Telles sont les données du jeu. On le voit dans l'affaire italienne, où, en vertu du principe de la cote mal taillée, les alliés
nous tiennent à l'écart sans, cependant, nous exclure. Le
27 septembre 1943, les représentants de l'Angleterre et des
États-Unis apportent à Massigli le texte complet de l'armistice qui doit être, le jour même, remis pour signature au
maréchal Badoglio. Les diplomates anglo-saxons font observer — ce qui est vrai — que ce texte a tenu compte de ce

que nous avions antérieurement demandé. Mais ils ne trouvent rien à répondre à la question du ministre français : « Pourquoi n'y associez-vous pas la France? » Quelques jours après, Badoglio déclarera la guerre au Reich avec l'approbation conjointe de la Grande-Bretagne, de l'Amérique, de la Russie, sans qu'il soit question de la nôtre. En même temps, nous apprendrons qu'une conférence va s'ouvrir à Moscou, pour traiter du problème italien, entre les ministres des Affaires étrangères britannique, américain et russe et que nous n'y sommes pas invités.

A M. Cordell Hull, qui passe à Alger en route pour la conférence, je me garde de faire entendre la moindre récrimination, mais je marque qu'on n'aura pas pour rien ce que nous sommes et ce que nous avons. « Nous nous félicitons, lui dis-je, de vous voir prendre directement contact, pour votre compte, avec la Russie soviétique. De mon côté, je me propose d'aller, quelque jour, à Moscou pour le compte de la France. » Comme le secrétaire d'État s'enquiert de notre position au sujet des questions italiennes, je réponds : « Nous ne manquerons pas de préciser notre point de vue quand nous serons en mesure de connaître celui des autres. »

M. Cordell Hull m'indique, alors, qu'à Moscou on décidera probablement de créer une commission interalliée pour les affaires italiennes. «Peut-être, ajoute-t-il, en ferez-vous partie.» — « Nous verrons ! lui dis-je. En tout cas, pour décider du sort de la péninsule, il est, d'abord, nécessaire de reprendre son territoire aux Allemands, ce qui implique le concours des forces et des bases françaises. Ce concours, je sais qu'Eisenhower projette de nous le demander. Nous sommes disposés à le prêter. Mais pour cela il faut, évidemment, que nous décidions avec vous et au même titre que vous de ce que deviendra l'Italie. Nous ne saurions engager nos soldats que pour un but qui soit le nôtre. » M. Cordell Hull comprit qu'il se trouvait devant une position fermement tenue. M. Eden le comprit aussi, que je vis le 10 octobre. M. Bogomolov, quant à lui, avait pris les devants en m'expliquant que la commission de la Méditerranée était une idée soviétique et que son gouvernement exigerait qu'on nous y invitât.

De fait, le 16 novembre, Massigli recevait MM. MacMillan, Murphy et Bogomolov. Ceux-ci l'informaient que leurs trois gouvernements avaient l'intention d'instituer une « Commission consultative pour les affaires concernant l'Italie ». Cette commission représenterait sur place l'ensemble des alliés, proposerait aux gouvernements les mesures à prendre en commun et donnerait, en leur nom, des directives au commandement militaire pour tout ce qui se rapportait à la politique et à l'administration. Il nous était demandé d'en faire partie. Le Comité de la libération accepta la proposition. Le 29 novembre, je reçus M. Vichynsky qui venait m'assurer du désir de son gouvernement de collaborer étroitement avec nous au sein de la commission. Celle-ci, composée de MacMillan, Massigli, Murphy et Vichynsky, commença alors ses travaux. Bientôt, Couve de Murville y remplacerait Massigli absorbé par son ministère. Ainsi serions-nous tenus directement au courant de ce qui se passait dans la péninsule. Ainsi prendrions-nous part aux mesures destinées, soit à sanctionner la faute de l'Italie, soit à lui permettre de surmonter son malheur. Ainsi serions-nous à même d'y mener notre politique, essentielle pour son destin, pour le nôtre et pour l'Occident.

Cette politique, je l'exposai au comte Sforza, qui, un soir d'octobre, se glissa dans mon bureau de la villa des *Oliviers*. Le vieil homme d'État regagnait l'Italie après vingt années d'exil. Sur les ruines du système fasciste, qu'il n'avait pas cessé de combattre, il s'apprêtait à diriger la politique étrangère de son infortuné pays. Je fus frappé de la noblesse et du courage avec lesquels Sforza envisageait sa tâche prochaine. « Que je sois ici devant vous, me dit-il, c'est la preuve de ma volonté de faire tout pour fonder cette coopération franco-italienne dont vous et nous payons cher le fait de l'avoir manquée et dont notre Europe va avoir, plus que jamais, besoin. » J'indiquai au comte Sforza que, sur ce point capital, je pensais tout comme lui, mais, qu'après ce qui s'était passé, la réconciliation avec l'Italie ne pourrait lui être complètement gratuite, quelle que fût notre intention de la ménager autant que possible.

Liquider les privilèges dont jouissaient, en Tunisie, les ressortissants italiens ; attribuer à la France les cantons de Tende et de la Brigue qui, quoique français, avaient été laissés à l'Italie après le plébiscite de 1860 ; rectifier la frontière aux cols de Larche, du mont Genèvre, du mont Cenis, du Petit-Saint-Bernard, pour effacer sur notre versant quelques empiétements fâcheux ; faire octroyer au Val d'Aoste le droit d'être ce qu'il est, c'est-à-dire un pays mentalement français ; exiger certaines réparations, notamment en fait de navires de guerre et de commerce, voilà les avantages, très limités mais très précis, que j'avais résolu d'assurer à la France.

Étant donné, d'autre part, que la Yougoslavie avait joint
le camp des alliés et compte tenu de l'effort que les troupes
du général Mikhaïlovitch et celles de Tito n'avaient pas cessé
de fournir, il était clair que l'Italie ne pourrait conserver, sur
la côte Est de l'Adriatique, ses possessions d'avant-guerre.
Cependant, nous étions prêts à l'aider à garder Trieste. Ayant
fixé le comte Sforza sur tous ces points concernant les frontières italiennes, j'ajoutai : « Quant à vos colonies, si la Cyrénaïque, où les Anglais veulent se maintenir, est perdue pour
vous, si nous-mêmes entendons demeurer présents au Fezzan,
par contre nous souhaitons vous voir rester, non seulement
en Somalie, mais encore en Érythrée et en Tripolitaine. Pour
celle-ci, il vous faudra sans doute trouver un mode d'association avec les peuplades locales ; pour celle-là, vous devrez,
en échange des droits qui vous seront laissés, y reconnaître
la souveraineté du Négus. Mais nous tenons pour justifié que
vous soyez une puissance africaine. Si vous-mêmes le reven-
diquez, nous vous soutiendrons fermement. »

En décembre, à la requête du général Eisenhower, le Comité
de la libération porta en Italie les premiers éléments du Corps
expéditionnaire français. Celui-ci devait, ensuite, se renforcer
jusqu'à fournir l'action décisive des alliés lors de la bataille
pour Rome. A mesure que grandissait cette participation militaire, nous parlions plus haut dans le domaine politique. Il
le fallait, d'ailleurs. Car les Anglo-Saxons, appliquant à l'Italie
un système d'expédients et maintenant en place le roi Victor-
Emmanuel et le maréchal Badoglio, barraient la voie à la
réconciliation franco-italienne et accumulaient dans la péninsule des mobiles de révolution.

Le roi avait, en 1940, laissé déclarer la guerre à la France au
moment où elle succombait sous la ruée germanique, à cette
France dont, en 1859, l'effort sanglant libérait l'Italie et assurait son unité et dont, en 1917, l'armée avait concouru à
enrayer sur la Piave le désastre de Caporetto. Il avait accepté
et subi Mussolini jusqu'à l'instant où le Duce succomba sous
les événements. Badoglio avait, par la seule vertu de la victoire allemande, fait signer aux plénipotentiaires de Pétain
et de Weygand un « armistice » d'après lequel les Italiens
occupaient une partie du territoire français et contrôlaient les
forces de notre Empire. D'autre part, c'est du régime fasciste
que le maréchal-premier-ministre tenait ses honneurs et son
commandement. Comment ce souverain et ce chef de gouvernement auraient-ils pu organiser la coopération de leur pays

avec le nôtre et conduire l'Italie dans une voie nouvelle? C'est ce que le Comité de la libération notifia, le 22 janvier 1944, à Washington, à Londres et à Moscou, en déclarant qu'il fallait faire place nette sur le trône et au gouvernement.

Aux mois de mars, mai et juin, m'étant moi-même rendu en Italie pour inspecter nos troupes, je pus y voir, notamment à Naples, beaucoup de signes inquiétants. Le spectacle qui s'y offrait était celui d'une extrême misère et des lamentables effets qu'entraînait, quant à la moralité publique, le contact d'occupants bien pourvus. Comme chrétien, latin, européen, je ressentis cruellement le malheur de ce grand peuple, qu'une erreur avait dévoyé mais à qui le monde devait tant. Peut-être la foule italienne eut-elle instinctivement la notion de mes sentiments. Peut-être, dans son épreuve, la pensée de la France lui était-elle plus familière, comme il arrive aux pays malheureux. Toujours est-il que j'eus la surprise de voir, quand je me montrais, accourir des groupes enthousiastes et d'entendre leurs acclamations. Couve de Murville, notre représentant, très au courant et très assuré, me fit le tableau de l'Italie politique, déchirée par des courants contraires et dont on sentait déjà que le destin se jouerait entre le communisme et la papauté. Au cours de ces voyages, je dus, quoique avec regret, refuser de rencontrer Umberto et Badoglio. Je n'admettais pas, en effet, que le père du prince continuât à détenir la couronne et que le maréchal fût encore le chef du gouvernement.

Mais, tandis qu'à l'Occident de la Méditerranée nous commencions à cueillir les fruits d'un long effort, à l'Orient c'étaient des déboires qu'il nous fallait essuyer. Dans les États du Levant, l'agitation des politiciens locaux, utilisée par la Grande-Bretagne, organisait contre nous une crise spectaculaire, afin de tirer parti, quand il en était temps encore, de la situation diminuée de la France.

Le Liban, cette fois, servit de champ à l'opération. Les élections y avaient eu lieu en juillet 1943. Après une période qui avait vu tant d'événements désastreux pour le prestige de la France, la chambre nouvelle manifestait naturellement un nationalisme effréné. Les Anglais, ayant fortement contribué au résultat électoral, voulaient maintenant le mettre à profit. Auprès de M. Béchara Khoury, élu Président de la République, et du Gouvernement de M. Riad Solh, Spears faisait figure d'adversaire de la France, poussait à la surenchère et promettait, quoi qu'il arrivât, la protection britannique.

Il faut dire que l'action de Spears en Syrie et au Liban répondait à l'ensemble de la politique que la Grande-Bretagne entendait mener en Orient dans la phase ultime de la guerre. La fin victorieuse des opérations en Afrique avait rendu disponibles de nombreux effectifs anglais. Tandis qu'une fraction de ceux-ci allait combattre en Italie, une autre s'installait sur les deux rives de la mer Rouge. Sept cent mille soldats britanniques occupaient l'Égypte, le Soudan, la Cyrénaïque, la Palestine, la Transjordanie, l'Irak et les États du Levant. Londres avait, d'autre part, créé au Caire un « Centre économique », qui, grâce au jeu des crédits, au monopole des transports, aux impératifs du blocus, disposait de tous les échanges extérieurs des pays arabes, c'est-à-dire, par le fait, de la vie des populations, de l'opinion des notables, de l'attitude des gouvernements. Enfin, sur place, la présence d'une armée de spécialistes pourvus de vastes moyens financiers et, dans le monde, l'action d'une diplomatie et d'une propagande parfaitement organisées complétaient les éléments de puissance grâce auxquels l'Angleterre, débarrassée en Orient de la menace de ses ennemis, comptait s'y affirmer comme l'unique suzeraine.

Nous n'étions pas en état d'équilibrer une pression pareille. Trois bataillons sénégalais, quelques canons, quelques chars, deux avisos, une quinzaine d'avions, voilà tout ce qu'il y avait de forces françaises au Levant. S'y ajoutaient, il est vrai, les troupes syriennes et libanaises, soit 18 000 bons soldats placés sous notre commandement. Mais quel serait leur comportement si les gouvernements de Damas et de Beyrouth prenaient, à notre égard, une position nettement hostile ? D'ailleurs, notre extrême pauvreté ne nous permettait pas d'offrir quoi que ce fût à qui que ce fût. Quant à lutter contre le flot des informations tendancieuses que toutes les sources anglo-saxonnes ne manqueraient pas, le cas échéant, de déverser sur le monde, c'était hors de nos possibilités. Pardessus tout, la libération de la France étant maintenant à l'horizon, il n'y aurait pour moi, en aucun cas, aucun moyen de pousser les Français et, pour commencer, mes ministres à aucune autre entreprise. Au total, nous étions trop démunis et trop absorbés pour pouvoir réprimer sur place les atteintes qui seraient portées à la position de la France.

Or, le fait se produisit dans le courant de novembre. Le gouvernement de Beyrouth se trouvait, pour des raisons d'ordre intérieur, dans une situation parlementaire difficile.

Pour faire diversion, M. Riad Solh président du Conseil et
M. Camille Chamoun ministre des Affaires étrangères dres-
saient bruyamment les revendications libanaises contre la
puissance mandataire. Notre délégué-général au Levant, l'ambassadeur Jean Helleu, qui voyait venir la crise, s'était rendu
à Alger pour rendre compte au gouvernement. Le 5 novembre,
il me fit son rapport en présence de Catroux et de Massigli
et reçut nos instructions. Celles-ci l'invitaient à jeter du lest
et à ouvrir des négociations à Beyrouth et à Damas en vue
de transférer aux gouvernements locaux certains services
concernant l'économie et la police que l'autorité française
avait, jusqu'alors, détenus.

Mais, en même temps, Helleu se voyait confirmer notre
position de principe au sujet du mandat, lequel, confié à
la France par la Société des Nations, ne pourrait être déposé
que devant les futures instances internationales et par des
pouvoirs français qui ne seraient plus provisoires. C'était la
position que nous avions toujours fait connaître aux alliés,
notamment à la Grande-Bretagne, sans en avoir reçu jamais
aucune objection de principe. Juridiquement, si l'indépendance de la Syrie et du Liban avait une valeur internationale,
c'est parce que nous-mêmes la leur avions octroyée en vertu
de notre mandat. Mais, pour les mêmes raisons, nous nous
trouvions obligés de conserver au Levant certaines responsabilités résultant de l'état de guerre. Eu égard à la tragédie
qui faisait haleter l'univers, nous estimions que les gouvernements de Damas et de Beyrouth pouvaient attendre qu'elle
fût terminée pour voir régler les dernières formalités qui limi-
taient encore la souveraineté des États. Il n'y a pas de
doute qu'ils eussent, en effet, attendu si Londres n'avait pas
encouragé leurs exigences et offert, pour les imposer, l'appui
des forces britanniques.

Tandis qu'Helleu était à Alger, le parlement libanais amen-
dait la constitution en en faisant disparaître tout ce qui précisément se rapportait au mandat, comme s'il était aboli. Du
Caire, où il passait en regagnant son poste, l'ambassadeur
avait télégraphié au gouvernement de Beyrouth, lui annonçant qu'il était porteur d'instructions de son gouvernement
pour l'ouverture de négociations et lui demandant de surseoir
à la promulgation de la nouvelle loi constitutionnelle. Mais les
Libanais passaient outre. Alors, Helleu, rentré à Beyrouth
et indigné de cette provocation, opposait, le 12 novembre,
son veto à la constitution, suspendait le parlement et faisait

arrêter le chef de l'État libanais, le président du Conseil et plusieurs ministres, tandis que M. Émile Eddé devenait, à titre provisoire, président de la République.

Tout en jugeant parfaitement justifiables les mesures prises par notre délégué et, surtout, les sentiments qui les lui avaient dictées, le Comité de la libération eut aussitôt la conviction qu'elles dépassaient ce que la situation générale lui permettait de soutenir. D'autant plus que, sans renoncer au principe du mandat, nous n'entendions pas remettre en cause l'indépendance déjà concédée. C'est pourquoi, dès le 13 au matin, mis au courant de ce qui venait de se passer la veille à Beyrouth, nous prîmes la décision d'y envoyer le général Catroux avec la mission de rétablir une situation constitutionnelle normale, sans toutefois désavouer Helleu. Cela signifiait que Catroux, après consultations sur place, ferait élargir Khoury, Riad Solh et leurs ministres et rétablirait le Président dans ses fonctions. Après quoi, serait reformé le Gouvernement libanais ; la Chambre des députés devant être rappelée en dernier lieu. Quant à notre délégué, sa présence au Levant n'aurait pas de raison d'être dès lors que Catroux s'y trouverait avec pleins pouvoirs. Nous l'appellerions donc à Alger « en consultation » dans un délai de quelques jours.

Pour que nul ne pût se méprendre sur l'objet de la mission Catroux, je fis moi-même, le 16 novembre, à l'Assemblée consultative une apaisante déclaration. « Ce qui s'est passé à Beyrouth, déclarai-je, n'altère ni la politique de la France au Liban, ni les engagements que nous avons pris, ni notre volonté de les tenir. Notre intention consiste à voir s'établir au Liban une situation constitutionnelle normale, afin que nous puissions traiter de nos affaires communes avec son gouvernement, lui et nous en toute indépendance. » Je concluais, en disant : « Le nuage qui passe n'obscurcira pas l'horizon. » Le lendemain, Catroux, traversant Le Caire, voyait M. Casey ministre d'État britannique et lui indiquait qu'il ferait incessamment remettre en liberté MM. Khoury et Riad Solh. Le 19 novembre, arrivé à Beyrouth, il avait un entretien avec M. Béchara Khoury, prenait acte des assurances d'amitié fidèle à la France que lui prodiguait le Président et annonçait à celui-ci qu'il allait être élargi et remis en place. Personne, dès lors, ne pouvait douter de notre volonté « d'enchaîner » au plus tôt et d'adopter une conciliante solution.

Mais la politique britannique ne s'accommodait pas de cet

accommodement. Tout se passa comme si Londres s'appliquait
à jeter de l'huile sur le feu pour faire croire que l'arrangement
que nous cherchions au Liban nous était arraché par l'intervention anglaise et, peut-être aussi, pour prendre une revanche
sur de Gaulle après le remaniement tout récent du Comité de
la libération. Déjà le 13 novembre, M. Makins, remplaçant
M. MacMillan absent, était venu remettre à Massigli une note,
« verbale » mais comminatoire, réclamant la réunion immédiate
d'un conférence anglo-franco-libanaise destinée à régler l'incident et déclarant qu'aux yeux du Gouvernement britannique
nous devions révoquer Helleu. Mais, le 19, alors qu'il était
prouvé depuis plusieurs jours que le chemin adopté par nous
était celui de l'entente, l'Angleterre lança ses foudres. Ce ne
pouvait plus être, évidemment, qu'à l'intention de la galerie
et pour créer l'impression d'une humiliation de la France.

Ce jour-là, en effet, M. Casey vint à Beyrouth et, flanqué
du général Spears, remit au général Catroux un ultimatum
pur et simple. La Grande-Bretagne, sans se soucier de l'alliance
qui nous unissait, des engagements qu'elle avait pris quant à
son désintéressement politique dans les États du Levant, des
accords qu'en son nom M. Oliver Lyttelton avait signés avec
moi, mettait le représentant de la France en demeure d'accepter
la conférence tripartite et de rendre la liberté, dans un délai
de trente-six heures, au Président et aux ministres libanais.
Faute de quoi, les Britanniques, sous prétexte de maintenir
l'ordre — lequel ne leur incombait pas — proclameraient ce
qu'ils appelaient « la loi martiale », s'empareraient du pouvoir
par la force et enverraient leurs troupes libérer, par tous les
moyens, les détenus gardés par nos soldats.

« Nous voici revenus au temps de Fachoda, » dit le général
Catroux à MM. Casey et Spears. Il y avait, toutefois, cette
différence que la France, lors de Fachoda, était en mesure
d'aller jusqu'au conflit avec l'Angleterre, mais que, pour le
moment, celle-ci n'en courait pas le moindre risque. Le Comité
de la libération prescrivit au général Catroux de refuser la
conférence tripartite, de libérer, comme il avait été convenu,
M. Khoury et ses ministres et, si l'Angleterre mettait à exécution sa menace de saisir l'autorité du Liban, de réunir dans un
port nos fonctionnaires et nos troupes et de les ramener en
Afrique. Je me chargerais, alors, d'expliquer à la France et au
monde les raisons de ce départ.

En définitive, une sorte de *modus vivendi* se rétablit au
Levant. Les Anglais mettant une sourdine à leurs menaces ;

le général Catroux négociant, à Damas et à Beyrouth, l'attribution aux États des services « d'intérêt commun » ; les gouvernants continuant de chanceler et de surenchérir au milieu de l'agitation créée par ceux qui voulaient leur place ; les « leaders » des pays arabes voisins faisant, pour les mêmes raisons, assaut de protestations dirigées contre la France. Ainsi en était-il : au Caire, de Nahas-Pacha imposé au roi Farouk comme Président du Conseil par l'ambassadeur d'Angleterre ; à Bagdad, de Noury Pacha Saïd qui n'était revenu au pouvoir que grâce à l'action des troupes britanniques ; à Amman, de l'émir Abdullah dont le budget se bouclait à Londres et dont l'armée avait pour chefs le général Peake et le colonel Glubb, dits « Peake-pacha » et « Glubb-pacha ».

En février, Catroux étant revenu à Alger, le Comité de la libération nomma le général Beynet délégué-général et plénipotentiaire de France au Levant. Helleu n'y retournait pas. Casey avait quitté Le Caire ; Chamoun, Beyrouth. Spears, lui, demeurait en place, préparant la crise future. Avec beaucoup d'habileté et de fermeté, le nouveau représentant de la France reprit en main la situation. Cependant, il était clair qu'un tour de force constamment renouvelé ne pourrait se répéter toujours. D'autant moins que nos pauvres moyens, la passion douloureuse de l'opinion française, l'attention de l'univers, s'absorberaient dorénavant dans les événements guerriers qui décidaient du sort de l'Europe.

A cet égard, la politique, prenant de l'avance sur les faits, s'orientait partout vers ce qui suivrait la victoire. Dans le camp des alliés, c'était le cas avant tout pour les moyens et petits États. A Alger, nous ne percevions guère que l'écho des débats dont ils étaient les enjeux, puisque leurs souverains et leurs ministres résidaient à Londres, que leur diplomatie tentait d'agir surtout à Washington et que leur propagande se déployait principalement dans les pays anglo-saxons. Pourtant, nous en savions assez pour connaître leurs angoisses. Rien, d'ailleurs, ne démontrait, plus clairement et plus tristement, qu'hier la chute de la France, aujourd'hui le parti pris des trois autres grandes puissances de la tenir à l'écart, hypothéqueraient gravement, demain, la paix qui se préparait.

A vrai dire, les Belges et les Luxembourgeois, bien encadrés dans l'Occident, ne doutaient pas qu'à la libération leurs frontières et leur indépendance leur seraient rendues sans conteste. Les problèmes avec lesquels ils se trouveraient, alors, confrontés seraient d'ordre économique. La France ruinée,

l'Angleterre elle-même très éprouvée, ne pourraient les aider
à les résoudre qu'après des délais prolongés. Dans l'immédiat, c'est sur l'Amérique qu'ils comptaient. Aussi voyait-on
MM. Spaak, Gutt et Bech hanter les conférences d'Atlantic-
City, de Hot-Springs, de Dumbarton Oaks, où se bâtissaient les
plans des États-Unis pour le ravitaillement, la reconstruction
et le développement de l'Europe, tandis que M. de Romrée,
ambassadeur de Belgique auprès du Comité français de la libération, s'intéressait principalement aux projets concernant une
confédération de l'Europe occidentale. Les Hollandais, qui,
eux non plus, n'avaient guère de soucis politiques au sujet de
leur métropole, en éprouvaient par contre de grands quant à
l'avenir de leurs possessions d'Australasie. Dès à présent, leur
gouvernement subissait la pression américaine, qui un jour
les contraindrait à renoncer à leur souveraineté sur Java,
Sumatra, Bornéo. Les propos du ministre plénipotentiaire de
Hollande M. Van Wijk, comme les rapports que Dejean nous
adressait de Londres, montraient M. Van Kleffens prévoyant
avec amertume que la victoire des alliés dans le Pacifique
entraînerait la liquidation de l'Empire néerlandais. Les Norvégiens, eux, croyaient déjà sentir, à travers la Suède neutre
et la Finlande virtuellement vaincue, le poids écrasant de
toutes les Russies. Aussi M. Trygve-Lie élaborait-il, déjà, des
plans d'alliance atlantique dont venait nous entretenir M. de
Hougen ministre de Norvège à Alger. Mais c'étaient surtout
les gouvernements réfugiés de l'Europe centrale et balkanique
qui manifestaient leur trouble. Car, voyant que sur leur territoire la présence des Soviétiques succéderait à celle des Allemands, ils étaient dévorés par la crainte du lendemain.

    La conférence de Téhéran, qui se tint au mois de dé-
cembre 1943, ne fit qu'attiser leurs alarmes. Sans doute, les
participants : Roosevelt, Staline et Churchill, s'étaient-ils
répandus en déclarations lénitives, affirmant que l'objet de
leur réunion n'était que d'ordre stratégique. Mais ce qui en
avait filtré ne rassurait pas du tout les gouvernements en exil.
A travers les secrets officiels, ils n'étaient pas sans discerner
ce qui, à Téhéran, s'était passé d'essentiel. Staline y avait
parlé comme celui à qui l'on rendait compte. Sans révéler
aux deux autres le plan russe, il avait obtenu que le leur lui
fût exposé et qu'on le modifiât suivant ses exigences. Roosevelt
s'était joint à lui pour repousser l'idée de Churchill d'une vaste
offensive des Occidentaux, par l'Italie, la Yougoslavie et la
Grèce, vers Vienne, Prague et Budapest. D'autre part, les

Américains s'étaient accordés avec les Soviétiques pour refuser,
malgré les suggestions britanniques, d'examiner les questions
politiques concernant l'Europe centrale, en particulier la
Pologne où, cependant, les armées russes étaient sur le point
d'entrer. Nous-mêmes avions été tenus en dehors de l'affaire,
au point que Churchill et Roosevelt, passant, l'un par le ciel
de l'Afrique du Nord française, l'autre au large de ses côtes,
pour gagner Le Caire et Téhéran, s'étaient gardés de prendre
contact avec nous.

Du coup, les perspectives, dont s'effrayaient les souverains
et les ministres des pays du Danube, de la Vistule et des Balkans, commençaient à se préciser. C'est ainsi, qu'en Grèce,
une notable partie des éléments de la résistance, noyautée
et conduite par les communistes, se groupait en une organisation, l' « E. A. M. », qui s'efforçait tout à la fois de lutter contre
l'envahisseur et de frayer la voie à la révolution. L'instrument militaire de ce mouvement, l' « E. L. A. S. », s'incorpo-
rait nombre des maquis opérant dans les montagnes hellé-
niques et pénétrait profondément les unités de l'armée et de
la flotte stationnées en Orient. Afin de garder le contact des
soldats et des marins et de communiquer plus aisément avec
l'intérieur du pays, le président du Conseil M. Tsouderos et
la plupart des ministres avaient fixé leur résidence au Caire.
Bientôt, le roi Georges II s'y était rendu, lui aussi, mais pour
assister tout justement à une crise violente. En avril 1944,
M. Tsouderos devait se retirer. Son remplaçant, M. Venizelos,
quittait à son tour la place. M. Papandreou formait, à grand-
peine, le ministère. En même temps, de graves mutineries
éclataient dans les troupes et sur les navires. Pour les réduire,
il ne fallait rien de moins que l'intervention sanglante des forces
britanniques. Bien qu'ensuite les représentants de toutes les
tendances politiques, réunis à Beyrouth, eussent proclamé
l'union nationale, les querelles reprenaient bientôt. Tout
annonçait, qu'en Grèce, la retraite des Allemands serait le
signal de la guerre civile.

En fait, les États-Unis prenaient soin de retirer d'avance
leur épingle de ce jeu. Mais les Soviets travaillaient les Hellènes,
tandis que les Britanniques, visant à l'hégémonie en Méditerranée orientale, ne cachaient pas qu'à leurs yeux les questions concernant la Grèce appartenaient à leur domaine.
Aussi le Gouvernement français n'y était-il jamais mêlé. Il
eût été, cependant, conforme à l'intérêt européen que l'influence et la force de la France y fussent conjuguées avec celles

de l'Angleterre, comme ç'avait été souvent le cas dans le passé.
Nul n'en était plus convaincu que M. Argyropoulo, représentant la Grèce auprès de nous. Ce patriote anxieux des menaces
suspendues sur son pays, ce politique convaincu qu'une Europe dont on éloignait la France avait toutes chances de
s'égarer, déplorait qu'un écran fût tendu, de l'extérieur, entre
son gouvernement et celui de la République française.

Au sujet des Yougoslaves, nos alliés procédaient de même.
Or, le royaume serbe - croate - slovène, en proie déjà avant la
guerre à des dissensions passionnées entre ses éléments ethniques, se trouvait à présent bouleversé de fond en comble.
On y avait vu les Italiens instituer un État croate et s'annexer
la Dalmatie et la province slovène de Ljubljana. On y avait
vu le colonel Mikhaïlovitch mener vaillamment la guérilla
contre les Allemands dans les montagnes de Serbie, plus tard
Joseph Broz, dit Tito, entamer la lutte de son côté sous
l'obédience communiste. On y avait vu les occupants réagir
par des massacres et des destructions d'une brutalité inouïe,
tandis que Mikhaïlovitch et Tito devenaient des adversaires.
A Londres, le tout jeune roi Pierre II et son instable gouvernement étaient en proie, non seulement aux pires difficultés
internes, mais encore à la pression impérative des Britanniques.

Ceux-ci, en effet, considéraient la Yougoslavie comme l'un
des champs principaux de leur politique méditerranéenne.
Au surplus, M. Churchill en avait fait son affaire personnelle.
Caressant le projet d'une vaste opération balkanique, il voulait que la Yougoslavie en fût la tête de pont. Une mission
militaire anglaise avait donc été envoyée, dès l'origine, auprès
de Mikhaïlovitch, que Londres pourvoyait d'armes et de
conseils. Par la suite, le Premier Ministre déléguait son fils
Randolph chez Tito. En fin de compte, donnant la préférence
à ce dernier, le Gouvernement britannique lui expédiait de
quoi équiper ses troupes. Quant à Mikhaïlovitch, il se voyait
privé de tout secours, vilipendé par la radio de Londres, voire
accusé de trahison devant les Communes par le représentant
du Foreign Office. D'autre part, en juin 1944, l'infortuné
Pierre II était sommé par M. Churchill de renvoyer le gouvernement de M. Pouritch, dont Mikhaïlovitch faisait partie
comme ministre de la Guerre, et de confier le pouvoir à
M. Soubachitch, lequel avait au préalable reçu l'investiture
de Tito. Cette manière de faire trouvait, on le comprend,
l'approbation de Moscou, tandis que M. Fotich, ambassadeur

yougoslave à Washington, ne parvenait pas à obtenir pour
son souverain l'appui des États-Unis.

Le Comité français de la libération nationale était tenu
systématiquement en dehors de ces développements. J'avais
pu, par épisodes, entrer en rapport avec le général Mikhaïlovitch, lequel de son côté marquait l'ardent désir de communiquer avec moi. Divers messages s'étaient échangés. En
février 1944, je lui décernai la croix de Guerre et en fis publiquement l'annonce afin de l'encourager au moment où le sol se
dérobait sous ses pas. Mais jamais les officiers que je tâchai
de lui envoyer, depuis Tunis ou depuis l'Italie, ne parvinrent
à le joindre. Quant à Tito, à aucun moment, nous n'en reçûmes
le moindre signe. Avec le roi Pierre II et ses ministres, je
m'étais trouvé en cordiales relations pendant mon séjour en
Grande-Bretagne. Maurice Dejean qui nous représentait auprès d'eux, M. Jodjvanovitch qu'ils déléguaient à Alger auprès
de nous, servaient d'intermédiaires pour des échanges d'opinions et d'informations. Mais, en aucune occasion, le Gouvernement yougoslave — faute d'en avoir sans doute la latitude
— ne se tourna vers nous pour demander nos bons offices.
Quant à l'Angleterre, elle ne crut pas une seule fois devoir
même nous consulter. Je me trouvai donc renforcé dans ma
résolution de consacrer directement à la libération de la
France ce que nous pouvions avoir de moyens et de ne
pas les engager dans des opérations balkaniques. Pourquoi
irions-nous fournir notre concours militaire à une entreprise
politique dont nous nous trouvions exclus ?

Si la progression des Soviets et l'action de leurs agents
faisaient subir à certains gouvernements réfugiés le supplice
de la poire d'angoisse, par contre le président Benès et ses
ministres affectaient de s'en inquiéter peu pour la Tchécoslovaquie. Non qu'au fond d'eux-mêmes ils fussent rassurés.
Mais ils jugeaient, qu'au lieu d'aller contre l'inévitable, mieux
valait en tirer parti. Leur représentant M. Cerny nous tenait,
d'ailleurs, au courant de cette manière de voir. En décembre 1943, Benès s'était rendu à Moscou et avait conclu
avec Staline un « traité d'amitié, de collaboration et d'assistance mutuelle ». Regagnant Londres, il vint à Alger, le 2 janvier. Nous reçûmes avec tous les égards possibles ce chef
d'État, qui à travers de terribles vicissitudes était toujours
resté l'ami de la France.

Benès m'informa de ce qu'avaient été ses conversations de
Moscou. Il me dépeignit Staline, réservé dans ses propos mais

résolu dans ses intentions, ayant sur chacun des problèmes européens des idées tout à la fois dissimulées et bien arrêtées. Puis, lui-même m'exposa sa politique. « Regardez la carte, dit-il. Les Russes arrivent aux Karpates. Mais les Occidentaux ne sont pas près de débarquer en France. C'est donc l'armée Rouge qui libérera mon pays des Allemands. Dès lors, pour que je puisse y établir mon administration, c'est avec Staline qu'il me faut m'accorder. Je viens de le faire et à des conditions qui n'hypothèquent pas l'indépendance de la Tchécoslovaquie. Car, d'après ce dont lui et moi avons convenu, le commandement russe ne se mêlera en rien de nos affaires politiques. »

Passant à la question d'ensemble, le Président entreprit de me démontrer comme il l'avait fait déjà en d'autres occasions, que l'État tchécoslovaque n'avait de chances de renaître que moyennant l'alliance moscovite. Il promenait le doigt sur la carte et s'écriait : « Voici la région des Sudètes qui devra être reprise aux Allemands. Voici Teschen que convoitent les Polonais. Voici la Slovaquie que les Hongrois rêvent de recouvrer et où Mgr Tiszo a formé un gouvernement séparatiste. Or, demain, l'Allemagne de l'Est, la Pologne, la Hongrie, seront aux mains des Soviets. Que ceux-ci viennent à épouser les querelles de celles-là, c'est le démembrement certain. Vous le voyez, l'alliance russe est pour nous l'impératif catégorique. »

Comme j'évoquais la possibilité d'un contrepoids à l'Occident, Benès se montra sceptique. « Roosevelt, dit-il, veut s'arranger avec Staline et, après la victoire, rembarquer ses troupes au plus tôt. Churchill se soucie peu de nous. Pour lui, la ligne de défense de l'Angleterre est sur le Rhin et les Alpes. Cette ligne acquise, rien ne le passionnera excepté la Méditerranée. Pour ce qui nous concerne, il réglera son attitude d'après celle de Roosevelt moyennant quelques avantages en Orient. A Téhéran, d'un commun accord, on n'a, je le sais, soufflé mot de la Tchécoslovaquie. Il est vrai qu'il reste vous-même, général de Gaulle, artisan de cette France ferme et forte qui est indispensable à l'équilibre. Si vous n'aviez pas paru après la chute de votre pays pour l'entraîner au redressement, il n'y aurait plus eu d'espoir pour la liberté de l'Europe. Personne ne forme donc de vœux plus ardents que moi pour votre complète réussite. Mais il me faut bien constater que Washington et Londres ne la favorisent pas beaucoup. Que sera-ce demain? Il me faut aussi me souvenir du congé signifié à Clemenceau par le Parlement français au lendemain de l'autre guerre. J'étais au travail avec le grand Mazaryk quand la nouvelle en arriva à Prague. Tous deux nous eûmes la même pensée : « C'est le renoncement de la France ! »

Ce que Benès m'avait dit, quant à l'attitude de Washington et de Londres en face des ambitions soviétiques, se vérifiait déjà dans la question polonaise. Plus l'armée Rouge approchait de Varsovie, plus nettement apparaissait le projet formé par Moscou de dominer la Pologne et d'en modifier les frontières. On discernait que Staline voulait, d'une part prendre pour lui les territoires de la Lithuanie, de la Russie blanche, de la Galicie orientale, d'autre part étendre les Polonais jusqu'à l'Oder et la Neisse au détriment des Allemands. Mais il n'était pas moins clair que le maître du Kremlin entendait installer sur la Vistule un régime à sa discrétion et que les Anglo-Saxons n'y mettraient pas leur veto.

Le gouvernement réfugié à Londres se trouvait donc aux prises avec des problèmes effrayants, sans avoir la possibilité de s'opposer matériellement aux décisions de Moscou, mais tout armé moralement de cette sombre assurance qu'un patriotisme trempé par des siècles d'oppression confère aux cœurs polonais. A vrai dire, le général Sikorski, président du Conseil et commandant en chef, avait d'abord cherché un accord avec les Soviets. A l'époque où la Wehrmacht se trouvait aux portes de Moscou, cet accord avait semblé possible. Nombre de soldats polonais, faits prisonniers par les Russes en 1939, s'étaient vus autorisés à gagner le Moyen-Orient avec leur chef, le général Anders, tandis que Staline adoptait un ton modéré pour parler des frontières et des relations futures. A présent, le tableau était devenu très différent, tout comme la carte de guerre. Du coup, les Polonais se livraient, de nouveau, à l'aversion et à la crainte que leur inspiraient les Russes. Au printemps de 1943, ils les avaient officiellement accusés — non sans apparence de raison — d'avoir, trois ans auparavant, massacré dans la forêt de Katyn 10 000 de leurs officiers prisonniers. Staline, irrité, avait suspendu les relations diplomatiques. C'est alors, qu'en juillet, le général Sikorski, revenant d'Égypte où il était allé inspecter les troupes d'Anders, trouvait la mort à Gibraltar dans un accident d'avion. Cet homme éminent, qui jouissait d'assez de prestige pour dominer les passions de ses compatriotes, d'assez d'audience internationale pour qu'on dût le ménager, était irremplaçable. Dès le lendemain de sa disparition, la crise russo-polonaise prit l'allure d'un conflit aigu.

Pourtant, le nouveau Gouvernement polonais avait, par la
bouche de son chef M. Mikolajczyk, promis qu'après la libération les pouvoirs publics à Varsovie seraient composés de
manière à donner à Moscou toutes garanties de bon voisinage.
Quant aux frontières, il ne repoussait a priori aucun projet
et affirmait seulement que la question ne pouvait être réglée
que par le traité de paix. Il donnait l'ordre aux forces de la
résistance en territoire national de coopérer avec les armées
soviétiques. Enfin, il se tournait vers les États-Unis et la
Grande-Bretagne « pour résoudre le différend et conduire à
la solution de tous les problèmes en suspens. » Mais ces dispositions conciliantes ne trouvaient pas d'écho au Kremlin.
Bien au contraire, les griefs des Russes grossissaient à mesure
de leur avance. En janvier, à l'occasion de l'entrée de leurs
troupes en territoire polonais, les Soviets publiaient une déclaration suivant laquelle la ligne dite « Curzon » devrait être
adoptée comme frontière orientale et le gouvernement réfugié
à Londres totalement remanié. En même temps, apparaissait
un Corps d'armée polonais formé par les soins des Russes et
dont le chef, Berling, rejetait l'autorité du gouvernement légal,
tandis qu'un « Comité polonais de la libération nationale »,
préparé à Moscou et présidé par M. Osuska-Morawski, entrait
en Galicie sur les pas des troupes soviétiques.

Il était évident que l'indépendance de la Pologne ne trouvait qu'un appui précaire auprès des Anglo-Saxons. Dès janvier 1944, M. Cordell Hull faisait une réponse évasive à la
demande de médiation de M. Mikolajczyk. Encore, Roosevelt,
qui devait se présenter cette année-là à l'élection pour la
présidence, cultivait-il l'ambiguïté en considération des électeurs d'origine polonaise. Mais on pouvait prévoir, qu'une fois
ce cap franchi, il laisserait les mains libres à Staline. Les Britanniques montraient moins de résignation. Cependant, il
était probable que leur souci de s'aligner sur les Américains
les amènerait finalement à céder sur le fond, moyennant
quelque arrangement de forme.

En effet, MM. Churchill et Eden, tout en prononçant des
paroles favorables à l'indépendance de la Pologne, pressaient
M. Mikolajczyk de se rendre à Moscou. La visite eut lieu en
août, au moment même où l'armée soviétique arrivait devant
Varsovie et où, dans la ville, l'armée clandestine polonaise,
sous les ordres du général Komorowski dit « Bor », entrait en
action contre les Allemands. Après une lutte héroïque, les
Polonais étaient écrasés, accusant les Russes de n'avoir rien

fait pour leur porter secours et, même, de s'être opposés à ce
que des avions anglais viennent se poser sur les bases soviétiques afin d'agir, à partir de là, au profit des défenseurs. Peu
de jours avant, à Moscou, les ministres polonais n'obtenaient
de Staline et de Molotov que des réponses décourageantes,
tout en recevant notification d'un accord conclu entre l'Union
soviétique et le « Comité polonais de la libération nationale »,
accord qui attribuait à ce comité l'administration des territoires libérés.

Cette opération d'asservissement de la Pologne, notre
gouvernement n'était pas en mesure de l'empêcher. Faute
d'être réellement associé à ses grands alliés dans le domaine
diplomatique et de participer, en égal, à l'élaboration des plans
stratégiques communs, comment aurait-il pu obtenir des
puissances occidentales qu'elles adoptent l'attitude politique
et les décisions militaires qui eussent, sans doute, sauvé l'indépendance polonaise tout en attribuant à la Russie la frontière
qu'elle réclamait? Pour moi, l'idée qu'avait Staline de compenser, par des acquisitions en Prusse et en Silésie au profit
des Polonais, les amputations que ceux-ci subiraient à l'Est
était fort acceptable, pourvu que l'on procédât avec humanité
aux transferts nécessaires de populations. Mais j'estimais que
son intention d'instituer à Varsovie la dictature de ses dévots
devait être contrecarrée. Je pensais que l'Amérique, l'Angleterre et la France, en affirmant conjointement ceci et cela à
la face du monde, en agissant de concert dans ce sens auprès
des Gouvernements soviétique et polonais, en réservant aux
flottes combinées de l'Occident l'accès futur des ports de la
Baltique, quitte à ouvrir aux navires russes celui des ports
de la mer du Nord, auraient pu faire en sorte que la liberté
fût, finalement, rendue à la noble et vaillante Pologne.

Mais, devant les exigences de la Russie soviétique, l'Amérique choisissait de se taire. La Grande-Bretagne cherchait
une formule. La France n'avait pas voix au chapitre. A M. Morawski, actif et digne ambassadeur de Pologne auprès du
Comité français de la libération, avec qui à maintes reprises
je tins à m'entretenir, au général Sosnkowski, qui avait
succédé à Sikorski comme commandant en chef et que je
reçus à Alger en décembre, au général Anders que je vis avec
ses troupes, en mars 1944, devant le mont Cassin, à M. Rackiewicz président de la République polonaise, avec qui j'échan-
geai des visites lors de mon passage à Londres en juin 1944,
et à M. de Romer son ministre des Affaires étrangères que je vis

à ses côtés, je ne pus qu'indiquer quelle était notre position
et assurer que nous la ferions valoir quand nous en aurions
les moyens.

Cependant, nous trouvâmes l'occasion d'apporter une aide
au Gouvernement polonais. Il s'agissait de la destination à
donner à un important stock d'or que la Banque d'État de
Pologne avait confié à la Banque de France, en septembre 1939,
et que celle-ci avait, en juin 1940, entreposé à Bamako. Au
mois de mars 1944, le Comité de la libération, saisi des demandes instantes du ministère Mikolajczyk, décida de remettre
les Polonais en possession de leur or. M. Bogomolov ne manqua
pas de faire auprès de nous de pressantes démarches pour que
la mesure fût rapportée. M'ayant, en fin de compte, demandé
audience, il me dit : « Le Gouvernement soviétique élève une
protestation formelle contre le transfert de l'or polonais au
gouvernement réfugié à Londres. Car celui-ci ne sera pas,
demain, le Gouvernement de la Pologne. » Je répondis qu'il
l'était aujourd'hui, qu'il était reconnu par tous nos alliés,
y compris la Russie, que par ses ordres des forces polonaises
combattaient, en ce moment même, à côté des nôtres en Italie,
qu'enfin je ne voyais pas à quel titre l'Union soviétique inter-
venait dans une affaire qui concernait exclusivement la Pologne et la France. M. Bogomolov se retira sans cacher sa
mauvaise humeur.

Ainsi, malgré les conseils d'abstention donnés par Washington, Londres et Moscou, on voyait les moyens et petits États
européens rechercher notre contact. D'autres, géographiquement éloignés, tendaient eux aussi à se rapprocher moralement
de nous. Le général Vanier, délégué du Canada, nous apportait
les encouragements de son pays, exemplaire dans l'effort de
guerre, et négociait l'aide économique que celui-ci nous prêtait
déjà, de celle aussi qu'il nous fournirait à mesure de la libération. Nos alliés de l'Amérique latine marquaient, par les
démarches de leurs plénipotentiaires, que le retour de la France
à sa position mondiale touchait au vif leurs sentiments et
leurs intérêts. C'est ce que faisaient, par exemple : pour le
Brésil M. Vasco da Cunha, pour le Pérou M. de Aramburu,
pour l'Équateur M. Freila Larrea, pour Cuba M. Suarez
Solar. Enfin, M. de Sangroniz, très distingué et adroit délégué
de l'Espagne, bien qu'il fût le seul neutre au milieu des belligérants et quelque peu gêné par un statut assez vague, s'em-
pressait au règlement des questions concernant le Maroc, le
sort de Tanger, la destination des Français qui franchissaient

les Pyrénées, les échanges entre l'Afrique française et la Péninsule ibérique. Nous avions, en effet, tenu à établir avec les
Espagnols les relations indispensables. Eux-mêmes l'avaient
souhaité. Au demeurant, je comptais qu'un proche avenir
permettrait la reprise des rapports entre Paris et Madrid dans
des conditions dignes des deux grands peuples voisins.

Mais, à Alger, c'étaient naturellement nos relations avec les
délégations des trois grands alliés qui nourrissaient surtout
l'activité diplomatique. Sans que j'eusse à intervenir dans ce
domaine d'une manière aussi directe qu'au temps où nous
n'avions pas de ministères proprement dits, il me fallait,
néanmoins, suivre de près les affaires. J'étais donc en rapports
constants avec les représentants des États-Unis, de la Grande-
Bretagne et de la Russie soviétique. Car, si leurs gouvernements étaient censés s'interroger pour savoir qui était
réellement la France, ils n'en déléguaient pas moins auprès
de nous leurs ambassadeurs et ceux-ci ne cachaient nullement qu'ils comptaient bien, avant peu, nous accompagner
à Paris.

Après le remaniement du Comité de la libération sous ma
seule présidence, Washington et Londres, faisant contre mauvaise fortune bon cœur, avaient pris à cet égard des dispositions convenables. M. Robert Murphy, porteur du titre im-
précis de délégué du Président Roosevelt, fut transféré en
Italie. M. Edwin Wilson le remplaça en la qualité définie
de représentant de son gouvernement auprès de notre Comité.
Le départ de M. Murphy et la manière d'être de son successeur
amenèrent une heureuse détente dans nos rapports avec l'ambassade américaine. Car, si le premier titulaire appréciait
peu le succès des « gaullistes », le second, au contraire, en
paraissait fort satisfait. Autant avaient été espacés et malaisés
mes entretiens avec M. Murphy, autant furent fréquentes et
agréables les visites de M. Wilson. Ce diplomate de valeur
était aussi un homme de cœur. Sans que son loyalisme se
permît de désavouer l'attitude de White House et du State
Department, il en souffrait visiblement. Par son action personnelle, il sut à maintes reprises faire comprendre, sinon
accepter, par chaque partie le point de vue de l'autre et prévenir, à l'occasion, des éclats qui se préparaient, soit du côté
américain, soit du nôtre.

M. Duff Cooper en faisait autant pour le compte des Britanniques. Jusqu'en décembre 1943, c'est M. MacMillan qui
avait représenté la Grande-Bretagne à Alger, tout en assu-

mant d'autres charges. Il partait, maintenant, pour l'Italie
où était transféré son poste de ministre d'État. Choisi, d'abord,
par Churchill pour s'associer, bien qu'avec réserve, à l'action
politique des Américains en Afrique du Nord, il avait compris,
peu à peu, qu'il y avait mieux à faire. Son âme élevée, sa
claire intelligence, s'étaient trouvées en sympathie avec
l'équipe française qui voulait la France sans entraves. Moi-
même sentis fondre en lui, à mesure de nos rapports, les préventions qu'il avait nourries. En échange, il eut toute mon
estime. Mais, dès lors qu'il partait, Londres tint à lui donner
le meilleur successeur possible et, en même temps, à normaliser
la représentation britannique. M. Duff Cooper fut nommé
ambassadeur à Alger, en attendant de l'être à Paris. Ce fut
là un des gestes les plus aimables et les plus avisés qu'ait faits,
à l'égard de la France, le Gouvernement de Sa Majesté dans
le Royaume-Uni.

Duff Cooper était un homme supérieur. Beaucoup de dons
lui étaient impartis. Qu'il s'agît de politique, d'histoire, de
lettres, d'art, de science, il n'était rien qu'il ne comprît et
qui ne l'intéressât. Mais il apportait à tout une sorte de modération, peut-être de modestie, qui, en lui conférant leur charme,
le détournaient de s'imposer. Ses convictions, pourtant, étaient
fortes ; ses principes, inébranlables ; toute sa carrière en avait
témoigné. Dans son pays et à une époque où les événements
exigeaient que l'on prît les meilleurs, il eût pu être le Premier.
On peut penser qu'il en fût empêché par un trait de sa nature :
le scrupule, et par une circonstance : la présence de Winston
Churchill. Mais, s'il n'était Premier Ministre à Londres, il
devait être ambassadeur à Paris. Humain, il aimait la France ;
politique, il traitait les affaires avec une noble sérénité ; Britannique, il servait son roi sans détour. Placé entre Churchill
et moi, il prit à tâche d'amortir les chocs. Il y réussit quelquefois. S'il avait été possible qu'un homme y parvînt toujours,
Duff Cooper eût été celui-là.

Du côté russe, nous avions affaire, comme devant, à
M. Bogomolov, empressé de tout savoir et attentif à ne
point livrer, quitte à se raidir, tout à coup, pour formuler
ce que son gouvernement avait à dire de catégorique. En certains cas, M. Vichynsky, momentanément chargé des questions italiennes mais familier des domaines les plus étendus,
venait faire le tour des problèmes. Il y montrait une grande
envergure d'esprit, mais aussi, trait qui pouvait surprendre
chez l'ancien procureur des Soviets, un agréable enjouement.

Pourtant, il laissait voir par éclairs ce qu'avaient d'implacable les consignes qui le liaient. Comme je lui disais un jour, non loin d'autres qui pouvaient m'entendre : « Ce fut, pour nous, une faute de n'avoir pas pratiqué avec vous, avant 1939, une franche alliance contre Hitler. Mais quel tort avez-vous eu vous-mêmes de vous entendre avec lui et de nous laisser écraser ! » M. Vichynsky se dressa, livide. Du geste, il semblait balayer quelque mystérieuse menace. « Non ! Non ! murmurat-il. Jamais, jamais, cela ne doit être dit ! »

En somme, les relations de la France avec ses alliés se développaient pratiquement en dépit des précautions introduites dans les formules. Le 1er janvier 1944 fut l'occasion d'un spectacle démonstratif. Ce jour-là, le corps diplomatique vint en grande pompe aux *Oliviers* me présenter ses vœux de nouvel an, comme il est d'usage de les offrir au Chef de l'État. Il y avait même eu, dans le salon d'attente, une vive controverse entre les ambassadeurs d'Angleterre et de Russie sur le point de savoir lequel des deux était doyen du corps et devait prononcer l'adresse traditionnelle. M. Duff Cooper l'emporta. Mais cette visite solennelle, autant que cette concurrence, étaient les signes de notre ascension.

Il n'en restait pas moins que les desseins des dirigeants alliés, en ce qui concernait la France, maintenaient les diplomates en état de tension chronique. Roosevelt persistait à nous dénier la qualité d'être le pouvoir français lors de la libération. Tout en faisant dire que cette attitude de l'Amérique lui paraissait excessive, l'Angleterre s'y conformait. S'il ne s'était agi que d'une question de terminologie, la chose nous eût laissés froids. Mais le refus de nous reconnaître comme l'autorité nationale française couvrait, en réalité, l'idée fixe du président des États-Unis d'instituer en France son arbitrage. Cette prétention à empiéter sur notre indépendance, je me sentais à même de la rendre vaine en pratique. A l'échéance, Roosevelt serait contraint de le constater. Toutefois, le retard dû à son obstination empêcherait le commandement militaire de savoir à l'avance à qui il aurait affaire dans ses rapports avec les Français. D'autre part, il en résulterait, jusqu'à la dernière minute, entre nous et nos alliés des frictions et des incidents qu'autrement on eût évités.

Le Comité de la libération avait pourtant, dès septembre 1943, adressé à Washington et à Londres un mémorandum précisant les conditions dans lesquelles devrait fonctionner, pendant la bataille de France, la collaboration de

l'administration française avec les forces alliées. Il y était
spécifié que, dans la zone du combat, le commandement
militaire aurait la disposition des communications, transmissions, services publics, en s'adressant aux autorités locales.
A l'arrière, le Gouvernement français ferait ce qu'il faudrait
suivant les demandes du général Eisenhower. Pour assurer
les contacts, il était prévu qu'avec chaque grande unité marcheraient des officiers français « de liaison administrative »,
qu'aux côtés d'Eisenhower serait détaché par nous un général
pourvu des attributions et du personnel nécessaires, qu'en
attendant l'arrivée du gouvernement en territoire métropolitain un de ses membres s'y rendrait pour y prendre, par
délégation, toutes dispositions utiles. De fait, le corps de liaison administrative, créé en septembre 1943 sous la direction
d'Hettier de Boislambert, avait été recruté et instruit, puis
transporté en Angleterre. Au mois de mars 1944, j'avais désigné
le général Kœnig et le général Cochet pour être adjoints
respectivement aux commandants en chef alliés sur les
théâtres du Nord et de la Méditerranée. A la même date,
André Le Troquer était nommé commissaire national délégué
en territoire libéré. Ces mesures donnaient satisfaction aux
états-majors alliés. Mais, pour qu'on pût les faire jouer, il
manquait l'accord des Gouvernements de Washington et de
Londres. Or, ceux-ci ne répondaient pas à notre mémorandum.

Le Président, en effet, conservait, de mois en mois, le document sur sa table. Pendant ce temps, aux États-Unis, se
montait un « allied military government » (A. M. G. O. T.),
destiné à prendre en main l'administration de la France. On
voyait affluer dans cette organisation toutes sortes de théoriciens, techniciens, hommes d'affaires, propagandistes, ou
bien de Français d'hier fraîchement naturalisés Yankees. Les
démarches que croyaient devoir faire à Washington Monnet
et Hoppenot, les observations que le Gouvernement britannique adressait aux États-Unis, les demandes instantes
qu'Eisenhower envoyait à la Maison Blanche, ne provoquaient
aucun changement. Comme il fallait bien, cependant, aboutir
à quelque texte, Roosevelt se décida, en avril, à donner à
Eisenhower des instructions en vertu desquelles c'est au Commandant en chef qu'appartiendrait le pouvoir suprême en
France. Il devrait, à ce titre, choisir lui-même les autorités
françaises qui collaboreraient avec lui. Nous sûmes, bientôt,
qu'Eisenhower adjurait le Président de ne pas le charger de

cette responsabilité politique et que les Anglais désapprouvaient une procédure aussi arbitraire. Mais Roosevelt, remaniant tant soit peu la lettre de ses instructions, en avait maintenu l'essentiel.

A vrai dire, les intentions du Président me paraissaient du même ordre que les rêves d'Alice au pays des merveilles. Roosevelt avait risqué déjà en Afrique du Nord, dans des conditions beaucoup plus favorables à ses desseins, une entreprise politique analogue à celle qu'il méditait pour la France. Or, de cette tentative, il ne restait rien. Mon gouvernement exerçait, en Corse, en Algérie, au Maroc, en Tunisie, en Afrique noire, une autorité sans entraves. Les gens sur qui Washington comptait pour y porter obstacle avaient disparu de la scène. Personne ne s'occupait de l'accord Darlan - Clark, tenu pour nul et non avenu par le Comité de la libération nationale et dont j'avais hautement déclaré à la tribune de l'Assemblée consultative qu'aux yeux de la France il n'existait pas. Que l'échec de sa politique en Afrique n'ait pu venir à bout des illusions de Roosevelt, je le regrettais pour lui et pour nos relations. Mais j'étais sûr que son projet, reconduit pour la Métropole, n'y aurait même pas un commencement d'application. Les alliés ne rencontreraient en France d'autres ministres et d'autres fonctionnaires que ceux que j'aurais instaurés. Ils n'y trouveraient d'autres troupes françaises que celles dont j'étais le chef. Sans aucune outrecuidance, je pouvais défier le général Eisenhower d'y traiter valablement avec quelqu'un que je n'aurais pas désigné.

Lui-même, d'ailleurs, n'y songeait pas. Il était venu me le déclarer, le 30 décembre, avant de partir pour Washington et, de là, pour Londres où il allait préparer le débarquement en France. « J'avais, dit-il, été prévenu à votre égard dans un sens défavorable. Aujourd'hui, je reconnais que ce jugement était erroné. Pour la future bataille, j'aurai besoin, non seulement du concours de vos forces, mais encore de l'aide de vos fonctionnaires et du soutien moral de la population française. Il me faut donc votre appui. Je viens vous le demander. » — « A la bonne heure ! lui dis-je. Vous êtes un homme ! Car vous savez dire : « J'ai eu tort. »

Nous parlâmes de l'imprécision dans laquelle restait la collaboration à établir en France entre nos autorités et le commandement militaire. Eisenhower ne me cacha pas qu'il en était très préoccupé. « Mais, ajouta-t-il, en dehors des principes il y a les faits. Or, je puis vous garantir que, pour

ce qui doit me concerner et quoi que l'on puisse m'imposer
comme attitude apparente, je ne connaîtrai pratiquement en
France d'autre pouvoir français que le vôtre. » Je lui indiquai,
alors, que nous aurions probablement l'occasion de manifester
notre entente à propos de la façon dont serait libéré Paris.
« Il faudra, lui dis-je, que ce soient des troupes françaises qui
s'emparent de la capitale. En vue de cette opération, il s'agit
qu'une division française soit transportée à temps en Angleterre, comme nous, Français, l'avons demandé. » Eisenhower
acquiesça.

A mesure qu'approchait la période de mai-juin que les
états-majors avaient choisie pour le débarquement, les Anglais
manifestaient le désir de tirer le problème politique de l'impasse où il était enfoncé. M. Churchill se tenait lui-même
comme le courtier désigné entre les prétentions du président
Roosevelt et les refus du général de Gaulle. Mais, comme le
plus grand poids de force et le plus gros volume de publicité
étaient du côté américain, l'effort du Premier Ministre allait
consister surtout à faire pression sur moi pour m'amener à
satisfaire Roosevelt.

Au début de janvier, M. Duff Cooper vint me dire : « Churchill, comme vous le savez, est tombé malade à Tunis en revenant de Téhéran. On l'a, depuis, transporté à Marrakech. Il
souhaiterait beaucoup vous voir. Mais son état de santé lui
interdit de se déplacer. Consentiriez-vous à aller jusqu'à lui ? »
En territoire français, la visite du Premier Ministre britannique était due, normalement, au Président du Gouvernement
français. Néanmoins, eu égard à la personne et aux circonstances, j'allai, le 12 janvier, déjeuner avec M. Churchill. Je
le trouvai en pleine convalescence. Nous eûmes une longue
conversation, la première depuis six mois. Y assistaient :
M. Duff Cooper et lord Beaverbrook, ainsi que Gaston Palewski.

Le Premier Ministre, pittoresque et chaleureux, s'appliqua
à me décrire les avantages que je m'assurerais en entrant dans
les vues du Président. Il s'agissait, en somme, pour moi de
reconnaître dans les affaires françaises la suprématie de Roosevelt, sous prétexte que celui-ci avait adopté une position
publique qu'il ne pouvait abandonner et qu'il avait pris,
vis-à-vis de certaines personnalités françaises compromises
par Vichy, des engagements qu'il lui fallait tenir. Passant au
concret, M. Churchill me suggéra d'arrêter, dès à présent,
l'instance ouverte par la justice au sujet de MM. Flandin,

Peyrouton et Boisson. « J'ai étudié le dossier de Flandin, me dit le Premier anglais. Il n'y a rien de grave contre lui. Le fait qu'il se trouve en Afrique du Nord prouve qu'il s'est séparé de Vichy. Si Peyrouton est venu en Algérie pour y être gouverneur, ce fut sur la désignation du Président des États-Unis. Pour Boisson, le Président lui a garanti, naguère, qu'il conserverait sa place et moi je lui ai fait dire : « Allez à la bataille et ne vous occupez pas du reste ! » M. Churchill qualifia de regrettable le fait que les généraux Giraud et Georges aient dû quitter le Gouvernement français. « Pourtant, dit-il, Roosevelt avait choisi le premier. Moi, j'avais fait venir le second. » A entendre M. Churchill, on devait se convaincre, si ce n'était déjà fait, que pour le Président des États-Unis et le Premier Ministre britannique la France était un domaine où leurs choix devaient s'imposer et que leur grief principal à l'encontre du général de Gaulle c'est qu'il ne l'admettait pas.

De la meilleure humeur, je répondis à M. Churchill que l'intérêt porté par lui et par Roosevelt à nos affaires intérieures était, à mes yeux, la preuve du redressement de la France. Aussi tenais-je à ne pas les décevoir en laissant se produire, demain, dans mon pays des convulsions révolutionnaires, ce qui arriverait fatalement si la justice n'était pas rendue. Je ne souhaitais pas de mal à MM. Flandin et Peyrouton. Pour le premier, je ne méconnaissais ni sa valeur, ni ses intentions. Pour le second, je n'oubliais pas le service qu'il avait rendu à l'unité en mettant son poste à ma disposition dès mon arrivée à Alger. Mais je croyais conforme à l'intérêt national qu'ils eussent tous deux à s'expliquer devant une Haute-Cour de leurs actes de ministres de Vichy. La destination à donner au gouverneur-général Boisson ne regardait que ses chefs. La présence ou l'absence des généraux Giraud et Georges dans mon gouvernement était mon affaire à moi. Je poursuivrais donc mon chemin, celui de l'indépendance, convaincu qu'il était le meilleur, non seulement pour l'État et la nation dont j'avais la charge, mais aussi pour notre alliance à laquelle j'étais attaché.

Afin d'alléger l'atmosphère, j'invitai M. Churchill à venir, le lendemain, passer à mes côtés la revue de la garnison, ce qu'il accepta volontiers. La cérémonie eut lieu dans le plus vif enthousiasme populaire. Pour la foule de Marrakech, comme pour celles qui partout ailleurs regarderaient les images sans connaître l'envers du décor, Churchill et de Gaulle appa-

raissant côte à côte cela signifiait que, bientôt, les armées
alliées marcheraient ensemble à la victoire et que c'était là
l'essentiel. Je le dis au Premier Ministre et nous convînmes,
qu'après tout, c'est la foule qui avait raison.

Mais la politique des Anglo-Saxons employait, pour m'entamer, des procédés qui n'avaient pas toujours la même qualité qu'un entretien avec Churchill. Au cours de l'hiver, une
vilaine affaire, destinée à m'éclabousser, fut montée par certaines instances britanniques en accord évident avec les services américains correspondants. Cela avait commencé par
une campagne de presse déclenchée aux États-Unis dans le
but de faire croire que l'ancienne France Combattante et
son chef visaient à établir leur dictature en France et usaient,
déjà, de pratiques totalitaires. On publiait, comme ayant
été la formule d'engagement des volontaires Français libres,
le texte, inventé de toutes pièces, d'un serment extravagant.
On accusait nos services, avant tout le B. C. R. A., de bruta-
liser et de torturer nos hommes afin de les plier à notre féroce
discipline. Après cette préparation sortit, soudain, « l'affaire
Dufour. »

Sous ce nom, un agent de l' « Intelligence », recruté en
France à notre insu, avait été amené en Grande-Bretagne par
les Anglais dans le courant de 1942 et s'était présenté à la
France Combattante en demandant à s'engager. Il se donnait
pour lieutenant et chevalier de la Légion d'honneur. Bientôt,
ses chefs s'étaient aperçus qu'il n'était ni l'un, ni l'autre, mais
qu'en revanche il appartenait au service britannique des
renseignements. Puni de prison pour avoir usurpé un grade
et un titre qu'il ne possédait pas, Dufour avait contracté un
nouvel engagement en sa qualité réelle, celle d'homme de
troupe. Mais, un jour, comme il purgeait sa peine au camp de
Camberley, il s'était évadé avec le concours de l' « Intelligence » et avait rejoint ses employeurs. Au point de vue
français, il n'était donc qu'un quelconque déserteur, abusivement utilisé et protégé par un service étranger. Faute d'avoir
la possibilité de s'assurer de sa personne en territoire britannique, le commandement français en Angleterre ne s'occupait pas de lui depuis plus d'une année, quand en septembre
1943 Pierre Viénot, convoqué au Foreign Office, reçut à son
sujet une étonnante communication.

« Dufour, disait par cette voie officielle le Gouvernement
britannique, a déposé entre les mains de la justice anglaise
une plainte pour sévices contre un certain nombre d'officiers

français et contre leur chef : le général de Gaulle. En raison
de la séparation des pouvoirs qui, chez nous, est absolue, le
Gouvernement britannique ne saurait empêcher la justice de
suivre son cours. D'ailleurs, le général de Gaulle n'a pas, dans
notre pays, l'immunité diplomatique. Peut-être le Général
pourrait-il arrêter l'affaire par un arrangement amiable avec
Dufour? Sinon, il sera impliqué dans le procès. Nous croyons
devoir lui recommander d'y attacher une sérieuse importance.
Car une condamnation est probable et ce serait là, pour la
presse, notamment celle des États-Unis, l'occasion d'une
pénible campagne au sujet des méthodes et des procédés de
la France Combattante. » De fait, de malveillantes allusions
paraissaient, au même moment, dans ceux des journaux américains qui faisaient profession de nous attaquer.

Je ne pouvais me tromper sur l'origine, ni sur les mobiles,
de cette action d'assez basse inspiration. Évidemment, Dufour,
agent anglais et déserteur français, ne m'intentait de procès
devant les tribunaux britanniques que parce qu'il y était
poussé par ses maîtres. Quant au Gouvernement de Londres,
s'il négligeait les accords signés par lui avec la France Libre
et en vertu desquels les militaires français en Grande-Bretagne n'étaient justiciables que des tribunaux militaires
français, s'il déniait au général de Gaulle l'immunité qu'il
reconnaissait au dernier des secrétaires de cinquante léga-
tions étrangères, s'il essayait de m'intimider par la perspective de scandaleuses calomnies, c'est qu'il se prêtait à une
entreprise politique destinée à dégager les dirigeants anglo-
saxons d'une position devenue intenable. A l'opinion, qui les
pressait d'adopter, à l'égard du général de Gaulle, de son gouvernement, de la France, une attitude digne de l'alliance,
White House et Downing Street se flattaient de faire répondre :
« Nous devons nous abstenir jusqu'à ce que cette histoire soit
éclaircie. »

Je décidai de traiter l'affaire sans le moindre ménagement.
Comme quelques officiers en service en Angleterre s'étaient
laissé impressionner par les avis du Foreign Office et avaient,
d'eux-mêmes, confié notre cause à des solicitors, j'ordonnai
que ceux-ci fussent immédiatement dessaisis. J'interdis à mes
subordonnés de répondre à aucune question et à aucune convocation de la justice britannique. Je chargeai Viénot de
faire savoir au Foreign Office « que je discernais le but de
l'opération ; que celle-ci tendait à me salir pour justifier la
faute politique commise par les alliés ; que je prenais la chose

pour ce qu'elle était, c'est-à-dire pour une infamie, et que les
suites de ce « Mystère de New York », ou de Washington,
retomberaient, non certainement sur moi, mais sur ceux qui
l'avaient inventé. » Quatre mois passèrent sans que Londres
se manifestât autrement que par des avertissements épisodiques, auxquels nous ne répondions pas.

Mais, au mois de mars, le complot revint sur le tapis. Il
faut dire que l'ordonnance relative au rétablissement des
pouvoirs publics en France avait été adoptée le 21 mars. Tous
les journaux du monde s'en emparaient pour affirmer — ce
qui était vrai — que le général de Gaulle et son comité se
tenaient pour le Gouvernement de la France et prétendaient
s'y établir sans avoir obtenu l'agrément des alliés. Roosevelt,
vivement pressé par les reporters, disait avec aigreur : « Personne, pas même le Comité français de la libération nationale,
ne peut savoir ce que pense réellement le peuple français.
Pour les États-Unis, la question reste donc entière. » Cependant, une semaine après que notre ordonnance fut signée, se
produisit contre nous l'attaque finale dans l'affaire Dufour.
Le 28 mars, M. Duff Cooper, n'osant apparemment m'aborder
sur un sujet qui pourtant était censé me concerner, demanda
audience à Massigli. Il le pria de me dire que la justice anglaise
ne pouvait attendre davantage, que le Gouvernement britannique devait la laisser agir et que le procès allait s'ouvrir.

Mais il se trouvait que nous avions de quoi faire une réponse
convenable à cette communication. Au début de 1943, un
Français Libre : Stéphane Manier, détaché par nous à la radio
anglaise d'Accra pour y faire des émissions françaises et qui
y avait parfaitement bien servi, était venu en Angleterre sur
notre convocation. Par erreur ou par calcul, l' « Intelligence »
l'avait, dès son arrivée, enfermé pour interrogatoire dans les
locaux de « Patriotic School ». Mais là, soit par l'effet de la
stupeur, soit au plus fort d'une crise de paludisme, le malheureux s'était donné la mort. Or, voici que son fils, qui servait
dans la marine en Afrique du Nord, venait comme par hasard
de m'écrire à ce sujet. Le jeune marin demandait que les circonstances, à tout le moins suspectes, de la mort de son père
fussent tirées au clair. Il annonçait son intention de déposer
entre les mains de la justice française une plainte contre les
officiers de l'Intelligence Service présents en territoire français et contre les membres du Gouvernement britannique, y
compris M. Winston Churchill, quand ils viendraient à s'y
trouver. Je chargeai Massigli de communiquer à l'ambassa-

deur d'Angleterre le texte de la lettre du plaignant et d'ajouter,
de ma part : « Que le Gouvernement français ne voyait aucun
moyen d'empêcher la justice de faire son office et qu'il y avait
malheureusement à craindre dans les journaux du monde
entier, à l'occasion du procès, une fâcheuse campagne au sujet
des méthodes et des procédés du service de l'Intelligence, lui-
même couvert par son gouvernement. » Je ne sus pourquoi la
justice britannique renonça à suivre son cours, ou comment
le cabinet de Londres s'y prit pour l'arrêter malgré la séparation des pouvoirs. Ce n'était pas, d'ailleurs, de ma responsabilité. Mais, de ce jour, je n'entendis plus jamais parler de
« l'affaire Dufour. »

La douche chaude suivit la douche froide. Le 14 et le 17 avril,
M. Duff Cooper vint me voir pour me faire une communication
de la part du Premier Ministre. Celui-ci, suivant l'ambassadeur, était vivement contrarié de l'état de mes rapports avec
Roosevelt. Mais il avait la conviction que, si j'allais m'entretenir d'homme à homme avec le Président, les choses iraient
beaucoup mieux. En particulier, la question de la reconnaissance du Comité de la libération trouverait, à coup sûr, une
solution. M. Churchill était tout prêt à transmettre à M. Roosevelt une demande tendant à me rendre à Washington et me
garantissait une réponse favorable.

Je déclarai à Duff Cooper que cette invitation qui n'en était
pas une, succédant à quelques autres qui n'en étaient pas
non plus, avait à mes yeux peu d'attraits. Si le président des
États-Unis souhaitait recevoir le président du Gouvernement
français, il ne tenait qu'à lui de le prier de venir. Dans ce cas,
je ne manquerais pas de faire le voyage. Mais pourquoi irais-je
solliciter le Président, fût-ce par l'intermédiaire de M. Churchill, d'accorder son agrément à ma visite ? Quelle interprétation serait donnée à ma démarche, alors que M. Roosevelt
professait ouvertement que l'autorité en France relèverait
de son investiture ? Pour moi, je n'avais rien à demander au
Président. La formalité de la reconnaissance n'intéressait plus
le Gouvernement français. Ce qui lui importait, c'était d'être
reconnu par la nation française. Or, le fait était acquis. Les
alliés auraient pu, quand cela eût été utile, nous aider à prendre
figure. Ils ne l'avaient pas fait. A présent, la chose était sans
importance.

Quant aux relations entre notre administration et le commandement militaire, je dis à l'ambassadeur qu'elles s'établi-
raient aisément dès lors que ce commandement ne prétendrait

rien usurper. Dans le cas contraire, il y aurait en France le
chaos. Mais ce chaos serait désastreux pour les opérations
et pour la politique des alliés. Je conclus que, sans doute, j'irais
un jour à Washington, mais seulement quand les faits auraient
tranché le débat ; quand, sur le premier lambeau du territoire
métropolitain libéré, l'autorité de mon gouvernement serait
établie sans conteste ; quand les Américains auraient fourni
la preuve qu'ils renonçaient à se mêler en France d'autre
chose que des opérations ; quand il serait admis, décidément,
que la France était une et indivisible. En attendant, je ne
pouvais qu'exprimer le souhait que cette échéance se produise
au plus tôt et le désir qu'elle me permette de me rendre aux
États-Unis dans des conditions satisfaisantes. J'étais, en tout
cas, reconnaissant à M. Churchill de se préoccuper de mon
voyage et le remerciais à l'avance de ce qu'il voudrait faire
encore à ce sujet.

Ayant évité de donner suite aux avances des alliés, il me
fallait maintenant, suivant la loi du pendule, attendre d'eux
quelque fâcheuse mesure. Effectivement, il nous fut notifié,
le 21 avril, que les télégrammes échangés en chiffre entre
nous et nos délégations diplomatique et militaire à Londres
ne seraient plus transmis. On nous donnait pour explication
la nécessité de sauvegarder le secret des préparatifs en cours.
Mais cette précaution, prise unilatéralement par les Anglo-
Saxons vis-à-vis des Français dont les forces allaient, tout
comme les leurs, jouer un rôle essentiel dans les opérations
et dont le territoire serait le théâtre de la bataille, nous fit
l'effet d'un outrage. Le Comité de la libération interdit, alors,
à son ambassadeur Viénot et à son délégué militaire Kœnig
de régler aucune affaire, aussi longtemps que les alliés pré-
tendraient connaître les ordres que nous donnions et les rapports qui nous étaient adressés. Cette abstention embarrassa
fort Eisenhower et son état-major, tandis que la tension diplomatique s'en trouvait accentuée. Bien entendu, nos dépêches
chiffrées continuaient d'arriver grâce aux militaires et fonctionnaires français qui allaient et venaient entre Londres et
Alger.

La crise se trouvant parvenue au paroxysme et, d'autre
part, l'échéance du débarquement étant maintenant imminente, les alliés ne pouvaient plus différer d'aboutir à une
solution. Je ne fus donc pas surpris, quand, le 23 mai, Duff
Cooper me fit instamment demander de le recevoir. Depuis
que, théoriquement, nous ne pouvions plus communiquer

en chiffre avec Londres, je m'étais, à mon grand regret,
abstenu de donner audience à l'ambassadeur d'Angleterre.
Cette fois, ma porte lui fut ouverte, car il annonçait « une
nouvelle orientation. » Il me dit que le Gouvernement britannique m'invitait à me rendre à Londres pour y régler la
question de la reconnaissance et celle de la collaboration
administrative en France. Mais l'ambassadeur me déclarait
aussi que son gouvernement souhaitait que je fusse présent
en Grande-Bretagne au moment du débarquement.

Je répondis à Duff Cooper que j'étais très sensible à cette
attention. Je tenais beaucoup, en effet, à me trouver sur la
base de départ au moment où se déclencheraient les armées
de la libération et je comptais, à partir de là, prendre pied
sur les premiers arpents libérés du territoire métropolitain.
J'acceptais donc volontiers de me rendre à Londres. Mais,
quant à y conclure un accord ayant une portée politique, il
me fallait faire toutes réserves. L'ambassadeur m'entendit
répéter que nous ne nous intéressions pas à la reconnaissance. Je lui annonçai que, d'ailleurs, le Comité de la libération prendrait incessamment le nom de Gouvernement de la
République, quelle que pût être sur ce point l'opinion des
alliés. Quant aux conditions de notre collaboration avec le
commandement militaire, nous les avions depuis longtemps
précisées dans un mémorandum auquel on n'avait pas répondu.
A présent, le Gouvernement britannique était, peut-être, disposé à y souscrire. Mais le Gouvernement américain ne l'était
pas. A quoi bon, dès lors, arrêter entre Français et Anglais
des mesures qui ne pourraient être appliquées faute de l'agrément de Roosevelt? Nous étions, certes, prêts à négocier les
modalités pratiques de la coopération, mais il fallait que ce
fût à trois et non à deux. Enfin, je prévins M. Duff Cooper
que je ne me rendrais à Londres que si j'avais la garantie de
pouvoir communiquer par chiffre avec mon gouvernement.

Le 26 mai, le Comité de la libération fit sienne la position
que j'avais indiquée à l'ambassadeur d'Angleterre. Il fut
entendu qu'aucun ministre ne m'accompagnerait dans mon
voyage, afin de marquer nettement que j'allais assister au
début des opérations et visiter, le cas échéant, la population
française dans la zone du combat, mais non point du tout
négocier. Puis, le Comité adopta l'ordonnance en vertu de
laquelle il devenait, en titre, le « Gouvernement provisoire de
la République française ». Le lendemain, je reçus à nouveau
M. Duff Cooper et lui confirmai ma précédente réponse. Il

me donna, par écrit, l'assurance voulue en ce qui concernait
le chiffre.

C'est alors que Roosevelt, à son tour, crut bon de marquer
un commencement de résipiscence. Mais, comme il tenait à
ce que cette évolution fût discrète, il avait choisi, pour me
la faire connaître, une voie assez détournée. Il s'agissait de
l'amiral Fénard, chef de notre mission navale aux États-Unis,
qui entretenait avec la Maison Blanche de bonnes relations
personnelles. L'amiral, arrivant en grande hâte des États-
Unis, se présenta à moi le 27 mai et me fit le compte rendu
suivant : « Le Président m'a formellement demandé de vous
transmettre son invitation à venir à Washington. Étant donné
la position qu'il a, jusqu'à présent, adoptée à cet égard, il ne
saurait, sans perdre la face, en venir aujourd'hui à une démarche officielle. Il doit donc procéder officieusement. Si,
dans les mêmes conditions, vous acceptez son invitation, les
instances normales des ambassades arrangeront votre voyage
sans qu'il soit nécessaire de publier qui, de Roosevelt ou de
vous, en aura pris l'initiative. » Quelque étrange que fût la
procédure employée par le Président, je ne pouvais faire fi du
désir qu'il exprimait lui-même formellement, ni méconnaître
l'intérêt que comporterait, sans doute, notre rencontre.
J'admis donc que le moment allait venir bientôt de me
rendre à Washington. Mais l'effusion n'était pas de mise.
Je chargeai l'amiral Fénard de faire une réponse d'attente,
prenant acte de l'invitation que m'adressait Roosevelt, observant qu'aucun projet ferme ne pouvait être actuellement
envisagé puisque j'allais partir pour Londres et concluant
qu'il convenait que le contact fût repris plus tard.

La démarche du Président acheva de m'éclairer. Il m'apparaissait que la partie longuement et durement menée vis-à-
vis des alliés pour l'indépendance française allait se dénouer
dans le sens voulu. Sans doute, faudrait-il surmonter quelque
crise ultime. Mais l'issue ne faisait plus de doute. Le 2 juin,
un message de M. Churchill me demande de venir d'urgence en
Angleterre. Il m'a gracieusement envoyé son avion personnel.
Je pars, le lendemain. Palewski, Béthouart, Billotte, Geoffroy
de Courcel, Teyssot, sont à mes côtés. Après escale à Casablanca, puis à Gibraltar, nous débarquons près de Londres,
le 4 juin au matin, pour être aussitôt saisis par l'engrenage
des événements.

Une lettre de M. Churchill, qui m'est remise à l'arrivée, me
prie de le rejoindre dans le train où — idée originale ! — il

s'est installé, quelque part près de Portsmouth, en attendant le jour et l'heure. Nous y allons avec Pierre Viénot. Le Premier Ministre nous accueille. Il y a, auprès de lui, des ministres, notamment Eden et Bevin, des généraux, en particulier Ismay. Il y aussi le maréchal Smuts, assez gêné de son personnage. En effet, quelques mois plus tôt, il a dit dans un groupe que la France, n'étant plus une grande puissance, aurait à s'agglomérer au Commonwealth, et la presse anglo-saxonne a donné à ses propos une vaste publicité. On se met à déjeuner et, tout de suite, Churchill engage le fer.

Il décrit, d'abord, de saisissante manière la vaste entreprise guerrière qui va se déployer à partir des rivages anglais et constate avec satisfaction que la phase initiale sera menée par des moyens en majorité britanniques. « En particulier, dit-il, c'est la Royal Navy qui doit jouer le rôle capital dans les transports et la protection. » En toute sincérité, j'adresse au Premier Ministre le témoignage de mon admiration pour cet aboutissement. Que la Grande-Bretagne, après tant d'épreuves si vaillamment supportées et grâce auxquelles elle a sauvé l'Europe, soit aujourd'hui la base d'attaque du continent et y engage de telles forces, c'est la justification éclatante de la politique de courage que lui-même a personnifiée depuis les plus sombres jours. Quoi que les événements prochains doivent encore coûter à la France, elle est fière d'être en ligne, malgré tout, aux côtés des alliés pour la libération de l'Europe.

Dans ce moment de l'Histoire, un même souffle d'estime et d'amitié passe sur tous les Français et tous les Anglais qui sont là. Mais, ensuite, on en vient aux affaires. « Faisons, me dit Churchill, un arrangement au sujet de notre coopération en France. Vous irez, ensuite, en Amérique le soumettre au Président. Il est possible qu'il l'accepte et, alors, nous pourrons l'appliquer. De toutes façons, vous causerez avec lui. C'est ainsi qu'il s'adoucira et reconnaîtra votre administration sous une forme ou sous une autre. » Je réponds : « Pourquoi semblez-vous croire que j'aie à poser devant Roosevelt ma candidature pour le pouvoir en France ? Le Gouvernement français existe. Je n'ai rien à demander dans ce domaine aux États-Unis d'Amérique, non plus qu'à la Grande-Bretagne. Ceci dit, il est important pour tous les alliés qu'on organise les rapports de l'administration française et du commandement militaire. Il y a neuf mois que nous l'avons proposé. Comme demain les armées vont débarquer, je comprends votre

hâte de voir régler la question. Nous-mêmes y sommes prêts.
Mais où est, pour ce règlement, le représentant américain?
Sans lui, pourtant, vous le savez bien, nous ne pouvons rien
conclure en la matière. D'ailleurs, je note que les gouvernements de Washington et de Londres ont pris leurs dispositions
pour se passer d'un accord avec nous. Je viens d'apprendre,
par exemple, qu'en dépit de nos avertissements, les troupes
et les services qui s'apprêtent à débarquer sont munis d'une
monnaie soi-disant française, fabriquée par l'étranger, que le
Gouvernement de la République ne reconnaît absolument pas
et qui, d'après les ordres du commandement interallié, aura
cours forcé en territoire français. Je m'attends à ce que, demain, le général Eisenhower, sur instruction du Président des
États-Unis et d'accord avec vous-même, proclame qu'il prend
la France sous son autorité. Comment voulez-vous que nous
traitions sur ces bases? »

— « Et vous! s'écrie Churchill, comment voulez-vous que
nous, Britanniques, prenions une position séparée de celle des
États-Unis? » Puis, avec une passion dont je sens qu'il la
destine à impressionner ses auditeurs anglais plutôt que
moi-même : « Nous allons libérer l'Europe, mais c'est parce
que les Américains sont avec nous pour le faire. Car, sachez-le !
chaque fois qu'il nous faudra choisir entre l'Europe et le
grand large, nous serons toujours pour le grand large. Chaque
fois qu'il me faudra choisir entre vous et Roosevelt, je choisirai
toujours Roosevelt. » Après cette sortie, Eden, hochant la
tête, ne me paraît guère convaincu. Quant à Bevin, ministre
travailliste du Travail, il vient à moi et me déclare assez haut
pour que chacun l'entende : « Le Premier Ministre vous a
dit que, dans tous les cas, il prendrait le parti du Président des
États-Unis. Sachez qu'il a parlé pour son compte et nullement
au nom du cabinet britannique. »

Là-dessus, Churchill et moi partons ensemble pour le quartier général d'Eisenhower qui se trouve à proximité. Au fond
d'un bois, dans une baraque aux parois tapissées de cartes,
le Commandant en chef nous expose, avec beaucoup de clarté
et de maîtrise de soi, son plan pour le débarquement et l'état
des préparatifs. Les navires sont en mesure de quitter les
ports à tout instant. Les avions peuvent prendre l'air au premier signal. Les troupes ont été embarquées depuis plusieurs
jours. La vaste machinerie du départ, de la traversée, de la
mise à terre des huit divisions et du matériel qui forment le
premier échelon est montée dans les moindres détails. La

protection de l'opération par la marine, l'aviation, les parachutistes ne laisse rien au hasard. Je constate que, dans cette
affaire très risquée et très complexe, l'aptitude des Anglo-
Saxons à établir ce qu'ils appellent le « planning » s'est déployée
au maximum. Toutefois, le Commandant en chef doit encore
fixer le jour et l'heure et, sur ce point, il est en proie à de rudes
perplexités. Tout a été calculé, en effet, pour que le débarquement ait lieu entre le 3 et le 7 juin. Passé cette date, les conditions de marée et de lune exigeraient que l'opération soit
reportée d'environ un mois. Or, il fait très mauvais temps.
Pour les chalands, les pontons, les chaloupes, l'état de la mer
rend aléatoires la navigation et l'abordage. Cependant, il
faut que l'ordre du déclenchement, ou de la remise, soit donné
au plus tard demain. Eisenhower me demande : « Qu'en pensez-
vous ? »

Je réponds au Commandant en chef qu'il s'agit d'une décision qui relève exclusivement de sa responsabilité, que mon
avis ne l'engage à rien, que j'approuve par avance sans réserve
le parti qu'il choisira de prendre. « Je vous dirai seulement,
ajouté-je, qu'à votre place je ne différerais pas. Les risques
de l'atmosphère me semblent moindres que les inconvénients
d'un délai de plusieurs semaines qui prolongerait la tension
morale des exécutants et compromettrait le secret. »

Comme je m'apprête à me retirer, Eisenhower me tend,
avec une gêne manifeste, un document dactylographié. « Voici,
dit-il, la proclamation que je me dispose à faire à l'intention
des peuples de l'Europe occidentale, notamment du peuple
français. » Je parcours le texte et déclare à Eisenhower qu'il
ne me satisfait pas. « Ce n'est qu'un projet, assure le Commandant en chef. Je suis prêt à le modifier suivant vos observations. » Il est convenu que je lui ferai connaître explicitement,
le lendemain, les changements qui me paraîtront nécessaires.
M. Churchill me ramène jusqu'à son train où nous devons
retrouver les nôtres. Je ne lui cache pas mon souci. Car, sur
la claire perspective du combat, vient de s'étendre, une fois
de plus, l'ombre d'une artificieuse politique.

En effet, la proclamation rédigée à Washington pour le
compte d'Eisenhower est inacceptable. D'après ce texte, le
Commandant en chef parle d'abord aux peuples norvégien,
hollandais, belge et luxembourgeois en sa qualité de soldat
chargé d'une tâche militaire et qui n'a rien à voir avec leur
destin politique. Mais, ensuite, sur un tout autre ton il s'adresse
à la nation française. Il l'invite à « exécuter ses ordres. » Il

décide que « dans l'administration tout le monde continuera
d'exercer ses fonctions, à moins d'instructions contraires, »
qu'une fois la France libérée « les Français choisiront eux-
mêmes leurs représentants et leur gouvernement. » Bref, il
se donne l'apparence de prendre en charge notre pays pour
lequel il n'est, cependant, qu'un général allié habilité à commander des troupes mais qui n'a pas le moindre titre à intervenir dans son gouvernement et qui serait, au surplus, bien
embarrassé de le faire. Dans ce factum, pas un mot de l'autorité française, qui, depuis des années, suscite et dirige l'effort
de guerre de notre peuple et qui fait à Eisenhower l'honneur
de placer sous son commandement une grande partie de
l'armée française. A tout hasard, je fais remettre au grand
quartier, le 5 juin au matin, un texte que nous pourrions
admettre. Ainsi que je m'y attends, on me répond qu'il est
trop tard, car la proclamation, déjà imprimée, (elle l'est depuis
huit jours), va être d'un instant à l'autre jetée sur la France.
Le débarquement, en effet, commencera la nuit prochaine.

A Londres, tout comme naguère, j'ai installé mon bureau
à *Carlton Gardens* et je loge à l'*Hôtel Connaught*. Avec grand
plaisir pour moi-même, avec quelque commisération pour lui,
je revois M. Charles Peake que le Foreign Office détache auprès
de nous pour les liaisons. Justement, voici que ce diplomate,
qui est pour nous un ami, vient, l'après-midi du 5,
m'exposer le scénario qui doit se dérouler à la radio le lendemain
matin. D'abord, parleront à leurs peuples les chefs d'État
de l'Europe occidentale : Roi de Norvège, Reine de Hollande,
Grande-Duchesse de Luxembourg, Premier Ministre de Belgique. Ensuite, Eisenhower fera entendre sa proclamation.
Enfin, il est prévu que je m'adresserai à la France. Je fais
connaître à M. Charles Peake que, pour ce qui me concerne,
le scénario ne jouera pas. En parlant aussitôt après le Commandant en chef, je paraîtrais avaliser ce qu'il aura dit et
que je désapprouve et je prendrais dans la série un rang qui
ne saurait convenir. Si je prononce une allocution, ce ne peut
être qu'à une heure différente, en dehors de la suite des discours.

A 2 heures du matin, Pierre Viénot vient me trouver. Il
sort de chez M. Churchill qui l'a appelé pour lui crier sa colère
à mon égard. M. Peake arrive à son tour. Je lui confirme que
la chaîne oratoire se déroulera, ce matin, sans ma participation. En revanche, je souhaite pouvoir utiliser la B. B. C.
dans la soirée. Après quelques sombres heurts qui se déroulent

en coulisse, la radio de Londres est, en effet, mise à ma disposition dans les conditions que j'ai demandées. J'y parle isolément à 6 heures du soir, en proie à une émotion intense, disant aux Français : « La bataille suprême est engagée... Bien entendu, c'est la bataille de France et c'est la bataille de la France !... Pour les fils de France, où qu'ils soient, quels qu'il soient, le devoir simple et sacré est de combattre l'ennemi par tous les moyens dont ils disposent... Les consignes données par le Gouvernement français et par les chefs français qu'il a qualifiés pour le faire doivent être exactement suivies... Derrière le nuage si lourd de notre sang et de nos larmes, voici que reparaît le soleil de notre grandeur ! »

Pendant les quelques jours que je passe en Angleterre, les nouvelles de la bataille sont bonnes. Le débarquement a réussi. Une tête de pont est établie autour de Bayeux. Les ports artificiels sont mis en place comme prévu. Quant aux forces françaises qui prennent part à l'opération : navires, escadrilles, commandos, parachutistes, les rapports que m'en font d'Argenlieu, Valin, Legentilhomme sont excellents. Leclerc et sa division attendent, en bon ordre quoique avec impatience, le moment de prendre pied en Normandie. Nos services, notamment celui de l'Intendance que, depuis les jours lointains de la France Libre, dirige l'intendant Mainguy, s'affairent à pourvoir des effectifs français de beaucoup les plus élevés qu'on ait encore vus en Angleterre et à préparer des secours pour les territoires libérés. Enfin, Kœnig me rend compte de l'action de nos forces de l'intérieur, engagées en maintes régions, soit sur missions qu'il leur donne, soit de leur propre initiative. Plusieurs grandes unités allemandes sont déjà, de ce fait, accrochées à l'arrière du front. Partout s'exécutent, en outre, les destructions prévues par nos plans. Il est vrai que, pour la première fois, les Allemands déclenchent sur Londres leurs V-1. Mais ces bombardements, pour pénibles qu'ils soient, ne sauraient modifier le cours de la bataille.

Cependant, si l'horizon stratégique semble clair, le ciel de la diplomatie ne se dégage que lentement. M. Eden s'efforce de dissiper les nuages. Il a pris à son compte personnel, d'accord évidemment avec le cabinet britannique, le problème de la coopération en France jusque-là traité par M. Churchill. Eden vient dîner et s'entretenir avec moi, le 8, en compagnie de Duff Cooper et de Viénot, insistant pour que le Gouvernement français revienne sur sa décision, envoie Massigli à Londres et signe un arrangement franco-anglais. « Si vous et nous nous

mettons d'accord, me dit-il, les Américains ne pourront garder
une position séparée. Quand vous irez à Washington, j'irai
moi-même et Roosevelt devra souscrire à ce dont nous aurons
convenu. » Eden précise sa demande par une lettre qu'il
adresse à Viénot. Mais nous, Français, demeurons fermes. Je
répète aux Britanniques que je ne suis pas à Londres pour
traiter. Le gouvernement, consulté à Alger, se range à mon
avis. Massigli reste où il est. Viénot répond à Eden que, si le
cabinet anglais désire entrer en pourparlers au sujet de notre
mémorandum de 1943, lui-même, en tant qu'ambassadeur,
est là pour recevoir ou faire les communications voulues.

En même temps, nous ne manquons pas de souligner en
public l'absurdité de la situation où les armées alliées vont se
trouver, sans liaison organisée avec le pouvoir et les fonctionnaires français, et nous dénions très haut toute valeur à
la monnaie répandue chez nous par l'étranger. Le 10 juin,
dans une courte interview accordée à une agence, je précise
nettement les choses. D'autre part, j'ai décidé que les officiers
de liaison administrative, à l'exception de quelques informateurs, n'accompagneront pas les états-majors américains et
britanniques, car nous n'entendons pas contribuer à l'usurpation. Il va de soi qu'un tollé s'élève contre moi dans la partie
ordinairement hostile de la presse américaine. Mais l'autre
partie et la plupart des journaux anglais réprouvent, au contraire, l'obstination de Roosevelt. C'est le moment où, d'une
seule voix, donnent à fond ceux qui, dans la presse écrite ou
radiodiffusée, n'ont jamais cessé de nous soutenir de tout
leur talent. Aux États-Unis : Walter Lippmann, Edgar
Mowrer, Dorothy Thompson, Jeff Parsons, Eric Hawkins,
Helen Kirkpatrick, Mac Wane, Charles Collingwood, Sonia
Tamara, etc. ; en Grande-Bretagne : Harold Nicholson, Harold
King, Bourdin, Glarner, Darcy Cillie, d'autres encore, font
entendre que la plaisanterie a assez duré.

Tel est, également, l'avis des gouvernements réfugiés en
Grande-Bretagne. La libération leur semblant prochaine, chacun d'eux dépouille, à présent, la psychologie de l'exil. Tous
s'inquiètent de la désinvolture avec laquelle les grands alliés
tendent à se comporter sur place et à régler le sort de l'Europe
en l'absence des intéressés. M'entretenant avec le roi de Norvège, la reine de Hollande, la grande-duchesse de Luxembourg
et leurs ministres, dînant avec MM. Pierlot, Spaak, Gutt et
leurs collègues du Gouvernement belge, échangeant des visites
avec les présidents Benès et Rackiewicz, je les trouve satisfaits

du refus opposé par la France aux empiètements des Anglo-Saxons. Entre le 8 et le 20 juin, Tchécoslovaques, Polonais, Belges, Luxembourgeois, Yougoslaves, Norvégiens, reconnaissent officiellement, sous son nom, le Gouvernement provisoire de la République française, malgré les démarches instantes qu'Américains et Anglais font auprès d'eux pour qu'ils s'en abstiennent. Seuls, les Hollandais gardent l'expectative, croyant qu'en déférant sur ce point aux désirs de Washington ils en obtiendront plus de compréhension à propos de l'Indonésie. Cette attitude quasi unanime des États européens ne laisse pas d'impressionner l'Amérique et la Grande-Bretagne. Mais c'est le témoignage rendu par le petit morceau de France que le combat vient d'affranchir qui achèvera de dissiper les ombres.

Le 13 juin, en effet, je pars pour visiter la tête de pont. Depuis plusieurs jours, j'étais prêt à ce voyage. Mais les alliés ne s'empressaient pas de me le faciliter. Même, la veille, comme je dînais au Foreign Office en compagnie des ministres anglais, à l'exception du Premier, et qu'on m'y complimentait de pouvoir prendre pied sur le sol de la Métropole française, une lettre de M. Churchill, remise au cours du repas à M. Eden, soulevait des objections ultimes contre mon projet. Mais Eden, ayant consulté ses collègues autour de la table, notamment Clement Attlee, m'annonçait que l'ensemble du cabinet décidait de maintenir les dispositions arrêtées du côté britannique. Aussi le brave contre-torpilleur *la Combattante*, que commande le capitaine de corvette Patou et qui vient de se signaler au cours des opérations, peut-il, comme prévu, toucher Portsmouth et m'y prendre à son bord. J'emmène Viénot, d'Argenlieu, Béthouart, Palewski, Billotte, Coulet, Chevigné, Courcel, Boislambert, Teyssot. Le 14 juin, au matin, nous jetons l'ancre au plus près de la côte française et prenons pied sur la plage à la limite des communes de Courseulles et de Sainte-Mère-Église au milieu d'un régiment canadien qui débarque au même moment.

Le général Montgomery, commandant les forces alliées dans la tête de pont, prévenu depuis une heure, a mis gracieusement à notre disposition des voitures et des guides. Le commandant Chandon, officier de liaison français, est accouru avec son équipe. J'envoie tout de suite à Bayeux François Coulet nommé, séance tenante, commissaire de la République pour le territoire normand libéré et le colonel de Chevigné chargé, à l'instant même, des subdivisions militaires. Puis,

je me rends au quartier général. Montgomery m'accueille
dans la roulotte où il travaille devant le portrait de Rommel
qu'il a vaincu à El-Alamein mais pour qui il n'en éprouve que
plus de considération. Chez le grand chef britannique, la prudence et la rigueur vont de pair avec l'ardeur et l'humour.
Ses opérations vont leur train comme prévu. Vers le sud, le
premier objectif est atteint. Il s'agit, maintenant, qu'à l'ouest
les Américains s'emparent de Cherbourg et qu'à l'est les Britanniques prennent Caen, ce qui comporte, dit le général, l'engagement de nouvelles unités et des renforts de matériel. A
l'entendre, je me convaincs que, sous ses ordres, les choses
iront vigoureusement, mais sans hâte ni témérité. Lui ayant
exprimé ma confiance, je le laisse à ses affaires et m'en vais
aux miennes, à Bayeux.

Coulet y a pris ses fonctions. En effet, Bourdeau de Fon-
tenay, commissaire de la République pour la Normandie, n'a
pu sortir de Rouen, ni de la clandestinité. En attendant
qu'il puisse apparaître, je tiens à marquer sans délai,
qu'en tout point d'où l'ennemi a fui, l'autorité relève de
mon gouvernement. Quand j'arrive à l'entrée de la ville,
Coulet est là avec le maire Dodeman et son conseil municipal.

Nous allons à pied, de rue en rue. A la vue du général de
Gaulle, une espèce de stupeur saisit les habitants, qui ensuite
éclatent en vivats ou bien fondent en larmes. Sortant des
maisons, ils me font cortège au milieu d'une extraordinaire
émotion. Les enfants m'entourent. Les femmes sourient et
sanglotent. Les hommes me tendent les mains. Nous allons
ainsi, tous ensemble, bouleversés et fraternels, sentant la
joie, la fierté, l'espérance nationales remonter du fond des
abîmes. A la sous-préfecture, dans le salon où, une heure
plus tôt, était encore suspendu le portrait du Maréchal, le
sous-préfet Rochat se met à mes ordres, en attendant d'être
relevé par Raymond Triboulet. Tout ce qui exerce une fonction accourt pour me saluer. La première visite que je reçois
est celle de Mgr Picaud, évêque de Bayeux et de Lisieux.
Comme la population s'est rassemblée sur la place du Château, je m'y rends pour lui parler. Maurice Schumann annonce
mon allocution par les mots habituels : « Honneur et patrie !
Voici le général de Gaulle ! » Alors, pour la première fois
depuis quatre affreuses années, cette foule française entend un
chef français dire devant elle que l'ennemi est l'ennemi, que
le devoir est de le combattre, que la France, elle aussi, rempor-

tera la victoire. En vérité, n'est-ce pas cela la « révolution
nationale? »

Isigny, cruellement détruit et d'où l'on tire encore des
cadavres de dessous les décombres, me fait les honneurs de
ses ruines. Devant le monument aux morts, que les bombes ont
mutilé, je m'adresse aux habitants. D'un seul cœur, nous éle-
vons notre foi et notre espoir au-dessus des débris fumants.
Le bourg des pêcheurs, Grandcamp, lui aussi ravagé, a pour
finir ma visite. En chemin, je salue des détachements de troupes
alliées qui gagnent le front ou en reviennent et quelques
escouades de nos forces de l'intérieur. Certaines d'entre elles
ont efficacement aidé au débarquement. La nuit tombée,
nous regagnons Courseulles, puis la mer et notre bord. Plusieurs heures s'écoulent avant que nous prenions le large,
car les avions et les vedettes lance-torpilles des Allemands
attaquent dans l'obscurité les navires ancrés les uns auprès
des autres et qui ont pour consigne de rester là où ils sont.
Le 15 juin au matin, revenu à Porstmouth, je quitte *la Combattante*. La veille, au moment où nous abordions la France,
j'ai remis la Croix de guerre à ce vaillant navire qui sera
coulé peu après.

La preuve est faite. Dans la Métropole, aussi bien que dans
l'Empire, le peuple français a montré à qui il s'en remet
du devoir de le conduire. Dans l'après-midi du 15 juin,
M. Eden vient me voir à *Carlton Gardens*. Il est au courant de ce qui s'est passé à Bayeux et qu'annoncent déjà
les agences. Suivant lui, Roosevelt n'attend plus que mon
voyage à Washington pour réviser sa position. Tout en regret-
tant que le Gouvernement français n'ait pas adopté la procédure suggérée par celui de Londres, Eden propose, maintenant, d'établir avec Viénot un projet qui sera communiqué
par lui-même à Washington et, il y compte bien, signé à la
fois par les Français, les Anglais et les Américains. C'est là
une voie qui me semble acceptable. Je le dis à Anthony
Eden. Puis, j'écris à M. Churchill pour verser du baume sur
les blessures qu'il s'est faites à lui-même. Il me répond aussitôt,
« déplorant que la coopération franco-britannique n'ait pu
être placée sur des bases meilleures, lui qui a fourni la preuve,
dans les bons et dans les mauvais jours, qu'il est un ami sincère de la France. » Il avait cru « que mon voyage à Londres
pourrait offrir la chance d'un arrangement. Il ne lui reste
plus qu'à espérer que ce n'ait pas été la dernière chance. »
Cependant, le Premier Ministre termine sa lettre en souhai-

tant que mes prochains contacts avec le Président Roosevelt
permettent à la France d'établir avec les États-Unis « ces
bonnes relations qui sont une part de son héritage. » Lui-
même m'y aidera, assure-t-il. Le 16 au soir, je m'envole pour
Alger, où j'arrive le lendemain.

C'est pour y apprendre en détail les heureux événements
survenus en Italie. Au moment même où je partais pour
Londres, l'offensive alliée dans la péninsule remportait une
grande victoire. En particulier, notre corps expéditionnaire,
ayant brisé sur le Garigliano les lignes fortifiées de l'ennemi,
ouvrait le chemin de Rome. Français, Américains, Britanniques, y sont entrés le 5 juin. Le succès militaire produisant
ses effets, le roi Victor-Emmanuel a transmis ses pouvoirs à
son fils, Badoglio donné sa démission, Bonomi formé, à Salerne, le nouveau gouvernement. Voulant voir nos troupes
victorieuses et apprécier sur place la portée de ces changements, je me rends en Italie le 27 juin.

D'abord, bref passage à Naples, où Couve de Murville
me présente M. Prunas, secrétaire-général du ministère des
Affaires étrangères italien. Ce haut fonctionnaire m'apporte
le salut de son gouvernement, toujours fixé à Salerne. Je le
prie d'indiquer à M. Bonomi mon désir d'établir avec lui des
relations directes par le truchement de Couve de Murville,
ce à quoi le Président du Conseil me répondra par écrit qu'il
l'accepte avec beaucoup de satisfaction. Ensuite, inspection
du front et entretiens avec Juin, Wilson, Alexander et Clark.
Enfin, je vais à Rome et, descendant au Palais Farnèse, marque
que la France y rentre dans une demeure qui lui appartient.

Le 30 juin, visite au Pape. Le Saint-Siège, conformément
à son éternelle prudence, était resté jusqu'alors sur une complète réserve à l'égard de la France Combattante, puis du
Gouvernement d'Alger. Mgr Valerio Valeri, qui occupait
en 1940 la nonciature à Paris, avait gardé ses fonctions à
Vichy auprès du Maréchal, que M. Léon Bérard représentait
au Vatican. Cependant, nous n'avions pas cessé d'utiliser
des moyens de fortune pour faire connaître au Siège apostolique nos buts et nos sentiments, non sans, d'ailleurs, y
trouver d'actives sympathies, notamment celles de l'éminent
cardinal Tisserant. Nous savions que la défaite d'Hitler et
de son système était souhaitée par le Saint-Père et nous
voulions, dès que possible, nouer des relations avec lui. Le
4 juin, tandis qu'on se battait encore dans Rome, le commandant de Panafieu et le lieutenant Voizard avaient porté à

Mgr Tisserant une lettre du général de Gaulle adressée à
Pie XII. Le Pape m'avait répondu le 15. Aujourd'hui, je me
rends à l'audience qu'il veut bien me donner.

Au Vatican, je prends d'abord contact avec le cardinal
Maglione, secrétaire d'État, qui, malade et près de la mort,
a tenu à se lever pour converser avec moi. De même que Rome,
du haut de sa sérénité, regarde de siècle en siècle couler au
pied de ses murailles le flot des hommes et des événements
sans cesser d'y être attentive, ainsi l'Église assiste-t-elle,
impavide mais compatissante et, au surplus, très renseignée,
au flux et au reflux de la guerre. Mgr Maglione, convaincu de
la victoire des alliés, se soucie surtout de ses suites. Pour ce
qui est de la France, il escompte la disparition de Vichy et
déclare voir en fait, en ma personne, le chef du Gouvernement français. Il espère que le changement de régime pourra
s'opérer sans graves secousses, spécialement pour l'Église de
France. J'indique au cardinal que le Gouvernement de la
République entend qu'il en soit ainsi, bien que certains milieux ecclésiastiques français aient pris à son endroit une
attitude qui, demain, ne lui facilitera pas les choses. Quant à
l'avenir de l'Europe après la défaite du Reich et l'ascension
des Soviets, je dis que la condition d'un équilibre nouveau
sera le redressement intérieur et extérieur de la France. Je
demande au Vatican d'y aider de son immense influence.

Le Saint-Père me reçoit. Sous la bienveillance de l'accueil
et la simplicité du propos, je suis saisi par ce que sa pensée a
de sensible et de puissant. Pie XII juge chaque chose d'un
point de vue qui dépasse les hommes, leurs entreprises et
leurs querelles. Mais il sait ce que celles-ci leur coûtent et
souffre avec tous à la fois. La charge surnaturelle, dont seul
au monde il est investi, on sent qu'elle est lourde à son âme,
mais qu'il la porte sans que rien ne le lasse, certain du but,
assuré du chemin. Du drame qui bouleverse l'univers, ses
réflexions et son information ne lui laissent rien ignorer. Sa
lucide pensée est fixée sur la conséquence : déchaînement des
idéologies confondues du communisme et du nationalisme sur
une grande partie de la terre. Son inspiration lui révèle que,
seules, pourront les surmonter la foi, l'espérance, la charité
chrétiennes, lors même que celles-ci seraient partout et longtemps submergées. Pour lui, tout dépend donc de la politique
de l'Église, de son action, de son langage, de la manière dont
elle est conduite. C'est pourquoi le Pasteur en fait un domaine
qu'il se réserve personnellement et où il déploie les dons d'auto-

rité, de rayonnement, d'éloquence, que Dieu lui a impartis.
Pieux, pitoyable, politique, au sens le plus élevé que puissent
revêtir ces termes, tel m'apparaît, à travers le respect qu'il
m'inspire, ce pontife et ce souverain.

Nous parlons des peuples catholiques dont le sort est en
balance. De la France, il croit qu'elle ne sera, d'abord, menacée
que par elle-même. Il aperçoit l'occasion qu'elle va trouver,
malgré ses épreuves, de jouer un grand rôle dans un monde
où tant de valeurs humaines sont réduites aux abois, mais
aussi le danger qu'elle court de retomber dans les divisions
qui, trop souvent, paralysent son génie. Vers l'Allemagne, qui
par beaucoup de côtés lui est particulièrement chère, se porte
en ce moment sa principale sollicitude. « Pauvre peuple ! me
répète-t-il. Comme il va souffrir ! » Il prévoit une longue
confusion en Italie, sans en éprouver, toutefois, une inquiétude excessive. Peut-être pense-t-il, qu'après l'effondrement
du fascisme et la chute de la monarchie, l'Église, moralement
très puissante dans ce pays, y demeurera la seule force d'ordre
et d'unité ; perspective qu'il semble envisager assez volontiers.
Tandis qu'il me le laisse entendre, je songe à ce que, tout à
l'heure, des témoins m'ont rapporté. A peine finie la bataille
d'hier, une foule énorme, d'un seul mouvement, s'est portée
sur la place Saint-Pierre pour acclamer le Pape, tout comme
s'il était le souverain délivré de Rome et le recours de l'Italie.
Mais c'est l'action des Soviets, aujourd'hui sur les terres polonaises, demain dans toute l'Europe centrale, qui remplit
d'angoisse le Saint-Père. Dans notre conversation, il évoque
ce qui se passe déjà en Galicie où, derrière l'armée Rouge,
commence la persécution contre les fidèles et les prêtres. Il
croit que, de ce fait, la Chrétienté va subir de très cruelles
épreuves et que, seule, l'union étroite des États européens
inspirés par le catholicisme : Allemagne, France, Italie, Espagne, Belgique, Portugal, pourra endiguer le péril. Je discerne que tel est le grand dessein du pape Pie XII. Il me bénit.
Je me retire.

A mon départ, comme à mon arrivée, un grand nombre de
Romains sont rassemblés aux abords du Vatican pour me
crier leur sympathie. Après une visite à l'église Saint-Louis-
des-Français, où me reçoit Mgr Bouquin, puis à la Villa Médicis
où, bientôt, vont refleurir les espoirs de l'art français, je reçois
notre colonie. Celle-ci, depuis 1940, ne comprend plus guère
— et pour cause ! — que des membres d'ordres religieux.
Tous sont venus. Le cardinal Tisserant me les présente. Quels

qu'aient pu être les remous de naguère, nous nous sentons aujourd'hui soulevés par une joie identique. La fierté de la victoire a réuni des âmes qu'avaient pu disperser le désastre et ses chagrins.

Trop claires sont, à présent, les preuves de l'unité française pour que quiconque puisse refuser de voir ce soleil en plein jour. Le Président des États-Unis accepte d'en convenir. Afin que ce retournement se manifeste à l'occasion d'un fait nouveau, il redouble d'insistance pour que je vienne le voir à Washington. Tandis que j'étais à Londres, l'amiral Fénard a reparu. Roosevelt l'a chargé de m'indiquer les dates qui lui semblaient favorables. Le 10 juin, le général Bedell Smith, chef d'état-major d'Eisenhower, m'a rendu visite à « Carlton Gardens », envoyé par son chef qui se trouvait, ce jour-là, en Normandie dans la tête de pont et par le général Marshall tout justement présent à Londres. Bedell Smith m'a, littéralement, adjuré d'accepter la rencontre avec le Président, tant le commandement militaire a hâte de savoir à quoi s'en tenir pour ce qui est de la coopération administrative en France. A Alger, M. Seldon Chapin, qui y fait l'intérim de l'ambassadeur Wilson, se montre tout aussi pressant. Enfin, je sais que l'offensive des alliés en territoire français va se déployer en août. S'il est possible d'aboutir à quelque accord pratique, il n'y a plus de temps à perdre.

Après délibération approfondie du gouvernement, je décide d'aller à Washington. Mais pour montrer, comme je l'ai fait lors du voyage à Londres, que je n'ai rien à y demander et que je ne négocierai pas, aucun ministre ne m'accompagnera. Les conversations du général de Gaulle et du président Roosevelt n'auront d'autre objet que leur information réciproque au sujet des problèmes mondiaux qui intéressent les deux pays. En outre, ma présence aux États-Unis, à cette période décisive de la guerre, revêtira la signification d'un hommage rendu par la France à l'effort de l'Amérique et d'une preuve de l'amitié, toujours vivante, des deux peuples. Si, à la suite des entretiens de la Maison Blanche, le Gouvernement américain se résout à entamer avec le Gouvernement français des pourparlers relatifs aux rapports des armées alliées et de notre administration, il le fera, comme le Gouvernement britannique, par la voie diplomatique normale. C'est sur ces bases que le State Department et notre ambassadeur Hoppenot dressent ensemble le programme de mon séjour. Il est entendu qu'à Washington je serai, à tous égards, l'hôte du Président

et du Gouvernement des États-Unis, ce qui devra suffire à
démentir communiqués et articles qui, déjà, voudraient faire
entendre que je viens en Amérique, non point comme un
invité, mais comme un solliciteur. D'autre part, le Canada
demande, lui aussi, ma visite et c'est avec empressement que
je charge notre délégué à Ottawa, Gabriel Bonneau, de régler
avec le gouvernement de M. Mackenzie King les détails de
mon passage dans ce cher et valeureux pays.

Transporté par l'avion que le Président des États-Unis m'a
aimablement envoyé et accompagné de M. Chapin, je débarque
à Washington le 6 juillet dans l'après-midi. Béthouart, Palewski, Rancourt, Paris, Baubé et Teyssot sont avec moi. Au
seuil de la Maison Blanche, Franklin Roosevelt m'accueille,
tout sourire et cordialité. Cordell Hull est à ses côtés. Après
le thé, le Président et moi nous entretenons longuement,
seul à seul. Il en sera de même le lendemain et le surlende-
main. Je suis logé à Blair House, ancienne et curieuse
demeure que le Gouvernement américain a coutume d'affecter à l'installation de ses hôtes. Un solennel mais très
cordial déjeuner à la Maison Blanche, deux dîners offerts
respectivement par le secrétaire d'État aux Affaires étrangères et par celui de la Guerre, une réception que je donne à
notre ambassade, celle-ci provisoire puisque les locaux de
l'ancienne et future ambassade de France nous sont encore
fermés, constituent autant d'occasions ménagées pour mes
conversations avec les dirigeants politiques et les chefs militaires qui secondent le Président.

Ce sont : M. Cordell Hull, qui s'acquitte de sa tâche écrasante avec beaucoup de conscience et de hauteur d'âme,
quelque gêné qu'il puisse être par sa connaissance sommaire
de ce qui n'est pas l'Amérique et par les interventions de
Roosevelt dans son domaine ; MM. Patterson et Forrestal,
adoptant, en tant que ministres, la psychologie de patrons
d'immenses affaires, car leurs départements : Guerre et Air
pour le premier, Marine pour le second, ont pris en trois
années des dimensions vertigineuses et absorbent le plus clair
des ressources, des capacités, de l'amour-propre américains ;
M. Morgenthau, grand ami de notre cause, trésorier d'un trésor
qui, pour être inépuisable, n'en est pas moins géré par lui
avec un ordre scrupuleux ; le général Marshall, organisateur
hardi, mais interlocuteur réservé, metteur en œuvre d'un
effort et d'une stratégie qui sont aux dimensions de la terre ;
l'amiral King, ardent et imaginatif, ne cachant pas sa fierté

de voir le sceptre des océans passer aux mains de la marine américaine ; le général Arnold qui, à force de méthode, a su faire d'une masse d'avions hâtivement conçus, construits, essayés et d'un personnel rapidement recruté, instruit, mis en ligne, le très grand corps qu'est devenue l'aviation des États-Unis ; l'amiral Leahy, surpris par des événements qui défient son conformisme, étonné de me voir là mais en prenant son parti ; MM. Connally et Sol Bloom, présidents des commissions des Affaires étrangères du Sénat et des Représentants, anxieux d'être avertis de tout. Cet état-major forme un ensemble cohérent, qui, en raison du caractère de chacun de ses membres et de la personnalité étincelante de Roosevelt, ne s'accorde à lui-même qu'un éclat limité, mais qui est, sans aucun doute, à la hauteur de ses devoirs.

Entre temps, je ne manque pas d'aller saluer le tombeau du soldat inconnu dans l'émouvant parc d'Arlington. Je me rends auprès du général Pershing, qui avec une simplicité sereine termine son existence à l'hôpital militaire. Pour rendre hommage à la mémoire de George Washington, je fais le pèlerinage de Mount-Vernon. A Blair House, je reçois maintes personnalités et, d'abord, M. Henry Wallace, vice-président des États-Unis, qui dans son rêve de justice sociale voudrait que la victoire soit remportée *for the common man*, et M. Padilla ministre des Affaires étrangères du Mexique qui se trouve à Washington. Au siège de nos missions, je prends contact avec le personnel diplomatique français réuni autour d'Henri Hoppenot ; puis, le général de Saint-Didier, l'amiral Fénard, le colonel Luguet, m'y présentent nos officiers. Avant de quitter Washington, je fais une conférence de presse et cause avec le plus grand nombre possible des journalistes qui sont venus m'écouter et m'interroger. Pendant cinq jours passés dans la capitale fédérale, je vois avec admiration couler le torrent de confiance qui emporte l'élite américaine et j'observe que l'optimisme va bien à qui en a les moyens.

Le président Roosevelt, lui, ne doute pas de les avoir. Au cours de nos entretiens, il se garde de rien évoquer de brûlant, mais me donne à entrevoir les objectifs politiques qu'il veut atteindre grâce à la victoire. Sa conception me paraît grandiose, autant qu'inquiétante pour l'Europe et pour la France. Il est vrai que l'isolationnisme des États-Unis est, d'après le Président, une grande erreur révolue. Mais, passant d'un extrême à l'autre, c'est un système permanent d'intervention qu'il entend instituer de par la loi internationale. Dans sa

pensée, un directoire à quatre : Amérique, Russie soviétique,
Chine, Grande-Bretagne, réglera les problèmes de l'univers.
Un parlement des Nations Unies donnera un aspect démocratique à ce pouvoir des « quatre grands ». Mais, à moins de
livrer à la discrétion des trois autres la quasi-totalité de la
terre, une telle organisation devra, suivant lui, impliquer
l'installation de la force américaine sur des bases réparties
dans toutes les régions du monde et dont certaines seront
choisies en territoire français.

Roosevelt compte, ainsi, attirer les Soviets dans un ensemble
qui contiendra leurs ambitions et où l'Amérique pourra rassembler sa clientèle. Parmi « les quatre », il sait, en effet, que
la Chine de Chiang-kaï-shek a besoin de son concours et que
les Britanniques, sauf à perdre leurs dominions, doivent se plier
à sa politique. Quant à la foule des moyens et petits États,
il sera en mesure d'agir sur eux par l'assistance. Enfin, le droit
des peuples à disposer d'eux-mêmes, l'appui offert par
Washington, l'existence des bases américaines, vont susciter,
en Afrique, en Asie, en Australasie, des souverainetés nouvelles
qui accroîtront le nombre des obligés des États-Unis. Dans
une pareille perspective, les questions propres à l'Europe, notamment le sort de l'Allemagne, le destin des États de la
Vistule, du Danube, des Balkans, l'avenir de l'Italie, lui font
l'effet d'être accessoires. Il n'ira assurément pas, pour leur
trouver une heureuse solution, jusqu'à sacrifier la conception
monumentale qu'il rêve de réaliser.

J'écoute Roosevelt me décrire ses projets. Comme cela est
humain, l'idéalisme y habille la volonté de puissance. Le Président, d'ailleurs, ne présente nullement les choses comme un
professeur qui pose des principes, ni comme un politicien qui
caresse des passions et des intérêts. C'est par touches légères
qu'il dessine, si bien qu'il est difficile de contredire catégoriquement cet artiste, ce séducteur. Je lui réponds, cependant,
marquant qu'à mon sens son plan risque de mettre en péril
l'Occident. En tenant l'Europe de l'Ouest pour secondaire,
ne va-t-il pas affaiblir la cause qu'il entend servir : celle de la
civilisation ? Afin d'obtenir l'adhésion des Soviets, faudra-t-il
pas leur consentir, au détriment de ce qui est polonais, balte,
danubien, balkanique, des avantages menaçants pour l'équilibre général ? Comment être assuré que la Chine, sortant des
épreuves où se forge son nationalisme, demeurera ce qu'elle
est ? S'il est vrai, comme je suis le premier à le penser et à le
dire, que les puissances coloniales doivent renoncer à l'admi-

nistration directe des peuples qu'elles régissent et pratiquer
avec eux un régime d'association, il l'est aussi que cet affran-
chissement ne saurait s'accomplir contre elles, sous peine de déchaîner, dans des masses inorganisées, une xénophobie et une
anarchie dangereuses pour tout l'univers.

« C'est, dis-je au Président Roosevelt, l'Occident qu'il faut
redresser. S'il se retrouve, le reste du monde, bon gré mal
gré, le prendra pour modèle. S'il décline, la barbarie finira par
tout balayer. Or, l'Europe de l'Ouest, en dépit de ses déchirements, est essentielle à l'Occident. Rien n'y remplacerait la
valeur, la puissance, le rayonnement des peuples anciens.
Cela est vrai avant tout de la France qui, des grandes nations
de l'Europe, est la seule qui fut, est et sera toujours votre
alliée. Je sais que vous vous préparez à l'aider matériellement et cela lui sera précieux. Mais c'est dans l'ordre politique
qu'il lui faut reprendre sa vigueur, sa confiance en soi et, par
conséquent, son rôle. Comment le fera-t-elle si elle est tenue
en dehors des grandes décisions mondiales, si elle perd ses
prolongements africains et asiatiques, bref, si le règlement
de la guerre lui vaut, en définitive, la psychologie des
vaincus? »

Le grand esprit de Roosevelt est accessible à ces considérations. D'ailleurs, il éprouve pour la France, tout au moins
pour l'idée que naguère il avait pu s'en faire, une réelle dilec-
tion. Mais c'est précisément en raison de ce penchant qu'il
est, au fond de lui-même, déçu et irrité de notre désastre d'hier
et des réactions médiocres que celui-ci a suscitées chez beaucoup de Français, notamment parmi ceux qu'il connaissait
en personne. Il me le dit tout uniment. Quant à l'avenir, il
est rien moins que sûr de la rénovation de notre régime. Avec
amertume, il me décrit ce qu'étaient ses sentiments, quand
il voyait avant la guerre se dérouler le spectacle de notre impuissance politique. « Moi-même, me dit-il, Président des
États-Unis, je me suis trouvé parfois hors d'état de me rappeler le nom du chef épisodique du Gouvernement français.
Pour le moment, vous êtes là et vous voyez avec quelles pré-
venances mon pays vous accueille. Mais serez-vous encore en
place après la fin de la tragédie? »

Il serait facile, mais vain, de rappeler à Roosevelt pour
combien l'isolement volontaire de l'Amérique avait compté
dans notre découragement après la première guerre mondiale,
puis dans notre revers au début de la seconde. Il le serait,
également, de lui faire observer à quel point son attitude vis-

à-vis du général de Gaulle et de la France Combattante, ayant
contribué à maintenir dans l'attentisme une grande partie
de notre élite, favorise par avance le retour de la nation
française à cette inconsistance politique qu'il condamne si
justement. Les propos du Président américain achèvent de
me prouver que, dans les affaires entre États, la logique et le
sentiment ne pèsent pas lourd en comparaison des réalités
de la puissance ; que ce qui importe c'est ce que l'on prend et
ce que l'on sait tenir ; que la France, pour retrouver sa place,
ne doit compter que sur elle-même. Je le lui dis. Il sourit et
conclut : « Nous ferons ce que nous pourrons. Mais il est vrai
que, pour servir la France, personne ne saurait remplacer le
peuple français. »

Nos conversations se terminent. Elles ont eu lieu dans le
bureau de Roosevelt, près de sa table encombrée d'une multitude d'objets surprenants : souvenirs, insignes, fétiches-porte-
bonheur. Tandis que je me retire, le Président, qu'on roule
dans sa voiture, m'accompagne quelques instants. Sur la galerie, une porte est ouverte. « Voici ma piscine. C'est là que
je nage, » m'indique-t-il, comme par défi à son infirmité.
Avant de quitter Washington, je lui fais remettre un petit
sous-marin, merveille de mécanique, qu'ont construit des
ouvriers de l'arsenal de Bizerte. Il me remercie d'un mot char-
mant et m'envoie sa photographie : « Au général de Gaulle,
qui est mon ami ! »

Plus tard, cependant, un anonyme me fera parvenir la
photocopie d'une lettre que Roosevelt a adressée, huit jours
après mon départ, à un membre du Congrès M. Joseph Clark
Baldwin. Le Président y fait allusion à je ne sais quelle obscure
tractation américaine relative à une entreprise française, la
« Compagnie générale transatlantique », et avertit son correspondant que l'on fasse bien attention à ce que je ne l'apprenne
pas, car, mis au courant, je ne manquerais pas de liquider le
directeur de cette compagnie. Dans sa lettre, Roosevelt formule, d'autre part, son appréciation sur moi-même et sur nos
entretiens. « De Gaulle et moi, écrit-il, avons examiné, en
gros, les sujets d'actualité. Mais nous avons causé, d'une manière approfondie, de l'avenir de la France, de ses colonies,
de la paix du monde, etc. Quand il s'agit des problèmes futurs,
il semble tout à fait « traitable », du moment que la France
est traitée sur une base mondiale. Il est très susceptible en ce
qui concerne l'honneur de la France. Mais je pense qu'il est
essentiellement égoïste. » Je ne saurai jamais si Franklin Roo-

sevelt a pensé que, dans les affaires concernant la France, Charles de Gaulle était égoïste pour la France ou bien pour lui.

Le 10 juillet, très rapide passage à New York. Pour ne pas fournir d'occasions à des manifestations populaires qui, à trois mois de l'élection présidentielle, pourraient sembler dirigées contre ce qu'était, jusque-là, la politique du Président, il a été convenu que mes apparitions en public y seront très limitées. D'autant plus que c'est Dewey, candidat opposé à Roosevelt, qui est gouverneur de l'État de New York. Cependant, le maire Fiorello La Guardia, tout bouillonnant d'amitié, me reçoit en grande pompe à l'Hôtel de Ville où s'est porté un vaste concours de foule. Ensuite, il me fait parcourir la cité. Je dépose une croix de Lorraine à la statue de La Fayette. Je visite, dans le « Rockfeller Center », notre consulat-général dirigé par Guérin de Beaumont. Je me rends au siège de « France for ever », association groupant nombre de Français et d'Américains qui ont soutenu notre combat, où Henry Torrès m'exprime les sentiments de tous. La colonie française de New York, à laquelle se sont jointes des délégations venues d'autres régions, s'est assemblée au Waldorf-Astoria. Je vais la voir. Parmi les Français présents, beaucoup sont, jusqu'alors, restés sur la réserve à l'égard du général de Gaulle. Certains, même, lui ont prodigué leurs critiques, voire leurs insultes. Mais l'extrême chaleur de l'accueil que tous me font, ce soir-là, ne révèle plus de divergences. C'est la preuve que, dans le grand débat dont elle a été l'objet, la France va, décidément, l'emporter.

On y compte bien, au Canada, où tout a été arrangé pour en fournir le témoignage. D'abord, rendant visite à la ville de Québec, je m'y sens comme submergé par une vague de fierté française, bientôt recouverte par celle d'une douleur inconsolée, toutes les deux venues du lointain de l'Histoire. Nous arrivons, ensuite, à Ottawa en compagnie de l'ambassadeur le général Vanier. M. Mackenzie King, Premier Ministre, est à l'aérodrome. Je revois avec plaisir cet homme digne et fort dans sa simplicité, ce chef de gouvernement qui a, dès le premier instant, engagé au service de la liberté tout ce qu'il possède d'autorité et d'expérience. Le Canada l'a suivi, avec d'autant plus de mérite qu'il est formé de deux peuples coexistants mais non confondus, que le conflit est, pour lui, lointain et qu'aucun de ses intérêts ne s'y trouve directement en cause. Sous l'impulsion de son gouvernement, ce pays déploie,

maintenant, un puissant effort de guerre. En fait de grandes
unités, d'équipages incorporés dans la Marine de Sa Majesté,
d'escadrilles fournies à la Royal Air Force, le Canada met
en ligne des effectifs considérables et d'une valeur militaire
élevée. Ses fabrications d'armement produisent une importante proportion du matériel des alliés. Même, les laboratoires
et les usines du Canada participent aux recherches et opérations d'où sont tout près de sortir les premières bombes
atomiques. Il m'est rendu compte, en secret, de l'aboutissement imminent par Pierre Auger, Jules Guéron et Bertrand
Goldschmidt, savants français qui, avec mon autorisation, sont
entrés dans les équipes alliées consacrées à ce travail d'apoca-
lypse. Mais, par comparaison avec ce qui s'était passé lors de
la première guerre mondiale, cette fois l'effort du Canada
revêt un caractère national. Il en résulte, pour l'État et le
peuple, une sorte de promotion qui remplit de satisfaction
ministres, parlementaires, fonctionnaires et citoyens. C'est ce
que m'expose Mackenzie King et me répète son principal
collègue, M. Louis Saint-Laurent, tout en insistant sur l'intention du Canada d'aider, autant qu'il le pourra, à la reconstruction de la France.

Je suis, pendant mon séjour, l'hôte du comte d'Athlone
gouverneur-général du Canada et de son épouse la princesse
Alice tante du roi George VI. Ils me reçoivent d'une inou-
bliable manière et invitent, pour me les présenter, nombre de
personnalités. Les heures suffisent à peine aux entretiens
officiels, aux audiences que je dois accorder, à la cérémonie
solennelle au monument aux morts d'Ottawa, à l'inspection
d'aviateurs français qui s'entraînent dans les environs, au
dîner offert par le Gouvernement canadien, à une conférence
de presse, au discours — n'en faut-il pas toujours au moins
un ? — qu'en réponse à l'allocution de M. Saint-Laurent je
prononce devant le parlement, en présence du gouverneur-
général, des ministres, des hauts fonctionnaires et du corps
diplomatique. Parlant de ce que devra être, pour la paix de
demain, la coopération internationale, spécialement celle de
l'Occident, insistant sur la part que mon pays veut y prendre,
je conclus : « La France est sûre d'y trouver, à côté d'elle et
d'accord avec elle, les peuples qui la connaissent bien. C'est
dire qu'elle est sûre d'y trouver, d'abord, le Canada. »

Le 12 juillet, je gagne Montréal qui fait la démonstration
du plus émouvant enthousiasme. Après réception à l'Hôtel de
Ville et salut aux deux monuments consacrés respectivement

aux morts canadiens et français, je m'adresse à une foule
énorme, rassemblée sur le square Dominion et dans les ave-
nues avoisinantes. Le maire, Adhémar Raynault, crie à ses
concitoyens : « Montrez au général de Gaulle que Montréal
est la deuxième ville française du monde ! » Rien ne peut
donner une idée du tonnerre des vivats qui, de tous ces
cœurs, montent à toutes ces bouches. Le soir, l'avion nous
emporte. Le 13 juillet, nous sommes à Alger.

C'est pour y trouver le texte d'une déclaration, publiée la
veille par le Gouvernement américain. « Les États-Unis, y
est-il dit, reconnaissent que le Comité français de la libération
nationale est qualifié pour exercer l'administration de la
France. » Aussitôt, le State Department entame avec Hoppenot et Alphand des négociations pour un accord de coopération administrative en territoire libéré. Déjà, Eden et
Viénot ont, de leur côté, abouti à un texte satisfaisant. Au
début du mois d'août, Alger, Washington, et Londres sont
d'accord sur des termes communs. Ce qui est conclu ressemble
étonnamment à ce que nous avons proposé, une année auparavant. Le Gouvernement provisoire de la République française y est désigné par son nom. Sans réticence, on admet que
lui seul exerce les pouvoirs publics ; que lui seul délègue auprès
des forces alliées les organes utiles de liaison ; que lui seul
peut mettre à la disposition du commandement militaire les
services qui sont demandés ; que lui seul émet de la monnaie
en France et en fournit ce qu'il faut, contre livres et dollars,
aux troupes américaines et britanniques sur son territoire.

Et maintenant, qu'elle s'étende la grande bataille de France !
Que les armées alliées, côte à côte avec la nôtre et aidées par
nos forces de l'intérieur, débouchent de la Normandie vers
Paris et remontent la vallée du Rhône ! Qu'entre la mer du
Nord et la Méditerranée, depuis l'Atlantique jusqu'au Rhin,
soit libérée de l'ennemi cette nation à qui, depuis quinze cents
ans, aucune tempête, pas même celle-ci, n'a pu ôter sa souveraineté ni arracher ses dernières armes. Nous rapportons à la
France l'indépendance, l'Empire et l'épée.

COMBAT

Comme elle est courte l'épée de la France, au moment
où les alliés se lancent à l'assaut de l'Europe ! Jamais encore
notre pays n'a, en une si grave occasion, été réduit à des
forces relativement aussi limitées. Ceux qui luttent pour sa
libération sont submergés de tristesse quand ils évoquent sa
force d'autrefois. Mais, jamais non plus, son armée n'eut une
qualité meilleure. Renaissance d'autant plus remarquable
qu'elle est partie d'un abîme de renoncement.

La puissance militaire était, depuis quatorze siècles, la
seconde nature de la France. Si notre pays avait, maintes
fois, négligé sa défense, méconnu ses soldats, perdu des batailles, il n'en était pas moins apparu, de tout temps, comme
capable par excellence des plus grandes actions guerrières.
Les vicissitudes de l'époque contemporaine n'avaient pas
infirmé la règle. Quel que fût notre affaiblissement après
l'épopée napoléonienne, si cruelle que nous ait été la défaite
de 1870, nous gardions la psychologie et les moyens d'un
peuple fort. Artisans principaux de la victoire de 1918, nous
y avions conduit les autres. Que notre armée fût en tête de
toutes les armées du monde, notre flotte une des meilleures,
notre aviation au premier plan, nos généraux les plus capables,
cela, pour nous, allait de soi.

Aussi, l'effondrement de 1940 et l'abandon qui suivit pa-
rurent-ils à beaucoup monstrueux et irrémédiables. L'idée que,
depuis toujours, les Français se faisaient d'eux-mêmes, l'opinion historique de l'univers sur leur compte, s'étaient soudain
anéanties. Il n'y avait aucune chance pour que la France pût
recouvrer sa dignité vis-à-vis d'elle-même et vis-à-vis des
autres sans qu'elle eût redressé ses armes. Mais rien ne devait
l'aider à refaire son unité et à reprendre du prestige autant
que ce fait surprenant qu'elle sut trouver, dans son Empire
à peine rassemblé, dans sa Métropole opprimée, assez de foi

et de valeur guerrière pour se reforger une armée qui se battrait, ma foi! fort bien. Après Sedan et Dunkerque, la capitulation de Rethondes et celle de Turin, l'acceptation par Vichy de la défaite militaire et de l'asservissement de l'État, ce devait être un étonnant retour que nos forces prissent à la victoire une part importante et brillante, alors que l'ennemi occupait tout notre territoire, que deux millions de Français étaient prisonniers dans ses mains, que le gouvernement « légal » persistait à châtier les combattants.

Il existait, en Afrique, assez d'hommes mobilisables pour fournir les effectifs d'une armée de campagne. La limite, pourtant, était étroite. Car, s'il était possible de tirer des autochtones d'Algérie, du Maroc, de Tunisie, d'Afrique noire, de Madagascar autant de soldats qu'on voulait, le nombre des militaires de l'active et des réserves aptes à servir comme gradés et comme spécialistes se trouvait, au contraire, réduit. Pour l'essentiel, seuls les Français d'origine fournissaient ces catégories, indispensables à la formation des grandes unités modernes. Or, la population d'origine française ne se montait qu'à 1 200 000 âmes. Il est vrai qu'en appelant toutes les classes jusqu'à celle de 1918 on en tira 116 000 hommes, chiffre d'autant plus élevé que l'administration, la vie économique, l'ordre public, absorbaient une importante proportion d'éléments de qualité et que beaucoup de mobilisés étaient, depuis 1940, en captivité allemande. Il est vrai que la « France Libre » amena 15 000 jeunes Français, que la Corse fournit 13 000 soldats, que 12 000 garçons s'évadèrent de France par l'Espagne, que 6 000 femmes et jeunes filles entrèrent dans les services. Il est vrai que les appelés s'empressèrent à l'incorporation. Malgré tout, le recrutement des gradés et des spécialistes disposait d'insuffisantes ressources.

Il faut ajouter que les Américains, qui nous procuraient l'armement et l'équipement, y mettaient la condition que nous adoptions leurs propres règles d'organisation. Or, leur système comportait, en fait d'effectifs, une dotation extrêmement large en faveur des services, ainsi que des volants multiples destinés à combler les pertes. Pour eux, la vie et l'action des unités combattantes devaient s'appuyer sur des arrières richement pourvus. Ils ne consentaient à armer les divisions françaises qu'après avoir vérifié que les formations logistiques correspondantes étaient composées d'un personnel nombreux et qualifié. Par contre, nos troupes d'Afrique, accoutumées à vivre dans des conditions sommaires, tenaient pour du gaspillage le fait d'affecter tant de monde aux parcs, dépôts, convois et ateliers. Il en résultait de fréquentes et, parfois, désobligeantes contestations entre l'état-major allié et le nôtre et, d'autre part, chez les Français le crève-cœur d'être amenés à dissoudre de beaux régiments pour en faire des fractions auxiliaires.

Le général Giraud, tout le premier, s'y résignait mal. Ayant, lors de la conférence d'Anfa, entendu Roosevelt promettre que les États-Unis assureraient la dotation d'autant de troupes que nous pourrions en constituer, il avait espéré pouvoir équiper 14 divisions françaises, quitte à ne former que peu d'éléments d'entretien et de remplacement. Il était donc désolé et indigné de voir des contrôleurs étrangers exiger la mise sur pied de soutiens complets et, par voie de conséquence, la réduction des corps de troupe, avant de distribuer le matériel attendu. Il nous fallait, au surplus, maintenir dans nos territoires africains un minimum de forces de souveraineté. Enfin, nous réservions deux brigades pour les porter en Indochine dès que s'offrirait l'occasion. Ces forces de souveraineté et ces brigades, étant dotées d'armes françaises, ne relevaient pas des barèmes américains. Mais elles absorbaient des cadres, ce qui diminuait d'autant les possibilités de notre armée de campagne.

Pour mon compte, tout en ressentant ce qu'avait de pénible la prétention des Américains de lier leurs prêts de matériel à l'adoption de leurs schémas, j'étais d'avis que la prochaine campagne d'Europe exigerait, effectivement, des services très étoffés. En outre, dans l'affaire des livraisons d'armes, j'avais hâte de mettre un terme aux à-coups qui retardaient notre entrée en ligne. Devenu chef unique du gouvernement, je réglai donc la question. Le décret que je pris, le 7 janvier 1944, sur le vu des effectifs réels, des données irréductibles de l'organisation, des conditions dans lesquelles les alliés nous fournissaient l'armement et l'équipement, fixait comme suit l'ensemble des forces terrestres destinées à la bataille de France : 1 commandement d'armée, 3 commandements de corps d'armée, 6 divisions d'infanterie, 4 divisions blindées, avec les services et remplacements nécessaires. Encore, une des divisions d'infanterie et une des divisions blindées prévues au programme ne pourraient-elles être complètement mises sur pied en temps voulu. En revanche, 3 groupements de tabors, 2 régiments de parachutistes et des commandos seraient joints à nos grandes unités. On ne peut se faire une idée de

l'effort qu'eut à déployer l'état-major de l'Armée, sous la
direction du général Leyer, pour réaliser malgré les manques
et les saccades l'instrument militaire exemplaire que la France
trouva moyen d'engager en Italie, puis de mettre en ligne dans
la Métropole, enfin de lancer en Allemagne et en Autriche.

Notre marine n'était pas moins ardente. Absorbée par la
technique qui est sa vie et sa passion et qui la détournait
de ressasser ses récentes épreuves, elle se reconstituait, tout
en prenant une part active aux opérations navales. L'amiral
Lemonnier, nommé en juillet 1943 chef d'état-major général,
apportait à cette réorganisation une grande capacité et une
volonté tenace sous les dehors d'une habile modestie. Le 14 octobre 1943, le plan d'armement proposé par Lemonnier fut
arrêté par le Comité de la Défense nationale. Il y était prévu
qu'au cours du printemps suivant notre flotte pourrait faire
combattre : 2 cuirassés : *Richelieu* et *Lorraine;* 9 croiseurs :
*Gloire, Georges Leygues, Montcalm, Émile Bertin, Jeanne
d'Arc, Duguay-Trouin, Duquesne, Suffren, Tourville;* 4 croiseurs légers : *Fantasque, Malin, Terrible, Triomphant;* 3 croiseurs auxiliaires : *Cap des Palmes, Quercy, Barfleur;*
2 transports d'avions : *Béarn* et *Dixmude;* 14 torpilleurs ;
18 sous-marins ; 80 petits bâtiments : escorteurs, pétroliers,
chasseurs, vedettes et dragueurs.

Ce plan comportait pour la plupart des navires une modernisation de leur armement et une remise en état, que l'arsenal
de Bizerte à demi détruit, celui de Casablanca aux possibilités
restreintes, celui de Dakar tout juste embryonnaire, n'étaient
pas en mesure d'effectuer entièrement, mais que les bases
alliées de Brooklyn et des Bermudes avaient gracieusement
entreprises. Le programme serait donc effectivement réalisé.
Même, aux bâtiments prévus devaient s'ajouter : les torpilleurs *Tigre* et *Trombe* saisis naguère par les Italiens et que
nous avions récupérés ; un de leurs sous-marins, *Bronzo*, devenu le nouveau *Narval;* 4 frégates cédées par les Anglais ;
6 torpilleurs-escorteurs donnés par les Américains et dont
le premier, *Sénégalais*, avait été solennellement remis à
notre marine par le Président Roosevelt. D'autre part, 6 flottilles d'hydravions, réarmées en *Sunderlands* et *Wellingtons*,
faisaient reparaître l'aéronavale française dans le ciel de
l'Atlantique. Enfin, 2 régiments blindés de fusiliers, 1 groupe
d'artillerie lourde de campagne, des commandos, participe-
raient au nom de la marine à la bataille sur le continent, tandis
que 22 batteries de côte et 7 batteries antiaériennes, servies

par elle, contribueraient à la défense des ports d'Afrique et de Corse.

Trente groupes d'aviation, voilà ce que nos forces aériennes avaient à constituer, pour le printemps de 1944, d'après le plan proposé par le général Bouscat et arrêté, le 22 octobre 1943, en comité de la Défense nationale ; 7 groupes, dont 4 de chasseurs et 3 de bombardement, ayant leur base en Grande-Bretagne ; 21 groupes, dont 8 de chasse, 4 de bombardement, 6 de défense des côtes et des terrains, 1 de reconnaissance, 2 de transport, opérant sur le théâtre de la Méditerranée ; 2 groupes de chasse combattant en Russie. Comme il ne restait pratiquement pas d'avions français, en Algérie, au Maroc, en Tunisie, après les combats livrés aux Américains, ce sont ces adversaires d'hier qui se chargeaient généreusement de fournir en Afrique du Nord les appareils de nos escadrilles ; les Anglais et les Russes dotant, de leur côté, nos groupes sur leur territoire. Bouscat commandait avec méthode et autorité l'aviation française, hâtivement pourvue d'appareils nouveaux, intégrée soudain dans un ensemble allié dont il lui fallait s'assimiler les conventions et les procédés, mais plus que jamais empressée à combattre.

Au total, nous mettrions sur pied : une armée de campagne de 230 000 hommes, des forces de souveraineté comptant 150 000 soldats, une flotte de 320 000 tonnes avec 50 000 marins, 1 200 000 tonnes de cargos et paquebots dont les deux tiers armés par des équipages français, une aviation de 500 avions de ligne servis par 30 000 hommes. Une grande partie du matériel nous serait fournie par les alliés au titre des accords de prêt-bail passés entre eux et nous et dans lesquels comptaient, en revanche, les services que nous leur rendions au titre des ports, transports, communications, transmissions, installations, main-d'œuvre, etc... Au point de vue moral, nos armées se voyaient, avec une joie indicible, rétablies dans leur raison d'être et débarrassées des serments et des sortilèges qui les avaient, en grande partie, paralysées ou fourvoyées. Il fallait voir la ferveur avec laquelle troupes et équipages percevaient le matériel moderne, l'enthousiasme soulevé par l'ordre de départ dans les unités appelées au combat. Pendant cette période, j'ai inspecté chaque régiment, chaque navire, chaque escadrille. Dans tous les regards où je plongeais les miens, je lisais la fierté des armes. Tant est vivace la plante militaire française !

Les maquis le prouvent, de leur côté. Jusqu'à la fin de 1942,

ils étaient rares et de faible effectif. Mais, depuis, l'espoir a
grandi et, du même coup, le nombre de ceux qui veulent se
battre. En outre, le service obligatoire du travail, qui mobilise
en quelques mois 500 000 jeunes gens, surtout des ouvriers,
pour être employés en Allemagne, ainsi que la dissolution de
l' « armée de l'armistice », poussent beaucoup de réfractaires
dans la clandestinité. Par groupes plus ou moins importants,
les maquis se multiplient et entament la guérilla qui va jouer
un rôle de premier ordre dans l'usure de l'ennemi et, plus
tard, dans le développement de la bataille de France.

Les conditions dans lesquelles ces fractions autonomes se
forment, vivent et combattent sont évidemment très diverses
suivant la nature du terrain où elles opèrent et les armes dont
elles peuvent disposer. On voit, à cette occasion, les môles
naturels de la France reprendre la même importance qu'ils
avaient quand, successivement, les Celtes, les Gaulois, les
Francs, défendaient partout et en détail l'indépendance du
pays contre les envahisseurs : Germains, Romains, Sarrazins.
Le Massif Central, les Alpes, les Pyrénées, le Jura, les Vosges,
la forêt ardennaise, la Bretagne intérieure, attirent surtout
les maquisards. C'est là, d'ailleurs, que les avions alliés trouvent les meilleurs emplacements pour déposer ou parachuter
les agents et les « containers ». A l'écart des côtes, des grands
centres, des principales communications, l'occupation ennemie
est moins dense, la surveillance policière moins serrée. Les
vieilles montagnes ravagées et forestières de l'Auvergne, du
Limousin, des Cévennes, du Lannemezan ; les hauts plateaux
des massifs alpestres de la Savoie et du Dauphiné ; les re-
traites boisées et escarpées de l'ensemble vosgien - jurassien -
langrois - morvandiau ; les pentes abruptes des Ardennes
françaises et belges ; les landes, taillis, creux et étangs de
l'Ar-goat, servent aux partisans de refuges pendant les
longues attentes, de bases pour les coups de main, de terrains
de repli après les accrochages. Qui donc parlait de « la douce
France? »

On se réunit par bandes de quelques dizaines de compagnons. C'est, d'ordinaire, le maximum de ce qu'on peut grouper
en un même point, vu les dimensions des cachettes et les
difficultés du ravitaillement. On y vient grâce à quelque
filière, souvent de loin, moyennant maintes précautions. Quand
on est incorporé, c'est sans esprit de retour. On cantonne dans
des abris creusés, des huttes, des grottes, parfois dans une
baraque, une ferme en ruines, une maison forestière. Il faut

supporter la dure, le froid, la pluie, surtout l'angoisse. Les maquisards sont sans cesse en alerte, prêts à filer ailleurs, éclairés autant que possible par le réseau des complicités qui, à partir des localités, des postes de gendarmerie, voire des bureaux administratifs, les avertissent des dangers ou leur signalent les occasions. Les fermes et les villages voisins fournissent des vivres à la petite troupe. Des enfants, des jeunes filles, des vieux, lui servent de porteurs ou de plantons peu compromettants. Farouchement, silencieusement, la paysannerie française aide ces gars courageux. L'ennemi se venge en fusillant dans la population civile ceux qu'il suspecte d'être complices, en déportant des notables, en incendiant des bourgs entiers.

L'embuscade près de la route que suit le convoi allemand, le déraillement du train qui transporte du personnel ou du matériel ennemi, l'attaque de l'insouciante patrouille ou du poste mal gardé, la destruction des voitures au parc, de l'essence en réservoir, des munitions entreposées, telles sont les escarmouches à quoi s'emploient les maquis, jusqu'au jour où le débarquement des armées alliées leur ouvrira un champ d'action plus large. Quand l'affaire est décidée, il s'agit qu'elle soit préparée minutieusement, car on a peu d'hommes et peu d'armes, et qu'elle s'exécute lestement, car le succès tient à la surprise. Le coup fait, il faut au plus vite s'esquiver, parce qu'aussitôt l'adversaire amène du monde, barre les routes, ratisse les alentours. Une fois terrés, les maquisards haletants font le bilan des résultats. Quel triomphe, quand ils ont vu tomber sous leurs balles des soldats de la Wehrmacht, flamber les camions, culbuter les wagons, quand ils ont pu assiter à la déroute d'un groupe d'Allemands, saisir les armes des fuyards ! Mais aussi, combien souvent l'ennemi accroche le maquis ! Le combat, alors, est sans merci. S'il tourne mal, les Français survivants qui n'ont pu se dégager seront abattus sur-le-champ ou bien, après un simulacre de jugement, fusillés contre un talus. Qu'ils meurent debout, bien droits, ou couchés à cause de leurs blessures, ils crient : « Vive la France ! » en regardant en face les Allemands qui vont tirer. Plus tard, une stèle dressée sur place rappellera qu'ils sont tombés là. La Croix de Lorraine, gravée sur la pierre, dira pourquoi et comment.

Mais, dans une grande partie du pays, le terrain ne se prête pas à l'existence des maquis. Les réfractaires y sont, alors, divisés en très petites équipes ou vivent chacun de son côté.

Munis des faux papiers que leur procure la résistance, qui a
ses gens dans les ministères, les préfectures, les mairies, les
commissariats, ils se joignent aux bûcherons, aux carriers,
aux cantonniers, couchent dans des fermes écartées ou se
perdent dans les grandes villes. Souvent, des usines, des chantiers, des bureaux, leur assurent une « couverture » en attendant le coup de main après lequel ils disparaissent. Ces partisans dispersés mènent des actions à très petite échelle. En
revanche, ils les multiplient. Des Allemands isolés sont abattus,
des grenades éclatent sous les pas des occupants, des charges
de plastic avarient les véhicules. Dans le Bassin parisien, le
Nord, le Lyonnais, etc., les sabotages de détail sont devenus
continuels. C'est au point qu'il nous faut créer un service de
protection pour sauvegarder certaines installations dont les
armées vont avoir besoin.

Impossible, évidemment, de connaître au juste l'effectif de
tous ces éléments qui ne fournissent d'états, ni de listes, à
personne. Lors de la création de l'armée secrète, au début
de 1943, nous avons évalué le total à une quarantaine de
mille hommes, indépendamment de quelque 30 milliers
de Français et de Françaises qui font partie de nos 60
réseaux. Un an plus tard, 100 000 maquisards, au moins,
tiennent la campagne. Dès le début de la bataille de France,
leur nombre dépassera 200 000. En fait, l'effectif des soldats
de l'intérieur dépend directement de l'armement qui leur est
donné. Quand, par hasard, un groupe reçoit ce qu'il lui faut,
les volontaires y affluent. Par contre, le chef d'une troupe
dépourvue doit refuser des engagements. On imagine que la
question des armes à fournir à la résistance est l'un des tout
premiers soucis du gouvernement.

En France même, les ressources sont faibles. Sans doute
certaines autorités militaires avaient-elles, en 1940, camouflé
du matériel. Mais, presque toutes les cachettes ayant été
découvertes par l'ennemi ou à lui livrées par Vichy, les combattants ne disposent que de peu d'armes françaises. Il est
vrai que nous parvenons à leur en faire passer à partir de
l'Afrique du Nord, mais peu, car il n'y en a guère et les bases
d'où partent nos avions sont trop éloignées de la France.
Quant aux armes qu'on prend aux Allemands, la quantité
n'en sera appréciable que lors des grands chocs de l'été 1944.

Ce sont donc nos alliés qui détiennent les moyens voulus.
Or, quelque fréquentes et pressantes que soient nos interventions, ils n'entendent envoyer sur la France leurs avions

spécialisés et y lâcher fusils, mitraillettes, pistolets, grenades, mitrailleuses, mortiers, qu'en sérieuse connaissance de cause. Encore, malgré les précautions, la moitié du matériel parachuté tombe-t-elle aux mains de l'ennemi. D'ailleurs, si les services secrets américains et, surtout, britanniques ont peu à peu acquis la notion de ce qu'on peut attendre de la résistance française, le commandement allié tardera à mesurer l'efficacité de cette forme de guerre, toute nouvelle pour des états-majors préparés aux seules batailles que l'on mène suivant les règles. Il y aura, jusqu'au bout, des différences cruelles entre ce que les maquis réclament, parfois désespérément, et ce qui leur est expédié. Au total, cependant, plus d'un demi-million d'armes individuelles et 4 000 collectives auront été fournies à nos forces clandestines ; les quatre cinquièmes par nos alliés.

Les maquis, les réseaux, les mouvements qui les soutiennent, la propagande qui les appuie, ont besoin de quelque argent. Le gouvernement s'efforce de le leur procurer en monnaie utilisable et qui ne les fasse pas découvrir. Tout ce qu'il y a de billets de la Banque de France, entreposés en Angleterre, en Afrique, aux Antilles, y est d'abord employé. Sont ensuite expédiés des « bons de la libération », émis à Alger par le gouvernement et avec sa garantie, que notre délégation de Paris prend en compte et qu'elle échange secrètement contre espèces dans des établissements de crédit ou chez des particuliers. Au moment de la crise suprême, il arrivera que des chefs locaux, pressés par la nécessité, procéderont à des réquisitions de fonds dont la responsabilité sera finalement endossée par l'État. Au total, plus de 15 milliards, qui en feraient 100 aujourd'hui, seront officiellement distribués à la résistance. Bien qu'il se soit fatalement produit certains abus, les dépenses pourront être, pour plus des trois quarts, régulièrement justifiées suivant rapport de la Cour des Comptes.

Qui sont les chefs des troupes de l'intérieur ? Presque toujours ceux qui s'instituent eux-mêmes et que les hommes reconnaissent comme tels pour leur ascendant et leur capacité. La plupart d'entre eux seront dignes de cette élémentaire confiance. Quelques-uns — des exceptions — commettront des actes condamnables. Si l'on songe aux conditions dans lesquelles ils se recrutent, faute que les cadres provenant de l'armée aient, en masse et de bonne heure, renié Vichy et pris la tête des groupes de combat, on doit proclamer que ces chefs, improvisés, isolés, affectés à une tâche terrible, ont bien servi la patrie. Au reste, une fois occupée l'ancienne zone « libre », dissoute l'armée de l'armistice et dissipés les scrupules sentimentaux et légalistes qu'inspire encore le Maréchal, nombre d'officiers et de sous-officiers de carrière passeront au maquis sous l'impulsion de l'O. R. A. et de son chef le général Revers.

Tant que les forces clandestines ont à agir spontanément, au hasard des occasions et par bandes séparées, il ne saurait être question de leur imposer une hiérarchie régulière, ni de leur fixer depuis Alger ou Londres des missions précisées dans le temps et sur le terrain. Mais il y aurait de graves inconvénients à les laisser à elles-mêmes sans les rattacher à l'autorité centrale. Car on risquerait alors, soit de les voir glisser à l'anarchie des « grandes compagnies », soit de les livrer à l'emprise prépondérante des communistes. Ceux-ci, en effet, noyautent et, souvent, commandent les « Francs-Tireurs et Partisans » qui sont presque un tiers des maquis. Si de Gaulle ne tenait pas tout le monde sous son obédience, cette fraction deviendrait une force à part dont disposerait, non le pouvoir, mais l'entreprise qui vise à le saisir. En outre, d'autres éléments, ne sachant à quoi se rattacher, subiraient l'attrait de cette organisation et passeraient sous sa coupe. C'est l'époque, d'ailleurs, où les communistes s'efforcent d'accaparer le Conseil national de la résistance, de l'amener à prendre, vis-à-vis d'Alger, l'aspect d'une sorte de gouvernement de l'intérieur et de coiffer tous les clandestins par un « Comité d'action » où eux-mêmes jouent le rôle dominant.

Nous avons donc créé, en France, un système qui, sans contrarier l'initiative et le cloisonnement des maquis, les rattache au commandement français et leur en fait sentir l'action. Dans chacune des régions administratives et dans certains départements, le gouvernement place un « délégué militaire » nommé par moi. Celui-ci maintient le contact avec les groupes armés de sa région, les amène à conjuguer ce que font les uns et les autres, les relie à notre centre par les moyens-radio dont il dispose, leur transmet nos instructions et nous adresse leurs demandes, règle avec nos services les opérations aériennes qui leur parachutent des armes. Les maquis ont des inspecteurs : Michel Brault pour l'ensemble du territoire, Georges Rebattet pour la zone sud, André Brozen-Favereau pour la zone nord. Après l'arrestation par l'ennemi du général Delestraint, de son second le général Desmazes, de son adjoint le colonel Gastaldo, l'armée secrète a reçu un chef d'état-major, le colonel Dejussieu. J'ai, d'autre part, nommé un « délégué militaire national », c'est-à-dire un officier d'état-major représentant le commandement vis-à-vis de tous les éléments de combat : maquis, réseaux, équipes de sabotage, et auprès du Conseil national de la résistance. Louis Mangin, le colonel Ély, Maurice Bourgès-Maunoury, Jacques Chaban-Delmas, assument successivement cette mission qui exige et où ils apportent beaucoup de souplesse et de fermeté.

A mesure que, dans des zones propices, les forces de l'intérieur iront se multipliant, qu'y apparaîtront chez l'ennemi des signes de déconfiture, qu'une action d'ensemble y deviendra possible, on verra tel ou tel chef, officier de carrière, ou non, prendre le commandement de tout ou partie des maquis du secteur. Ainsi du commandant Valette d'Ozia en Haute-Savoie, du colonel Romans-Petit dans l'Ain, du général Audibert en Bretagne, des colonels : Guillaudot dans l'Ile-et-Vilaine, Morice dans le Morbihan, Garcie, Guédin, Guingouin, pour l'Auvergne et le Limousin, André Malraux pour la Corrèze, le Lot, la Dordogne, Ravanel pour la Haute-Garonne, Pommiès dans les Pyrénées, Adeline en Gironde, Grandval en Lorraine, Chevance-Bertin en Provence, Rol et de Marguerittes à Paris, Chomel en Touraine, du général Bertrand dans le Berri, etc.

Mais, dès l'instant du débarquement, il s'agira de faire en sorte que ces éléments épars concourent aux opérations alliées, que le commandement militaire leur fixe en conséquence des objectifs déterminés, qu'il leur procure les moyens d'exécuter ce qu'il attend d'eux. En ce qui concerne les destructions qui doivent paralyser l'ennemi dans ses mouvements, des plans d'ensemble ont été arrêtés par nous depuis longtemps en liaison avec des spécialistes compétents dans chaque domaine. Ainsi du « plan vert », appliqué aux voies ferrées et que nous ont proposé les chefs de « Résistance-fer » : Hardy, Armand, etc. ; du « plan violet », dressé avec le concours des résistants des P. T. T., comme par exemple Debeaumarché, et qui vise les transmissions télégraphiques et téléphoniques, notamment les câbles souterrains ; du « plan tortue », prévoyant aux bons endroits des coupures de routes, avec Rondenay comme principal exécutant ; du « plan bleu », en vertu duquel seront neutralisées les centrales électriques. Mais il faudra, d'autre part, que les actions locales des clandestins revêtent, au moment voulu, le caractère d'un effort national ;

qu'elles prennent assez de consistance pour devenir un élément de la stratégie alliée ; qu'elles mènent, enfin, les combattants de l'ombre à se fondre avec les autres en une seule armée
française.

C'est pourquoi, en mars 1944, je crée les « Forces françaises
de l'intérieur » englobant obligatoirement toutes les troupes
clandestines, prescris qu'elles soient organisées à mesure du
possible en unités militaires conformes au règlement : sec-
tions, compagnies, bataillons, régiments, décide que les officiers
qui en ont le commandement prendront à titre temporaire
des grades correspondants aux effectifs qu'ils ont sous leurs
ordres. On peut assurément prévoir que ces dispositions entraî-
neront, quant aux galons cousus sur les bérets et sur les
manches, maintes exagérations dont auront à s'occuper plus
tard les commissions de reclassement. Mais je tiens qu'en
soumettant ces troupes aux normes traditionnelles, ce à quoi,
d'ailleurs, elles aspirent, l'unité française sera finalement bien
servie. Au mois d'avril, je nomme le général Kœnig commandant des forces de l'intérieur et l'envoie en Grande-Bretagne
aux côtés d'Eisenhower. C'est de là qu'il pourra, au mieux,
mettre en action la résistance en la faisant concourir à la
stratégie commune, en communiquant avec elle par tous les
moyens voulus et en lui fournissant les armes et les appuis
nécessaires. Kœnig, en outre, prendra sous ses ordres les fractions allogènes que, sous les rubriques : « Alliance », « Buck-
master », « War Office », etc., les alliés, jusqu'alors, utilisaient
directement chez nous.

Les forces que la France parvenait à se refaire, comment
seraient-elles employées? A cet égard, le dualisme installé
à la tête du pouvoir avait pu, pendant quelque temps, contrarier les décisions. Toutefois, ce n'avait été qu'après la
campagne de Tunisie et avant celle d'Italie, c'est-à-dire au
cours d'une période de relative stabilisation. Il s'était trouvé,
au surplus, que Giraud avait dans l'ensemble des conceptions
analogues aux miennes. Mais l'automne de 1943 ouvrait la
perspective de l'offensive sur le continent. En même temps,
m'était attribuée la présidence unique du Comité. Au moment
où il fallait agir, j'en avais la possibilité, mais dans les limites
étroites et, pour moi, je l'avoue, pénibles que m'imposait
une coalition où les forces de la France n'étaient pas les principales.

L'idée que je me faisais de la conduite de la guerre était
celle-là même que je m'étais fixée depuis 1940. Il s'agissait

que notre armée, reconstituée en Afrique, rentrât dans la Métropole, contribuât avec nos forces clandestines à la libération du pays, prît part à l'invasion du Reich et s'assurât, en chemin, des gages voulus pour que le règlement final ne pût s'accomplir sans nous. Cela impliquait que l'effort allié fût dirigé vers notre territoire, qu'il comportât, non seulement un débarquement dans le Nord, mais un autre aussi dans le Midi, et que nous participions largement à cette deuxième opération. En attendant, il était bon que les Occidentaux fissent campagne en Italie, tant pour user les forces allemandes que pour dégager les routes maritimes, et il fallait que nos troupes, notre flotte, notre aviation, fussent engagées dans cette entreprise.

Cependant, la stratégie des alliés demeurait encore imprécise. En septembre 1943, ils avaient été d'accord pour aborder l'Italie. Mais ils ne l'étaient pas sur ce qu'il faudrait faire ensuite. Les États-Unis, pour leur part, se sentaient désormais capables de livrer la bataille d'Europe en passant par le plus court, autrement dit par la France. Prendre pied en Normandie et, de là, pousser sur Paris ; débarquer en Provence et remonter la vallée du Rhône ; ils entendaient conjuguer ces deux opérations. Après quoi, les armées alliées, soudées les unes aux autres entre la Suisse et la mer du Nord, se porteraient au delà du Rhin. La campagne d'Italie était, pour les Américains, une diversion qui ne devait pas amenuiser l'affaire principale.

Les Britanniques et, d'abord, Churchill voyaient les choses autrement. A leurs yeux, le plan américain tendait à attaquer l'ennemi là où il serait le plus dur, à prendre le taureau par les cornes. Mieux valait viser les points mous, frapper le ventre de l'animal. Au lieu de se fixer directement pour objectif l'Allemagne et de l'atteindre en passant par la France, c'était, suivant les Anglais, vers l'Europe danubienne qu'il fallait marcher, à travers l'Italie et les Balkans. Le grand effort de l'alliance devrait donc consister à pousser de l'avant dans la péninsule Italienne, à débarquer en Grèce et en Yougoslavie, à obtenir l'intervention des Turcs, puis à gagner l'Autriche, la Bohême, la Hongrie.

Comme il était naturel, cette stratégie répondait à la politique de Londres qui visait à établir la prépondérance britannique dans la Méditerranée et redoutait, par-dessus tout, de voir les Russes y déboucher aux lieu et place des Allemands. Lors des conférences de Téhéran et du Caire, dans les messages que le Premier Ministre adressait au Président, au cours des travaux menés à Washington par l'organisme anglo-saxon intitulé : « Combined Chiefs of Staff Committee », c'était ce plan, nous le savions, que les Anglais s'efforçaient de faire prévaloir.

Mais, quelque soin que prissent nos alliés de nous tenir à l'écart de leurs délibérations, nous avions, à présent, des forces assez importantes pour qu'on ne pût passer outre à nos propres résolutions. Or, sans méconnaître les côtés séduisants de la conception de Churchill, je ne m'y ralliais pas. Du point de vue militaire, l'opération menée depuis la Méditerranée en direction de l'Europe centrale me semblait comporter trop d'aléas. En admettant que l'on parvînt promptement à briser les forces ennemies qui occupaient l'Italie — mais rien n'y laissait prévoir une décision rapide — il faudrait ensuite franchir les barrières énormes des Alpes. Si l'on pouvait imaginer de débarquer en Dalmatie, comment se dégager des montagnes yougoslaves ? La Grèce, sans doute, était accessible, mais plus au nord quels obstacles accumulaient les massifs compliqués des Balkans ! Or, les armées américaine et britannique étaient faites pour agir surtout dans des plaines, à grand renfort de mécanique, et pour vivre sans trop de privations grâce à des convois réguliers. Je les voyais mal, lancées à travers le terrain tourmenté de la péninsule balkanique, sans ports commodes pour leur servir de bases, avec, en fait de communications, des routes médiocres et peu nombreuses, des chemins de fer rares et lents, ayant devant elles les Allemands maîtres dans l'art d'utiliser les chicanes de la nature. Non ! c'est en France qu'il fallait chercher la décision ; en France, c'est-à-dire sur un sol favorable aux opérations rapides, à proximité immédiate des bases aériennes et navales et où la résistance, agissant sur les arrières de l'ennemi, mettrait dans le jeu allié un atout de premier ordre.

C'était aussi au nom de l'intérêt proprement français que je croyais devoir écarter, pour ce qui nous concernait, le projet des Britanniques. Tandis que l'envahisseur tenait la France asservie, faudrait-il laisser l'Occident engager ses armées dans une direction excentrique ? Notre pays serait-il libéré de loin et indirectement, sans avoir vu ses soldats et ses alliés remporter sur son sol la victoire du salut ? Son ultime armée marcherait-elle sur Prague, tandis que Paris, Lyon, Strasbourg, resteraient longtemps encore aux mains de l'ennemi ? En négligeant de faire combattre et vaincre dans

la Métropole nos forces forgées outre-mer, allions-nous perdre
l'occasion de resserrer, après tant de secousses, les liens de
l'Union française? Enfin, au milieu de la confusion qui suivrait chez nous la retraite des Allemands et l'écroulement de
Vichy, quel régime surgirait du chaos si notre armée se trouvait, alors, en Autriche ou en Hongrie et ne pouvait s'amal-
gamer les forces de l'intérieur? Pour l'Angleterre et les États-
Unis, le choix de la stratégie intéressait leur politique. Mais
ce choix, pour la France, engageait tout son destin.

Il arriva que les vues américaines l'emportèrent d'assez
bonne heure pour ce qui concernait le débarquement dans le
Nord. En décembre 1943, nos alliés anglo-saxons, vivement
pressés par les Russes, décidèrent d'exécuter avant la fin du
printemps cette grandiose opération qu'ils appelèrent « Overlord ». Nous ne pouvions que les approuver. Mais le débarquement dans le Midi de la France, bien qu'envisagé en principe
et baptisé par avance « Anvil », demeurait très discuté.
M. Churchill ne renonçait pas à l'idée de porter sur l'Italie
et les Balkans tout l'effort allié dans le sud de l'Europe. Il
obtenait pour le général Maitland Wilson le commandement
en chef dans la Méditerranée ; Alexander étant déjà à la tête
des armées en Italie. Il tâchait qu'on maintînt à leur disposition le plus possible des divisions américaines et françaises
et des navires spéciaux destinés aux débarquements. Sauf
réaction de notre part, l'insistance du Premier Ministre allait
entraîner sur le théâtre du Sud l'application du plan britannique.

Mais comment intervenir? Étant donné l'enjeu de la partie
et les moyens que nous mettrions en ligne au cours de cette
phase du conflit, il eût été normal que nous fussions associés
aux principales décisions de la coalition ; que le Chef du Gouvernement français prît part aux conférences où le Président
des États-Unis et le Premier Ministre britannique arrêtaient
les projets concernant la conduite de la guerre ; que le commandement français — en la personne par exemple du général
Giraud — fût l'un des éléments de l'état-major commun où
étaient élaborés les plans d'action militaire. Nous aurions été,
de cette façon, en mesure de faire valoir notre point de vue
et d'influer sur les conclusions. Dès lors, la stratégie alliée
fût devenue complètement la nôtre, comme elle était celle des
deux États qui l'avaient adoptée. Le fait que, pour l'exécution, un général américain se trouvât en charge du Nord, un
général anglais du Sud, nous eût certes fait éprouver la nos-

talgie du passé, non point de l'inquiétude quant au présent et
à l'avenir. Mais jamais les Anglo-Saxons ne consentirent à
nous traiter comme des alliés véritables. Jamais ils ne nous
consultèrent, de gouvernement à gouvernement, sur aucune
de leurs dispositions. Par politique ou par commodité, ils
cherchaient à utiliser les forces françaises pour les buts qu'eux-
mêmes avaient fixés, comme si ces forces leur appartenaient
et en alléguant qu'ils contribuaient à les armer.

Cette philosophie n'était pas la mienne. J'estimais que la
France apportait aux coalisés, sous toutes sortes de formes,
un concours qui valait beaucoup plus que le matériel qui lui
était fourni. Puisqu'elle était tenue en dehors de leurs débats,
je me sentais justifié, chaque fois qu'il le faudrait, à agir pour
son propre compte et indépendamment des autres. Cela n'irait
pas sans heurts. Mais on devrait s'en accommoder, quitte à
constater par la suite que ce qui convenait à la France était
à l'avantage de tous.

En décembre, se présenta l'occasion de marquer que, dans
la situation qui nous était faite, nous réservions notre liberté.
C'était l'époque où nos troupes commençaient à opérer en
Italie. Trois divisions françaises s'y trouvaient déjà. A vrai dire,
la 4ᵉ Division marocaine, expédiée la dernière des trois, n'avait
pas bénéficié pour son transport dans la péninsule de beaucoup
d'empressement de la part des alliés. Ceux-ci auraient préféré
que nous nous contentions de renforcer par quelques bataillons
les forces du général Juin. Je m'étais vu contraint d'intervenir
pour que la 4ᵉ Division marocaine ne fût pas ainsi débitée et
pour qu'elle partît tout entière. Cela avait été fait et, sur le
champ de bataille, on avait pu s'en féliciter. Sur les entrefaites,
d'ailleurs, le commandement allié changeait d'attitude et
invitait le général Giraud à envoyer en Italie une quatrième
grande unité. Le Comité de la Défense nationale accédait à la
demande et choisissait la 1ʳᵉ Division « française libre ». Or,
nous apprîmes soudain que celle-ci ne partirait pas et que la
9ᵉ Division coloniale était désignée à sa place par ordre d'Eisenhower. Je lui fis aussitôt notifier que la 9ᵉ Division n'était
pas à sa disposition et demeurerait en Afrique du Nord.
Eisenhower invoqua alors, d'une part des arrangements qu'il
avait pris en dehors de nous avec le général Giraud, d'autre
part des conventions passées à Anfa entre celui-ci et Roosevelt
et suivant lesquelles les troupes françaises armées par les
Américains seraient à la disposition entière du commandement américain. Ces arguments ne pouvaient que m'affermir

dans ma position. Je maintins la décision prise. Puis j'avisai
MM. Edwin Wilson et Harold MacMillan que nous proposions
de régler entre les trois gouvernements les conditions dans
lesquelles les forces françaises pourraient être employées par
le commandement allié au même titre que les forces américaines et britanniques.

Il y eut quelque tumulte. Du côté de l'état-major allié,
on protesta que notre manière de faire compromettait les
opérations. Du côté des ambassadeurs, on déclara que l'affaire
ne concernait pas les Gouvernements de Washington et de
Londres et devait être réglée entre le général Eisenhower et
le Comité de la libération. Mais, comme nos troupes ne quit-
taient pas l'Afrique et qu'on en avait besoin en Italie, il
fallut bien s'expliquer. Le 27 décembre, ainsi que nous l'avions
dès l'abord proposé, se réunit sous ma présidence une conférence à laquelle prenaient part MM. Wilson, MacMillan et le
général Bedell Smith, celui-ci remplaçant Eisenhower alors
en voyage. René Massigli et le général Giraud se trouvaient à
mes côtés.

Je fis connaître que la 1re Division — non point une autre
— ayant été mise à la disposition du Commandant en chef
allié, irait rejoindre en Italie celles qui s'y trouvaient déjà,
aussitôt que son départ nous serait régulièrement demandé.
Bien entendu, aucune force française ne pouvait être employée
sur aucun théâtre d'opérations sans l'ordre du Gouvernement
français. Puis, j'indiquai que l'incident nous amenait à préciser comment le Gouvernement français entendait faire coopérer ses forces avec celles de ses alliés.

« A cette coopération, dis-je, nous sommes naturellement
disposés. Mais il faut que ce soit en connaissance de cause. Or,
nous ne sommes pas associés à vos plans. A toutes fins utiles,
nous avons préparé un projet d'accord en vue de corriger ce
fâcheux état de choses et d'organiser la coopération des trois
gouvernements dans la conduite de la guerre et des trois
commandements dans la stratégie. Si cet accord est conclu,
tout est bien. S'il ne l'est pas, le Gouvernement français ne
placera ses forces sous le commandement allié que dans les
conditions qu'il fixera lui-même et sous réserve de les reprendre, en tout ou en partie, quand l'intérêt national lui
paraîtra l'exiger. »

J'ajoutai : « Actuellement, le commandement allié reçoit
le concours de l'armée, de la flotte, de l'aviation françaises
pour la campagne d'Italie, sans que nous sachions jusqu'où

et jusqu'à quand on veut la pousser à l'étendre. Or, pour nous, les futurs débarquements en France sont d'une importance primordiale. Le moment est venu de dire que nous ne saurions renforcer nos troupes en Italie, ni même les y laisser longtemps, à moins que les Gouvernements américain et britannique ne nous donnent la garantie que l'opération « Anvil » aura lieu, que toutes les forces françaises d'Italie pourront y être engagées comme celles d'Afrique du Nord, qu'une division française sera, à temps, transportée en Grande-Bretagne afin de participer à l'opération « Overlord » et de libérer Paris. Ces garanties une fois données, s'il arrivait qu'elles fussent mises en cause, le Gouvernement français reprendrait *ipso facto* la disposition de ses forces. »

Le lendemain, Massigli notifia, par lettre, à MM. Wilson et MacMillan nos propositions et nos conditions. Il reçut d'eux une réponse annonçant que notre projet d'accord était étudié par leurs gouvernements et nous donnant, en attendant, les garanties que nous avions demandées au sujet de la campagne de France. Alors, reprirent les transports de troupes françaises vers l'Italie.

De ce moment, le commandement allié ne manqua plus de nous rendre compte de ses plans, de recueillir nos avis, de nous adresser par la voie régulière ses demandes de renforts français. Il s'établit à Alger entre états-majors une satisfaisante collaboration. De mon côté, je donnai maintes audiences aux principaux chefs américains et britanniques. Ainsi du général Eisenhower, de l'air-marshall Tedder, du général Bedell Smith, avant leur départ pour la Grande-Bretagne où ils auraient à monter puis à déclencher « Overlord » ; du général Maitland Wilson quand il vint prendre son commandement et à plusieurs autres reprises ; de l'amiral sir Andrew Cunningham ; de l'amiral Hewitt chargé des opérations de transport, d'escorte, de protection, de débarquement qu'allait comporter « Anvil » ; du général Doolittle commandant les forces aériennes stratégiques sur le théâtre méditerranéen ; des généraux : Devers, Gammell, Rooks ; de l'air-marshal Slessor, etc. Lors de mes inspections en Italie, c'est avec confiance que le général Alexander commandant les forces alliées, le général Clark commandant la Ve Armée américaine à laquelle était rattaché le Corps expéditionnaire français, le général Leese commandant la VIIIe Armée britannique, le général Eaker commandant l'aviation, me faisaient connaître leurs intentions et s'enquéraient du point de vue national français.

De la part de ces chefs, une telle attitude répondait, sans doute, à l'utilité immédiate. Elle n'en était pas moins méritoire. Il leur fallait, en effet, dans leurs rapports avec de Gaulle, surmonter une surprise à vrai dire bien compréhensible. Ce chef d'État, sans constitution, sans électeurs, sans capitale, qui parlait au nom de la France ; cet officier portant si peu d'étoiles, dont les ministres, généraux, amiraux, gouverneurs, ambassadeurs de son pays tenaient les ordres pour indiscutables ; ce Français, qui avait été condamné par le gouvernement « légal », vilipendé par beaucoup de notables, combattu par une partie des troupes et devant qui s'inclinaient les drapeaux, ne pouvait manquer d'étonner le conformisme des militaires britanniques et américains. Je dois dire qu'ils surent passer outre et voir la France là où elle était. En échange, ma profonde et amicale estime fut acquise à ces éminents serviteurs de leur pays et de notre cause, à ces hommes droits, à ces bons soldats.

Au reste, l'organisation à laquelle ils avaient affaire dans leurs contacts avec nous facilitait la cohésion. Le Gouvernement français, depuis qu'il n'avait plus qu'une tête, se gardait bien de répartir le droit de prendre des décisions et le devoir d'en répondre. L'armature donnée au commandement était aussi simple et nette que possible. M'appuyant sur la loi d'organisation de la nation pour le temps de guerre, je portais, en tant que chef de l'État, le titre de Chef des armées et, comme Président du gouvernement, la charge de diriger la Défense nationale. Ce qui concernait l'emploi de nos forces et, par là même, la coopération stratégique avec les alliés m'incombait nécessairement. Dans le cadre dont je fixais l'ensemble, les ministres de la Guerre, de la Marine, de l'Air avaient à mettre sur pied, administrer, pourvoir les armées et régler avec les services américains et britanniques les fournitures d'armement. Enfin, les chefs désignés par moi exerçaient sur le terrain le commandement de nos forces à l'intérieur du système allié. C'étaient là exactement les attributions qu'exerçaient, de leur côté et pour les mêmes raisons, Roosevelt, Churchill et Staline, toutes proportions gardées, hélas ! quant à l'importance relative de leurs moyens et des nôtres.

Pour m'assister dans ma tâche, j'avais créé l'état-major de la Défense nationale et mis à sa tête le général Béthouart, avec comme adjoints le capitaine de vaisseau Barjot et le colonel d'aviation de Rancourt. C'est Béthouart qui réunissait les éléments des décisions, notifiait celles-ci aux intéressés, en suivait l'exécution. Il assurait, en outre, avec les alliés les liaisons militaires sur le plan le plus élevé, se tenant en relation avec le commandant en chef sur place : Eisenhower, puis Wilson, et disposant, à l'extérieur, de nos missions militaires, terrestres, navales et aériennes. En dehors des aspérités que comportait mon propre contact, ces fonctions étaient difficiles, tant en raison de leur complexité que du fait qu'elles touchaient aux susceptibilités des gouvernements et des états-majors alliés, à celles des ministres et des hauts échelons français, partout à celles des personnes. Béthouart s'en acquitta au mieux.

Dans cette espèce de promotion que nous tâchions d'obtenir à l'intérieur de la coalition, la qualité des généraux qui commandaient nos grandes unités allait compter pour beaucoup. Or, justement, ils étaient bons. Juger sur place l'ennemi, le terrain, les moyens, combiner les différentes armes, entraîner les troupes, c'est le lot des divisionnaires ; les généraux Dody, de Monsabert, Sevez, Leclerc de Hauteclocque, du Vigier, de Vernejoul, Guillaume, Brosset, Magnan, allaient s'y distinguer tous, quoique chacun à sa manière. Les généraux Poydenot et Chaillet excelleraient à mettre en œuvre l'artillerie avec tous ses calibres. A la tête du génie, le général Dromard devait, sans faute, assurer à nos forces le passage de tous les obstacles et, pour finir, celui du Rhin. Au commandement des corps d'armée, il faut voir large et loin, ajuster en un effort unique les actions diverses et successives de plusieurs grandes unités. Les généraux Henry Martin et de Larminat, qui en eurent d'abord la charge, firent preuve de ces capacités. Les événements, d'ailleurs, les portaient, les moyens ne leur manquaient pas. Heureux les chefs qui se sentent monter vers la victoire !

Sur mer, faute que les ennemis fussent encore en état de mettre des flottes en ligne, la guerre navale consistait en l'engagement de moyens répartis sur d'immenses étendues pour la chasse aux sous-marins, la destruction des raiders, la défense contre les avions, l'escorte des convois, la protection des bases. Notre marine devait donc agir par unités fractionnées à l'intérieur du système allié. Les amiraux français, aux côtés de leurs pairs britanniques et américains, surent contribuer comme il le fallait à cette lutte sur mer où l'on est pris sans cesse au dépourvu, comme en un jeu où manquent toujours des pièces. Pour l'ensemble, Lemonnier ; pour les

secteurs ou les divisions : d'Argenlieu, Collinet, Nomy, Auboyneau, Ronarc'h, Sol, Barthe, Longaud, Missoffe, Battet, etc.,
firent honneur à la marine française.

Quant à notre aviation, amenée par la force des choses à
répartir ses escadres entre les grands groupements de chasse,
d'appui direct, de bombardement, en quoi s'articulait la puissance aérienne de l'Occident, ses généraux : Bouscat, au
sommet ; Valin, Gérardot, Montrelay, Lechères, etc., dans des
tâches fractionnées, se montrèrent dignes d'une armée de
l'air qui brûlait de reprendre son rang. Chefs d'une force toute
neuve et cherchant encore ses doctrines, ils surent, avec distinction, agir dans le double domaine du moral et de la technique de manière à tirer tout le possible des hommes et du
matériel.

Au premier rang des chefs qui, au temps de cette résurrection, furent en charge de nos forces, deux eurent le privilège
de commander, tour à tour, l'unique armée que la France put
engager dans la bataille. Les généraux Juin et de Lattre de
Tassigny avaient entre eux bien des traits communs. De même
âge, de même formation, ayant parcouru la carrière en même
temps et du même pas rapide, sortis tous deux, sans s'y être
brisés, des pièges que le désastre de 1940, puis le régime « de
l'armistice », avaient tendus à leur honneur, ils s'offraient
maintenant l'un et l'autre à exercer le grand commandement
pour lequel ils étaient faits et dont toujours ils avaient rêvé.
Au reste, assez généreux, en dépit de leur émulation, pour se
rendre mutuellement justice. Mais, comme ils étaient différents !

Juin, concentré, égal à lui-même, s'enfermant dans sa tâche ;
tirant son autorité moins de l'éclat que d'une valeur profonde,
son attrait de la solidité plutôt que d'un charme apparent ;
se frayant son chemin sans dédaigner, parfois, la ruse mais en
évitant les détours. De Lattre, passionné, mobile, portant ses
vues au loin et de toutes parts ; s'imposant aux intelligences
par la fougue de son esprit et s'attachant les sentiments à
force de prodiguer son âme ; marchant vers le but par bonds
soudains et inattendus, quoique souvent bien calculés.

Au demeurant, chacun d'eux était maître dans son art.
Juin, pour chaque opération, dessinait d'avance d'un trait
ferme le plan de la manœuvre. Il le fondait sur les données
qu'il tirait du renseignement ou bien de son intuition et que,
toujours, les faits confirmaient. Il lui donnait comme axe une
seule idée, mais assez nette pour éclairer les siens, assez juste

pour qu'il n'eût pas à la changer au cours de l'action, assez
forte pour s'imposer en fin de compte à l'ennemi. Ses succès,
même s'ils étaient payés cher, ne semblaient pas dispen-
dieux et, si méritoires qu'ils pussent être, paraissaient tout
naturels.

De Lattre, en chaque conjoncture, recherchait avant tout
l'occasion. En attendant de la trouver, il subissait l'épreuve
des tâtonnements, dévoré d'une impatience qui, au-dehors,
provoquait maintes secousses. Ayant discerné, tout à coup,
où, quand, de quelle façon l'événement pouvait surgir, il
déployait alors, pour le créer et l'exploiter, toutes les ressources d'un riche talent et d'une énergie extrême, exigeant
l'effort sans limite de ceux qu'il y engageait, mais sachant
faire sonner pour eux les fanfares de la réussite.

Comme Larminat, Leclerc, Kœnig le firent au plus noir de
la nuit et avec de faibles moyens, Juin et de Lattre, dès que
parut l'aurore, menant l'action sur une échelle plus large,
quoique encore, hélas ! limitée, remirent à l'honneur, aux yeux
de la nation, des alliés, des ennemis, le commandement militaire français.

C'est en décembre 1943 que s'engage en Italie notre Corps
expéditionnaire. On lui fait place, c'est donc pour une tâche
difficile. A ce moment les alliés, que commande Alexander,
sont entre Naples et Rome au contact du groupe des 10e et
14e Armées allemandes du maréchal Kesselring, depuis l'em-
bouchure du Garigliano sur la Méditerranée, jusqu'à celle du
Rapido sur l'Adriatique, en passant par le mont Cassin. Les
Allemands, habilement et énergiquement conduits, occupent
tout le long du front une position solide derrière laquelle ils
en ont organisé deux autres : « Gustav » et « Hitler », le tout
garni de bonnes troupes, d'armes sous casemates, d'artillerie
abritée, de mines. En ce début d'hiver, la zone d'action des
Français, sur le revers sud des Abruzzes aux abords d'Acqua-
fundata, se présente comme un ensemble montagneux, enneigé,
désolé, avec des crêtes rocailleuses et des pentes d'argile et
de boue que noie la brume et balaie le vent. Là, nos troupes,
rattachées à la Ve Armée américaine, joignent celle-ci, sur sa
droite, à la VIIIe Armée britannique.

Rome est l'objectif des alliés. Pour l'atteindre, le général
Clark commandant la Ve Armée veut déboucher dans la
plaine du Liri où ses formations blindées agiront avec avantage. Mais l'accès lui en est barré par le môle du mont Cassin.
Or, c'est tout droit sur le mont, là où l'ennemi est le mieux

retranché, que Clark voudrait forcer la ligne adverse. Il est
vrai qu'il compte sur sa puissante artillerie et, plus encore,
sur son aviation qui pourra, espère-t-il, écraser tout. Le Corps
expéditionnaire français a pour mission d'enfoncer un coin
dans les défenses ennemies au nord du fameux monastère
pour aider les alliés à l'enlever directement.

La deuxième quinzaine de décembre est marquée par la
très dure progression de la 2e Division marocaine qui, de nos
grandes unités, se trouve la première engagée. A travers des
montagnes culminant à 2 400 mètres, dans la neige ou sous
la pluie, aux prises avec un ennemi qui se bat avec acharnement, cette division, commandée par Dody, s'empare pied à
pied des massifs de Castelnuovo, du Pantano, de la Mainarde.
Plus au Sud, nos alliés se sont approchés du mont Cassin.
Ils n'ont pu toutefois l'enlever. Au Nord, l'armée britannique
demeure sur sa position. En janvier, un effort d'ensemble
est décidé par le général Clark. L'attaque reprend sur toute
la ligne. En même temps, un corps allié est débarqué à Anzio
en vue de tourner l'adversaire. De durs combats vont se
prolonger jusqu'au milieu du mois de mars sans aboutir à une
solution.

Ce n'est pas faute que le Corps expéditionnaire français
ait prodigué ses peines et remporté des succès. Au début du
mois de janvier, le général Juin a pris le commandement. La
3e Division nord-africaine, général de Monsabert, et un groupement de tabors, général Guillaume, sont mis en ligne aux
côtés de la Division Dody. Par la suite, la 4e Division marocaine commandée par Sevez viendra les rejoindre. En outre,
la Division italienne du général Utile est affectée au secteur
français. Les attaques commencent le 12 janvier. Trois semaines après, les Français ont conquis une zone profonde de
20 kilomètres, enlevé sur leur front la première position
allemande, percé la seconde, fait 1 200 prisonniers, le tout sur
un terrain extrêmement tourmenté et où l'ennemi engage
contre les nôtres plus du tiers des forces qu'il oppose à la
Ve Armée. L'affaire est couronnée — on peut le dire — par
l'enlèvement du Belvédère, massif organisé qui est la clef de
la ligne « Gustav ». Sur cette position, plusieurs fois prise,
perdue, reprise, le 4e Régiment de tirailleurs tunisiens accomplit un des faits d'armes les plus brillants de la guerre au prix
de pertes énormes. Y seront tués, notamment, son chef le
colonel Roux et 9 de ses 24 capitaines. Mais, à gauche, le mont
Cassin reste à l'ennemi malgré d'effroyables bombardements

aériens et les assauts vaillamment répétés des Américains, des Hindous, des Néo-Zélandais. A droite, la VIIIᵉ Armée ne progresse pas sensiblement. Juin, dans ces conditions, doit suspendre son avance.

Celle-ci, pourtant, laisse aux Français l'impression d'une victoire. L'ennemi n'a pas cessé de reculer devant eux. Ils ont senti à leur tête un commandement lucide et ferme dont le plan a été réalisé de point en point. La coopération des diverses grandes unités, la liaison entre les armes, n'ont rien laissé à désirer. Enfin, les nôtres ont constaté que pour la lutte en montagne qui exige des troupes le maximum d'efforts et d'aptitude manœuvrière ils se sont montrés hors de pair dans le camp des alliés. Ceux-ci, d'ailleurs, l'affirment hautement. Rien de plus noble et de plus généreux que les témoignages rendus par le roi George VI, les généraux : Eisenhower, Wilson, Alexander et Clark au général Juin et à ses troupes.

Quand, au début du mois de mars, inspectant nos troupes en ligne, je parcours les forteresses naturelles qu'elles ont prises, j'éprouve comme tous ceux qui sont là une grande fierté et une solide confiance. Mais il me paraît évident qu'un nouvel effort ne saurait leur être demandé que dans le cadre d'une stratégie plus large. Juin en est, le premier, convaincu. Il a déjà, dans ce sens, fait au commandement allié des recommandations instantes. Bientôt, il va lui suggérer une conception nouvelle de la bataille.

Suivant Juin, il faut, pour prendre Rome, que l'action alliée comporte une manœuvre d'ensemble et, d'abord, un effort principal auquel tout soit subordonné. Cet effort devra être mené sur le terrain qui mène à l'objectif, c'est-à-dire au sud des Abruzzes. Il sera donc nécessaire de resserrer le front de la Vᵉ Armée afin qu'elle agisse puissamment à partir du Garigliano, tandis que la VIIIᵉ Armée, étendant sa ligne au sud, opérera par sa gauche sur Cassino et le Liri. Dès lors, la zone du général Clark se trouvera réduite à deux secteurs : au nord les monts Aurunci, au sud la plaine que borde la mer. Le commandant du Corps expéditionnaire français proposera de se charger de l'attaque des monts Aurunci, tandis que les Américains progresseront à sa gauche en terrain moins accidenté.

Ayant visité les nôtres, je prends contact avec Alexander au quartier général de Caserte. Ce grand chef, d'esprit clair, de caractère sûr, me paraît très qualifié pour commander les forces alliées. Rôle complexe, car il lui faut employer côte à

côte une armée britannique, une armée américaine, un détachement d'armée français, un corps polonais, des contingents
italiens, une division brésilienne ; diriger et accorder des subordonnés ombrageux ; négocier avec diverses marines et plusieurs aviations ; subir les avis et demandes d'explications de
Washington et de Londres, le tout pour livrer une bataille
frontale entre deux mers, ce qui limite étroitement les possibilités de manœuvre. Le général Alexander évolue entre les
difficultés sans jamais cesser d'être lucide, courtois et optimiste. Il me rend compte de ses projets. Je l'écoute, me gardant
d'intervenir dans le plan de ses opérations. Car je tiens que
les gouvernements doivent laisser entière la liberté d'esprit
et la responsabilité du commandement dans la bataille. Mais,
l'ayant entendu me dire qu'il incline à changer sa stratégie
dans le sens que recommande Juin, je lui en marque ma satisfaction.

Clark, pour son compte, y est, lui aussi, disposé. Je vais le
voir dans la roulotte où il loge et travaille. Il me fait très
bonne impression. Non seulement parce qu'il dit avec netteté
ce qu'il a à dire, mais aussi parce qu'il demeure simple et droit
dans l'exercice du commandement. Il y a d'autant plus de
mérite que, parmi les généraux américains, il est le premier
qui ait la charge d'une armée sur le théâtre occidental et que
l'amour-propre de son pays est tendu vers sa réussite. Comme
Alexander, Clark témoigne à l'égard de Juin de la plus haute
estime et fait des troupes françaises un éloge qui n'est certainement pas feint. Le général Anders, à son tour, exprime
le même jugement. Dans un secteur voisin du nôtre il commande le Corps polonais qui prodigue sa bravoure au service
de son espérance. Le général italien Utile et sa Division
prêtent de bon cœur à nos soldats un concours très appréciable. A Alger, le général Mascanheras, qui arrive du Brésil
avec sa Division pour gagner bientôt l'Italie, déclare qu'il
entend prendre modèle sur les chefs français. Voilà de ces
propos qui adoucissent bien des blessures !

Peu après, Wilson me fait savoir que la décision d'Alexander
est arrêtée. L'offensive doit reprendre, en mai, sur les bases
que préconise Juin. Aussitôt, nous renforçons le Corps expéditionnaire. La 1re Division « française libre », un deuxième groupement de tabors, plusieurs groupes d'artillerie, des unités
du génie, un détachement blindé, sont envoyés en Italie.
D'autre part, les services qui étaient jusqu'alors ceux d'un
corps d'armée reçoivent les compléments voulus pour devenir

ceux d'une armée. Après quoi, la 2ᵉ Division blindée étant
partie pour l'Angleterre, il ne reste en Afrique du Nord, en
fait de grandes unités, que la 1ʳᵉ et la 5ᵉ Divisions blindées
et la 9ᵉ Division coloniale qui achèvent leur préparation.
Nous engageons donc dans la péninsule plus de la moitié de
nos moyens. C'est assez ! Au général Wilson, qui fait valoir
à mes yeux la perspective d'un effort plus étendu sur les deux
rives de l'Adriatique et m'exprime le souhait de pouvoir y
employer, non seulement les troupes françaises qui se trouvent
déjà sur place, mais encore celles qui ont été réservées, je
répète que ce n'est pas leur destination finale et que le Gouvernement français entend consacrer les unes et les autres à
l'opération « Anvil ». — « En attendant, dis-je à Wilson, notre
armée, qui compte 120 000 hommes en Italie, soit plus du
quart des combattants, va prendre à l'offensive prochaine
une part que j'espère décisive. »

Il devait en être ainsi. La bataille commençait dans la nuit
du 11 au 12 mai. Le Corps expéditionnaire français attaquait
les monts Aurunci. Il eût pu sembler que cet enchevêtrement
de massifs interdirait une progression rapide. Mais c'est justement pour cela que le commandement français l'avait choisi
comme terrain d'action. L'ennemi avait, en effet, toutes raisons apparentes de croire qu'il lui faudrait se défendre surtout,
non point dans les monts eux-mêmes, mais bien au nord et
au sud où les pentes étaient faibles et où passaient respectivement les deux grandes routes de Rome nᵒ 6 et nᵒ 7. Il serait
donc surpris de nous voir l'attaquer en forces dans le secteur
le plus difficile. Mais en outre, dans ce secteur même, la manœuvre du général Juin allait prendre en défaut l'adversaire.
Car c'est par la crête la plus haute, la plus dépourvue de chemins, où les Allemands ne s'attendaient pas à l'irruption de
l'assaillant, que les Français entreprendraient une avance
accélérée, débordant continuellement à droite et à gauche les
positions du défenseur et perçant de part en part ses trois
lignes successives avant que, sur aucune des trois, il eût trouvé
le temps de se rétablir. Encore, pour courir toutes les chances
de la surprise, moyennant d'ailleurs tous les risques, le commandant du Corps expéditionnaire avait-il décidé de faire
enlever à l'improviste, en pleine nuit, sans préparation d'artillerie, les pentes du mont Majo, môle énorme qui couvrait tout
le système des défenses allemandes.

Il est vrai que le Corps expéditionnaire comprenait des
troupes de premier ordre, aptes par excellence à la guerre de

montagne. En particulier, la 4ᵉ Division et les tabors marocains étaient capables de passer partout et le général Juin le
savait mieux que personne. Il confiait donc à cette division
et à ces tabors, réunis sous les ordres de Sevez, la mission de
pousser aussi vite que possible par les hauts du terrain en
enveloppant au sud le dispositif allemand et en prenant pour
objectif final le massif de Petrella, près de Pico, sur les arrières
de l'ennemi. Un admirable régiment de la 2ᵉ Division marocaine, le 8ᵉ Tirailleurs, colonel Molle, aurait à ouvrir la brèche
en s'emparant d'un bond du mont Majo. De son côté, la
1ʳᵉ Division « française libre » envelopperait au nord l'ensemble des massifs montagneux et aiderait la gauche de la
VIIIᵉ Armée à déboucher sur le Liri. Enfin, la rude tâche
d'enlever les défenses allemandes à l'intérieur des monts
Aurunci reviendrait à la 3ᵉ Division nord-africaine et à la
2ᵉ Division marocaine.

Comme une machine vivante dont les rouages sont mis en
œuvre par des hommes qui n'ont qu'un seul but, ainsi l'armée
française d'Italie réalisait exactement ce que son chef avait
décidé. Le 17 mai, m'étant de nouveau rendu dans la péninsule accompagné du ministre de la Guerre André Diethelm
et des généraux de Lattre et Béthouart, je le constatais sur
place. Après des années d'humiliation et de déchirements,
c'était un magnifique spectacle qu'offraient les troupes de
Monsabert et de Dody, poussant leurs attaques vers Esperia
et San Oliva, celles de Brosset engagées autour de San Giorgio,
celles de Sevez et de Guillaume qui atteignaient les abords
de Pico, les batteries de Poydenot suivant au plus près l'infanterie accrochée aux pentes, les sapeurs de Dromard qui, à la
veille de l'assaut, avaient réussi le tour de force de construire
en secret, au contact immédiat de l'ennemi, les ponts du Garigliano et, maintenant, employaient toutes les heures de tous
les jours et de toutes les nuits à rendre praticables les chemins
coupés et minés. Nos convois circulaient dans un ordre exemplaire, nos parcs et nos ateliers ravitaillaient les unités sans
accrocs et sans retards. Dans nos ambulances, au milieu de
l'afflux des blessés français et allemands, la capacité de notre
service de santé ainsi que le dévouement des infirmières et con-
ductrices de Mmes Catroux et du Luart étaient à la hauteur
de leur tâche. Chacun, à chaque échelon, en chaque endroit,
quelles que fussent les pertes et les fatigues, montrait cet air
guilleret et empressé qui est celui des Français quand les
affaires vont comme ils veulent.

Le 20 mai, toutes les positions allemandes sur une profondeur d'une trentaine de kilomètres étaient percées par les Français qui, déjà, débordaient Pico. A gauche, le 2ᵉ Corps d'armée américain s'était emparé de Fondi et poussait vers les marais Pontins. A droite, cependant, les Britanniques et les Polonais, ayant pris respectivement San Angelo et le mont Cassin mais combattant dans le secteur où l'ennemi avait accumulé ses plus fortes organisations, étaient arrêtés devant la ligne : Aquino - Pontecorvo. Le Corps expéditionnaire français, avant de cueillir ses lauriers, de dénombrer ses 5 000 prisonniers, de faire le compte des canons et du matériel laissés entre les mains des siens, devrait participer à une nouvelle bataille et attaquer sur le front : Pontecorvo - Pico, afin d'aider la gauche du général Leese à gagner le terrain libre en direction de Rome. Le 4 juin, nos premiers éléments y pénétraient. Le 5, Américains, Britanniques et Français défilaient dans la capitale.

Avec le visa du maréchal Kesselring, l'écrivain allemand Rudolf Böhmler, lui-même combattant d'Italie, a fait dans son ouvrage *Monte Cassino* l'historique de la Xᵉ Armée allemande. Ayant décrit la part brillante prise par le Corps expéditionnaire français à la bataille de l'hiver, notamment au « Belvédère », l'auteur évoque les perplexités du haut commandement allemand quand il s'aperçut que les Français avaient quitté ce secteur sans que l'on sût où ils étaient allés. Un nouvel effort des alliés pour atteindre Rome était certainement à prévoir. « Mais, écrit Rudolf Böhmler, seule l'offensive de l'adversaire révélerait dans quelle région allait surgir le principal danger. A cet égard, c'est l'emplacement du Corps expéditionnaire français qui nous donnerait une indication précise... Où donc se trouvait-il? Quand Juin paraissait quelque part, c'est qu'Alexander y projetait quelque chose d'essentiel. Nul ne le savait mieux que Kesselring. « Mon plus grand souci, déclarait le feld-maréchal, me venait de mon incertitude quant à la direction de l'attaque du Corps expéditionnaire français, quant à sa composition, quant à sa mise en place... C'est de cela que dépendaient mes décisions définitives. » Rudolf Böhmler ajoute : « Ces craintes étaient bien fondées. Car c'est Juin qui détruisit l'aile droite de la Xᵉ Armée et ouvrit aux alliés la route de Rome. Par des mois de combats, son corps expéditionnaire enfonça la porte qui menait à la Ville éternelle. »

Valeur militaire, vertu des armes, peines et services des

soldats, il n'y a point sans cela de pays qui se tienne ou qui
se remette debout. De tous temps, notre race a su fournir
ces richesses à foison. Mais il y faut une âme, une volonté,
une action nationales, c'est-à-dire une politique. Que la France,
entre les deux guerres, eût eu à sa tête un État capable, que
devant l'ambition d'Hitler elle se fût trouvée gouvernée, que
son armée, face à l'ennemi, eût été pourvue et commandée,
quel destin était le nôtre ! Même après le désastre de mai 1940,
c'était un grand rôle encore que nous offraient notre Afrique,
notre flotte, les tronçons de notre armée, pour peu que le
régime et, par suite, les chefs l'aient voulu. Mais, puisqu'après
tant d'abandons le pays, pour se relever, devait partir du
fond du gouffre, rien ne pouvait être fait que par l'effort de
ses combattants. Après Keren, Bir-Hakeim, le Fezzan, la
Tunisie, la gloire de nos troupes d'Italie rendait sa chance à la
France. Recevant le compte rendu de leurs opérations, lors
de mon arrivée à Londres à la veille du grand débarquement,
je télégraphiai à leur chef : « L'armée française a sa large part
dans la grande victoire de Rome. Il le fallait ! Vous l'avez
fait ! Général Juin, vous-même et les troupes sous vos ordres
êtes dignes de la patrie ! »

Tandis que les 2e et 4e Divisions et les tabors marocains
se regroupaient près de Rome, Juin lançait dans son secteur
à la poursuite de l'ennemi un corps d'armée commandé par
le général de Larminat. Ce corps, formé des Divisions Brosset
et de Monsabert renforcées en blindés et en artillerie, marchait
suivant la direction : lac de Bolsena, Radicofani, passage
de l'Orcia, Sienne. Chacun de ces points devait être le théâtre
de durs combats où seraient tués, en particulier, avec beaucoup de bons soldats, le colonel Laurent-Champrosay et le
capitaine de frégate Amyot d'Inville commandant respectivement l'artillerie et le régiment de fusiliers-marins de la
1re Division « française libre ». Cependant, Larminat, manœu-
vrant et attaquant, réglait leur compte aux arrière-gardes
allemandes. Il faut dire que l'aviation alliée dominait complètement le ciel et écrasait les colonnes ennemies. Rien ne
donnait à nos troupes la mesure de la défaite allemande
mieux que les monceaux de ferraille accumulés le long des
routes.

Entre temps, les Français s'étaient emparés de l'île d'Elbe,
avec l'appui des navires spéciaux que fournissaient les Britanniques et de plusieurs escadrilles américaines de chasse et
de bombardement. L'opération avait été proposée par le

général Giraud au lendemain de la libération de la Corse. Mais les alliés, alors absorbés par l'affaire d'Anzio, ne s'étaient pas laissé convaincre. A présent, ils nous demandaient d'effectuer la conquête de l'île. Je leur donnai mon accord. Sous le commandement du général Henry Martin, l'attaque serait menée par la 9ᵉ Division coloniale, le Bataillon de choc et les commandos, toutes unités stationnées en Afrique et désignées pour faire partie de l'Armée de Lattre lors de la prochaine offensive dans le Midi de la France.

Pendant la nuit du 16 au 17 juin, le général Martin fit débarquer par petits groupes les « chocs » du commandant Gambiez qui s'emparèrent en quelques instants des sept batteries de côte allemandes. Ensuite, la Division Magnan prit pied dans la baie de Campo. Le 18 juin, après de rudes combats à Marino di Campo, Porto Longone, Porto Ferrajo, nos troupes occupaient l'île entière, ayant détruit la garnison allemande que commandait le général Gall, fait 2 300 prisonniers, capturé 60 canons et beaucoup de matériel. Le général de Lattre, qui s'était rendu sur place, me télégraphiait ce soir-là, de la « maison Napoléon », le compte rendu des résultats en soulignant qu'ils étaient acquis au jour anniversaire de mon appel de 1940.

A la grande entreprise dont je rêvais en lançant, alors, cet appel et qui viserait la côte de Provence, la prise de l'île d'Elbe pouvait sembler de bon augure. Mais tout dépendait encore des décisions finales des alliés. Impressionnés par l'ampleur de la victoire en Italie, n'allaient-ils pas *in extremis* renoncer à l'opération « Anvil » pour adopter un projet divergent d'exploitation dans la péninsule? Lors de l'ultime voyage que j'y fis à la fin de juin, après mon retour de Londres et de Bayeux, je trouvai le commandement très désireux, en effet, de poursuivre la campagne avec les moyens dont il disposait sur place et, même, de l'étendre moyennant de nouveaux renforts. De sa part, c'était très naturel. Cependant, pour des raisons qui tenaient à mes responsabilités à l'échelle de la nation française, je n'entrais pas dans cette conception.

Au demeurant, les Américains, engagés rudement en Normandie, exigeaient qu'on prît pied en Provence. Marshall et Eisenhower réclamaient avec insistance que ce fût fait au mois d'août. Pour plus de sûreté, je fis, de mon côté, connaître aux généraux Wilson et Alexander que le Gouvernement français les invitait d'une manière expresse à regrouper en temps voulu toutes les forces qu'il avait mises à leur disposi-

tion, afin qu'elles puissent être transportées en France au plus
tard pendant le mois d'août. J'acceptais que nos éléments
lancés à la poursuite de l'ennemi continuent leurs opérations
pendant quelques semaines encore. Mais elles ne devraient,
en aucun cas, se trouver engagées après le 25 juillet, ni dépasser la vallée de l'Arno. Je donnai directement à notre
armée d'Italie, ainsi qu'à nos forces tenues prêtes en Afrique,
l'ordre qui leur fixait leur prochaine destination. Quant au
général Juin, malgré la tristesse qu'il éprouvait à quitter son
commandement et le chagrin que moi-même je ressentais à
le lui ôter, je le nommai chef d'état-major général de la Défense
nationale, poste essentiel dans la période d'opérations très
actives, de réorganisation profonde et de frictions inévitables
avec les alliés qu'ouvrait la libération. Jusqu'au jour où je
quitterais le pouvoir, Juin serait, à mes côtés, comme l'un des
meilleurs seconds et des plus sûrs conseillers militaires qu'ait
eus jamais un guide de la France.

Finalement, la date du débarquement dans le Midi se trouva
fixée au 15 août. Comme nous le voulions, toutes les forces
françaises de terre, de mer et de l'air disponibles en Méditerranée auraient à y participer. En attendant, certaines de
nos troupes seraient jusqu'à l'extrême limite aux prises avec
l'ennemi dans la péninsule Italienne. Continuant son avance
avec les Divisions Monsabert et Dody et un groupement de
tabors, le général de Larminat s'emparait de Sienne, le 3 juillet,
en prenant toutes précautions pour ne rien abîmer de cette
ville merveilleuse. Le 22 juillet, nos troupes, sous les ordres
directs de Juin qui tenait à mener lui-même les derniers
combats en Italie, enlevaient Castelfiorentino en vue de Florence et de la vallée de l'Arno où l'ennemi allait se rétablir
pour de longs mois. Alors, remettant leur secteur à des éléments
alliés, les nôtres se hâtaient vers les navires qui les débarque-
raient en France.

Leur transport allait s'effectuer sur une mer que dominaient
les marines de l'Occident. Il est vrai que, dès septembre 1943,
l'armistice de Syracuse avait retiré à l'Axe presque toute la
flotte italienne déjà bien éprouvée par les coups d'Andrew
Cunningham. D'autre part, au printemps de 1944, le *Schar-
nhorst* et le *Tirpitz*, derniers cuirassés rapides de la marine
allemande, étaient détruits par les Britanniques. Cependant,
il restait à l'ennemi un grand nombre de sous-marins, des
raiders, des vedettes, qui de concert avec les avions continuaient de causer aux convois de lourdes pertes. Il avait donc

fallu poursuivre le nettoyage des mers avant d'y risquer les armadas des débarquements.

C'est pourquoi, dans l'Atlantique, la mer du Nord, l'Arctique, les croiseurs, torpilleurs, sous-marins, frégates, corvettes, chasseurs, vedettes, escorteurs français, opérant depuis les ports de Grande-Bretagne sous les ordres de l'amiral d'Argenlieu, faisaient partie du vaste système d'attaque et de protection organisé par les alliés. Pour *Overlord*, tous nos bâtiments basés sur l'Angleterre, soit 40 petits navires de guerre et une cinquantaine de paquebots et de cargos, furent employés aux opérations de bombardement, d'escorte, de transport que comportait la mise à terre des forces d'Eisenhower. A cette action se joignit celle d'une division de 2 croiseurs : *Georges-Leygues* et *Montcalm*, commandée par l'amiral Jaujard et qui prit, devant Port-en-Bessin, une part très efficace au bombardement des plages, puis au soutien des troupes débarquées. Le vieux cuirassé *Courbet*, qui depuis quatre ans nous servait de ponton dans la rade de Portsmouth, reçut, en cette suprême occasion, un équipage réduit et un bon commandant : Wietzel, et s'en fut, sous le feu de l'ennemi, s'échouer près de la côte française afin de servir de môle au port artificiel d'Arromanches. Enfin, le *Commando-marine* du lieutenant de vaisseau Kieffer sauta sur la plage de Ouistreham avec les premiers éléments alliés.

Dans l'Atlantique Sud, la marine française, en attendant *Anvil*, contribuait avec vigueur à l'action des Occidentaux. Sept de nos croiseurs répartis en deux divisions, commandées respectivement par les amiraux Longaud et Barthe, et que viendraient bientôt renforcer les deux croiseurs de l'amiral Jaujard, faisaient partie entre Dakar et Natal des barrages destinés à intercepter les « forces de blocus » allemands. L'un de ceux-ci, le *Portland*, était coulé par le *Georges-Leygues*. Au long et au large de la côte ouest de l'Afrique, c'est aux forces navales et aéronavales de l'amiral Collinet qu'incombaient les opérations contre les sous-marins, les raiders et les avions ennemis.

En Méditerranée, une division de croiseurs légers français, sous les ordres du capitaine de vaisseau Sala auquel succéderait Lancelot, était, avec maintes formations navales britanniques et américaines, mise à l'appui des armées d'Italie. C'est ainsi, qu'en septembre 1943, le *Fantasque* et le *Terrible* étaient engagés vers Salerne lors du débarquement des troupes. En janvier 1944, le *Fantasque* et le *Malin* aidaient à l'affaire d'Anzio en bombardant au plus près les renforts allemands qui suivaient la Voie Appienne. Puis, gagnant l'Adriatique, cette division prenait à son compte l'attaque des navires que l'ennemi faisait naviguer, de nuit, le long de la côte italienne pour suppléer aux ravitaillements empêchés sur les voies de terre par l'aviation alliée. Le 1er mars, dans les parages de Pola, nos croiseurs légers envoyaient par le fond 5 navires dont 1 torpilleur. Le 19 mars, ils coulaient 5 bâtiments au large de la Morée. En juin, dans l'Adriatique nord, ils en détruisaient 4 autres. Au cours de la même période, tous les convois amis qui naviguaient au large de l'Angleterre et de la Normandie, ou bien vers l'Italie, la Corse, l'Afrique du Nord, comptaient dans leur escorte des bâtiments français. Nous y perdions le torpilleur *la Combattante*, le sous-marin *Protée*, l'aviso *Ardent*, le dragueur *Marie-Mad*, le pétrolier *Nivôse*, le chasseur 5 et plusieurs navires de charge.

Dans le Pacifique enfin, le splendide *Richelieu*, commandant Merveilleux du Vigneaux, allait rejoindre les flottes de ligne. En avril devant Sabang, en mai devant Sœrabaya, il soutenait puissamment l'action des porte-avions alliés. Partout, en somme, la marine française tirait le meilleur parti des moyens qu'elle avait reformés.

Si la maîtrise de la mer permettait l'assaut du continent, c'est qu'elle se conjuguait avec la domination du ciel. A celle-ci comme à celle-là les Français prenaient une part efficace, à défaut qu'elle fût capitale. Dix-sept groupes de notre aviation accompagnaient le combat des armées d'Italie. Sept groupes appuyaient la bataille de France, dont deux en participant aux bombardements lointains qui écrasaient l'industrie allemande. Deux groupes de chasse figuraient avec honneur dans la lutte implacable où la Russie était en train de vaincre. Sur la côte de l'Afrique du Nord plusieurs groupes contribuaient à couvrir les bases à terre et les convois en mer. Les records d'un Clostermann, d'un Maridor, d'un Marin La Meslée, le sacrifice délibéré de Saint-Exupéry, ainsi que d'autres prouesses, étaient comme des étincelles jaillissant de l'écrasante machinerie du « grand cirque ».

Le combat de la France forme un tout. L'élan guerrier qui accroît le rôle de nos armées régulières est le même qui fait grandir nos forces de l'intérieur. Celles-ci, bien avant les débarquements, ne livrent plus seulement des escarmouches mais se risquent à des engagements en bonne et due forme. Aux

rapports qui concernent les opérations des troupes, des navires, des escadrilles, se mêlent maintenant, tous les jours, des
comptes rendus relatifs à l'activité des maquis et des réseaux.
Tout naturellement, le feu s'étend d'abord dans le Massif
Central, le Limousin et les Alpes.

Le 10 septembre 1943, à Dourch dans l'Aveyron, se déroule
un combat en règle qui semble une sorte de signal. Une compagnie allemande est mise en fuite par les nôtres et laisse sur le
terrain son capitaine et dix soldats morts. Il est vrai qu'à La
Borie le maquis vainqueur sera, à son tour, décimé et le lieutenant de Roquemaurel, son chef, tué à l'ennemi. Mais, en
d'autres points de l'Aveyron et du Cantal, se déroulent de nouvelles affaires où les nôtres ont l'avantage. La Corrèze se garnit
de maquisards. A Saint-Ferréol, à Terrasson, de vifs engagements, où l'envahisseur perd plusieurs centaines d'hommes,
y préludent à l'action d'ensemble que l'on fera coïncider avec
le débarquement. Dans le Puy-de-Dôme, après plusieurs coups
de main bien menés, le colonel Garcie réunit 3 000 hommes
sur la position du Mouchet et y entame, le 2 juin, une série de
combats où les Allemands auront le dessous. Dans le Limousin, le Quercy, le Périgord, des accrochages multipliés causent
à l'ennemi des pertes sérieuses.

La Haute-Savoie voit se dérouler des combats de plus en
plus intenses. Déjà, en juin 1943 aux Dents de Lanfon, puis
le mois suivant à Cluses, les Italiens qui occupaient le département avaient été fortement éprouvés. Les Allemands qui les
ont relevés sont, au cours de l'hiver, assaillis en maints
endroits. En février, 500 Français, auxquels se sont joints
une soixantaine d'Espagnols, prennent position sur le plateau
des Glières. Le lieutenant Morel les commande. Après sa mort
ce sera le capitaine Anjot qui, à son tour, tombera au champ
d'honneur. Dans le courant du mois de mars, l'ennemi, ayant
risqué contre eux plusieurs coups de main infructueux, se
décide à attaquer en forces. Il y engage 3 bataillons, 2 batteries de montagne, des mortiers lourds, avec l'odieux concours de détachements français de la milice et de la garde
mobile. Au total, 7 000 hommes appuyés par un groupe de
« Stukas » montent à l'assaut du plateau des Glières. Les Allemands, en treize jours de combat, réussissent à s'en emparer.
Six cents des leurs y sont tombés. Mais, à ce prix, ils n'ont pas
détruit la troupe des défenseurs dont les deux tiers leur ont
échappé.

Le département de l'Ain est le théâtre d'engagements continuels. Les forces de l'intérieur, bien commandées et organisées, dominent la situation. Elles le prouvent, le 11 novembre, en occupant Oyonnax pendant toute cette journée de glorieux anniversaire. Là, le colonel Romans-Petit les passe en revue devant le monument aux morts et les fait défiler à travers la ville au milieu de l'émotion populaire. Pour réduire les maquis de l'Ain, les Allemands engagent, au début de 1944, d'importantes opérations qui leur coûtent plusieurs centaines de morts. En avril, nouvel effort qu'ils doivent payer encore plus cher. En juin, ce sont les nôtres qui prennent partout l'offensive, faisant 400 prisonniers.

Dans la Drôme, où passent la grande ligne Lyon - Marseille, celle de Grenoble, celle de Briançon, les maquis du colonel Drouot opèrent surtout contre les voies ferrées. En décembre, un train de permissionnaires allemands saute à Portes-les-Valence ; les wagons stoppés ou renversés sont mitraillés par les nôtres qui tuent ou blessent 200 soldats. Quelques jours après, à Vercheny, déraille un train de troupes qui est précipité dans la Drôme. En mars, au défilé de Donzère, les maquisards arrêtent et prennent sous leur feu un convoi militaire dont on retire 300 morts et blessés. Peu après, un groupe français, attaqué près de Séderon, se bat jusqu'au dernier homme. Cependant, tout est préparé dans la Drôme pour couper à l'ennemi ses communications ferrées quand commencera la grande bataille.

Ce qui se passe dans l'Isère y fait également prévoir quelque vaste opération de nos forces de l'intérieur au moment de ce déclenchement. Les préliminaires sont coûteux pour l'ennemi. C'est ainsi qu'à Grenoble, le 14 novembre, la résistance fait sauter le parc d'artillerie, où munitions, essence, véhicules, sont entreposés par les Allemands. Ceux-ci arrêtent 300 otages. Sommés de les libérer, ils s'y refusent ; mais alors, à titre de sanction, la caserne de Bonne où cantonnent plusieurs batteries de la Wehrmacht est détruite par une explosion qui tue 220 Allemands et en blesse 550. D'autre part, suivant les instructions léguées par le général Delestraint et les ordres du colonel Descour chef de nos forces de l'Isère, des combattants résolus gagnent le massif du Vercors sous la conduite du commandant Le Ray, afin d'en faire une place d'armes. L'accès du Vercors est interdit aux reconnaissances ennemies.

Ce sont là, au cours de cette période, les plus frappantes peut-être des actions de la résistance dont font mention les rapports. Mais beaucoup d'autres, plus réduites ou dissimulées, sont accomplies en même temps. A travers des messages, où les lieux sont indiqués par chiffres, les ordres et les comptes rendus formulés par phrases convenues, les combattants désignés sous d'étranges pseudonymes, on discerne à quel point la guerre de l'intérieur est devenue efficace. L'adversaire le confirme par de cruelles représailles. Avant que les armées alliées prennent pied sur notre sol, l'Allemand perd chez nous des milliers d'hommes. Il est enveloppé partout d'une atmosphère d'insécurité qui atteint le moral des troupes et désoriente les chefs. D'autant plus que les autorités locales et la police françaises, soit qu'elles se trouvent de connivence volontaire avec la résistance, soit qu'elles redoutent les sanctions qui viennent châtier les « collaborateurs », contrarient la répression beaucoup plutôt qu'elles n'y aident.

Il faut ajouter que les Allemands, lors même qu'ils ne reçoivent pas les balles et les grenades des clandestins, se sentent épiés sans relâche. Rien de ce qui concerne l'occupant n'échappe à nos réseaux. Le général Bedell Smith peut écrire au B. C. R. A. : « Au cours du mois de mai, 700 rapports télégraphiques et 3 000 rapports documentaires sont arrivés de France à Londres. » En fait, le jour où commence la bataille, tous les emplacements de troupes, de bases, de dépôts, de terrains d'aviation, de postes de commandement allemands sont connus avec précision, les effectifs et le matériel décomptés, les ouvrages de défense photographiés, les champs de mines repérés. Les échanges de demandes et d'informations entre l'état-major de Kœnig et les réseaux sont transmis immédiatement par un système-radio bien agencé. Grâce à l'ensemble des renseignements fournis par la résistance française, les alliés sont en mesure de lire dans le jeu de l'ennemi et de frapper à coup sûr.

La nouvelle du débarquement donne aux maquis le signal d'une action généralisée. Je l'ai prescrite à l'avance en notifiant, le 16 mai, aux forces de l'intérieur, sous forme d'un plan dit « Caïman », les buts qu'elles doivent s'efforcer d'atteindre. Pourtant, le commandement allié envisage avec une certaine méfiance l'extension de la guérilla. En outre, il prévoit une bataille prolongée. Aussi souhaite-t-il que la résistance ne précipite pas les choses, sauf aux abords de la tête de pont. La proclamation, que le général Eisenhower lance par radio le 6 juin, invite les patriotes français à se tenir sur la réserve. Il est vrai que, le même jour, je les adjure au contraire de combattre par tous moyens en leur pouvoir, d'après les ordres qui leur sont donnés par le commandement français. Mais les livraisons d'armes dépendent du grand quartier général allié et demeurent d'abord limitées. C'est surtout des destructions, portant sur les chemins de fer, les routes, les transmissions, et dont l'importance est d'ailleurs essentielle, que se soucie « l'état-major combiné ».

Pour les voies ferrées, les objectifs sont répartis entre l'aviation et la résistance. Celle-ci prend à son compte les régions les plus éloignées : Lyon, Dijon, le Doubs, l'Est, le Centre, le Sud-Ouest, où pendant les mois de juin et de juillet auront lieu 600 déraillements. Les nôtres se chargent, en outre, sur toutes les lignes, du sabotage qui immobilisera 1 800 locomotives et plus de 6 000 wagons. Pour les câbles télégraphiques souterrains, dont l'ennemi se réserve l'emploi, des destructions habiles mettent hors d'usage, le 6 juin et les jours suivants, ceux qui desservent la Normandie et la région parisienne. Quant aux fils aériens, ils subissent des coupures sans nombre. On conçoit quel trouble jette dans le camp allemand un pareil bouleversement des transports et des transmissions. D'autant plus qu'au même moment se déclenche, dans nombre de départements, une insurrection militaire qui influera notablement sur le cours des opérations. Finalement, le commandement suprême en reconnaîtra l'avantage et fournira aux maquis un concours qui, pour rester circonspect, sera néanmoins efficace.

Pour la Bretagne, on n'attend pas. Le général Eisenhower tient à voir la presqu'île armoricaine nettoyée des troupes allemandes avant de pousser ses armées vers la Seine. Or, la Bretagne foisonne de maquisards, surtout dans les Côtes-du-Nord et le Morbihan où le terrain leur est favorable. Il a donc été décidé de fournir de l'armement aux Bretons et d'envoyer sur place notre 1er Régiment de parachutistes tenu prêt en Angleterre sous les ordres du colonel Bourgoin. La veille du débarquement et au cours des journées suivantes, nos forces de l'intérieur voient leur tomber du ciel un grand nombre de « containers » et des groupes de parachutistes. Du coup, la résistance s'enflamme. Trente mille hommes entrent en campagne, les uns organisés en unités régulières, les autres menant en détail une sorte de chouannerie. Mais les Allemands, ayant repéré à Saint-Marcel, près de Malestroit, une des bases où les nôtres reçoivent les armes venant d'Angleterre, l'attaquent le 18 juin. La position est défendue par un bataillon du Morbihan et plusieurs équipes de parachutistes sous les ordres du commandant Le Garrec. Le général en retraite de La Morlaye y commande une compagnie qu'il a lui-même formée à Guingamp. Après une lutte de plusieurs heures, l'ennemi parvient à se rendre maître du terrain couvert de ses cadavres. Mais les défenseurs ont pu se dérober.

La nouvelle du combat de Saint-Marcel achève de soulever la Bretagne. L'occupant se trouve bloqué dans les centres et dans les ports. Au reste, il se bat furieusement et ne fait quartier à personne. Mais les combattants bretons l'assaillent partout sans répit. Parmi eux, le colonel Bourgoin et ses hommes sont comme le levain dans la pâte. Le 1er Régiment parachutiste, sur 45 officiers, en comptera 23 tués. Quand les blindés de Patton, ayant franchi la trouée d'Avranches, débouchent en Bretagne au début du mois d'août, ils y trouvent la campagne partout occupée par les nôtres qui ont déjà enterré 1 800 cadavres allemands et fait 3 000 prisonniers. Pour réduire, alors, les garnisons, les maquisards servent aux chars américains de guides parfaitement renseignés et d'infanterie d'accompagnement. L'ennemi ne fait front nulle part, sauf dans les ports : Saint-Malo, Brest, Lorient, qu'il a organisés d'avance. L'affaire lui coûte, au total, plusieurs milliers de morts, près de 50 000 prisonniers et beaucoup de matériel. Quatre divisions allemandes sont détruites.

A l'autre bout du territoire, les combats du Vercors fournissent la même preuve de l'efficacité militaire de la résistance française. Dans les premiers jours de juin, 3 000 hommes ont pris position à l'intérieur du massif. Comme le terrain extrêmement coupé s'y prête bien à la défense menée par groupes autonomes, qui est le propre des maquisards, comme d'autre part les alpins semblent particulièrement décidés, un notable effort a pu être obtenu du commandement allié pour assurer leur armement ; 1 500 « containers » leur sont parachutés. Une mission, comprenant des officiers américains, britanniques et français, est envoyée d'Angleterre et s'installe dans le Vercors pour relier la garnison au grand quartier général. Plusieurs instructeurs et spécialistes venus d'Alger se mêlent aux maquisards. D'accord avec l'aviation alliée, une piste d'atterrissage est aménagée au centre du massif pour permettre la mise à terre d'un détachement de troupes régulières, le ravitaillement des combattants, l'évacuation des blessés.

Le 14 juillet, l'ennemi passe à l'attaque. Pendant dix jours, il poursuit son effort avec des forces considérables. Ses avions mitraillent les défenseurs et écrasent de bombes les rares localités. Comme la chasse allemande tient l'air tous les jours, l'aviation alliée renonce à agir, alléguant que la distance lui interdit de protéger par ses propres chasseurs les appareils de transport et de bombardement. Même, la piste sur laquelle les défenseurs espéraient voir débarquer des renforts, c'est l'ennemi qui s'en empare et y amène par planeurs plusieurs compagnies d'élite. Malgré tout, la garnison, luttant dans ses points d'appui avec un acharnement exemplaire, tient l'assaillant en échec jusqu'au 24 juillet. A cette date, les Allemands achèvent d'occuper le Vercors. Ils y ont engagé l'équivalent d'une division et perdu plusieurs milliers d'hommes. Dans leur fureur, ils tuent les blessés et bon nombre de villageois. A Vassieux, la population du bourg est entièrement massacrée. Des chasseurs alpins du Vercors, une moitié a donné sa vie pour la France, l'autre réussit à se replier.

Ces faits d'armes ont, dans toutes les régions, un vaste retentissement. Bien entendu, les radios d'Alger, de Londres et de New York ne manquent pas de les mettre en relief. Au milieu de juillet, quarante départements sont en pleine insurrection. Ceux du Massif Central, du Limousin, des Alpes, ainsi que la Haute-Garonne, la Dordogne, la Drôme, le Jura, tout comme les départements bretons, appartiennent aux maquisards, que ceux-ci proviennent de l' « Armée secrète », des « Francs-Tireurs et Partisans », de l' « Organisation de résistance de l'armée », des « Corps francs ». Bon gré mal gré, les préfets y entrent en rapport avec la résistance et les « préfets de la libération » — que ce soient ou non les mêmes — apparaissent, comme tels, à découvert. Les municipalités de 1940 reprennent leurs fonctions là où elles étaient révoquées. La Croix de Lorraine est arborée sur les poitrines, les murs, les drapeaux des monuments publics. Quant aux Allemands, leurs garnisons, assaillies, surmenées, coupées les unes des autres, vivent dans une angoisse incessante. Leurs isolés sont tués ou pris. Leurs colonnes ne peuvent se déplacer sans être accrochées à chaque pas. Ils réagissent par le massacre et l'incendie, comme à Oradour-sur-Glane, à Tulle, à Asq, à Cerdon, etc. Mais, tandis qu'en Normandie la bataille leur est chaque jour plus dure, dans une grande partie de la France leur situation tend à devenir désespérée.

A la fin du mois de juillet, les forces françaises de l'intérieur retiennent devant elles huit divisions ennemies, dont aucune ne pourra renforcer celles qui se battent sur le front. La 1re Di-

vision d'infanterie et la 5e Division parachutiste en Bretagne,
la 175e Division en Anjou et en Touraine, la 116e Panzerdivision autour de Paris, la Division dite « Ostlegion » dans le
Massif Central, la 181e Division à Toulouse, la 172e Division
à Bordeaux, la valeur d'une division prélevée sur l'armée de
Provence pour garder la vallée du Rhône, se trouvent clouées
là où elles sont. En outre, trois Panzerdivisions, que le commandement allemand appelle d'urgence en Normandie pour
qu'elles s'engagent dans les quarante-huit heures, subissent
d'énormes retards. La 17e Panzer, aux prises avec les nôtres
entre Bordeaux et Poitiers, perd dix jours avant que ses colonnes aient réussi à se frayer la route. La 2e Panzer S. S.
dite « Das Reich », partie de Montauban le 6 juin et qui ne peut
utiliser les voies ferrées — toutes hors d'usage — voit ses
éléments arrêtés dans le Tarn, le Lot, la Corrèze, la Haute-
Vienne ; le 18 juin seulement, elle arrive à Alençon épuisée
et décimée. La 11e Panzer, venue en huit jours par chemin de
fer du front russe à la frontière française, met vingt-trois
jours pour traverser la France depuis Strasbourg jusqu'à
Caen. Et comment évaluer l'effet produit sur l'état matériel
et moral de toutes les autres unités allemandes par les avatars
des convois, du ravitaillement, des liaisons?

Pour les mêmes raisons, on peut prévoir que les arrières
des forces ennemies chargées de la défense de la côte méditerranéenne vont devenir intenables dès que Français et
Américains débarqueront en Provence. Dans les premiers
jours du mois d'août, le délégué militaire dans le Sud-Est,
colonel Henri Zeller, vient de France pour me le dire. Il affirme,
qu'une fois pris Toulon et Marseille, nos troupes pourront déborder rapidement les résistances successives qui barreront
la vallée du Rhône, car la région des Alpes et le Massif Central
sont déjà en possession de nos forces de l'intérieur. Zeller
répète sa démonstration aux généraux Patch et de Lattre à
qui je l'envoie aussitôt. Ceux-ci modifient en conséquence le
rythme qu'ils prévoyaient pour leur progression. Les événements donneront raison à Zeller. Lyon, que le commandement
ne comptait prendre qu'au bout de deux mois de bataille,
sera entre nos mains dix-sept jours après le débarquement.

Le même mouvement qui, en France et en Afrique, pousse
les Français au combat ne manque pas d'avoir son contrecoup
en Indochine. A Saïgon et à Hanoï, tout en vivant dans la
perspective d'un coup de force subit de l'occupant, on ne doute
maintenant, pas plus qu'ailleurs, de la victoire finale des

alliés. Outre les prodromes de l'effondrement de l'Allemagne, on constate le recul du Japon. Non seulement l'offensive des flottes et des armées nippones a été, dans l'ensemble, enrayée depuis l'été 1943, mais ce sont les alliés qui, à présent, ont l'initiative : l'amiral Nimitz progressant d'île en île dans le Pacifique central, le général MacArthur avançant vers les Philippines, lord Mountbatten reprenant pied en Birmanie avec le concours des forces de Chiang-kaï shek.

C'est pourquoi, certaines autorités françaises d'Indochine se tournent peu à peu vers le gouvernement d'Alger. M. François, directeur de banque, vient de Saïgon pour le dire ; M. de Boisanger, chef du bureau politique du gouvernement général, pousse de discrètes antennes en direction du général Pechkoff, notre ambassadeur à Tchoung-King ; le général Mordant, commandant supérieur des troupes, entre secrètement en rapport avec le colonel Tutenges, chef du service de renseignements que nous avons installé au Yunnan.

Pour moi, le but immédiat à atteindre en Extrême-Orient c'est la participation de nos forces aux opérations militaires. L'idée qu'en observant jusqu'au bout, à l'égard des Japonais, une complaisante passivité on pourrait, en définitive, conserver la position de la France me paraît indigne et dérisoire. Je ne doute pas que, dans une situation stratégique où l'Indochine se trouve au centre du dispositif de l'ennemi, celui-ci, durement pressé et refoulé aux alentours, en viendra nécessairement à supprimer dans la péninsule tout risque de s'y voir combattu. Comment, en cas de revers sur les champs de bataille voisins, tolèrerait-il, au plein milieu de ses propres éléments, la présence d'une armée française de 50 000 hommes, alors qu'au surplus la fiction de la neutralité de la France s'écroulerait avec Vichy? Tout commande de prévoir qu'un jour les Japonais voudront liquider les troupes et l'administration françaises. Voulût-on même supposer que, moyennant de nouvelles et déshonorantes garanties, ils laisseraient subsister quelques vestiges de nos garnisons et quelques bribes de notre pouvoir, il serait inimaginable que, d'une part les États et les peuples de la Fédération, d'autre part les alliés, admettraient la restauration de la puissance française sur des terres où nous n'aurions pris aucune part à la lutte mondiale.

Il s'agit donc d'obtenir qu'une résistance militaire soit préparée dans la péninsule, afin que l'ennemi ne puisse, sans coup férir, s'y emparer de nos postes, balayer nos représentants et nous faire perdre totalement la face. Il faut aussi envoyer en Extrême-Orient une force destinée à rentrer dans les territoires d'Indochine dès que s'offrira l'occasion. Le 29 février 1944, j'écris au général Mordant pour l'affermir dans les bonnes intentions dont je sais qu'elles sont les siennes et pour lui préciser ce que le gouvernement attend de lui et de ses troupes dans la situation extraordinairement difficile où il se trouve placé. Peu après, je désigne le général Blaizot pour commander les forces destinées à l'Extrême-Orient. Mais, comme ces forces ne pourraient alors agir qu'à partir des Indes, de la Birmanie ou de la Chine, leur expédition comporte l'accord des alliés. Or, Washington, Londres et Tchoung-King se montrent très réticents. Nous obtenons, cependant, du Gouvernement britannique et de lord Mountbatten commandant en chef dans l'océan Indien que le général Blaizot reçoive la faculté de s'installer à New Delhi, afin de préparer la suite. Un échelon avancé de nos troupes part avec le général. C'est un premier pas vers le but. Mais, au fond, nous savons bien que le problème de l'Indochine, comme tout l'avenir de la France, ne sera réglé qu'à Paris.

Or, le 15 août, les premiers éléments de la Iʳᵉ Armée française et du VIᵉ Corps américain débarquent sur la côte de Provence. Le général Patch commande initialement l'ensemble. De Lattre est à la tête des nôtres. J'ai approuvé le plan de leur opération. Dès que les troupes auront abordé, il s'agit pour les Américains de marcher vers Grenoble avec, comme axe, la route « Napoléon » ; il s'agit pour les Français de s'emparer de Toulon et de Marseille, puis de remonter le Rhône. Dans la soirée a lieu, sous la protection d'un gigantesque bombardement naval et aérien, la mise à terre des premiers éléments américains entre Cavalaire et Le Trayas, celle des parachutistes à Carnoules, au Luc, au Muy, celle de nos commandos d'Afrique au Rayol et au Lavandou, ont eu lieu de nuit comme prévu et, qu'au cours de la journée, trois divisions américaines ont entamé leur débarquement. Le 16 voit le début de l'action des divisions : Brosset, de Monsabert, du Vigier, qui prennent pied au Rayol, à Cavalaire, à Saint-Tropez, à Sainte-Maxime afin d'attaquer Toulon, tandis que les Américains atteignent Draguignan.

Dans les entreprises humaines, il advient qu'en vertu d'un effort de longue haleine, on obtienne soudain un élan unique d'éléments divers et dispersés. Le 18 août, les nouvelles, arrivant à flot, éclairent à la fois tous les terrains de la lutte, font voir sur chacun d'entre eux quelle part y prennent les

Français, montrent que les actions des nôtres forment un tout
cohérent.

En Provence, de Lattre, discernant le désarroi de la
XIXᵉ Armée allemande, pousse à fond son avantage. Par son
ordre, les Corps d'armée de Larminat et de Monsabert achèvent
d'investir Toulon et certains de nos éléments courent déjà
vers Marseille. La Division Magnan, les groupements de tabors
de Guillaume, les services, sont en mer pour les rejoindre.
Les Divisions Dody, Sevez, de Vernejoul, se tiennent prêtes
à en faire autant. Notre aviation commence à traverser la
mer. Notre flotte, de tous ses canons, concourt à l'appui des
troupes. C'est le même jour que le front allemand de Normandie achève de s'effondrer. La Division Leclerc, engagée
depuis le 11 août, se distingue dans l'opération. La route de
Paris est ouverte. Dans la capitale, la police et les partisans
vont tirer sur l'envahisseur. De toutes les régions affluent les
messages annonçant que la résistance est aux prises avec
l'ennemi. Comme cela avait été voulu, la bataille alliée de
France est aussi « la bataille de la France. » Les Français n'y
livrent « qu'un seul combat pour une seule patrie. »

La politique, la diplomatie, les armes, ont de concert préparé l'unité. Il faut, maintenant, rassembler la nation dès
qu'elle sortira du gouffre. Je quitte Alger pour Paris.

PARIS

Paris, depuis plus de quatre ans, était le remords du monde libre. Soudain, il en devient l'aimant. Tant que le géant semblait dormir, incarcéré et stupéfié, on s'accommodait de sa formidable absence. Mais, à peine le front allemand est-il percé en Normandie, que la capitale française se retrouve, tout à coup, au centre de la stratégie et au cœur de la politique. Les plans des chefs d'armée, les calculs des gouvernements, les manœuvres des ambitieux, les émotions des foules, se tournent aussitôt vers la Ville. Paris va reparaître. Que de choses pourraient changer !

D'abord, Paris, si on le laisse faire, tranchera en France la question du pouvoir. Personne ne doute que si de Gaulle arrive dans la capitale sans qu'on ait, à son encontre, créé des faits accomplis il y sera consacré par l'acclamation du peuple. Ceux qui, au-dedans et au au-dehors, dans quelque camp qu'ils se trouvent, nourrissent l'espoir d'empêcher cet aboutissement ou, tout au moins, de le rendre incomplet et contestable chercheront donc, au dernier moment, à exploiter la libération pour faire naître une situation dont je sois embarrassé et, si possible, paralysé. Mais, comme la nation a choisi, le sentiment public va balayer ces tentatives.

L'une est menée par Pierre Laval. Pendant les mêmes journées d'août où l'on me rend compte, à mesure, des succès décisifs remportés en Normandie, du débarquement en Provence, des combats livrés par nos forces de l'intérieur, des prodromes de l'insurrection parisienne, je suis tenu au courant de l'intrigue ourdie par l'homme de la collaboration. Cela consiste à réunir à Paris l'assemblée « nationale » de 1940 et à former, à partir de là, un gouvernement dit « d'union » qui, invoquant la légalité, accueillera dans la capitale les alliés et de Gaulle. De cette façon, l'herbe sera coupée sous les pieds du Général. Sans doute devra-t-on lui faire place

au sein de l'exécutif et, au besoin, à sa tête. Mais, après
l'avoir ainsi moralement découronné et privé de l'appui du
sentiment populaire, on se débarrassera de lui par les moyens
propres au régime : attribution d'honneurs stériles, obstruction croissante des partis, enfin opposition générale sous la
double imputation d'être impuissant à gouverner et de viser
à la dictature. Quant à Laval, ayant ménagé le retour des
parlementaires, ce dont ceux-ci lui sauront gré même s'ils
doivent lui infliger une condamnation de principe, il se sera
effacé en attendant que vienne l'oubli et que changent les
circonstances.

Mais, pour faire aboutir un tel plan, il faut le concours
d'éléments antagonistes. Il faut, en premier lieu, la participation d'une éminente personnalité, assez représentative du
parlement, assez notoire dans son opposition à la politique
de Pétain, assez appréciée de l'étranger, pour que l'opération
ait l'apparence d'une restauration républicaine. M. Herriot
semble l'homme nécessaire. Il n'est que de le décider. Il faut,
aussi, qu'on puisse penser qu'à leur entrée à Paris les alliés
reconnaîtront le nouveau pouvoir. Il faut, encore, que les
Allemands soient consentants, puisque ce sont leurs troupes
qui tiennent la capitale. Il faut, enfin, obtenir l'agrément du
Maréchal, sans quoi les occupants refuseront l'autorisation,
les alliés la reconnaissance, les parlementaires la convocation, alors qu'on est, dans tous les cas, assuré du refus indigné
de la Résistance.

Laval peut croire, au début du mois d'août, qu'il va obtenir
les concours jugés par lui indispensables. Par M. Enfière,
ami de M. Herriot, utilisé par les Américains pour leurs liaisons avec le président de la Chambre et qui est en relation
avec les services de M. Allen Dulles à Berne, il vérifie que
Washington verrait d'un bon œil un projet qui tend à coiffer
ou à écarter de Gaulle. S'étant tourné vers les Allemands, le
chef du « gouvernement » les trouve également favorables.
En effet, Abetz, Ribbentrop et d'autres, jugent que, la France
une fois libérée, il serait bon qu'il y ait à Paris un exécutif
qui traînerait les séquelles de Vichy, plutôt qu'un gouvernement sans peur et sans reproche. Avec l'accord des occupants, Laval se rend à Maréville, où Herriot est détenu,
et persuade celui-ci de l'accompagner à Paris afin d'y convoquer le parlement de 1940. Quant à Pétain, il laisse
entendre qu'il serait prêt à s'y rendre, lui aussi.

Je dois dire que, malgré les apparentes complicités obtenues

par Pierre Laval, ce complot désespéré me semblait sans
avenir. Sa réussite, en dernier ressort, exigerait que je m'y
prête. Or rien, pas même la pression des alliés, n'aurait pu
me décider à tenir l'assemblée de 1940 comme qualifiée
pour parler au nom de la France. D'ailleurs, pensant au tourbillon que la Résistance était en train de soulever partout
et qu'elle allait déchaîner à Paris, je ne doutais guère que
l'entreprise dût être étouffée dans l'œuf. Déjà, le 14 juillet,
d'importantes manifestations s'étaient produites dans la banlieue. On y avait, en divers points, déployé le drapeau tricolore, chanté *la Marseillaise*, défilé au cri de : « Vive de
Gaulle ! » A la Santé, ce jour-là, les détenus politiques, se
donnant le mot de cellule en cellule et bravant la pire répression, avaient pavoisé toutes les fenêtres, chassé les gardiens,
fait retentir le quartier de leurs hymnes patriotiques. Le
10 août, les cheminots cessaient le travail. Le 15, la police
se mettait en grève. Le 18, ce devait être le tour des pos-
tiers. Je m'attendais à apprendre, d'un moment à l'autre,
que le combat commençait dans la rue, ce qui, évidemment,
ferait s'évanouir les illusions des parlementaires.

Mais, à l'opposé du plan de Laval, celui que s'étaient
fixé, de leur côté, certains éléments politiques de la Résistance pour s'attribuer le pouvoir me paraissait avoir plus de
chances. Ceux-là, je le savais, voulaient tirer parti de l'exal-
tation, peut-être de l'état d'anarchie, que la lutte provoquerait dans la capitale pour y saisir les leviers de commande
avant que je ne les prenne. C'était, tout naturellement, l'intention des communistes. S'ils parvenaient à s'instituer les
dirigeants du soulèvement et à disposer de la force à Paris,
ils auraient beau jeu d'y établir un gouvernement de fait où
ils seraient prépondérants.

Mettant à profit le tumulte de la bataille, entraînant le
Conseil national de la Résistance dont plusieurs membres,
en dehors de ceux qui étaient de leur obédience, pourraient
être accessibles à la tentation du pouvoir ; usant de la sympathie que les persécutions dont ils étaient l'objet, les pertes
qu'ils subissaient, le courage qu'ils déployaient, leur valaient
dans beaucoup de milieux ; exploitant l'angoisse suscitée
dans la population par l'absence de toute force publique ;
jouant enfin de l'équivoque en affichant leur adhésion au
général de Gaulle, ils projetaient d'apparaître à la tête de
l'insurrection comme une sorte de Commune, qui proclame-
rait la République, répondrait de l'ordre, distribuerait la

justice et, au surplus, prendrait soin de ne chanter que *la Marseillaise*, de n'arborer que le tricolore. A mon arrivée, je trouverais en fonction ce gouvernement « populaire », qui ceindrait mon front de lauriers, m'inviterait à prendre en son sein la place qu'il me désignerait et tirerait tous les fils. Le reste, pour les meneurs du jeu, ne serait plus qu'alternance d'audace et de prudence, pénétration des rouages de l'État sous le couvert de l'épuration, inhibition de l'opinion par le moyen d'une information et d'une milice bien employées, élimination progressive de leurs associés du début, jusqu'au jour où serait établie la dictature dite du prolétariat.

Que ces projets politiques fussent mêlés aux élans du combat me paraissait inévitable. Que l'insurrection dans la grande ville dût, pour certains, tendre à l'institution d'un pouvoir dominé par la IIIe Internationale, je le savais depuis longtemps. Mais je tenais, néanmoins, pour essentiel que les armes de la France agissent dans Paris avant celles des alliés, que le peuple contribue à la défaite de l'envahisseur, que la libération de la capitale porte la marque d'une opération militaire et nationale. C'est pourquoi, prenant le risque, j'encourageais le soulèvement, sans rejeter aucune des influences qui étaient propres à le provoquer. Il faut dire que je me sentais en mesure de diriger l'affaire de manière qu'elle tournât bien. Ayant pris sur place, à l'avance, les mesures appropriées, prêt à porter à temps dans la ville une grande unité française, je me disposais à y paraître moi-même afin de cristalliser autour de ma personne l'enthousiasme de Paris libéré.

Le gouvernement avait fait le nécessaire pour que le commandement des forces régulières qui existaient dans Paris appartînt à des chefs qui lui fussent dévoués. Dès juillet, Charles Luizet, préfet de la Corse, était nommé préfet de police. Après deux tentatives infructueuses, il put entrer à Paris le 17 août, juste à temps pour assumer ses fonctions quand la police saisit la Préfecture. D'autre part, le général Hary devrait se mettre, au moment propice, à la tête de la garde républicaine, — que Vichy appelait garde de Paris, — du régiment de sapeurs-pompiers, de la garde mobile et de la gendarmerie, toutes unités qui seraient enchantées de recevoir un chef nommé par de Gaulle.

Mais, par la force des choses, il en était autrement des fractions de partisans qui se formaient dans les divers quartiers. Celles-là suivaient naturellement les chefs qu'elles-

mêmes se donnaient et dont les communistes, soit directement, soit sous le couvert du « Front national », s'efforçaient
qu'ils fussent des leurs. Quant aux échelons supérieurs, c'est
en pesant sur le Conseil national de la résistance que le
« parti » tâchait de les fournir. Le Conseil s'en était remis,
en matière militaire, à un comité d'action, dit « Comac », de
trois membres dont Kriegel-Valrimont et Villon. Le titre de
chef d'état-major des forces de l'intérieur avait été, par la
même voie, donné à Malleret-Joinville après l'arrestation par
les Allemands du colonel Dejussieu. Rol-Tanguy était institué
chef des forces de l'Ile-de-France. A s'en tenir à ces nominations, on aurait pu supposer que la direction des éléments
combattants serait aux mains des communistes.

Mais c'étaient là des titres, non point de nettes attributions. En fait, ceux qui les portaient n'exerceraient pas le
commandement au sens hiérarchique du terme. Plutôt que
par ordres donnés et exécutés suivant les normes militaires,
ils procéderaient par proclamations, ou bien par action personnelle limitée à certains points. Les partisans, en effet, qui
compteraient au plus 25 000 hommes armés, formeraient des
groupes autonomes, dont chacun agirait moins suivant les
consignes d'en haut que d'après les occasions locales et ne
quitterait guère son quartier où il avait ses refuges. Du reste,
le colonel de Marguerittes, officier très confirmé, était chef
des forces de l'intérieur de Paris et de la banlieue. Les généraux Revers et Bloch-Dassault conseillaient respectivement
le « Comac » et le « Front national ». Enfin, Chaban-Delmas,
délégué militaire du gouvernement, rentré à Paris le 16 août
après avoir été recevoir à Londres les instructions de Kœnig,
se tenait au centre de tout. Perspicace et habile, ayant seul
les moyens de communiquer avec l'extérieur, il contrôlerait
les propositions et, moyennant de longues et rudes palabres,
contiendrait les impulsions du Conseil et des comités. Par-
dessus tout, le général de Gaulle et son gouvernement avaient
sur place leur représentant.

Alexandre Parodi portait cette charge. Le 14 août, renfor-
çant son autorité, je l'avais nommé ministre délégué dans
les territoires non encore libérés. Comme il parlait en mon
nom, ce qu'il disait pesait lourd. Parce que sa conscience
était droite, son désintéressement total, sa dignité absolue,
il avait pris au-dessus des passions un ascendant moral certain. Rompu, en outre, au service de l'État, il revêtait au
milieu du tumulte le prestige de l'expérience. Il avait, d'ail-

leurs, sa politique, conforme à son caractère, qui concédait
volontiers le détail mais soutenait l'essentiel avec une douce
fermeté. Tout en faisant leur part aux exigences de l'idéologie et aux prétentions des personnes, il s'appliquait à
ménager la suite afin que je trouve à Paris un jeu sans
fâcheuses hypothèques. Il faut dire que Georges Bidault,
président du Conseil national de la Résistance, s'accordait
avec Parodi et concourait à éviter le pire en employant, de
son côté, la tactique combinée de l'audace dans les mots et
de la prudence dans les actes. Quant aux administrations, nul
n'y récuserait l'autorité de mon délégué et de ceux que j'avais
désignés pour diriger les services. C'est sans l'ombre d'une
difficulté que Parodi, au moment voulu, s'établirait à Mati-
gnon, que les secrétaires-généraux s'installeraient dans les
ministères, que Luizet préfet de police prendrait la place de
Bussière, que Flouret préfet de la Seine s'assoierait dans le
fauteuil de Bouffet. L'armature officielle que le gouvernement d'Alger avait instituée d'avance encadrerait aussitôt
Paris comme elle le faisait des provinces.

Le 18 août après-midi, je m'envolai d'Alger sur mon avion
habituel dont Marmier était chef de bord. Le général Juin
et une partie de mes compagnons suivaient dans une « forteresse volante » que les Américains avaient tenu à nous
prêter en alléguant que son équipage connaissait très bien la
route et le terrain de destination. Première étape : Casablanca. Mon intention était d'en repartir dès la nuit pour
débarquer, le lendemain, à Maupertuis près de Saint-Lô. Mais
la « forteresse » avait eu en chemin des incidents mécaniques
qui exigeaient une mise au point. D'autre part, les missions
alliées, invoquant les couloirs et les règles de la circulation
aérienne, insistaient pour que nous fassions escale à Gibraltar
avant de longer la côte d'Espagne et celle de France. C'était
un jour de retard.

Le 19, je quittai Casablanca. Une foule considérable faisait la haie le long des rues par où j'allais à l'aérodrome. La
tension de tous les visages révélait que chacun devinait le
but de mon voyage, bien qu'on l'ait tenu secret. Guère de
bravos, ni d'acclamations, mais tous les couvre-chefs ôtés,
les bras levés, les regards appuyés. Ce salut ardent et silen-
cieux me fit l'effet d'un témoignage que m'adressait la multitude à un moment décisif. J'en fus ému. A mes côtés, le
résident-général l'était aussi. « Quel destin est le vôtre ! » me
dit Gabriel Puaux.

A Gibraltar, tandis que nous dînions chez le gouverneur, des officiers alliés vinrent dire que la « forteresse » n'était pas en état de repartir, que, mon propre « Lockheed » n'ayant aucun armement, il pourrait être imprudent d'aborder sans escorte le ciel de la Normandie, qu'en somme il semblait raisonnable que je diffère mon départ. Sans mettre en doute la sincérité des motifs qui inspiraient cet avis, je jugeai bon de ne pas le suivre. A bord de mon appareil, je m'envolai à l'heure que j'avais dite. Peu après, la « forteresse » trouva moyen de s'envoler aussi. Le dimanche 20 août, vers 8 heures, j'atterris à Maupertuis.

Kœnig m'y attendait, ainsi que Coulet commissaire de la République en Normandie et un officier envoyé par Eisenhower. Je me rendis d'abord au quartier général du Commandant en chef allié. En route, Kœnig m'exposa la situation à Paris, telle qu'il la connaissait par les messages de Parodi, de Chaban-Delmas, de Luizet et les informations apportées par des émissaires. J'appris ainsi que la police, qui faisait grève depuis trois jours, avait, à l'aurore du 19, occupé la Préfecture et ouvert le feu sur les Allemands ; qu'un peu partout des équipes de partisans en faisaient autant ; que les ministères étaient aux mains de détachements désignés par la délégation ; que la Résistance s'installait dans les mairies de la ville et de la banlieue, non parfois sans bataille, comme à Montreuil, plus tard à Neuilly ; que l'ennemi, occupé à évacuer ses services, n'avait pas, jusqu'alors, réagi très durement, mais que plusieurs de ses colonnes étaient en train de traverser Paris, ce qui pouvait, à tout instant, le pousser aux représailles. Quant à la situation politique, il semblait bien que Laval n'avait abouti à rien, tandis qu'à Vichy on attendait, d'un jour à l'autre, le départ forcé du Maréchal.

Eisenhower, ayant reçu le compliment que je lui fis sur l'allure foudroyante du succès des forces alliées, m'exposa la situation. La IIIe Armée, Patton, menant la poursuite en tête du Groupe d'armées Bradley, se disposait à franchir la Seine en deux colonnes. L'une, au nord de Paris, atteignait Mantes. L'autre, au sud, arrivait à Melun. Derrière Patton, le général Hodges, commandant la Ire Armée américaine, regroupait les forces qui venaient d'achever le nettoyage du terrain dans l'Orne. A gauche de Bradley, le Groupe d'armées Montgomery, refoulant la résistance tenace des Allemands, progressait lentement vers Rouen. Mais, à droite, c'était le vide, dont Eisenhower entendait profiter pour pousser Patton

vers la Lorraine aussi loin que le permettraient les possibilités de ravitaillement en essence. Ultérieurement, l'Armée
de Lattre et l'Armée Patch viendraient du sud se souder à
l'ensemble du dispositif. Le plan du Commandant en chef
me parut tout à fait logique, sauf sur un point dont je me
souciais fort : personne ne marchait sur Paris.

J'en marquai à Eisenhower ma surprise et mon inquiétude. « Du point de vue stratégique, lui dis-je, je saisis mal
pourquoi, passant la Seine à Melun, à Mantes, à Rouen, bref
partout, il n'y ait qu'à Paris que vous ne la passiez pas.
D'autant plus que c'est le centre des communications qui
vous seront nécessaires pour la suite et qu'il y a intérêt à
rétablir dès que possible. S'il s'agissait d'un lieu quelconque,
non de la capitale de la France, mon avis ne vous engagerait
pas, car normalement c'est de vous que relève la conduite
des opérations. Mais le sort de Paris intéresse d'une manière
essentielle le Gouvernement français. C'est pourquoi je me
vois obligé d'intervenir et de vous inviter à y envoyer des
troupes. Il va de soi que c'est la 2e Division blindée française
qui doit être désignée en premier lieu. »

Eisenhower ne me cacha pas son embarras. J'eus le sentiment qu'il partageait, au fond, ma manière de voir, qu'il
était désireux de diriger Leclerc sur Paris, mais que, pour
des raisons qui n'étaient pas toutes d'ordre stratégique, il ne
pouvait le faire encore. A vrai dire, il expliquait le retard
apporté à cette décision par le fait qu'une bataille dans la
capitale risquait d'avoir pour conséquences de vastes destructions matérielles et de grandes pertes pour la population.
Cependant, il ne me contredit pas quand je lui fis observer
que, de ce point de vue, l'attente pourrait se justifier si, dans
Paris, il ne se passait rien, mais qu'elle n'était pas acceptable
dès lors que les patriotes y étaient aux prises avec l'ennemi
et que tous les bouleversements de toutes sortes pouvaient
survenir. Il me déclara, toutefois, que « la Résistance s'était
engagée trop tôt ». — « Pourquoi, trop tôt? lui demandai-je,
puisqu'à l'heure qu'il est vos forces atteignent la Seine. »
En fin de compte, le Commandant en chef m'assura que,
sans pouvoir fixer encore une date précise, il donnerait
avant peu l'ordre de marcher sur Paris et que c'était la
Division Leclerc qu'il destinait à l'opération. Je pris note
de cette promesse, en ajoutant néanmoins que l'affaire était,
à mes yeux, d'une telle importance nationale que j'étais
prêt à la prendre à mon compte et, si le commandement allié

tardait trop, à lancer moi-même sur Paris la 2ᵉ Division blindée.

L'incertitude d'Eisenhower me donnait à penser que le commandement militaire se trouvait quelque peu entravé par le projet politique poursuivi par Laval, favorisé par Roosevelt, et qui exigeait que Paris fût tenu à l'abri des secousses. A ce projet, la Résistance venait sans doute de mettre un terme en engageant le combat. Mais il fallait quelque temps pour que Washington consentît à l'admettre. Mon impression fut confirmée quand j'appris que la Division Leclerc, jusqu'alors très logiquement affectée à l'Armée Patton, était depuis trois jours rattachée à celle de Hodges, placée sous la surveillance étroite du général Gerow commandant le Vᵉ Corps d'armée américain et maintenue autour d'Argentan comme si l'on redoutait qu'elle filât vers la tour Eiffel. Au surplus, je notais que le fameux accord concernant les relations entre les armées alliées et l'administration française, bien qu'il fût, depuis plusieurs semaines, conclu entre Alger, Washington et Londres, n'était pas encore signé par Kœnig et Eisenhower parce que ce dernier attendait d'en avoir reçu le pouvoir. Comment expliquer ce retard, sinon par une suprême intrigue qui tenait en suspens la résignation de la Maison-Blanche? Juin étant, à son tour, arrivé au quartier général, tira de ses contacts avec l'état-major la même conclusion que moi.

Au moment le plus éclatant du succès des armées alliées et tandis que les troupes américaines faisaient preuve sur le terrain d'une valeur qui méritait tous les éloges, cette apparente obstination de la politique de Washington me semblait assez attristante. Mais le réconfort n'était pas loin. Une grande vague d'enthousiasme et d'émotion populaires me saisit quand j'entrai à Cherbourg et me roula jusqu'à Rennes, en passant par Coutances, Avranches, Fougères. Dans les ruines des villes détruites et des villages écroulés, la population massée sur mon passage éclatait en démonstrations. Tout ce qui restait de fenêtres arborait drapeaux et oriflammes. Les dernières cloches sonnaient à toute volée. Les rues, percées d'entonnoirs, semblaient joyeuses sous les fleurs. Les maires prononçaient de martiales adresses qui s'achevaient en sanglots. Je disais, alors, quelques phrases, non de pitié dont on n'eût point voulu, mais d'espérance et de fierté qui finissaient par la Marseillaise chantée par la foule avec moi. Le contraste était saisissant entre l'ardeur des âmes et

les ravages subis par les biens. Allons ! la France devait vivre
puisqu'elle supportait de souffrir.

Le soir, en compagnie d'André Le Troquer ministre délégué
dans les territoires libérés, des généraux Juin et Kœnig et
de Gaston Palewski, j'arrivai à la Préfecture de Rennes.
Victor Le Gorgeu commissaire de la République pour la
Bretagne, Bernard Cornut-Gentille préfet d'Ille-et-Vilaine, le
général Allard commandant la région militaire, m'y présentèrent leur personnel. On voyait la vie administrative reprendre invinciblement. La tradition faisait de même. J'allai
à l'Hôtel de Ville, où le maire Yves Millon, entouré de son
conseil, des compagnons de la Résistance et des notabilités,
me pria de rouvrir le livre d'or de la capitale bretonne qui
renouait la chaîne des temps. Puis, sous la pluie, dans la
nuit qui tombait, je parlai à la multitude rassemblée devant
le bâtiment.

Le lendemain, 21, les nouvelles affluèrent de Paris. J'appris,
en particulier, la fin de la tentative de Laval. Édouard Herriot, ayant reçu l'avertissement que lui faisait passer la Résistance, pressenti la tempête qui était à la veille d'éclater,
constaté le désarroi des ministres de Vichy, des hauts fonctionnaires parisiens et de l'ambassadeur d'Allemagne, ne
s'était pas laissé convaincre de convoquer l'assemblée « nationale ». Au surplus, les contacts pris par lui avec les parlementaires, notamment Anatole de Monzie, lui avaient montré
que ceux-ci, impressionnés par des événements tragiques et
qui les touchaient de près, comme l'assassinat de Georges
Mandel, de Jean Zay, de Maurice Sarraut par la milice de
Darnand, la mise à mort de Philippe Henriot par un groupe
de résistants, ne se souciaient plus d'être convoqués dans
l'atmosphère menaçante de Paris. Le Maréchal, de son côté,
estimant que, tout bien pesé, une telle voie n'avait pas d'issue
et suivant maintenant une autre idée, n'avait pas consenti
à venir dans la capitale. Hitler, enfin, irrité d'une intrigue
qui préjugeait de sa défaite, avait enjoint d'y mettre un
terme, prescrit que Laval fût transféré à Nancy avec son
« gouvernement », ordonné que Pétain allât, de gré ou de
force, les y rejoindre. Quant au président de la Chambre,
il réintégrerait Maréville. Le 18 août, Laval, Herriot et Abetz
s'étaient fait leurs adieux en déjeunant ensemble à Mati-
gnon. Le 20 août, le Maréchal quittait Vichy, emmené par
les Allemands.

Ainsi tombait au néant la dernière combinaison de Laval.

Jusqu'au bout, il avait soutenu une querelle dont nulle habileté ne pouvait empêcher qu'elle fût coupable. Porté de nature, accoutumé par le régime, à aborder les affaires par le bas, Laval tenait que, quoi qu'il arrive, il importe d'être au pouvoir, qu'un certain degré d'astuce maîtrise toujours la conjoncture, qu'il n'est point d'événement qui ne se puisse tourner, d'hommes qui ne soient maniables. Il avait, dans le cataclysme, ressenti le malheur du pays mais aussi saisi l'occasion de prendre les rênes et d'appliquer sur une vaste échelle la capacité qu'il avait de composer avec n'importe quoi. Mais le Reich victorieux était un partenaire qui n'entendait pas transiger. Pour que, malgré tout, le champ s'ouvrît à Pierre Laval, il lui fallait donc épouser le désastre de la France. Il accepta la condition. Il jugea qu'il était possible de tirer parti du pire, d'utiliser jusqu'à la servitude, de s'associer même à l'envahisseur, de se faire un atout de la plus affreuse répression. Pour mener sa politique, il renonça à l'honneur du pays, à l'indépendance de l'État, à la fierté nationale. Or, voici que ces éléments reparaissaient vivants et exigeants à mesure que fléchissait l'ennemi.

Laval avait joué. Il avait perdu. Il eut le courage d'admettre qu'il répondait des conséquences. Sans doute, dans son gouvernement, déployant pour soutenir l'insoutenable toutes les ressources de la ruse, tous les ressorts de l'obstination, chercha-t-il à servir son pays. Que cela lui soit laissé ! C'est un fait, qu'au fond du malheur, ceux des Français qui, en petit nombre, choisirent le chemin de la boue n'y renièrent pas la patrie. Témoignage rendu à la France par ceux de ses fils « qui se sont tant perdus. » Porte entrouverte sur le pardon.

La liquidation de Vichy coïncidait avec le développement du combat dans la capitale. Ce qui m'en était rapporté pendant mon court séjour à Rennes portait au comble ma hâte de voir finir la crise. Il est vrai que le commandement allemand, pour des raisons encore indistinctes, ne semblait pas vouloir pousser les choses à fond. Mais, à cette attitude passive pouvait succéder soudain une répression furieuse. Il m'était, en outre, intolérable que l'ennemi occupât la Ville, ne fût-ce qu'un jour de trop, dès lors qu'on avait sous la main les moyens de l'en chasser. Enfin, je ne voulais pas qu'à la faveur du bouleversement la capitale devînt la proie de l'anarchie. Un rapport reçu de Pierre Miné, directeur du ravitaillement à Paris, me dépeignait comme des plus critiques la situation alimentaire. La capitale, coupée de toute communication depuis plusieurs semaines, était, pour ainsi dire, réduite à la famine. Miné signalait que le pillage des derniers stocks de vivres et des boutiques commençait en certains endroits et que, si l'absence de toute police se prolongeait, il fallait s'attendre à de graves excès. Cependant, la journée s'achevait sans que le commandement allié eût donné à Leclerc l'ordre de se porter en avant.

De Rennes, j'avais écrit au général Eisenhower, lui communiquant les renseignements que je recevais de Paris, le pressant de hâter le mouvement des troupes françaises et alliées, insistant sur les fâcheuses conséquences qu'entraînerait, même au point de vue des opérations militaires, une situation de désordre qui se créerait dans la capitale. Le 22 août, Kœnig lui remit et lui commenta ma lettre, puis regagna son poste à Londres où les liaisons avec la Résistance étaient plus aisées que dans notre camp volant. Juin alla, de son côté, prendre contact avec le général Patton qui, magistralement, menait la poursuite. Moi-même quittai Rennes, après avoir vérifié que, par réquisition de camions et mobilisation de conducteurs, le commissaire de la République constituait déjà des convois de ravitaillement à destination de Paris. Par Alençon, frémissante et pavoisée, je m'en fus d'abord à Laval.

Comme j'arrivais à la Préfecture, accueilli par Michel Debré commissaire de la République, je reçus un officier porteur d'une lettre du général Leclerc. Celui-ci me rendait compte de l'incertitude où il était encore quant à sa mission prochaine et de l'initiative qu'il avait prise d'envoyer au contact de Paris une avant-garde commandée par le commandant de Guillebon. Je lui donnai aussitôt mon approbation sur ce point, lui indiquant, dans ma réponse, qu'Eisenhower m'avait promis de lui fixer Paris comme direction, que Kœnig était, justement pour cette raison, auprès du Commandant en chef, que Juin s'y rendait aussi, enfin que je comptais le voir, lui-même Leclerc, le lendemain, pour lui fixer mes instructions. J'appris bientôt, qu'au moment même où j'écrivais à Leclerc, le général Gerow le blâmait d'avoir porté un détachement vers Paris et lui prescrivait de rappeler tout de suite le commandant de Guillebon.

Finalement, peu d'heures après avoir lu la lettre que je lui avais adressée, le général Eisenhower donnait l'ordre de lancer sur Paris la 2e Division blindée. Il faut dire que les renseignements qui, presque à tout instant, arrivaient de la

capitale, ceux notamment que Cocteau et le Dr Monod
apportaient au général Bradley, venaient tous à l'appui de
mon intervention. D'autre part, le quartier général n'ignorait plus la fin de la tentative de Laval. Tandis que Leclerc
employait la nuit à organiser son mouvement, les messages
que je recevais à la Préfecture du Mans m'apprenaient que
les événements se précipitaient à Paris.

Je sus, ainsi, que le 20 au matin l'Hôtel de Ville avait été
occupé par un détachement de la police parisienne que con-
duisaient Roland-Pré et Léo Hamon. Le préfet de la Seine,
Flouret, allait y prendre ses fonctions. Mais j'étais également
avisé que Parodi et Chaban-Delmas d'une part, la majorité
du Conseil de la Résistance d'autre part, prévenus par les
agents américains et britanniques qu'il se passerait encore
longtemps, — des semaines leur disait-on, — avant que les
troupes alliées n'entrent dans la capitale, sachant de quel
faible armement disposaient les partisans par rapport aux
20 000 hommes, 80 chars, 60 canons, 60 avions, de la garnison allemande, voulant éviter la destruction des ponts de
la Seine qui était prescrite par Hitler et sauver les prisonniers politiques et militaires, avaient cru devoir se ranger
aux suggestions de M. Nordling, consul-général de Suède, et
conclure par son intermédiaire une trêve avec le général
von Choltitz, commandant les forces ennemies dans Paris et
la banlieue.

Cette nouvelle me fit, je dois le dire, une désagréable
impression. D'autant plus, qu'à l'heure où j'apprenais la conclusion de la trêve, celle-ci ne correspondait pas à la situation
militaire puisque Leclerc se mettait en marche. Mais, le 23
au matin, au moment où je quittais Le Mans, j'étais informé
que la trêve, mal accueillie par la plupart des combattants,
n'avait été que partiellement observée, bien qu'elle eût permis
à Parodi et à Roland-Pré, arrêtés par les Allemands sur le
boulevard Saint-Germain, d'être remis en liberté après une
entrevue avec Choltitz lui-même. On me faisait savoir, en
outre, que le combat avait repris dans la soirée du 21, que
les préfectures, les ministères, les mairies, étaient toujours
aux mains des nôtres, que partout les Parisiens élevaient des
barricades et que le général allemand, tout en faisant tenir
solidement ses points d'appui, ne s'engageait nullement dans
la répression. Ces ménagements lui étaient-ils inspirés par la
crainte du lendemain, le souci d'épargner Paris, ou bien par
un accord qu'il avait fait avec les alliés dont les agents appa-

raissaient jusque dans son état-major depuis qu'Oberg et la
Gestapo avaient quitté la capitale? Je ne pouvais le démêler,
mais j'étais porté à croire qu'en tous cas le secours arriverait
à temps.

Nul n'en doutait le long de la route que je suivis ce 23 août.
Passant entre deux haies de drapeaux claquant au vent et
de gens criant : « Vive de Gaulle ! » je me sentais entraîné
par une espèce de fleuve de joie. A La Ferté-Bernard, à
Nogent-le-Rotrou, à Chartres, ainsi que dans tous les bourgs
et les villages traversés, il me fallait m'arrêter devant le
déferlement des hommages populaires et parler au nom de
la France retrouvée. Dans l'après-midi, doublant les colonnes
de la 2ᵉ Division blindée, je m'établis au château de Rambouillet. Sur la route, Leclerc m'avait écrit qu'il se trouverait dans la ville. Je le convoquai aussitôt.

Son plan d'attaque était prêt. Si le gros de sa division,
qui accourait d'Argentan, ne devait être en place que dans
la nuit, des éléments avancés tenaient, sur la ligne : Athis-
Mons, Palaiseau, Toussus-le-Noble, Trappes, le contact d'un
ennemi retranché et résolu. Il fallait percer cette position.
L'effort principal serait mené par le Groupement Billotte,
prenant comme axe la route d'Orléans à Paris par Antony.
Le Groupement de Langlade agirait par Toussus-le-Noble et
Clamart, tandis qu'un détachement commandé par Morel-
Deville le couvrirait vers Versailles. Quant au Groupement
Dio, provisoirement en réserve, il suivrait celui de Billotte.
L'action commencerait le lendemain au point du jour. J'approuvai ces dispositions et prescrivis à Leclerc de fixer à la
gare Montparnasse son poste de commandement quand il
serait entré dans Paris. C'est là que je le retrouverais afin de
régler la suite. Alors, regardant ce jeune chef en proie déjà
à la bataille et qui voyait offrir à sa valeur un concours
extraordinaire de circonstances bien agencées, je lui dis :
« Vous avez de la chance ! » Je pensais aussi, qu'à la guerre,
la chance des généraux c'est l'honneur des gouvernements.

Le Dʳ Favreau, parti le matin de Paris, était arrivé l'après-
midi à Rambouillet. Il m'apportait un rapport de Luizet.
D'après le préfet de police, la Résistance avait conquis la
maîtrise de la rue. Les Allemands se trouvaient, à présent,
enfermés dans leurs points d'appui, sauf à risquer, de temps
en temps, quelques raids d'engins blindés. Justement, la
radio de Londres annonçait, ce soir-là, que les forces de l'intérieur avaient libéré Paris. Le roi George VI m'enverrait, le

lendemain, un télégramme de félicitations qui serait aussitôt publié. L'information et la dépêche étaient, certes, prématurées. Mais sans doute avaient-elles pour but d'amener les Américains à surmonter leurs arrière-pensées que n'approuvaient pas les Anglais. Le contraste que je notais entre la chaleureuse satisfaction marquée par la B. B. C. au sujet des événements de Paris et le ton réservé, voire empreint d'un peu d'aigreur, de la « Voix de l'Amérique » me donnait à entendre que, cette fois, Londres et Washington ne s'accordaient pas tout à fait pour ce qui concernait la France.

Je renvoyai à Paris le vaillant Favreau, porteur de la réponse que j'adressais à Luizet. J'y précisais mon intention d'aller d'abord, non point à l'Hôtel de Ville où siégeaient le Conseil de la Résistance et le Comité parisien de la libération, mais « au centre ». Dans mon esprit, cela signifiait au ministère de la Guerre, centre tout indiqué pour le gouvernement et le commandement français. Ce n'était point que je n'eusse hâte de prendre contact avec les chefs de l'insurrection parisienne. Mais je voulais qu'il fût établi que l'État, après des épreuves qui n'avaient pu ni le détruire, ni l'asservir, rentrait d'abord, tout simplement, chez lui. Lisant les journaux : *Combat*, *Défense de la France*, *Franc-Tireur*, *Front national*, *l'Humanité*, *Libération*, *le Populaire*, que les éléments politiques de la Résistance publiaient à Paris depuis deux jours, aux lieu et place des feuilles de la collaboration, je me trouvais, tout à la fois, heureux de l'esprit de lutte qui y était exprimé et confirmé dans ma volonté de n'accepter pour mon pouvoir aucune sorte d'investiture, à part celle que la voix des foules me donnerait directement.

C'est ce que je déclarai, d'autre part, à Alexandre de Saint-Phalle, associé à ma délégation et dont je connaissais l'influence dans les milieux d'affaires. Il arrivait, en compagnie de Jean Laurent directeur de la banque d'Indochine, de M. Rolf Nordling frère du consul-général de Suède et du baron autrichien Poch-Pastor, officier de l'armée allemande, aide de camp de Choltitz et agent des alliés. Tous quatre étaient sortis de Paris dans la nuit du 22 août dans le but d'obtenir du commandement américain l'intervention rapide des troupes régulières. Ayant appris d'Eisenhower que Leclerc était déjà en route, ils venaient se présenter à moi. Saint-Phalle me suggéra de convoquer l'assemblée « nationale » dès mon entrée à Paris, afin qu'un vote de confiance parlementaire conférât à mon gouvernement le caractère de la légalité. Je répondis par la négative. Cependant, la composition et l'odyssée de cette délégation m'ouvraient d'étranges perspectives sur l'état d'esprit du commandement local allemand. Les quatre « missionnaires » étaient munis de deux laissez-passer, l'un délivré par Parodi, l'autre par le général von Choltitz. En franchissant les postes ennemis, ils avaient entendu les soldats gronder : « Trahison ! »

Le 24, dans la soirée, le gros de la 2e Division blindée, après de rudes engagements, parvenait à proximité immédiate de Paris ; Billotte et Dio s'étant emparés de Fresnes et de la Croix de Berny et Langlade tenant le pont de Sèvres. Un détachement commandé par le capitaine Dronne avait atteint l'Hôtel de Ville. La journée du lendemain serait employée à forcer les dernières résistances extérieures de l'ennemi, puis à régler leur compte à ses points d'appui dans la ville, enfin à assurer la couverture vers Le Bourget. Leclerc pousserait le Groupement Billotte par la porte de Gentilly, le Luxembourg, l'Hôtel de Ville, le Louvre, jusqu'à l'*Hôtel Meurice*, poste de commandement du général von Choltitz. Le Groupement Dio franchirait la porte d'Orléans et marcherait sur les blocs organisés de l'École militaire et du Palais-Bourbon, en deux colonnes : celle de Noiret suivant les boulevards extérieurs jusqu'au viaduc d'Auteuil et remontant ensuite la Seine, celle de Rouvillois passant par Montparnasse et les Invalides. Quant à l'Étoile et au *Majestic*, ce serait le lot du Groupement de Langlade. Tout le monde se retrouverait en liaison à la Concorde. A la droite de Leclerc, les Américains devaient diriger une fraction de leur 4e Division sur la place d'Italie et la gare d'Austerlitz.

Le 25 août, rien ne va manquer de ce qui est décidé. J'ai moi-même, par avance, fixé ce que je dois faire dans la capitale libérée. Cela consiste à rassembler les âmes en un seul élan national, mais aussi à faire paraître tout de suite la figure et l'autorité de l'État. Tandis qu'arpentent la terrasse de Rambouillet je suis tenu, d'heure en heure, informé de l'avance de la 2e Division blindée, j'évoque les malheurs qu'une armée mécanique faite de sept unités semblables aurait pu, naguère, nous éviter. Alors, considérant la cause de l'impuissance qui nous en avait privés, c'est-à-dire la carence du pouvoir, je suis d'autant plus résolu à ne pas laisser entamer le mien. La mission dont je suis investi me semble aussi claire que possible. Montant en voiture pour entrer à Paris, je me sens, à la fois, étreint par l'émotion et rempli de sérénité.

Que de gens, sur la route, guettent mon passage! Que
de drapeaux flottent du haut en bas des maisons! A partir
de Longjumeau, la multitude va grossissant. Vers Bourg-
la-Reine, elle s'entasse. A la porte d'Orléans, près de laquelle
on tiraille encore, c'est une exultante marée. L'avenue d'Orléans est noire de monde. On suppose, évidemment, que je
me rends à l'Hôtel de Ville. Mais, bifurquant par l'avenue du
Maine presque déserte en comparaison, j'atteins la gare Montparnasse vers 4 heures de l'après-midi.

Le général Leclerc vient d'y arriver. Il me rend compte de
la reddition du général von Choltitz. Celui-ci, après une
ultime négociation menée par M. Nordling, s'est rendu personnellement au commandant de La Horie chef d'état-major
de Billotte. Puis, amené par celui-ci à la Préfecture de police,
il a signé avec Leclerc une convention aux termes de laquelle
les points d'appui allemands dans Paris doivent cesser la
résistance. Plusieurs ont, d'ailleurs, été pris de vive force
dans la journée. Pour les autres, le général allemand vient de
rédiger à l'instant un ordre qui prescrit aux défenseurs de
déposer les armes et de se constituer prisonniers. Des officiers
de l'état-major de Choltitz, accompagnés d'officiers français,
vont aller notifier l'ordre aux troupes allemandes. J'aperçois
justement mon fils, enseigne de vaisseau au 2e Régiment
blindé de fusiliers-marins, qui part pour le Palais-Bourbon
en compagnie d'un major allemand, afin de recevoir la reddition de la garnison. L'issue des combats de Paris est aussi
satisfaisante que possible. Nos troupes remportent une victoire complète sans que la ville ait subi les destructions, la
population les pertes, que l'on pouvait redouter.

J'en félicite Leclerc. Quelle étape sur la route de sa gloire!
J'en félicite aussi Rol-Tanguy que je vois à ses côtés. C'est,
en effet, l'action des forces de l'intérieur qui a, au cours des
précédentes journées, chassé l'ennemi de nos rues, décimé et
démoralisé ses troupes, bloqué ses unités dans leurs îlots fortifiés. En outre, depuis le matin, les groupes de partisans,
qui n'ont qu'un bien pauvre armement! assistent bravement
les troupes régulières dans le nettoyage des nids de résistance
allemands. Même, à eux seuls, ils viennent de réduire le bloc
de la caserne Clignancourt. Cependant, lisant l'exemplaire de
la capitulation ennemie que me présente Leclerc, je désapprouve la mention qu'il y a inscrite après coup sur les objur-
gations de Rol-Tanguy et suivant laquelle c'est à Rol, comme
à lui, que s'est rendu le commandement allemand. « D'abord,

lui dis-je, cela n'est pas exact. D'autre part, vous êtes, dans
l'affaire, l'officier le plus élevé en grade, par conséquent seul
responsable. Mais, surtout, la réclamation qui vous a conduit
à admettre ce libellé procède d'une tendance inacceptable. »
Je fais lire à Leclerc la proclamation publiée, le matin même,
par le Conseil national de la Résistance se donnant pour « la
nation française » et ne faisant aucune allusion au gouvernement, ni au général de Gaulle. Leclerc comprend aussitôt.
De tout mon cœur, je donne l'accolade à ce noble compagnon.

Quittant la gare Montparnasse, je prends la direction du
ministère de la Guerre où m'a précédé une petite avant-
garde conduite par le colonel de Chevigné. Le cortège est
modeste. Quatre voitures : la mienne, celle de Le Troquer,
celle de Juin, une automitrailleuse. Nous voulions suivre le
boulevard des Invalides jusqu'à la rue Saint-Dominique. Mais,
à hauteur de Saint-François-Xavier, une fusillade partie des
maisons avoisinantes nous détermine à prendre les rues
Vaneau et de Bourgogne. A 5 heures, nous arrivons.

Immédiatement, je suis saisi par l'impression que rien n'est
changé à l'intérieur de ces lieux vénérables. Des événements gigantesques ont bouleversé l'univers. Notre armée fut
anéantie. La France a failli sombrer. Mais, au ministère de
la Guerre, l'aspect des choses demeure immuable. Dans la
cour, un peloton de la garde républicaine rend les honneurs,
comme autrefois. Le vestibule, l'escalier, les décors d'ar-
mures, sont tout juste tels qu'ils étaient. Voici, en personne,
les huissiers qui, naguère, faisaient le service. J'entre dans le
« bureau du ministre » que M. Paul Reynaud et moi quit-
tâmes ensemble dans la nuit du 10 juin 1940. Pas un meuble,
pas une tapisserie, pas un rideau, n'ont été déplacés. Sur la
table, le téléphone est resté à la même place et l'on voit,
inscrits sous les boutons d'appel, exactement les mêmes noms.
Tout à l'heure, on me dira qu'il en est ainsi des autres
immeubles où s'encadrait la République. Rien n'y manque,
excepté l'État. Il m'appartient de l'y remettre. Aussi m'y
suis-je d'abord installé.

Luizet vient me faire son compte rendu. C'est ensuite le
tour de Parodi. Tous deux sont radieux, soucieux, épuisés
par la semaine sans répit ni sommeil qu'ils viennent de vivre.
Pour eux, dans l'immédiat, deux problèmes dominent tout :
l'ordre public et le ravitaillement. Ils me dépeignent l'irritation qu'ont ressentie le Conseil de la Résistance et le Comité
parisien de la libération quand ils apprirent que je n'allais

pas à eux, tout droit, pour commencer. J'en répète les raisons au ministre délégué et au préfet de police. Mais, tout à
l'heure, partant de chez moi, je me rendrai à l'Hôtel de Ville
après être, toutefois, allé à la Préfecture pour saluer la police
parisienne. Nous arrêtons le plan de ces visites. Puis, je fixe
celui du défilé du lendemain, dont Parodi et Luizet se
montrent à la fois enthousiasmés et préoccupés. Après leur
départ, je reçois un message du général Kœnig. Il n'a pu
m'accompagner au cours de cette grande journée. Car, le
matin, Eisenhower l'a fait prier de venir signer avec lui
l'accord réglant les rapports de notre administration et du
commandement allié. C'est fait ! Mieux vaut tard que jamais.

A 7 heures du soir, inspection de la police parisienne dans
la cour de la Préfecture. A voir ce corps, que son service
maintint sur place sous l'occupation, tout frémissant aujour-
d'hui de joie et de fierté, on discerne qu'en donnant le signal
et l'exemple du combat les agents ont pris leur revanche
d'une longue humiliation. Ils ont aussi, à juste titre, saisi
l'occasion d'accroître leur prestige et leur popularité. Je le
leur dis. Les hourrahs s'élèvent des rangs. Alors, à pied,
accompagné de Parodi, de Le Troquer, de Juin et de Luizet,
fendant difficilement la foule qui m'enveloppe d'assourdis-
santes clameurs, je parviens à l'Hôtel de Ville. Devant le
bâtiment, un détachement des forces de l'intérieur, sous les
ordres du commandant Le Percq, rend impeccablement les
honneurs.

Au bas de l'escalier, Georges Bidault, André Tollet et
Marcel Flouret accueillent le général de Gaulle. Sur les
marches, des combattants, les larmes aux yeux, présentent
leurs armes. Sous un tonnerre de vivats, je suis conduit au
centre du salon du premier étage. Là, sont groupés les
membres du Conseil national de la Résistance et du Comité
parisien de la libération. Tout autour, se tiennent de nombreux compagnons. Beaucoup ont, au bras, l'insigne des
forces de l'intérieur, tel qu'il a été fixé par un décret du
gouvernement. Tous portent la croix de Lorraine. Parcourant du regard cette assemblée vibrante d'enthousiasme,
d'affection, de curiosité, je sens que, tout de suite, nous nous
sommes reconnus, qu'il y a entre nous, combattants du même
combat, un lien incomparable et que si l'assistance contient
des divergences vigilantes, des ambitions en activité, il suffit
que la masse et moi nous trouvions ensemble pour que notre
unité l'emporte sur tout le reste. D'ailleurs, malgré la fatigue

qui se peint sur les visages, l'excitation des périls courus et des événements vécus, je ne vois pas un seul geste, je n'entends pas un seul mot, qui ne soient d'une dignité parfaite. Admirable réussite d'une réunion depuis longtemps rêvée et qu'ont payée tant d'efforts, de chagrins, de morts !

Le sentiment a parlé. C'est au tour de la politique. Elle aussi le fait noblement. Georges Marrane, substitué à André Tollet, me salue en termes excellents au nom de la nouvelle municipalité parisienne. Puis, Georges Bidault m'adresse une allocution de la plus haute tenue. Dans ma réponse, improvisée, j'exprime « l'émotion sacrée qui nous étreint tous, hommes et femmes, en ces minutes qui dépassent chacune de nos pauvres vies. » Je constate que « Paris a été libéré par son peuple, avec le concours de l'armée et l'appui de la France tout entière. » Je ne manque pas d'associer au succès « les troupes françaises qui, en ce moment, remontent la vallée du Rhône » et les forces de nos alliés. Enfin, j'appelle la nation au devoir de guerre et, pour qu'elle puisse le remplir, à l'unité nationale.

J'entre dans le bureau du préfet de la Seine. Marcel Flouret m'y présente les principaux fonctionnaires de son administration. Comme je me dispose à partir, Georges Bidault s'écrie : « Mon général ! Voici, autour de vous, le Conseil national de la Résistance et le Comité parisien de la libération. Nous vous demandons de proclamer solennellement la République devant le peuple ici rassemblé. » Je réponds : « La République n'a jamais cessé d'être. La France Libre, la France Combattante, le Comité français de la libération nationale, l'ont, tour à tour, incorporée. Vichy fut toujours et demeure nul et non avenu. Moi-même suis le président du Gouvernement de la République. Pourquoi irais-je la proclamer ? » Allant à une fenêtre, je salue de mes gestes la foule qui remplit la place et me prouve, par ses acclamations, qu'elle ne demande pas autre chose. Puis, je regagne la rue Saint-Dominique.

Dans la soirée, Leclerc me fait le bilan des combats à l'intérieur de Paris. La reddition de tous les points d'appui allemands est, à présent, chose faite. Le bloc dit « du Luxembourg », qui englobait le palais, l'École des mines et le lycée Montaigne, celui de la place de la République, organisé dans la caserne du Prince Eugène et complété par le central téléphonique de la rue des Archives, ont cessé le feu les derniers. Nos troupes ont fait, dans la journée, 14 800 prisonniers.

3 200 Allemands sont morts, sans compter ceux, — au moins un millier, — que les partisans, à eux seuls, ont tués les jours précédents. Les pertes de la 2e Division blindée se montent à 28 officiers et 600 soldats. Quant aux forces de l'intérieur, le professeur Pasteur Vallery-Radot, qui a pris en charge le service de santé, évalue à 2 500 hommes tués ou blessés ce que leur ont coûté les combats qu'elles mènent depuis six jours. En outre, plus de 1 000 civils sont tombés.

Leclerc m'indique qu'au nord de Paris la pression de l'ennemi continue à se faire sentir. A Saint-Denis, à La Villette, des éléments ont refusé de déposer les armes, en alléguant qu'ils ne sont pas sous les ordres de Choltitz. Une partie de la 47e Division allemande est en train de s'installer au Bourget et à Montmorency, sans doute pour couvrir des colonnes qui battent en retraite plus au nord. L'adversaire pousse des pointes jusqu'aux entrées de la capitale. Le général Gerow, commandant le 5e Corps d'armée américain, auquel la 2e Division blindée est toujours rattachée pour les opérations, lui a donné la mission de prendre le contact des positions allemandes en vue de les attaquer.

Pourtant, je suis — plus que jamais — résolu à suivre, le lendemain, l'itinéraire : Étoile - Notre-Dame, en y donnant rendez-vous au peuple et j'entends que la 2e Division blindée participe à la cérémonie. Sans doute la manifestation va-t-elle comporter quelque risque. Mais cela en vaut la peine. Il me paraît, d'ailleurs, très peu probable que les arrière-gardes allemandes, se transformant soudain en avant-gardes, marchent vers le centre de Paris dont toute la garnison est, à présent, prisonnière. Des précautions, en tous cas, sont à prendre.

Je conviens avec Leclerc qu'un groupement tactique, commandé par Roumiantzoff, sera porté, dès le matin, en couverture vers Le Bourget et s'agglomérera les fractions des forces de l'intérieur qui escarmouchent de ce côté. Le reste de la Division sera, pendant le défilé, formé en trois autres groupements qui se tiendront en alerte respectivement à l'Arc de triomphe, au Rond-Point des Champs-Élysées et devant la Basilique et qui, s'il en est besoin, se porteront aux points voulus. Leclerc lui-même, marchant derrière moi, restera en communication constante avec ses divers éléments. Puisque le commandement allié n'a pas jugé bon de prendre avec moi la moindre liaison, je charge Leclerc de lui faire

connaître les dispositions que j'ai arrêtées. Ce commandement a, d'ailleurs, tous les moyens nécessaires pour suppléer,
le cas échéant, à la réserve momentanée d'une partie de la
Division française. Aux prescriptions contraires qui lui viendraient des alliés, Leclerc devra donc répondre qu'il maintient son dispositif, conformément aux ordres du général de
Gaulle.

La matinée du samedi 26 août n'apporte rien qui soit de
nature à modifier mon projet. Sans doute suis-je averti que
Gerow somme Leclerc de se tenir et de tenir ses troupes en
dehors de la manifestation. Le général américain m'envoie
même un officier pour m'en prévenir directement. Il va de
soi que je passe outre, non sans noter ce qu'en un tel jour,
en un tel lieu, une telle attitude, qui n'a certes pas été prise
sans instructions reçues d'en-haut, témoigne d'incompréhen-
sion. Je dois dire, qu'à part cet incident aussi vain que
désobligeant, nos alliés ne tentent aucunement de se mêler
des affaires de la capitale. Le général Kœnig qui prend les
fonctions de gouverneur militaire, poste auquel je l'ai nommé
le 21 août, le préfet de la Seine, le préfet de police, n'auront
pas à relever le moindre essai d'empiétement. Nulle troupe
américaine n'est stationnée dans Paris et les éléments qui ont
passé la veille du côté de la place d'Italie et de la gare de
Lyon se sont retirés aussitôt. N'était la présence de reporters
et de photographes, les alliés ne prendront aucune part au
défilé qui va avoir lieu. Sur le parcours, il n'y aura que des
Françaises et des Français.

Mais il y en aura beaucoup. Dès la veille au soir, la
radio, que Jean Guignebert, Pierre Crénesse et leur équipe
s'acharnent à remettre en état et en action, annonce la cérémonie. Au cours de la matinée, on me rapporte que de toute
la ville et de toute la banlieue, dans ce Paris qui n'a plus de
métro, ni d'autobus, ni de voitures, d'innombrables piétons
sont en marche. A 3 heures de l'après-midi, j'arrive à l'Arc de
triomphe. Parodi et Le Troquer, membres du gouvernement,
Bidault et le Conseil national de la Résistance, Tollet et le
Comité parisien de la libération, des officiers généraux :
Juin, Kœnig, Leclerc, d'Argenlieu, Valin, Bloch-Dassault, les
préfets : Flouret et Luizet, le délégué militaire Chaban-
Delmas, beaucoup de chefs et de combattants des forces de
l'intérieur, se tiennent auprès du tombeau. Je salue le Régiment du Tchad, rangé en bataille devant l'Arc et dont les
officiers et les soldats, debout sur leurs voitures, me regardent

passer devant eux, à l'Étoile, comme un rêve qui se réalise.
Je ranime la flamme. Depuis le 14 juin 1940, nul n'avait pu
le faire qu'en présence de l'envahisseur. Puis, je quitte la
voûte et le terre-plein. Les assistants s'écartent. Devant moi,
les Champs-Élysées !

Ah ! C'est la mer ! Une foule immense est massée de part
et d'autre de la chaussée. Peut-être deux millions d'âmes.
Les toits aussi sont noirs de monde. A toutes les fenêtres
s'entassent des groupes compacts, pêle-mêle avec des drapeaux. Des grappes humaines sont accrochées à des échelles,
des mâts, des réverbères. Si loin que porte ma vue, ce n'est
qu'une houle vivante, dans le soleil, sous le tricolore.

Je vais à pied. Ce n'est pas le jour de passer une revue où
brillent les armes et sonnent les fanfares. Il s'agit, aujour-
d'hui, de rendre à lui-même, par le spectacle de sa joie et
l'évidence de sa liberté, un peuple qui fut, hier, écrasé par
la défaite et dispersé par la servitude. Puisque chacun de
ceux qui sont là a, dans son cœur, choisi Charles de Gaulle
comme recours de sa peine et symbole de son espérance, il
s'agit qu'il le voie, familier et fraternel, et qu'à cette vue
resplendisse l'unité nationale. Il est vrai que des états-majors
se demandent si l'irruption d'engins blindés ennemis ou le
passage d'une escadrille jetant des bombes ou mitraillant le
sol ne vont pas décimer cette masse et y déchaîner la panique.
Mais moi, ce soir, je crois à la fortune de la France. Il est
vrai que le service d'ordre craint de ne pouvoir contenir la
poussée de la multitude. Mais je pense, au contraire, que
celle-ci se disciplinera. Il est vrai qu'au cortège des compagnons qui ont qualité pour me suivre se joignent, indûment,
des figurants de supplément. Mais ce n'est pas eux qu'on
regarde. Il est vrai, enfin, que moi-même n'ai pas le physique,
ni le goût, des attitudes et des gestes qui peuvent flatter
l'assistance. Mais je suis sûr qu'elle ne les attend pas.

Je vais donc, ému et tranquille, au milieu de l'exultation
indicible de la foule, sous la tempête des voix qui font retentir
mon nom, tâchant, à mesure, de poser mes regards sur chaque
flot de cette marée afin que la vue de tous ait pu entrer dans
mes yeux, élevant et abaissant les bras pour répondre aux
acclamations. Il se passe, en ce moment, un de ces miracles
de la conscience nationale, un de ces gestes de la France, qui
parfois, au long des siècles, viennent illuminer notre Histoire.
Dans cette communauté, qui n'est qu'une seule pensée, un
seul élan, un seul cri, les différences s'effacent, les individus

disparaissent. Innombrables Français dont je m'approche
tour à tour, à l'Étoile, au Rond-Point, à la Concorde, devant
l'Hôtel de Ville, sur le parvis de la Cathédrale, si vous saviez
comme vous êtes pareils ! Vous, les enfants, si pâles ! qui tré-
pignez et criez de joie ; vous, les femmes, portant tant de
chagrins, qui me jetez vivats et sourires ; vous, les hommes,
inondés d'une fierté longtemps oubliée, qui me criez votre
merci ; vous, les vieilles gens, qui me faites l'honneur de vos
larmes, ah ! comme vous vous ressemblez ! Et moi, au centre
de ce déchaînement, je me sens remplir une fonction qui
dépasse de très haut ma personne, servir d'instrument au
destin.

Mais il n'y a pas de joie sans mélange, même à qui suit
la voie triomphale. Aux heureuses pensées qui se pressent
dans mon esprit beaucoup de soucis sont mêlés. Je sais bien
que la France tout entière ne veut plus que sa libération.
La même ardeur à revivre qui éclatait, hier, à Rennes et à
Marseille et, aujourd'hui, transporte Paris se révélera demain
à Lyon, Rouen, Lille, Dijon, Strasbourg, Bordeaux. Il n'est
que de voir et d'entendre pour être sûr que le pays veut se
remettre debout. Mais la guerre continue. Il reste à la gagner.
De quel prix, au total, faudra-t-il payer le résultat ? Quelles
ruines s'ajouteront à nos ruines ? Quelles pertes nouvelles
décimeront nos soldats ? Quelles peines morales et physiques
auront à subir encore les Français prisonniers de guerre ?
Combien reviendront parmi nos déportés, les plus militants,
les plus souffrants, les plus méritants de nous tous ? Finalement, dans quel état se retrouvera notre peuple et au milieu
de quel univers ?

Il est vrai que s'élèvent autour de moi d'extraordinaires
témoignages d'unité. On peut donc croire que la nation sur-
montera ses divisions jusqu'à la fin du conflit ; que les Français, s'étant reconnus, voudront rester rassemblés afin de
refaire leur puissance ; qu'ayant choisi leur but et trouvé
leur guide, ils se donneront des institutions qui leur permettent d'être conduits. Mais je ne puis, non plus, ignorer
l'obstiné dessein des communistes, ni la rancune de tant de
notables qui ne me pardonnent pas leur erreur, ni le prurit
d'agitation qui, de nouveau, travaille les partis. Tout en
marchant à la tête du cortège, je sens qu'en ce moment
même des ambitions me font escorte en même temps que des
dévouements. Sous les flots de la confiance du peuple, les
récifs de la politique ne laissent pas d'affleurer.

A chaque pas que je fais sur l'axe le plus illustre du monde, il me semble que les gloires du passé s'associent à celle d'aujourd'hui. Sous l'Arc, en notre honneur, la flamme s'élève allègrement. Cette avenue, que l'armée triomphante suivit il y a vingt-cinq ans, s'ouvre radieuse devant nous. Sur son piédestal, Clemenceau, que je salue en passant, a l'air de s'élancer pour venir à nos côtés. Les marronniers des Champs-Élysées, dont rêvait l'Aiglon prisonnier et qui virent, pendant tant de lustres, se déployer les grâces et les prestiges français, s'offrent en estrades joyeuses à des milliers de spectateurs. Les Tuileries, qui encadrèrent la majesté de l'État sous deux empereurs et sous deux royautés, la Concorde et le Carrousel qui assistèrent aux déchaînements de l'enthousiasme révolutionnaire et aux revues des régiments vainqueurs ; les rues et les ponts aux noms de batailles gagnées ; sur l'autre rive de la Seine, les Invalides, dôme étincelant encore de la splendeur du Roi-Soleil, tombeau de Turenne, de Napoléon, de Foch ; l'Institut, qu'honorèrent tant d'illustres esprits, sont les témoins bienveillants du fleuve humain qui coule auprès d'eux. Voici, qu'à leur tour : le Louvre, où la continuité des rois réussit à bâtir la France ; sur leur socle, les statues de Jeanne d'Arc et de Henri IV ; le palais de Saint-Louis dont, justement, c'était hier la fête ; Notre-Dame, prière de Paris, et la Cité, son berceau, participent à l'événement. L'Histoire, ramassée dans ces pierres et dans ces places, on dirait qu'elle nous sourit.

Mais, aussi, qu'elle nous avertit. Cette même Cité fut Lutèce, subjuguée par les légions de César, puis Paris, que seule la prière de Geneviève put sauver du feu et du fer d'Attila. Saint-Louis, croisé délaissé, mourut aux sables de l'Afrique. A la porte Saint-Honoré, Jeanne d'Arc fut repoussée par la Ville qu'elle venait rendre à la France. Tout près d'ici, Henri IV tomba victime d'une haine fanatique. La révolte des Barricades, le massacre de la Saint-Barthélemy, les attentats de la Fronde, le torrent furieux du 10 août, ensanglantèrent les murailles du Louvre. A la Concorde, roulèrent sur le sol la tête du roi et celle de la reine de France. Les Tuileries virent le naufrage de la vieille monarchie, le départ pour l'exil de Charles X et de Louis-Philippe, le désespoir de l'Impératrice, pour être finalement mis en cendres, comme l'ancien Hôtel de Ville. De quelle désastreuse confusion le Palais-Bourbon fut-il fréquemment le théâtre ! Quatre fois, en l'espace de deux vies, les Champs-Élysées durent subir l'outrage des envahisseurs défilant derrière

d'odieuses fanfares. Paris, ce soir, s'il resplendit des grandeurs
de la France, tire les leçons des mauvais jours.

Vers 4 heures et demie, je vais, comme prévu, entrer à
Notre-Dame. Tout à l'heure, rue de Rivoli, je suis monté en
voiture et, après un court arrêt sur le perron de l'Hôtel de
Ville, j'arrive place du Parvis. Le cardinal-archevêque ne
m'accueillera pas au seuil de la basilique. Non point qu'il
ne l'eût désiré. Mais l'autorité nouvelle l'a prié de s'abstenir.
En effet, Mgr Suhard a cru devoir, il y a quatre mois, recevoir solennellement ici le maréchal Pétain lors de son passage dans Paris occupé par les Allemands, puis, le mois dernier, présider le service funèbre que Vichy a fait célébrer
après la mort de Philippe Henriot. De ce fait, beaucoup de
résistants s'indignent à l'idée que le prélat pourrait, dès à
présent, introduire dans la cathédrale le général de Gaulle.
Pour moi, sachant que l'Église se considère comme obligée
d'accepter « l'ordre établi », n'ignorant pas que chez le cardinal la piété et la charité sont à ce point éminentes qu'elles
laissent peu de place dans son âme à l'appréciation de ce
qui est temporel, j'aurais volontiers passé outre. Mais l'état
de tension d'un grand nombre de combattants au lendemain
de la bataille et ma volonté d'éviter toute manifestation
désobligeante pour Mgr Suhard m'ont amené à approuver
ma délégation qui l'a prié de demeurer à l'archevêché pendant la cérémonie. Ce qui va se passer me confirmera dans
l'idée que cette mesure était bonne.

A l'instant où je descends de voiture, des coups de fusil
éclatent sur la place. Puis, aussitôt, c'est un feu roulant.
Tout ce qui a une arme se met à tirer à l'envi. Ce sont les
toits qu'on vise à tout hasard. Les hommes des forces de
l'intérieur font, de toutes parts, parler la poudre. Mais je
vois même les briscards du détachement de la 2e Division
blindée, en position près du portail, cribler de balles les tours
de Notre-Dame. Il me paraît tout de suite évident qu'il s'agit
là d'une de ces contagieuses tirailleries que l'émotion déclenche parfois dans des troupes énervées, à l'occasion de
quelque incident fortuit ou provoqué. En ce qui me concerne, rien n'importe davantage que de ne point céder au
remous. J'entre donc dans la cathédrale. Faute de courant,
les orgues sont muettes. Par contre, des coups de feu reten-
tissent à l'intérieur. Tandis que je me dirige vers le chœur,
l'assistance, plus ou moins courbée, fait entendre ses acclamations. Je prends place, ayant derrière moi mes deux

ministres : Le Troquer et Parodi. Les chanoines sont à leurs
stalles. L'archiprêtre, Mgr Brot, vient me transmettre le salut,
les regrets et la protestation du cardinal. Je le charge d'exprimer à Son Éminence mon respect en matière religieuse,
mon désir de réconciliation au point de vue national et mon
intention de le recevoir avant peu.

Le *Magnificat* s'élève. En fut-il jamais chanté de plus
ardent? Cependant, on tire toujours. Plusieurs gaillards,
postés dans les galeries supérieures, entretiennent la fusillade. Aucune balle ne siffle à mes oreilles. Mais les projectiles,
dirigés vers la voûte, arrachent des éclats, ricochent, re-
tombent. Plusieurs personnes en sont atteintes. Les agents,
que le préfet de police fait monter jusqu'aux parties les plus
hautes de l'édifice, y trouveront quelques hommes armés ;
ceux-ci disant qu'ils ont fait feu sur des ennemis indistincts.
Bien que l'attitude du clergé, des personnages officiels, des
assistants, ne cesse pas d'être exemplaire, j'abrège la cérémonie. Aux abords de la cathédrale, la pétarade a maintenant cessé. Mais, à la sortie, on m'apprend qu'en des points
aussi éloignés que l'Étoile, le Rond-Point, l'Hôtel de Ville,
les mêmes faits se sont produits exactement à la même heure.
Il y a des blessés, presque tous par suite de bousculades.

Qui a tiré les premiers coups? L'enquête ne pourra l'établir. L'hypothèse des tireurs de toits, soldats allemands ou
miliciens de Vichy, paraît fort invraisemblable. En dépit de
toutes les recherches, on n'en a arrêté aucun. D'ailleurs,
comment imaginer que des ennemis auraient pris des che-
minées pour cibles au lieu de me viser moi-même quand je
passais à découvert? On peut, si l'on veut, supposer que la
coïncidence des fusillades en plusieurs points de Paris a été
purement fortuite. Pour ma part, j'ai le sentiment qu'il s'est
agi d'une affaire montée par une politique qui voudrait,
grâce à l'émoi des foules, justifier le maintien d'un pouvoir
révolutionnaire et d'une force d'exception. En faisant tirer,
à heure dite, quelques coups de fusil vers le ciel, sans prévoir
peut-être les rafales qui en seraient les conséquences, on a
cherché à créer l'impression que des menaces se tramaient
dans l'ombre, que les organisations de la Résistance devaient
rester armées et vigilantes, que le « Comac », le Comité parisien de la libération, les comités de quartier, avaient à
procéder eux-mêmes à toutes opérations de police, de justice, d'épuration qui protégeraient le peuple contre de dangereux complots.

Il va de soi que c'est l'ordre que j'entends, au contraire,
faire régner. L'ennemi, d'ailleurs, se charge de rappeler que
la guerre n'admet pas d'autre loi. A minuit, ses avions
viennent bombarder la capitale, détruisant 500 maisons, incendiant la Halle aux vins, tuant ou blessant un millier de
personnes. Si le dimanche 27 août est, pour la population,
une journée de relative détente, si j'ai le loisir d'assister, au
milieu de plusieurs milliers d'hommes des forces de l'intérieur, à l'office célébré par leur aumônier le P. Bruckeberger,
si au fond d'une voiture je puis parcourir la ville, voir
les traits des gens et l'aspect des choses sans être trop
souvent reconnu, la 2e Division blindée n'en est pas moins
engagée rudement du matin au soir. Au prix de pertes sensibles, le Groupement Dio s'empare de l'aérodrome du Bourget
et le Groupement de Langlade enlève Stains, Pierrefitte,
Montmagny.

Comme la lumière d'un projecteur révèle soudain le monument, ainsi la libération de Paris assurée par les Français
eux-mêmes et la preuve donnée par le peuple de sa confiance
en de Gaulle dissipent les ombres qui cachaient encore la
réalité nationale. Conséquence ou coïncidence, il se produit
une sorte d'ébranlement où s'écroulent divers obstacles qui
encombraient encore la route. La journée du 28 août m'apporte un faisceau de nouvelles satisfaisantes.

J'apprends d'abord que dans la banlieue nord, après la
prise de Gonesse par nos troupes, les Allemands sont en
pleine retraite, ce qui met le point final à la bataille de Paris.
D'autre part, Juin me présente les rapports de la Ire Armée,
confirmant la reddition des garnisons ennemies, à Toulon
le 22, à Marseille le 23, et annonçant que nos forces avancent
rapidement vers Lyon de part et d'autre du Rhône, tandis
que les Américains, suivant la route Napoléon dégagée par
les maquisards, ont atteint déjà Grenoble. En outre, les
comptes rendus de nos principaux délégués au sud de la
Loire : Bénouville pour le Massif Central, le général Pfister
pour le Sud-Ouest, signalent le repli des Allemands, les uns
tentant de gagner la Bourgogne pour échapper à l'encercle-
ment, les autres allant s'enfermer dans les poches fortifiées
de la côte de l'Atlantique, tous aux prises avec les Forces
françaises de l'intérieur qui attaquent leurs colonnes et har-
cèlent leurs cantonnements. Bourgès-Maunoury, délégué pour
le Sud-Est, fait dire que les maquisards sont les maîtres du
terrain dans les Alpes, l'Ain, la Drôme, l'Ardèche, le Cantal, le

Puy-de-Dôme, ce qui ne peut qu'accélérer la progression des généraux Patch et de Lattre. Dans l'Est et le Nord, enfin, se multiplie l'activité des nôtres, tandis que, dans l'Ardenne, le Hainaut, le Brabant, la Résistance belge mène, elle aussi, une vive guérilla. On peut prévoir que l'ennemi, enfoncé sur la Seine, poursuivi le long du Rhône, assailli en tous les points de notre sol, ne se rétablira plus qu'à proximité immédiate de la frontière du Reich. Ainsi notre pays, quelles que soient ses blessures, va-t-il trouver à bref délai la possibilité du redressement national.

A condition qu'il soit gouverné, ce qui exclut tout pouvoir parallèle au mien. Le fer est chaud. Je le bats. Le matin de ce 28 août, je réunis les vingt principaux chefs des partisans parisiens, pour les connaître, les féliciter, les prévenir de ma décision de verser les forces de l'intérieur dans les rangs de l'armée régulière. Entrent, ensuite, les secrétaires-généraux, dont il est clair qu'ils n'attendent d'instructions que de moi et de mes ministres. Puis, je reçois le bureau du Conseil national de la Résistance. Dans l'esprit des compagnons qui prennent place devant moi, il existe à la fois deux tendances que j'accueille d'une manière très différente. Leur fierté de ce qu'ils ont fait, je l'approuve sans réserves. Les arrière-pensées de certains quant à la direction de l'État, je ne saurais les admettre. Or, si la démonstration populaire du 26 août a achevé de mettre en lumière la primauté du général de Gaulle, il en est qui s'en tiennent encore au projet de constituer, à côté et en dehors de lui, une autorité autonome, d'ériger le Conseil en organisme permanent contrôlant le gouvernement, de confier au « Comac » les formations militaires de la Résistance, d'extraire de celles-ci des milices dites « patriotiques » qui agiront pour le compte du « peuple » entendu dans un certain sens. En outre, le Conseil a adopté un « programme du C. N. R. », énumération des mesures à appliquer dans tous les domaines, qu'on se propose de brandir constamment devant l'exécutif.

Tout en reconnaissant hautement la part que mes interlocuteurs ont prise à la lutte, je ne leur laisse aucun doute sur mes intentions à leur égard. Dès lors que Paris est arraché à l'ennemi, le Conseil national de la Résistance entre dans l'histoire glorieuse de la libération mais n'a plus de raison d'être en tant qu'organe d'action. C'est le gouvernement qui assume la responsabilité entière. Sans doute y ferai-je entrer tel ou tel membre du Conseil. Mais, alors, ceux-ci renonceront à toute solidarité qui ne sera pas ministérielle. Par contre, je compte intégrer le Conseil dans l'Assemblée consultative qui va arriver d'Alger et qui doit être élargie. Quant aux forces de l'intérieur, elles font partie de l'armée française. Le ministère de la Guerre prend donc directement en charge leur personnel et leurs armes à mesure qu'elles émergent de la clandestinité. Le « Comac » doit disparaître. Pour ce qui est de l'ordre public, il sera maintenu par la police et la gendarmerie avec, en cas de besoin, le concours des garnisons. Les milices n'ont plus d'objet. Celles qui existent seront dissoutes. Je donne lecture à mes visiteurs d'un ordre que je viens de signer prescrivant l'incorporation régulière des forces de la Résistance et chargeant le général Kœnig, gouverneur militaire, de faire immédiatement le nécessaire à Paris.

Après avoir recueilli les observations résignées ou véhémentes des membres du bureau, je mets un terme à l'audience. La conclusion que j'en tire c'est que certains tâcheront d'entretenir au-dehors des équivoques ou des malentendus pour garder sous leur obédience le plus possible d'éléments armés, qu'il y aura des formalités à remplir, des frictions à subir, des ordres à maintenir, mais que, pour finir, s'imposera l'autorité du gouvernement. Je tiens que, de ce côté, la route sera bientôt libre.

Elle l'est, désormais, du côté des Américains. Le général Eisenhower me rend visite. Nous nous félicitons l'un l'autre de l'heureuse issue des événements de Paris. Je ne lui cache pas, cependant, combien j'ai été mécontent de l'attitude de Gerow au moment même où j'entrais dans ma propre capitale et saisissais un chaudron bouillonnant. Je fais connaître au Commandant en chef que, pour des raisons qui tiennent au moral de la population et, éventuellement, au bon ordre, je garderai quelques jours à ma disposition directe la 2e Division blindée. Eisenhower m'annonce qu'il va installer son quartier-général à Versailles. Je l'en approuve, trouvant convenable qu'il ne réside pas à Paris et utile qu'il en soit proche. Au moment où il prend congé, j'exprime à ce bon et grand chef allié l'estime, la confiance et la reconnaissance du Gouvernement français. Tout à l'heure, les Américains, sans avoir consulté personne, publieront un communiqué suivant lequel le commandement militaire, conformément aux accords conclus, aurait transmis à l'administration française les pouvoirs qu'il était censé détenir en France. Bien entendu, rien n'a été, de la part des alliés, transmis de ce qu'on ne détenait pas et qu'on n'a jamais exercé. Mais l'amour-propre du Président a, sans doute, ses exigences, au demeurant d'autant plus grandes que la période électorale commence aux États-Unis et que, dans six semaines, Franklin Roosevelt affrontera le suffrage universel.

Quand le soir tombe, j'apprends le dernier acte du Maréchal « Chef de l'État. » Juin m'apporte une communication que l'amiral Auphan, ancien ministre de Vichy, lui a remise pour moi. Il s'agit d'une lettre et d'un mémoire que m'adresse l'amiral, me faisant connaître la mission qu'il a reçue du Maréchal et que celui-ci a formulée en deux documents secrets. Le premier est un acte dit « constitutionnel » du 27 septembre 1943, chargeant un collège de sept membres d'assurer sa fonction de « Chef de l'État » si lui-même en est empêché. Le second, daté du 11 août 1944, est un pouvoir donné par lui à l'amiral Auphan « de prendre, éventuellement, contact de sa part avec le général de Gaulle, à l'effet de trouver au problème politique français, au moment de la libération du territoire, une solution de nature à empêcher la guerre civile et à réconcilier tous les Français de bonne foi. » Le Maréchal précise, qu'au cas où Auphan ne pourrait lui en référer, « il lui fait confiance pour agir au mieux des intérêts de la patrie. » Mais il ajoute : « Pourvu que le principe de légitimité que j'incarne soit sauvegardé. »

L'amiral m'écrit que, le 20 août, ayant appris que le Maréchal était emmené par les Allemands, il a tenté de réunir le « collège ». Mais deux des membres désignés, Weygand et Bouthillier, se trouvent détenus en Allemagne ; un, Léon Noël, ambassadeur de France, qui adhère à la Résistance depuis quatre ans, s'est formellement refusé à entrer dans la combinaison ; deux, Porché vice-président du Conseil d'État et Gidel recteur de l'Université de Paris, ne se sont pas rendus à la convocation. Auphan, se voyant seul avec Caous procureur-général près la Cour de cassation, a considéré que le « collège » avait vécu avant d'être né et que lui-même se trouvait, désormais, « principal dépositaire des pouvoirs légaux du Maréchal. » Il me prie de le recevoir.

La démarche ne me surprend pas. Je sais que, depuis le début d'août, le Maréchal, qui s'attend à être sommé de partir pour l'Allemagne, a fait prendre des contacts avec des chefs de la Résistance. Henry Ingrand, commissaire de la République à Clermont-Ferrand, m'a rendu compte, le

14 août, d'une visite que lui a faite le capitaine Oliol envoyé
par le Maréchal. Celui-ci proposait de se placer sous la sauvegarde des Forces françaises de l'intérieur et d'indiquer, en
même temps, qu'il se retirait du pouvoir. Ingrand avait
répondu que, si le Maréchal se rendait à lui, les Forces de
l'intérieur assureraient sa sécurité. Mais Pétain n'avait pas
donné suite à ce projet, empêché sans doute de le faire par
les mesures de surveillance prises par les Allemands avant
qu'ils ne l'emmènent à Belfort et à Sigmaringen. A présent,
son mandataire me saisit d'une demande formelle de négociation.

Quel aboutissement ! Quel aveu ! Ainsi, dans l'anéantissement de Vichy, Philippe Pétain se tourne vers Charles de
Gaulle. Voilà donc le terme de cette affreuse série d'abandons
où, sous prétexte de « sauver les meubles, » on accepta la
servitude. Quel insondable malheur fit qu'une pareille politique fut endossée par l'extrême vieillesse d'un chef militaire
glorieux ! En lisant les textes que l'on m'a fait remettre de
sa part, je me sens, tout à la fois, rehaussé dans ce qui fut
toujours ma certitude et étreint d'une tristesse indicible.
Monsieur le Maréchal ! Vous qui avez fait jadis si grand
honneur à nos armes, vous qui fûtes autrefois mon chef et
mon exemple, où donc vous a-t-on conduit ?

Mais quelle suite puis-je donner à cette communication ?
En l'espèce, le sentiment ne saurait compter en face de la
raison d'État. Le Maréchal évoque la guerre civile. S'il entend
par là le heurt violent de deux fractions du peuple français,
l'hypothèse est tout à fait exclue. Car, chez ceux qui furent
ses partisans, personne, nulle part, ne se dresse contre mon
pouvoir. Il n'y a pas, sur le sol libéré, un département, une
ville, une commune, un fonctionnaire, un soldat, pas même
un particulier, qui fassent mine de combattre de Gaulle par
fidélité à Pétain. Quant aux représailles, que certaines fractions de la Résistance pourraient commettre à l'encontre des
gens qui les ont persécutées en liaison avec l'ennemi, il
incombe à l'autorité publique de s'y opposer, tout en assurant l'action de la justice. En cette matière, nul arrangement
n'est imaginable.

Par-dessus tout, la condition que met Pétain à un accord
avec moi est justement le motif qui rend cet accord impossible. La légitimité, qu'il prétend incarner, le Gouvernement
de la République la lui dénie absolument, non point tant
parce qu'il a recueilli naguère l'abdication d'un parlement

affolé qu'en raison du fait qu'il a accepté l'asservissement
de la France, pratiqué la collaboration officielle avec l'envahisseur, ordonné de combattre les soldats français et alliés de
la libération, tandis que, pas un seul jour, il ne laissa tirer
sur les Allemands. Au surplus, dans la mission donnée à
Auphan par Pétain, non plus que dans l'adieu que le Maréchal
vient d'adresser aux Français, pas une phrase ne condamne
« l'armistice », ni ne crie : « Sus à l'ennemi ! » Or, il ne peut
y avoir de gouvernement français légitime qui ait cessé d'être
indépendant. Nous, Français, avons au cours du temps subi
des désastres, perdu des provinces, payé des indemnités, mais
jamais l'État n'a accepté la domination étrangère. Même le
roi de Bourges, la Restauration de 1814 et celle de 1815, le
gouvernement et l'assemblée de Versailles en 1871, ne se
sont pas subordonnés. Si la France se reconnaissait dans un
pouvoir qui portait le joug, elle se fermerait l'avenir.

Un appel venu du fond de l'Histoire, ensuite l'instinct
du pays, m'ont amené à prendre en compte le trésor en
déshérence, à assumer la souveraineté française. C'est moi
qui détiens la légitimité. C'est en son nom que je puis appeler
la nation à la guerre et à l'unité, imposer l'ordre, la loi, la
justice, exiger au-dehors le respect des droits de la France.
Dans ce domaine, je ne saurais le moins du monde renoncer,
ni même transiger. Sans que je méconnaisse l'intention suprême qui inspire le message du Maréchal, sans que je mette
en doute ce qu'il y a d'important, pour l'avenir moral de la
nation, dans le fait qu'en fin de compte c'est vers de Gaulle
qu'est tombé Pétain, je ne puis lui faire que la réponse de
mon silence.

Cette nuit, d'ailleurs, après tant de tumulte, tout se tait
autour de moi. C'est le moment de prendre acte de ce qui
vient d'être accompli et de me confronter moi-même avec la
suite. Aujourd'hui, l'unité l'emporte. Recueillie à Brazzaville, grandie à Alger, elle est consacrée à Paris. Cette France,
qui avait paru condamnée au désastre, au désespoir, aux
déchirements, a maintenant des chances d'aller, sans se
rompre, jusqu'au bout du drame présent, d'être victorieuse
elle aussi, de recouvrer ses terres, sa place, sa dignité. On
peut croire que les Français, actuellement regroupés, le resteront assez longtemps pour que les catégories entre lesquelles ils se répartissent et qui, par destination, s'efforcent
toujours d'entamer la cohésion nationale, ne puissent à nouveau l'emporter jusqu'à ce que le but immédiat soit atteint.

Ayant mesuré la tâche, il me faut me jauger moi-même. Mon rôle, qui consiste à plier à l'intérêt commun les éléments divers de la nation pour la mener au salut, j'ai le devoir, quoi qu'il puisse me manquer, de le jouer tant que durera la crise, puis, si le pays le veut, jusqu'au moment où des institutions dignes de lui, adaptées à notre époque et inspirées par des leçons terribles recevront de mes mains la charge de le conduire.

Devant moi, je le sais bien, je trouverai au long de ma route tous les groupements, toutes les écoles, tous les aréopages, ranimés et hostiles à mesure que le péril s'éloignera. Il n'y aura pas une routine ou une révolte, une paresse ou une prétention, un abandon ou un intérêt, qui ne doivent, d'abord en secret, plus tard tout haut, se dresser contre mon entreprise de rassembler les Français sur la France et de bâtir un État juste et fort. Pour ce qui est des rapports humains, mon lot est donc la solitude. Mais, pour soulever le fardeau, quel levier est l'adhésion du peuple! Cette massive confiance, cette élémentaire amitié, qui me prodiguent leurs témoignages, voilà de quoi m'affermir.

Peu à peu, l'appel fut entendu. Lentement, durement, l'unité s'est faite. A présent, le peuple et le guide, s'aidant l'un l'autre, commencent l'étape du salut.

DOCUMENTS

Les documents reproduits ci-après sont choisis parmi ceux que j'ai écrits, reçus ou connus, comme Président du Comité national français, Président du Comité français de la libération nationale, Président du Gouvernement provisoire de la République française, Chef des Armées. (1942-1943-1944).

Le texte des notes, lettres, télégrammes, rapports, procès-verbaux, a été déposé aux Archives nationales.

Les déclarations, ordonnances, décrets, ont été, en leur temps, publiés au *Journal officiel.*

INTERMÈDE

*Note établie par le cabinet du général de Gaulle
au sujet de son entretien avec M. Winant,
ambassadeur des États-Unis à Londres, le 21 mai 1942.*

La conversation s'engage sur la situation politique en Allemagne telle que le récent discours de Gœring permet de l'imaginer. L'ambassadeur et le Général sont d'accord pour penser que les paroles prononcées par le maréchal Gœring révèlent que le moral de la population allemande est atteint.

M. Winant parle au Général de la bataille de Russie et lui demande quelle est, à son avis, l'importance des pertes subies par les Allemands depuis le début du conflit germano-russe.

Le Général développe les raisons qui lui font croire que 1 300 000 Allemands, au moins, ont dû déjà trouver la mort en Russie. Les pertes allemandes pendant la guerre 1914-1918 se sont élevées à 2 millions de tués. Les Allemands pourraient perdre encore 700 000 morts avant que la puissance de leur armée soit entamée.

L'ambassadeur des États-Unis prie le général de Gaulle de lui faire connaître son avis sur la question d'un second front qui serait ouvert à l'Ouest.

« Ce front, déclare le général de Gaulle, devrait être créé aussitôt que possible. »

M. WINANT. — Pourriez-vous m'indiquer le moment le plus propice pour réaliser cette opération ?

LE GÉNÉRAL. — Dès que les Allemands seraient engagés à fond en Russie. Les opérations actuelles, pour importantes qu'elles soient, ont un caractère préliminaire. Les grands combats commenceront vraisemblablement dans un mois et l'Allemagne ne sera complètement engagée en Russie qu'après le mois de juillet. C'est donc à partir du mois d'août qu'il faudrait envisager une opération de débarquement en France. Ce serait là la date la plus rapprochée possible.

M. Winant. — Quelle est, à votre avis, la méthode qu'il conviendrait d'employer?

Le Général. — Il serait bon de mettre à terre tout d'abord, sur un front étendu, un grand nombre d'éléments de contact. La résistance opposée à ces unités renseignerait le commandement allié sur le lieu le plus favorable pour débarquer de grandes unités tout en laissant les Allemands dans l'incertitude. Ensuite et à bref délai, aurait lieu le débarquement proprement dit. Cette seconde opération devant être conduite sous la protection de forces aériennes très considérables. La zone de débarquement devrait se situer entre le cap Gris-Nez et le Cotentin. Il s'agit, toutefois, de savoir si vous avez actuellement assez de forces disponibles pour une pareille opération.

M. Winant. — Combien de divisions conviendrait-il d'utiliser?

Le Général. — Les Allemands ont actuellement en France 25 à 27 divisions. Ils pourraient en trouver, en Allemagne, une quinzaine d'autres. C'est donc, au début, environ 40 divisions que les troupes alliées auraient à combattre. Dans ces conditions, il conviendrait d'envisager l'emploi d'au moins une cinquantaine de divisions, dont 6 ou 7 devraient être des divisions cuirassées. La supériorité en aviation devrait être écrasante.

M. Winant. — Croyez-vous que les Allemands pourraient ramener du front russe des renforts importants?

Le Général. — Si les Allemands sont engagés à fond en Russie, il leur sera difficile de retirer du front russe plus de quelques divisions. Il faudra ensuite qu'ils puissent les transporter sur le front occidental. C'est à ce moment que l'aviation pourra jouer un rôle essentiel en détruisant les voies de communication.

Au moment de la bataille de France, l'état-major français a déplacé de l'est vers l'ouest une vingtaine de divisions. Cette opération s'est effectuée avec les plus grandes difficultés à cause de l'aviation allemande. Pourtant, il ne s'agissait que d'un transport à courte distance. Or, dans le cas que nous envisageons, l'état-major allemand se verrait obligé de procéder à un transport à très longue distance, sous le feu d'une aviation alliée incomparablement plus puissante que ne l'était l'aviation allemande au début de la campagne. En outre, la résistance française, agissant d'après les mots d'ordre donnés par la France Libre, coopérerait efficacement à la destruction des voies ferrées.

M. Winant. — Ne serait-il pas possible pour l'état-major allemand de compter seulement sur des transports par route?

Le Général. — Ceci me paraît bien difficile. Le déplacement à grande distance de grandes unités modernes ne se conçoit pas sans l'utilisation du chemin de fer. Il n'est, d'ailleurs, pas certain que les Allemands disposent, à l'heure actuelle, du matériel de transport routier nécessaire. Enfin, les colonnes de troupes et de matériel se déplaçant sur des routes constitueraient pour l'aviation des cibles magnifiques.

M. Winant. — Il faut quand même envisager la possibilité d'un nouveau Dunkerque. Quel en serait l'effet sur le moral de la population française?

Le Général. — L'opinion ne tiendrait pas rigueur d'un échec aux Américains, ni aux Anglais. Les Français ont choisi. Presque tous désirent la victoire des alliés. Mais il faudrait, naturellement, que l'échec ne fût que temporaire et qu'un nouvel effort fût rapidement engagé.

M. Winant. — Quelle serait l'attitude pratique des Français dans le cas d'un débarquement?

Le Général. — Dès le débarquement, un grand nombre de Français se joindraient aux alliés et leur apporteraient leur concours. Si le pays se rendait compte que l'opération est sérieuse, une sorte de rassemblement national se produirait inévitablement. Il en sortirait un gouvernement qui pourrait organiser, avec l'aide des Nations Unies, des unités françaises constituées.

M. Winant. — Croyez-vous que l'on puisse gagner la guerre cette année?

Le Général. — Cela dépend des moyens que vous êtes prêts à engager. L'effort que vous pourriez faire cette année n'est évidemment pas votre effort maximum, lequel ne pourra se produire que dans un an ou deux. Mais, dès maintenant, je suis convaincu que, si les Nations Unies, ayant les forces suffisantes, réussissaient l'opération du débarquement, la guerre pourrait se terminer avant la fin de l'année.

M. Winant. — Croyez-vous que, si un second front était constitué à l'Ouest et que la guerre ne fût pas terminée à l'automne, les chances de reprise des opérations seraient bonnes au printemps?

Le Général. — Certes! Mais au cas où un second front se trouverait constitué à l'automne, les Allemands n'envisageraient peut-être pas de poursuivre la guerre. Ce sont de bons stratèges, les meilleurs du monde. Considérant que la partie est perdue, ils pourraient renoncer à la lutte et écarter Hitler d'une manière ou d'une autre. Un gouvernement du genre Brüning serait constitué et les Allemands demanderaient la paix.

De toute manière, il ne faut pas laisser les Russes faire la guerre tout seuls. S'ils gagnaient la guerre seuls, ils seraient les maîtres de l'Europe et ceci coûterait cher, non seulement aux Européens, mais également aux États-Unis. Si les Russes la perdaient seuls, la guerre actuelle serait terminée et une nouvelle guerre commencerait, savoir : la guerre entre l'Allemagne et les États-Unis, ceux-ci privés, désormais, du concours de la Russie, de la France et de l'Angleterre.

M. Winant approuve ce point de vue.

« Cette guerre, dit le Général, n'est pas une seule guerre. Contre l'Allemagne, il y a la guerre de la Russie, la guerre de la France, la guerre de l'Angleterre. Il y a aussi, maintenant, la guerre des États-Unis. Tout aurait, tout de suite, été très bien, tout irait

très bien aujourd'hui, s'il n'y avait qu'une seule guerre. »
M. Winant estime, lui aussi, que l'unité de vues parmi les alliés
n'est pas parfaite.

Au moment de prendre congé, l'ambassadeur des États-Unis
fait l'éloge de M. Tixier qui, dit-il, est un homme sincère. M. Tixier,
ajoute-t-il, doit poursuivre son effort et il finira par l'emporter.

*Télégramme du général de Gaulle
à Adrien Tixier, délégué France Combattante à Washington.*

Londres, 3 juin 1942.

J'ai eu, le 1er juin, une longue et satisfaisante conversation avec
MM. Eden et Winant.

La réunion avait été provoquée par M. Eden. Nous nous sommes
franchement expliqués tous les trois sur la position de la France
Combattante par rapport à ses alliés et, plus spécialement, par
rapport au Gouvernement des États-Unis. Tous les éléments des
difficultés existant entre nous et Washington ont été examinés.
Je suis persuadé que Winant avait des instructions du State
Department.

J'ai tiré trois conclusions de ces entretiens.

1) Cordell Hull et Sumner Welles commencent à comprendre
que leur attitude à notre égard est devenue insoutenable, tant
en ce qui concerne l'opinion mondiale, notamment l'opinion américaine, que vis-à-vis des autres alliés...

2) Le Gouvernement britannique est parfaitement fixé sur le
rassemblement national qui s'effectue en France autour de nous
et sur le fait que le redressement de la France dans la guerre n'est
concevable que par nous. Le Gouvernement des États-Unis s'en
rend compte également, quoique d'assez mauvais gré. D'autre
part, l'échec des diverses intrigues qu'il avait encouragées, sinon
provoquées, contre nous, parmi les Français d'Amérique et même
dans certains des territoires ralliés, lui a révélé notre cohésion.

3) Le Gouvernement britannique a pris parti et pousse à une
détente.

M. Winant a parlé de l'utilité que présenterait une explication
directe et personnelle entre moi-même et Cordell Hull. Il imaginait
cette explication à l'occasion d'un voyage que je pourrais faire
aux États-Unis. Il n'a pas prononcé à ce sujet le nom du Président Roosevelt et n'a pas précisé si j'aurais à demander moi-même
ce voyage ou si j'y serais invité. C'est pourquoi, j'ai accueilli
avec réserve sa suggestion. Je suis, en effet, persuadé qu'une fois
la détente accomplie il y aurait intérêt à ce que j'aille aux États-
Unis, mais à condition que ce soit dans des conditions convenables
et l'initiative ne viendrait certainement pas de moi.

Au total, nous devons tenir fermement et simplement sur la position que nous avons toujours prise. Nous ne prétendons pas être la représentation politique du peuple français ; mais nous prétendons représenter ses intérêts permanents. Nous prétendons aussi le rassembler dans la guerre aux côtés des alliés. Nous demandons que nos alliés nous y aident. Amitiés.

Télégramme du colonel Pechkoff,
délégué France Combattante dans l'Union sud-africaine,
au général de Gaulle, à Londres.

Prétoria, 23 juin 1942

Au reçu de vos dépêches, j'ai demandé au Haut-commissaire britannique de me préparer une entrevue avec les généraux Platt et Sturges...

Certaines négociations sont en train avec le gouverneur Annet, lesquelles pourraient aboutir à une collaboration entre les deux parties...

Télégramme du général de Gaulle au colonel Pechkoff, à Prétoria.

Londres, 26 juin 1942

Je reçois votre télégramme du 23 juin.

Il ne m'a pas surpris car, en ce qui concerne Madagascar, il y a, de la part de certains groupes étrangers, des projets plus ou moins obscurs. Cependant, nous n'avons pas de raisons de douter des engagements pris par le Gouvernement britannique. Aux termes de ces engagements, le Comité national doit jouer le rôle qui lui revient dans l'administration de Madagascar, colonie française. Vous avez pour mission de vous rendre à Diégo-Suarez et je ne puis supposer qu'on vous en refuse les moyens.

Quant aux projets d'arrangement avec le gouverneur de Vichy auxquels les généraux Platt et Sturges ont fait allusion dans leur conversation avec vous, ils aboutiront, ou n'aboutiront pas, suivant que M. Laval, c'est-à-dire M. Hitler, jugeront que cela est, ou n'est pas, conforme à leurs intérêts.

C'est pourquoi la France Combattante tiendrait un tel arrangement pour inacceptable. La seule solution possible est le ralliement à la France Combattante.

Télégramme de Roger Garreau,
délégué France Combattante en Union soviétique,
au Comité national, à Londres.

Kouibychev, 27 juin 1942.

J'ai eu, le 19 juin, avec le général Panfilov l'entretien qui avait motivé mon voyage à Moscou.

Après avoir rappelé que M. Molotov avait confirmé à Londres l'accord positif de son gouvernement sur l'envoi de Forces Françaises Libres en Russie, j'ai demandé au général de me préciser la nature des difficultés techniques qui semblent entraver l'exécution du projet d'envoi d'un groupe d'aviation de chasse... Les explications du général Panfilov m'ont paru assez embarrassées... et, malgré ses protestations de bonne volonté, le représentant de l'état-major m'a donné l'impression de biaiser pour gagner du temps.

Les Tchécoslovaques discutent le même sujet depuis le début de l'année et se heurtent à la même attitude compliquée et réticente. Je laisse de côté les Polonais qui, de guerre lasse, ont renoncé à tout espoir d'engager leurs forces sur le front oriental... La raison de ces atermoiements doit être cherchée dans la répugnance qu'éprouvent les autorités soviétiques à introduire des éléments étrangers, même alliés ou sympathisants, dans le monde hermétiquement clos qu'est l'U. R. S. S.

Néanmoins, M. Vichynsky, à qui j'ai fait part, le 24 juin, de mon entretien avec le général Panfilov, m'a formellement renouvelé sa précédente assurance que « toutes les difficultés techniques, dont il avait été fait état, seraient levées. »

Télégramme du général de Gaulle à Adrien Tixier, à Washington.

Londres, 1er juillet 1942.

J'ai vu M. Eden, sur sa demande, le 29 juin. Il résulte de notre entretien que le Gouvernement des États-Unis envisage maintenant de prendre une position nouvelle à l'égard du Comité national français.

En raison de l'évolution de la guerre, de l'attitude de Vichy, — de plus en plus accentuée dans le sens de la collaboration avec l'Allemagne, — de la pression de l'opinion américaine et mondiale, de l'appui que nous donne la Russie, de l'intervention récente de M. Churchill à Washington, mais surtout des preuves indubitables de l'adhésion des masses françaises à notre action, le Gouvernement des États-Unis cherche à établir avec nous un *modus vivendi* convenable...

Quand cela sera fait, c'est-à-dire quand l'unité de la résistance française autour de nous et notre qualité pour la diriger partout ne seront plus contestées, je pourrai reporter l'essentiel de mon activité personnelle sur le domaine proprement militaire, en particulier sur l'action éventuelle de nos forces en territoire français avec les armées alliées et sur l'organisation progressive d'une armée française à mesure de la libération du territoire.

Ce que nous ferons à cet égard, dans une telle éventualité, impliquera nécessairement deux conditions :

— D'abord, j'aurai à conjuguer l'action initiale de nos petites forces avec celles de nos alliés...

— Ensuite, il serait nécessaire que les États-Unis prévoient et préparent à temps la constitution et le transport de stocks d'armement et d'équipement bien déterminés qui seraient destinés aux formations nouvelles à constituer en France. Cela aussi doit être d'avance organisé minutieusement entre les Américains et nous.

Dès que la situation sera éclaircie entre nous et le Gouvernement de Washington au point de vue de notre position générale, je vous prie d'exposer les points ci-dessus aux diverses autorités américaines intéressées. Vous pouvez y employer également Chevigné. Cela doit être présenté avec discrétion mais netteté.

Note établie par René Pleven
au sujet de l'entretien du général de Gaulle
avec M. Winant, le 30 juin 1942.

Le 30 juin, le général de Gaulle avait invité à dîner M. Winant, ambassadeur des États-Unis. M. Pleven assistait au dîner.

La conversation fut amicale. Avec insistance, M. Winant indiqua qu'il souhaitait vivement qu'on trouve moyen de faire en sorte que la capacité militaire du général de Gaulle puisse être directement utile aux alliés. Il demanda au Général de lui indiquer comment, à son avis, cela pourrait se faire. La réponse du Général fut la suivante :

« Je suis un général français. Si les alliés me demandaient de jouer un rôle militaire dans notre coalition, je ne m'y refuserais pas. Mais ce n'est pas une proposition simple.

« Lorsque, l'an dernier, je suis allé en Afrique et en Orient, je suis arrivé à la conclusion qu'au point de vue stratégique il était indispensable que les États du Levant soient soustraits au contrôle de Vichy. Bien qu'il ait été extrêmement pénible aux Forces Françaises Libres de participer à cette opération, j'ai pu amener le haut-commandement britannique à comprendre qu'elle était indispensable pour la stratégie alliée dans le Proche-Orient. Les événements ont prouvé que j'avais montré la bonne voie. Mais je n'ai pas vu qu'on en ait tiré les conséquences.

« C'est ainsi qu'au mois de mai de cette année, lorsque je me suis rendu compte que de grands événements militaires se préparaient en Afrique, le Gouvernement britannique m'a empêché de quitter la Grande-Bretagne. C'est pourquoi j'ai été privé de l'occasion de jouer un rôle direct dans la préparation des opérations de Libye.

« Lorsque le général Marshall est venu à Londres, je lui ai écrit pour lui proposer une entrevue, disant que j'irais le voir où et quand il voudrait. Le général Marshall, le jour de son départ d'Angleterre, m'a écrit qu'il lui serait impossible de me voir.

« A l'heure actuelle, les états-majors anglais et américains étudient des plans d'opérations qui comportent une offensive en territoire français, peut-être même en France. Ces opérations auront naturellement une importance décisive pour l'issue de la guerre et intéressent tout particulièrement les Français. Or, je n'ai jamais été consulté sur ces plans. Même, j'ai l'impression très nette qu'il y a une tendance systématique à écarter les Français Combattants, non seulement de la préparation des opérations, mais même de la participation à celles-ci.

« Ces faits montrent qu'il n'y a pas, chez les alliés, un très grand désir d'utiliser ce que vous appelez ma capacité militaire.

« … En réalité, tant qu'il n'y aura pas une véritable armée française dans le camp des alliés, il est probable que vous empêcherez l'autorité française de jouer un rôle direct dans la conduite des opérations. C'est pour cela, en particulier, que je déploie tant d'efforts pour rassembler tout ce qui peut combattre et c'est pour cela que je ne puis pardonner l'armistice qui a empêché ce qui restait de combattants dans l'Empire, la flotte, un certain nombre de généraux et d'états-majors bien instruits, de maintenir la France dans la guerre où, à l'heure actuelle, même avec des moyens limités, elle pourrait jouer un rôle très important.

« C'est pour cela aussi que je m'efforce de réaliser en France une organisation militaire qui, le jour où les opérations commenceraient en territoire français, pourrait immédiatement agir. Elle le ferait, bien entendu, en s'intégrant aux Forces Françaises Libres sous mon commandement et à condition que les alliés tiennent leur engagement moral de fournir des armes. »

Ces différentes observations ne furent pas faites au cours d'un monologue, mais en réponse à des questions ou des observations de M. Winant qui revenait toujours sur son désir de trouver une formule qui permettrait au Général de faire servir à la cause alliée, et spécialement aux forces américaines, son expérience et sa capacité militaires.

M. Winant déclara qu'il était en plein accord avec le Général pour que des troupes françaises, soit celles qui existent actuellement, soit celles qui se rallieraient après les opérations en France, soient toutes groupées dans une armée française sous l'autorité du général de Gaulle…

Mais, dans l'esprit de M. Winant, il faudrait que le Général, tout en ayant sous sa coupe ce qu'il y aura de troupes françaises à engager dans la bataille, puisse agir comme une sorte de conseiller technique du commandement américain.

Le Général répéta qu'il n'avait pas d'objection à une telle formule. Mais il croyait qu'elle se heurterait à l'opposition des alliés.

M. Winant dit aussi, qu'à son avis, le général Marshall et le général de Gaulle s'entendraient très bien dès qu'ils se connaîtraient.

L'ambassadeur manifesta beaucoup de sympathie personnelle à l'égard du Général. Il répéta à plusieurs reprises qu'il ferait tous ses efforts pour faire comprendre aux États-Unis sa véritable personnalité. Il dit sa satisfaction de voir que, depuis quelques jours, certains indices permettaient d'espérer une détente dans les relations entre le Département d'État et la France Libre.

Le Général observa qu'il n'y avait jamais eu entre les États-Unis et nous qu'une seule difficulté, mais fondamentale. Les Français Libres estiment qu'il est indispensable, pour la France comme pour les alliés, que la France et ses possessions rentrent et s'unissent dans la guerre, tandis que la politique du Département d'État donne l'impression de viser à maintenir la France et les possessions françaises dans la neutralité et dans la division.

Le Général précisa que nous prenions peu d'intérêt aux formules concernant un arrangement avec le Gouvernement des États-Unis. Ce que nous demandons, c'est que deux points soient définitivement reconnus : le premier, qu'il y a identité entre la résistance française à l'intérieur et à l'extérieur ; le second, qu'il ne peut y avoir plusieurs Frances Combattantes, mais qu'il ne doit y en avoir qu'une seule et sous une seule autorité.

Télégramme du colonel de Chevigné,
chef de la mission militaire France Combattante aux États-Unis,
au Comité national, à Londres.

Washington, 1er juillet 1942.

J'ai eu une entrevue, le 29 juin, avec MacCloy, sous-secrétaire d'État à la Guerre. L'entretien a duré une heure environ et a été extrêmement cordial...

Après avoir traité avec lui un certain nombre de questions courantes et comme j'allais prendre congé, il m'a demandé de m'asseoir à nouveau et a dit vouloir échanger des considérations avec moi. Il m'a exposé ce qui suit.

L'armée américaine d'Angleterre est destinée à débarquer en France. Elle va se trouver en rapport avec des populations françaises amicales qui, probablement, fourniront des hommes pour participer à la guerre. Il serait très souhaitable qu'un officier français qualifié, de grade élevé, soit adjoint au général Eisenhower pour collaborer avec lui, d'abord sur un plan stratégique élevé, et ensuite pour organiser ces unités françaises. Il m'a dit : « Connaissez-vous, dans les Forces Françaises Libres, un officier répondant à ces conditions ? » J'ai répondu : « Seul le général de Gaulle a qualité pour répondre. Mais je suis certain qu'il trouvera la personne répondant à votre désir. » Là-dessus, MacCloy me demanda quelques détails sur les principaux chefs militaires de la France Libre...

Cette préoccupation de MacCloy sur la préparation de la rentrée de l'armée française est nouvelle...

Vous savez que MacCloy fait pratiquement fonction de ministre de la Guerre. Le titulaire, extrêmement âgé, ne reçoit plus personne.

J'ai eu l'impression que, depuis quelque temps, les militaires ont moins peur de se faire taper sur les doigts par le Département d'État pour les affaires de la France Libre. Comme à la Radio et au Navy Department, on a dû leur donner avis de faire quelques pas vers nous.

Télégramme de Roger Garreau au Comité national, à Londres.

Kouibychev, 2 juillet 1942.

La Section d'état-major à Kouibychev vient de me faire connaître que toutes les difficultés techniques concernant la composition de l'escadrille étaient aplanies et que le projet d'accord définitif me serait remis incessamment...

Télégramme d'Adrien Tixier au Comité national, à Londres.

Washington, 8 juillet 1942.

A mon retour de Londres, je me suis trouvé en face de violentes tentatives de désagrégation de la France Libre, avec campagnes de presse, informations sur les divisions entre les Français Libres, insinuations sur les erreurs de la politique du général de Gaulle et du Comité national envers les Anglais et les États-Unis, projets de séparation des activités militaires et des activités civiles de la France Libre ou même création d'un nouveau mouvement de Français résistants mais antigaullistes. Cette campagne a eu des effets profonds dans les milieux officiels, dans la colonie française, chez nos amis américains et même au sein de la délégation.

Avec des amis fidèles, j'ai fait face à l'orage et défendu énergiquement la politique du Comité national telle qu'elle m'a été exposée à Londres par le général de Gaulle et le commissaire national aux Affaires étrangères... J'ai essayé de donner l'impression que nous ne céderions pas sur les principes essentiels.

Pendant le mois de mai, j'ai multiplié les interventions auprès des milieux officiels, de la colonie française et de la presse. J'ai dû mettre, parfois rudement, certains Français en face de leurs responsabilités. J'ai fait comprendre à certains dirigeants des associations et institutions françaises et à certains membres ou fonctionnaires de la délégation qu'aucune opposition, hésitation ou réticence n'était permise, qu'il fallait obéir ou partir.

Comme précédemment, au moment de l'affaire de Saint-Pierre, cette deuxième crise grave a révélé les vrais caractères. Certains collaborateurs, jugeant tout perdu, offraient déjà secrètement leurs services à des administrations étrangères ou bien leur faisaient savoir qu'ils regrettaient la politique du Comité national.

La situation me paraît maintenant rétablie. Les relations officielles deviennent plus faciles, la presse est bonne, la colonie française se rassemble autour de la délégation et de « France for Ever » pour célébrer avec éclat le 14 juillet.

Quelques groupes d'antigaullistes irréductibles et quelques isolés qui maintiennent leur réserve subsistent encore, mais leur action est devenue, pour l'instant, fort discrète...

Communiqué du Gouvernement des États-Unis
publié à Washington le 9 juillet 1942.

TRADUCTION

Préambule.

Le Président des États-Unis, dans une lettre à l'administration du Lend-Lease en date du 11 novembre 1941, a déclaré que la défense de ceux des territoires français qui sont sous le contrôle des Forces Françaises Libres est vitale à la défense des États-Unis. Dans l'esprit de la lettre du Président et conformément à la politique du Gouvernement des États-Unis de venir en aide à tous les peuples résistant à l'agression de l'Axe afin de maintenir et de sauvegarder leur liberté, le Gouvernement des États-Unis et le Comité national français à Londres ont exercé une coopération étroite dans les zones où une telle coopération pouvait avancer les buts de guerre.

Afin de rendre cette coopération plus efficace pour la poursuite de la guerre, l'amiral Stark et le général Bolte ont été désignés comme représentants du Gouvernement des États-Unis pour se concerter avec le Comité national français à Londres au sujet de toutes questions ayant trait à la poursuite de la guerre. Un mémorandum, dont le texte est annexé, a été remis au général de Gaulle.

Le général de Gaulle a lu le mémorandum avec plaisir, est heureux de ses termes et accueille chaleureusement la décision du Gouvernement des États-Unis de nommer l'amiral Stark et le général Bolte comme représentants du Gouvernement américain aux fins de consultation avec le Comité national français.

Mémorandum.

1) Le Gouvernement des États-Unis subordonne toutes autres questions au but unique et suprême qui consiste à assurer le succès des armes et à mener la guerre à une conclusion victorieuse.

Le Comité national français poursuit le même but et prend des mesures militaires actives afin de conserver les territoires français pour le peuple français.

2) Le Gouvernement des États-Unis reconnaît la contribution du général de Gaulle et les efforts du Comité national français, afin de maintenir vivant l'esprit traditionnel de la France et de ses institutions, et estime que les buts militaires nécessaires pour poursuivre efficacement la guerre et, par conséquent, pour déterminer la réalisation de nos buts communs seront le plus facilement atteints en prêtant toute l'assistance militaire et tout l'appui possibles au Comité national français comme symbole de la résistance française en général contre les puissances de l'Axe.

Le Gouvernement des États-Unis partage sans réserve les vues du Gouvernement britannique, — qu'il sait être aussi celles du Comité national français, — que les destinées et l'organisation politique de la France doivent, en dernier ressort, être déterminées par la libre expression de la volonté du peuple français dans des conditions qui lui donneront la liberté d'exprimer ses désirs sans être influencé par aucune mesure de coercition.

3) En poursuivant le but commun de guerre, le Gouvernement des États-Unis continuera à traiter avec les fonctionnaires français libres dans leurs territoires respectifs, partout où ils exercent effectivement l'autorité. Conscient de la nécessité de coordonner les efforts communs, le Gouvernement des États-Unis voit tout avantage à centraliser la discussion des affaires afférentes à la poursuite de la guerre avec le Comité national français à Londres. L'un des buts principaux de la politique poursuivie par le Gouvernement des États-Unis dans le domaine de la collaboration est de prêter assistance aux forces militaires et navales françaises libres, suivant les termes de la déclaration présidentielle du 11 novembre 1941, qui fait ressortir que la défense des territoires sous le contrôle des Forces Françaises Libres est vitale pour la défense des États-Unis.

4) En harmonie avec les observations qui précèdent, le Gouvernement des États-Unis est prêt à nommer des représentants à Londres aux fins de consultation.

Télégramme du général de Gaulle à Adrien Tixier, à Washington.

Londres, 10 juillet 1942.

L'accord conclu avec le Gouvernement des États-Unis m'a paru satisfaisant à divers points de vue.

1) Il a créé une base positive pour nos relations avec Washington.

2) Il contient certaines affirmations utiles quant à notre position nationale.

3) Il admet la centralisation auprès du Comité national français des questions qui concernent la conduite de la guerre.

4) Il permet de commencer une réelle organisation militaire en commun avec les États-Unis, spécialement pour la bataille éventuelle en France.

J'estime que le reste, c'est-à-dire la représentation des intérêts généraux et permanents de la France auprès des alliés, suivra nécessairement, à condition qu'en partant de ce qui est acquis nous donnions au gouvernement et à l'opinion des États-Unis l'habitude de nous voir en ligne chaque fois qu'un de ces intérêts se trouve en cause.

Je tiens à vous dire que, si nous avons dû traiter toute cette affaire à Londres, c'est parce que Churchill et Eden ont voulu en être les courtiers pour des raisons que vous comprendrez. D'autre part, le State Department et le Foreign Office m'avaient demandé de prendre personnellement l'engagement d'un secret absolu, tant ils craignent la presse et les réactions de l'opinion américaine. Mais la forme qui nous a été ainsi imposée pour ces négociations n'implique nullement que d'aucun côté et, en particulier, de mon côté on ait désiré vous tenir à l'écart.

Je tiens, au contraire, à vous dire que votre action à Washington a beaucoup contribué aux dispositions favorables du Gouvernement américain. Vous avez ma pleine et entière confiance. Amitiés.

Télégramme du général Catroux,
délégué général et plénipotentiaire au Levant,
au général de Gaulle, à Londres.

Beyrouth, 10 juillet 1942.

Je réponds à votre Instruction concernant la force à prévoir (pour le débarquement éventuel en France).

Je puis fournir la force que vous me demandez et j'en prépare l'organisation dans la mesure où cela est compatible avec les nécessités actuelles du théâtre d'opérations. Je pense pouvoir la mettre en route sur préavis d'une quinzaine de jours à partir du 10 août.

*Déclaration du Gouvernement britannique
publiée à Londres, le 13 juillet 1942.*

TRADUCTION

Le Comité national français a proposé que le mouvement français libre fût connu, dorénavant, sous le nom de « France Combattante ». Le Gouvernement de Sa Majesté dans le Royaume-Uni a accepté cette proposition en ce qui le concerne et s'est mis d'accord avec le Comité national sur les déclarations suivantes :

France Combattante.

Ensemble des ressortissants français, où qu'ils soient, et des territoires français qui s'unissent pour collaborer avec les Nations Unies dans la guerre contre les ennemis communs ; et symbole de la résistance à l'Axe de tous les ressortissants français qui n'acceptent pas la capitulation et qui, par les moyens à leur disposition, contribuent, où qu'ils se trouvent, à la libération de la France par la victoire commune des Nations Unies.

Comité national.

Organe directeur de la France Combattante ; organise la participation à la guerre des ressortissants et des territoires français qui s'unissent pour collaborer avec les Nations Unies dans la guerre contre les ennemis communs et représente leurs intérêts auprès du Gouvernement du Royaume-Uni.

Télégramme du général de Gaulle à Adrien Tixier, à Washington.

Londres, 18 juillet 1942.

L'atmosphère étant maintenant meilleure à Washington pour ce qui nous concerne, le moment est venu pour vous et pour Chevigné de bien marquer dans vos entretiens avec les diverses autorités américaines quel est notre point de vue au sujet du rôle de la France Combattante dans l'effort commun des alliés.

1) Nous croyons que l'action militaire par des opérations offensives décisives, menées notamment dans l'ouest de l'Europe, doit être à présent l'essentiel. Il convient que les questions politiques, extérieures et intérieures, passent au second plan pour tout le monde.

2) Dans une telle action militaire, la France Combattante peut jouer un rôle important. Ce rôle consisterait, non seulement à engager au départ nos modestes forces aux côtés des forces alliées, mais aussi à diriger sur les arrières de l'ennemi des actions bien déterminées et que nous préparons avec nos groupes en France. Par la suite, à mesure que le territoire sera libéré, nous voulons

procéder à la mobilisation et refaire une armée française. En même temps, nous nous proposons de susciter partout en France et dans l'Empire un grand mouvement national d'opinion qui créerait à l'ennemi, dans tous les domaines et en pleine bataille, beaucoup de difficultés et qui pourrait amener l'effondrement de Vichy.

Mais il faut qu'on comprenne à Washington et à Londres que tout cela est si important et engage à ce point notre responsabilité vis-à-vis de la France que nous ne pouvons et ne voulons y procéder qu'à certaines conditions.

3) Ces conditions sont les suivantes :

a) Le général de Gaulle doit participer directement à l'établissement des plans interalliés d'opérations à l'Ouest.

b) La France Combattante doit, sans délai, recevoir de ses alliés des moyens matériels importants pour préparer et organiser le concours français aux opérations et à l'insurrection de la France... Ces moyens doivent nous être remis pour que nous en disposions nous-mêmes et ne soyons pas à la discrétion des multiples services alliés d'Intelligence.

4) Tout cela est l'affaire des gouvernements et des commandements. Je suis prêt à en discuter avec les gouvernements et les commandements alliés, mais pourvu que ce soit franchement. Si les alliés voulaient traiter avec nous cette grave matière par de petites gens, regardant dans la lorgnette par le petit bout, ou bien s'ils essayaient d'exploiter à leur profit à eux, c'est-à-dire de gaspiller dans la confusion, les ressources d'ardeur qui existent en France, je ne m'associerais pas à leur entreprise et je dégagerais ma responsabilité vis-à-vis du pays. Veuillez insister formellement sur ce point.

5) Vous pouvez ajouter, sans ambages, que je suis d'autant plus résolu à obtenir satisfaction, quant à ces diverses conditions, que ma confiance dans la perspicacité et l'habileté stratégique des alliés comporte quelques restrictions. Sans causer de blessures inutiles, il ne faut pas dissimuler cela, car le temps presse et, d'autre part, l'enjeu est si grand pour la France que nous devons parler net...

Lettre du général de Gaulle à M. Anthony Eden,
secrétaire d'État au Foreign Office.

Londres, le 18 juillet 1942.

Cher monsieur Eden,

J'ai déjà eu l'honneur de dire à Votre Excellence qu'à mon avis la collaboration entre les services secrets britanniques et français n'est pas entièrement satisfaisante. Les services de la France Combattante ont de grandes possibilités d'action et de renseignements en France et dans l'Empire français. Mais ces possibilités ne peuvent se développer dans les conditions actuelles.

Le but principal que poursuit la France Combattante est de susciter en France et dans l'Empire la résistance à l'ennemi et l'opposition à Vichy, d'organiser en territoire national des forces susceptibles de concourir activement à un effort éventuel des alliés sur le territoire national, enfin de préparer la mobilisation du pays à mesure qu'il sera libéré.

Il existe, à cet égard, en France et dans l'Empire tous les éléments nécessaires. Mais, pour les organiser et les diriger, nous avons besoin que nos services secrets aient les mains libres et disposent de moyens.

Je ne saurais méconnaître que les services secrets britanniques ont souvent aidé et, en revanche, utilisé nos propres services. Mais nous pensons que l'aide que les services britanniques fournissent actuellement aux nôtres n'est pas proportionnée à l'importance du but à atteindre et qu'elle est, en outre, compliquée d'ingérences et de délais qui ne nous facilitent pas la tâche.

D'autre part, les moyens matériels employés paraissent réellement très faibles. En particulier, les communications directes avec la France et l'Afrique du Nord, par avions ou par navires, pour le compte des services français sont rares et soumises à de nombreuses servitudes. Ces conditions pourraient, à notre avis, être beaucoup améliorées.

J'ajoute que les Forces Françaises Combattantes disposent, à cet égard, en Angleterre de certains moyens (pilotes, vedettes, sous-marins, etc.) qui pourraient aisément être utilisés. Mais, bien que nous l'ayons plusieurs fois demandé, les autorités britanniques s'y sont toujours opposées pour des raisons qui nous échappent.

Je pense qu'un appui plus large fourni à la France Combattante par le Gouvernement de Sa Majesté, pour ce qui concerne l'action des services secrets, faciliterait dans la situation présente le concours matériel et moral de la France à l'effort commun des alliés. J'ose espérer que ce point de vue rencontrera l'agrément de Votre Excellence.

Bien sincèrement à vous.

Télégramme d'Adrien Tixier au général de Gaulle, à Londres.

Washington, 21 juillet 1942

1) J'ai communiqué aujourd'hui à M. Sumner Welles la subtance de votre télégramme du 18 juillet concernant la participation de la France Combattante à l'effort militaire des alliés à l'Ouest.

Après avoir écouté très attentivement mon exposé, M. Sumner Welles m'a posé les deux questions suivantes :

Le général de Gaulle a-t-il soumis ses idées au Gouvernement

britannique? Si oui, quelle réponse a-t-il reçue? Je n'ai pu répondre
à cette question.

Le général de Gaulle estime-t-il que, du côté américain, l'amiral
Stark et le général Eisenhower ne sont pas des autorités suffisantes
pour discuter avec eux ses idées? J'ai répondu qu'une décision sur
vos projets ne relevait ni d'Eisenhower, ni de Stark, mais des
Gouvernements britannique et américain et du haut-commandement interallié.

2) M. Sumner Welles m'a déclaré que votre communication
l'intéressait très vivement, qu'il prenait cette affaire en main personnellement, qu'il allait procéder lui-même aux multiples consultations qui sont nécessaires et qu'il me rappellerait dans quelques
jours pour me donner une réponse.

. . . .

3) En terminant, il a rappelé combien vos conceptions de la
guerre moderne s'étaient révélées justes.

4) Demain, Chevigné verra sur le même sujet M. MacCloy, sous-
secrétaire d'État à la Guerre.

*Note établie par le cabinet du général de Gaulle
au sujet de son entretien avec les chefs de l'armée
et de la marine américaines, le 23 juillet 1942.*

Y assistaient :
— le général Marshall, Chef d'état-major général de l'armée américaine,
— l'amiral King, Commandant en chef des forces navales américaines,
— le lieutenant-général Eisenhower, Commandant en chef des
  forces terrestres des États-Unis en Europe,
et trois autres généraux.

Après quelques paroles de bienvenue, le général de Gaulle prie
qu'on l'excuse de ne pas parler en anglais. Ce qu'il dira sera traduit
par le capitaine Coulet.

Le général Marshall, parlant au nom de tous, déclare qu'il
est heureux de connaître le Général et qu'il admire toutes les
qualités de vaillance montrées récemment par les forces françaises.

Le général de Gaulle remercie.

Suit un assez long silence.

Le général de Gaulle rompt ce silence pour dire : « Si cela vous
intéresse, je puis vous donner quelques explications sur notre
situation militaire. »

Les Américains répondent que « cela les intéresse beaucoup. »

Le général de Gaulle expose que nous avons : en Égypte,
2 divisions légères ; en Afrique équatoriale, 20 000 hommes, dont
3 000 Français environ ; au Levant, 6 000 Français et 20 000 au-

tochtones. Ces derniers ont fait de grands progrès depuis un an.

Le Général passe ensuite aux forces stationnées dans le Pacifique et à celles qui ont leur base en Grande-Bretagne.

L'armement de toutes nos troupes est, dans l'ensemble, l'armement français d'avant la guerre. Si l'on nous a procuré des camions et quelques blindés, nous n'avons reçu, en fait d'armes courantes, pas un canon, pas une mitrailleuse, pas un fusil-mitrailleur, ni des Britanniques, ni des Américains.

Le Général énumère alors nos forces navales et aériennes. .

Il ajoute que notre contrôle direct s'exerce sur toute l'Afrique française libre. Sur les États du Levant, nous exerçons notre autorité sous la forme du mandat. En Syrie et au Liban, le général Catroux rencontre des difficultés de la part des Britanniques. Dans l'ensemble, on peut dire cependant qu'il a la situation en main.

Le général de Gaulle insiste particulièrement sur les forces dont nous disposons en France. Il veut parler de nos éléments combattants et non pas seulement de l'influence morale que nous exerçons sur l'opinion dans les deux zones.

Nous avons, en France, un grand nombre de réseaux de renseignements qui fonctionnent bien, au point que presque tous les renseignements qui parviennent aux alliés sur l'ennemi cantonné en France sont pratiquement fournis par nous.

Nous disposons également de groupes d'action qui agissent contre les voies de communications, les dépôts, les centres industriels utilisés par l'ennemi. Ces groupes font des coups de main. Ils sont prêts à des actions plus importantes aux jours et aux points que nous indiquerons. Mais cette action d'envergure à l'intérieur de la France ne peut avoir lieu que si une action extérieure concomitante se produit.

Le général Marshall déclare alors que ses collègues et lui, — particulièrement l'amiral King, — connaissent bien la situation des forces françaises dans le Pacifique, mais qu'ils ignoraient complètement les indications fournies par le Général sur les autres théâtres et sur la France. (Pour eux, cela paraît, en effet, une révélation.)

L'amiral King ajoute : « J'espère que le général de Gaulle s'estime satisfait de l'arrangement intervenu dans la question des communications dans le Pacifique. »

Le général de Gaulle répond, qu'en ce qui concerne nos îles du Pacifique et les autres territoires français, notre position morale et nos responsabilités exigent que nous nous montrions extrêmement attentifs à maintenir la souveraineté de la France.

L'amiral King répond que le général de Gaulle peut être assuré que les Américains ont le plus vif désir de respecter la souveraineté française. Les arrangements intervenus avec la France Libre pour le Pacifique sont identiques à ceux qui ont été conclus avec les autorités britanniques, australiennes et néo-zélandaises sur les territoires que celles-ci contrôlent.

Un assez long silence s'ensuit.

Le général de Gaulle déclare : « Au cas où cela vous intéresserait, je pourrais vous dire quelque chose au sujet de l'ouverture du second front. »

— « Cela, disent les Américains, nous intéresse beaucoup. »

Le Général indique alors, qu'au point de vue de la stratégie alliée, il estime que l'ouverture d'un second front à l'Ouest est une impérieuse nécessité. Il le croit aussi, en tant que Français. Il précise où et de quelle façon devrait, suivant lui, être entreprise cette vaste opération. Toutefois, le sort du peuple français serait engagé si directement et si gravement, dans l'éventualité de l'ouverture d'un second front en France, que la participation de ses forces à la bataille impliquerait que les alliés souscrivent à certaines conditions.

Le général Marshall et l'amiral King disent qu'ils sont d'accord sur ce point avec le général de Gaulle.

Le général de Gaulle rappelle qu'une note sur la participation de la France à l'ouverture d'un second front a été remise la veille à l'amiral Stark.

Le Général recommande cette note à l'attention du général Marshall et de l'amiral King. Ni l'un ni l'autre de ces officiers généraux n'en avait encore pris connaissance. Mais tous deux assurent qu'ils vont le faire aussitôt. Le général Eisenhower, par contre, déclare qu'il est au courant des propositions françaises.

Nouveau silence.

Le Général se lève en déclarant qu'il a été très heureux de faire la connaissance du général Marshall et de l'amiral King et se retire après une demi-heure d' « entretien ».

Télégramme du général de Gaulle au général Catroux, à Beyrouth, et à l'amiral d'Argenlieu, à Nouméa, membres du Comité national en mission.

Londres, 28 juillet 1942.

J'ai fait entrer au Comité national André Philip, dont vous connaissez la personnalité et le rôle important en France comme chef du groupement « Libération ». Philip devient commissaire national à l'Intérieur, c'est-à-dire à l'action en France.

D'autre part, Jacques Soustelle, ancien normalien et agrégé, qui a été notre représentant à Mexico, — où il a parfaitement réussi, — et qui exerçait ici les fonctions de directeur de l'Information, devient commissaire national à l'Information.

Diethelm, inspecteur général des finances, devient commissaire national aux Finances.

Pleven garde les Colonies, l'Économie et la Marine marchande.

Je tiens à vous informer personnellement de ce remaniement du Comité national.

La désignation de Philip renforce le Comité devant nos innombrables amis en France et aussi devant l'étranger.

J'espère que l'arrivée de plusieurs autres personnalités dirigeantes de la résistance en France permettra de nous élargir encore prochainement, tout en conservant au Comité national le caractère qui est le sien et qu'il doit conserver, c'est-à-dire celui de l'organisme directeur de la France Combattante au-dedans et au-dehors, sans aucune préoccupation de parti et pour le seul but de la libération du pays par la guerre. Amitiés.

Note établie par le cabinet du général de Gaulle
au sujet de son entretien avec M. W. Churchill, le 29 juillet 1942.

« Alors? dit M. Churchill, vous partez pour l'Afrique et le Levant !

— « Je ne suis pas fâché, répond le Général, d'aller au Levant. Spears s'y agite. Il nous cause des difficultés.

— « Spears, poursuit M. Churchill, a beaucoup d'ennemis. Mais il a un ami : c'est le Premier Ministre. Lorsque vous serez là-bas, voyez-le. Je vais lui télégraphier et lui recommander d'écouter ce que vous lui direz.

« On dit, ajoute M. Churchill, que l'indépendance des États du Levant n'est pas une réalité et que les populations ne sont pas contentes.

— « Elles sont, réplique le Général, au moins aussi satisfaites en Syrie et au Liban qu'en Irak, en Palestine ou en Égypte. »

La conversation porte ensuite sur Madagascar.

— « Si nous n'avons pas fait l'opération avec vous, indique M. Churchill, c'est que nous ne voulions pas mêler deux choses : conciliation et force. Cela n'avait pas réussi à Dakar.

— « Nous serions entrés à Dakar, observe le général de Gaulle, si les Britanniques n'avaient pas laissé passer à Gibraltar les croiseurs de Darlan. »

M. Churchill ne le conteste pas.

— « Pour ce qui est de Madagascar, poursuit le Général, si vous nous aviez laissés débarquer à Majunga, tandis que vous opériez à Diégo-Suarez, l'affaire serait terminée depuis longtemps. Nous aurions marché sur Tananarive et tout serait réglé. Au lieu de cela, vous avez perdu votre temps en pourparlers avec le représentant de Vichy.

— « Oui, il est méchant, ce gouverneur! dit M. Churchill.

— « Vous vous en étonnez? réplique le Général. Quand vous traitez avec Vichy, vous traitez avec Hitler. Or, Hitler est méchant. »

L'entretien porte ensuite sur l'éventualité du second front. Ce qui en est dit ne peut être reproduit.

Télégramme du général de Gaulle à Adrien Tixier à Washington.

Londres, 31 juillet 1942.

J'ai vu ici, lors de leur récent séjour, le général Marshall et l'amiral King. Je leur ai fait connaître notre situation militaire, qu'ils paraissaient ignorer complètement, ainsi que nos possibilités et nos plans d'action militaire en France dans le cadre d'opérations éventuelles des alliés. Je leur ai également défini les conditions de notre concours telles que je vous les ai précisées.

Marshall et King m'ont semblé intéressés par ma communication. Toutefois, ils n'ont pas réagi et m'ont laissé l'impression d'hommes de bonne volonté et de valeur, mais sans décisions encore arrêtées et gênés par la complexité de cette chose énorme et nouvelle pour les États-Unis qui s'appelle la guerre mondiale.

Eisenhower m'a fait la même impression dans les contacts que j'ai eus avec lui. Quant à Stark et à Bolte, quoique bien disposés pour nous, ils sont sans instructions de leur gouvernement et ne savent pas sur quelles bases et dans quelles limites doivent s'établir leurs relations avec nous.

D'autre part, je viens de voir l'ambassadeur Phillips qui m'avait demandé audience. Il m'a dit être une émanation de Donovan et m'a prodigué de bonnes paroles dont je n'attends rien de concret.

Au total, l'incertitude des chefs civils et militaires américains en ce qui nous concerne me semble être surtout un résultat de leur incertitude en général pour tout ce qui se rapporte à la conduite de la guerre.

L'installation de l'amiral Leahy à la Maison-Blanche ne contribuera certainement pas à créer l'ordre dans cette confusion, ni à répandre la lumière dans cette obscurité...

Bref, tout en nous efforçant d'entrer plus avant dans le jeu interallié ou, plus exactement, de tâcher qu'il y en ait un, nous devons empêcher que la France soit engagée à la légère dans des entreprises incohérentes et précipitées dont elle paierait, une fois de plus, les plus gros frais. C'est vous dire que les instructions que je vous ai données dans mon télégramme du 18 juillet ont un caractère très ferme, sinon urgent.

Télégramme du général de Gaulle à Félix Éboué,
gouverneur-général de l'Afrique équatoriale française, à Brazzaville.

Londres, 1ᵉʳ août 1942

Sur la proposition du commissaire national aux Colonies, je viens de signer, avec grande satisfaction, vos trois projets de décrets sur le régime du travail, le statut de l'indigène évolué et la création de communes indigènes.

Je tiens à saisir cette occasion pour vous dire combien j'apprécie et approuve les principes de la politique indigène que vous poursuivez en Afrique équatoriale française et qui trouve son expression dans les décrets dont vous avez pris l'initiative.

Grâce à vous et aux fonctionnaires de tous rangs qui vous assistent, les sujets et protégés de la France n'auront subi, malgré la guerre, aucun retard dans le progrès de leur développement et de leur statut, conformément à la politique traditionnelle de la France.

> *Télégramme de Maurice Dejean,*
> *commissaire national aux Affaires étrangères,*
> *au général de Gaulle, au Caire.*

Londres, 7 août 1942.

M. Benès m'a demandé de venir le voir hier matin.

Dès le début de l'entretien, il m'a informé qu'il considérait le Comité national français, sous la direction du général de Gaulle, comme le véritable gouvernement de la France et que c'est à ce titre qu'il désirait me faire deux communications.

La première concernait l'échange de lettres qui vient d'avoir lieu entre M. Eden et M. Masaryk et qui stipule que, « dans le règlement définitif des frontières de la Tchécoslovaquie à intervenir à la fin de la guerre, ces frontières ne seront aucunement influencées par les changements survenus en 1938 et depuis lors. »

Cette formule n'est pas tout à fait aussi nette que celle qui a été obtenue du Gouvernement soviétique. Elle comporte, cependant, l'essentiel. M. Benès m'a indiqué qu'elle était le résultat d'une année de négociations dont il m'a retracé les principales étapes.

La seconde communication était relative à une démarche que M. Benès a fait effectuer récemment auprès du Gouvernement soviétique au sujet du Comité national français. M. Benès a fait dire à Moscou, qu'étant donné l'évolution de la situation en France, l'affermissement du Comité national et la perspective d'un second front, il était d'une importance essentielle de donner, sur le plan international, toute l'autorité possible au Comité présidé par le général de Gaulle. Il était devenu nécessaire de le reconnaître comme gouvernement de France. M. Benès suggérait que le Gouvernement soviétique renouvelât, à cet égard, l'initiative prise l'année dernière en faveur du Gouvernement tchécoslovaque.

Le Gouvernement de Moscou a répondu qu'il était d'accord, en principe, avec M. Benès. Il était disposé à faire le geste demandé dès que le moment lui paraîtrait opportun. A l'heure actuelle, il avait un besoin urgent de l'aide militaire de la Grande-Bretagne et des États-Unis. Il ne voulait donc pas leur forcer la main sur un point déterminé. Dans son esprit, la question pourrait être tranchée lors de l'ouverture d'un second front.

M. Benès m'a donné lecture d'un passage du discours qu'il doit prononcer samedi à la radio. Ce passage est ainsi conçu :

« Les rapports que le Gouvernement tchécoslovaque entretient avec le Comité national de la France Combattante, seul qualifié pour parler au nom de la France, nous permettent d'affirmer que la France adoptera demain, à l'égard de notre pays, l'attitude prise aujourd'hui par la Grande-Bretagne. »

J'ai assuré que vous-même et le Comité national seriez certainement d'accord avec ce texte...

Je n'ai pas manqué de lui dire que je vous rendrais compte immédiatement de notre conversation.

Télégramme du Comité national à Roger Garreau, à Moscou.

Londres, 8 août 1942.

Le 21 juillet dernier, nous avons remis au Gouvernement britannique, à l'amiral Stark représentant du Gouvernement des États-Unis auprès du Comité national et à M. Bogomolov une note dont voici l'essentiel :

« Dans l'hypothèse où les alliés ouvriraient un second front à l'Ouest, le concours français revêtirait une importance capitale. Le général de Gaulle et le Comité national sont résolus à donner à ce concours toute l'extension possible.

Ils savent combien ce concours comporte de difficultés et quels sacrifices il risque de coûter au peuple français dans sa condition actuelle. Ils sont prêts à en assumer les lourdes responsabilités aux conditions suivantes :

1) Participation aux opérations de toutes les Forces Françaises Libres disponibles.

2) Intégration de toutes les actions de destruction ou de harcèlement à mener par des groupes francs ainsi que de l'activité des réseaux de renseignements dans le plan général d'opérations.

Dès maintenant, dotation plus large en moyens techniques, indispensable pour intensifier et développer la préparation de la contribution française.

3) Constitution de stocks d'armes qui permettront d'équiper graduellement les contingents français que le Comité national entend mobiliser dans les territoires libérés, de façon à reconstituer progressivement l'armée française et à la faire rentrer dans la guerre.

4) Association du commandement français aux plans et décisions concernant une action alliée à l'Ouest. »

A cette note était joint un état des Forces Françaises Libres qui pourraient être rendues disponibles, ... puis de celles qui pourraient être progressivement constituées, à mesure que progresserait

la libération du territoire, et un état des moyens d'armement et
d'équipement demandés, à cet effet, aux alliés.

Télégramme du général de Gaulle
à R. Pleven et M. Dejean, à Londres.

Le Caire, 9 août 1942.

Arrivé au Caire le 7 août sans incident. Voyagé avec M. Harriman et avec un groupe russe qui rentre à Moscou. Vu M. Churchill
ici et déjeuné avec lui et avec le général sir Alan Brooke chez sir
Miles Lampson. Impression de grandes palabres, de projets militaires et de pression exercée par les Russes sur les Anglais et les
Américains. Cette pression motive le projet de voyage à Moscou
de M. Churchill et de M. Harriman. Je leur ai précisé ma manière
de voir quant à la conduite de la guerre et à la nécessité du second
front.

Vu la 2ᵉ Division légère française, nos groupes de reconnaissance
et les chars. Bonne impression, surtout pour les groupes et les
chars. Je verrai lundi la Division Kœnig et les parachutistes ; je
verrai plus tard la Marine, le canal et le Groupe « Alsace ». Je partirai mardi pour Beyrouth.

Le général Catroux, arrivé ici le 8 août, bien dans son assiette.
Notre délégation en ordre et efficiente.

J'ai eu, le 8 août, une conférence avec M. Casey, sur sa demande.
Il m'a paru sympathique, mais assez superficiellement informé.
Il m'a, tout de suite, parlé d'élections en Syrie. J'ai répondu que
la question des élections en Syrie et au Liban était l'affaire exclusive
de la France mandataire et des Gouvernements syrien et libanais.
Je lui ai dit que la bonne entente entre le Gouvernement britannique et le Comité national exigeait l'exécution de nos accords
concernant la Syrie et le Liban et des promesses du Gouvernement
britannique qui a déclaré solennellement qu'il n'avait aucun intérêt politique en Syrie et, encore moins, au Liban...

J'ai ajouté que, d'ailleurs, notre expérience et notre responsabilité au Levant faisaient apparaître comme insoutenable cette
suggestion d'élections quand l'ennemi est aux portes d'Alexandrie.
J'ai déclaré, pour conclure, que le Comité national français avait
décidé qu'il n'y aurait pas d'élections cette année et que les Gouvernements de Damas et de Beyrouth étaient d'accord. Casey n'a pas
insisté.

Je me suis plaint des ingérences britanniques au Levant, en
dépit des accord Lyttelton-de Gaulle. Casey m'a répondu que le
Gouvernement britannique ne voulait, en aucune manière, miner
la position de la France, mais qu'il croyait avoir quelque chose
comme une responsabilité supérieure en Orient. Je lui ai dit que
la responsabilité de la France mandataire au Levant ne pouvait

pas être partagée avec une autre puissance. J'ai cité divers faits
concernant Spears et j'ai déclaré que l'action de ce représentant
britannique était de nature à compromettre à la fois l'ordre au
Levant et les rapports franco-britanniques.

Nous avons ensuite déjeuné ensemble.

J'ai vu, le 7 août, le maréchal Smuts qui était de passage ici.
Nous avons tout de suite sympathisé. Tout en reconnaissant et
soulignant les fautes des alliés, notamment des Britanniques, il
s'est montré très optimiste pour la suite. Il m'a dit que nous avions
sauvé la position future de la France par notre refus d'accepter
l'armistice et que nous avions sauvé l'Afrique en arrêtant l'esprit
de capitulation au nord de l'Équateur. Il a parlé de Pechkoff qu'il
estime beaucoup et a affirmé que lui-même poussait pour que
Pechkoff aille à Diégo-Suarez. L'attitude des Anglais dans l'affaire
de Madagascar est, selon lui, imputable aux seuls militaires ; tandis
que le Gouvernement de Londres et le sien n'ont absolument aucun
projet d'empiétement à Madagascar. Il m'a parlé également de
questions stratégiques que je n'évoque pas dans ce télégramme.

J'ai vu, le 8 août, à la délégation française au Caire, de braves
gens assez inquiets quant à la situation, mais pleins de très bonnes
intentions. Au total, l'attitude de tous, grands et petits, me fait
sentir à quel point notre position s'est affirmée et agrandie en
Orient depuis mon séjour de l'année dernière.

C'est le moment d'en profiter pour éclaircir ce qui doit l'être
vis-à-vis de nos alliés, pour renforcer et centraliser partout l'autorité et pour entrer plus avant dans la conduite interalliée de la
guerre.

Vous donnerez connaissance de ce télégramme au Comité national... Amitiés.

Télégramme du général de Gaulle
à R. Pleven et M. Dejean, à Londres.

Le Caire, 11 août 1942.

J'ai revu aujourd'hui Casey. Il n'a pas dit, cette fois, un seul
mot des élections. Cette affaire est donc liquidée pour l'année en
cours. Naturellement, nous désirerions que les circonstances de
la guerre permettent d'instituer, dès que possible, un régime représentatif en Syrie et au Liban, mais c'est l'affaire exclusive de la
France et des États intéressés. Tant que les Allemands progressent
au Caucase et qu'ils sont presque au delta du Nil et tandis qu'on
arrête Gandhi et Nehru nous ne ferons pas d'élections.

Comme je le prévoyais, le coup de barre donné par nous à ce
point de vue a suscité, hier, une tempête chez les Anglais, ce qui
prouve, une fois de plus, qu'ils ont des arrière-pensées. M. Churchill fulminait et jurait qu'il défendrait Spears. Tout ce tourbillon

s'est rapidement calmé. J'ai poursuivi le redressement en attaquant Casey, aujourd'hui, sur la question de l'office du blé et sur
celle du chemin de fer Haïfa-Tripoli. Je lui ai dit que j'étudierais
ces deux affaires sur place et que nous nous réservions de prendre
toutes les mesures qui nous paraîtraient nécessaires dans l'intérêt
des populations en ce qui concerne l'office du blé, dans l'intérêt
de la Compagnie D. H. P., dans l'intérêt du Liban et dans l'intérêt de la France pour ce qui concerne le chemin de fer.

J'ai vu, aujourd'hui, Auchinleck et Tedder. Entrevues très
sympathiques et utiles.

J'ai passé en revue, ce matin, les très belles troupes de la Division Kœnig.

Nous partons pour Beyrouth demain. Churchill et Harriman
partent pour Moscou.

Veuillez communiquer ce télégramme au Comité national.
Amitiés.

*Télégramme du général de Gaulle
à R. Pleven et M. Dejean, à Londres.*

Beyrouth, 13 août 1942.

Je réponds au télégramme de M. Dejean du 7 août.

1) En ce qui concerne les frontières ultérieures de la Tchécoslovaquie, nous devons être tout disposés à nous engager dans un
sens favorable à l'intégrité de la Tchécoslovaquie, telle qu'elle
existait avant Munich. Toutefois, nous devons le faire en des
termes qui nous laissent, plus tard, un peu de latitude quant au
destin de la minorité sudète à l'intérieur de la Tchécoslovaquie,
au destin des Slovaques et à Teschen. Enfin, notre déclaration
doit, néanmoins, apparaître comme plus nettement accentuée
que celle de la Grande-Bretagne dans le sens des intérêts tchécoslovaques.

Je vous prie de me proposer, d'urgence, un texte de déclaration
tenant compte des éléments exposés ci-dessus. Une fois ce texte
arrêté, nous pourrons le publier simultanément, à Beyrouth où je
suis, à Brazzaville et à Londres. Vous devez, auparavant, le
montrer à Benès pour connaître son impression.

2) Je vous prie de dire à Benès, de ma part, que nous avons
beaucoup apprécié le passage de sa déclaration à la radio qui nous
concerne.

3) Quant à l'initiative suggérée par lui au Gouvernement soviétique et tendant à faire reconnaître par Moscou le Comité national
comme gouvernement de la France, nous ne saurions y faire
d'objection, mais il m'apparaît, toutefois, qu'il y aurait là quelque
chose d'encore prématuré pour les raisons que j'ai exposées plusieurs fois, soit à vous-mêmes, soit à vos collègues du Comité

national. En tous cas, vous pourrez marquer à M. Benès que nous apprécions grandement son intention.

Télégramme de Maurice Dejean au général de Gaulle, à Beyrouth.

Londres, 13 août 1942.

1) M. Garreau a eu, le 8 août, un long entretien avec M. Dekanosov, Commissaire adjoint aux Affaires étrangères.

Après avoir exprimé sa sympathie pour la France Combattante, celui-ci a indiqué que le peuple français ne devrait pas attendre l'arrivée d'un secours extérieur pour entamer la lutte active contre l'oppresseur. Il a cité l'exemple yougoslave. Une insurrection généralisée en France serait, a-t-il dit, le signal d'un soulèvement de toute l'Europe asservie et hâterait l'intervention souhaitée des forces anglaises et américaines.

M. Garreau a répondu que la situation de la France différait grandement de celle de la Yougoslavie, notamment par l'existence à Vichy d'un gouvernement à la dévotion de l'ennemi mais reconnu comme Gouvernement français par certains alliés. Il a également fait valoir les autres arguments qu'il est aisé d'imaginer.

L'attitude de son interlocuteur a amené M. Garreau à penser, qu'à défaut d'une offensive générale des forces alliées à l'Ouest, le Gouvernement soviétique, soumis à la formidable pression des armées allemandes, désirait ardemment l'insurrection des pays asservis.

2) De cette indication, il convient, peut-être, de rapprocher certains renseignements que j'ai recueillis d'autres sources. D'après ces informations, le Gouvernement soviétique, réalisant qu'avant l'hiver les alliés ne pourraient plus entreprendre sur le continent d'action militaire assez vaste pour soulager le front russe, aurait, au début d'août, fait connaître à Londres et à Washington qu'il fallait absolument fournir à l'U. R. S. S. les moyens indispensables (vivres et armements) pour continuer la lutte. C'est dans ces conditions qu'aurait été décidé le voyage de Churchill et des représentants américains.

3) Au cours de l'entretien avec M. Garreau, M. Dekanosov a laissé entendre, sans préjuger toutefois de l'attitude qui serait adoptée en haut lieu, qu'une prochaine visite à Moscou du général de Gaulle, « qui jouit d'une grande popularité en U. R. S. S. » serait certainement bienvenue.

Télégramme du général de Gaulle à M. W. Churchill, à Londres.

Beyrouth, 14 août 1942.

Dès le début de mon séjour dans les États du Levant sous mandat français, j'ai regretté de constater que les accords conclus

entre le Gouvernement britannique et le Comité national au sujet
de la Syrie et du Liban subissent, ici, des atteintes.

Les accords Lyttelton - de Gaulle, en juillet 1941, et l'échange
de notes entre le Comité national français et le Foreign Office,
en octobre 1941, ont pour bases l'engagement britannique de ne
poursuivre aucune visée politique dans les États du Levant et
de ne pas chercher à y empiéter sur la position de la France, ainsi
que la reconnaissance par le Gouvernement britannique de l'existence du mandat français jusqu'à la décision de la Société des
Nations, seule qualifiée pour y mettre un terme.

Je suis dans l'obligation de vous dire qu'un grand nombre de
manifestations de la politique britannique en Syrie et au Liban
ne me paraissent pas concorder avec ces principes.

Les interventions constantes des représentants du Gouvernement britannique dans la politique intérieure et administrative
des États du Levant et même dans les rapports entre ces États et
le mandataire ne sont compatibles, ni avec le désintéressement
politique de la Grande-Bretagne en Syrie et au Liban, ni avec le
respect de la position de la France, ni avec le régime du mandat.

Je crois, en outre, que ces interventions et les réactions qu'elles
entraînent donnent à penser aux populations, dans tout l'Orient
arabe, que de graves divergences compromettent ici la bonne
entente entre la Grande-Bretagne et la France Combattante,
cependant alliées.

Il y a là une situation qui ne peut, en définitive, profiter qu'à
nos ennemis.

Je dois vous dire que ces empiétements sur les droits de la
France comme sur les attributions des gouvernements des États
du Levant sont profondément ressentis par tous les Français et
les populations syrienne et libanaise. Cela d'autant plus que nous
avons facilité ici, par tous nos moyens et souvent dans des conditions moralement pénibles pour nous, l'œuvre militaire du commandement britannique de Terre, de Mer et de l'Air et que nous
avons placé à la disposition du commandement britannique, pour
concourir à la bataille de Libye et d'Égypte, toutes les forces
dont nous disposions.

Je me vois donc amené à vous demander de rétablir dans ce
pays l'application des accords dont nous avions convenu, afin
d'y assurer notre coopération militaire et de manifester, dans tout
l'Orient, l'union de la Grande-Bretagne et de la France. En dehors
d'autres raisons, cela me paraît nécessaire pour mieux unir nos
forces dans cette dure période de la guerre que nous faisons en
commun.

Télégramme du général de Gaulle à René Pleven, à Londres.

Beyrouth, 14 août 1942.

Après examen de la situation sur place, j'ai cru devoir adresser au Premier Ministre britannique, par le canal de sir Miles Lampson, un télégramme dont je vous envoie le texte et que je vous prie de communiquer au Comité national. Vous pouvez, d'autre part, faire avec M. Dejean, auprès de M. Eden, une démarche pour compléter et préciser mon télégramme, en vous servant de tous les faits qui sont à votre connaissance quant aux empiétements britanniques en Syrie et au Liban. L'atmosphère que j'ai trouvée ici en fait déjà apparaître les sérieuses conséquences.

Vous marquerez à M. Eden que, si la personnalité de Spears a, sans doute, ajouté dans la forme aux inconvénients de la situation, celle-ci ne peut, évidemment, être attribuée uniquement aux mauvais procédés du ministre britannique à Beyrouth, mais qu'elle est le résultat de la politique du Gouvernement britannique lui-même.

. . . .

Télégramme de Maurice Dejean au général de Gaulle, à Beyrouth.

Londres, 16 août 1942.

Depuis l'accord du 9 juillet, nous avons l'impression d'un mouvement de rétraction de la part du State Department...

La véritable raison de cette attitude serait la remise sur le chantier des plans concernant l'Afrique du Nord...

A la base de ces plans persiste l'idée que le travail de la diplomatie américaine dans cette région a porté ses fruits et que le terrain est préparé pour l'arrivée des libérateurs américains. On se promet de rallier les chefs par l'assurance qu'ils seront traités comme « de nouvelles autorités locales de l'Empire français. »

. . . .

Télégramme du général de Gaulle
à R. Pleven et M. Dejean, à Londres.

Beyrouth, 16 août 1942.

Le consul général des États-Unis, M. Gwynn, est venu me voir. Nous avons longuement parlé de la situation ici telle qu'elle résulte des ingérences de la politique britannique et des intrigues de Spears.

Le consul général des États-Unis en juge comme nous. Il n'est pas sans alarmes sur les conséquences que cette situation menace

d'entraîner en pleine guerre, tant dans le pays lui-même que pour
ce qui concerne les rapports entre alliés. Il a eu les mots les plus
sévères pour les tendances et les procédés de la politique anglaise
à Damas et, surtout, à Beyrouth.

Je lui ai dit que nous ne reviendrions pas sur ce que nous avons
accordé aux États, mais que le mandat subsistait jusqu'à ce que
la Société des Nations nous en ait déchargés et jusqu'à ce que des
traités franco-syrien et franco-libanais aient été conclus. J'ai
ajouté que, pour le moment et d'accord avec les États, nous ne
voulions pas d'élections pour des raisons de bon sens et que, par
conséquent, il n'y aurait pas d'élections.

Gwynn était d'ailleurs déjà bien informé. Il m'a dit qu'il avait
plusieurs fois télégraphié à son gouvernement dans la dernière
semaine pour lui faire connaître le caractère réel de l'action britannique et que ses télégrammes avaient, à la fois, fort intéressé
et fort surpris Washington, renseigné sans doute dans un autre
sens par la diplomatie anglaise. Je lui ai donné connaissance de
mon télégramme à Churchill.

En prenant congé, le consul général américain m'a déclaré que
son gouvernement allait intervenir pour ramener les Britanniques
dans les limites de leurs droits et de leurs engagements. Il conviendrait que M. Dejean ait un entretien avec Stark et un autre
avec Bogomolov sur toute cette affaire et n'hésite pas à leur
marquer, comme je l'ai marqué à Gwynn, que nous jugeons la
limite dépassée et que nous entendons que la situation soit
redressée sans délai...

Lettre de Georges Mandel au général de Gaulle.

En prison, au Pourtalet, 20 août 1942.

Mon cher ancien Collègue,

Je ne peux que vous approuver d'envisager toutes les éventualités et j'ai plaisir à vous dire que je partage pleinement votre
opinion quant aux conséquences politiques du « succès ».

Notre malheureux pays a été livré, depuis le 17 juin 1940, à des
gouvernants qui se sont constitués, à des degrés divers, les serviteurs de l'ennemi. Il faudra, tout en remettant la France dans la
guerre, commencer par *effacer d'un trait de plume l'ensemble des
mesures politiques qu'ils ont prises et restaurer la République.* Mais
je crains que le recours à la loi Tréveneuc, qui peut réserver bien
des surprises, n'oblige, au moins au début, à sortir de la légalité.
Or, j'estime qu'il faudrait à tout prix l'éviter. J'ai d'ailleurs chargé
notre ami de vous exposer un plan, qui a le double avantage
d'offrir toutes garanties à cet égard et de répondre aux aspirations
profondes de l'immense majorité des Français.

Mais je n'ai, croyez-le bien, aucun amour-propre d'auteur. Je ne me suis jamais passionné pour les questions de méthode ou de procédure ; et, quelque importance que doive nécessairement avoir un premier acte politique qui conditionnera la mise en marche du Gouvernement provisoire de la libération, j'accepte par avance votre arbitrage. Ce qui importe par-dessus tout c'est que vous soyez *le chef, le chef incontesté* de ce gouvernement et que vous ayez *votre complète liberté d'action.*

Vous n'avez pas connu de compétition quand, pour sauver l'honneur de la France, vous avez résolu de poursuivre la lutte aux côtés des alliés ; il serait inadmissible que vous soyez exposé à en subir du moment où s'esquissera la délivrance.

Quant à moi, je n'ai souffert, cruellement souffert, de toutes les persécutions dont j'ai été l'objet que parce qu'elles m'ont empêché de seconder votre effort. Je n'ai d'autre ambition que de rattraper le temps perdu. Je m'empresse donc d'accepter votre proposition d'établir entre nous une conjonction sans interférence de personne, (toutes réserves étant naturellement faites quant aux obstacles que risque d'y apporter ma situation présente).

Je n'y mets qu'une condition, c'est que j'aie toujours la faculté de vous faire part sans *ambages* de mon opinion et des raisons, de toutes les raisons, sur lesquelles elle sera fondée. Mais, en retour, soyez bien assuré *qu'une fois que vous aurez décidé* nul ne doctrinera votre point de vue avec plus de force que moi.

C'est ainsi, me semble-t-il, que dans une étroite collaboration doit se réaliser l'unité d'action qui peut, seule, hâter la libération et le relèvement national.

Veuillez agréer, mon cher ancien Collègue, l'expression de mes sentiments les plus dévoués.

Télégramme de M. W. Churchill au général de Gaulle, à Beyrouth.

TRADUCTION

Le Caire, 23 août 1942.

Je regrette de ne pouvoir accepter votre conception suivant laquelle nos représentants interviennent indûment dans les affaires du Levant. La Syrie et le Liban font partie d'un théâtre d'opérations vital et presque tout événement dans cette zone affecte directement ou indirectement nos intérêts militaires. Ceci entraîne des consultations entre nos représentants et les autorités françaises et des contacts avec les administrations syrienne et libanaise auprès desquelles le ministre de Sa Majesté est accrédité.

Nous ne poursuivons aucun but politique propre dans le Levant et nous n'avons point cherché à y miner la position de la France. Nous reconnaissons pleinement que, dans le domaine politique, l'initiative doit rester aux autorités françaises. Notre principal souci, sur le terrain politique, est de nous assurer qu'il ne soit pas adopté une politique qui pourrait mettre en péril notre sécurité militaire ou faire obstacle à notre poursuite de la guerre. C'est pour cette raison que nous nous attendons à être pleinement consultés à l'avance sur les questions politiques importantes.

Nous nous préoccupons, également, de veiller à ce que notre garantie de la proclamation faite, le 9 juin 1941, par le général Catroux, déclarant l'indépendance de la Syrie et du Liban et promettant la cessation du mandat, soit effectivement suivie d'effet. A cela nous nous sommes engagés aux yeux de la Syrie, du Liban, ainsi qu'à ceux du monde arabe.

A part cela, les seules affaires du Levant auxquelles nous avons intérêt sont celles qui affectent directement nos besoins militaires et les intérêts locaux britanniques, d'ordre commercial ou autre.

Aucune des activités ci-dessus mentionnées ne constitue une violation de la lettre ou de l'esprit des accords : général de Gaulle-Oliver Lyttelton, ni des lettres échangées entre le Foreign Office et le Comité national français.

Quant au mandat, il est parfaitement admis qu'il ne peut, au point de vue technique, prendre fin maintenant.

Toutefois, dans mon discours à la Chambre des Communes du 9 septembre 1941, j'ai précisé que la position des Français Libres en Syrie ne peut pas être celle dont jouissait précédemment Vichy, et vous-même, dans votre lettre à la Société des Nations annonçant que vous assumiez les responsabilités du mandat, vous déclariez que l'indépendance et la souveraineté de la Syrie et du Liban ne seraient l'objet d'aucune autre limitation que celles nécessitées par les conditions de la guerre.

Je conçois pleinement l'importance du maintien de la plus étroite collaboration et de l'unité de vues entre nos représentants respectifs au Levant et c'est ma sincère conviction, qu'avec de la bonne volonté des deux côtés, cela peut être obtenu.

Notre objectif suprême est la défaite de l'ennemi et vous pouvez être assuré que toute action de nos représentants en Syrie - Liban est dirigée vers cette fin.

Télégramme du général de Gaulle
à R. Pleven et M. Dejean, à Londres.

Beyrouth, 24 août 1942.

Je viens de terminer un voyage très rempli, à Damas, Soueïda, Palmyre, Deir-ez-Zor, Alep, Hama, Homs, Lattaquié. Partout s'est manifesté un enthousiasme réel et exceptionnel en faveur de la France.

Lettre du général de Gaulle à M. W. Churchill, au Caire.

Beyrouth, le 24 août 1942.

Mon cher Premier Ministre,

Votre télégramme du 23 août, traitant de la politique de la Grande-Bretagne dans les États du Levant sous mandat français a eu toute mon attention.

Je ne puis que regretter qu'il ne me soit pas possible d'accepter votre conception, selon laquelle les ingérences politiques des représentants britanniques dans ces États seraient compatibles avec les engagements pris par le Gouvernement britannique relativement au respect de la position de la France et à la continuation de son mandat. En outre, ces ingérences, telles qu'elles se produisent, sont, à mon avis, en contradiction avec le régime d'indépendance accordé à la Syrie et au Liban par la France Combattante en vertu et dans le cadre, tant du mandat, que du traité franco-américain de 1924 et ne sauraient être justifiées par la présence des troupes britanniques sur le sol de ces États.

Les accords Lyttelton - de Gaulle, qu'en ce qui nous concerne nous appliquons avec scrupule, ont réglé la question de la sécurité des troupes britanniques au Levant en même temps que celle de notre coopération en Orient.

Les autorités proprement militaires britanniques et françaises, aussi bien dans la bataille de Libye et d'Égypte que pour la défense de la Syrie et du Liban, entretiennent, d'ailleurs, de très bons rapports. C'est en considération de ceci que j'ai consenti à maintenir jusqu'à présent sous les directives du commandement britannique au Levant les troupes dépendant du commandement français, quoique ces dernières soient maintenant supérieures en nombre aux troupes dépendant du commandement britannique.

L'accord Lyttelton - de Gaulle prévoyait, toutefois, que cette situation conduirait à attribuer la direction militaire des forces alliées dans ces États au commandement français.

Par ailleurs, l'espèce d'état de rivalité franco-britannique créé en Syrie - Liban par l'interférence et la pression des représentants anglais me paraît nuisible à l'effort de guerre des Nations Unies et, particulièrement, à l'action commune de la France et de la Grande-Bretagne alliées depuis le premier jour, tout aussi bien par ses effets dans l'Orient arabe qu'en face de l'opinion de la nation française.

Je vous prie instamment de reconsidérer cette affaire qui est urgente et essentielle pour la France Combattante.

Je suis, quant à moi, disposé à en discuter avec M. Casey pendant mon séjour ici s'il lui était possible de venir me voir.

Bien sincèrement à vous.

Télégramme du colonel Pechkoff au Comité national, à Londres.

Prétoria, 25 août 1942.

Le général Smuts, au cours d'une longue conversation que j'ai eue avec lui, m'a exprimé sa satisfaction d'avoir rencontré le général de Gaulle qui lui a fait une profonde impression.

Il m'a dit qu'il le considérait comme une des personnalités principales de la guerre. Le général Smuts espère qu'un changement se produira bientôt à Madagascar et que les demi-mesures sont terminées.

Il pense que le général Sturges (qui commande les opérations dans l'île) n'a aucune sympathie pour notre cause... J'ai le sentiment que Smuts aimerait voir l'île occupée entièrement par des troupes alliées et une administration française libre désignée pour gouverner l'île pendant la guerre...

*Télégramme du général de Gaulle
à R. Pleven et M. Dejean, à Londres.*

Beyrouth, 27 août 1942.

J'ai la conviction, étayée par beaucoup d'indices, que les États-Unis ont maintenant pris la décision de débarquer des troupes en Afrique du Nord française.

L'opération serait déclenchée en conjugaison avec une offensive très prochaine des Britanniques en Égypte.

D'autre part, les Britanniques se tiennent prêts à exploiter militairement eux-mêmes la réussite des Américains vers Casablanca en pénétrant dans nos colonies de l'Afrique occidentale.

Les Américains se figurent qu'ils obtiendront, tout au moins, la passivité partielle des autorités de Vichy actuellement en place. Ils se sont, d'ailleurs, ménagé des concours en utilisant la bonne volonté de nos partisans, notamment au Maroc, et en leur laissant croire qu'ils agissent d'accord avec nous, tout en interceptant toutes les communications entre nos services et nos amis. Les Anglais entrent dans ce jeu, quoique avec moins d'illusions...

Le cas échéant, le maréchal Pétain donnera, sans aucun doute, l'ordre de se battre en Afrique contre les alliés en invoquant l'agression. L'armée, la flotte et l'aviation ne manqueront pas d'obéir. Les Allemands pourront, en outre, trouver dans l'affaire un prétexte pour accourir, en alléguant qu'ils aident la France à défendre son Empire.

Laval se garderait, d'ailleurs, de déclarer la guerre aux alliés, afin de conserver toujours un moyen de chantage et de ne pas pousser à bout la population française. Il compte que sa complaisance lui vaudra, de la part des Allemands, certaines concessions pour les prisonniers de guerre et le ravitaillement, ainsi qu'un appui contre les prétentions italiennes.

Il ne faut pas, à mon avis, chercher ailleurs les raisons de l'attitude actuelle de Washington à notre égard.

Les Américains avaient, d'abord, cru qu'il leur serait possible d'ouvrir un second front en France cette année.

C'est pourquoi, ayant besoin de nous, ils étaient entrés dans la voie définie par leur mémorandum. Maintenant, leur plan a changé et, du même coup, nous les voyons reprendre leur réserve vis-à-vis du Comité national...

Veuillez communiquer ceci au Comité national.

Télégramme de M. Casey,
ministre d'État dans le Gouvernement britannique,
au général de Gaulle, à Beyrouth.

TRADUCTION

Le Caire, 29 août 1942.

J'ai l'impression que les relations franco-britanniques en Syrie et au Liban ont atteint un point critique. Quelles qu'en soient maintenant les raisons, je crois qu'il est essentiel d'établir, aussitôt que possible, des relations satisfaisantes dans l'intérêt majeur de nos deux pays, à savoir la poursuite de la guerre.

Je voudrais espérer que cela serait possible par une franche discussion entre nous et, à cette fin, je vous invite à me rencontrer au Caire dès qu'il vous conviendra. J'ai ici plusieurs importantes affaires qui, vous le comprendrez j'en suis sûr, m'empêchent de m'absenter du Caire en ce moment.

A défaut de cette rencontre, je serais obligé de soumettre au Premier Ministre la situation présente telle qu'elle m'apparaît.

J'apprécierais beaucoup une réponse urgente à ce télégramme.

Télégramme du général de Gaulle à M. Casey, au Caire.

Beyrouth, 30 août 1942.

Dans l'intérêt de notre effort commun pour la poursuite de la guerre, je crois, comme vous-même, qu'il est urgent et essentiel de placer ici les relations franco-britanniques sur des bases satisfaisantes.

Comme j'ai eu l'honneur de vous le dire et comme je l'ai écrit à M. Winston Churchill, la raison qui a compromis sérieusement ces relations est, suivant moi, l'ingérence de la politique britannique dans les rapports entre la France Combattante et les États du Levant sous mandat français, ainsi que dans les affaires intérieures de la Syrie et du Liban. Il en résulte, à la fois, une diminution de la position de la France dans ces pays et des atteintes à leur indépendance, telle qu'elle leur a été reconnue par la France Combattante en vertu et dans le cadre du mandat. Vous comprendrez certainement que le Comité français se doive de s'opposer à cette diminution et à ces atteintes.

Par contre, le Comité national français a toujours été et demeure disposé à pratiquer avec le Gouvernement de Sa Majesté britannique des consultations en ce qui concerne l'harmonie souhaitable de la politique française et de la politique britannique dans l'ensemble de l'Orient.

Quant à notre coopération militaire sur ce théâtre d'opérations, nous considérons que les conditions en ont été réglées par nos accords de l'an dernier dont nous demandons, toutefois, qu'ils soient exécutés strictement.

Dans ma lettre du 24 août au Premier Ministre britannique, je disais que j'étais tout prêt à discuter de cela à Beyrouth avec vous, puisqu'au cours des deux visites que j'ai eu le plaisir de vous faire au Caire nous n'avions pu réussir à mettre d'accord nos points de vue. Étant moi-même retenu ici par les dispositions à prendre dans la situation actuelle, je serais profondément désolé que vous ne puissiez trouver le temps de venir discuter de cette grave affaire avec moi.

Télégramme de M. W. Churchill au général de Gaulle, à Beyrouth.

TRADUCTION

Londres, 31 août 1942.

J'ai reçu votre réponse à mon message du 23 août. Je ne vois pas d'avantage à poursuivre cet échange de vues au sujet d'une situation que, comme vous-même, je tiens pour sérieuse.

Il est essentiel, — j'en ai le sentiment, — que je puisse discuter de ces questions avec vous dans le moindre délai possible et je dois, en conséquence, vous demander de hâter votre retour en Grande-Bretagne. Je vous prie de me faire savoir quand je pourrais vous attendre.

Télégramme du général de Gaulle à M. W. Churchill, à Londres.

Beyrouth, 1er septembre 1942.

Je vous remercie de l'invitation que vous voulez bien me faire de me rendre en Angleterre pour discuter avec vous la grave question des rapports franco-britanniques en Orient. J'entreprendrai certainement ce voyage dès que possible. Mais la situation ne me permet pas de quitter Beyrouth actuellement.

Toutefois, comme je vous l'ai écrit, je suis, aujourd'hui encore, disposé à discuter ici avec M. Casey. J'espère que vous apercevrez que le maintien de la position indépendante de la France en Syrie et au Liban est pour moi et pour le Comité national français un devoir absolu et de première urgence.

Télégramme de Roger Garreau au Comité national, à Londres.

Moscou, 1er septembre 1942.

Alors que les communistes français résidant en Russie avaient semblé, jusqu'à présent, être tenus d'éviter tout contact avec la délégation de la France Combattante, M. André Marty est venu me voir le 15 août et m'a fait, depuis, deux visites.

Venu en mission du parti communiste français à Moscou, à la veille de la signature du pacte germano-soviétique, qui l'avait, m'a-t-il confié, péniblement surpris et très désorienté, M. Marty est resté depuis trois ans en Russie où il est membre du Comité central du Komintern et seul représentant qualifié du parti communiste français, avec lequel il n'a probablement plus aucun contact. Il n'a pas, m'a-t-il dit, d'autres informations sur la France que celles que lui apportent la presse soviétique et la radio. Cette affirmation m'a paru sincère, car mon visiteur s'est jeté avec empressement sur tous les documents d'information que j'ai pu lui fournir. Il m'a, d'ailleurs, laissé entendre, avec une amertume mal réprimée, que les membres du Komintern, complètement isolés à Oufa, se morfondaient dans une inaction fâcheuse.

Il m'a fait un vif éloge du général de Gaulle, dont, à l'en croire, il avait, comme vice-président de la commission de l'armée de la Chambre des députés, soutenu de son mieux les vues sur la motorisation de nos forces, en discorde d'ailleurs sur cette question avec son collègue Maurice Thorez qui doutait, tout comme le général pacifiste Bineau, de l'efficacité des divisions cuirassées.

Il s'est mis à mon entière disposition pour aider à développer notre propagande en U. R. S. S., mais, ses moyens étant très limités dans cette sphère d'action, il souhaiterait beaucoup pouvoir rentrer clandestinement en France avec sa femme pour y participer à l'organisation de la résistance.

Il m'a demandé si le Comité national français consentirait à lui faciliter ce retour. Je vous serais reconnaissant de me mettre à même de répondre à cette question.

Il n'est pas douteux que M. Marty n'a pu prendre contact avec moi qu'avec l'assentiment du Politburo. Cette démarche marque, évidemment, une évolution d'importance capitale du parti com-

muniste français, suivant les instructions du Kremlin, dans le
sens du ralliement de toutes les forces françaises résistantes autour
du général de Gaulle et du Comité national.

*Télégramme du général de Gaulle au gouverneur-général Éboué
et au général Leclerc, à Brazzaville.*

Beyrouth, 1ᵉʳ septembre 1942.

Ayant obtenu la promesse écrite des Américains au sujet de la
fourniture de huit « Lockheeds » pour nos lignes aériennes, j'autorise l'utilisation de l'aérodrome de Pointe-Noire pour les avions
de guerre des États-Unis.

Vous devez, naturellement, conserver le commandement et le
contrôle de l'aérodrome...

*Télégramme du général de Gaulle
à R. Pleven et M. Dejean, à Londres.*

Beyrouth, 4 septembre 1942.

Le président Naccache et le président Tageddine ont tous
deux demandé à venir me voir. Je les ai reçus respectivement avant-
hier et aujourd'hui. Nos conversations ont été longues et approfondies. Bien que je me garde d'illusions sous cette latitude et sous
cette longitude, j'ai retiré de ces entretiens une bonne impression.
L'un et l'autre de mes interlocuteurs ont manifesté des intentions
et fait des promesses satisfaisantes.

Pour l'intérieur, les deux présidents se sont engagés à déployer
l'effort maximum pour obtenir de l'office du blé le fonctionnement
du ravitaillement et l'équilibre de son budget. Tous deux vont
préparer les futures élections, naturellement en leur propre faveur.
Ils ne sont pas pressés et envisagent sans hâte l'échéance, que je
verrais personnellement au printemps prochain si la situation
militaire le permet et si, d'ici là, les Britanniques ont cessé leurs
interventions. Les présidents affirment, ce qui me paraît exact,
que la population réprouve les luttes politiques et s'exprimerait
dans le sens de l'indépendance, de l'action gouvernementale objective, de l'alliance et de la présence de la France.

A l'extérieur, ils sont tous deux sincèrement opposés aux intrigues anglaises et l'ont manifesté récemment d'une manière
indubitable. Leur attitude est le résultat de leur sincère désir du
bien public, de leur réelle sympathie pour nous, de leur désir que
nous les soutenions et des preuves éclatantes fournies par les populations de leur attachement à la France à l'occasion de mes récents
voyages dans les diverses parties du pays.

A cet égard, il n'est pas douteux que la figure nouvelle prise par la France compte pour beaucoup. Nous pouvons en avoir la fierté.

Télégramme du général Leclerc au général de Gaulle, à Beyrouth.

Brazzaville, 6 septembre 1942.

Je réponds à votre Instruction relative à la force que j'ai à préparer pour une action éventuelle sur le Niger.

. . . .

Premier bond : Zinder. L'arrêt devant cette place étant utilisé pour le ravitaillement. Le développement ultérieur vers Niamey dépendra de la résistance de Zinder et de la situation générale. Mais je comprends votre désir et tout le possible sera fait.

. . . .

J'ordonne de constituer à Moussoro des stocks d'essence et de vivres et je prescris quelques mouvements de troupes secondaires ne pouvant pas éveiller l'attention.

Télégramme de R. Pleven et M. Dejean
au général de Gaulle, à Beyrouth.

Londres, 8 septembre 1942.

M. Eden nous a reçus, lundi soir, à l'issue d'un Conseil des ministres au cours duquel avait été examinée la question des rapports entre la France Combattante et le Gouvernement britannique.

M. Eden nous a, d'abord, assurés de toute sa sympathie pour la France Combattante et pour notre pays. Il a évoqué les efforts qu'il avait déployés en notre faveur et le souci constant qui l'avait animé d'établir des relations aussi confiantes que possible entre le Comité national et le Gouvernement de Sa Majesté.

« Au moment où le Général est parti en voyage, ces relations, a-t-il dit, étaient excellentes. Nous pensions que l'absence du général de Gaulle serait de courte durée et nous comptions reprendre avec lui, dès son retour, notre collaboration.

« Le Général est allé en Syrie. Il a formulé diverses plaintes contre l'activité britannique au Levant. Il est, à notre égard, plein de suspicion. Il est convaincu que notre intention est de vous évincer de Syrie alors qu'un tel dessein est bien loin de nous, qu'à plusieurs reprises nous l'avons solennellement déclaré et que nous ne poursuivons en Syrie aucune autre politique que celle qui a été formulée publiquement...

« Dans un télégramme très amical, au nom du Gouvernement britannique, le Premier Ministre l'a prié de hâter son retour pour discuter de ces questions. Il a préféré rester en Syrie.

« D'un autre côté, il a cru devoir mêler les Américains à cette question. Nous avons eu l'impression qu'il a essayé de jouer du Gouvernement américain contre nous. Nos relations avec l'Amérique sont beaucoup trop étroites pour que de tels procédés nous nuisent ; mais ils ne vous ont certes pas été utiles. » (Cette remarque a été faite sur un ton de particulière mauvaise humeur.)

« Je suis obligé de vous dire que la situation est sérieuse... L'attitude du Général met en danger les relations entre le Gouvernement britannique et le Comité... »

M. Dejean fait alors remarquer, qu'en dehors de la situation locale, connue du Foreign Office, l'affaire de Madagascar n'est pas de nature à apaiser les inquiétudes du Général concernant le Levant. Le 13 mai, le Foreign Office nous avait fait une promesse. Cette promesse n'a reçu aucun commencement de réalisation. Pourtant, il s'agit d'une terre purement française et il est inadmissible que nous en soyons écartés...

R. Pleven remercie M. Eden des sentiments manifestés à l'égard de la France Combattante... Il rappelle qu'au Levant le général de Gaulle apparaît précisément à tous comme le champion de la collaboration franco-britannique... Or, en Syrie, les Français sont très montés par les empiétements perpétuels des autorités britanniques. Le général Catroux, dont on connaît le caractère conciliant, en est exaspéré. Tout récemment encore, la mission britannique a cherché à s'ingérer dans les questions monétaires du ressort exclusif des autorités françaises. Les Britanniques se sont également introduits dans l'office du blé... Pour ce qui est du recours aux Américains, R. Pleven déclare qu'il le trouve tout naturel. D'ailleurs, les Américains ont, sur place, des observateurs témoins des difficultés entre Français et Britanniques.

M. Eden répond sèchement que, si nous approuvons de telles méthodes, il sera impossible de s'entendre et que, d'ailleurs, après tout, ce sont là des affaires secondaires.

M. Dejean observe que si, aux yeux du Gouvernement britannique, les affaires de Syrie n'offrent qu'un intérêt secondaire on ne voit pas pourquoi il invite le général de Gaulle à interrompre, pour venir discuter de ces affaires, une tournée d'inspection dont la nécessité s'impose. La situation serait peut-être différente si l'entretien désiré par M. Churchill revêtait un caractère plus général et devait porter notamment sur les événements qui, manifestement, se préparent et intéressent l'Afrique du Nord et l'Afrique occidentale française.

R. Pleven intervient dans le même sens. M. Dejean revient plusieurs fois sur la question.

M. Eden a, alors, certaines expressions telles que « la collaboration est en train de disparaître », « les choses évoluent dans une autre direction... » Il ne nie pas que d'importants événements soient en gestation. Mais il paraît considérer que, dans l'état actuel des choses, la question de notre participation ne se pose pas...

L'entretien, qui a duré une heure et quart, s'est déroulé dans une atmosphère qui a, d'abord, été très tendue mais qui, par la suite, s'est quelque peu radoucie.

Télégramme de Maurice Dejean au général de Gaulle, à Beyrouth.

Londres, 10 septembre 1942.

Hier, M. Eden m'a invité à aller le voir le soir même avec M. Pleven.

M. Eden, qui était assisté de M. Strang, nous a dit en substance :

« J'ai à vous faire, sous le sceau du secret le plus absolu, une communication qu'il m'était impossible de vous faire avant-hier. Nous sommes sur le point d'entreprendre de nouvelles opérations à Madagascar en vue de nous assurer du contrôle de toute l'île...

« L'intention du Gouvernement britannique, a poursuivi M. Eden qui avait sous les yeux des instructions écrites, est d'inviter le Comité national français à assumer immédiatement l'administration de Madagascar...

« Malheureusement, les affaires de Syrie sont venues compliquer la situation. Le général de Gaulle, à propos de la Syrie, paraît soupçonner nos intentions et notre bonne foi. Ces soupçons, je peux vous en donner l'assurance au nom du Gouvernement britannique, sont absolument injustifiés, la Grande-Bretagne n'ayant aucunement l'intention de porter atteinte à la position de la France en Syrie.

« Vous comprendrez toutefois que, tant que la situation créée au Levant n'est pas éclaircie, nous ne pouvons provisoirement mettre à exécution notre dessein concernant l'administration de Madagascar par le Comité national français. Cependant, nous sommes convaincus, étant donné que le Gouvernement britannique ne poursuit au Levant aucune autre politique que celle qu'il a définie publiquement, que cette question pourrait être tirée au clair.

« Si le général de Gaulle revenait à Londres maintenant, comme le Premier Ministre l'y a amicalement invité, nous serions disposés à discuter immédiatement avec lui la réalisation de notre intention concernant l'administration de Madagascar par le Comité national français... »

En nous faisant cette communication, M. Eden a adopté, par contraste avec la conversation du 7 septembre, un ton constamment aimable et manifestement empreint du désir d'arriver à une entente.

M. Eden, sur les diverses questions que nous avons alors posées, a précisé qu'il ne s'agissait aucunement d'un marchandage, que le fait, pour le Général, d'accepter de se rendre à Londres ne pré-

jugerait pas de la suite qui pourrait être donnée aux plaintes qu'il
formulerait d'après ses constatations en Syrie, qu'il n'était pas
question de troquer d'une façon quelconque nos intérêts au Levant
contre l'administration de Madagascar.

. . . .

Dans ces conditions, il nous paraît, à Pleven et à moi, d'un
intérêt capital que vous ayez le plus rapidement possible les entretiens demandés par le Gouvernement britannique.

*Télégramme du général de Gaulle
à R. Pleven et M. Dejean, à Londres.*

Beyrouth, 12 septembre 1942.

M. Wendell Wilkie est arrivé le 10 septembre au matin. Il est
parti le 11 septembre. Il a été reçu à l'aérodrome par Catroux.
Les honneurs ont été rendus par nos troupes. Hymne américain.
Marseillaise.

Wendell Wilkie est venu ensuite directement à notre résidence
où je l'ai accueilli et où il a été logé...

Il m'a demandé une longue conversation où il m'a posé de
nombreuses questions, disant qu'il était chargé de me les poser
par le Président Roosevelt.

Impression bonne, compte tenu de l'équation personnelle de
Wilkie, qui a le genre bon garçon chaleureux... Cependant, il a
évité de parler de ce que les États-Unis voudraient faire pour nous.
Au sujet de l'attitude de Washington à l'égard des affaires françaises, il a dit : « Pour franchir un obstacle, il y a deux méthodes :
ou bien pousser droit et le briser, ou bien tâcher de le contourner
par les ailes. »

Il a, d'ailleurs, protesté qu'il ne s'agissait pas là nécessairement
de sa conviction personnelle mais de ce qu'il était chargé de me
dire officiellement.

Ce qu'il m'a demandé m'a conduit à lui expliquer franchement
notre position en général et notre position ici...

M. Wilkie m'a assuré qu'il voyait très bien notre position qui
rencontrait une vaste sympathie parmi les alliés, spécialement en
Amérique. Il a ajouté qu'il souhaitait que nous conservions et aug-
mentions ces sympathies et n'exagérions pas notre intransigeance.
Parlant de notre souci de représenter les intérêts français, il m'a
prié de citer un exemple concernant les ingérences des États-Unis.
Je lui ai cité l'exemple de la Martinique. Nous pensions qu'il était
normal que nous fussions consultés dans cette affaire par les États-
Unis. J'ai ajouté que notre point de vue serait le même dans toutes
les hypothèses où l'action des alliés viendrait à intéresser un territoire français quelconque. Wilkie m'a demandé si je croyais que

les États-Unis avaient des visées politiques sur n'importe quelle partie de notre Empire. J'ai répondu que je ne le croyais pas, mais qu'il était très important d'éviter toutes fâcheuses apparences et de donner au peuple français l'impression que ses intérêts étaient représentés effectivement et représentés par nous, qui combattons pour lui aux côtés de nos alliés.

M. Wilkie m'a parlé de ces émigrés français qui, ici et là, travaillent sans nous ou contre nous. J'ai dit que, sur 100 Français soustraits à l'oppression, 98 sont dans nos troupes, nos administrations ou nos comités, très occupés par leurs devoirs et, par conséquent, peu bruyants ; 2 pour 100 se trouvent au-dehors de la France Combattante et s'occupent d'intrigues et de cabales, comme ils l'ont fait toute leur vie. Si ces gens formaient des forces combattantes, ralliaient des territoires, exerçaient une réelle influence sur la France, nous pourrions composer avec eux. Mais ils ne représentent qu'eux-mêmes. Dès lors, nous n'avons pas à tenir compte de leur agitation. Nous regrettons, cependant, qu'ils trouvent parfois audience chez nos alliés quand ceux-ci jugent commode de nous les opposer.

En ce qui concerne notre alliance avec l'Angleterre, j'ai dit à M. Wendell Wilkie qu'il était venu me voir dans un moment de sérieuses difficultés. Toutefois, je tenais à ce qu'il sache que nous désirions essentiellement conserver l'alliance anglaise et que nous l'avions prouvé devant le monde entier. Je pensais que ce maintien de l'alliance était également un point capital de la politique britannique. Mais les Anglais avaient beaucoup de difficultés à faire accorder leur politique locale avec leur politique générale. Cela apparaissait clairement en Orient.

Wendell Wilkie m'a laissé entendre que Churchill et Harriman étaient rentrés peu satisfaits de leur voyage à Moscou. Ils s'étaient trouvés devant un Staline énigmatique et portant un masque que ses visiteurs n'avaient pu percer. J'ai l'impression que Wilkie est envoyé à Moscou pour tâcher d'y voir plus clair. Mais il semble que Staline ne s'empresse pas de l'introduire en Russie et que Wilkie piétine un peu en attendant.

J'ai terminé cette conversation en disant à Wilkie, qu'à mon avis, cette guerre est maintenant, au point de vue des moyens, essentiellement la guerre des États-Unis. De ce fait, l'Amérique porte des responsabilités morales particulières devant le monde. Or, le bien lutte contre le mal. Il faut aider franchement ceux qui combattent pour le bien.

*Télégramme du général de Gaulle
à R. Pleven et M. Dejean, à Londres.*

Beyrouth, 12 septembre 1942.

J'ai étudié vos comptes rendus au sujet de vos entretiens avec
M. Eden. Je vous prie de faire, de ma part, à M. Eden, la communication suivante :

« J'ai été mis au courant des entretiens qui ont eu lieu entre
Votre Excellence, d'une part, et MM. Pleven et Dejean, d'autre
part, les 7 et 9 septembre.

« J'ai cru devoir en inférer que le Gouvernement de Sa Majesté
britannique est aussi désireux que le Comité national français
de voir les relations franco-britanniques en Orient s'établir sur des
bases satisfaisantes, conformes à nos accords à ce sujet et à la
position de la France en Syrie et au Liban.

« D'autre part, j'ai noté que le Gouvernement britannique,
compte tenu de la nouvelle situation à Madagascar, envisageait
de donner effet aux engagements qu'il avait bien voulu prendre,
d'accord avec le Comité national, par le communiqué du Gouvernement britannique en date du 13 mai et concernant Madagascar.

« Enfin, je n'ai pas manqué d'être sensible au désir exprimé par
Votre Excellence, comme suite au plus récent message que j'ai
reçu du Premier Ministre, de me voir me rendre à Londres pour y
discuter de cette question avec le Gouvernement britannique.

« J'espère, comme vous-même, que nos conversations auront
pour effet de rendre encore plus étroite notre coopération dans la
guerre contre l'ennemi commun.

« J'ai l'intention de me rendre très prochainement à l'aimable
invitation du Premier Ministre et de Votre Excellence. »

*Télégramme du général de Gaulle
à R. Pleven et M. Dejean, à Londres.*

Beyrouth, 12 septembre 1942.

Je vous ai adressé, aujourd'hui, le texte d'une communication
de ma part à M. Eden.

Je ne suis pas certain que le désir pressant qu'a le Gouvernement britannique de me voir venir à Londres soit uniquement
inspiré par son intention d'arranger l'affaire du Levant et de régler
celle de Madagascar. Il y a sous roche quelque grand projet. Nos
alliés préféreraient m'avoir auprès d'eux, moins pour me consulter
que pour me contrôler dans la mesure du possible. Cependant,
je ne peux pas penser que la bonne intention manifestée par
M. Eden en ce qui concerne le Levant et Madagascar soit une simple
manœuvre.

Comme il s'agit d'une question capitale, je ne crois pas pouvoir
refuser de me rendre à Londres pour la traiter. Toutefois, je ne
m'y rendrai qu'après être passé en Afrique française libre. J'envisage d'être à Fort-Lamy le 14 septembre, puis Douala, Libreville,
Pointe-Noire, Brazzaville.

. . . .

Texte de l'accord franco-soviétique du 28 septembre 1942.

Le Comité national français a fait savoir au Gouvernement soviétique son désir d'appeler désormais « France Combattante »
le mouvement des Français, où qu'ils se trouvent, qui n'acceptent
pas la capitulation devant l'Allemagne hitlérienne et qui luttent
contre celle-ci pour la libération de la France. Le Gouvernement
soviétique est allé à la rencontre de ce désir du Comité national
français, désir qui exprime la volonté des patriotes français de
contribuer, par tous les moyens à leur disposition, à la victoire
commune contre l'Allemagne hitlérienne et ses complices en Europe. Le Gouvernement soviétique s'est mis d'accord avec le
Comité national français sur les définitions suivantes :

France Combattante.

Ensemble des citoyens et des territoires français qui n'acceptent
pas la capitulation et qui, par tous les moyens à leur disposition,
contribuent, où qu'ils se trouvent, à la libération de la France
par la victoire commune des alliés contre l'Allemagne hitlérienne
et tous ses complices en Europe.

Comité national français.

Organe directeur de la France Combattante, ayant seul qualité
pour organiser la participation des citoyens et des territoires français à la guerre et représenter, auprès du Gouvernement de
l'U. R. S. S., les intérêts français, notamment dans la mesure où
ceux-ci sont affectés par la poursuite de la guerre.

*Lettre du général de Gaulle à Mgr Shramek,
président du Conseil de la République tchécoslovaque.*

Londres, le 29 septembre 1942.

Monsieur le Président,

J'ai l'honneur de porter à la connaissance du Gouvernement
tchécoslovaque que le Comité national français,
certain d'exprimer les sentiments de la nation française, alliée
et amie de la Tchécoslovaquie,
convaincu que la crise mondiale actuelle ne peut qu'approfondir

l'amitié et l'alliance entre la nation française et la nation tchécoslovaque qui, unies par la même destinée, traversent actuellement
une période de souffrances et d'espérances communes,
    fidèle à la politique traditionnelle de la France,
    déclare, qu'en dépit des événements regrettables et des malen-
tendus du passé, l'un des buts fondamentaux de sa politique est
que l'alliance franco-tchécoslovaque sorte des terribles épreuves
de la présente crise universelle renforcée et assurée pour l'avenir.
    Dans cet esprit, le Comité national français, rejetant les accords
signés à Munich le 29 septembre 1938, proclame solennellement
qu'il considère ces accords comme nuls et non avenus, ainsi que
tous les actes accomplis en application ou en conséquence desdits
accords.
    Ne reconnaissant aucun changement territorial affectant la
Tchécoslovaquie, survenu en 1939 ou depuis lors, il s'engage à
faire tout ce qui sera en son pouvoir pour que la République
tchécoslovaque, dans ses frontières d'avant septembre 1938,
obtienne toute garantie effective concernant sa sécurité militaire
et économique, son intégrité territoriale et son unité politique.
    Veuillez agréer, monsieur le Président, les assurances de ma
très haute considération.

Lettre de Mgr Shramek au général de Gaulle, à Londres.

Londres, le 29 septembre 1942.

    Mon Général,
    Par lettre en date du 29 septembre 1942, vous voulez bien me
faire savoir que le Comité national français,
    certain d'exprimer les sentiments de la nation française, alliée
et amie de la Tchécoslovaquie,
    convaincu que la crise mondiale actuelle ne peut qu'approfondir
l'amitié et l'alliance entre la nation tchécoslovaque et la nation
française qui, unies par la même destinée, traversent actuellement
une période de souffrances et d'espérances communes,
    fidèle à la politique traditionnelle de la France,
    déclare, qu'en dépit des événements regrettables et des malen-
tendus du passé, l'un des buts fondamentaux de sa politique est
que l'alliance franco-tchécoslovaque sorte des terribles épreuves
de la présente crise universelle renforcée et assurée pour l'avenir.
    Vous ajoutez que, dans cet esprit, le Comité national français,
rejetant les accords signés à Munich le 29 septembre 1938, proclame
solennellement qu'il considère ces accords comme nuls et non
avenus, ainsi que tous les actes accomplis en application ou en
conséquence des mêmes accords.
    Vous indiquez, en outre, que le Comité national français, ne
reconnaissant aucun changement territorial affectant la Tchéco-

slovaquie survenu en 1938 ou depuis lors, s'engage à faire tout ce
qui sera en son pouvoir pour que la République tchécoslovaque,
dans ses frontières d'avant septembre 1938, obtienne toute garantie effective concernant sa sécurité militaire et économique,
son intégrité territoriale et son unité politique.

Au nom du Gouvernement de la République tchécoslovaque,
je tiens à vous remercier de cette communication ainsi que des
engagements que le Comité national français a bien voulu prendre
à l'égard de la Tchécoslovaquie et dont nous apprécions hautement la portée.

Le Gouvernement tchécoslovaque, qui n'a jamais cessé de considérer le peuple français comme l'allié et l'ami du peuple tchécoslovaque, est convaincu que les présentes épreuves supportées en
commun ne feront que renforcer cette alliance et cette amitié pour
le plus grand bien de nos deux pays et de toutes les nations amies
de la paix.

J'ai l'honneur de porter à votre connaissance que le Gouvernement de la République tchécoslovaque s'engage, de son côté,
à faire tout ce qui sera en son pouvoir pour que la France, restaurée
dans sa force, dans son indépendance et dans l'intégrité de ses
territoires métropolitain et d'outre-mer, obtienne toute garantie
effective concernant sa sécurité militaire et son intégrité territoriale et occupe dans le monde la place à laquelle lui donnent droit
son grand passé et la valeur de son peuple.

Veuillez agréer, mon Général, les assurances de ma très haute
considération.

*Télégramme du général de Gaulle au général Catroux, à Beyrouth;
au gouverneur-général Éboué et au général Leclerc, à Brazzaville; au gouverneur Cournarie, à Douala.*

Londres, 5 octobre 1942.

Le 29 septembre j'ai, en compagnie de Pleven, vu longuement
MM. Churchill et Eden ensemble. Cette entrevue fut très mauvaise.
Les ministres anglais, principalement M. Churchill, y ont pris un
ton de colère froide et passionnée qui a appelé de notre part de
dures réponses.

Quant au fond des choses, Madagascar et Syrie, tout s'est
passé dans cet entretien comme si le Gouvernement britannique
refusait de modifier à Beyrouth et à Damas la politique qu'y font
ses agents et différait l'exécution de ses promesses en ce qui concerne Tananarive.

Cependant, après ces éclats qui semblent l'avoir quelque peu
inquiété lui-même, le Gouvernement britannique a demandé à
entrer en négociations avec nous sur les deux questions par la
voie diplomatique normale. Nous avons accepté cette proposi-

tion. Les négociations ont commencé. Mais j'ai l'impression que
les Anglais cherchent à gagner du temps. L'installation automatique de la France Libre à Madagascar pourrait être, en effet,
un précédent gênant, étant donné les projets américains, et même
anglais, sur l'Afrique du Nord et l'Afrique occidentale.

En même temps, les Anglais pourraient chercher à nous manœuvrer par l'intérieur en affectant d'identifier les difficultés avec ma
personne. Voici le moment où il est devenu nécessaire que se manifestent la résolution de tous les Français Combattants et leur unanimité autour du Comité national.

Je vous prie de régler vos rapports avec les autorités britanniques sur place de manière à leur faire comprendre :

Primo : que notre cohésion est complète et ne subira pas de
fissure, quoi qu'il arrive.

Secundo : qu'il faut absolument que les Britanniques exécutent
leurs engagements pour Madagascar, faute de quoi notre coopération, même locale, deviendrait impossible.

Tertio : qu'une émotion justifiée commence à s'emparer de nos
propres gens, comme d'ailleurs, nous le savons, de l'opinion publique en France.

Quarto : que si nous acceptons et avons nous-mêmes proposé des
consultations entre le Comité national et le Gouvernement britannique pour la coordination de la politique française et de la
politique britannique dans tout le Moyen-Orient, nous n'admettons
pas d'ingérence dans l'exercice de notre mandat en Syrie et au
Liban.

D'autre part, j'attache un grand prix à l'action de nos postes-
radio à Brazzaville, Douala et Beyrouth. Je vous prie d'orienter
immédiatement cette action dans le sens suivant :

1) Sans évoquer aucune divergence entre nous et les Britanniques, insister sur le fait qu'ils ont annoncé eux-mêmes, d'accord
avec nous, qu'il appartient au Comité national d'assurer l'administration de Madagascar...

2) Aucun fonctionnaire ou militaire français n'a le droit, d'après
les lois françaises, de se subordonner à aucune autorité étrangère
quelle qu'elle soit. Le seul organisme qui ait qualité pour diriger
ou contrôler une administration ou des forces françaises est le
Comité national français.

Veuillez m'accuser réception de ce télégramme. Amitiés.

Télégramme du général de Gaulle à Adrien Tixier, à Washington.

Londres, 15 octobre 1942.

Pour répondre à ce que vous demandez, voici des indications
qui vous permettront d'éclairer notre attitude à propos du ralliement de Charles Vallin.

1) La question des opinions politiques professées par Charles Vallin avant la catastrophe de juin 1940 ne doit pas être prise en considération en la matière. Tout Français a le devoir de combattre pour la France. Nous n'avons pas, nous, le droit de lui en refuser la possibilité du moment qu'il est sincère.

2) L'adhésion de Vallin au régime de Vichy est une autre question, que je lui ai posée personnellement. Vallin a, comme beaucoup d'autres chez nous et à l'étranger, été trompé par le Maréchal. Il a fini par s'en apercevoir et décidé de se ranger parmi nous sans aucune réserve et sans aucune condition. Il m'a demandé instamment de servir en sa qualité d'officier de réserve d'infanterie, ce que j'ai accepté. En outre, il a publiquement déclaré qu'il avait été induit en erreur et qu'il condamnait Vichy, ce qui a eu en France un retentissement considérable et favorable.

3) J'ajoute que les Croix de Feu ont été très secoués par le ralliement de Vallin, qui correspond à l'évolution de la plupart, et de la meilleure part, de leurs membres. Pétain perd, de ce fait, un de ses principaux appuis. Cela n'est pas à négliger.

4) Les facteurs qui nous guident et nous guideront, pour ce qui concerne les personnalités ayant servi Vichy, sont les suivants :

Les hommes qui collaborent avec l'envahisseur à des postes de commande sont justiciables des conseils de guerre pour intelligence avec l'ennemi. Ceci s'applique, en particulier, à tous les membres des gouvernements de Pétain.

Ceux qui ont simplement servi Vichy, comme fonctionnaires ou militaires, sont utilisés par nous à mesure qu'ils se rallient, sauf si leur attitude ou leurs actes personnels ont revêtu un caractère scandaleux à l'égard de la Défense nationale ou, ce qui revient au même, à notre égard.

Il en est de même des hommes publics, étant entendu que, dans leur cas, l'opportunité joue naturellement un rôle dans notre décision et, qu'en principe, c'est à titre militaire que nous voulons les employer.

5) Je vous signale que les remous soulevés aux États-Unis parmi les Français et certains Américains par le ralliement de Vallin n'ont aucun rapport avec l'impression produite en France. Cela prouve, une fois de plus, la différence des réactions, d'une part chez des gens qui ont plus ou moins gardé à l'extérieur leur état d'esprit d'autrefois et, d'autre part, dans la masse française qui sent et raisonne autrement. André Philip vous donnera sur ce point des précisions. Il va sans dire que nous devons nous soucier avant tout des sentiments et de l'opinion du peuple français dans sa masse, quels que puissent être les inconvénients momentanés à l'extérieur.

Lettre du général de Gaulle à Jean Moulin, en France.

Londres, 22 octobre 1942.

Mon cher ami,

La présence simultanée à Londres de Bernard et de Charvet (1) a permis d'établir l'entente entre leurs deux mouvements de résistance et de fixer les conditions de leur activité sous l'autorité du Comité national.

J'ai vivement regretté votre absence pendant cette mise au point. Je pense, cependant, que les dispositions qui ont été arrêtées faciliteront l'exécution de la mission qui vous est confiée.

Vous aurez à assurer la présidence du comité de coordination au sein duquel seront représentés les trois principaux mouvements de résistance : « Combat », « Franc-Tireur », « Libération. » Vous continuerez d'autre part, comme représentant du Comité national en zone non occupée, à prendre tous les contacts politiques que vous jugerez opportuns. Vous pourrez y employer certains de nos agents qui vous sont directement subordonnés.

Toutes organisations de résistance, quel que soit leur caractère, autres que les trois grands mouvements groupés par le comité de coordination, devront être invitées à affilier leurs adhérents à l'un de ces mouvements et à verser leurs groupes d'action dans les unités de l'armée secrète en cours de constitution. Il convient, en effet, d'éviter la prolifération de multiples petites organisations qui risqueraient de se gêner mutuellement, de susciter des rivalités et de créer la confusion.

Je tiens à vous redire que vous avez mon entière confiance et je vous adresse toutes mes amitiés.

Lettre du général de Gaulle au général Delestraint, en France.

Londres, le 22 octobre 1942.

Mon Général,

On m'a parlé de vous... J'en étais sûr !

Il n'y a rien à quoi nous attachions plus d'importance qu'à ce dont nous vous demandons d'assurer l'organisation et le commandement.

Personne n'est plus qualifié que vous pour entreprendre cela. Et c'est le moment !

Je vous embrasse, mon Général.

Nous referons l'armée française.

---

(1) Bernard : pseudonyme d'Emmanuel d'Astier. — Charvet : pseudonyme d'Henri Frenay.

*Extrait d'une note adressée par Léon Blum
au Comité de la libération nationale, à Alger.*

Octobre 1942.

Sans partager l'optimisme impatient d'une partie de l'opinion, je crois bon d'envisager le problème qui peut se poser, en effet, avant le début de l'hiver.

L'Allemagne nazie s'effondre, militairement, politiquement, économiquement, peu importe. La zone occupée se soulève, entraînée ou non par des débarquements anglo-américains. Les troupes allemandes d'occupation sont rappelées, ou chassées, ou détruites... Que se passe-t-il en France au lendemain, à la minute même, de la libération? Sous quel régime et sous quelle autorité la France sera-t-elle placée?

Je pose d'abord quelques données initiales que je tiens pour hors de contestation.

1) Le gouvernement et le système de Vichy disparaissent *ipso facto*. Il est probable qu'ils se décomposeront d'eux-mêmes. En tous cas, rien n'en doit subsister. Peu importe que le double jeu de Pétain, cherchant à s'assurer contre les deux issues possibles de la guerre, ait fait dans certains cercles de l'opinion des dupes tenaces. L'armistice, la livraison de l'Indochine aux Japonais, la collaboration Laval, ne sont ni oubliables, ni pardonnables. La délégation du pouvoir constituant et législatif par l'Assemblée nationale de Vichy est nulle comme affectée d'un vice substantiel du consentement. Toutes les mesures prises en vertu de cette délégation sont nulles par voie de conséquence. Il faut faire table rase.

2) Sur cette table, un nouveau gouvernement de fait doit s'installer sans aucun délai. Il ne faudra pas compter par jours, mais par heures. Toute incertitude, tout délai, entraîneraient de graves désordres, de longues et sanglantes représailles que, pour ma part, je veux prévenir, peut-être même des convulsions d'un ordre plus général et d'un caractère plus redoutable.

3) La tâche et le mandat de ce gouvernement sont d'ordre temporaire, intérimaire. Dans la France libérée, le principe de la souveraineté nationale se trouvera automatiquement restauré. La France réglera elle-même, dans sa souveraineté, la forme et les modes du régime définitif. Cette souveraineté s'exprimera par la voix du suffrage universel. Cela doit être clairement posé et proclamé dès la première heure.

4) Ce gouvernement intérimaire ne pourra se constituer qu'autour d'un seul homme, autour d'un seul nom, celui du général de Gaulle. Il a, le premier, suscité en France la volonté de résistance et il continue à la personnifier. Il sera donc l'homme nécessaire, ou plutôt le seul homme possible, à l'heure où l'idée de la résistance et le fait de la libération formeront le lien entre les Français.

La discipline volontaire vis-à-vis d'une union sacrée ne pourra être obtenue que par lui. Il y a là une évidence de fait à laquelle je me soumets pleinement pour ma part. Je n'ignore pas qu'il existe à l'encontre du général de Gaulle des appréhensions et même des méfiances — bruits répandus sur ses anciennes liaisons politiques et sur une partie de son entourage actuel, répugnance de principe à l'égard de tout pouvoir à apparence personnelle et à aspect militaire. — Mais je ne partage pas cet ordre de préoccupations. Sans invoquer ma confiance personnelle, je répète que le principe de la souveraineté nationale aura dû être, dès la première heure, proclamé sans restriction ni réticence quelconque. J'ajoute que le gouvernement intérimaire de la France, s'installant au beau milieu de la ruine des dictatures et du rétablissement des démocraties, ne pourrait en aucun cas s'isoler, s'excepter du mouvement universel. Je constate enfin que ni ce gouvernement, ni surtout la France elle-même, ne pourront, durant de longs mois, subsister — au sens le plus précis du terme — sans le concours et le secours constants des démocraties anglo-saxonnes. Cet ensemble de garanties doit suffire.

Extraits d'une note adressée par Jules Jeanneney,
Président du Sénat,
au Comité de la libération nationale, à Alger.

Octobre 1942.

Vers un gouvernement provisoire.

L'opprobre dans lequel le régime de Vichy s'est enfoncé aura son dénouement fatal le jour où les Forces Françaises Combattantes et alliées aborderont le territoire pour le libérer.

Vichy prétendait restaurer l'autorité : il a étranglé les libertés publiques, bâillonné la France, l'étouffant sous l'absolutisme et une bureaucratie de profiteurs ; le vocable même de la République a été proscrit.

Vichy avait la charge d'un armistice, prétendument conclu dans l'honneur et la dignité. Les couards et les traîtres qui y gouvernent l'ont laissé transgresser aussitôt ; puis violé impudemment. Ils sont devenus les serviteurs de l'ennemi pour ses rapines, ses déportations, ses tueries.

La France, meurtrie dans sa chair, sa pensée, son patrimoine, guette fiévreusement le moment de s'exprimer et d'agir. C'est l'espérance de cette heure-là qui lui fait prendre patience. Le développement continu et enthousiaste que le gaullisme a pris, l'adhésion qui lui est venue, particulièrement des éléments généreux et jeunes du pays, attestent la puissance de son sentiment. Comprimé comme il l'a été, ce sentiment est sujet à exploser avec violence. Il y aura risque que l'esprit de représailles prenne aussitôt le dessus, ouvrant carrière aux perturbateurs, aux pillards et à l'anarchie. Le danger d'une guerre civile en règle ne sera pas moindre. Hitler, se sentant perdu, voudra entraîner la France dans sa ruine. Laval, qui s'en prévaut déjà, voudra mettre en ligne ses troupes policières et autres. En dépit des déceptions que, dit-on, celles-ci peuvent lui donner, le choc et les dommages pourront être rudes.

Il faut un plan susceptible d'atténuer ces risques et de s'adapter aux diverses circonstances présumables.

Son point de départ doit être naturellement la magnifique acclamation qui saluera à leur arrivée les libérateurs, l'ovation de reconnaissance et de foi qui montera vers eux, la conjonction qui tendra immédiatement à se faire entre eux et les forces résistantes de l'intérieur, la hâte commune de balayer les indignes et de donner à la France des gouvernants nouveaux.

La mise en place d'un gouvernement nouveau pourra-t-elle s'opérer dans la légalité républicaine?

Au jour « J », aucune constitution nouvelle n'aura vu le jour. La mission que, le 10 juillet 1940, l'Assemblée nationale avait conférée d'en promulguer une ne sera pas remplie.

En droit pur, l'Assemblée nationale mandataire aura assurément gardé la faculté de retirer le mandat donné. Mais « l'acte constitutionnel n° 3 », selon lequel les Chambres ne peuvent se réunir que sur la convocation du chef de l'État, subsistera. Les Assemblées auront donc bien un droit; mais sans aucun moyen de l'exercer.

Passer outre? Provoquer une réunion des Chambres? Ce serait déjà rompre avec la légalité. Ce serait, en outre, inefficace. Car la convocation de l'Assemblée, (qui nécessiterait peut-être la réunion préalable du Sénat et de la Chambre), puis sa délibération, ne sauraient être obtenues dans un délai compatible avec la célérité que les mesures à prendre exigeront. Il n'est pas sûr non plus qu'une rentrée en lice des Chambres ait la faveur du pays; le mandat normal des députés est expiré depuis trois ans, celui d'un tiers des sénateurs l'est aussi; le programme sur lequel les uns et les autres ont été élus n'a rien de commun avec les circonstances présentes. On ne saurait oublier enfin, qu'à Vichy, 569 congressistes (contre 80 opposants et 18 abstentionnistes volontaires) avaient répudié la Constitution de 1875.

Une seule issue donc ; le Rubicon.

. . . .

La souveraineté nationale ne pouvant être exercée ni légalement, ni matériellement, par le Parlement en fonction, c'est à la Nation elle-même qu'il appartient de l'assumer.

De toutes parts (à Londres, Alger et New York comme ici) on proclame d'ailleurs, qu'une fois la France libérée, ce sera à son peuple de fixer son destin politique et de se donner, au moyen d'une libre consultation électorale, les institutions et les hommes de son choix.

Cette consultation ne sera pas possible avant quelque délai, plusieurs mois peut-être ; il faudra en effet attendre notamment qu'un minimum d'ordre soit revenu, que les prisonniers de guerre soient rentrés, que des listes électorales aient pu être établies.

On en convient généralement et aussi qu'il faudra donc recourir à la formation d'un gouvernement provisoire, ayant pour mission de rendre cette consultation possible et gouverner en attendant.

. . . .

Note établie par le cabinet du général de Gaulle
au sujet de son entretien avec M. Morton,
chef de Cabinet de M. W. Churchill, le 23 octobre 1942.

Le major Morton vient rendre visite au général de Gaulle pour lui apporter les félicitations du Premier Ministre au sujet des exploits accomplis tout récemment par le sous-marin *Junon* en mer du Nord et par les troupes françaises sur le front d'Égypte. Il lui annonce que celles-ci viennent de subir de lourdes pertes qui se chiffreraient à environ 700 tués et blessés.

« Le Premier Ministre me parlait de vous encore tout à l'heure, ajoute le major Morton, et il me répétait l'immense admiration qu'il a pour votre personne et pour l'œuvre que vous avez accomplie depuis deux ans et demi. »

Le général de Gaulle prie le major Morton de transmettre, en retour, à M. Churchill ses félicitations pour les grands succès actuellement obtenus par les troupes britanniques en Égypte et il l'assure qu'il n'a pas moins d'admiration pour le Premier Ministre et pour la tâche accomplie par lui depuis qu'il est au pouvoir.

Le major Morton dit au général de Gaulle qu'en feuilletant, ces jours derniers, les procès-verbaux du comité de guerre britannique depuis deux ans et demi, il a observé que les conseils du général de Gaulle, en ce qui concerne la politique à tenir à l'égard de la France, ont été très fidèlement suivis par le Gouvernement britannique jusqu'à l'affaire de Dakar. Par la suite, il a constaté qu'il n'en avait plus été de même et il demande au Général à quoi il en impute la raison.

Le général de Gaulle reconnaît, qu'en effet, jusqu'à l'affaire de Dakar, on a tenu compte de ses avis sauf, souligne-t-il, pour Mers-el-Kébir, réserve que le major Morton admet volontiers. Quant à la suite, le Général trouve deux causes à ce changement : l'une est une raison profonde, la seconde est immédiate.

Après Dakar, le Gouvernement britannique a changé sa politique. Il s'est rapproché de Vichy et n'a cessé. depuis, de composer avec lui.

L'autre raison est la Syrie. Depuis juin 1941, la France et la Grande-Bretagne se sont, à nouveau, trouvées aux prises sur un terrain où elles ont toujours été en conflit.

Voilà les deux raisons, selon le général de Gaulle, qui ont compromis gravement la bonne entente entre le Comité national français et le Gouvernement britannique.

Le major Morton déplore que les relations ne soient pas plus confiantes et il exprime le vœu que tous les efforts soient faits, des deux côtés, pour qu'elles évoluent dans un sens plus favorable.

Lettre du général de Gaulle
au Président F. D. Roosevelt, à Washington.

Londres, le 26 octobre 1942.

Monsieur le Président,

M. André Philip vous remettra cette lettre. Il vous exposera la condition où se trouvait la France quand il l'a quittée. Aux informations qu'il vous apportera sur le développement et la cohésion des groupes de résistance français et, d'une manière générale, sur l'état d'esprit du pays, je désire ajouter ceci :

Vous avez suivi l'évolution morale et politique de la France depuis 1918. Vous savez, qu'ayant supporté le poids principal de la dernière guerre, elle en est sortie épuisée. Elle a senti profondément que l'état d'infériorité relative qui en résultait pour elle l'exposait à un grave péril. Elle a cru à la nécessité d'une coopération alliée pour compenser cette infériorité et réaliser l'équilibre des forces.

Vous n'ignorez pas dans quelles conditions cette coopération lui a manqué. Or, c'est principalement le doute où la France se trouvait, quant au soutien réel qu'elle pourrait trouver contre l'adversaire de la veille et du lendemain, qui a été à l'origine de la politique ondoyante et de la mauvaise stratégie d'où est sortie notre défaite. Les erreurs intérieures que nous avons commises, les divisions et les abus qui contrariaient le jeu de nos institutions, ne sont que des causes accessoires à côté de ce fait capital.

La France a donc le sentiment profond de l'humiliation qui lui a été infligée et de l'injustice du sort qu'elle a subi. C'est pourquoi, il faut qu'avant la fin de la guerre la France reprenne sa place dans le combat et, qu'en attendant, elle n'ait pas l'impression qu'elle l'ait jamais entièrement abandonnée. Il faut qu'elle ait conscience d'être l'un des pays dont l'effort aura amené la victoire. Ceci est important pour la guerre et essentiel pour l'après-guerre.

Si la France, fût-elle libérée par la victoire des démocraties, se faisait à elle-même l'effet d'une nation vaincue, il serait fort à craindre que son amertume, son humiliation, ses divisions, loin

de l'orienter vers les démocraties, l'inciteraient à s'ouvrir à d'autres
influences. Vous savez lesquelles. Ce n'est pas là un péril imaginaire,
car la structure sociale de notre pays va se trouver plus ou moins
ébranlée par les privations et les spoliations. J'ajoute que la haine
de l'Allemand, actuellement très violente parce que l'Allemand
est présent et vainqueur, s'atténuera vis-à-vis de l'Allemand absent
et vaincu. Nous avons vu cela déjà après 1918. En tous cas, quelque
inspiration qu'accepte une France qui serait jetée dans une situation révolutionnaire, la reconstruction européenne et même l'organisation mondiale de la paix s'en trouveraient dangereusement
faussées. Il faut donc que la victoire réconcilie la France avec elle-
même et avec ses amis, ce qui n'est pas possible si elle n'y participe pas.

Voilà pourquoi, si l'effort de la France Combattante se limitait
à grossir de quelques bataillons les forces du parti de la liberté
ou même à rallier une partie de l'Empire français, cet effort serait,
en lui-même, presque négligeable en face du problème essentiel :
remettre la France, tout entière, dans la guerre.

Vous me direz : « Pourquoi vous êtes-vous assigné ce but ? et à
quel titre y êtes-vous fondé ? »

Il est vrai que je me suis trouvé, au moment de l'armistice de
Vichy, dans une situation proprement inouïe. Appartenant au
dernier gouvernement régulier et indépendant de la IIIe République, je déclarai tout haut vouloir maintenir la France dans la
guerre. Le gouvernement qui s'était emparé du pouvoir dans le
désespoir et la panique de la nation ordonnait : « Cessez le combat ! » En France et hors de France, les corps élus, les représentants du gouvernement, les présidents des Assemblées, se rési-
gnaient ou gardaient le silence. Si le Président de la République,
si le Parlement et ses chefs, avaient appelé le pays à continuer la
lutte, je n'aurais même pas pensé à parler au pays ou en son nom.
Des hommes politiques, des chefs militaires considérables, se sont
trouvés, en telle ou telle occasion, libres de parler et d'agir, par
exemple en Afrique du Nord. Ils n'ont montré, à aucun moment,
soit la conviction, soit la confiance en leur mandat, suffisantes
pour faire la guerre. Qu'il s'agisse là d'une faillite de l'élite, cela
n'est pas contestable. Dans son esprit, le peuple français en a,
d'ailleurs, déjà tiré la conclusion. Quoi qu'il en soit, j'étais seul.
Fallait-il me taire ?

C'est pourquoi j'ai entrepris l'action qui me semblait nécessaire
pour que la France n'abandonnât pas la lutte et pour appeler,
en France et hors de France, tous les Français à continuer le
combat. Est-ce à dire que mes compagnons et moi nous soyons
posés, à aucun moment, comme le Gouvernement de la France ? En
aucune manière. Nous nous sommes tenus et proclamés comme une
autorité essentiellement provisoire, responsable devant la future
représentation nationale et appliquant les lois de la IIIe République.

Je n'étais pas un homme politique. Toute ma vie j'étais resté
enfermé dans ma spécialité. Quand, avant la guerre, j'essayais
d'intéresser à mes idées des hommes politiques, c'était pour les
amener à réaliser, pour le pays, un objet militaire. De même, au
moment de l'armistice de Vichy, c'est d'abord sous une forme
militaire que j'ai fait appel au pays. Mais, du fait que des éléments
de plus en plus nombreux ont répondu, que des territoires se sont
joints ou ont été joints à la France Combattante et que nous
étions toujours seuls à agir d'une manière organisée, nous avons
vu venir à nous des responsabilités plus larges. Nous avons vu
se créer en France une sorte de mystique dont nous sommes le
centre et qui unit, peu à peu, tous les éléments de résistance.
C'est ainsi que nous sommes, par la force des choses, devenus
une entité morale française. Cette réalité nous crée des devoirs
que nous sentons peser lourdement sur nous et auxquels nous
considérons que nous ne pourrions nous soustraire sans forfai-
ture à l'égard du pays et sans trahison vis-à-vis des espérances
que place en nous le peuple de France.

On nous dit que nous n'avons pas à faire de la politique. Si
l'on entend par là qu'il ne nous appartient pas de prendre parti
dans les luttes partisanes de jadis ou de dicter un jour les institutions du pays, nous n'avons nul besoin de telles recommandations,
car c'est notre principe même de nous abstenir de telles prétentions. Mais nous ne reculons pas devant le mot « politique », s'il
s'agit de rassembler, non point seulement quelques troupes, mais
bien la nation française dans la guerre, ou s'il s'agit de traiter
avec nos alliés des intérêts de la France en même temps que nous
les défendons, pour la France, contre l'ennemi. En effet, ces intérêts, qui donc, sauf nous-mêmes, pourrait les représenter ? Ou
bien faut-il que la France soit muette pour ce qui la concerne ?
Ou bien faut-il que ses affaires soient traitées avec les Nations
Unies par les gens de Vichy dans la mesure et sous la forme que
M. Hitler juge convenables ? Il n'est pas question de défiance de
notre part vis-à-vis de nos alliés, mais bien des trois faits suivants
qui dominent et commandent nos personnes : seuls des Français
peuvent être juges des intérêts français ; le peuple français est
naturellement convaincu que, parmi ses alliés, nous parlons pour
lui comme nous combattons pour lui à leurs côtés ; dans leur
malheur, les Français sont extrêmement sensibles à ce qu'il advient
de leur Empire et toute apparence d'abus commis à cet égard par
un allié est exploitée par l'ennemi et par Vichy d'une manière
dangereuse quant au sentiment national.

Parce que des circonstances sans précédent dans notre Histoire
nous ont assigné cette tâche, est-ce à dire que nous pensions
imposer à la France un pouvoir personnel, comme quelques-uns
le murmurent à l'étranger ? Si nous nourrissions des sentiments
assez bas pour chercher à escroquer le peuple français de sa liberté
future, nous ferions preuve d'une ignorance singulière de notre

propre peuple. Le peuple français est, par nature, le plus opposé au pouvoir personnel. A aucun moment, il n'eût été facile de lui en imposer un. Mais, demain, après l'expérience odieuse de pouvoir personnel faite par Pétain grâce à la connivence des Allemands et à l'oppression intérieure, et après la longue et dure contrainte de l'invasion, qui donc aurait l'absurdité d'imaginer qu'on pût établir et maintenir, en France, un pouvoir personnel? Quelques services qu'il ait pu rendre dans le passé, le rêveur qui tenterait cela réaliserait contre lui l'unanimité.

Il est, d'ailleurs, remarquable que nous ne soyons taxés par personne en France d'aspirer à la dictature. Je ne fais pas seulement allusion au fait que des hommes tels que M. Jouhaux, président de la Confédération générale du Travail, M. Édouard Herriot, chef du parti radical, M. Léon Blum, chef du parti socialiste, les chefs mêmes du parti communiste, se sont mis à notre disposition et nous ont fait savoir que nous pouvions compter sur eux dans notre effort, dont ils approuvent sans réserve la tendance et les buts. Mais, chez nos adversaires mêmes, non seulement ceux de Vichy, mais aussi les Doriot et les Déat, nous n'avons été, à aucun moment, accusés de viser à la dictature. Ils nous reprochent d'être des mercenaires à la solde des démocraties. Ils ne nous ont jamais reproché de vouloir instaurer en France un pouvoir personnel et antidémocratique.

Je me permets de vous dire, Monsieur le Président, que dans cette guerre immense, qui exige la coopération et l'union de tout ce qui lutte contre les mêmes ennemis, la sagesse et la justice imposent que la France Combattante soit réellement et puissamment aidée. Or, indépendamment de l'appui moral et matériel que les alliés peuvent nous donner et sans que nous demandions aucunement à être reconnus comme le gouvernement de la France, nous estimons nécessaire d'être abordés chaque fois qu'il s'agit, soit des intérêts généraux de la France, soit de la participation française à la guerre, soit de l'administration des territoires français que le développement de la guerre met graduellement en mesure de reprendre le combat et qui n'ont pu se rallier spontanément à nous.

Votre nom et votre personne ont, en France, un prestige immense et incontesté. La France sait qu'elle peut compter sur votre amitié. Mais enfin, dans votre dialogue avec elle, qui peut être votre interlocuteur? Est-ce la France d'hier? Les hommes qui en furent les plus représentatifs me font dire qu'ils se confondent avec nous. Est-ce la France de Vichy? Peut-être pensez-vous que ses chefs pourraient, un jour, reprendre les armes à nos côtés? Hélas! Je ne le crois pas. Mais, en admettant que cela fût possible, il existe actuellement une certitude, c'est qu'ils collaborent avec Hitler. Dans vos dialogues avec eux, il y a toujours ce tiers présent. Est-ce la France de demain? Comment savoir où elle réside tant qu'elle n'aura pas désigné ses chefs par une assemblée librement constituée? En attendant, ne faut-il pas que la nation française ait, cependant, la preuve qu'elle n'a pas quitté le camp des alliés et qu'elle y est politiquement présente, comme elle l'est, malgré tout et par nous, militairement et territorialement?

On me dit que des personnes de votre entourage craindraient, qu'en reconnaissant notre existence, vous compromettiez la possibilité que certains éléments, notamment militaires, qui dépendent actuellement du gouvernement de Vichy, rentrent bientôt dans la guerre. Mais, croyez-vous que ce soit en ignorant les Français qui combattent, en les laissant se décourager dans l'isolement, que vous attirerez les autres dans le combat? D'autre part, quel danger comporterait, pour la France, le fait que ses alliés provoqueraient sa propre division en favorisant la formation de plusieurs tronçons rivaux, les uns neutralisés avec l'accord des alliés eux-mêmes, les autres luttant dispersés pour la même patrie! Enfin, plus de deux ans de cruelles expériences n'ont-ils pas montré que tout élément qui se sépare de Vichy est amené, soit à rejoindre la France Combattante, soit à figurer individuellement comme isolé sans importance? Le peuple français, dans sa situation terrible, voit naturellement très simple. Pour lui, il n'y a de choix qu'entre le combat et la capitulation. Pour lui, le combat c'est la France Combattante et son instinct exige la concentration autour de ceux dans lesquels il voit le symbole même de son effort. C'est là, d'ailleurs, la raison profonde qui, malgré les difficultés incroyables dans lesquelles la France Combattante vit et lutte depuis plus de deux ans, a maintenu et accru sa cohésion.

Malgré la capitulation et l'armistice, la France garde, dans le monde, une puissance qu'il n'est pas possible de négliger. Il s'agit de savoir comment elle retournera au combat dans le camp des Nations Unies, sauvegardant à la fois sa sensibilité et son unité. Parmi les problèmes de la guerre, celui-là est l'un des plus importants. C'est pourquoi je vous demande d'accepter l'idée d'un examen général et direct des relations entre les États-Unis et la France Combattante. Quelle que doive être la forme d'un pareil examen, je ne crois pas qu'il y ait une autre manière d'aborder franchement un problème dont je sens profondément que, dans l'intérêt de la cause sacrée pour laquelle nous combattons, il doit être résolu.

Je vous prie de bien vouloir agréer, Monsieur le Président, les assurances de ma haute considération (1).

(1) Cette lettre n'a pas reçu de réponse.

Note établie par le cabinet du général de Gaulle
au sujet de son entretien avec le maréchal Smuts,
Premier Ministre de l'Union sud-africaine, le 30 octobre 1942.

Le général de Gaulle félicite d'abord le maréchal Smuts du succès de son voyage à Londres.

Le maréchal Smuts rappelle au général de Gaulle la lettre qu'il lui avait écrite d'Afrique du Sud, lui donnant le conseil de rentrer à Londres pour reprendre contact avec M. Churchill. Il est heureux que le général de Gaulle ait repris ce contact et il sait que des discussions sont en cours.

Le général de Gaulle répond qu'il a, en effet, repris contact avec M. Churchill et que ce contact a été mauvais. Les discussions sont en cours et portent sur deux questions principales : la Syrie et Madagascar.

Le maréchal Smuts déclare ignorer le problème du Levant. Mais il connaît fort bien, en revanche, celui de Madagascar. Il a toujours recommandé au Gouvernement britannique de confier l'administration civile de l'île au Comité national français tandis que l'autorité militaire britannique assurerait le contrôle de la défense. Il pense, d'ailleurs, que c'est un projet de ce genre qui est actuellement à l'étude. Le maréchal Smuts déclare qu'il a toujours été un défenseur de la cause qu'incarne le général de Gaulle. Tous les anciens hommes d'État français ont disparu de la scène politique. Le général de Gaulle et le Comité national français forment le seul organisme avec qui les alliés puissent traiter des affaires françaises. Il n'y a pas de choix. Au cours de ses récents entretiens avec M. Churchill et ses collègues du War Cabinet, le maréchal Smuts a continué à défendre énergiquement ce point de vue. Il observe, d'ailleurs, que cette opinion est partagée par tous.

Le général de Gaulle, revenant à Madagascar, dit qu'il espère, en fin de compte, arriver à un arrangement. Dans les premiers temps, à Madagascar, les représentants de l'armée britannique et un certain nombre de « political officers » avaient cru qu'ils pourraient s'arranger avec les autorités de Vichy ou, à défaut, établir une administration directe. Ils semblent avoir fait l'expérience que ces projets n'étaient pas réalisables.

Le maréchal Smuts observe, qu'en effet, les Britanniques ont d'abord voulu traiter avec Annet. Il a toujours, personnellement, été hostile à cette méthode et il était sûr d'avance du résultat, puisque le gouverneur-général Annet avait été placé là tout exprès par Vichy pour résister aux Britanniques. Mais, du moment que les Britanniques, devant l'échec de leurs tentatives, ont décidé de passer à l'action militaire, le maréchal Smuts est sûr que, du même coup, ils sont déterminés à confier au Comité national français l'administration civile de l'île, sous réserve de conserver le contrôle militaire.

Le général de Gaulle admet que le commandement militaire

soit actuellement confié aux Britanniques, puisque l'autorité militaire française n'est pas en mesure, pour l'instant, de pourvoir à la défense de l'île avec des forces adéquates. Mais, dès qu'un nombre suffisant de troupes aura pu être levé, le commandement militaire devra appartenir aux Français. Le maréchal Smuts, poursuit le général de Gaulle, a observé tout à l'heure que Madagascar occupait une position stratégique capitale dans l'océan Indien et que, de ce fait, les Britanniques étaient intéressés à y exercer un contrôle militaire. Mais le général de Gaulle fait remarquer au maréchal Smuts que, cette île étant possession française, les Français n'ont pas un intérêt moins grand à en assurer la défense.

Le maréchal Smuts déclare qu'il comprend très bien ce point de vue et qu'il pense, pour sa part, que rien ne doit s'opposer dans l'avenir à l'établissement d'une telle formule. Il n'y a pas de raison, ajoute-t-il, pour que le Comité national français et le Gouvernement britannique ne réussissent pas à s'entendre sur ce point comme sur les autres, puisque les Britanniques n'ont aucune ambition d'aucune espèce sur Madagascar, pas plus que sur aucune autre possession française. Quant à l'Afrique du Sud, le seul point qui le préoccupe c'est celui du rétablissement aussi prompt que possible des relations commerciales avec Madagascar.

Le général de Gaulle demande au maréchal Smuts s'il pense que les accords commerciaux à conclure le seront directement entre le Comité national français et le Gouvernement sud-africain ou bien si ce dernier s'en remettra au Gouvernement britannique du soin de régler ces accords. Le maréchal Smuts ne voit pas de raison pour qu'un accord direct n'intervienne pas entre le Comité national français et son Gouvernement.

Le maréchal Smuts demande au général de Gaulle s'il existe des difficultés quelconques entre le Gouvernement américain et le Comité national français.

Il n'en existe pas de précises, répond le général de Gaulle. Mais la politique poursuivie par le Gouvernement américain depuis deux ans et demi à l'égard de Vichy n'a pas permis l'établissement de relations vraiment satisfaisantes entre le Gouvernement américain et le Comité national français. Toutefois, le général de Gaulle espère que ces difficultés iront en s'atténuant.

Le général de Gaulle demande au maréchal Smuts ce qu'il pense de la bataille d'Égypte.

Celui-ci est optimiste. Il a vu le général Alexander à son récent passage au Caire et il est d'avis que, si les Britanniques maintiennent sans faiblir la pression qu'ils exercent actuellement, ils réussiront finalement à mettre en difficulté les Allemands, dont les stocks d'essence et de munitions sont relativement faibles.

Le maréchal Smuts continue à penser qu'il est vital pour les alliés de faire rentrer toute l'Afrique du Nord dans la guerre et que cette opération doit s'effectuer d'ici la fin de l'année. Il croit, pour sa part, que le Comité national français devra être formelle-

ment appelé à prendre en charge l'administration de ces territoires.
« Nous sommes, vous et nous, à chaque extrémité de l'Afrique,
dit-il au général de Gaulle, et nous devons nous tendre la main
au-dessus de ce continent afin de travailler ensemble. » Le
maréchal Smuts demande, toutefois, au général de Gaulle s'il
disposera des hommes nécessaires pour l'administration de l'Afrique
du Nord.

Le général de Gaulle répond qu'il a, entre autres, dans le général
Catroux un homme de premier plan et qui est un spécialiste de
ces régions.

En terminant l'entretien, le maréchal Smuts demande au général
de Gaulle de ne pas attacher trop d'importance aux sautes d'humeur de M. Churchill.

« Je le connais depuis très longtemps, dit-il. Je l'ai rencontré,
— il était encore presque un enfant, — lorsque nous l'avons
capturé pendant la guerre des Boers. Il a un très bon fond. »

Télégramme d'Adrien Tixier au Comité national, à Londres.

Washington, 4 novembre 1942.

1) Philip et moi avons été reçus ce matin par Cordell Hull
en présence d'Atherton. Après avoir remercié Cordell Hull de
la sympathie qu'il a toujours témoignée au peuple français, Philip
lui a fait un bref exposé de l'origine de la résistance intérieure
française, de son orientation actuelle, de son ralliement au général
de Gaulle, de son hostilité non seulement vis-à-vis de l'envahisseur
mais vis-à-vis du régime de Vichy. Philip a tenu à marquer que
de vieux partis politiques avaient sombré, que ceux de leurs anciens cadres qui sont demeurés résistants sont ralliés également au
général de Gaulle et qu'après la libération une nouvelle république
démocratique française sera dirigée par les leaders des jeunes
générations.

2) Cordell Hull a chaleureusement remercié Philip de sa visite,
s'est réjoui des informations sur le développement de la résistance
intérieure et sur le sentiment nettement démocratique de cette
résistance. Il a déclaré qu'il n'avait jamais désespéré du peuple
français qui, il en est sûr, se montrera digne de son grand passé.

3) Aucune discussion ne s'est engagée. Cordell Hull sait, naturellement, que nous verrons prochainement le Président et le
chef du Département d'État attend le résultat de cette entrevue.

Note établie par le cabinet du général de Gaulle
au sujet de son entretien avec M. Eden, le 6 novembre 1942.
(M. Eden était assisté de M. Strang.)

M. Eden propose au général de Gaulle de publier un communiqué relatif à Madagascar, annonçant l'envoi du général Legentilhomme à Tananarive pour y prendre en main l'administration au nom du Comité national français.

Le général de Gaulle répond que, selon lui, il vaudrait mieux que la conclusion des accords relatifs à Madagascar précédât la publication d'un communiqué. En effet, il serait fâcheux pour les deux parties, qu'après que l'envoi du général Legentilhomme ait été rendu officiel, il se passe encore de longs délais avant que l'on aboutisse réellement à un accord.

M. Eden se tourne vers M. Strang et observe que la solution. proposée par le général de Gaulle lui semble, en effet, préférable. Il prie M. Strang de prendre immédiatement contact avec M. Pleven pour hâter la conclusion des négociations.

Le général de Gaulle fait observer à M. Eden, qu'au moment où le Comité national français va prendre, devant la France et devant le monde, la responsabilité de l'administration de Madagascar, il demeure dans l'ignorance complète de ce qui se passe dans l'île. Il ne reçoit aucune information sur la situation là-bas, tant aux points de vue administratif et économique que militaire.

M. Eden, se tournant une nouvelle fois vers M. Strang, lui dit qu'il serait, en effet, très désirable que le Comité national français fût tenu au courant et qu'il conviendrait de demander au War Office communication de tous les renseignements dont il dispose.

Le général de Gaulle se retire après avoir félicité M. Eden pour les admirables succès actuellement remportés par les troupes britanniques en Égypte dans la bataille d'El-Alamein.

TRAGÉDIE

Télégramme du général Catroux au général de Gaulle, à Londres.

Beyrouth, 28 octobre 1942.

L'attaque sur Himeimat, prescrite par la VIIIe Armée, a été exécutée, le 23 et le 24, par la Légion étrangère... La Légion a réussi à pénétrer dans les positions ennemies. Mais elle a été rejetée par une contre-attaque de blindés... Le général Kœnig réorganise la Légion dont le moral reste bon et qui ne veut pas en rester là. Nos pertes sont sensibles. Parmi les tués : colonel Amilakvari. Parmi les blessés : commandant de Bollardière.

Télégramme du général Catroux au général de Gaulle, à Londres.

Beyrouth, 7 novembre 1942.

Le 4 novembre, la VIIIe Armée a entamé la poursuite dans le secteur sud.

La colonne mécanisée du colonel Rémy nettoie le rebord de la dépression de Kattara.

La 1re Division légère, jusque-là en première ligne, est dépassée par d'autres éléments et doit suivre en deuxième échelon.

La 2e Division légère est au contact et progresse. Le moral est élevé...

Télégramme du Comité national au général Catroux, délégué général et plénipotentiaire au Levant; au gouverneur-général Éboué, en A. F. L.; au général Leclerc, commandant les forces en A. F. L.; à l'amiral d'Argenlieu, Haut-commissaire au Pacifique; aux délégués de la France Combattante auprès des gouvernements alliés

Londres, 8 novembre 1942.

1) Dans l'entretien qu'il a eu aujourd'hui avec le général de Gaulle, M. Churchill lui a exprimé ses regrets de n'avoir pu le

mettre d'avance au courant des opérations qui viennent d'être
entreprises en Afrique du Nord. La raison en est que ces opérations, dues à l'initiative américaine, sont faites essentiellement sous
la direction américaine et par les troupes américaines, le concours
britannique étant, au premier stade, limité à la marine et à l'aviation. Ultérieurement, il est prévu que de gros contingents britanniques se joindront aux Américains. En faisant part, il y a plusieurs mois, à M. Churchill de son plan stratégique, le président
Roosevelt lui avait nettement marqué son désir que les Français
Combattants ne fussent pas mis dans la confidence et le Premier
Ministre n'avait pu que donner sa promesse à cet égard.

2) Les Américains ont escompté que le nom du général Giraud
suffirait à lui rallier les troupes d'Afrique du Nord et à faire tomber
la résistance. Il est trop tôt pour dire si leur calcul était exact.

3) Le général Giraud, a continué le Premier Ministre, joue en
ce moment un rôle purement militaire. Le Gouvernement britannique espère que toute division sera évitée entre Français voulant
continuer la lutte aux côtés des alliés et il estime n'avoir pas à
intervenir dans les questions de personnes qui sont à régler entre
Français. Mais il est un point sur lequel le Gouvernement britannique a une position extrêmement ferme, c'est que le général de
Gaulle et le Comité national français sont les seules autorités
reconnues par lui pour organiser et rassembler tous les Français
qui veulent aider la cause des Nations Unies. Le Gouvernement
britannique entend donc continuer à prêter tout son appui à la
France Combattante et le Premier Ministre l'a exprimé avec une
chaleur toute particulière, manifestant le plus grand attachement
au général de Gaulle.

4) Le général de Gaulle a répondu au Premier Ministre qu'il
avait toujours eu pour but de faire rentrer dans la lutte aux côtés
des alliés le plus possible de Français et de territoires français, que
la France Combattante ne désirait qu'accueillir tous ceux qui
voulaient reprendre le combat, que les questions de noms et de
personnes importaient peu et qu'il n'avait en vue que l'intérêt de
la patrie. Pensant que les alliés n'ont aucune visée sur les territoires français d'Afrique du Nord, il souhaitait donc que les Français y réservent le meilleur accueil aux troupes alliées venues leur
apporter la libération.

C'est dans ce sens que le Général va parler ce soir même à la
radio de Londres.

5) Les informations parvenues ici sur les événements d'Afrique
du Nord, bien qu'encore assez confuses, semblent toutefois indiquer que le succès de l'entreprise n'a pas répondu à l'espoir des
Américains. Elles montrent aussi que les concours locaux prêtés
aux troupes de débarquement ont été surtout le fait des éléments
gaullistes.

6) Le Gouvernement britannique et le Comité national vont
faire paraître incessamment un communiqué commun indiquant

que l'administration de Madagascar sera remise à la France Combattante et que le général Legentilhomme est nommé Haut-commissaire chargé des pouvoirs civils et du commandement des troupes françaises dans la colonie.

*Allocution prononcée par le général de Gaulle
à la radio de Londres, le 8 novembre 1942.*

Les alliés de la France ont entrepris d'entraîner l'Afrique du Nord française dans la guerre de libération. Ils commencent à y débarquer des forces énormes. Il s'agit de faire en sorte que notre Algérie, notre Maroc, notre Tunisie, constituent la base de départ pour la libération de la France. Nos alliés américains sont à la tête de cette entreprise.

Le moment est très bien choisi. En effet, après une victoire écrasante, nos alliés britanniques, secondés par les troupes françaises, viennent de chasser d'Égypte les Allemands et les Italiens et pénètrent en Cyrénaïque. D'autre part, nos alliés russes ont définitivement brisé, sur la Volga et dans le Caucase, la suprême offensive de l'ennemi. Enfin, le peuple français, rassemblé dans la résistance, n'attend que l'occasion pour se lever tout entier.

La France Combattante, qui a déjà remis dans la guerre sacrée une partie de l'Empire, a toujours espéré et toujours voulu que tout le reste en fasse autant. Tout le reste ! C'est-à-dire surtout cette Afrique du Nord française, où tant de gloires furent jadis acquises, où tant de forces sont présentes.

Chefs français, soldats, marins, aviateurs, fonctionnaires, colons français d'Afrique du Nord, levez-vous donc ! Aidez nos alliés ! Joignez-vous à eux sans réserves. La France qui combat vous en adjure. Ne vous souciez pas des noms, ni des formules. Une seule chose compte : le salut de la patrie ! Tous ceux qui ont le courage de se remettre debout, malgré l'ennemi et la trahison, sont d'avance approuvés, accueillis, acclamés par tous les Français Combattants. Méprisez les cris des traîtres qui voudraient vous persuader que nos alliés veulent prendre pour eux notre Empire.

Allons ! Voici le grand moment ! Voici l'heure du bon sens et du courage. Partout l'ennemi chancelle et fléchit. Français de l'Afrique du Nord ! que par vous nous rentrions en ligne, d'un bout à l'autre de la Méditerranée, et voilà la guerre gagnée grâce à la France !

Télégramme du Comité national
à Adrien Tixier, délégué à Washington.

Londres, 10 novembre 1942.

1) Après avoir vu le général de Gaulle, l'amiral Stark s'est rendu cette nuit chez Churchill pour lui dire que, suivant son opinion personnelle, il était lamentable qu'il n'y ait pas conjonction des efforts de tous les patriotes français désireux de lutter pour la libération et notamment entre le général de Gaulle et le général Giraud. De l'avis de l'amiral Stark, toutes facilités devraient être données au général de Gaulle pour envoyer des délégués à Alger.

2) M. Churchill ayant fait observer à l'amiral Stark que, les opérations étant sous le commandement américain, il appartenait à celui-ci de fournir les facilités nécessaires, l'amiral Stark a déclaré à M. Churchill qu'il estimait que, si le Premier Ministre télégraphiait directement au Président Roosevelt, celui-ci suivrait l'avis de M. Churchill. Le Premier Ministre a répondu qu'il ne voulait prendre aucune initiative sans l'accord du général de Gaulle.

3) Mis au courant de ce qui précède, le général de Gaulle a écrit au Premier Ministre la lettre suivante :

10 novembre 1942.

« Mon cher Premier Ministre,

« Je vous demande votre intervention pour l'envoi par le Comité national français d'une mission d'information auprès des Français d'Afrique du Nord.

« Le souci principal du Comité national français tout entier est, en effet, de réaliser l'union de la France et de l'Empire dans la guerre aux côtés de tous les alliés.

« A cet égard, nous estimons indispensable que l'Afrique du Nord française fasse partie d'un tout politique et militaire comprenant, en particulier, les territoires de l'Empire déjà ralliés dans la guerre et la résistance française.

« C'est pourquoi j'ai hâte d'envoyer des représentants en Afrique du Nord pour exposer ce point de vue aux Français et, en particulier, au général Giraud.

« En ce qui concerne le général Giraud, la mission est d'autant plus nécessaire qu'il peut n'être pas suffisamment informé de la véritable situation nationale et internationale.

« Je souhaite que cette mission soit composée des personnes suivantes :

« M. René Pleven, commissaire national aux Affaires étrangères et aux Colonies ;

« Lieutenant-colonel Billotte, chef de mon état-major particulier ;

« MM. Bernard et Charvet, récemment arrivés de France et

qui sont respectivement à la tête des organisations de résistance
« Libération » et « Combat ».

« Bien sincèrement à vous. »

*Télégramme du général de Gaulle au général Catroux, délégué
général et plénipotentiaire au Levant; au gouverneur-général
Éboué, en A. F. L.; au général Leclerc, commandant les forces
en A. F. L.; à l'amiral d'Argenlieu, Haut-commissaire au Pacifique; aux délégués de la France Combattante auprès des gouvernements alliés.*

Londres, 10 novembre 1942.

Les Américains ont annexé Giraud avec l'idée que l'annonce de
son nom ferait tomber les murs de Jéricho. Giraud n'a pris aucun
contact avec moi... En fait, aucune troupe n'a rallié Giraud.
D'autre part, si j'estime fort ses qualités militaires, je le crois mal
préparé à la tâche délicate qu'il prétend assumer. D'autant plus
qu'il a accepté que ses pouvoirs lui soient donnés par les Américains ce qui, pour les Français, vichystes ou gaullistes, est inadmissible.

Conclusion : Nous gardons, pour le moment, l'expectative en
ce qui concerne le général Giraud.

*Communiqué publié conjointement par le Gouvernement britannique
et le Comité national français au sujet de Madagascar.*

11 novembre 1942.

Des conversations sont en cours entre le Gouvernement britannique et le Comité national français concernant les dispositions à prendre au sujet de Madagascar.

Le Comité national français a désigné le général Legentilhomme
pour être Haut-commissaire à Madagascar. Le général de division
Legentilhomme se mettra en route prochainement pour prendre
ses fonctions.

Télégramme du général de Gaulle au général Catroux, à Beyrouth.

Londres, 11 novembre 1942.

La situation en Afrique du Nord française est extrêmement
confuse.

Contrairement aux espérances des Américains, Giraud ne rallie
personne, ce qui s'explique par le fait qu'il arrive seul dans les
bagages américains et qu'on l'accuse d'avoir trahi le Maréchal,

à qui il avait promis, le 4 mai, par écrit, de lui obéir. D'autre part,
Darlan joue son propre jeu. Il s'est laissé faire prisonnier à Alger,
puis a prodigué les gages aux Américains. C'est lui qui a négocié
avec eux l'armistice de la ville d'Alger. C'est lui aussi qui, quoique
prisonnier, a donné l'ordre de cesser les hostilités dans toute
l'Afrique du Nord, ordre qui n'a d'ailleurs pas encore été partout
suivi. Quant à la flotte de Toulon, elle semble y être toujours,
bien que les Allemands soient sur le point d'y arriver. Noguès
entend jouer aussi sa partie et prétend rester au Maroc avec ses
troupes, en gardant le Maroc pour la France tout en laissant les
Américains utiliser les ports et les aérodromes. De fait, les intentions américaines, concernant le Maroc et la Tunisie, sont assez
inquiétantes. Quant à Boisson, il est en communication avec
Noguès et calquera son jeu sur le sien.

Tout cela n'est pas beau. Je pense que, dans peu de temps, le
vomissement se produira et que nous apparaîtrons comme la
seule organisation propre et efficace... Dans ces conditions, je
crois préférable de ne pas envoyer actuellement à Giraud le télégramme que vous me demandez de lui transmettre. Cela pourrait
être mal interprété.

Enfin, sauf circonstances de force majeure, je vous prie de venir
à Londres sans délai conférer avec moi et avec le Comité national.
Mais je vous demande instamment de ne pas céder éventuellement,
en cours de route, aux sollicitations étrangères et de ne pas passer
à Alger, ce qui gâterait tout. Mes meilleurs amitiés.

Note établie par le cabinet du général de Gaulle
au sujet de son entretien avec l'amiral Stark, le 12 novembre 1942.

Le général de Gaulle remercie l'amiral Stark de l'action personnelle qu'il a exercée pour obtenir l'envoi d'une délégation française
à Alger. Cette délégation aura pour mission de prendre contact
avec les Français sur place, de leur exposer la situation telle qu'elle
se présente aux yeux du Comité national et de faire son rapport
au général de Gaulle.

Le Général demande ensuite à l'amiral Stark de lui fournir des
éclaircissements sur certains points importants.

Du point de vue stratégique, si le Général approuve sans réserve l'initiative prise par les alliés et, plus particulièrement, par
les États-Unis de faire de l'Afrique du Nord française une base
de départ, il considère que le point de vue militaire n'est pas le
seul en cause, car cette opération a, sur l'opinion française, des
répercussions profondes. Or, l'opinion française est un élément
essentiel de la stratégie alliée et le général de Gaulle s'en préoccupe plus que de toute autre chose. D'après les plus récents rapports qui lui parviennent, le général de Gaulle a des raisons de

croire que cette opinion est grandement troublée par les événements actuels.

L'amiral Stark apprécie ce point de vue et mesure parfaitement quelles répercussions peut avoir, dans le domaine moral et politique, l'opération de l'Afrique du Nord, telle qu'elle est conduite. Il déclare en être très soucieux.

Le général de Gaulle distingue deux phases successives dans les dispositions prises par les alliés à l'égard de l'Afrique du Nord.

Au cours d'une première phase, le commandement américain a amené avec lui un général français et semble l'avoir chargé du commandement en chef des troupes françaises ainsi que de l'administration civile des territoires. Puis, dans une seconde phase, il n'a plus été fait mention de ce général français et le commandement américain est entré en combinaison avec l'amiral Darlan.

Le général de Gaulle voudrait avoir des éclaircissements sur la position prise par les autorités américaines à l'égard de Darlan.

L'amiral Stark déclare qu'il ne possède malheureusement aucune précision à ce sujet. Selon lui, les autorités américaines ont, d'abord, compté pouvoir tirer un grand parti de la présence du général Giraud. L'amiral Stark a, ensuite, appris par la presse, non sans quelque surprise, que les autorités américaines étaient en tractations avec l'amiral Darlan. Mais il n'est pas sûr qu'elles se proposent de reconnaître son autorité de façon durable.

Aux yeux de l'amiral Stark, une seule chose est certaine. Tout ce qui a été fait jusqu'ici a un caractère provisoire et la question de l'administration de l'Afrique du Nord demeure ouverte. A ce point de vue, l'amiral Stark se félicite de l'envoi à Alger d'une délégation du Comité national français.

Le général de Gaulle fait connaître à l'amiral Stark son sentiment sur l'ensemble de l'affaire. Il considère que la phase Giraud n'a pas été heureuse.

Il est fâcheux que le général Giraud ait écrit la lettre que l'on sait au maréchal Pétain et qu'il ait été ensuite amené à rompre son engagement d'honneur.

Il est fâcheux que le général Giraud n'ait pas pris contact avec le Comité national français et apparaisse ainsi comme faisant cavalier seul.

L'opinion française ne peut pas ne pas se formaliser du fait que le général Giraud tienne son commandement d'une autorité étrangère. A ce sujet, le général de Gaulle fait observer à l'amiral Stark que le Comité national français n'a d'autorité que française et ne la tient que des Français.

En somme, le général de Gaulle croit que le général Giraud représentait une grande force qui a été gaspillée.

Quant à la phase Darlan, le général de Gaulle serait heureux que l'amiral Stark lui apporte des éclaircissements dès qu'il en aura.

L'amiral Stark est d'accord avec le Général pour reconnaître que, dans l'ensemble, la situation est extrêmement confuse. Du point de vue strictement militaire, le général de Gaulle se plaît à rendre hommage à la façon dont les opérations ont été exécutées.

Avant de terminer l'entretien, le Général tient à rappeler à l'amiral Stark que l'Afrique française libre possède une frontière commune avec la Libye. Sur ce front, les Forces Françaises Libres ont déjà réussi des raids au Fezzan et occupent l'oasis de Koufra. Les forces du Tchad se disposent à monter, le moment venu, une nouvelle opération sur le Fezzan. Celle-ci ne dépendra que du commandement français. A toutes fins utiles, le général de Gaulle en informe l'amiral Stark.

Télégramme du général de Gaulle au général Catroux, délégué général et plénipotentiaire au Levant; au gouverneur-général Éboué, en A. F. L.; à l'amiral d'Argenlieu, Haut-commissaire au Pacifique; aux délégués de la France Combattante auprès des gouvernements alliés.

Londres, 12 novembre 1942.

L'excitation mondiale provoquée par l'entreprise américaine en Afrique du Nord française et les nouvelles lancées en tous sens à ce sujet, surtout de Washington, ne doivent pas nous empêcher d'y voir clair. Voici quelles sont, à ma connaissance, les données de cette affaire :

Pour préparer leur arrivée, les Américains avaient noué des intelligences sur place tout en tenant la France Combattante en dehors de leur action. Les gaullistes ont aidé les Américains, croyant que ceux-ci étaient d'accord avec nous. Certaines autorités locales ont eu, avant l'attaque, des rapports avec eux calculant qu'en tout cas cela pourrait être utile.

Pour influencer l'armée et la détourner de résister et aussi pour susciter une autorité française qui serait dans leurs mains, les Américains ont fait apparaître le général Giraud. En même temps, ils négociaient avec Darlan qui était à Alger.

En fait, les troupes d'Afrique et la marine ont résisté partout aux Américains. Au Maroc, leur résistance a même été acharnée. L'influence de Giraud s'est révélée inefficace. D'autant plus que, d'une part, il s'était handicapé par une lettre écrite naguère au Maréchal et par laquelle il s'engageait sur l'honneur à l'obéissance et que, d'autre part, il n'avait fait aucun accord avec nous. Enfin, tous les partis trouvent fâcheux qu'il tienne ses pouvoirs uniquement du bon plaisir américain.

C'est alors que Darlan est entré en scène. S'étant laissé faire, pour commencer, prisonnier des Américains, il a négocié avec eux la reddition d'Alger. Puis, il vient d'ordonner de cesser le combat en proclamant qu'il exerçait l'autorité en Afrique du Nord au nom du Maréchal, que tous les chefs actuels restaient en place et que les troupes devaient garder la neutralité. Les Américains, pressés d'en finir et espérant qu'un jour Darlan se joindra activement à eux, inclinent maintenant à trouver cette solution satisfaisante. D'ailleurs, la flotte de la Méditerranée est restée à Toulon dont les Allemands sont tout près. Il en résulte que les Américains jugent bon de ne pas négliger Darlan, croyant qu'éventuellement il pourrait empêcher la flotte de marcher avec les Allemands.

Tout se passe donc comme si une sorte de nouveau Vichy était en train de se reconstituer en Afrique du Nord, sous la coupe des États-Unis.

Naturellement, j'ai eu comme souci dominant de ne pas nous diminuer ou salir dans cette affaire. Nous sommes soutenus, d'ailleurs discrètement, par le Gouvernement britannique que le comportement américain inquiète et blesse. Quant aux Russes, ils sont, bien entendu, furieux de l'action de Washington. D'autre part, toutes nos associations de résistance en France m'ont fait savoir que le peuple français n'admettrait pas de combinaison politique Giraud ou Darlan qui désorienterait et irriterait les patriotes et qui les jetterait dans les bras des communistes.

Je suis convaincu, qu'après qu'aura passé ce fleuve de boue, nous apparaîtrons comme la seule organisation française propre et efficace.

Je vous prie d'orienter votre propagande, notamment par radio, et éventuellement vos déclarations dans le sens de ce qui précède et avec la discrétion convenable.

Télégramme d'André Philip,
commissaire national en mission aux États-Unis
au général de Gaulle, à Londres.

Washington, 12 novembre 1942.

J'ai été reçu aujourd'hui avec Tixier par M. Sumner Welles. La conversation qui, dès le commencement, a été très cordiale a duré une heure.

1) J'ai demandé à Sumner Welles s'il me serait possible de voir le Président Roosevelt, en lui indiquant que je dois rentrer à Londres très prochainement ; M. Sumner Welles m'a promis d'intervenir auprès du Président...

2) J'ai exprimé ma joie de la libération de l'Afrique du Nord française grâce à nos alliés américains et aussi nos alliés anglais et, au nom de la France Combattante, j'ai formulé le souhait que les opérations militaires soient rapides et complètes.

3) J'ai ensuite soulevé la question des pouvoirs attribués par le général Eisenhower au général Giraud qui serait chargé, non seulement de former une armée française, mais d'administrer les territoires libérés, sous le contrôle de l'autorité américaine.

Or, l'administration de ces territoires nécessite constamment la solution d'importants problèmes politiques, comme la révision du statut des Juifs, du statut des indigènes, etc... J'ai exprimé l'avis que ces problèmes français doivent faire l'objet de décisions d'une autorité française. J'ai demandé à Sumner Welles si, véritablement, le Gouvernement des États-Unis avait l'intention de donner de tels pouvoirs politiques à un général français qui ne détient aucun pouvoir d'une autorité française et qui dépend exclusivement de l'autorité militaire américaine.

4) J'ai exprimé les inquiétudes ressenties par les Français qui combattent avec les alliés, lorsqu'ils voient l'autorité militaire américaine maintenir au pouvoir en Afrique du Nord les autorités nommées par Vichy. J'ai rappelé que des milliers de Français, adversaires du régime de Vichy et qui voulaient combattre avec les alliés, n'avaient pas encore été libérés des prisons et des camps de concentration. Pour montrer la confusion extraordinaire qui paraît encore régner, j'ai cité à Sumner Welles l'appel adressé par le préfet d'Alger à la population et qui se termine par : « Vive le Maréchal ! » J'ai demandé à Sumner Welles si le drapeau américain allait couvrir de son autorité les agents de Vichy qui ont jeté en prison et à la torture des Français patriotes.

5) J'ai expliqué à Sumner Welles que les intérêts communs de la France et des alliés exigeaient impérieusement le maintien de l'unité de la résistance française et que l'unité devrait être réalisée au sein de la France Combattante qui a le mérite d'exister, avec une organisation, des territoires, une armée qui participe à la guerre depuis deux ans. La France Combattante est prête à accueillir le général Giraud, qui recevrait ainsi des pouvoirs d'une autorité française.

J'ai rappelé que la France Libre avait reçu l'adhésion des organisations de résistance intérieure française, qui sont la seule expression authentique de la France résistante et qui sont seules qualifiées pour parler au nom du peuple de France. J'ai rappelé, également, que ces organisations avaient reconnu comme chef le général de Gaulle à la suite de conversations prolongées qui avaient abouti à un accord comportant les garanties démocratiques indispensables. Giraud doit se convaincre que tous les Français qui résistent en France ont mis leur espoir dans le général de Gaulle ; que la résistance risquerait d'être compromise, ou même détruite, si les alliés l'écartaient des territoires français libérés et poursuivaient une politique d'autorités locales hors de la France Libre et que la déception serait plus terrible encore s'ils voyaient la collaboration entre les Américains et les partisans de Vichy. Ils seraient, alors, inévitablement rejetés vers les communistes.

6) J'ai exprimé l'espoir que le Gouvernement américain ne mettrait aucun obstacle mais, au contraire, favoriserait de toutes ses forces la réalisation de l'unité de la résistance française dans

la France Combattante. Dans ce but, des contacts immédiats
sont nécessaires entre les représentants du général de Gaulle et
du Comité national français et le général Giraud. J'ai demandé
que le département d'État facilite l'envoi prochain à Alger d'une
délégation de la France Libre qui comprendrait les représentants
du Comité national français et des chefs des grandes organisations
de résistance qui sont actuellement à Londres.

7) Je résume la réponse de Sumner Welles :

a) Le Gouvernement américain est intervenu en Afrique du
Nord française il y a quatre jours seulement et il est naturel que,
pendant cette brève période, il ait consacré exclusivement son
activité à la solution de problèmes militaires urgents. C'est pourquoi il n'a pas pu s'occuper de certaines questions comme la libération des prisonniers politiques.

C'est pour la même raison que les autorités locales ont été
maintenues en fonction. La question des prisonniers politiques
ne pourra être abordée que dans la mesure où le permettront les
exigences de la situation militaire.

b) Le général Giraud est chargé, avant tout, de reformer en
Afrique du Nord l'armée française sous le contrôle du chef de
l'armée américaine. Il paraît difficile d'envisager que l'activité
militaire du général Giraud soit placée sous une autre autorité,
par exemple celle du Comité national français.

c) Le Gouvernement américain se rend compte pleinement de
la nécessité de sauvegarder l'unité de la résistance française et
il ne mettra aucun obstacle à cet égard. L'envoi d'une délégation
de la France Combattante au général Giraud sera soumise à l'approbation des autorités militaires américaines. En tous cas,
Sumner Welles soumettra cette question au Président Roosevelt
et nous fera connaître la réponse demain.

Télégramme d'Adrien Tixier au Comité national, à Londres.

Washington, 14 novembre 1942.

1) André Philip a pris congé de Cordell Hull ce matin. Dès le
début de l'entrevue, Hull a fait un long exposé des relations entre
le Gouvernement des États-Unis et celui de Vichy depuis deux
ans, en montrant qu'il ne s'agissait pas du tout de sympathie
pour le Gouvernement de Vichy, mais d'une tactique permettant
d'éviter l'entrée en guerre de la flotte française contre les alliés,
de recueillir des informations et, surtout, de préparer en Afrique
du Nord française les opérations militaires effectuées ces jours
derniers.

2) Philip a exprimé sa joie de la libération de l'Afrique du Nord
et a félicité le Gouvernement américain sur l'excellente préparation militaire de l'opération. Cependant, il a également exprimé

l'inquiétude éprouvée par tous les Français patriotes de voir se créer, avec l'assentiment des autorités militaires américaines, une autorité française dirigée par Darlan.

Si cette étrange combinaison, qui maintient au pouvoir les hommes de Vichy, devait devenir durable, le peuple français considérerait cette opération comme une trahison, la résistance intérieure serait brisée et les Français patriotes n'auraient plus le choix qu'entre le communisme ou un nationalisme xénophobe.

3) Cordell Hull a affirmé qu'il n'avait pas reçu confirmation officielle du commandement militaire américain en Afrique du Nord française quant aux pouvoirs qui seraient exercés par Darlan, Noguès et Chatel ; qu'il ne possédait d'autres informations que celles publiées par la presse ; qu'à son avis, si le commandement militaire américain a permis la constitution d'un tel pouvoir, cette décision a été dictée par des considérations immédiates de nature purement militaire et, qu'en tous cas, le Gouvernement des États-Unis n'a pris aucune décision politique à cet égard.

4) Je suis alors intervenu pour préciser de la manière la plus formelle et la plus nette la position de la France Combattante :

a) Les hommes qui, à l'appel du général de Gaulle, luttent depuis deux ans aux côtés des alliés, sont fermement résolus à réaliser l'unité de la résistance intérieure et extérieure dans le cadre de la France Combattante, qui ouvrira ses rangs à tous les Français patriotes sincèrement désireux de lutter contre l'ennemi commun.

b) La France Combattante ne méconnaît nullement les réalités militaires, ni les réalités politiques. Elle sait que le commandement militaire américain peut être amené à utiliser, pour des objectifs immédiats, même des hommes qui n'inspirent aucune confiance politique.

c) Cependant, si résolue qu'elle soit à s'élargir, la France Combattante ne saurait ouvrir ses rangs à ceux qu'elle considère comme les chefs des traîtres sans détruire son unité morale indispensable à une action efficace. Le maintien au pouvoir en Afrique du Nord d'un nouveau régime de Vichy, constitué par un traître, aurait certainement, pour la France et le peuple français, des conséquences morales, politiques et militaires désastreuses.

5) Cordell Hull a répété qu'aucune décision politique n'était prise en Afrique du Nord française, que, pour le moment, les considérations militaires prédominaient, que tous les Français patriotes devaient participer à la lutte et que notre mouvement avait un magnifique rôle à jouer pour restaurer l'indépendance de la France et pour rétablir les libertés traditionnelles françaises, qui avaient toujours valu au peuple français l'amitié du peuple américain.

6) Je lui ai répondu, qu'à cet égard, la France Libre avait pris une position extrêmement nette, qu'elle avait officiellement fait connaître au Gouvernement des États-Unis qu'elle luttait, non

seulement pour la libération du territoire, mais aussi pour le
rétablissement des libertés du peuple français, et que nous espé-
rions que tous les chefs civils et militaires appelés à participer
à la résistance tiendraient à prendre publiquement la même position.

7) En terminant l'entretien, Cordell Hull a demandé à Philip
de transmettre ses cordiales salutations au général de Gaulle.

Télégramme du général de Gaulle au général Leclerc, à Brazzaville.

Londres, 14 novembre 1942.

Conformément à mon Instruction personnelle et secrète du
22 septembre 1942, votre offensive en Libye du Sud aura pour
premier objectif l'occupation française du Fezzan, avec exploitation éventuelle, soit vers Tripoli, soit vers Gabès, en conjonction avec les opérations alliées en Tripolitaine.

Pour cette offensive, vous ne relèverez que de moi. Mais vous
devrez agir en accord avec le général Alexander, Commandant
en chef du théâtre d'opérations du Moyen-Orient, de façon qu'à
partir du moment où vous atteindrez le Fezzan vous puissiez
recevoir un appui aérien de plus en plus étendu.

Je compte déclencher votre action sur le Fezzan au plus tard
au moment où nos alliés atteindront le golfe de Syrte.

Je demande au Chef d'état-major impérial de donner les directives nécessaires au général Alexander en vue de la coordination
de votre action avec celle de la VIIIe Armée et, éventuellement,
avec celle des forces du général Eisenhower.

*Note établie par le cabinet du général de Gaulle
au sujet de son entretien avec M. W. Churchill, le 16 novembre 1942.*

L'entretien commence à 12 h. 30.

M. Eden est présent.

M. Churchill a l'apparence d'être d'assez bonne humeur, quoique
préoccupé. M. Eden semble troublé.

Le Premier Ministre dit au Général qu'il comprend parfaitement ses sentiments et qu'il les partage. Mais il observe qu'on est
actuellement dans la bataille et que ce qui compte, avant tout,
c'est de chasser l'ennemi de Tunisie. L'autorité militaire alliée
a eu à prendre, en Afrique du Nord, des mesures pratiques dans
ce but et aussi en vue de s'assurer du concours des troupes françaises. « Quant à la position du Gouvernement britannique, ajoute
M. Churchill, elle reste ce qu'elle était et tous les engagements
contractés par lui, à votre égard, restent valables. Les dispositions
prises par le général Eisenhower sont essentiellement temporaires

et n'engagent en rien l'avenir. » M. Churchill en donne pour preuve le télégramme qu'il vient d'envoyer à Roosevelt et qu'il lit au Général. Ce télégramme dit, en substance :

« 1) Je reçois votre réponse et en déduis que les mesures prises par le général Eisenhower ont un caractère uniquement utilitaire et intérimaire.

« 2) Je suis d'accord pour qu'Eisenhower prenne les mesures qui lui paraissent appropriées pour aider au succès de l'opération militaire, sous réserve de ce qui est dit au paragraphe 1. »

Le général de Gaulle dit au Premier Ministre qu'il prend acte de la position britannique, mais qu'il tient à lui faire connaître la sienne. « Nous ne sommes plus au XVIIIe siècle, déclare-t-il, où Frédéric payait des gens à la cour de Vienne pour prendre la Silésie, ni à l'époque de la Renaissance où l'on utilisait les sbires de Milan ou les spadassins de Florence. Encore ne les choisissait-on pas ensuite comme chefs des peuples libérés. Nous faisons la guerre avec le sang et l'âme des peuples. Voici les télégrammes que je reçois de France. Ils montrent que la France est plongée dans la stupeur. Songez aux conséquences incalculables que cela pourrait avoir si la France en venait à conclure que la libération, telle que les alliés l'entendent, c'est Darlan. Vous gagneriez peut-être ainsi la guerre sur le plan militaire ; vous la perdriez morale-ment et il n'y aurait qu'un seul vainqueur : Staline. »

M. Churchill répète que les événements actuels ne préjugent nullement de l'avenir.

Le général de Gaulle observe, qu'en tous cas, il est de son devoir de faire connaître à la France qu'il n'admet pas ces combinaisons. C'est pourquoi, le Comité national a préparé un communiqué. Il demande au Gouvernement britannique de le laisser disposer de la B. B. C. pour le diffuser.

M. Churchill répond qu'il comprend parfaitement la préoccu-pation du Général, qu'à sa place il aurait le même souci de faire connaître publiquement sa position, mais que, pourtant, il atten-drait un peu de temps. En tous cas, le général de Gaulle est libre de faire publier son communiqué par la B. B. C. quand bon lui semblera. Lui-même va télégraphier à Roosevelt pour lui dire que, dans les circonstances présentes, c'est la moindre des choses qu'on laisse au général de Gaulle les moyens de faire connaître sa posi-tion.

Le général de Gaulle dit que, sur le sujet de la radio, il est une escroquerie morale à laquelle il faudrait mettre fin, escroquerie qui tend à confondre, dans l'équivoque, Darlan et les Français Combattants. C'est ainsi que la radio américaine fait précéder les appels de l'amiral Darlan de la devise « Honneur et Patrie » et que la B. B. C. endosse cette escroquerie en retransmettant le programme de la radio américaine. Le général de Gaulle, se tour-nant vers M. Eden, lui déclare qu'il ne comprend pas que la radio britannique puisse se faire complice d'une telle malhonnêteté.

Avant que le Général et M. Churchill passent à table, M. Eden, qui n'assiste pas au déjeuner, prend le Général à part et lui dit combien il est ennuyé et inquiet de toute cette affaire.

« Elle n'est pas propre, lui répond le général de Gaulle, et je regrette que vous vous y salissiez quelque peu. »

Pendant le déjeuner, l'émotion et l'inquiétude des convives, en particulier des dames, en disent assez long sur les sentiments de tous. Mme Churchill elle-même ne parvient pas à changer l'atmosphère.

M. Churchill entraîne ensuite le général de Gaulle dans son cabinet où ils demeurent en tête à tête.

M. Churchill déclare au Général que sa position est magnifique. Darlan n'a pas d'avenir. Giraud est liquidé politiquement. « Vous êtes l'honneur, dit-il au Général. Vous êtes la voie droite. Vous resterez le seul. Ne vous heurtez pas de front avec les Américains. C'est inutile et vous n'y gagnerez rien. Patientez et ils viendront à vous, car il n'y a pas d'alternative. »

Puis, M. Churchill s'emporte contre Darlan. Il ne trouve pas, dit-il, de mots pour le qualifier et pour exprimer son dégoût.

Le général de Gaulle exprime à M. Churchill sa surprise de voir le Gouvernement britannique se mettre, comme il le fait, à la remorque des Américains. « Je ne vous comprends pas, dit-il à M. Churchill. Vous faites la guerre depuis le premier jour. On peut même dire que, personnellement, vous êtes cette guerre. Vos armées sont victorieuses en Libye. Et vous vous mettez à la remorque des États-Unis alors que jamais un soldat américain n'a vu encore un soldat allemand. C'est à vous de prendre la direction morale de cette guerre. L'opinion publique européenne sera derrière vous. »

M. Churchill fait observer au général de Gaulle qu'il s'est engagé dans cette voie quand, l'autre jour, dans son discours au Guildhall, il a fait l'éloge du Général et des patriotes qui, en France, le suivent par légions, tandis qu'il a laissé entendre que Giraud ne s'était signalé que par ses évasions.

Le général de Gaulle répond qu'il sait gré au Premier Ministre de cette délicate distinction, mais qu'il croit que le Premier Ministre voit s'offrir à lui une position d'ordre général qui aurait une grande importance et qu'il devrait adopter sans tarder.

Le Général ajoute que l'on voit actuellement les Américains en plein trafic avec les gens de Vichy qui ont changé de masque pour la circonstance. Or, Vichy représente beaucoup de choses et toutes ces choses sont contre l'Angleterre. Plus celle-ci tolérera le jeu américain, plus elle risque de laisser se développer partout des forces qui pourront, un jour, se retourner contre elle-même.

M. Churchill demande au Général de vouloir bien rester en étroit contact avec lui et de venir le voir aussi souvent qu'il le veut, tous les jours s'il le désire.

Au cours de tout l'entretien, le Premier Ministre aura affecté l'optimisme et assuré que la politique britannique à l'égard de la France a toujours pour base le maintien de ses liens avec le Comité national. Il aura exprimé la conviction que la France Combattante sortira du drame présent plus forte et plus nécessaire que jamais.

Communiqué du Comité national français,
publié le 16 novembre 1942.

Le général de Gaulle et le Comité national français font connaître qu'ils ne prennent aucune part et n'assument aucune responsabilité dans les négociations en cours en Afrique du Nord avec les délégués de Vichy. Si ces négociations devaient conduire à des dispositions qui auraient pour effet de consacrer le régime de Vichy en Afrique du Nord, celles-ci ne pourraient, évidemment, être acceptées par la France Combattante. L'union de tous les territoires français d'outre-mer dans le combat pour la libération n'est possible que dans des conditions conformes à la volonté et à la dignité du peuple français.

Allocution du général de Gaulle,
radiodiffusée, le 21 novembre 1942, par les postes de Brazzaville,
Beyrouth, Douala, (mais non transmise par la B. B. C.).

La nation française prévoyait que, malgré l'arrivée de ses alliés, la liquidation de Vichy en Afrique du Nord n'irait pas sans délais, ni sans péripéties.

Mais, au fond de son cachot, la nation française a ressenti de la stupeur en apprenant que les délais seraient tels et que les péripéties prendraient un pareil caractère. La nation, au fond de son cachot, entend savoir de quoi il retourne.

Un grand territoire français est occupé par les armées alliées avec le consentement et l'enthousiasme des populations. La nation se demande si, oui ou non, le régime et l'esprit de Vichy y demeureront en vigueur, si, oui ou non, les grands féodaux de Vichy y seront maintenus en place, si, oui ou non, cette partie de l'Empire français pourra s'unir à celle qui avait déjà repris la guerre sous le signe de l'honneur, si, oui ou non, la libération nationale à partir de l'Empire libéré devra être déshonorée par un quarteron de coupables, camouflés pour la circonstance sous un parjure supplémentaire. Il serait grave et dangereux qu'en posant seulement ces questions on ne puisse en même temps les résoudre.

Certes, la France n'a que trop reconnu que, dans la confusion de cette guerre mondiale, il y a des risques d'erreur de la part des mieux intentionnés. Mais elle a reconnu aussi que l'alliance

de tous ses alliés était une alliance sincère et que l'idéal sacré
pour lequel souffrent et meurent tant d'hommes et de femmes dans
le camp de la liberté rejetait nécessairement, comme elle-même
les maudit, le déshonneur et la trahison.

Certes, la France sait comment un régime d'oppression et de
mensonge a pu longtemps, en Algérie, au Maroc, en Tunisie,
bâillonner la libre opinion. Mais elle sait aussi, qu'à peine ébranlées
les colonnes du temple de l'idole, rien n'étouffera plus, en Afrique
du Nord française comme ailleurs, l'expression de la volonté
nationale.

Certes, la France mesure quelles difficultés comportent la coopération dans la guerre de territoires aussi divers et aussi longtemps
séparés que ceux qui forment son Empire et l'action commune
dans les combats des forces armées dont elle dispose ou qu'elle
va pouvoir lever dans toutes les parties du monde. Mais elle sait
que, pour unir toutes les forces qui lui appartiennent et tous les
États qu'elle protège, il existe des liens éprouvés : les justes lois
de la légitime République et les traités qu'elle a conclus. Elle
sait que ses soldats, qu'ils combattent en Tunisie, en Libye, au
Tchad, au Pacifique, ne sont pas les soldats de quelqu'un, mais les
soldats de la France.

Depuis que la patrie succomba sous les coups de l'ennemi et les
complots de la trahison, le trésor de l'indépendance et de la dignité
nationales a pu être sauvegardé. A travers quelles épreuves? Dieu
le sait ! Mais, ayant connu cela, la France a vu jaillir jusqu'aux
tréfonds de l'âme du peuple la flamme de l'espérance en sa grandeur et en sa liberté. C'est grâce à cette flamme sacrée que s'est
levée et organisée, sous le talon de l'ennemi et de ses collaborateurs,
l'immense résistance française. C'est en vertu de la même flamme
que se sont peu à peu groupés beaucoup de nos territoires et une
partie de nos forces. C'est autour de la même flamme que tout
l'Empire va, maintenant, s'unir à toute la nation pour lutter
et pour vaincre côte à côte avec tous les alliés de la France. C'est
par là, et par là seulement, que la victoire effacera, glorieusement,
d'un seul coup, nos malheurs, nos divisions, nos larmes.

Un seul combat, pour une seule patrie !

Message adressé, de France, aux gouvernements alliés par :

a) *les trois mouvements de résistance :* Libération, Combat, Franc-
   Tireur ;
b) *le mouvement ouvrier français, qui groupe la C. G. T. et les syndicats chrétiens;*
c) *le Comité d'action socialiste formé par les anciens éléments du
   parti socialiste S. F. I. O.;*
d) *des personnalités représentatives des partis ou anciens partis*

suivants : parti radical, parti démocrate populaire, fédération républicaine.

De France, le 20 novembre 1942.

Nous adressons nos chaleureuses félicitations aux Gouvernements américain et britannique pour leurs opérations libératrices de l'Afrique du Nord française.

Nous sommes de tout cœur avec tous les combattants et attendons avec impatience le jour où nous pourrons reprendre la lutte les armes à la main.

Nous saluons avec reconnaissance le général Giraud et tous les Français qui se sont joints spontanément au général de Gaulle, chef incontesté de la résistance qui, plus que jamais, groupe derrière lui tout le pays.

En aucun cas, nous n'admettrons que le ralliement des responsables de la trahison militaire et politique soit considéré comme une excuse pour les crimes passés. Nous demandons instamment que les destins nouveaux de l'Afrique du Nord libérée soient, au plus tôt, remis entre les mains du général de Gaulle.

Télégramme d'Adrien Tixier au général de Gaulle, à Londres.

Washington, 20 novembre 1942.

1) Le Président Roosevelt nous a reçus, André Philip et moi, vendredi 20 novembre à 11 h. 30, en présence de M. Sumner Welles. L'entretien, prévu pour un quart d'heure, a duré trois quarts d'heure. Le Président nous a expliqué franchement sa politique en Afrique du Nord française et nous lui avons nous-mêmes expliqué la politique de la France Combattante. Philip vous donnera un compte rendu détaillé de notre conversation. En attendant, voici un résumé, nécessairement très schématique, de la discussion.

2) Le Président a indiqué que, depuis longtemps, il songeait à l'utilité d'une conversation avec le général de Gaulle et il a prié Philip de faire connaître au général de Gaulle qu'il le recevrait volontiers, s'il avait le désir de venir aux États-Unis, à sa convenance. Il a indiqué que, même s'il ne s'agit pas de signer ou de conclure un accord, des conversations personnelles et intimes, où l'on s'explique franchement, sont plus utiles que des communiqués de presse ou des déclarations publiques. Philip a simplement répondu qu'il transmettrait au général de Gaulle la communication du Président.

3) Philip a exposé que la reconnaissance par les États-Unis d'une autorité de Vichy sous la direction de Darlan avait provoqué, parmi les Français Combattants et les résistants en France et hors de France, une profonde émotion et une vive indignation.

De tous les points du monde affluent les protestations des Français Libres et de leurs amis. Les organisations de la résistance intérieure française ont demandé au général de Gaulle de faire connaître au Président Roosevelt leur douloureuse surprise.

Philip a également rappelé la situation en Afrique du Nord. Après l'armistice, un grand nombre d'éléments de l'armée et de l'administration civile avaient gagné l'Afrique du Nord, espérant qu'on y organiserait la résistance. Les déclarations pseudo-résistantes de Weygand les avaient encouragés à exprimer librement leur opinion, au lieu de s'organiser secrètement comme dans la Métropole. Lorsque Weygand fut renvoyé, les éléments de résistance, étant connus, furent déplacés, comme l'avait été le général de Lattre de Tassigny ; d'autres furent arrêtés. Dans les six mois qui suivirent le départ de Weygand, l'administration et l'armée furent soumises à un véritable régime de terreur. C'est pourquoi, l'armée américaine se trouve aujourd'hui en face de hauts fonctionnaires et de chefs militaires entièrement fidèles à Vichy. L'opinion réelle des masses et des petits fonctionnaires n'osera s'exprimer ouvertement qu'après que le régime policier aura été brisé.

Les Français ne méconnaissent pas les nécessités militaires immédiates. Ils ont attaché une grande importance à l'affirmation publique du Président Roosevelt que l'utilisation de Darlan n'était qu'un expédient militaire temporaire. Cependant, ils sont loin d'être complètement rassurés et voudraient savoir combien de temps durera cet expédient. Prendra-t-il fin lorsque les Allemands et les Italiens seront chassés de Tunisie?

4) Le Président a omis de répondre directement à la question de Philip. Il a justifié sa position en rappelant le proverbe roumain d'après lequel, pour traverser un pont, on peut marcher avec le diable. « J'emploierai Darlan tant que j'en aurai besoin. Je l'emploie au jour le jour. Il doit obéir, sinon il sera brisé. Je viens d'envoyer à Darlan l'ordre de libérer les prisonniers politiques qui sont dans les prisons et les camps de concentration et d'annuler les lois raciales. Il a obéi. »

5) Philip a insisté sur le danger de la reconnaissance durable du régime de Darlan, qui risque de démoraliser et de briser la résistance intérieure française. Il a rappelé que les organisations de résistance et les Français qui reconnaissent comme chef le général de Gaulle ne parviennent pas à comprendre pourquoi il a été tenu à l'écart de l'action en Afrique du Nord française, alors que le Gouvernement des États-Unis a collaboré avec le chef des traîtres. Il a affirmé très fermement que l'unité de la résistance intérieure française ne peut être réalisée que dans le cadre de la France Combattante, sous la direction du général de Gaulle. Maintenant qu'une terre française est délivrée, la direction unifiée et élargie de cette résistance française devrait s'établir à Alger et, tout en tenant compte des nécessités militaires, l'ad-

ministration civile en Afrique du Nord devrait lui être confiée.

6) Le Président s'est déclaré heureux de voir qu'un nombre croissant de Français Libres combattent contre les puissances de l'Axe, avec le général de Gaulle, avec le général Giraud, avec le général Barré en Tunisie, etc... Il est convaincu que d'autres Français et d'autres territoires se joindront à la lutte. Il importe peu, par exemple, qu'à Dakar le gouverneur Boisson se rallie au général de Gaulle ou à l'amiral Darlan. Lui, Président, accepterait même la collaboration d'un autre diable nommé Laval, si cette collaboration livrait Paris aux alliés. Comme chef suprême de l'armée américaine, le Président fait la guerre, il se préoccupe exclusivement de gagner la guerre. L'heure n'est pas venue de former un Gouvernement français, même provisoire, ni de choisir entre les chefs qui veulent participer à la lutte contre l'Axe. Dans une assez longue digression, le Président a rappelé que les treize colonies américaines, luttant contre l'Angleterre pour obtenir l'indépendance, n'avaient créé entre elles aucune autorité commune, excepté un chef militaire qui était Washington.

7) Philip a fait remarquer que la situation actuelle n'avait rien de commun avec celle des treize colonies américaines et que, dans l'intérêt allié, l'existence d'une résistance française unifiée, sous une direction unique qui ne pouvait être que celle du général de Gaulle, était une nécessité immédiate évidente. Le maintien durable d'une collaboration du Gouvernement des États-Unis avec les traîtres de Vichy convertis à la dernière minute plongera le peuple de France dans le désespoir et risque de porter une atteinte irréparable au prestige et à l'influence des États-Unis et de leur Président en France.

8) Tixier a demandé au Président la permission de préciser franchement quelques problèmes immédiats posés par la politique du Gouvernement des États-Unis en Afrique du Nord française. D'abord, le cas Darlan, que la France Libre n'acceptera jamais et dont l'autorité doit prendre fin dans le plus bref délai possible. Puis, la situation du général Giraud, à qui la France Libre aurait ouvert ses rangs, mais qui a cru devoir accepter son commandement de Darlan, ce qui créait une situation extrêmement délicate. Néanmoins, une entente avec le général Giraud sera très probablement possible dès qu'il ne sera plus sous les ordres de Darlan en Afrique du Nord. Enfin, le problème le plus important, celui de la réalisation de l'unité de la résistance française dans le cadre de la France Libre et du transfert éventuel du siège de la résistance élargie et unifiée en Afrique du Nord, à Alger. Le Président est-il disposé à favoriser les efforts de la France Libre vers l'unité, ainsi que l'installation en terre française de la direction de la résistance qui ne peut être placée que sous l'autorité d'un seul homme : le général de Gaulle?

9) Sans répondre directement aux questions posées, le Président a indiqué que l'Afrique du Nord française était en état d'occu-

pation militaire par les Américains et les Britanniques et que les pouvoirs, tant civils que militaires, devaient y être exercés par le général Commandant en chef des armées américaine et britannique, sous le contrôle du Président, Chef suprême des forces armées des États-Unis. Ce régime d'occupation militaire ne prendra pas fin avec la conquête de la Tunisie, car l'Afrique du Nord française deviendra une base militaire de départ pour les attaques contre le sud de la France, contre l'Italie et les Balkans. Le Président ne peut pas dire dès maintenant quel sera le régime d'administration civile, mais il est possible qu'il soit amené à confier des pouvoirs à un Haut-commissaire américain qui collaborerait avec les autorités locales françaises. Peut-être y aurait-il lieu de maintenir les résidents en Tunisie et au Maroc. Sans doute, une liaison sera nécessaire avec les maires et les chefs de districts.

10) Philip demande s'il sera fait appel aux autorités locales nommées par Vichy ou si l'on rappellera en fonctions les autorités légales instituées par les pouvoirs républicains avant l'armistice. Le Président répond que les autorités américaines décideront dans chaque cas selon les conditions locales.

11) Le Président rappelle qu'en 1917-1918, en France, l'armée américaine traitait avec les autorités locales dans la zone du front qu'elle occupait et que la collaboration a été excellente. Philip répond qu'alors il n'existait qu'une seule autorité française et repose la question de savoir si, vraiment, le Président envisageait, dans les territoires libérés de la France métropolitaine, de laisser le soin aux autorités militaires américaines de choisir entre les autorités d'avant l'armistice et les autorités instituées par Vichy. De nouveau, le Président répond que, dans chaque cas, la décision sera prise selon les conditions locales. Sur un ton indigné, Philip déclare alors que jamais les Français n'accepteront que des territoires français libérés, hors de la zone de bataille, soient administrés par les autorités américaines ; les Français s'administreront eux-mêmes ; ils ne sont pas une colonie ; l'armée américaine ne fera jamais accepter l'autorité des traîtres et aucune protection étrangère n'empêchera que justice soit faite.

12) Le Président affirme que les Français doivent faire confiance au Gouvernement américain dont l'action n'a qu'un seul but : gagner la guerre et rétablir la France dans son indépendance. Au moment venu, l'insurrection des Français peut donner une aide puissante aux armées américaine et britannique. Cependant, leur action ne peut pas être décisive car ils n'ont pas d'armes.

13) Philip et Tixier, tour à tour, demandent instamment au Président de réfléchir aux conséquences de sa politique, qui peut semer la méfiance et le découragement dans le peuple français si le Gouvernement des États-Unis ne met pas rapidement et complètement fin à toute collaboration avec les traîtres de Vichy. Si le peuple français a le sentiment d'être trahi par ses alliés, la résistance s'effondrera et les Français s'orienteront, les uns vers

la collaboration avec le nazisme, d'autres vers un nationalisme xénophobe, d'autres encore vers la Russie soviétique, le communisme leur paraissant le seul salut.

14) Le Président met fin à l'entretien en répétant qu'il aimerait s'entretenir de tous ces problèmes avec le général de Gaulle.

Télégramme du général de Gaulle à Adrien Tixier, à Washington.

Londres, 21 novembre 1942.

J'ai pris connaissance du compte rendu de vos entretiens diplomatiques et de celui de Chevigné avec McCloy. Je constate que McCloy a posé lui-même sur la table toute l'affaire de l'Afrique du Nord par rapport à la France Combattante. Voici la réponse que je vous prie de faire à tous les interlocuteurs parlant au nom du Gouvernement des États-Unis.

Il y avait, pour les États-Unis, deux façons opposées de préparer et de traiter, au point de vue politique, l'opération d'Afrique du Nord.

Les États-Unis pouvaient soutenir franchement, depuis l'origine, la France Combattante. Ils y auraient perdu la possibilité d'entretenir auprès de Vichy une ambassade et des consulats. Mais ils auraient, en même temps, porté, en France même, un coup mortel à Vichy et imprimé à la résistance française une impulsion décisive que le concours de l'Angleterre ne suffisait pas à lui donner.

En Afrique du Nord, le soutien de la France Combattante aurait consisté, pour les États-Unis, à nous aider nous-mêmes à susciter et à organiser sur place ce qu'on appelle le « gaullisme ». Il y avait, au Maroc, en Tunisie et en Algérie, jusqu'à la fin de 1940, de nombreux et puissants éléments favorables qu'il était facile au général de Gaulle de grouper en secret s'il en avait eu la possibilité matérielle. En coupant toutes relations commerciales entre l'Afrique du Nord et l'extérieur, on aurait, d'autre part, créé dans tout le pays, notamment chez les indigènes et parmi les colons, le désir de la libération au nom des affaires et du ravitaillement. Le jour venu, on aurait trouvé sur place des concours multiples, organisés et, surtout, purs et résolus. Après quoi, le remplacement de Vichy par la France Combattante, à Rabat, Alger et Tunis, se serait effectué sans grandes difficultés, dès l'arrivée des alliés, auxquels auraient été joints, tout au moins en deuxième échelon, des troupes, des navires et des escadrilles de la France Combattante.

Les États-Unis ont adopté une solution opposée. Ils ont traité Vichy avec tous les égards possibles, affectant de voir toujours dans Pétain et ses gens la véritable France et prodiguant, au contraire, au général de Gaulle les rebuffades et les avanies. En Afrique du Nord, ils ont usé et abusé, pour obtenir des rensei-

gnements, de la bonne volonté dispersée et inorganique des pauvres
gaullistes, allant jusqu'à cet abus de confiance d'envoyer leurs
agents se présenter à eux au nom du général de Gaulle. Mais ils
ont toujours tout fait, comme d'ailleurs les Anglais, pour empêcher
la France Combattante de prendre aucun contact avec ses partisans dans le pays, s'abstenant même de remettre au général de
Gaulle un seul des messages qui lui étaient adressés par leur intermédiaire, sauf, toutefois, ceux de ses parents. En même temps,
ils cajolaient publiquement les chefs, tels Weygand et consorts,
responsables de l'armistice et dans lesquels ils voulaient voir, à
tout prix, les héros en puissance de la libération française. Enfin,
ils ravitaillaient l'Afrique du Nord, notamment en sucre, thé,
essence, de sorte que le régime de Vichy y paraissait, en somme,
assez confortable.

Quant aux Anglais, leur attitude à l'égard de la France Combattante, quoique moins réticente que celle des États-Unis, n'avait
jamais cessé d'être tâtonnante et méfiante. L'affaire de Dakar
leur servait de prétexte. Il est vrai que l'idée de régler Dakar dès
l'été de 1940 était une idée du général de Gaulle. Mais il ne semble
pas qu'elle fût mauvaise en soi. L'échec est venu de l'exécution.
Par une incroyable erreur, l'Amirauté avait laissé passer, à Gibraltar, la flotte et les renforts que Vichy envoyait à Dakar. En outre,
au moment du combat, la brigade britannique embarquée pour
enlever Dakar de force, si la persuasion gaulliste ne réussissait
pas, n'a pas débarqué un seul homme. Le général de Gaulle n'y
était, évidemment, pour rien. Mais toute la politique britannique
concernant la France a été, depuis, dominée par cet échec. C'est
ainsi que les Anglais ont, aussitôt après Dakar, rompu le blocus
des colonies de Vichy, alors que ce blocus aurait suffi, à la longue,
à y déterminer les autorités au ralliement. C'est ainsi, également,
que les Anglais permettaient et, même, favorisaient, après l'armistice de Saint-Jean d'Acre et malgré l'opposition formelle du
général de Gaulle, le transfert en Afrique du Nord de l'armée de
Syrie professionnellement furieuse et humiliée par sa défaite. Or,
ce sont les cadres et les troupes de Syrie qui forment, aujourd'hui,
le noyau de l'armée du Maroc.

Il est vrai que, du côté américain et, dans une certaine mesure,
du côté britannique, la crainte de voir Vichy engager sa flotte
contre les Anglo-Saxons jouait un rôle capital dans cette politique
d'apaisement. Mais la question est de savoir si le meilleur moyen
d'empêcher la flotte d'attaquer était d'entretenir une ambassade
à Vichy ou d'aider à ressusciter dans le peuple français et dans la
flotte elle-même l'esprit de la guerre nationale. Je constate, d'ailleurs, que partout où les Anglo-Saxons, y compris les Américains,
ont rencontré les navires de Vichy, ceux-ci se sont battus à fond,
malgré deux ans de séjour de l'amiral Leahy à côté de l'hôtel du
Parc.

Quoi qu'il en soit, les Américains ont entrepris l'opération

d'Afrique du Nord sur la base qu'on pourrait appeler la base de
Vichy. Cette base était préparée par l'équipe habituelle qui les
inspire et les informe quant aux affaires françaises, tous gaullistes
étant naturellement exclus. Il est vrai qu'un moyen terme fut
d'abord essayé sous les espèces de Giraud. Mais Giraud, faisant
dans les temps modernes l'impression d'un revenant et s'étant
lui-même déconsidéré à plaisir, a naturellement échoué. C'est
alors qu'est apparu Darlan.

Darlan semble avoir soigneusement préparé son coup. Il serait
peu vraisemblable que Pétain ne fût pas au courant. Tout s'est
présenté de telle sorte que Darlan a été, soudain, l'homme nécessaire aux Américains et a pris, en échange, le pouvoir en Afrique
du Nord française au nom du Maréchal. De cette façon, Vichy
gardait, non seulement la place à Alger, mais encore une position
qui permet à Darlan de se retourner soudain si l'opération militaire tournait mal en Tunisie pour les alliés. Dans le cas contraire,
Darlan serait l'élément qui, à la fois, trusterait et déshonorerait
la libération. Surtout, il rentrerait en France, dans la victoire,
avec la seule armée française pratiquement existante et pourrait
ainsi maintenir le régime de Vichy. « Maréchal, nous voilà ! »
Pétain a donc, avec Laval d'une part et Darlan d'autre part,
une carte dans chaque camp. Je crains que cette combinaison
ne soit pas tout à fait désagréable à certains éléments américains
qui jouent une nouvelle Europe faite contre les Soviets et même
contre l'Angleterre.

De telles combinaisons peuvent paraître momentanément pro-
fitables aux Américains. Mais elles aboutissent à ceci, que les
démocraties perdent moralement la guerre. Je ne partage pas
l'opinion du Président Roosevelt quand il explique qu'il s'agit
d'éviter l'effusion du sang et sous-entend que, pour cela, tous les
moyens sont permis. Quant à moi, je ne me prêterai, ni de près
ni de loin, à ces nauséabondes histoires. Ce qui reste de l'honneur
de la France demeurera intact entre mes mains.

Amitiés.

Télégramme d'Adrien Tixier au général de Gaulle, à Londres.

Washington, 22 novembre 1942.

André Philip et moi avons vu M. Sumner Welles cet après-
midi. La conversation, très cordiale, s'est poursuivie pendant
une demi-heure.

Philip a demandé des précisions sur l'éventuelle visite du
général de Gaulle, sa nature et la date qui, le cas échéant, paraîtrait
la plus favorable. M. Sumner Welles a répondu que, le Président
étant pris du 15 décembre au 8 janvier par la rentrée du Congrès,
la visite devrait avoir lieu avant ou après ces deux dates. A une

question de Tixier demandant le caractère exact de cette visite,
il a répondu : « En temps de guerre, il n'y a pas d'invitation officielle ; il suffit de préciser que le Président a exprimé le vif désir
de se rencontrer avec le général de Gaulle pour avoir un entretien
avec lui au sujet des problèmes en cours. »

. . . .

Télégramme du général de Gaulle au général Leclerc, à Brazzaville.

Londres, 22 novembre 1942.

D'après les derniers renseignements, les éléments britanniques
avancés sont arrêtés à Agedabia. Sauf imprévu, la VIIIe Armée
britannique ne sera pas en mesure de déclencher une action en
force au delà d'El-Agheila avant le 15 décembre.

En Tunisie, les éléments de la Ire Armée britannique et des
troupes françaises d'Afrique du Nord ont bien pris le contact des
détachements légers ennemis qui couvrent Tunis et Bizerte.
D'autre part, des forces alliés semblent avoir atteint la région du
Kef. Mais le gros de la Ire Armée ne paraît pas être en mesure de
mener une vigoureuse offensive en Tunisie et, surtout, dans le
Sud-tunisien avant un long délai.

En conséquence, il ne semble pas que vous ayez à agir en liaison
avec la Ire Armée britannique. En tous cas, ce ne sera pas avant
votre débouché vers le Fezzan qu'une direction définitive pourra
être donnée à votre action.

Dans ces conditions :

1) Je fais avertir le général Anderson, commandant la Ire Armée,
de l'exécution générale de votre opération.

2) Je vous donnerai à temps l'ordre général de déclenchement
de l'opération à partir du Tibesti, compte tenu des renseignements
que je posséderai alors sur la situation des deux armées alliées
et de la date que vous m'avez précisée comme possibilité du
débouché.

3) Après entente avec le commandement allié, je vous donnerai,
en temps voulu, un deuxième ordre fixant, au débouché du Fezzan,
votre direction générale qui pourra être axée :

soit sur El-Agheila,
soit sur Syrte ou Misurata,
soit sur Tripoli,
soit sur Gabès.

4) J'interviens pour que vous ayez, au débouché du Fezzan,
tout l'appui aérien nécessaire.

Télégramme du Comité national à Adrien Tixier, à Washington.

Londres, 24 novembre 1942.

Le général de Gaulle a vu, cet après-midi, l'amiral Stark et lui a fait savoir qu'il se rendrait volontiers à l'invitation du Président Roosevelt. Le Général a indiqué, qu'étant donné les dates suggérées par M. Sumner Welles, il lui semblerait préférable d'aller à Washington avant le 15 décembre et, quant à lui, le plus tôt serait le mieux. L'amiral Stark s'est chargé de prendre en main les arrangements matériels de transport. Le Général vous demande de garder secrète sa visite pour le moment.

Télégramme du général Leclerc,
commandant les forces en Afrique française libre,
au général de Gaulle, à Londres.

Brazzaville, 24 novembre 1942.

Mon Général,

A l'heure où les traîtres changent de camp parce que la victoire approche, vous demeurez pour nous le champion de l'honneur et de la liberté française. C'est derrière vous que nous rentrerons au pays, la tête haute. Alors seulement, la nation française pourra balayer toutes les ordures.

Note établie par le cabinet du général de Gaulle
au sujet de son entretien avec M. W. Churchill,
le 24 novembre 1942.

M. Churchill est assisté de M. Eden, du major Morton et d'un interprète. Il a, sur sa table, de volumineux dossiers qui font penser au général de Gaulle que M. Churchill se prépare à avoir un entretien sur des sujets impliquant des références.

Le Général dit, tout de suite, au Premier Ministre qu'il ne compte pas abuser de son temps et qu'il désire seulement l'informer d'un télégramme qu'il a reçu de M. André Philip à la suite de son entretien avec le Président Roosevelt.

Au cours de cette visite, M. Roosevelt a fait connaître à M. Philip qu'il serait heureux de recevoir prochainement le général de Gaulle à Washington.

« Qu'allez-vous faire? » demande M. Churchill.

Le général de Gaulle répond qu'il a accepté de se rendre à l'invitation du Président. Il pense qu'un échange de vues entre M. Roosevelt et lui peut avoir pour effet d'informer le Président de questions au sujet desquelles il peut être incomplètement renseigné.

« C'est une très bonne chose », déclare M. Churchill.

Le général de Gaulle indique au Premier Ministre les grandes lignes du rapport de M. Philip. La politique du Président, telle qu'il l'a lui-même expliquée, se résume en ceci : passer le pont avec le diable, puis imposer l'autorité américaine en utilisant au besoin les autorités locales.

M. Churchill ne fait pas de commentaires. Il observe seulement que c'est, en effet, l'attitude des Américains qui sont, en Afrique du Nord, responsables de l'ensemble.

Le général de Gaulle se dispose à prendre congé, lorsque M. Churchill observe, en grommelant, qu'un député de l'opposition a lu la veille, aux Communes, le texte d'une allocution prononcée par l'amiral Darlan au moment de l'attaque britannique sur Madagascar, en mai dernier. Ce texte est celui-là même qui figurait en annexe d'une note remise ces jours derniers par le Comité national français au Gouvernement britannique.

Le général de Gaulle répond qu'il n'a pas connaissance de cet incident, qu'il ne se mêle pas de ce qui se passe aux Communes, que, d'ailleurs, le discours de Darlan auquel le Premier Ministre se réfère a été publié en son temps par toute la presse.

Au sujet de l'allocution du général de Gaulle, que la B. B. C. n'a pas retransmise, le Premier Ministre déclare que, comme les problèmes qui y étaient traités mettent en jeu la vie des soldats américains et britanniques, il a jugé bon de télégraphier au Président Roosevelt pour avoir son approbation. Celui-ci n'a pas encore répondu.

Le général de Gaulle dit au Premier Ministre qu'il n'ignore pas, qu'en terre britannique, la radio ne lui appartient pas et il constate qu'il n'a pas la possibilité d'y parler librement.

Au cours de la visite, les personnalités présentes du côté britannique ont constamment marqué une gêne évidente.

Télégramme du général de Gaulle à Adrien Tixier, à Washington.

Londres, 25 novembre 1942.

J'ai convoqué hier l'amiral Stark et lui ai parlé de l'invitation que vous m'aviez transmise de la part du Président Roosevelt. Stark était déjà mis au courant par Washington. J'ai dit à Stark que j'acceptais très volontiers l'invitation et que je partirais dès que possible. Il m'a répondu qu'il allait immédiatement s'occuper des moyens de transport pour le voyage.

Mon intention est d'aller, d'abord, à Washington pour trois ou quatre jours. Ensuite, je serai à New York pour une durée analogue…

J'ajoute que je souhaite pouvoir demeurer quelques jours au Canada, à mon retour des États-Unis. Amitiés.

Note établie par le cabinet du général de Gaulle
au sujet de son entretien avec l'amiral Stark,
le 26 novembre 1942.

Le général de Gaulle désire que l'amiral Stark sache bien, qu'en dépit de toutes les difficultés présentes et de l'opposition de certains points de vue, lui-même et tous les Français ne perdent pas de vue l'admirable effort entrepris par les États-Unis, qu'ils apprécient pleinement les résultats militaires qui ont déjà été obtenus et qu'ils ont confiance dans le Président Roosevelt et dans le peuple américain pour poursuivre l'action militaire entreprise.

L'amiral Stark déclare être très sensible aux paroles prononcées par le général de Gaulle et il se propose, avec l'accord de ce dernier, de les transmettre tout de suite au Président.

Le général de Gaulle remarque, en second lieu, que si c'est l'habitude et, aussi, la fonction des militaires de considérer, dans la conduite de la guerre, essentiellement son aspect technique, il incombe aux hommes d'État, qui ont une vue plus large et de plus hautes responsabilités, de tenir compte également des autres éléments de la stratégie, en particulier des facteurs moraux et politiques. Or, en ce qui concerne la France, le Général doit constater — et l'amiral Stark n'est pas sans le savoir aussi — que les récents événements d'Afrique du Nord ont beaucoup troublé et déconcerté tous les Français, ceux de la Métropole comme ceux qui se trouvent hors des frontières. Ce serait un malheur pour tout le monde si cette inquiétude créait, à la longue, chez les Français, un sentiment de déception, voire d'hostilité, à l'égard du peuple américain.

L'amiral Stark, de son côté, pense qu'il pourra se produire, dans les mois à venir, quelques frictions entre le Gouvernement américain et le Comité national français sur le choix des méthodes, mais qu'il est impossible qu'une entente ne s'établisse pas en fin de compte, puisque le but poursuivi par les uns et par les autres est exactement le même. Il déclare, en outre, que le général de Gaulle trouvera, dans le Président Roosevelt, un des amis les plus sûrs que la France possède à l'étranger. Depuis trente ans que l'amiral Stark connaît Franklin Roosevelt, il est témoin que l'amour que ce dernier porte à la France ne s'est jamais démenti.

Le général de Gaulle remarque à ce sujet que, parmi les maux qu'endure la France actuellement, il en est un qui échappe souvent à l'analyse des meilleurs amis de notre patrie, mais qui, pourtant, n'est pas un des moins cruels. Certains chefs, qui ont attaché leur nom à la victoire de 1918 et que la France et les amis de la France avaient, depuis vingt ans, pris l'habitude de respecter et d'admirer, sont justement ceux qui ont failli à leur tâche dans les événements récents. Depuis deux ans, à l'épreuve du malheur, une France nouvelle a surgi, distincte de l'ancienne et étrangère aux anciens chefs. Mais ce sont, pourtant, ceux-là que beaucoup d'étrangers, amis de notre pays, continuent d'identifier à la France et ce sont ces hommes du passé qu'ils désirent voir se maintenir ou réapparaître. Certes, pour des hommes respectueux de la tradition, tels que les militaires, tels que, par exemple, l'amiral Stark et le général de Gaulle, une évolution aussi soudaine est parfois difficile à concevoir et à admettre, mais les témoignages de cette évolution sont trop concordants pour que le général de Gaulle ne se sente pas le devoir d'en tenir le plus grand compte et d'attirer, sur ce sujet, l'attention des meilleurs amis de notre pays.

L'amiral Stark remercie vivement le général de Gaulle de l'exposé qu'il a bien voulu lui faire. Il en apprécie pleinement la portée et en rendra compte aussitôt à son gouvernement.

Allocution prononcée par le général de Gaulle
à la radio de Londres, le 27 novembre 1942.

La flotte de Toulon, la flotte de la France vient de disparaître.

Au moment où les navires allaient être saisis par l'ennemi, le réflexe national joua dans les âmes des équipages et des états-majors. En un instant, les chefs, les officiers, les marins, virent se déchirer le voile atroce que, depuis juin 1940, le mensonge tendait devant leurs yeux. Ils ont compris, en un instant, à quel aboutissement honteux ils se trouvaient acculés.

Privés, sans doute, de toute autre issue, ces marins français ont, de leurs mains, détruit la flotte française, afin que soit, du moins, épargnée à la patrie la honte suprême de voir ses vaisseaux devenir des vaisseaux ennemis.

La France a entendu le canon de Toulon, l'éclatement des explosions, les coups de fusil désespérés, l'ultime résistance. Un frisson de douleur, de pitié, de fureur l'a traversée tout entière.

Ce malheur, qui s'ajoute à tous ses malheurs, achève de la dresser et de la rassembler — oui, de la rassembler — dans la volonté unanime d'effacer par la victoire toutes les atroces conséquences du désastre et de l'abandon.

Vaincre ! Il n'est pas d'autre voie. Il n'y en a jamais eu d'autre !

Télégramme de Ludovic Chancel,
délégué France Combattante en Afrique orientale,
au général de Gaulle, à Londres.

Nairobi 28 novembre 1942.

La reddition de Djibouti semble imminente. Le nombre des civils et des militaires passant la frontière pour nous rallier est croissant.

Le commandant Appert nous signale qu'il attend l'arrivée prochaine du général Dupont et de la majorité de l'artillerie.

. . . .

Télégramme du général de Gaulle au général Leclerc, à Brazzaville.

Londres, 28 novembre 1942.

I. — Je vous donne l'ordre général d'exécution de l'opération sur le Fezzan. Vous pourrez déboucher à partir du 2 décembre, à votre initiative et en tenant compte des suggestions du général Alexander.

Ce dernier, qui est en contact avec Anderson, a reçu des directives du Commandant en chef allié pour vous informer et vous donner l'appui aérien nécessaire.

II. — Parmi les éléments de votre décision vous observerez :

1) que l'ennemi a pu tenter de renforcer ses troupes du Fezzan pour protéger son flanc sud ;

2) que l'ennemi sera en mesure de donner un très fort appui aérien à ses garnisons du Fezzan, tant que la VIIIe Armée britannique ne sera pas en situation de mener des opérations terrestres et aériennes d'envergure dans la région d'El-Agheila.

III. — J'ai confiance en vous et en vos troupes.

Télégramme du général Leclerc au général de Gaulle, à Londres.

Brazzaville, 28 novembre 1942.

1) Je reçois du commandement britannique au Caire le télégramme suivant :

« Il est essentiel que chaque force entrant en Tripolitaine fasse une proclamation identique aux habitants. Cette proclamation a été déjà préparée ici et, à condition que vous n'y voyiez aucun inconvénient, des copies vous seront envoyées, en qualité de Commandant des Forces Françaises Combattantes, pour être distribuées par vous au moment où vos troupes entreront dans la région.

« Il est très désirable qu'au moins deux officiers d'administration anglais de l'administration des pays occupés vous soient délégués pour accompagner les forces sous vos ordres. Ils seront responsables de l'administration civile des territoires occupés par vous, jusqu'à ce que la coordination définitive de toute la Tripolitaine sous l'administration militaire britannique soit établie. Dès réception de votre approbation télégraphique, nous enverrons ces officiers à Fort-Lamy.

« La politique économique de Londres limite la circulation en

Tripolitaine aux lires italiennes et aux billets spéciaux de l'administration militaire britannique. Il sera donc nécessaire que l'utilisation des francs et autres monnaies par vos troupes soit prohibée. Nous nous mettons à votre disposition entière pour vous mettre en état de faire face à une telle situation et vous serions reconnaissants de télégraphier :

« *a*) une estimation de vos besoins en argent en Tripolitaine, au cours des opérations ;

« *b*) la somme dont vous disposez en lires et en billets spéciaux. »

2) Le Caire demande une réponse urgente.

Peu satisfait de ces procédés, je refuse de répondre, déclarant que vous êtes seul apte à régler cette question relevant de la politique internationale.

3) Je vous signale que mes officiers et mes auxiliaires indigènes sont parfaitement aptes à administrer, pour la France, les territoires que nous occuperons sans passer par les Britanniques.

Télégramme du général de Gaulle à Adrien Tixier, à Washington.

Londres, 29 novembre 1942.

L'amiral Stark m'a remis ce matin un message de Washington suivant lequel le Président Roosevelt demande que mon voyage soit reporté après le 9 janvier...

Quel que soit le réel motif qui amène le Président à différer notre rencontre, je crois que ce retard est au total avantageux...

En effet, j'ai vu hier longuement, à sa demande, M. Churchill. Il m'a donné l'impression que le Gouvernement britannique, tout en se montrant, dans la forme, chaleureux à notre égard, ne nous soutient, au fond, que mollement. C'est une raison de plus pour que je croie bon que mon voyage soit différé. En allant à Washington maintenant, je risquerais de me trouver devant Roosevelt plus ou moins d'accord avec Churchill pour brandir tout à coup le projet d'un « Comité de coordination des affaires françaises » siégeant à Washington, avec l'assistance de Bullitt et de Halifax, et où on nous aurait invités à nous faire représenter, tout comme Darlan, Robert, Godfroy, etc..., Alexis Léger étant également présent. Il me faudrait alors, ou bien refuser, c'est-à-dire permettre au Gouvernement américain et, peut-être même, au Gouvernement britannique de dire que nous empêchons l'union de l'Empire, ou bien accepter, c'est-à-dire perdre le meilleur de notre position dans l'opinion française. Mieux vaut gagner du temps et laisser apparaître la force des choses.

En tous cas, la présence de Philip aux États-Unis n'a plus d'objet actuellement. Je prie Philip de rentrer d'urgence à Londres. Amitiés.

*Télégramme du général de Gaulle
à Ludovic Chancel, délégué France Combattante, à Nairobi.*

Londres 30 novembre 1942.

Voici les précisions à fournir aux autorités, aux troupes et à la population de la Côte française des Somalis en ce qui concerne les dispositions qui seraient appliquées en cas de ralliement.

1) Un gouverneur, nommé par moi, prendra la direction de la colonie.

2) Le personnel administratif et les agents des services publics resteront en fonctions. Ils pourront être progressivement relevés pour recevoir d'autres postes équivalents dans d'autres parties de l'Empire.

3) Les troupes, avec leur armement, seront transférées d'abord, soit en Syrie, soit à Madagascar, à l'exception d'un bataillon, d'une batterie et d'éléments des services qui resteront sur place jusqu'à leur relève par des unités françaises provenant de l'extérieur.

4) Une fois parvenus en Syrie ou à Madagascar, les cadres français pourront adresser au commandement français sur place des demandes quant à leur destination. Il sera tenu le plus large compte de ces demandes.

5) Toutes promotions antérieures au ralliement seront entérinées.

Communiqué du Comité national français.

Londres, 30 novembre 1942.

Le contre-torpilleur français *Léopard*, commandé par le capitaine de frégate Richard, est arrivé le 28 novembre au large de Saint-Denis, capitale de la colonie française de la Réunion.

Dès que fut connue l'arrivée du *Léopard*, la population, l'administration et les troupes de toutes les villes et localités de l'île se sont immédiatement ralliées à la France Combattante. Seule, la batterie de la pointe des Galets a fait preuve d'hostilité pendant quelques instants.

Le gouverneur, M. Aubert, s'étant retiré dans la montagne avec quelques éléments, le capitaine de frégate Richard est entré en rapport avec lui. Alors M. Aubert, dans un but d'apaisement, a renoncé à toute résistance. L'île de la Réunion est ainsi en totalité ralliée à la France Combattante. Le plus vif enthousiasme patriotique règne dans toute la colonie.

M. Capagorry, administrateur en chef des colonies, a été chargé par le général de Gaulle d'assurer le Gouvernement de la Réunion.

Contrairement à ce qui avait été, d'abord, annoncé par des

sources mal informées, aucun élément britannique ou sud-africain n'a pris part à ces événements.

D'autre part, le général de Gaulle a adressé le télégramme suivant à l'administrateur en chef Capagorry, chargé du Gouvernement de la Réunion : « Le ralliement de la Réunion à la France Combattante est un réconfort pour la patrie opprimée par l'ennemi et un exemple pour l'Empire. Veuillez exprimer ma confiance entière et celle du Comité national français à tous les fonctionnaires et militaires sous votre autorité ainsi qu'à la population de la vieille et fidèle colonie française de la Réunion. Vive l'Empire indivisible ! Vive la France ! »

Télégramme du général de Gaulle au général Leclerc, à Brazzaville.

Londres, 1er décembre 1942.

Le Foreign Office m'écrit pour me demander que deux officiers politiques anglais soient envoyés auprès de vous pour administrer le Fezzan, au cas où vous le prendriez. En outre, le général Alexander vous envoie, paraît-il, une proclamation destinée à être faite, en son nom, aux habitants du Fezzan comme à ceux des autres parties de la Tripolitaine.

Je réponds au Gouvernement britannique que votre opération du Fezzan sera exécutée sous un commandement exclusivement français, à partir d'un territoire français et avec des troupes françaises. Il appartient donc au commandement français et à lui seul d'assurer l'administration des territoires ennemis dont il se serait éventuellement emparé. La présence d'officiers politiques britanniques pour cet objet n'est pas conforme à nos intentions et je prie le Gouvernement britannique, soit de ne pas les envoyer, soit de les retirer du Tchad s'ils y sont déjà arrivés.

. . . .

Télégramme du général de Gaulle au général Leclerc, à Brazzaville.

Londres, 2 décembre 1942.

Je reçois votre télégramme du 28 novembre au sujet des suggestions britanniques concernant le Fezzan. Je vous ai télégraphié hier sur le même sujet.

Le Fezzan doit être la part de la France dans la bataille d'Afrique. C'est le lien géographique entre le Sud-Tunisien et le Tchad. Vous devez repousser purement et simplement toute immixtion britannique dans cette région sous n'importe quelle forme, politique, administrative, monétaire, etc.

. . . .

A toute demande britannique concernant le Fezzan, vous devez continuer à répondre, comme vous l'avez déjà fait, qu'il s'agit de questions qui sont du ressort du général de Gaulle et du Comité national. Amitiés.

Télégramme de Jean-Charles Capagorry,
gouverneur de la Réunion, au Comité national, à Londres.

Saint-Denis, 4 décembre 1942.

La situation politique s'améliore de jour en jour. Si la foule s'est donnée spontanément, quelques personnalités boudent encore, mais j'ai lieu d'espérer qu'elles se rallieront bientôt. Aucune perte parmi nos marins. Deux femmes ont été victimes du bombardement de la batterie de côte. Un civil tué au cours d'une échauffourée. Enfin, j'ai à déplorer la mort de Raymond Decugis, chef du service des travaux publics, chemin de fer et port, rallié à la France Combattante et qui s'est fait tuer en allant à la batterie de côte pour faire cesser le feu dirigé contre nous.

. . . .

Télégramme du général de Gaulle au général Catroux, délégué
général et plénipotentiaire au Levant; au gouverneur-général
Éboué, en A. F. L.; au général Leclerc, commandant les forces
en A. F. L.; à l'amiral d'Argenlieu, haut-commissaire au Pa-
cifique; aux délégués de la France Combattante auprès des gou-
vernemen's alliés.

Londres, 5 décembre 1942.

Je tiens à vous dire quelles sont exactement mes intentions dans la situation très difficile et très pénible pour tous les Français qui est créée par le marché monstrueux conclu entre Darlan et les Américains. Dans vos manifestations publiques et vos entretiens privés, vous pouvez et devez faire état de la ligne de conduite que voici :

1) Nous avons toujours voulu, nous voulons plus que jamais, le rassemblement de l'Empire dans un même effort de guerre. Nous savons bien que l'horrible division et la confusion créées par deux ans et demi de régime vichyste en Afrique du Nord et en Afrique occidentale constituent des obstacles. Mais nous croyons que ces obstacles peuvent et doivent être surmontés.

2) La première condition nécessaire est l'éloignement de quelques hommes qui sont symboliques de la capitulation, de la collaboration et de l'usurpation. Je parle de Darlan avant tout. Je parle, aussi, de Boisson. Si nous traitions avec eux, nous perdrions tout crédit en France, à l'étranger et même parmi nos compagnons.

Par contre, nous ne considérons pas du tout comme exclus des
hommes comme Giraud, Juin, Barré, etc. Ceux-là ont pu se tromper, mais ils n'ont commis aucun crime. Nous sommes tout prêts
à nous entendre avec eux.

3) Si Darlan et Boisson étaient écartés, nous serions disposés
à entrer immédiatement en contact avec les autorités en Afrique
du Nord et en Afrique occidentale. Nous proposerions, pour commencer, d'organiser avec elles un système de liaison, de manière
à rendre convergents nos efforts de guerre, militaires, économiques,
moraux, et leurs propres efforts. Il y aurait ainsi une action en
commun dans les deux domaines suivants : combattre l'ennemi
partout où cela est possible ; maintenir, dans tous nos territoires
et à l'égard de n'importe qui, la souveraineté française. La liaison
pourrait être établie en échangeant des visites et des agents de
liaison permanents entre Londres, Alger, Beyrouth, Dakar, Brazzaville, Rabat, Fort-Lamy.

4) Par le fait que nous conjuguerions ainsi nos efforts de guerre,
je crois que nous aurions bientôt dégagé des buts communs en
toutes matières. Je crois, aussi, que l'esprit du combat élèverait
vers nous beaucoup de ceux qui sont actuellement réticents. Je
crois, enfin, que la nécessité apparaîtrait vite aux yeux de tous de
créer un organe de direction commun, tant pour l'effort de l'Empire que pour la résistance en France et pour les relations avec
tous les alliés. Naturellement, cet organe de direction devrait être
plus large que notre Comité national actuel.

5) Sachez que je serais heureux de recevoir vos suggestions sur
ces divers points ou sur tous autres que vous croiriez devoir me
soumettre.

Télégramme de Ludovic Chancel au Comité national, à Londres.

Nairobi, 7 décembre 1942.

Le lieutenant-colonel Raynal, de la garnison de Djibouti, est
arrivé à Diredaoua, en Abyssinie, avec 40 officiers et 1 500 hommes.
Il a immédiatement envoyé un télégramme exprimant sa pensée
fidèle et son dévouement à son ancien chef, le général Legentilhomme,... actuellement commissaire national à la Guerre et
haut-commissaire à Madagascar.

Télégramme d'Adrien Tixier au général de Gaulle, à Londres.

Washington, 8 décembre 1942.

1) L'amiral d'Argenlieu a eu, ce matin, en ma présence, une
conversation d'une heure avec Cordell Hull qui a tenu à lui exposer

toute la situation en Afrique du Nord et, notamment, à lui expliquer que l'utilisation de Darlan avait été imposée par des circonstances imprévues d'ordre purement militaire, dans lesquelles le Département d'État n'a aucune responsabilité.

2) L'amiral d'Argenlieu vous rendra compte à son tour, la semaine prochaine, des détails de la conversation. Personnellement, je tiens à noter quelques points qui présentent un intérêt immédiat pour l'orientation de notre politique :

a) Quant au fond, la position du Département d'État ne change pas. On ne peut dire quand pourra prendre fin l'expédient Darlan. Tout dépend de l'évolution de la situation militaire qui est actuellement critique en raison, non seulement de la lutte difficile devant Bizerte et Tunis, mais aussi des craintes sur l'Espagne dont la neutralité n'est nullement certaine.

b) Le secrétaire d'État a tenu à exprimer toute son admiration pour le général de Gaulle et le Comité national, pour l'œuvre qu'ils ont accomplie et qu'ils accomplissent dans la lutte en commun contre les puissances de l'Axe.

c) Il a reconnu qu'il existe des frictions entre amis et alliés, mais que le Gouvernement américain considère, de la manière la plus ferme, que ces frictions, si graves soient-elles, ne sauraient jamais conduire à une rupture.

3) Visiblement, le secrétaire d'État a voulu délibérément orienter l'entretien en vue de provoquer une détente entre le Gouvernement des États-Unis et la France Combattante.

J'estime que, de notre côté, nous devons aussi travailler à une telle détente indispensable.

. . . .

Communiqué publié conjointement par le Gouvernement britannique et le Comité national français au sujet de Madagascar.

14 décembre 1942.

Les négociations engagées entre le Gouvernement britannique et le Comité national français au sujet de Madagascar viennent d'aboutir à un accord qui a été signé aujourd'hui, 14 décembre, par M. Eden et le général de Gaulle.

En vertu de cet accord, le régime provisoire d'administration militaire, institué par les autorités britanniques à la suite de l'occupation de l'île de Madagascar, prendra fin dès l'arrivée du général Legentilhomme dans cette possession française et toutes dispositions sont prévues pour rétablir, sous l'autorité du haut-commissaire désigné par le Comité national, l'exercice de la souveraineté française sur Madagascar et ses dépendances.

Le haut-commissaire procédera aussi rapidement que possible à la réorganisation des forces militaires françaises dans les terri-

toires sous son autorité, à l'effet de concourir aussi largement que
possible à leur défense et de participer, le cas échéant, à des opérations sur les théâtres de guerre contre l'ennemi commun.

Entre temps, l'officier général, commandant les troupes britanniques à Madagascar, sera investi de la mission d'assurer la
protection du territoire contre une attaque extérieure. L'accord
conclu règle dans le détail les pouvoirs accordés, à cet effet, au
commandant des forces britanniques.

Il est stipulé que toutes les questions qui ne pourraient être
tranchées sur place par le haut-commissaire et le général commandant les forces britanniques seront résolues par accord entre le
Gouvernement britannique et le Comité national français.

Allocution prononcée par le général de Gaulle
à la radio de Londres le 14 décembre 1942.

L'accord que je viens de signer avec M. Eden rétablit à Madagascar l'exercice de la souveraineté française et y efface les conséquences des douloureux événements récents. De ce fait, notre
grande et belle colonie africaine va pouvoir déployer, à son tour,
dans la guerre au service de la France, un effort militaire et économique important.

Chacun sait que Madagascar et tout l'Empire auraient, en
juin 1940, poursuivi la guerre de grand cœur, après la défaite dans
la Métropole, sans la criminelle politique qui leur interdit la lutte
contre l'ennemi pour leur ordonner, au contraire, de combattre
nos alliés.

A Madagascar, comme ailleurs, la France Combattante va
réparer cela en même temps qu'elle va rétablir les lois de la République, ciment de l'unité de l'Empire.

Le Comité national et moi-même avons pleine confiance dans
la haute autorité et dans la grande expérience du haut-commissaire de France, le général Legentilhomme.

Je désire souligner, à l'occasion de cet accord, la loyauté entière
dont vient de faire preuve, une fois de plus, notre bonne et vieille
alliée l'Angleterre. Le peuple français, dans ses épreuves présentes,
constatera avec satisfaction que le Gouvernement britannique,
malgré les courants, les vents et les marées, respecte la souveraineté
de la France sur son Empire et s'en tient à ses engagements avec
le plus noble scrupule. Pour ce qui concerne Madagascar, le communiqué publié le 13 mai dernier par le Gouvernement britannique
au sujet de l'administration de l'île et la déclaration faite le 13 juillet
à ce sujet par le Comité national français sont intégralement ap-
pliqués.

Il y a là une preuve nouvelle d'alliance que la France ne mécon-
naîtra pas.

Ordre de mission donné par le général de Gaulle
au général d'Astier de la Vigerie.

Londres, 18 décembre 1942.

Le général de corps aérien d'Astier de la Vigerie se rendra
en Afrique du Nord française (Algérie-Maroc-Tunisie) en vue de :
  a) Étudier la situation en Afrique du Nord à tous points de
vue.
  b) En informer directement et personnellement le général de
Gaulle.
  c) Éventuellement, proposer au général de Gaulle toutes mesures d'ensemble ou de détail propres à hâter l'union dans l'effort
de guerre des territoires français d'outre-mer en liaison avec la
résistance nationale et en coopération avec tous les alliés.

Télégramme du général de Gaulle au général Eisenhower,
commandant en chef allié à Alger.

Londres, 18 décembre 1942.

D'accord avec vous, le général d'Astier de la Vigerie se rend
en Afrique du Nord française. Je lui ai donné pour mission de
s'informer et de m'informer. Il est nécessaire qu'il puisse prendre
tous les contacts possibles.
  Je profite de cette bonne occasion pour vous exprimer mes
sincères félicitations pour la brillante opération militaire que vous
avez réussie et mes vœux ardents pour votre victoire dans la grande
bataille qui est en cours.

Télégramme d'Adrien Tixier au général de Gaulle, à Londres.

Washington, 18 décembre 1942.

M. Welles m'a convoqué ce soir, pour me prier de vous faire
connaître que le Président Roosevelt vous recevra volontiers le
10 janvier pour une longue conversation.
. . . .

Télégramme du général de Gaulle à Adrien Tixier, à Washington.

Londres, 19 décembre 1942.

Je reçois votre télégramme du 18 décembre. Je vous prie de
dire à M. Sumner Welles que je compte être à Washington le
9 janvier à la disposition entière du Président.

COMÉDIE

Télégramme du général de Gaulle au général Giraud, à Alger.

Londres, 25 décembre 1942.

L'attentat d'Alger est un indice et un avertissement.

Un indice de l'exaspération dans laquelle la tragédie française a jeté l'esprit et l'âme des Français.

Un avertissement quant aux conséquences de toute nature qu'entraîne nécessairement l'absence d'une autorité nationale au milieu de la plus grande crise de notre Histoire.

Il est, plus que jamais, nécessaire que cette autorité nationale s'établisse.

Je vous propose, mon Général, de me rencontrer au plus tôt en territoire français, soit en Algérie, soit au Tchad, afin d'étudier les moyens qui permettraient de grouper, sous un pouvoir central provisoire, toutes les forces françaises à l'intérieur et à l'extérieur du pays et tous les territoires français qui sont susceptibles de lutter pour la libération et pour le salut de la France.

Communiqué du Quartier-Général
des forces d'Afrique française libre.

Brazzaville, 25 décembre 1942.

Depuis deux jours, les forces françaises du Tchad sont aux prises avec l'ennemi au Fezzan. Un détachement motorisé ennemi a été mis en déroute par nos premiers éléments.

Télégramme du général Giraud au général de Gaulle, à Londres.

Alger, 29 décembre 1942.

J'ai reçu votre télégramme et vous en remercie. Je suis d'accord avec les vues que vous exprimez, quant à l'union nécessaire de tous les Français dans la guerre pour la libération de la France.

Toutefois, une grande émotion a été causée dans les cercles civils et militaires en Afrique du Nord par le récent assassinat. C'est pourquoi l'atmosphère est, pour le moment, défavorable à un entretien personnel entre nous. En raison du développement rapide qui est en cours dans la situation militaire en Afrique du Nord, je crois qu'il serait préférable, en ce qui vous concerne, de m'envoyer un représentant qualifié, afin d'organiser la coopération des forces françaises engagées actuellement contre l'ennemi commun.

Télégramme du général Leclerc,
commandant les forces en Afrique française libre,
au général de Gaulle, à Londres.

Quartier-Général, 30 décembre 1942.

Le Groupe « Bretagne » a effectué le bombardement de l'aérodrome de Sebha. Au moment du bombardement, de nombreux avions se trouvaient sur l'aérodrome. Un important incendie a été observé. Tous nos avions sont rentrés à leur base.

Dans le sud du Fezzan nos éléments motorisés continuent leur progression.

Télégramme du général de Larminat
au général de Gaulle, à Londres.

Le Caire, 31 décembre 1942.

J'ai eu hier une entrevue très cordiale avec le général Alexander. Il a manifesté le désir de nous donner les satisfactions que nous demandons.

1) Il pense que la bataille d'Afrique du Nord peut durer assez longtemps pour que nous réalisions, à temps, la mise sur pied de notre division au complet, c'est-à-dire à deux brigades semblables dotées de leur artillerie.

2) Dès maintenant, il va nous mettre en mesure de réunir nos forces dans la région de Tobrouk pour permettre l'instruction en commun. Il nous demande de hâter la formation des éléments qui manquent encore, c'est-à-dire, essentiellement, l'artillerie de la 2e Brigade.

3) Il m'a formellement promis que, dès qu'une occasion se présenterait de nous engager dans des conditions nous menant au contact des forces françaises d'Afrique du Nord, cette occasion sera saisie, même si la division n'est pas encore complète.

. . . .

Télégramme de Ludovic Chancel au général de Gaulle, à Londres.

Harrar, 31 décembre 1942.

L'accord de ralliement de la Côte française des Somalis à la France Combattante a été signé le 29 décembre à 10 heures, en gare de Diredaoua, par le général Fowkes, le général Dupont et moi. Tous les cercles de l'intérieur et une partie des troupes du front de terre avaient déjà rallié les forces des lieutenants-colonels Appert et Raynal. Les textes des accords vous sont adressés. Les généraux Dupont et Truffert quitteront Djibouti demain, sur leur demande, et seront les hôtes des Britanniques jusqu'à ce qu'ils aient décidé eux-mêmes de leur destination définitive. Neuf personnes, dont l'hostilité ne s'est jamais démentie, seront internées. J'entrerai à Djibouti demain à 9 heures, avec les colonels Appert et Raynal dont les troupes arriveront à 11 heures. Je remettrai mercredi, en votre nom, le Gouvernement de la Côte française des Somalis au gouverneur Bayardelle.

Télégramme du général de Gaulle au général Giraud, à Alger.

Londres, 1er janvier 1943.

J'ai reçu votre réponse et me félicite qu'un premier échange de vues ait eu lieu entre nous. Cependant, je ne crois pas que la réunion de tout l'Empire et de toutes les forces françaises disponibles, en liaison avec la résistance en France, doive être aucunement différée. Je suis sûr que vous pensez, comme moi-même, que cela est nécessaire et urgent pour que la libération de notre pays puisse être réalisée dans des conditions conformes à ses intérêts et à sa dignité. Ma conviction est que, seul, un pouvoir central français provisoire, sur la base de l'union nationale pour la guerre, est susceptible d'assurer la direction des efforts français, le maintien intégral de la souveraineté française et la juste représentation de la France à l'étranger. Je crois, en particulier, que, seul, un tel pouvoir peut mettre rapidement fin aux difficultés actuelles en Afrique du Nord et en A. O. F.

Je dois donc vous renouveler la proposition que je vous ai faite de me rencontrer au plus tôt pour étudier les moyens d'atteindre ce but. La complexité de la situation à Alger ne m'échappe pas. Mais nous pouvons nous voir, sans aucune entrave, soit à Fort-Lamy, soit à Brazzaville, soit à Beyrouth, à votre choix.

J'attends votre réponse avec confiance.

Déclaration du général de Gaulle, publiée le 2 janvier 1943.

La confusion intérieure ne cesse de s'accroître en Afrique du Nord et en Afrique occidentale françaises.

La raison de cette confusion est que l'autorité française n'y a point de base après l'écroulement de Vichy, puisque la grande force nationale d'ardeur et d'expérience que constitue la France Combattante et qui a déjà remis dans la guerre et dans la République une grande partie de l'Empire n'est pas représentée officiellement dans ces territoires français.

Les conséquences de cette confusion sont : d'abord, une situation gênante dans le présent et dans l'avenir pour les opérations des armées alliées ; ensuite, le fait que la France se trouve privée, au moment décisif, de cet atout puissant que serait l'union pour la guerre de son vaste Empire en liaison avec la résistance dans la Métropole ; enfin et peut-être surtout, la stupeur du peuple français bouleversé dans sa misère par le sort étrange qui est fait à la partie de son Empire la plus récemment libérée.

Le remède à cette confusion, c'est l'établissement en Afrique du Nord et en A. O. F., comme dans tous les autres territoires français d'outre-mer, d'un pouvoir central provisoire et élargi, ayant pour fondement l'union nationale, pour inspiration l'esprit de guerre et de libération, pour lois, les lois de la République, jusqu'à ce que la nation ait fait connaître sa volonté. Telle est la tradition de la démocratie française. C'est ainsi qu'en 1870, après la chute de l'Empire, les hommes de la Défense nationale prirent provisoirement le pouvoir, au nom de la République, pour diriger l'effort de la nation dans la guerre.

Le 25 décembre, d'accord avec le Comité national et avec le Conseil de défense de l'Empire, j'ai proposé au général Giraud de me rencontrer immédiatement en territoire français pour étudier les moyens d'atteindre ce but. Je crois, en effet, que la situation de la France et la situation générale de la guerre ne permettent aucun retard.

Télégramme du général de Gaulle à Ludovic Chancel, à Djibouti.

Londres, 3 janvier 1943.

Je tiens à vous dire combien moi-même et le Comité national avons été satisfaits de la manière ferme et habile dont vous avez exécuté votre difficile mission. Votre action a été essentielle dans le ralliement à la France Combattante de la Côte française des Somalis et au maintien de la souveraineté française sur cette colonie. Je compte sur vous pour les négociations qui devront être engagées avec le Gouvernement du Négus et avec les autorités britanniques, afin d'obtenir le règlement satisfaisant, pendant la durée de la guerre, des rapports extérieurs de la colonie et le maintien des droits et de l'influence de la France en Éthiopie. Je vous ai décerné, aujourd'hui, la médaille de la Résistance française, récemment créée et dont vous devenez le premier titulaire. Amitiés.

Télégramme du général Giraud au général de Gaulle, à Londres.

Alger, 5 janvier 1943.

Je viens de recevoir votre dépêche du 1er janvier. Je vous propose de nous rencontrer à Alger, fin janvier. Je suis, malheureusement, complètement pris dans l'intervalle par des obligations urgentes et des engagements antérieurs. Je ne puis disposer d'une période certainement libre avant la fin du mois.

Comme je vous l'ai déjà demandé dans mon précédent télégramme, je vous propose une rencontre immédiate de nos experts militaires que je crois désirable dès que possible.

Télégramme du général de Gaulle au général Giraud, à Alger.

Londres, 7 janvier 1943.

Je regrette que vos engagements antérieurs vous amènent à me proposer de différer jusqu'à la fin de janvier l'entrevue que je vous ai suggérée le 25 décembre. Je dois vous dire franchement que le Comité national français et moi-même avons une autre opinion quant au caractère d'urgence que présentent la réalisation de l'unité de l'Empire et l'union de ses efforts avec ceux de la résistance nationale. Il est à craindre que tout retard déçoive le peuple français et nuise à notre pays. D'autre part, nous ne sommes pas certains que l'occasion psychologique récente se représentera plus tard au milieu des événements rapides que nous vivons. En ce qui concerne votre demande d'établir entre nous une liaison militaire, je la prends en considération, malgré le fait que le général d'Astier de la Vigerie, envoyé par moi à Alger le 19 décembre, ait été invité à en partir presque aussitôt. Je vous prie de me faire connaître sur quelles bases et dans quelles conditions vous concevez une telle liaison. Enfin, je pense qu'il ne convient pas que nous communiquions entre nous par textes remis à des organismes étrangers. Je suis prêt à vous envoyer un code par un officier afin que nous puissions être en liaison par chiffre entre Londres, Alger et Brazzaville.

Télégramme d'Adrien Tixier au Comité national, à Londres.

Washington, 6 janvier 1943.

L'attitude du Comité national, telle qu'elle se révèle dans la déclaration faite par le général de Gaulle le 2 janvier, est l'objet de critiques de plus en plus nombreuses et de plus en plus sévères. La radio est particulièrement critique à notre égard... La presse provinciale publie des « leaders » qui, pour trois contre un, sont défavorables à notre position. On nous reproche même de chercher à détruire l'autorité du général Eisenhower et de mettre en péril l'expédition américaine par des troubles intérieurs. On nous reproche, également, d'être la cause de pressions anglaises sur Washington et de semer la discorde entre les alliés...

Télégramme du général Leclerc au général de Gaulle, à Londres.

Quartier-Général, 7 janvier 1943.

Après trois jours de combat, les troupes du colonel Ingold ont enlevé la position-clé de Um-el-Araneb, qui a capitulé le 4 janvier. Cette position était très fortement tenue par l'ennemi qui a laissé entre nos mains 200 prisonniers, dont une dizaine d'officiers, 10 canons, 20 mitrailleuses, des mortiers et des armes automatiques.

Rapport d'André Bayardelle,
gouverneur de la Côte française des Somalis,
adressé au Comité national, à Londres.

Djibouti, 8 janvier 1943.

A la suite du débarquement des troupes alliées et des événements survenus en Afrique du Nord française, la presque totalité de la population civile de Djibouti et une partie de l'armée ont pris nettement position en faveur des alliés. Environ 1 600 hommes, commandés par les lieutenants-colonels Raynal et Hanneton... ont passé la frontière du Somaliland anglais... dans la nuit du 27 au 28 novembre ; 150 militaires isolés ont passé la frontière en même temps, ainsi qu'une trentaine de civils. Ces départs ont accru l'agitation intérieure.

Des pourparlers officieux furent alors entamés entre les représentants de la France Combattante et les autorités de Djibouti. Ils échouèrent, en raison de l'obstruction manifestée par les conseillers immédiats du gouverneur, conduits par le commandant Antoine, chef du 2e Bureau... Le général anglais C. Fowkes, commandant les troupes britanniques dans la région, accompagné de M. Hopkinson et en plein accord avec le représentant de la France Combattante, se rendit à Djibouti le 18 décembre. Cette intervention échoua également et pour les mêmes raisons.

Dans ces conditions, le 26 décembre à 6 heures, les troupes françaises libres passaient la frontière près de Alisabieh, dont la garnison ralliait immédiatement la France Combattante. La réparation de la voie ferrée, coupée depuis plus de deux ans par les autorités de la Côte française des Somalis, était entreprise aussitôt... En même temps, un détachement motorisé ralliait la garnison de Oueah, à 40 kilomètres de Djibouti, sur la route d'Abyssinie. Au matin du 27 décembre,... deux ouvrages avancés, dont la garnison avait rallié, étaient occupés. Chancel, délégué du Comité national français, s'installait à Alisabieh. Le 28 décembre, le général Dupont demandait une entrevue avec le général Fowkes et le délégué du Comité national français.

Pendant ce temps, une grande partie de la garnison de Djibouti manifestait sa volonté de se joindre à la France Combattante. A la suite d'un échange de télégrammes, une conférence était fixée à Chebele... Cette conférence s'ouvrait à 18 h. 30 entre Chancel délégué du Comité national français, le lieutenant-colonel Raynal et le lieutenant-colonel Appert d'une part, le général Dupont gouverneur de la Côte française des Somalis d'autre part, en présence du major-général Fowkes et de M. Hopkinson.

Le protocole de ralliement de la Côte française des Somalis à la France Combattante fut présenté au général Dupont qui le signa aussitôt et sans aucune discussion. L'entrée à Djibouti du délégué du Comité national français, accompagné des lieutenants-colonels Raynal et Appert, fut fixée au 29 décembre. A 9 h. 15, l'automotrice qui les transportait arrivait en gare de Djibouti. Ils étaient reçus à la gare par le chef de cabinet du gouverneur et par de nombreux civils qui les acclamèrent et leur remirent des fleurs. La passation de pouvoirs eut lieu aussitôt. Les premiers éléments des Forces Françaises Libres arrivaient en ville à 10 heures. Les fonctionnaires et les chefs de corps et de services furent reçus par le délégué du Comité national, à 18 heures, au Palais du gouvernement.

Le 30 décembre, à 10 heures, Bayardelle, gouverneur de la Côte française des Somalis, arrivait en avion et faisait son entrée solennelle au Palais du gouvernement où lui furent présentées les autorités civiles et militaires de la colonie, ainsi que les personnalités de la ville.

Le 1er janvier, le général Legentilhomme, accompagné du général sir William Platt, commandant en chef des troupes britanniques dans l'Est africain, arrivait à Djibouti et passait en revue toutes les troupes de la garnison.

Le ralliement de la Côte française des Somalis s'est produit sans le moindre incident et sans qu'un coup de feu ait été tiré. A l'heure actuelle, à l'exception de quelques rares chefs de service, la quasi-totalité des fonctionnaires et civils sont sincèrement ralliés à la France Combattante. Grâce aux dispositions prises par les services de l'Intendance britannique, le ravitaillement est largement assuré, apportant à la population des satisfactions matérielles qu'elle n'avait pas connues depuis trente mois. Les boutres font déjà leur apparition dans le port, complètement désert il y a huit jours, et les indigènes chassés de leur village par l'ancienne administration de la colonie demandent l'entrée de la colonie.

Télégramme du général Leclerc au général de Gaulle, à Londres.

Quartier-Général, 9 janvier 1943.

La position de Gatroun a capitulé le 6, laissant entre nos mains 177 officiers et hommes de troupe et un important armement pas encore dénombré. C'est le Groupe nomade méhariste du Tibesti qui, sous les ordres du capitaine Sarazac, après avoir couvert des centaines de kilomètres en un temps record..., a enlevé cette position. Le Groupe « Bretagne » a entièrement détruit le hangar d'aviation, les ateliers et un dépôt de munitions à proximité immédiate.

Télégramme d'Adrien Tixier au général de Gaulle, à Londres.

Washington, 11 janvier 1943.

Sur son invitation, j'ai vu ce matin Sumner Welles. Il m'a donné à lire une note que lui a adressée Roosevelt et qui est à peu près ainsi conçue : « Je recevrai avec plaisir le général de Gaulle s'il décide de venir aux États-Unis en fin janvier. Je serai en mesure, dans quelques jours, de fixer une date plus précise. »

. . . .

Télégramme du général Leclerc au général de Gaulle, à Londres.

Quartier-Général, 12 janvier 1943.

La conquête du Fezzan est terminée. Les troupes du colonel Ingold ont occupé Mourzouk, capitale religieuse, et Sebha, principal centre militaire. Les garnisons ont été presque entièrement faites prisonnières. Nos éléments avancés ont largement progressé vers le Nord...
Le colonel Delange prend ses fonctions de gouverneur militaire du Fezzan.

Télégramme du général de Gaulle au général Leclerc, au Fezzan.

Londres, 16 janvier 1943.

Je reçois votre télégramme relatif à vos opérations ultérieures, le Fezzan étant conquis.

L'exploitation profonde vers Tripoli est la plus souhaitable. Mais elle implique que la VIIIᵉ Armée britannique passe à l'attaque des positions ennemies à l'est de Misurata.

En tous cas, il est désirable que vous dirigiez, dès que possible, un détachement sur Ghât et Ghadamès, afin de vous en assurer la possession et de prendre amicalement contact, plus à l'ouest, avec les éléments sahariens français d'Afrique du Nord...

J'interviens auprès du chef d'état-major impérial pour que la VIIIᵉ Armée vous ravitaille en essence.

Télégramme de M. W. Churchill au général de Gaulle, à Londres.

TRADUCTION

Du Maroc, 16 janvier 1943.

Je serais heureux que vous veniez me rejoindre ici par le premier avion disponible — que nous fournirons —. J'ai, en effet, la possibilité d'organiser un entretien entre vous et Giraud dans des conditions de discrétion complète et avec les meilleures perspectives.

Il serait utile que vous ameniez Catroux, car Giraud désirera avoir avec lui quelqu'un, probablement Bergeret. Toutefois, les conversations auraient lieu entre les deux principaux Français, à moins qu'on ne trouve bon de procéder autrement. Giraud sera ici dimanche et j'espère que le temps vous permettra d'arriver lundi.

Télégramme du général de Gaulle à M. W. Churchill, à Anfa.

Londres, 17 janvier 1943.

Votre message, qui m'a été remis aujourd'hui à midi par M. Eden, est pour moi assez inattendu.

Comme vous le savez, j'ai télégraphié plusieurs fois à Giraud depuis Noël pour le presser de me rencontrer. Bien que la situation ait évolué, depuis, dans un sens qui rend maintenant une entente moins facile, je rencontrerais volontiers Giraud en territoire français, où il le voudra et dès qu'il le souhaitera, avec tout le secret désirable. Je lui envoie, dès à présent, un officier pour nos liaisons directes. J'apprécie au plus haut point les sentiments qui inspirent votre message et je vous en remercie très vivement. Permettez-moi de vous dire, cependant, que l'atmosphère d'un très haut aréopage allié autour de conversations Giraud - de Gaulle et, d'autre part, les conditions soudaines dans lesquelles ces conversations me sont proposées ne me paraissent pas les meilleures pour un accord efficace. Des entretiens simples et directs entre chefs français seraient, à mon avis, les plus propres à ménager un arrangement vraiment utile.

Je tiens à vous assurer, une fois de plus, que le Comité national français ne sépare en rien l'intérêt supérieur de la France de celui de la guerre et des Nations Unies. C'est pour cette raison, qu'à mon avis, un redressement rapide et complet de la situation intérieure en Afrique du Nord française est nécessaire dans des conditions conformes à l'effort maximum pour la guerre et au succès de nos principes.

Je télégraphie, à nouveau, à Giraud pour lui renouveler, encore une fois, ma proposition d'une rencontre immédiate, proposition à laquelle je n'ai reçu de lui, jusqu'à présent, aucune réponse précise.

Télégramme du général de Gaulle au général Giraud, à Alger.

Londres, 17 janvier 1943.

Souvenez-vous que je reste prêt à vous rencontrer en territoire français et entre Français où et quand vous le souhaiterez.

Je vous envoie le colonel Billotte et le commandant Pélabon avec un chiffre pour nos liaisons.

Télégramme de M. W. Churchill au général de Gaulle, à Londres.

TRADUCTION

Anfa, 19 janvier 1943.

Je suis autorisé à vous dire que l'invitation qui vous est adressée vient du Président des États-Unis d'Amérique aussi bien que de moi-même.

Je n'ai pas encore parlé de votre refus au général Giraud, qui attend ici, accompagné seulement de deux officiers d'état-major. Les conséquences de ce refus, si vous y persistez, porteront, suivant moi, un grave préjudice au mouvement de la France Combattante. Par-dessus tout, il faut que des arrangements soient conclus pour l'Afrique du Nord. Nous aurions été heureux que vous participiez aux conversations, mais celles-ci devront avoir lieu, même en votre absence.

Les arrangements, une fois conclus, auront l'appui de la Grande-Bretagne et des États-Unis.

Le fait que vous ayez refusé de venir à l'entretien proposé sera, à mon avis, presque universellement condamné par l'opinion publique. Naturellement, il ne pourrait être question que vous soyez invité à visiter les États-Unis dans un proche avenir si vous rejetiez l'actuelle invitation du Président. Votre refus aurait pour résultat que mes efforts pour surmonter les difficultés existantes entre votre mouvement et les États-Unis auront définitivement échoué et je ne serai certainement pas en mesure de les renouveler dans cette direction tant que vous resterez le chef du mouvement.

La porte n'est pas fermée. Si, en toute connaissance de cause, vous rejetez cette unique occasion, les conséquences ne pourront être qu'extrêmement graves pour l'avenir du mouvement de la France Combattante.

Télégramme du général de Gaulle à M. W. Churchill, à Anfa.

Londres, 20 janvier 1943.

Il m'apparaît, par votre deuxième message, que votre présence là-bas et celle du Président Roosevelt ont pour but de réaliser avec le général Giraud certains arrangements concernant l'Afrique du Nord française. Vous voulez bien me proposer de prendre part aux discussions, en ajoutant, toutefois, que les arrangements seront éventuellement conclus sans ma participation.

Jusqu'à présent, toute l'entreprise alliée en Afrique du Nord française a été décidée, préparée et exécutée sans aucune participation officielle de la France Combattante et sans que j'aie pu disposer d'aucun moyen d'être informé directement et objectivement des événements. Cependant, vous n'ignorez pas les responsabilités que moi-même et le Comité national français portons dans cette guerre vis-à-vis de notre pays et pour le service de la France.

Les décisions qui ont été prises en dehors de la France Combattante pour ce qui concerne l'Afrique du Nord et l'Afrique occidentale et, d'autre part, le maintien dans ces régions d'une autorité procédant de Vichy, ont conduit à une situation intérieure qui, semble-t-il, ne satisfait pas pleinement les alliés et dont je puis vous assurer qu'elle ne satisfait aucunement la France.

A présent, le Président Roosevelt et vous-même me demandez de prendre part à l'improviste, sur ce sujet, à des entretiens dont je ne connais ni le programme, ni les conditions, et dans lesquels vous m'amenez à discuter soudainement avec vous de problèmes qui engagent à tous égards l'avenir de l'Empire français et celui de la France.

Je reconnais, toutefois, que, malgré ces questions de forme,

si graves qu'elles soient, la situation générale de la guerre et l'état
où se trouve provisoirement la France ne me permettent pas de
refuser de rencontrer le Président des États-Unis d'Amérique et
le Premier Ministre de Sa Majesté britannique. J'accepte donc
de me rendre à votre réunion. Je serai accompagné par le général
Catroux et l'amiral d'Argenlieu.

Télégramme du général Leclerc au général de Gaulle, à Londres.

Quartier-Général, 24 janvier 1943.

Après une lutte acharnée, les troupes motorisées du lieutenant-
colonel Dio se sont emparées, le 20 janvier, d'une position ennemie
très fortement tenue, couvrant Mizda. Un important matériel
a été capturé. Le 21, nos troupes ont occupé Mizda, centre de
résistance ennemi tenu très solidement et interdisant par le Sud
l'accès au Djebel-Nefoussa que la VIIIe Armée britannique débor-
dait par le Nord. Le capitaine Troadec s'est particulièrement
distingué au cours de cette affaire. L'ennemi, en déroute, laisse
sur le terrain ses tués, ses blessés et un important matériel.

Communiqué commun des généraux de Gaulle et Giraud,
le 26 janvier 1943.

A l'issue de leurs premiers entretiens en Afrique du Nord française, le général de Gaulle et le général Giraud font en commun la
déclaration suivante :
« Nous nous sommes vus. Nous avons causé. Nous avons constaté notre accord complet sur le but à atteindre qui est la libération de la France et le triomphe des libertés humaines par la
défaite totale de l'ennemi.
« Ce but sera atteint par l'union dans la guerre de tous les
Français luttant côte à côte avec tous leurs alliés. »

Télégramme du général Leclerc au général de Gaulle, à Londres.

Quartier-Général, 26 janvier 1943.

Après avoir traversé le Djebel-Nefoussa, un détachement des
Forces Françaises Combattantes, sous les ordres du capitaine
Farret, a atteint Tripoli le 25 janvier. Il a pris liaison avec le com-
mandement britannique, trente-neuf jours après avoir quitté le
Tchad...

Télégramme du général de Gaulle au gouverneur-général Éboué, en A. F. L.; au général Leclerc, commandant les forces en A. F. L.; à l'amiral d'Argenlieu, haut-commissaire au Pacifique; aux délégués de la France Combattante auprès des gouvernements étrangers.

Londres, 28 janvier 1943.

Voici le résumé de mes impressions au sujet des entretiens que j'ai eus à Casablanca et le modeste bilan des réalisations.

Mes conversations et celles de Catroux et d'Argenlieu avec Giraud ont été cordiales. Mais elles ont révélé la grande difficulté d'une union réelle actuellement. En effet, Giraud ne consent pas à changer le système appliqué en Afrique du Nord et qui est celui de Vichy. Il tient à conserver en place Noguès, Boisson, Peyrouton, Bergeret. En fait, d'ailleurs, il n'a pas de réelle autorité, sauf, dans une certaine mesure, sur les troupes. D'autre part, Giraud proposait que la France Combattante se subordonne à lui, ce qui reviendrait, pour nous, à disparaître pour nous fondre dans un système local africain, lequel système n'est pas bon. Les masses françaises n'accepteraient pas cela. En outre, la chose française serait, comme Giraud lui-même, à la discrétion des Américains.

J'ai proposé à Giraud d'entrer dans la France Combattante avec le commandement de toutes les forces d'opérations. Il n'a pas accepté cette solution. Au fond, il est entouré d'une équipe qui veut lui faire jouer un rôle politique. En même temps, il est, plus ou moins, prisonnier des grands féodaux de Vichy qui lui accordent des honneurs et l'utilisent comme une façade honorable, tandis qu'ils gardent leurs places, leur autorité et leur attentisme.

Faute de mieux, nous avons convenu avec Giraud d'établir des liaisons entre nous aux points de vue militaire, économique, etc. Nous espérons que le rapprochement se fera ainsi pas à pas, d'autant plus que l'opinion en Afrique du Nord française se manifeste de plus en plus en notre faveur.

Mes conversations avec Roosevelt ont été bonnes. J'ai l'impression qu'il a découvert ce qu'est la France Combattante. Cela peut avoir de grandes conséquences par la suite. D'autre part, il apparaît que Roosevelt et Churchill se sont aperçus, comme nous le pensons nous-mêmes, que le général Giraud est, par sa nature, qualifié exclusivement pour le commandement militaire.

Télégramme du général Leclerc au général de Gaulle, à Londres.

Quartier-Général, 29 janvier 1943.

Les troupes du Tchad, poursuivant leur avance, se sont emparées, le 26 janvier, des postes de Derg et Ghadamès à la frontière de la

Tunisie, en faisant de nombreux prisonniers. Un important matériel est tombé entre nos mains.

Télégramme du général de Gaulle au général Giraud, à Alger.

Londres, 2 février 1943.

Le général Catroux quittera Londres incessamment pour Beyrouth. Je désire qu'il séjourne à Alger deux ou trois jours avant de regagner son poste actuel en Syrie. Il pourra ainsi vous voir et vous parler de la mission que le Comité national français compte envoyer en Afrique du Nord, comme nous en avons convenu à Casablanca.

Dans mon esprit, le général Catroux est destiné à diriger cette mission sur place, dès qu'il aura conduit à leur terme certaines affaires très importantes concernant le Levant. Nous tenons beaucoup à ce que le passage à Alger du général Catroux ne donne lieu dans la presse et à la radio nord-africaines et étrangères à aucune interprétation prématurée ou exagérée. Nous vous demandons donc d'empêcher à ce sujet tout commentaire provenant d'Afrique du Nord, à moins que nous ne soyons d'accord sur ce qu'il y aurait à dire.

Je vous serais obligé de me faire connaître d'urgence votre accord sur ces divers points.

Télégramme du général de Gaulle au général Leclerc, en Libye.

Londres, 2 février 1943.

Je réponds à vos comptes rendus.

J'approuve les dispositions que vous avez prises, d'accord avec Montgomery, pour votre participation aux prochaines opérations.

J'approuve, en particulier, la transformation de deux compagnies de découverte et combat respectivement en un escadron d'automitrailleuses et une compagnie de chars.

D'autre part, j'envoie en Orient, en vue d'être incorporées le plus rapidement possible à vos troupes : la compagnie de chars de Kano, une compagnie de chars stationnée en Grande-Bretagne, deux compagnies de chars de Djibouti. Le tout devra vous permettre de former, plus tard, deux bataillons de chars à trois compagnies de combat.

Ainsi que je vous l'ai déjà dit, la constitution des unités nouvelles ne devra pas retarder votre participation à la bataille de Tunisie. Mais il faut prévoir et préparer la suite. J'espère que vous pourrez avoir, un jour, sous vos ordres une division mécanique comprenant, pour commencer, un régiment de découverte armé d'automitrailleuses et d'auto canons, une demi-brigade de chars, une demi-brigade d'infanterie mécanique, un régiment d'artillerie tracté à deux groupes.

Télégramme du général de Gaulle à Adrien Tixier, à Washington.

Londres, 3 février 1943.

Je réponds à vos télégrammes au sujet des équipages des navires venant d'Afrique du Nord.

Il y a lieu, naturellement, d'accepter les engagements de tous marins et militaires français provenant d'Afrique du Nord ou d'Afrique occidentale. Si quelque difficulté s'élève, à ce sujet, de la part des représentants d'Alger, il suffit de leur répondre que le général de Gaulle autorise de tels changements de corps.

Télégramme du général Leclerc au général de Gaulle, à Londres.

Quartier-Général, 4 février 1943.

Le général Delay, venu à Ouargla, a pris liaison avec moi, le 2 février, à Ghadamès.

Une émouvante prise d'armes, comprenant des troupes de la France Combattante et des troupes du territoire Sud-algérien, a eu lieu en terre étrangère conquise par les armes françaises. Les relations, très cordiales à tous égards, établies entre les officiers et les combattants, ont montré, une fois de plus, que l'unité française sera rétablie le jour où auront disparu les grands coupables de la capitulation et de la collaboration.

Télégramme du général de Gaulle à Adrien Tixier, à Washington.

Londres, 9 février 1943.

Veuillez faire parvenir à l'amiral Robert le message suivant, de ma part :

« Connaissant vos efforts pour préserver la souveraineté française sur les Antilles, j'estime le moment venu de nous concerter pour concilier la continuation de votre action avec la nécessité de constituer un organisme central dont l'autorité s'étendrait sur l'ensemble de l'Empire et dont l'existence s'impose pour la sauvegarde de la puissance française dans la guerre.

« Le général Catroux vient de partir pour Alger, où il continuera à s'entretenir à ce sujet avec le général Giraud. Je serais heureux si vous vouliez recevoir, dès que possible, M. l'ambassadeur Helleu que je ferais revenir à cet effet du Levant et qui vous mettrait au courant de la situation en ce qui nous concerne. »

Télégramme du général Catroux au général de Gaulle, à Londres.

Le Caire, 18 février 1943.

J'ai vu à Alger des gens de tous bords... J'ai interrogé des amis et des adversaires... De ces consultations, se dégagent les faits suivants :

1) Giraud n'apparaît pas comme l'homme résolu que les uns espéraient et que les autres redoutaient. Il a déçu ceux qui croyaient en lui. On attendait un révolutionnaire, on a rencontré un temporisateur, et chacun en conclut que l'auberge est demeurée la même et que seule l'enseigne a changé.

2) Les conséquences en sont que les partisans de Giraud se montrent déçus et amers. Ils lui reprochent de ne pas avoir fait « maison nette » au civil et au militaire et, non seulement de ne pas les avoir nantis, mais, plus encore, d'avoir cédé devant l'armée qui déclarait indignes et félons les chefs ayant favorisé son avènement. Ils m'ont fait connaître leur désenchantement et m'ont offert leurs services. Même déception chez les « républicains » qui se disent « gaullistes » en se réclamant, d'ailleurs, beaucoup moins de l'esprit de guerre de la France Combattante que des principes démocratiques auxquels elle s'est montrée fidèle...

Les israélites font chorus avec eux et, impatients d'obtenir le rétablissement du décret Crémieux, multiplient les démarches auprès des Anglais et des Américains... Les musulmans... reprochent à Giraud son indifférence, tant à l'égard des revendications politiques des élites, que de la misère de la masse. Les meilleurs se sont refusés à suivre ceux d'entre eux qui songeaient à faire appel aux Américains et attendent beaucoup de la France Combattante...

3) En regard de ces éléments qui sont, en fait ou en puissance, de notre obédience, se place la clientèle de Vichy, sans armature directrice... Cependant, l'opportunisme demeure la règle générale dans ces milieux, notamment celui des colons. On y commence à comprendre que les jeux sont faits et que les alliés gagneront la guerre. On se plie, par suite, à la mobilisation, sans zèle mais sans récrimination, et beaucoup de gens sont tacitement ralliés.

. . . .

4) En définitive, si l'on considère que, de toutes parts, on entend exprimer le souhait que les Français s'unissent, si l'on fait le bilan des forces déjà hostiles à Vichy et de celles qui tendent à s'en séparer, on a le droit de conclure que l'Algérie peut être regroupée et prise en main...

Cela ne peut être fait sans Giraud parce qu'il est en place. Il s'agit de le conduire... à le réaliser, ce qui ne me paraît pas impossible avec du temps et de la patience, si je suis présent à ses côtés.

Instruction remise par le général de Gaulle à Jean Moulin.
(Création du Conseil national de la résistance).

Londres, 21 février 1943.

1) Jean Moulin, délégué du général de Gaulle en zone non occupée, devient le seul représentant permanent du général de Gaulle et du Comité national pour l'ensemble du territoire métropolitain.

2) Sous sa responsabilité, il pourra déléguer, à titre temporaire, certains de ses pouvoirs à des personnes choisies par lui et responsables devant lui.

. . . .

3) Il doit être créé, dans les plus courts délais possibles, un Conseil de la résistance unique pour l'ensemble du territoire métropolitain et présidé par Jean Moulin, représentant du général de Gaulle.

4) Ce Conseil de la résistance assurera la représentation des groupements de résistance, des formations politiques résistantes et des syndicats ouvriers résistants. Le rassemblement doit s'effectuer sur la base des principes suivants :

— contre les Allemands, leurs alliés et leurs complices, par tous les moyens et particulièrement les armes à la main ;

— contre toutes les dictatures et notamment celle de Vichy, quel que soit le visage dont elle se pare ;

— pour la liberté ;

— avec de Gaulle, dans le combat qu'il mène pour libérer le territoire et redonner la parole au peuple français.

5) Le Conseil de la résistance a pour tâche d'arrêter les directives à donner aux formations représentées, en application des instructions du général de Gaulle et du Comité national...

6) Afin que le Conseil de la résistance ait le prestige et l'efficacité nécessaires, ses membres devront avoir été investis de la confiance des groupements qu'ils représentent et pouvoir statuer... sur l'heure au nom de leurs mandants.

7) Le Conseil de la résistance forme l'embryon d'une représentation nationale réduite, conseil politique du général de Gaulle à son arrivée en France. A ce moment, le Conseil de la résistance sera grossi d'éléments représentatifs supplémentaires...

8) Le Conseil de la résistance pourra, s'il le juge utile, instituer dans son sein une commission permanente présidée, elle aussi, par le représentant du général de Gaulle et du Comité national ou un adjoint de son choix et dont le nombre de membres devrait être fixé à cinq.

. . . .

9) Le délégué du général de Gaulle, Président du Conseil de la résistance, sert d'intermédiaire normal entre le Conseil de la résistance, d'une part, et, d'autre part, l'état-major de l'armée de l'Intérieur, le Centre d'études et le Service d'information.

. . . .

Mémorandum du Comité national français,
adressé au général Giraud, à Alger.

Londres, 23 février 1943.

Au moment où va commencer à fonctionner sa mission en Afrique du Nord, le Comité national entend préciser ses intentions, en ce qui concerne l'union de l'Empire français et des forces françaises dans la guerre que la France mène, depuis le 3 septembre 1939, contre les puissances de l'Axe.

I

Le Comité national note, d'abord, avec satisfaction, qu'au cours de leur entrevue d'Anfa, le général de Gaulle et le général Giraud ont pu constater leur accord sur le but à atteindre : libération de la France et triomphe des libertés humaines par la défaite totale de l'ennemi.

Mais, pour que la France puisse tirer parti, au point de vue national et au point de vue international, de son effort de guerre et, un jour, de sa participation à la victoire des Nations Unies, il est nécessaire que soit réalisée l'unification de toutes ses forces combattantes et résistantes, tant à l'intérieur qu'à l'extérieur du pays, ce qui implique l'unité sur la base d'une même législation et la direction des efforts par un seul et même organisme.

II

Le Comité national français, préoccupé, non certes de rivalités de personnes qui ne doivent pas exister et qui n'existent pas, mais du rassemblement du peuple et de l'Empire français dans la guerre aux côtés de tous ses alliés et du triomphe des buts poursuivis par la nation française, est résolu à faire tous ses efforts pour remédier à cette situation fâcheuse et à chercher tous moyens d'obtenir l'unification. Pour y parvenir, certaines conditions sont indispensables :

a) Tout d'abord, le soi-disant « armistice », conclu contre la volonté de la France par un pseudo-gouvernement qui a soulevé contre lui l'unanimité de la résistance française, doit être officiellement tenu, en Afrique du Nord française et en Afrique occidentale, comme nul et non avenu et comme n'engageant pas la nation. Cette vérité est à la base de l'effort national dans la guerre. Il suffit, mais il est nécessaire, de l'admettre pour reconnaître que le devoir envers le pays exige et a toujours exigé la lutte contre l'ennemi, aux côtés de tous les alliés, et pour discerner l'impossibilité politique et morale de laisser aux principaux postes de direction des hommes qui ont pris une large responsabilité personnelle dans la capitulation et la collaboration avec l'ennemi.

b) ... Dans tous les territoires français, à mesure qu'ils sont libérés, les libertés fondamentales doivent être restaurées. C'est le cas, en particulier, sous la seule réserve des restrictions imposées réellement par l'état de guerre, pour la liberté de pensée, pour la liberté d'association, pour la liberté syndicale, pour l'égalité de tous les citoyens devant la loi, pour la garantie contre tout arbitraire en matière de justice et de police. Ceci implique, évidemment, la libération immédiate de tous les citoyens détenus en violation de ces libertés...

c) Aussi longtemps que l'ennemi occupe une partie du territoire et que plus d'un million de Français sont prisonniers, la poursuite de fins politiques et, notamment, le changement des institutions et lois fondamentales de la France, telles qu'elles existaient le 16 juin 1940, constituent une atteinte à l'union des citoyens et à l'effort de guerre de la nation.

En conséquence, la transformation de la République en « État Français » et les mesures prétendues législatives inspirées par l'idéologie nazie ou fasciste et imposées par un pouvoir usurpé doivent être considérées comme nulles. La légalité républicaine doit être rétablie...

d) Nul doute ne doit subsister quant à la volonté de toute autorité française de contribuer à assurer, dès la libération, la libre expression de la liberté populaire par l'élection au suffrage universel de la représentation nationale, laquelle aura seule qualité pour établir la constitution de la France, désigner son gouvernement, enfin juger les actes accomplis par tout organisme qui aura assuré la gestion provisoire des intérêts nationaux...

III

En attendant la libération totale du territoire, ... il sera utile, dès qu'aura été constitué un pouvoir central provisoire où les diverses opinions et activités seront représentées, de créer, auprès de ce pouvoir, un conseil consultatif de la résistance française. Ce conseil pourrait être formé, par exemple, par des mandataires délégués par les organisations de résistance dans la Métropole et les éléments combattants, par les membres du Parlement non symboliques de la capitulation et de la collaboration avec l'ennemi, par les corps élus des territoires libérés de l'Empire, par les groupements, économiques, syndicaux, universitaires, existant dans l'Empire et par les associations de citoyens français à l'étranger. Ce conseil aurait pour fonction de donner une expression à l'opinion des Français, pour autant qu'elle puisse se faire entendre dans les circonstances présentes.

IV

... En tout état de cause, dans l'intérêt supérieur du pays, le Comité national français estime nécessaire qu'une coopération aussi large que possible soit établie immédiatement avec l'Afrique du Nord et l'Afrique occidentale pour la solution en commun de certains problèmes de guerre, pourvu que les intentions manifestées à Anfa aient reçu, dans ces territoires, un commencement d'exécution.

. . . .

Télégramme-marine.

Greenock (Écosse), 23 février 1943.

102 membres de l'équipage du paquebot français *Éridan*, venu d'Afrique du Nord, me prient de vous demander de transmettre d'urgence au général de Gaulle le message suivant :

« 102 membres de l'équipage du paquebot *Éridan* vous expriment toute leur admiration pour votre ténacité à défendre la France et ses libertés. Nous vous demandons l'honneur de nous autoriser à hisser votre pavillon sans tache et sans reproche à notre mât de misaine. Sûrs de notre destin sous votre haute autorité, nous crions tous ensemble : Vive de Gaulle ! Vive la France ! »

Ces hommes ont signé une déclaration solennelle, rédigée comme suit :

« Nous soussignés, officiers et matelots du navire français *Éridan*, actuellement en rade de Greenock, déclarons solennellement que :

« 1) Nous ne reconnaissons comme seule autorité française légitime que le Comité national français que préside le général de Gaulle.

« 2) Nous demandons à ce que notre bateau avec son équipage soit immédiatement mis au service des Nations Unies sous le pavillon de la France Combattante.

« 3) Il nous serait impossible de continuer à assurer notre service sous une autorité que nous ne reconnaissons pas. »

Je me propose de communiquer cette déclaration aux autorités locales. Dès que vous en aurez donné l'ordre, la marque à croix de Lorraine sera hissée sur ce bâtiment.

L'équipage total de l'*Éridan* est de 154, y compris 17 hommes de l'A. M. B. C. (1). Seuls les officiers de pont n'ont pas encore signé cette déclaration.

Télégramme-marine.

Greenock (Écosse), 24 février 1943.

101 membres de l'équipage du navire français *Groix*, venu d'Afrique du Nord, acclament le général de Gaulle et ont signé une demande de ralliement à la France Combattante.

L'équipage total du *Groix*, équipe A. M. B. C. (1) comprise, est de 140.

Télégramme du général de Gaulle au général Catroux, à Beyrouth.

Londres, 25 février 1943.

J'ai l'intention de me rendre prochainement en Afrique, dans le but de voir nos troupes et de visiter les territoires dont nous avons la charge. Je compte arriver au Caire vers le 8 mars, passer deux jours en Syrie, puis me rendre auprès de Larminat et de Leclerc. Il est à souhaiter que vous puissiez m'y accompagner. Je gagnerai, ensuite, Madagascar en passant par Brazzaville et je reviendrai par Djibouti. Eisenhower me fait dire qu'il désirerait me rencontrer à l'occasion de ce voyage. Je lui réponds que j'en serais heureux et que le point de rencontre pourrait être Tripoli. De son côté, il parle d'Alger. Mais je n'admettrais pas d'aller à Alger pour y être reçu par quiconque. D'autant plus que la propagande de Giraud et des Américains ne manquerait pas d'exploiter mon séjour à Alger comme la preuve que nous donnons notre bénédiction au système qui est en place, alors que, bien au contraire, nous ne l'admettons ni ne le reconnaissons. Je vous serais obligé de prévenir Marmier de mon projet de voyage afin qu'il prépare un avion pour me transporter. Le secret est naturellement de rigueur.

Télégramme d'Adrien Tixier au général de Gaulle, à Londres.

Washington, 25 février 1943.

M. Welles m'a prié, par lettre très confidentielle, datée du 22 février, de vous faire connaître que le Président serait très heureux

---

(1) Il s'agit d'un détachement de la marine de guerre embarqué sur les navires marchands par : l'« Armement militaire des bâtiments de commerce, » (A. M. B. C.).

de vous recevoir à Washington, au cours, soit de la première quinzaine, soit de la deuxième quinzaine d'avril.

. . . .

Télégramme du général de Gaulle à Adrien Tixier, à Washington.

Londres, 27 février 1943.

Je reçois votre télégramme du 25 février... Vous pouvez dire à
M. Welles :
1) que je me tiens à la disposition du Président pour aller le
voir à Washington en avril, à la date qu'il fixera ;
2) que je serais moi-même très heureux de cette visite.

Télégramme du général Leclerc au général de Gaulle, à Londres.

Quartier-Général, 27 février 1943.

Nos troupes progressent en territoire tunisien... dans la région
de Tatahouine. Combats répétés avec des blindés allemands qui
se sont repliés... Attaques sévères de l'aviation ennemie... Moral
élevé.

Lettre de M. Charles Peake,
délégué du Foreign Office auprès du Comité national,
à M. René Massigli, commissaire national aux Affaires étrangères.

TRADUCTION

Londres, le 3 mars 1943.

Monsieur le Commissaire national,

Comme vous le savez, le général de Gaulle m'a convoqué hier
et m'a prié de lui faire connaître la réponse du Gouvernement de
Sa Majesté à la demande qu'il avait adressée, par mon intermédiaire, quant aux moyens de gagner Le Caire par avion afin de
visiter Beyrouth, les troupes françaises libres en Tripolitaine et
les territoires de l'Afrique française libre.

J'ai transmis au principal secrétaire d'État pour les Affaires
étrangères du Gouvernement de Sa Majesté la requête du général
de Gaulle et j'ai l'honneur de vous informer que celle-ci a été
prise en considération approfondie par le Gouvernement de Sa
Majesté.

J'ai pour instruction de faire valoir que, de l'avis du Gouvernement de Sa Majesté, le moment présent n'est pas très bien choisi
pour une visite aussi étendue que celle qui est envisagée. Le prin-

cipal souci du Gouvernement de Sa Majesté, dans la situation actuelle des affaires françaises, est qu'un accommodement doit être réalisé, aussitôt que possible, entre le Comité national français et l'administration du général Giraud. Le Gouvernement de Sa Majesté est heureux de noter qu'une mission de la France Combattante est maintenant en route pour Alger et que le général Catroux, qui la dirige, arrivera bientôt sur place. Ce Gouvernement pense qu'il serait plus sage que le voyage du général de Gaulle ne soit pas entrepris tant que les relations entre le Comité national français et l'administration d'Alger ne sont pas encore réglées et jusqu'à ce que le général Catroux se soit lui-même établi à Alger et que sa mission ait porté ses fruits. Le Gouvernement de Sa Majesté n'apprécierait pas, non plus, une visite du général de Gaulle aux États du Levant dans les circonstances présentes où les élections sont proches.

Pour ces raisons et pour d'autres, j'ai déjà souligné au Général que le Gouvernement de Sa Majesté ne juge pas conforme aux intérêts de l'ensemble des Nations Unies que ce voyage soit entrepris actuellement. Ce Gouvernement regrette donc de ne pouvoir, pour le moment, accorder les moyens que le général de Gaulle a demandés.

J'ai l'honneur d'être, monsieur le Commissaire national, votre obéissant serviteur.

Télégramme du général de Gaulle au général Catroux, à Beyrouth.

Londres, 10 mars 1943.

Mon projet de voyage en Tripolitaine et en Afrique libre est actuellement différé pour diverses raisons, dont la principale est l'opposition manifestée par le Gouvernement britannique. Celui-ci redoute, probablement, que ma présence à Tripoli ou au Tchad ne provoque des mouvements en Afrique du Nord française ou des incidents avec Giraud. Il craint aussi que je n'apparaisse impromptu à Alger, ce qui est assez puéril. D'autre part, le projet d'un autre voyage recommence à se préciser. Bref, je me vois obligé de remettre à plus tard la visite que je comptais faire à nos troupes et à nos territoires. Cela ne va pas pour moi sans chagrin, ni sans rancœur, comme vous pouvez le penser. Mais la situation générale m'impose quelque patience.

Au moment où vous allez entamer en Afrique du Nord, au nom du Comité national, des négociations capitales, je tiens à préciser mes intentions profondes. Je vous demande même de les indiquer telles quelles au général Giraud et à tous ceux qui sont susceptibles de travailler sur place à l'union avec bonne foi et avec de la grandeur dans l'esprit.

Je désire infiniment que l'union de l'Empire puisse se faire au plus tôt. La situation de la France par rapport à l'ennemi commande cette union. D'autre part, la division actuelle de l'Empire en deux tronçons est une catastrophe, quant à la position et aux intérêts de la France vis-à-vis des alliés. Toutefois, pour ce qui concerne les conditions de l'union, il est absolument nécessaire de tenir compte, avant tout, de l'état d'esprit dans la Métropole. C'est pour cela que nous n'aurions pu, sous aucune forme, nous unir avec Darlan, ni accepter Vichy. Le pays se fait de nous une certaine conception et met en nous une certaine confiance, non seulement pour le présent, mais aussi pour l'avenir. Nous n'avons pas le droit de le priver nous-mêmes de cette foi et de cette espérance. En outre, une union théorique qui n'aurait pas de sincérité serait extrêmement fâcheuse, parce qu'elle transporterait le conflit à l'intérieur de l'organisation et entraînerait vite la paralysie générale. En somme, pour s'unir, il faut une base, et c'est pourquoi nous en avons exposé une dans le mémorandum du Comité national français.

Il est évidemment lamentable, qu'en pleine guerre et en plein malheur, nous nous trouvions obligés de poser des conditions sur le terrain politique. Cependant, il n'y a aucun moyen de faire autrement, car, ce qui cause actuellement la division, ce n'est pas seulement l'opposition des idées en ce qui concerne la nécessité de combattre, mais c'est aussi, corrélativement, l'idéologie de Vichy. Ce n'est pas notre faute si la France est en crise politique et morale, autrement dit en révolution, en même temps qu'elle est en guerre.

Nous n'avons absolument aucune intention de gêner le général Giraud lui-même. Nous désirons que, le plus tôt possible, il se confonde avec nous. Toutefois, et sans chercher aucun grief contre quiconque, sauf contre ceux qui persistent à ne pas accepter totalement le devoir de guerre ou ceux qui sont réellement symboliques de la capitulation et de la collaboration, nous n'entendons pas nous présenter en Afrique du Nord autrement que nous ne sommes. Nous croyons, aujourd'hui plus que jamais, avoir eu raison depuis le premier jour. Nous savons bénéficier de l'approbation ardente de presque toute la masse française et même de celle d'une très grande partie de la population d'Afrique du Nord et d'Afrique occidentale. En outre, et jusqu'à ce que l'union soit réalisée effectivement, nous voulons rester nous-mêmes, organisés, comme nous le sommes, en France Combattante.

Je me rends parfaitement compte de la nécessité où vous allez être de manœuvrer sur place. Je me garderai, en principe, d'intervenir dans votre manœuvre. Je crois nécessaire, en même temps, de ne pas me considérer comme y étant personnellement engagé, qu'il s'agisse des gens ou des choses. Vous serez certainement de mon avis sur ce point. Veuillez croire à la fidélité de ma confiance et de mon amitié.

Télégramme de Léon Marchal, chef (par intérim) de la mission
de la France Combattante en Afrique du Nord française, au
général de Gaulle, à Londres.

Alger, 13 mars 1943.

Après deux semaines de séjour à Alger, la situation en Afrique
du Nord m'apparaît à la fois pire et meilleure qu'on ne le pensait
communément à Londres au moment de mon départ. Pire, en ce
sens que certains éléments... demeurent obstinément vichystes...
Mais, surtout, meilleure, car une évolution marquée et rapide en
notre faveur se manifeste dans l'état d'esprit général qui n'est
déjà plus aujourd'hui celui que nous avait décrit M. Capitant. Je
crois pouvoir dire que nous ne représentons plus seulement une
minorité agissante, mais que la majorité de l'opinion est d'ores et
déjà avec nous...

Cette évolution est sans doute due, d'une part, au fait que ceux
qui ont été soumis pendant des mois à une propagande persévé-
rante commencent à se désintoxiquer et à être en mesure de comprendre ce qu'est réellement la France Combattante ; d'autre part,
les dirigeants actuels donnent un tel spectacle de médiocrité et de
confusion qu'un sentiment de mécontentement se répand dans tous
les milieux. De plus en plus nombreux sont ceux qui, pour mettre
un terme à cet état de choses, tournent leurs espoirs vers le général
de Gaulle. L'autorité du général Giraud s'effrite chaque jour davantage. La plupart des fonctionnaires de son administration multiplient, vis-à-vis de nous, les appels à l'union... Dans d'autres
milieux officiels, notamment au Gouvernement général de l'Algérie,
nous sommes l'objet des avances les plus nettes... Il serait, certes,
excessif de déduire de ce qui précède que la France Combattante
a, dès maintenant, partie gagnée en Afrique du Nord. Il reste
contre nous des points de résistance qui seront difficiles à réduire...
Mais le moins que l'on puisse dire est que notre mouvement constitue déjà ici un facteur d'importance primordiale et qui s'impose
à l'esprit des moins bien disposés à notre égard. Dans ces conditions, l'installation de la mission produit un effet de choc... et
la prochaine arrivée du général Catroux prend figure de grand événement. Elle est attendue avec inquiétude par certains et, par le
plus grand nombre, avec une impatience pleine d'espoir. On s'accorde à reconnaître que le représentant du Comité national est
appelé à jouer ici, au cours des semaines qui viennent, un rôle
qui peut être décisif... Je tiens à exprimer ma conviction réfléchie,
qu'en alliant la prudence à la fermeté, nous devons parvenir à
faire triompher, en Afrique du Nord, les principes qui nous ont
guidés depuis juin 1940 et à rétablir l'unité...

Lettre du général Giraud au général Catroux.

Alger, le 15 mars 1943.

Mon Général,

J'ai tenu à exposer publiquement, hier, les principes qui guident ma conduite. Il ne subsiste donc aucune équivoque entre nous.

J'ai déjà exprimé, à Anfa, au général de Gaulle mon désir d'entente. Le moment de l'union de tous les Français de bonne volonté est venu.

Je suis prêt à accueillir le général de Gaulle afin de donner à cette union une forme concrète. Je vous demande de lui en faire part.

Veuillez agréer, mon Général, l'expression de mes sentiments affectueux.

Télégramme du général de Gaulle
au général Catroux, à Beyrouth et à Alger.

Londres, 16 mars 1943.

Je vous serais obligé de bien vouloir faire connaître au général Giraud que j'ai reçu avec plaisir le message qu'il m'a adressé par votre intermédiaire. Je compte pouvoir me rendre à Alger après que vous y serez vous-même arrivé. Amicalement.

Communiqué du Comité national français.

Londres, 16 mars 1943.

Au sujet des déclarations faites à Alger, le 14 mars, par le général Giraud, le général de Gaulle a dit :

« Nous constatons avec satisfaction que ces déclarations marquent, à beaucoup d'égards, un grand progrès vers la doctrine de la France Combattante, telle qu'elle fut définie et soutenue depuis juin 1940 et telle qu'elle a été de nouveau exprimée par le mémorandum du Comité national du 23 février dernier. Les innombrables témoignages qui nous sont parvenus de France prouvent que cette doctrine est passionnément approuvée par l'immense majorité de la nation opprimée.

« Le Comité national espère, maintenant, voir les déclarations du général Giraud s'appliquer rapidement dans les faits, à Alger, à Casablanca et à Dakar.

« En tout cas, je répète aujourd'hui, comme nous l'avons maintes fois affirmé depuis le 25 décembre dernier, que nous sommes prêts à étudier sur place, entre Français, les conditions et les modalités de l'union effective de l'Empire impérieusement commandée par l'intérêt de la France et la situation de la guerre. »

*Télégramme du général de Gaulle
au général Catroux, à Beyrouth et à Alger.*

Londres, 20 mars 1943.

Voici mes impressions au sujet de la nouvelle phase marquée par le discours de Giraud dimanche dernier et par son invitation de venir à Alger.

Devant la pression croissante de l'opinion en Afrique du Nord, ... il a été jugé nécessaire de reprendre, sous une nouvelle forme, la manœuvre de Casablanca. Cette fois, il s'agit de peindre Giraud en démocrate et de nous placer nous-mêmes au pied du mur. Je n'apprécie guère cette intention, ni cette méthode. Certes, j'entends me rendre à Alger, mais je ne veux le faire que quand j'y verrai clair.

Avant tout, il est nécessaire que le général Giraud réponde au mémorandum du Comité national autrement que par un discours. Il faut, aussi, qu'il précise s'il est resté sur sa position d'Anfa, car, dans ce cas, je ne vois pas d'issue. Enfin, il va sans dire que j'entends avoir en Afrique du Nord la totale liberté de mes faits, gestes et actes. Tels sont les trois points que je vous demande d'éclaircir dès votre arrivée à Alger. J'ajoute que la pression de l'étranger, telle qu'elle s'exerce actuellement sur nous, ne contribue pas à m'inspirer confiance quant aux vrais motifs du soutien qui est, en ce moment, fourni à Giraud de l'extérieur.

Enfin, nos organisations de résistance en France viennent de me confirmer leur adhésion avec une netteté impressionnante. Dans l'intérêt national, pour le présent et pour l'avenir, l'union avec Giraud est très désirable, mais certainement pas à tout prix. Mes résolutions sont prises.

Télégramme du général de Gaulle à Léon Marchal, à Alger.

Londres, 21 mars 1943.

Veuillez remettre au général Giraud, de ma part, le message suivant :

« J'ai reçu de M. Sophie, maire de Cayenne et président du Comité de ralliement à la France Combattante, trois télégrammes datés des 17 et 18 mars, m'annonçant le ralliement exigé par la population de cette colonie à la France Combattante.

« M. Sophie m'a demandé également l'envoi d'un gouverneur, des instructions et l'approbation des mesures provisoires prises par lui.

« Je crois devoir vous aviser que le Comité national français a désigné pour ce poste M. Bertaut, administrateur en chef des Colonies.

« J'envoie, d'autre part, sur place, de Washington, le colonel de Chevigné.

« Je viens d'apprendre que, de votre côté, à la suite d'autres communications, vous envoyez le colonel Lebel. Je propose que ces deux officiers se concertent pour éviter tout incident, étudier sur place en commun la situation et en rendre compte. »

Télégramme d'Adrien Tixier au Comité national, à Alger.

Washington, 23 mars 1943.

J'ai demandé à Sumner Welles des informations sur l'attitude du Gouvernement des États-Unis dans la question du ralliement de la Guyane. Sumner Welles m'a expliqué que le colonel Vanègue, chef des troupes, avait imposé le départ du gouverneur Veber et donné son adhésion à Giraud, quand le maire de Cayenne, M. Sophie, a envoyé des télégrammes identiques au général de Gaulle et à Giraud. Des émeutes ont eu lieu.

. . . .

J'ai fait remarquer à Sumner Welles que le commandant des troupes n'avait aucune qualité pour représenter la population d'une colonie, alors que le maire élu de Cayenne avait cette qualité. Sumner Welles m'a répondu que Sophie avait été élu il y a plusieurs années et que cette élection ancienne n'impliquait nullement qu'il représentât les vues actuelles de la population. J'ai répliqué à Sumner Welles, qu'en vertu de son argumentation, le Parlement britannique a été élu avant le début de la guerre et ne pouvait plus être considéré comme le représentant de la population anglaise.

. . . .

Me réservant de reprendre ultérieurement la question de l'autorité française, j'ai demandé à Sumner Welles pourquoi le Département d'État avait refusé un avion au colonel de Chevigné. Il m'a affirmé que cette question d'avion relevait exclusivement du War Department.

. . . .

Télégramme du général de Gaulle au général Catroux, à Alger.

Londres, 24 mars 1943.

Je reçois vos premiers rapports.

Bien que j'aie toujours l'intention et, même, le désir de me rendre à Alger prochainement, je m'en tiens formellement aux conditions précisées dans mon télégramme du 20 mars, savoir : Réponse précise du général Giraud au mémorandum du Comité

national ; indication explicite de la façon dont le général Giraud
envisage l'union entre nous et lui ; garantie que j'aurai la liberté
entière de mes discours, gestes et actes en Afrique du Nord.
Tout ceci est une question de bonne foi réciproque. Si je vais en
Afrique du Nord, c'est pour faire l'union des Français plutôt qu'une
visite au général Giraud. J'attendrai donc que vous m'ayez transmis, de sa part, toutes précisions nécessaires sur ces trois points
avant de fixer une date à mon départ.

A la demande des Américains, j'ai vu longuement hier Mgr Spellman. Il s'est donné comme ayant des instructions du Président
Roosevelt. Il revenait d'Alger, où il avait vu, entre autres, Eisenhower, Murphy et Giraud. Mgr Spellman a reconnu que des erreurs
ont été commises par son gouvernement dans l'affaire d'Afrique
du Nord, en particulier quant à la manière dont a été traitée la
France Combattante. Il m'a paru chargé de me faire entendre qu'on
espérait, à Washington, que mon séjour à Alger permettrait de
reprendre le tout sur des bases nouvelles. Je lui ai répondu que
telle était bien notre intention, mais que beaucoup de mal avait
été fait par les immixtions étrangères, dont la plus récente, et
non la moins fâcheuse, venait de se produire, du fait du State
Department, dans l'affaire de la Guyane. Au milieu d'une telle
atmosphère, renforcée par des radios et des nouvelles de presse
tendancieuses, aucun rapprochement n'était encore possible.

J'ai beaucoup insisté, vis-à-vis de Mgr Spellman, sur le fait que,
pour nous, l'union des Français était réalisée en France et que
nous n'acceptions pas que l'on bâtisse en Afrique du Nord, avec
l'appui direct de puissances étrangères, une construction que la
France repousse d'avance. Sur ce dernier point, voici, pour votre
information, des témoignages tout récents, pour ne parler que de
ceux qui viennent de gens de qualité.

Le premier est celui du général Beynet, arrivé depuis trois jours
et qui s'est rallié immédiatement à nous en disant qu'il n'y a pas
d'autre solution convenable.

Le second est le télégramme ci-dessous que m'adressent d'Espagne, où ils viennent de parvenir, MM. Couve de Murville et
Leroy-Beaulieu, inspecteurs généraux des finances, dont le premier était encore, il y a trois semaines, directeur adjoint du mouvement des fonds à Vichy.

« Couve de Murville et Leroy-Beaulieu se rendent à Alger,
où ils croient que leurs services techniques seront le plus utiles.
Mais, auparavant, ils désirent aller à Londres pour voir le général
de Gaulle. Si c'est impossible, ils demandent que le général de
Gaulle leur accorde un entretien à Alger dès son arrivée. Ils estiment nécessaire l'union de la France derrière le général de Gaulle. »

Le troisième témoignage est le télégramme ci-après, envoyé à
moi-même par Blanc, pseudonyme qui cache le nom du chef de
la très importante organisation de résistance O. C. M., et qui vient
d'arriver à Madrid, venant de Paris.

« Blanc, ayant eu, ce jour, un entretien avec l'ambassadeur des
États-Unis à Madrid, a, au nom de la résistance française dans
les deux zones, prié l'ambassadeur de faire connaître à Washington
la stupeur indignée causée en France par la politique américaine
en Afrique du Nord française... A insisté sur la nécessité urgente,
réclamée par le peuple français, d'unifier l'action des troupes
françaises sous le commandement militaire de généraux n'ayant
aucune attache avec Vichy et sous l'obédience politique du général
de Gaulle. »

J'ajoute que Blanc a été, en France, en contact avec Giraud
et a participé, alors, aux liaisons de Giraud avec les États-Unis,
en raison de la promesse formelle faite par Giraud de se ranger sous
l'autorité du général de Gaulle et du Comité national français.

Au total, je demeure résolu à achever l'union de l'Empire, tout
en procédant objectivement et libéralement. Je ne désire pas
faire perdre la face au général Giraud, pour qui je garde, malgré
son fâcheux départ, beaucoup d'estime et même d'affection.
Mais les choses doivent s'accomplir comme la nation le veut.
C'est pour nous, une fois de plus, affaire de rectitude et de fermeté,
Malgré les tempêtes qui nous assaillent et qui ne sont pas apaisées.
je suis convaincu que nous y réussirons.

Veuillez croire à mes amitiés.

*Télégramme du général de Larminat
au général de Gaulle, à Londres.*

De Lybie, 26 mars 1943.

Les démarches des populations françaises des centres du Sud-
tunisien, notamment Medenine, Djerba et Zarzis, se multiplient
auprès de nous pour obtenir leur rattachement à la France Libre...

Télégramme du général Catroux au général de Gaulle, à Londres.

Alger, 28 mars 1943.

J'ai demandé, aujourd'hui, à Giraud des éclaircissements sur
les trois points visés dans vos télégrammes du 20 et du 24 mars.

Une réponse au mémorandum du Comité national est en préparation. Elle ne tardera pas à m'être remise.

Giraud s'est montré toujours attaché au concept du pouvoir
central provisoire qu'il a défini à Anfa. Il a souligné cependant
que, dans son esprit, si ce pouvoir à trois ou, au besoin, à deux
devait avoir un chef qui serait lui-même, il n'en dériverait point
pour cela une inégalité de prérogatives entre ses membres. Ceux-ci
traiteraient les affaires de toute nature à parité de pouvoirs et

sans répartition organique. Ils seraient interchangeables. En définitive, ce serait un conseil de pairs dont il aurait la présidence.

Comprenant que la primauté que Giraud revendiquait pour lui-
même était surtout une primauté d'apparence, je lui ai suggéré,
à titre tout personnel, d'envisager le système que voici :

a) Le général de Gaulle présiderait un organisme exécutif
et législatif de l'Empire, portant, ou non, le nom de Comité national et établi suivant les principes de l'actuel Comité national
français. Le choix de ses membres serait fait en accord entre le
général de Gaulle et le général Giraud.

b) Giraud serait une sorte de chef constitutionnel de la France
Combattante avec le titre de lieutenant-général de la République.
Il assurerait le commandement des armées et promulguerait les
lois. Il représenterait le pouvoir provisoire de la France vis-à-vis
des alliés.

c) Il serait créé un conseil consultatif des chefs des colonies et
pays de protectorat ou de mandat.

Giraud, au premier examen, ne s'est pas montré hostile à cette
organisation des pouvoirs. Il a tenu seulement à spécifier que,
quel que pût être le système adopté, le pouvoir à en dériver devrait
être un pouvoir de guerre sans tendances politiques et ne préju-
geant aucunement de la forme future des institutions du pays.

Cette réserve reflétant ses préventions contre le Comité national
de Londres, auquel il reproche d'avoir pris des positions politiques,
j'en ai pris occasion pour lui expliquer que le Comité national
s'était simplement déclaré attaché aux principes démocratiques,
but de guerre des alliés, et aux principes de légalité républicaine
auxquels il avait lui-même fait acte d'adhésion.

Je lui ai exprimé, qu'au surplus, le Comité national avait été
reconnu par des puissances alliées comme le seul organisme représentant les intérêts de la France.

. . . .

Je vous serais reconnaissant de me câbler les remarques et
instructions que vous auront suggérées mes communications.

Je serais désireux de les avoir en main le plus tôt possible, la
réalisation de l'union me paraissant, étant donné les circonstances
locales et générales, d'une nécessité pressante.

Télégramme du général de Gaulle au général Catroux, à Alger.

Londres, 31 mars 1943.

J'ai lu avec surprise votre télégramme du 28 mars. Même en
faisant abstraction de ce que sont notre idéal commun et notre
solidarité, même en admettant que nous pouvons faire certaines
concessions à l'opportunité, même en passant outre au fait que
les suggestions que vous avez présentées à Giraud, avant de me

les exposer à moi-même, n'ont pas de rapport avec les télégrammes
que je vous ai adressés pour fixer la position du Comité national
et la mienne, je ne puis concevoir l'économie de votre système.
Ce système reviendrait, essentiellement, à placer l'Empire et,
demain, la France elle-même sous l'autorité personnelle d'un
homme que rien ne qualifie pour l'exercer. En outre, la personnalité du général Giraud, les opinions fondamentales qu'on lui
connaît et son attitude depuis novembre ont suscité à son égard,
en France, une méfiance presque générale.

. . . .
    Rien ne serait plus fâcheux et, j'ajoute, plus douloureux qu'une
discordance entre votre attitude et la mienne dans cette conjoncture capitale.

*Télégramme du général de Gaulle au général Catroux, délégué
général et plénipotentiaire au Levant; au gouverneur-général
Éboué, en A. F. L.; au général Leclerc, commandant les forces
en A. F. L.; à l'amiral d'Argenlieu, haut-commissaire au Pacifique; au général Legentilhomme, haut-commissaire à Madagascar; aux délégués de la France Combattante auprès des gouvernements étrangers.*

Londres, 2 avril 1943.

Voici, pour votre information, quelles ont été les récentes
opérations des Forces Françaises Libres engagées en Tunisie.
Ces forces comprennent : la colonne Leclerc, venue du Tchad,
et la colonne motorisée du colonel Rémy, venue d'Orient. La
Division Larminat est encore en réserve de la VIIIe Armée.
    Au début de mars, la colonne Rémy flanquait, au Sud, les
forces alliées opérant dans la région de Medenine. Le 6 mars,
lors de l'attaque allemande vers Medenine, cette colonne a été
engagée dans un violent combat contre un fort détachement
d'automitrailleuses, chars, artillerie tractée et automotrice. Elle
a réussi à l'arrêter et à lui infliger des pertes sérieuses.
    De son côté, la colonne Leclerc, détachée isolément à l'ouest
des Matmatas, a été attaquée le 10 mars, près de Ksar Rhilane,
par des blindés appuyés d'artillerie. La colonne a forcé l'ennemi
à se retirer en laissant sur le terrain 14 chars et des camions...
    Réunies en un seul groupement aux ordres du général Leclerc,
les deux colonnes ont alors reçu pour mission d'encadrer et de
couvrir un corps d'armée britannique opérant dans la partie nord
du Dahar.
    Le 23 mars..., le groupement s'est emparé par surprise de la
partie centrale du massif montagneux : Djebel-Madjel, en faisant
plusieurs centaines de prisonniers...
    Le 24 après-midi, les Allemands ont lancé sur le Djebel-Madjel,
après une forte préparation d'artillerie, une contre-attaque qui

a échoué. Ils ont laissé de nombreux morts sur le terrain. Nous avons fait une centaine de prisonniers.

Télégramme du commandant Laporte, officier de liaison de la France Combattante auprès du général MacArthur, Commandant en chef allié dans le Pacifique, (transmis par le haut-commissaire de France à Nouméa, le 3 avril 1943).

Voici le résumé d'un entretien confidentiel que j'ai eu, jeudi 1er avril, avec le général MacArthur. Le Général m'a dit en substance ce qui suit :

« Laporte, comme Américain et comme soldat, je suis honteux de la façon dont certains, dans mon pays, ont traité votre chef, le général de Gaulle. La vilenie qui marque la triste affaire de l'Afrique du Nord française sera longue à effacer. Je suis bien loin de tout cela, mais je ne peux m'empêcher de vous dire que, personnellement, je désapprouve l'attitude de Roosevelt et de Churchill envers le général de Gaulle. Dites-lui mon affection et mon admiration pour son attitude dans les événements actuels. Insistez de ma part sur le fait qu'il doit maintenir à tout prix son idéal, celui de la France républicaine, et qu'il ne doit pas céder devant Giraud qui a, d'abord, signé un compromis avec Vichy, puis s'est mis aux ordres de l'Amérique. Seul compte, en fait d'idéal, celui qui est à la base du mouvement Français Libre.

« Giraud peut, momentanément et au point de vue matériel, représenter pour les alliés une aide plus importante que le général de Gaulle, mais celui-ci possède un énorme prestige, acquis par deux ans et demi de droiture, de loyauté et d'énergie prouvées. Si les Gouvernements britannique et américain veulent l'effacer en faveur de Giraud, ils feront bien de ne pas oublier que de Gaulle a derrière lui la majorité des peuples américain et britannique, lesquels ne pourraient pas admettre, sans protester, semblable lâchage. Que le général de Gaulle maintienne donc son point de vue envers et contre tout !

« ... Dites-lui que je lui souhaite de réussir entièrement dans son opposition à tout accord qui tendrait à le diminuer ou à le placer en sous-ordre. Il est, comme je le suis moi-même, soutenu par l'opinion publique et cela, non seulement dans les territoires français, mais encore aux États-Unis et en Grande-Bretagne. De toute mon âme, je prie Dieu qu'il gagne la partie. De si faible poids que puisse être mon encouragement, qu'il le considère comme celui d'un ami et d'un admirateur de la France, qui croit toujours en la chevalerie des Français de bonne race et qui ne veut pas admettre que votre pays, une fois purgé de ses éléments dégradés, ne renaisse pas plus grand et plus puissant que jamais. Cela se

fera sous la conduite de celui qui, seul, aux jours terribles de la
défaite, a relevé votre drapeau. »

Télégramme du général de Gaulle au général Eisenhower, à Alger.

Londres, 8 avril 1943.

Au moment où s'engage, sous votre haut-commandement, une
grande et dure bataille, je tiens à vous dire que les vœux ardents
du peuple français vous accompagnent, vous-même et les vaillantes armées alliées sous vos ordres. Ces vœux des Français ont
la même inspiration que leur élan vers l'unité qu'ils ont hâte
d'être en mesure d'accomplir et qui leur permettra d'accroître
leur effort dans notre guerre commune.

Soyez sûr que, dès à présent, la France est heureuse et fière
que ses forces participent au Nord et au Sud, aux côtés des camarades américains et britanniques, à la bataille qui libérera de
l'ennemi la totalité de son Empire d'Afrique.

Télégramme du général de Gaulle au haut-commissaire à Nouméa.

Londres, 9 avril 1943.

Je prie le commandant Laporte de dire, de ma part, au général
MacArthur que j'ai eu connaissance de l'opinion qu'il a exprimée
à mon sujet le 1ᵉʳ avril. J'ai été profondément touché et récon-
forté par ce témoignage d'un grand chef et d'un grand homme
pour qui j'ai la plus haute admiration. Le peuple américain est,
toujours et quoi qu'il arrive, considéré par moi comme le plus
sincère et le meilleur ami du peuple français. Les vicissitudes
pénibles de la période actuelle ne modifient aucunement mon
sentiment sur ce point. La France Combattante fera ce qu'elle
pourra. Mais elle ne consentira pas à livrer elle-même la position
qu'elle a prise pour le service de la patrie et dans l'intérêt général.
Tous mes vœux ardents et amicaux vont au général MacArthur
pour le présent et pour l'avenir.

*Télégramme de la Délégation France Combattante à Washington,
au Comité national, à Londres.*

Washington, 14 avril 1943.

Les correspondants américains envoient tous, de Sfax, des
comptes rendus des manifestations qui se produisirent au moment
de l'entrée des Forces Françaises Combattantes, en soulignant les
cris de : « Vive de Gaulle ! » Certains prétendent que Montgomery

fut reçu froidement par la population jusqu'au moment où il décida de faire défiler les Forces Françaises Combattantes.

Le *New York Times* intitule son article : « Les bombardements de Sfax refroidirent l'attitude de Sfax à l'égard de Montgomery, mais son geste envers les Français Combattants ralluma l'ardeur de la ville. »

Le *New York Herald Tribune*, dans un éditorial intitulé : « Où est notre force? » écrit : « L'enthousiasme le plus indescriptible se manifesta quand un lambeau tricolore poussiéreux, flottant sur un camion, annonça les Français Combattants... Les correspondants qui décrivent cette scène semblent eux-mêmes en avoir été étourdis de surprise... Devant l'enthousiasme avec lequel les hommes de tous les partis de France répondirent à l'appel de de Gaulle..., devant les larmes, les ovations et les fleurs des villes de Tunisie libérées, est-il encore possible de douter où se trouvent la force réelle et la gloire de notre cause? »

. . . .

Télégramme du général de Larminat au général de Gaulle, à Londres.

De Tunisie, 14 avril 1943.

La population et la municipalité de Sfax, comme celles de Gabès, manifestent leur attachement à la France Libre. Il est prévu que Sousse agira de même... Des soldats et des jeunes officiers de l'armée de Giraud demandent à s'engager chez nous et... ce mouvement risque de prendre de l'amplitude.

. . . .

Communiqué du Comité national français.

Londres, 16 avril 1943.

Le Comité national s'est réuni, le 15 avril, sous la présidence du général de Gaulle. Le Comité a arrêté le texte d'une note relative au mémorandum que le général Giraud lui a fait remettre par le général Catroux, en réponse au mémorandum du 23 février du Comité national.

Le Comité a constaté avec satisfaction que l'accord pouvait maintenant se réaliser sur certains points essentiels, tandis que plusieurs points importants restent à éclaircir.

Le général Catroux, chef de la mission de la France Combattante en Afrique du Nord, retournera à Alger incessamment.

L'unité de l'Empire dans la guerre étant une nécessité nationale, impérieuse et urgente, le Comité national persiste à considérer comme nécessaire que le général de Gaulle ait la possibilité de se

rendre à Alger, accompagné de plusieurs commissaires nationaux.
Le Comité national est, plus que jamais, convaincu que l'unité
de l'Empire doit se réaliser au plus vite et conformément aux
principes qui ont guidé dans la guerre l'action de la France Combattante depuis le 18 juin 1940.

Télégramme du général Catroux au général de Gaulle, à Londres.

Alger, 20 avril 1943.

1) Au cours d'un entretien avec le général Giraud, le 19 au
matin, je lui ai lu, commenté et remis la note du Comité national,
en invoquant la raison et les faits et en faisant appel à son patriotisme. Je lui ai, en outre, fait la communication dont vous m'aviez
chargé verbalement.

2) Sur le fond de la note, Giraud a réagi en arguant que nous ne
pouvions, ni ne devions, prendre l'aspect d'un gouvernement. Je
lui ai répondu que l'objection nous était connue et que nous
savions d'où elle venait, mais que nous étions persuadés par expérience que l'organisme serait accepté si nous avions la force et la
volonté de le créer et si, plus soucieux des réalités que des apparences, nous prenions soin de le présenter sous un vocable et une
façade opportunément choisis. Sur la discrimination fondamentale
entre les pouvoirs politiques et le commandement effectif, Giraud
m'a rétorqué, alors que j'invoquais la Constitution et la loi d'organisation de la nation en temps de guerre, que le Président de la
République était le Chef des forces armées. Je n'ai pas eu de peine
à lui démontrer que le chef de l'État n'était que le chef suprême
des armées et non leur chef effectif et il n'a pas insisté.

3) L'idée d'une dyarchie a provoqué, dès l'abord, une réaction
de Giraud. Dans la suite, ses objections se sont atténuées quand
je lui ai expliqué, sur la base de tous les témoignages émanant
de France et que j'ai moi-même recueillis à Londres, l'état de
l'opinion française et la volonté qu'elle exprimait. Il a évidemment contesté, sur la base de ses propres renseignements, la valeur
de mon arithmétique. J'ai cependant maintenu mes affirmations
et, classifiant les courants d'opinion, je lui ai dit que les quatre
cinquièmes des Français qui voulaient la libération et la liberté
se prononçaient pour vous, tandis que les conservateurs de la
bourgeoisie et les cadres supérieurs des armées s'attachaient à
lui. J'ai ajouté que, si la quasi-unanimité réclamait l'union des
deux généraux, la majorité des Français n'admettait pas qu'elle
se fît en vous mettant au second rang et que la limite des concessions que vous pourriez consentir était un régime de parité entre
lui et vous. Puis, insistant sur la situation en France, dont je lui
ai défini tous les facteurs, j'ai montré au général Giraud le péril
d'ajouter à la crise de l'opinion la déception que provoquerait

notre impuissance à nous unir ainsi que les responsabilités dont il se chargerait. Il m'a paru ébranlé et il a abordé avec moi les questions d'organisation de la dyarchie, en manifestant de la répugnance envers une stricte répartition des attributions entre les deux duumvirs.

Je lui ai répondu qu'il s'agissait d'une répartition de principe et que ni l'un ni l'autre ne serait souverain dans la matière en cause, car les affaires seraient délibérées et décidées en séance de l'organe gouvernemental. Finalement, le général Giraud m'a demandé un délai de quelques jours auquel j'ai consenti en lui signalant l'urgence d'une entente de principe. Cette conversation, qui a eu lieu sans témoins, ne m'a pas laissé une impression défavorable, mais je suis loin de penser, qu'après avoir réfléchi et consulté ses conseillers, il se rende à nos raisons.

. . . .

Télégramme du général Catroux au général de Gaulle, à Londres.

Alger, 27 avril 1943.

Au cours d'un entretien que j'ai eu, aujourd'hui, avec le général Giraud, ce dernier m'a donné lecture d'un projet de lettre qu'il vous adresserait ainsi que d'un projet de note répondant à celle que j'ai rapportée de Londres. Ces pièces, après avoir été mises au propre, me seront remises aujourd'hui.

Elles sont trop longues pour être chiffrées sans risque d'erreur et je vous les envoie par un courrier de cabinet. Il résulte, en raccourci, ce qui suit de ces documents et de la longue discussion que j'ai eue avec le général Giraud :

1) Giraud accepte un Conseil ou un Comité délibératif avec pouvoirs de décision collective et double présidence ; mais il continue à se référer au système gouvernemental anglais et conçoit ce Comité dans l'esprit d'un Comité de guerre constitué au sein d'une formation plus large, englobant les chefs de territoire.

Je lui ai longuement exposé le caractère illogique et inconstitutionnel de son système. Il ne m'a opposé que de faibles arguments, mais il a maintenu son point de vue. Il me paraît cependant possible de l'y faire renoncer.

2) Giraud a dissous la « Légion des Combattants ». Quant à l'élimination des personnalités ayant collaboré avec l'ennemi, il refusera d'inclure dans cette catégorie Peyrouton, Noguès et Boisson.

La discussion devra être reprise.

3) Tout en reconnaissant que le cumul des fonctions de membre du gouvernement avec celles de généralissime est contraire aux lois de la France, Giraud invoque, — pour le revendiquer en sa faveur, — les circonstances exceptionnelles dans lesquelles nous

nous trouvons. Ici encore, il s'agit, à mon avis, beaucoup moins de raisons valables que de questions d'amour-propre. Il souffrirait sans doute d'avoir à abandonner son titre de commandant en chef. J'ai essayé de le convaincre, qu'en qualité de membre du gouvernement chargé des départements de la Défense nationale, il aurait toutes facilités d'organiser et de préparer les forces armées. J'ai ajouté que, lorsque ces forces seraient transportées en Europe, il lui serait loisible d'en prendre le commandement effectif avec le titre de commandant en chef et qu'il devait concevoir, qu'en pareil cas, il devrait obligatoirement abandonner sa fonction de membre du gouvernement pendant la durée de l'exercice effectif de son commandement. Il est resté sur ses positions.

4) Quoi qu'il en soit, j'estimerais sans profit, mais non sans gravité préjudiciable, de continuer à échanger des notes qui éternisent le désaccord.

Puisque l'accord est acquis quant aux pouvoirs et ce que doit être l'essence du gouvernement et pour la question de la double présidence, je juge nécessaire que le résultat soit sanctionné dans une rencontre entre vous et Giraud où les questions demeurées en suspens seront vidées. D'accord avec moi, Giraud vous la propose, à partir du 5 mai, soit à Marrakech, soit à Biskra.

J'ai accepté Marrakech, sous l'engagement, qui a été pris, que Noguès n'y paraîtrait pas. Biskra est possible et, peut-être, Boussaada que j'ai recommandé.

. . . .

Lettre du général Catroux au général de Gaulle, à Londres.

Alger, le 27 avril 1943.

Mon Général,

Je vous envoie les textes remis par Giraud. Vous verrez qu'ils sont rédigés dans un esprit et sur un ton conciliants. Ils sont évidemment moins accusés que la conversation que j'ai eue avec Giraud sur les points qui restent à régler.

Je considère que l'essentiel est acquis du fait que le pouvoir effectif est assuré. Il reste à décider Giraud à abandonner son idée de Conseil élargi et fédératif. De même, un compromis peut être trouvé pour le cumul et, enfin, les éliminations sont à débattre par cas d'espèce.

J'ai confiance que vous accepterez la rencontre avec Giraud et, personnellement, j'estime qu'elle ne peut pas être refusée et qu'il faut la faire aboutir.

L'union vaut des sacrifices. Je suis donc d'avis que vous acceptiez que les conversations aient lieu hors d'Alger, où vous reviendrez ensemble une fois l'accord assuré.

De même, il serait adroit de n'amener avec vous que le per-

sonnel souhaité par Giraud, ce qui contribuerait au succès, c'est-
à-dire Massigli, moi-même et Billotte.

Je crois que, si vous voulez vous en saisir, un grand avenir
favorable au pays vous est ouvert. Je vous demande donc de faire
confiance à mes suggestions.

Croyez-moi, je vous prie, votre dévoué.

Télégramme du général Catroux au général de Gaulle, à Londres.

Alger, 27 avril 1943.

Au cours d'une conversation très objective, le gouverneur-
général Peyrouton... m'a confirmé qu'il était prêt à se démettre
de sa charge actuelle, une fois l'accord réalisé, et à solliciter un
emploi de son grade dans l'armée française.

Télégramme du général de Gaulle au général Catroux, à Alger.

Londres, 28 avril 1943.

Je reçois votre télégramme du 27 avril.

Je ne puis comprendre les atermoiements de Giraud dans une
affaire qui est réglée d'avance dans l'esprit de l'immense majorité
des Français, même en Afrique du Nord. D'autre part, je n'accepte
pas d'entrevue en catimini, à Marrakech, à Biskra ou ailleurs.
J'entends aller à Alger en plein jour et en pleine dignité. Je vous
prie d'appeler l'attention de Giraud sur les graves inconvénients
de son attitude. La nation française sera juge de la façon dont il
se comporte, depuis la date où je lui ai proposé de le rencontrer,
c'est-à-dire depuis le 25 décembre 1942. D'autre part, je suis en
droit de me demander ce que signifiait l'invitation qu'il m'a faite
de venir à Alger, le 15 mars dernier.

J'attends sa réponse, positive ou négative, mais claire et nette,
d'ici au 3 mai.

Télégramme du général de Gaulle au général Catroux, à Alger.

Londres, 1er mai 1943.

Étant donné la tournure des événements à la Martinique, je
vous prie de dire de ma part au général Giraud qu'il serait fâcheux,
pour l'avenir, que son administration prenne, le cas échéant, des
mesures unilatérales comme cela a été fait malheureusement pour
la Guyane.

De toutes façons, nous devrions nous présenter aux Américains
sur un front commun. Il y aurait donc lieu d'envoyer à Fort-de-

France une mission commune dès que ce serait possible. J'ai
désigné à cet effet le colonel de Chevigné et le capitaine de frégate
Cabanier, actuellement à Washington. Il serait bon que Giraud
désignât lui aussi quelqu'un et qu'ils aillent ensemble. Je vous
signale l'extrême urgence de cette affaire et sa gravité...

Télégramme du général de Gaulle au général Catroux, à Alger.

Londres, 2 mai 1943.

1) La Ire Division des Forces Françaises Libres du général de
Larminat et la Brigade motorisée du général Leclerc sont placées
à partir du 1er mai aux ordres directs du général de Gaulle, en
raison de l'éloignement où se trouvent ces grandes unités par
rapport respectivement à l'Afrique française libre et au Levant.

2) Au point de vue administratif, la Division Larminat cesse
de dépendre du commandant en chef des Forces Françaises Libres
dans le Moyen-Orient.

La Brigade motorisée Leclerc cesse d'être rattachée aux services
du commandant supérieur des Forces Françaises en Afrique
française libre.

Cette division et cette brigade sont rattachées directement au
commissariat national à la Guerre.

Télégramme du général de Gaulle au général Catroux, à Alger.

Londres, 2 mai 1943.

J'ai reçu votre lettre du 27 avril et les documents de Giraud
apportés par Offroy.

Je pense, comme vous, que les discussions par notes échangées
sont désormais oiseuses. Tout n'est plus, maintenant, qu'une
question de bonne foi. Mais, précisément, je n'ai pas encore acquis
la certitude de la bonne foi de Giraud ou de ses managers. Sa proposition de me rencontrer au large de Biskra ou dans une bâtisse
de l'aérodrome américain de Marrakech est, à mes yeux, l'indice
que nos partenaires ne jouent pas très franc jeu.

Si j'avais, en effet, la faiblesse d'y consentir, quelle serait notre
situation ? Nous nous trouverions isolés, sans aucun moyen propre
de déplacement, ni de transmission, en face de gens qui en auraient,
au contraire, tout l'avantage. Ils pourraient nous y maintenir à
leur gré, sous prétexte de discussions prolongées que toute la
radio et la presse anglo-saxonnes, tendancieusement informées,
présenteraient à leur manière. Si, de guerre lasse, nous acceptions
les multiples compromis qu'on se dispose à nous suggérer, nous
en resterions diminués et impuissants. Si nous en venions au refus,

il serait facile d'interpréter, pour la galerie, notre intransigeance et de nous mettre dans le cas de rentrer bredouilles en Angleterre. N'oubliez pas que toute l'affaire se joue, non point entre nous et Giraud, qui n'est rien, mais entre nous et le Gouvernement des États-Unis.

D'ailleurs, se figure-t-on vraiment que je consente à engager l'avenir du pays et à faire, pour trancher le mot, un gouvernement, sans avoir le contact et la consultation, d'abord de notre Comité national, ensuite de tous les gens dont l'avis m'est nécessaire, ne fût-ce que pour les choisir? Cela ne peut se faire qu'à Alger. Nous ne sommes pas des féodaux qui échangent des fiefs à table. Nous sommes des Français qui voulons réaliser l'unité d'un Empire. J'ai, devant la France, des responsabilités personnelles dont je mesure l'étendue.

Enfin, avons-nous oublié que, le 15 mars, Giraud affectait de me demander publiquement de me rendre à Alger? Pour quelle raison sa volte-face? Faut-il croire qu'il redoute l'opinion? Mais pourquoi la redoute-t-il, s'il est sincère et sans arrière-pensées?

Le Comité national a discuté de cette affaire, le 29 avril, au reçu de votre télégramme du 27. Il est d'avis que c'est à Alger que nous devons directement nous rendre. Quant à moi, je n'irai pas ailleurs. J'ajoute que j'en ai averti Bouscat, qui est venu me voir le 1er mai pour connaître mes réactions. D'autre part, j'ai vu Churchill, sur sa demande, le 30 avril et lui ai dit la même chose.

Je vous prie de faire connaître à Giraud ma décision, qui est arrêtée. S'il veut réellement l'union, il n'a aucune bonne raison de m'empêcher d'aller directement à Alger.

Télégramme du général Leclerc au général de Gaulle, à Londres.

De Tunisie, 3 mai 1943.

Le colonel Garbay m'adresse le compte rendu suivant : « Tous les sous-officiers et soldats du 4e Spahis, à Sfax, demandent à passer chez nous. Sur la demande pressante du colonel, je dois faire ce soir un petit discours pour calmer les hommes de son régiment. Mais si l'union Giraud - de Gaulle ne se fait pas rapidement le régiment se débandera. »

Télégramme du général Kœnig,
commandant par intérim le Groupement Larminat,
au général de Gaulle, à Londres.

De Tunisie, 4 mai 1943.

Le 30, j'ai vu à Sfax Garbay, ainsi qu'un officier envoyé spécialement par le colonel Vanecke..., nommé récemment au com-

mandement du 7ᵉ Régiment de Chasseurs d'Afrique... Vanecke
offre de passer sous vos ordres avec son régiment formé de jeunes
Français et organisé en destructeurs de tanks (environ 80 auto-
canons dont 50 de 76 mm). Il offre, en outre, d'user du prestige qu'il a auprès des camps de jeunesse pour vous rallier ces
jeunes gens.

. . . .

Télégramme du général Catroux au général de Gaulle, à Londres.

Alger, 5 mai 1943.

Le général Giraud m'a informé qu'il était d'accord avec vous
pour traiter et résoudre en commun les problèmes martiniquais.
Il a désigné l'amiral Battet et M. Bæyens, premier secrétaire
d'ambassade, pour coopérer avec les deux délégués du Comité
national français dans la prise en charge de la colonie...

Lettre du général de Gaulle au général Giraud, à Alger.

Londres, le 6 mai 1943.

Mon cher Général,

J'ai reçu avec plaisir la lettre et la note annexe du 27 avril
que vous avez bien voulu m'adresser. Cette lettre et cette note
ont été portées par moi à la connaissance du Comité national qui
a examiné avec grand intérêt les suggestions qui y sont contenues.

Nous avons constaté que, sur le fond des choses, le point de vue
que vous exposez marque un nouveau et sensible rapprochement
vers la conception développée par le mémorandum du Comité
national en date du 23 février et par la note du 15 avril. Vous aurez
certainement remarqué que cette conception est celle même que
la France Combattante a toujours proclamée et mise en pratique
depuis bientôt trois ans et à laquelle elle entend demeurer fidèle.

1) En ce qui concerne le pouvoir central, qui doit étendre, dès
à présent, son autorité provisoire à tout l'Empire ainsi qu'à toutes
les forces françaises combattantes et résistantes à l'extérieur
et à l'intérieur du territoire national, nous considérons comme
nécessaire que les hauts-commissaires, résidents généraux, gouverneurs, ainsi que le ou les commandant(s) en chef effectif(s)
des armées, ne fassent pas, en principe, partie du pouvoir central
dont ils ont précisément à recevoir ordres et instructions... C'est
là un principe immuable et traditionnel de l'organisation des
pouvoirs publics français.

Dans le même ordre d'idées, l'exercice des droits attribués à
l'autorité militaire sur certaines parties du territoire national à
mesure de sa libération, — droits définis par les lois sur l'état de

siège, — ne se concevrait, évidemment, qu'en raison de la subordination de cette autorité militaire, — si haute qu'elle soit, — au
pouvoir central. D'autre part, il ne pourrait être accepté que le
commandement militaire français fût responsable de l'ordre public
en territoire français vis-à-vis d'un commandement ou d'un gouvernement étranger. Sans doute est-il de pratique courante que
certaines forces militaires nationales soient subordonnées, pour
l'emploi stratégique ou tactique, à un commandement allié, mais
le maintien de l'ordre public et tout ce qui s'y rattache sont
affaires de souveraineté qui ne sauraient, en aucun cas, appartenir
à des autorités étrangères sauf, pour la nation, à voir aliéner son
indépendance. Une telle aliénation a pu être, dans certains cas,
l'abominable résultat d'une défaite et d'un armistice avec l'ennemi ; elle ne saurait être admise par la France dans ses rapports
avec ses alliés.

Si les hauts-commissaires, résidents généraux, gouverneurs, ne
doivent pas, en principe, faire partie du pouvoir central, il est
normal et utile qu'ils soient, néanmoins, consultés dans des
matières qui intéressent les territoires confiés à leur charge. Un
Conseil consultatif de l'Empire, constitué par ces hauts fonctionnaires et par quelques autres personnalités d'une compétence
notoire, peut être, avec avantage, l'organe de cette consultation.
Il convient d'observer, toutefois, que la réunion des gouverneurs,
répartis, comme les territoires de l'Empire français, dans les cinq
parties du monde, présente d'extrêmes difficultés pratiques.

2) Le pouvoir central provisoire ayant à mettre en œuvre,
dans toute la mesure du possible, toutes les forces et toutes les
ressources de l'Empire et de la nation et devant représenter, vis-
à-vis des puissances étrangères, les intérêts de la France, il paraît
essentiel au Comité national que, l'unité de l'Empire une fois
accomplie, il soit créé un Conseil national consultatif, destiné à
fournir au pouvoir central une expression de l'opinion des Français, pour autant qu'ils puissent la donner. Sans doute, un tel
Conseil ne saurait aucunement être considéré comme l'expression
de la souveraineté nationale, laquelle ne réside que dans la nation
elle-même et, par voie de conséquence, dans l'assemblée qu'elle
aura élue. Mais les avis du Conseil national consultatif sont susceptibles d'éclairer le pouvoir central sur le sentiment général
et de lui fournir, le cas échéant, vis-à-vis de l'extérieur, un recours
des plus utiles.

Pour pouvoir jouer ce rôle, il est nécessaire que le Conseil
national consultatif soit composé essentiellement de membres qui
ont été ou qui sont investis, publiquement et, si possible, par
élection, de la confiance de certaines catégories de leurs concitoyens. Les conseillers généraux et municipaux actuellement
libres, les délégués des organisations de résistance en France, les
parlementaires échappés au pouvoir de l'ennemi et pourvu qu'ils
ne soient pas disqualifiés par la « collaboration », les membres des

chambres de commerce et d'agriculture, des syndicats libres, des
délégations financières élues, des universités, etc... sont qualifiés
pour désigner, dans des conditions à préciser, les éléments divers
du Conseil national consultatif. Il va de soi que le Conseil national
consultatif, comme le pouvoir central provisoire lui-même, dis-
paraîtra dès que la nation disposera de sa représentation élue par
elle-même, laquelle choisira le gouvernement.

3) Le Comité national est extrêmement désireux et a la plus
grande hâte de voir s'établir à Alger, sur ces bases, l'autorité centrale commune à tout l'Empire, en liaison avec la résistance intérieure. Nous sommes certains que telle est également la volonté
de l'immense majorité de nos concitoyens pour des raisons nationales et internationales impérieuses. Nous ne doutons aucunement
que ce soit aussi votre formelle intention. C'est pourquoi, je suis
prêt à me rendre à Alger immédiatement et sans délai, accompagné
de plusieurs membres du Comité national, pour régler avec vous-
même et avec toutes autres personnalités qualifiées les modalités
pratiques de l'unité.

En ce qui concerne le lieu où il sera possible de régler cette
grande affaire française, — naturellement entre Français, — le
Comité national est convaincu qu'Alger s'impose. C'est, évidemment, à Alger que le Comité national, d'une part, et vous-même,
d'autre part, pourront procéder aux larges consultations et accords
nécessaires. Dans votre lettre du 27 avril, vous voulez bien me
proposer de réaliser l'unité dans une rencontre, soit à Biskra,
soit à Marrakech. Je dois vous avouer franchement qu'une telle
conférence, nécessairement très restreinte, qui aurait lieu en un
emplacement aussi isolé, ne me paraît pas répondre aux conditions
nécessaires. Je ne me sens personnellement pas le droit de prendre,
— pour ainsi dire dans l'abstrait, — des décisions aussi importantes
que celles qui s'imposent, sans avoir la possibilité d'apprécier les
éléments de la situation en Afrique du Nord et d'y consulter ceux
que j'ai besoin de voir. D'autre part, une expérience antérieure
m'a fait mesurer les inconvénients graves que présenterait, pour
la France Combattante, le fait que son chef se trouverait privé de
tous moyens propres de déplacement et de transmission et coupé
du Comité national et de ses subordonnés, tandis que la radio
et la presse de l'étranger répandraient, à son insu, des « informations » sur des entretiens qui, cependant, comporteraient pour lui,
vis-à-vis du pays et de l'Empire, les plus lourdes responsabilités.

Je n'ignore pas que vous appréhendez que l'arrivée du général
de Gaulle à Alger provoque dans la capitale de l'Empire un grand
mouvement d'opinion. Si ce mouvement devait être favorable à
la France Combattante, je ne puis douter que vous seriez le premier
à vous en réjouir, comme je me félicite moi-même de tous les témoignages de confiance et d'estime que recueille le général Giraud.
Cependant, désirant, autant que vous-même, que la grande affaire
de l'unité de l'Empire soit traitée dans l'ordre et la dignité qui

s'imposent, je suis résolu à faire, en temps voulu, le nécessaire pour que tous ceux qui, à Alger, dépendent moralement de la France Combattante s'abstiennent de toute manifestation déplacée. Quant aux autres, je suis convaincu que l'autorité locale dispose de tous les moyens voulus pour leur imposer la même attitude.

Veuillez agréer, mon cher Général, l'expression de mes sentiments les meilleurs.

Message du Président Herriot, détenu à Évaux.
(message apporté au général de Gaulle à Londres,
le 12 mai 1943, par Pierre Viénot).

Évaux, 23 avril 1943.

Je suis prêt à entrer, à n'importe quel moment, dans un gouvernement présidé par le général de Gaulle, que je considère comme le seul homme susceptible de réaliser l'union de l'immense majorité des Français pour le relèvement de la France.

A mes yeux, le général Giraud n'a pas de caractère politique et est un chef militaire.

Cela dit, j'espère vivement qu'un accord interviendra entre les deux hommes. Mais il est évident qu'il a été rendu plus difficile par des fautes graves, comme le rappel de Peyrouton dans un poste officiel.

Message du général de Gaulle
au Conseil national de la Résistance, à l'occasion de sa création.

Londres, 10 mai 1943.

Dans cette guerre, où la patrie joue son destin, la formation du Conseil de la Résistance, organe essentiel de la France qui combat, est un événement capital.

L'unité des buts et des sentiments, établie depuis longtemps entre la masse de la nation qui lutte sur son territoire et ceux de ses fils qui combattent au-dehors, se traduit désormais par l'unité dans l'action.

Car, c'est de cela, d'abord, qu'il s'agit. Pour que la libération et la victoire soient françaises, il est impérativement nécessaire que la nation se rassemble dans un effort proprement français. Notre intérêt immédiat, notre grandeur de demain, peut-être même notre indépendance, sont à ce prix. Tout ce qui est dispersion, action isolée, alliance particulière, dans n'importe quel domaine où se déroule la lutte totale, compromet à la fois la puissance des coups portés à l'ennemi par la France et sa cohésion nationale.

C'est pourquoi, il est essentiel que la résistance sur le territoire national forme un tout cohérent, organisé, concentré. C'est fait, grâce à la création du Conseil de la Résistance qui fait partie intégrante de la France Combattante et qui, par là même, incarne la totalité des forces de toute nature engagées à l'intérieur contre l'ennemi et ses collaborateurs.

Mais l'affreux bouleversement, politique, économique, social, moral, où le désastre, la trahison, l'usurpation, ont plongé notre pays, ne prendra pas fin par le seul fait que les forces allemandes et italiennes auront été écrasées par les forces alliées. Ce bouleversement a des causes profondes. Il aura d'immenses conséquences. La guerre présente est pour toutes les nations, mais avant tout pour la France, une colossale révolution.

Il est donc en premier lieu et immédiatement nécessaire que la nation fasse en sorte d'émerger de la libération dans l'ordre et dans l'indépendance, ce qui implique qu'elle soit organisée par avance de manière à être aussitôt gouvernée, administrée, suivant ce qu'elle-même désire, en attendant qu'elle puisse s'exprimer normalement par le suffrage des citoyens.

A ce point de vue, le Conseil de la Résistance doit, d'ores et déjà, apporter au Comité national des éléments pour ses décisions quant aux dispositions à prévoir à mesure de la libération. D'autre part, au moment de la libération elle-même, le Conseil doit apparaître comme une sorte de première représentation des désirs et des sentiments de tous ceux qui, à l'intérieur, auront participé à la lutte. Ainsi pourra-t-il fournir au Comité national lui-même l'appui, le... concours et, dans une large mesure, l'instrument, indispensables pour exercer ses devoirs à l'intérieur et l'aider à faire valoir sans délai, vis-à-vis des puissances étrangères, les droits et les intérêts de la France.

Il s'agit, enfin, de savoir si nous saurons sortir du chaos par une rénovation susceptible de rendre à la patrie sa grandeur avec les moyens de jouer le rôle éminent qui revient à son génie et, en même temps, d'assurer à tous ses enfants la sécurité, la liberté, la dignité, dans leur travail et dans leur vie. Il appartient au Conseil de la Résistance, plongé au centre du creuset, où, dans sa douleur et dans son combat, se forge la France nouvelle, de recueillir toutes les données et de susciter tous les travaux qui pourront éclairer la nation et guider ses dirigeants dans le choix de la route qui la mènera vers son avenir.

Telle est la tâche, très étendue et très périlleuse, qui incombe au Conseil de la Résistance. L'importance en est extrême. Le Conseil s'en acquittera, malgré toutes les difficultés, avec le seul but de servir la France et en s'inspirant constamment de cette fraternité nationale qui, seule, permet à la nation de résister à ses malheurs et la mettra, demain, à même de se reconstruire et de se renouveler.

*Message adressé au général de Gaulle par Jean Moulin,
président du Conseil national de la Résistance.*

Paris, 15 mai 1943.

Tous les mouvements et partis de résistance de la zone nord et de la zone sud, à la veille du départ pour l'Algérie du général de Gaulle, lui renouvellent, ainsi qu'au Comité national français, l'assurance de leur attachement total aux principes qu'ils incarnent et dont ils ne sauraient, sans heurter violemment l'opinion française, abandonner une parcelle.

Tous les mouvements et partis de résistance tiennent à déclarer formellement que la rencontre prévue doit avoir lieu au siège du Gouvernement général de l'Algérie, au grand jour et entre Français.

Ils déclarent en outre :

1) Que les problèmes politiques ne sauraient être exclus des conversations.

2) Que le peuple de France n'admettra jamais la subordination du général de Gaulle au général Giraud et demande l'installation rapide à Alger d'un gouvernement provisoire, sous la présidence du général de Gaulle ; le général Giraud devant être le chef militaire.

3) Que le général de Gaulle demeurera le seul chef de la résistance française, quelle que soit l'issue des négociations.

Lettre du général Giraud au général de Gaulle, à Londres.

Alger, le 17 mai 1943.

Mon Général,

Je vous remercie de votre lettre du 6 mai, qui répond à ma lettre et à mon mémorandum du 27 avril.

Ce nouvel échange de vues me convainc que nos discussions préliminaires sont closes et que l'heure de l'action et de nos responsabilités communes est venue. Le temps presse ; entre autres questions, la fusion rapide de toutes les forces françaises en une seule armée de la victoire est urgente.

Je vous propose que nous passions à l'action et établissions immédiatement notre union. Le moyen est simple et peut être rapide.

Il suffit que nous formions immédiatement le Comité exécutif central, en même temps que nous confirmerons notre entente sur des bases essentielles, à savoir que sa responsabilité doit être collective et que sa durée doit être limitée. Nous nous conformerons ainsi à la tradition et aux lois de la République.

Ceci acquis, le Comité exécutif se réunirait aussitôt à Alger.

La formation du Comité exécutif. — Il est le pouvoir central. Il a la direction générale et la responsabilité de toutes les affaires relevant actuellement du Comité national et du Commandant en chef civil et militaire à Alger. Il délibère de toutes les autres questions qui ont fait l'objet de nos échanges de vues, en se fondant sur les notes que nous avons échangées. Notamment, il organise le Conseil national consultatif et le Comité de Résistance, nomme les commissaires, fixe leurs attributions, etc...

La responsabilité du Comité exécutif doit être collective. — Toutes les décisions essentielles seront délibérées et prises en commun par le Comité exécutif. Selon la proposition faite par le général Catroux, vous et moi assurerons à tour de rôle sa présidence; nos responsabilités seront fondues dans la responsabilité collective du Comité exécutif; avec le ou les commissaires responsables, nous signerons ensemble les arrêtés ou ordonnances qui seront délibérés et arrêtés en Comité.

La durée des fonctions du Comité exécutif doit être limitée. — Dans notre action présente, nous sommes convaincus d'agir selon les vœux du peuple français. Toutefois, nous ne pouvons ignorer que notre autorité provient d'une situation de fait. Nous ne sommes pas et nous ne pouvons pas être le Gouvernement de la France.

Le Comité exécutif, dès son entrée en fonctions, devra solennellement faire connaître au peuple français qu'il remettra ses pouvoirs au gouvernement provisoire qui, dès la libération du pays, sera constitué en France selon la loi du 15 février 1872. L'application de cette loi est prévue lorsque les Assemblées législatives ont cessé de fonctionner, ce qui est le cas aujourd'hui; elle pourra être adaptée par l'appel à d'autres corps élus, sur les avis du Conseil national consultatif et du Conseil de législation, en tenant compte des changements apportés par l'action de l'ennemi ou par le développement ouvrier en France.

Si j'ai bien représenté l'essentiel des vues exprimées par le Comité national et par moi-même sur ce sujet, je vous prie de me donner sur ces points un accord qui est essentiel pour l'établissement de notre union. En même temps, nous pouvons nous entendre rapidement sur la composition du Comité. Celui-ci, sous sa première forme, comportera deux membres proposés par vous et deux membres proposés par moi, ce qui portera à six le nombre des premiers membres du Comité exécutif. Je suggère que trois sièges soient laissés vacants afin que le Comité exécutif y pourvoie ultérieurement.

Je vous prie de croire, mon Général, à l'assurance de mes meilleurs sentiments.

Télégramme-marine.

Base navale française de Greenock,
19 mai 1943.

Le capitaine de corvette de réserve Litzelmann, commandant le *Meonia*, son état-major et son équipage, me prient de vous demander de bien vouloir transmettre au général de Gaulle le message suivant :

« Le commandant et 53 officiers et membres de l'équipage du navire français *Meonia*, qui ont exprimé individuellement leur désir de servir la France Combattante, vous expriment toute leur admiration pour votre ténacité à défendre notre patrie contre ses oppresseurs. Ils vous demandent de leur accorder l'honneur de pouvoir arborer le pavillon à croix de Lorraine, symbole de la France Combattante. Vive la France ! Vive le général de Gaulle ! »

Instruction personnelle et secrète du général de Gaulle au général Delestraint, commandant l'armée de l'Intérieur.

Londres, 21 mai 1943.

La présente instruction a pour but de régler les attributions du général commandant l'armée de l'Intérieur :

I. — Au cours de la période actuelle précédant le débarquement allié.

II. — Au moment des opérations de libération.

I

PÉRIODE ACTUELLE

Dans la période actuelle, le général commandant l'armée de l'Intérieur prépare l'armée de l'Intérieur au rôle qu'elle doit jouer dans les opérations de libération du territoire.

1) *Actions immédiates :*

Le principe de la nécessité des actions immédiates est admis. Ces actions sont presque toujours à l'initiative des mouvements et de leurs organisations locales ; elles sont menées par un petit nombre de combattants groupés dans les corps francs et les cellules professionnelles.

Le général commandant l'armée de l'Intérieur n'intervient dans ce domaine que par des directives établies d'accord avec le Comité de coordination des mouvements et fixant, dans le cadre des instructions qu'il peut recevoir du général de Gaulle :

— les grandes catégories d'objectifs à attaquer,

— les zones d'action immédiates sur lesquelles l'effort principal doit être porté,

— les conditions techniques à réaliser dans la préparation.

2) *Préparation de l'armée de l'Intérieur à l'exécution des opérations de libération :*

Dans la période actuelle, où l'armée de l'Intérieur n'a pas encore atteint sa structure définitive, le général commandant l'armée de l'Intérieur, a, vis-à-vis de tous les éléments qui la composent, les attributions d'un général inspecteur désigné pour en prendre le commandement au moment du débarquement.

A ce titre, conformément aux instructions militaires qu'il reçoit du général de Gaulle :

— il prépare le plan d'emploi de l'armée de l'Intérieur en fonction des possibilités de recrutement locales et des possibilités d'action ;

— il adapte au plan d'emploi les plans d'armement et de mobilisation ;

— il vérifie la mise en place du système d'organisation du commandement par le Comité de coordination et nomme les commandants de région et de subdivision... ;

— il assure par des inspections le contrôle de cette préparation ;

— il met au courant de ses observations le Comité de coordination, qui lui donne tout son appui auprès des organisations ;

— il prévoit les mesures susceptibles de permettre la levée de volontaires, le jour J, dans la zone où les insuffisances du contrôle allemand le permettront.

II

AU MOMENT DU DÉBARQUEMENT ALLIÉ ET ULTÉRIEUREMENT

Au moment des opérations de débarquement, le général commandant l'armée de l'Intérieur reçoit toutes les prérogatives et a toutes les attributions d'un général d'Armée.

Il exerce effectivement le commandement de toutes les formations constituant l'armée de l'Intérieur et de tous les corps francs.

Il s'assure de la coordination de l'action insurrectionnelle des cellules professionnelles avec l'action militaire.

Le Comité de coordination détache auprès de lui un de ses membres qu'il tient au courant des instructions qu'il reçoit et des ordres qu'il donne.

Lettre du général de Gaulle au général Giraud, à Alger.

Londres, le 25 mai 1943.

Mon cher Général,

J'ai reçu avec plaisir votre lettre du 17 mai et vous en remercie.

Le Comité national estime, comme vous-même, que les discussions préliminaires doivent être closes et qu'il est nécessaire de former immédiatement, à Alger, l'organisme qui exercera le pouvoir central commun. Vous et moi en assumerons alternativement la présidence.

Nous sommes entièrement d'accord avec vous pour que la responsabilité de cet organisme soit collective et pour que la durée de ses fonctions soit limitée au plus tard à la date à laquelle la loi du 15 février 1872, — appliquée tout au moins dans son esprit, — permettra d'assurer à la nation une représentation provisoire et de constituer un gouvernement.

Quant à la composition même de l'organisme à constituer pour exercer, dès à présent, le pouvoir central commun et aux autres questions qu'il reste à mettre au point, il est entendu que nous en discuterons à Alger, vous et moi, ainsi que deux personnalités proposées par vous et deux proposées par le Comité national.

Je compte arriver à Alger à la fin de cette semaine et me félicite d'avoir bientôt à collaborer directement avec vous pour le service de la France.

Je vous prie de croire, mon cher Général, à mes sentiments les meilleurs et sincèrement dévoués.

ALGER

*Télégramme de la mission de la France Combattante
à Alger, adressé au Comité national à Londres.*

Alger, 30 mai 1943.

Le général de Gaulle a atterri à 11 h. 50 sur le terrain de Boufarik, dans l'avion Lockheed portant le nom de « Paris » et piloté par le colonel de Marmier et le commandant Morlaix. Il a été accueilli, à sa descente d'avion, par le général Giraud, le général Catroux, beaucoup de fonctionnaires et de militaires, notamment le général Dewinck chef d'état-major de Giraud, le général Sevez représentant le général Juin, le colonel de Linarès, M. Gonon secrétaire-général du gouvernement général de l'Algérie, etc. MM. Mac Millan et Murphy s'étaient fait représenter. Étaient présents les chefs de service de la mission de liaison de la France Combattante. Un groupe important était formé par les correspondants anglais et américains, le directeur de l'agence « France-Afrique » Bret et ses collaborateurs, les représentants de « Radio-France », etc.

De Gaulle était souriant et visiblement neureux de se retrouver en terre française. Après avoir serré la main du général Giraud, il passa en revue la compagnie qui lui présentait les armes, puis alla saluer ceux qui étaient venus l'accueillir. Il était accompagné de MM. Massigli et Philip, du colonel Billotte, des capitaines Teyssot et Charles-Roux. Parmi les membres de la mission se trouvaient Schumann et Closon, arrivés la veille.

Le cortège des autos se forma presque aussitôt, avec les généraux de Gaulle, Giraud, Catroux, pour aller déjeuner à Alger. Bien que le lieu de l'arrivée ait été tenu secret, les voitures avaient attiré l'attention dans les villages sur la route d'Alger et de nombreux habitants purent acclamer de Gaulle à son passage.

La ville d'Alger est encore officiellement dans l'ignorance de l'arrivée du général de Gaulle.

Communiqué du Cabinet du général de Gaulle.

Alger, 30 mai 1943.

Le général d'Armée aérienne Vuillemin, ancien Commandant en chef des forces aériennes françaises, a adressé la lettre suivante au général de Gaulle :

Cap Matifou, le 26 mai 1943.

« Mon Général,

« J'ai l'honneur de vous demander de vouloir bien me confier un commandement actif dans l'aviation de combat.

« Je désirerais prendre, avec le grade correspondant, le commandement d'une unité de la France Combattante.

« Veuillez agréer, mon Général, l'expression de mon dévouement absolu. »

Le général de Gaulle a reçu, le 30 mai, le général d'Armée aérienne Vuillemin.

Au cours de cet entretien émouvant, le chef de la France Combattante a félicité l'ancien commandant en chef des forces aériennes françaises du noble exemple qu'il voulait donner et l'a affecté immédiatement, avec le grade de lieutenant-colonel, au Groupe d'aviation « Bretagne », actuellement en Tunisie.

Lettre du général Weiss au général de Gaulle, à Alger.

Alger, le 31 mai 1943.

Mon Général,

Vous voici à Alger où, depuis deux ans et demi, nous vous attendons.

Je ne pense pas qu'il soit nécessaire de vous dire que je suis à votre entière disposition et que je me place sous vos ordres.

Veuillez agréer, mon Général, l'hommage de toute ma fidélité.

*Télégramme du général de Gaulle
aux membres du Comité national, à Londres.*

Alger, 31 mai 1943.

Première discussion ce matin. D'une part, Giraud qui avait amené Monnet et le général Georges. D'autre part, moi-même, Catroux, Massigli, Philip.

La position que j'ai prise est celle-ci : Nous voulons l'unité et l'institution immédiate d'un Comité national commun, pourvu qu'il soit entendu que Noguès, Boisson, Peyrouton, Bergeret... partent sans délai.

Giraud et Georges refusent cela catégoriquement. Monnet louvoie.

Impression bonne quant à l'opinion, médiocre quant à Giraud et son équipe. Giraud m'a annoncé qu'Eisenhower l'avait invité à se rendre aux États-Unis. Eisenhower somme les troupes françaises libres de quitter la Tunisie.

Amitiés.

Télégramme de délégation France Combattante aux États-Unis à délégation France Combattante à Alger.

Washington, 31 mai 1943.

Toute la presse américaine annonce l'arrivée de de Gaulle en première page, sous de gros titres soulignant, l'imminence des négociations pour l'unité française. Une photo, transmise par radio, paraît dans la plupart des journaux, montrant de Gaulle serrant la main de Giraud à son arrivée sur le champ d'aviation. Les articles des correspondants sont unanimes à décrire l'enthousiasme soulevé à Alger par la présence du chef de la France Combattante et signalent les manifestations populaires et l'apparition spontanée de la croix de Lorraine aux boutonnières des manifestants qui, suivant l' « Associated Press », comprenaient des gendarmes et des soldats. Le correspondant, entre autres, du *New York Times* souligne l'influence considérable que de Gaulle va avoir dans les affaires d'Afrique du Nord française et remarque que Giraud ne fut jamais l'objet des démonstrations populaires faites en l'honneur de de Gaulle.

. . . .

La radio donne, elle aussi, de longs comptes rendus de l'arrivée de de Gaulle à Alger. Elle signale que la première séance du Comité fut marquée par de vifs échanges de vues, quant à la nécessité de ne pas admettre de collaborateurs ou de défaitistes parmi les leaders de la France pour sa libération.

. . . .

Tous les journaux reproduisent les déclarations faites par de Gaulle au cours de sa conférence de presse à Alger.

Télégramme du commissaire national à l'Information à délégation France Combattante à Alger.

Londres, 31 mai 1943.

1) Toute la presse britannique d'aujourd'hui consacre de grandes manchettes et de nombreuses colonnes à l'arrivée du général de Gaulle à Alger et à l'accueil enthousiaste dont il a été l'objet...

2) Au cours d'une conférence qui a eu lieu ce matin au ministère britannique de l'Information, le porte-parole du ministère a déclaré que l'arrivée du général Georges était accueillie avec satisfaction par le Gouvernement britannique. Il apportera, dit-on, « un élément de stabilité » dans le nouveau pouvoir français.

3) Trois articles importants sont consacrés par le *Times*, le *Manchester Guardian* et l'*Evening Standard* à la résistance française... Il y est admis que le général de Gaulle et le Comité national français représentent éminemment la résistance intérieure et constituent le seul lien entre elle et le futur pouvoir central.

4) Les journaux s'abstiennent, visiblement à dessein, d'insister sur les manifestations d'Alger, dimanche après-midi. Elles ont produit ici, néanmoins, une impression profonde. Nous avons fait entendre aux journalistes le radio-reportage d'Alger qui donne une excellente idée des acclamations et de l'enthousiasme.

5) Les déclarations du général de Gaulle ont été reproduites sans commentaires. Néanmoins, les milieux français non ralliés commentent avec aigreur la phrase : « Les Français ne doivent servir que la France » et cherchent à la présenter comme l'expression de sentiments antialliés...

Télégramme du général de Gaulle
aux membres du Comité national, à Londres.

Alger, 1er juin 1943.

Voici quelques indications sur ce qui concerne les négociations d'unité.

... Ici, l'impression générale est celle de l'étouffement organisé de l'opinion publique. Journaux et radio complètement étranglés. Réunions interdites. Circulation dans le pays pour ainsi dire impossible. Conspirations dans tous les coins. Proconsuls, généraux, amiraux, chacun entouré par sa clientèle et sans contacts extérieurs. Aucune autorité réelle, nulle part. Construction de façade à laquelle personne ne croit...

Réunion préparatoire, hier matin. Étaient présents : de Gaulle, Giraud, Catroux, Georges, Massigli, Philip, Monnet. Je pose la question des mises à la retraite. Refus formel et passionné de Giraud. En conséquence, le Comité n'est pas constitué. Revu Giraud seul à seul dans l'après-midi. Rien à faire. Il est difficile de douter de son hostilité fondamentale.

Armée profondément ébranlée. Milliers de ralliements individuels. Soldats courant la campagne pour rejoindre Larminat. Des unités constituées me télégraphient pour que je les prenne sous mes ordres.

Dans les indications à la presse et l'orientation de la radio, il y a lieu de tout concentrer sur le fait que l'obstacle à l'unité est le refus de faire partir quelques personnages symboliques.

Communiqué du cabinet du général de Gaulle.

Alger, 1ᵉʳ juin 1943.

M. Marcel Peyrouton, gouverneur-général de l'Algérie, vient
d'adresser au général de Gaulle la lettre suivante :

Alger, le 1ᵉʳ juin 1943.

« Mon Général,

« Considérant que l'union sans arrière-pensée entre tous les
Français est le seul moyen d'obtenir une victoire qui nous resti-
tuera notre grandeur et dans le souci d'en faciliter l'avènement,
je viens mettre à votre disposition mon poste de gouverneur-
général de l'Algérie. Ce faisant, je ne crois pas abandonner tous
mes amis d'Algérie, Français et Musulmans, qui, dans des manifestations récentes et unanimes, ont bien voulu m'exprimer leur
confiance. Mon geste s'inspire de la volonté supérieure et désintéressée d'union entre tous les Français décidés à chasser l'envahisseur et à libérer la patrie.

« Je vous demanderai simplement, en tant que Président du
Comité exécutif, d'appuyer auprès des autorités militaires la
demande que je leur adresse de servir en qualité de capitaine de
réserve d'infanterie coloniale.

« Croyez, mon Général, à ma haute considération. »

Le général de Gaulle a adressé à M. Marcel Peyrouton la réponse
suivante :

Alger, le 1ᵉʳ juin 1943.

« Monsieur l'Ambassadeur,

« Je reçois votre lettre du 1ᵉʳ juin par laquelle vous mettez à
ma disposition votre poste actuel de gouverneur-général de l'Algérie et m'exprimez votre désir de servir dans les rangs de
l'armée.

« Dans l'épreuve terrible que traverse la patrie, je suis sûr que
les Français apprécieront, comme moi-même, la valeur désintéressée
de votre geste.

« Je vous prie de transmettre vos fonctions à M. le secrétaire-général de l'Algérie et de vous considérer comme mobi-
lisé, à la disposition de M. le Général commandant en chef
au Levant, en votre qualité de capitaine d'infanterie coloniale.

« Croyez, Monsieur l'Ambassadeur, à ma considération dis-
tinguée. »

*Télégramme de délégation France Combattante aux États-Unis
à délégation France Combattante à Alger.*

Washington, 2 juin 1943.

La presse annonce en gros titres et en première page la démission de Peyrouton et l'acceptation de de Gaulle de le laisser servir
dans les Forces Françaises Combattantes. Le *New York Times*
l'annonce sous manchette en très gros caractères, disant : « De
Gaulle gagne le pouvoir en Afrique du Nord française avec la
démission de Peyrouton. »

... Middleton télégraphie d'Alger à ce journal : « Ce changement
étonnant symbolise le contrôle de de Gaulle sur la situation politique ici... Les derniers vestiges du pouvoir de Giraud disparaissent... De Gaulle gagne la victoire politique. La signification
de l'événement est profonde, non seulement en raison de la démission elle-même, mais aussi du fait que Peyrouton a remis sa démission à de Gaulle. Il est évident que de Gaulle, après quarante-huit
heures d'action agressive, domine la situation et détient en fait,
sinon en nom, les destinées politiques de l'Afrique du Nord française... De Gaulle va, maintenant, s'engager dans une lutte encore
plus difficile : celle de convaincre les alliés que la souveraineté
française doit être respectée dans toute l'Afrique du Nord et dans
l'Empire. »

. . . .

Lettre du général de Gaulle au général Juin, à Tunis.

Alger, le 2 juin 1943.

Mon cher Juin (1),

Je voudrais te voir. Mon intention est de me rendre prochainement en Tunisie. Mais il m'est nécessaire de régler d'abord ici,
— si possible, — beaucoup de choses essentielles. Je te demande
donc de venir à Alger.

Ce que tu as fait depuis le début de la campagne en Tunisie
m'est connu. Je t'en exprime mes vifs compliments.

Sache que tu peux avoir confiance en mon estime et en mon
amitié et crois à mes sentiments bien cordiaux.

_____

(1) Le général Juin et le général de Gaulle appartiennent à la même promotion
de Saint-Cyr.

Lettre du général Juin au général de Gaulle, à Alger.

Tunis, le 3 juin 1943.

Mon cher de Gaulle,

Ton mot, que me remet Laffont, me touche infiniment. Je compte rentrer à Alger dimanche ou lundi, ma mission terminée, pour passer les consignes à Mast.

J'irais bien volontiers te voir avant la fin de la semaine, si Giraud voulait bien m'autoriser à quitter Tunis pour vingt-quatre heures. Avec ce diable d'homme, on ne sait jamais. Il a toujours peur qu'on lui embrouille ses affaires. Je fais des vœux pour un rapide dénouement à Alger dans le sens de l'union, si souhaitable. On a confiance en toi. Il ne doit pas y avoir d'obstacle insurmontable.

A bientôt. Cordialement et fidèlement à toi.

Lettre du général Giraud au général de Gaulle.

Alger, le 2 juin 1943.

Mon Général,

Avant-hier, au cours de la réunion préliminaire où nous devions constituer le Comité exécutif prévu par nos lettres précédentes, vous avez posé une question préalable, celle de l'éloignement d'un certain nombre de hauts fonctionnaires et d'officiers généraux d'Afrique française.

Cette nuit, le gouverneur général de l'Algérie nous a adressé à chacun sa lettre de démission. Sans me consulter et sans que notre Comité ait encore été constitué, vous avez cru devoir prescrire à Peyrouton de passer ses fonctions à son secrétaire-général et le mobiliser dans l'infanterie coloniale du Levant.

J'ai le droit de m'étonner du procédé.

L'essentiel, dès le début, est de ne laisser subsister entre nous aucune équivoque. La France et nos alliés attendent. Il s'agit de placer le débat en pleine clarté.

Or, deux doctrines s'affrontent. Elles semblent, à vrai dire, opposées.

En ce qui me concerne, ma position politique est définie par mon discours du 14 mars. Je n'y reviens pas.

Quant à votre position, les journaux clandestins paraissant en France sous votre patronage, les déclarations prononcées à la radio ou en public par certains membres de votre entourage, semblent établir que votre dessein est d'instituer en France, après sa libération, un système politique totalitaire à votre nom; la consultation populaire n'étant envisagée que longtemps après.

Ces déclarations annoncent même une répression massive en France. Suivant les expressions de certains de vos collaborateurs,

« la France doit subir une épuration qu'aucun pays, en aucun temps, n'a jamais connue. »

L'organisation dirigée par le colonel Passy a adopté les méthodes de la Gestapo.

Votre politique extérieure n'est pas moins inquiétante. Les propos qui vous sont prêtés à l'égard des Anglais, votre refus de rendre visite, à votre arrivée à Alger, au général Eisenhower, font également apparaître une manœuvre qui, si elle prépare votre révolution, compromet le salut du pays.

Je ne m'associerai pas à une telle entreprise. Elle équivaudrait purement et simplement à établir en France un régime copié sur le nazisme, appuyé sur des S. S. et contre lequel luttent toutes les Nations Unies.

La France ne veut pas cela.

Je vous demande donc, avant toute discussion, de bien vouloir faire une déclaration publique désavouant ces projets et écarter leurs auteurs qui ne pourraient, en aucun cas, occuper un emploi quelconque au Comité exécutif ou dans tout autre poste administratif.

Veuillez croire, je vous prie, à l'assurance de ma haute considération.

Télégramme du général de Gaulle
aux membres du Comité national, à Londres.

Alger, 3 juin 1943.

... Muselier vient d'être chargé par Giraud des pouvoirs de police à Alger.

Giraud fait venir ici des goumiers du Maroc. Il a donné l'ordre d'arrêter tous les permissionnaires de la France Combattante en Afrique du Nord. Il vient de m'écrire une lettre qui me somme de faire une déclaration publique affirmant que je m'engage à ne pas établir un régime fasciste en France !...

Nous sommes en pleine tragi-comédie. Mais cela pourrait tourner mal.

.   .   .   .

Déclaration du Comité français de la libération nationale.

Alger, 3 juin 1943.

Les généraux de GAULLE et GIRAUD comme présidents,

Le général CATROUX, le général GEORGES, MM. MASSIGLI, MONNET et PHILIP comme membres, constituent le Comité français de la libération nationale, qui sera ultérieurement complété par l'adjonction d'autres membres.

Le Comité national ainsi constitué est le pouvoir central français.

En conséquence, le Comité dirige l'effort français dans la guerre sous toutes ses formes et en tous lieux. Il exerce la souveraineté française sur tous les territoires placés hors du pouvoir de l'ennemi. Il assure la gestion et la défense de tous les intérêts français dans le monde. Il assume l'autorité sur les territoires et les forces militaires, terrestres, navales et aériennes, relevant, jusqu'à présent, soit du Comité national français, soit du Commandement en chef civil et militaire. Toutes les mesures nécessaires pour réaliser la fusion des administrations dépendant de ces deux organismes seront prises sans délai par le Comité.

Conformément aux lettres échangées entre les généraux Giraud et de Gaulle, le Comité remettra ses pouvoirs au gouvernement provisoire qui sera constitué, conformément aux lois de la République, dès la libération totale du territoire.

Le Comité de la libération nationale poursuivra, en étroite collaboration avec tous les alliés, la lutte commune en vue de la libération intégrale des territoires français et des territoires alliés et jusqu'à la victoire totale sur toutes les puissances ennemies.

Le Comité s'engage solennellement à rétablir toutes les libertés françaises, les lois de la République et le régime républicain, en détruisant entièrement le régime d'arbitraire et de pouvoir personnel imposé aujourd'hui au pays. Le Comité national est au service du peuple de France dont, dans le présent, l'effort de guerre, la résistance et les épreuves, dans l'avenir la rénovation nécessaire, exigent l'union de toutes les forces nationales.

Il appelle tous les Français à le suivre pour rendre à la France, par la lutte et par la victoire, sa liberté, sa grandeur et sa place traditionnelle parmi les grandes puissances alliées.

Ordonnance du 3 juin 1943
portant institution du Comité français de la libération nationale.

Le général de Gaulle et le général Giraud,

Considérant que, du fait de l'occupation du territoire français par l'ennemi, l'exercice de la souveraineté du peuple français, fondement de tout pouvoir légal, est suspendu ;

Que le Comité national français et le Commandant en chef civil et militaire ont décidé d'unifier leur action pour assurer la direction de l'effort français dans la guerre, la défense des intérêts permanents de la France et la gestion des affaires concernant les territoires et les forces relevant jusqu'à présent de leur autorité respective,

Ordonnent :

Article Premier. — Il est institué un pouvoir central français

unique qui prend le nom de Comité français de la libération
nationale.

Art. 2. — Le Comité français de la libération nationale dirige
l'effort français dans la guerre, sous toutes ses formes et en tous
lieux.

Art. 3. — Le Comité français de la libération nationale exerce
la souveraineté française sur tous les territoires placés hors du
pouvoir de l'ennemi ; il assure la gestion et la défense de tous les
intérêts français dans le monde ; il assume l'autorité sur les territoires et les forces, terrestres, navales et aériennes, relevant, jusqu'à présent, soit du Comité national français, soit du Commandement en chef civil et militaire.

Le Comité conclut les traités et accords avec les puissances
étrangères. Les deux présidents accréditent les représentants diplomatiques auprès des puissances étrangères, les représentants
étrangers sont accrédités auprès d'eux.

Art. 4. — Conformément aux documents échangés antérieurement entre le Comité national français et le Commandement en
chef civil et militaire et, notamment, la lettre du général Giraud
du 17 mai 1943 et la réponse du général de Gaulle du 25 mai, le
Comité français de la libération nationale exercera ses fonctions
jusqu'à la date où l'état de libération du territoire permettra la
formation, conformément aux lois de la République, d'un gouvernement provisoire auquel il remettra ses pouvoirs. Cette date
sera, au plus tard, celle de la libération totale du territoire.

Art. 5. — Des décrets détermineront l'organisation et le fonctionnement du Comité français de la libération nationale.

Art. 6. — La présente ordonnance sera exécutée comme loi.

*Télégramme du général de Gaulle
aux membres du Comité national, à Londres.*

Alger, 4 juin 1943.

Le Comité de gouvernement qui vient de se constituer ne nous
donne évidemment satisfaction que dans une mesure restreinte.
Mais je crois, en conscience, que nous n'avions pas le droit de
refuser cette médiocre combinaison. Tout le monde la considère
comme une simple étape.

Le Comité va s'élargir incessamment dans des conditions qui
lui donneront une physionomie meilleure. La tâche consiste à
renouveler les cadres et à insuffler un esprit nouveau. J'ai la
conviction que nous réussirons.

Extraits d'un rapport de Jean Moulin au Comité national, à Londres.

Paris, 4 juin 1943.

... Ce n'est pas sans difficultés que je suis parvenu à constituer et à réunir le Conseil de la résistance : difficultés de principe, difficultés de personnes, difficultés matérielles.

J'ai eu, en premier lieu, à vaincre l'hostilité profonde de certains mouvements de la zone nord qui répugnaient à une collaboration quelconque avec les anciens partis. Les mouvements en général, tant en zone sud qu'en zone nord, se sont montrés réfractaires depuis le début à des contacts de ce genre et cette attitude a surtout été sensible à l' « O. C. M. », « Ceux de la résistance », « Ceux de la libération » et, dans une certaine mesure, à «Combat ».

Après une série de discussions, où je me suis attaché à démontrer l'intérêt que présentait à l'intérieur et, plus encore, à l'extérieur l'intégration dans la résistance organisée des éléments sains des anciennes formations politiques et syndicales, j'ai obtenu finalement l'adhésion des huit mouvements coordonnés, sous la réserve que ces derniers resteraient l'organe d'exécution du Conseil.

En ce qui concerne les syndicalistes, j'ai eu aussi à aplanir un différend assez sérieux. La C. G. T. demandait, en effet, deux sièges au Conseil, pour que, arguaient ses représentants, les ouvriers et les employés puissent faire entendre leur voix. J'ai dû me montrer très ferme dans l'application du principe du représentant unique. Toute autre attitude aurait ouvert la porte à des abus, la C. G. T. n'étant considérée que comme personne morale et, à ce titre, habilitée à représenter tous les aspects de son activité. Par ailleurs, le fait d'admettre la pluralité de la représentation aurait entraîné fatalement certaines formations politiques à exiger une représentation proportionnelle et un « dosage » inacceptables. Enfin, l' « O. C. M. », qui réclamait un siège pour la Confédération des travailleurs intellectuels, aurait été en droit d'exiger que celle-ci fût également représentée. Ceci sans préjudice des revendications qu'auraient pu émettre, de leur côté, les syndicalistes chrétiens. La question a été d'autant plus délicate à traiter qu'aux difficultés de principe s'ajoutait une compétition de personnes, 1 et 2 désirant tous deux faire partie du Conseil. L'accord s'est fait, après négociation avec « Libération », sur les bases suivantes : 1 a été désigné pour représenter la C. G. T. et 2 pour représenter « Libération ».

Du côté des anciennes formations politiques, j'ai eu au début des difficultés avec le parti communiste, au sujet de l'acceptation du gouvernement provisoire (au jour J) que comportait l'adhésion au comité. Je dois dire que ces difficultés ont été rapidement aplanies et que le Comité central communiste a souscrit à tous les points du programme qui lui a été soumis. Pour les radicaux, Herriot ne pouvant être touché, j'ai demandé au groupe d'action

radicale récemment constitué de désigner un représentant. Je
vous ai dit, dans un précédent message, qui il était. En dehors
de son attitude militante dans la résistance qui lui a valu de nombreux désagréments et notamment celui de faire plusieurs mois
de prison à Fresnes, il a l'avantage de pouvoir représenter les
radicaux-socialistes et les francs-maçons. Ces derniers lui ont,
en effet, donné également mandat de les représenter. La représentation de la Fédération républicaine a été difficile à obtenir. Louis
Marin est, certes, toujours bien disposé et il m'avait promis depuis
plus d'un mois de venir lui-même ou de se faire représenter... Mais
c'est seulement la veille de la réunion que j'ai obtenu que Debû-
Bridel vienne représenter personnellement Louis Marin.

Je passe sur les difficultés matérielles de l'organisation d'une
réunion de 17 membres, tous recherchés ou, tout au moins, sur-
veillés par la police et la Gestapo. J'ai la satisfaction de pouvoir
vous dire, non seulement que tous les membres étaient présents
à la réunion, mais que celle-ci s'est déroulée dans une atmosphère
d'union patriotique et de dignité que je me dois de souligner.

Voici comment s'est déroulée la séance :

Après avoir remercié tous les membres d'avoir répondu à l'appel
du général de Gaulle, j'ai cru devoir rappeler brièvement les buts
de la France Combattante tels que les avait définis son chef :

1) faire la guerre ;

2) rendre la parole au peuple français ;

3) rétablir les libertés républicaines dans un État d'où la justice sociale ne sera point exclue et qui aura le sens de la grandeur ;

4) travailler avec les alliés à l'établissement d'une collaboration
internationale réelle, sur le plan économique et spirituel, dans
un monde où la France aura regagné son prestige.

J'ai indiqué incidemment que si, comme le général de Gaulle
l'avait dit et écrit, le jeu de la démocratie supposait l'existence
de partis organisés, la présence au sein du Conseil des représentants
des anciens partis politiques ne devait pas être considérée comme
sanctionnant officiellement la reconstitution des dits partis tels
qu'ils fonctionnaient avant l'armistice.

J'ai insisté pour que, bien au contraire, il soit fait l'effort intellectuel et l'effort de discipline nécessaires pour constituer de larges
blocs idéologiques capables d'assurer la solidité et la stabilité de
la vie publique française.

Après ces quelques paroles liminaires, j'ai donné lecture du
message du Général qui est arrivé fort à propos et qui a été écouté
non sans émotion par tous les assistants.

Le représentant des démocrates-populaires a ensuite présenté
le texte de la motion qui vous est parvenue et que nous avions
arrêtée en commun. Après échange de vues, la motion a été adoptée
à l'unanimité.

Le Conseil a enfin décidé de consacrer tous ses efforts à réaliser
sur l'ensemble du territoire et, d'abord, à l'échelon de la région

l'union étroite des formations représentées au sein du Conseil de la résistance.

Je tiens à souligner que tous les membres, ainsi que leurs mandants, ont attaché le plus grand sérieux et la plus haute importance à cette réunion.

Certains mouvements qui, malgré tout, avaient conservé à l'égard du Conseil quelques préventions semblent, maintenant, avoir compris l'intérêt de cet organisme et le poids qu'il peut avoir.

. . . .

Télégramme de la délégation France Combattante à Alger
aux membres du Comité national, à Londres.

Alger, 8 juin 1943.

En ses séances des 3 et 7 juin, le Comité français de la libération nationale a procédé à l'attribution d'un certain nombre de commissariats.

La liste des commissariats se trouve donc être, aujourd'hui, la suivante :

Commissariat d'État à la coordination des Affaires musulmanes : général CATROUX.

Commissariat d'État : général GEORGES.

Affaires étrangères : René MASSIGLI.

Armement, Approvisionnement : Georges MONNET.

Colonies : René PLEVEN.

Communications et Marine marchande : René MAYER.

Information : Henri BONNET.

Intérieur : André PHILIP.

Justice, Éducation nationale, Santé publique : Dr ABADIE.

Finances : COUVE DE MURVILLE.

Production, Commerce : André DIETHELM.

Travail, Prévoyance sociale : Adrien TIXIER.

Lettre du général de Gaulle
à chacun des membres du Comité français de la libération nationale.

Alger, le 9 juin 1943.

Il y a aujourd'hui huit jours que nous avons réalisé, pour pouvoir diriger l'effort français dans la guerre, une soi-disant unité et constitué le Comité français de la libération nationale, en affirmant que ce Comité tiendra lieu de Gouvernement français.

Or, depuis cette date, tout révèle que « l'unité » n'existe pas et qu'il n'y a pas, en réalité, de gouvernement.

Bien plus, nous voyons les affaires civiles et militaires dans un
état d'anarchie dont certains énergumènes, ou intrigants, ou dévots
de Vichy, ou même agents de l'ennemi, profitent pour pratiquer
le sabotage et créer, à tout moment, une atmosphère de « putsch ».

La moindre question, qui devrait être réglée en quelques instants et donner lieu à une exécution immédiate, nous engage dans
des discussions aussi interminables que désobligeantes.

C'est ainsi que nous ne sommes même pas parvenus à trancher,
en matière militaire, le problème des pouvoirs respectifs du gouvernement et du commandement dont la solution logique et
nationale crève les yeux.

D'autre part, les alliés procèdent à notre égard d'une manière
qui pourrait nous faire douter de la capacité qu'ils attribuent à
notre « Comité » de représenter les intérêts de la France et d'exercer
l'autorité nécessaire.

Ces conditions ne sont pas conformes aux responsabilités que
je crois porter dans cette guerre, vis-à-vis du pays, en vertu de la
confiance d'un très grand nombre de Français.

Je manquerais donc à mon devoir si je m'associais plus longtemps aux travaux du « Comité français de la libération nationale »
dans les conditions où il fonctionne et je vous prie, en conséquence,
de ne plus m'en considérer ni comme membre, ni comme président.

Rapport du général Delestraint, commandant l'Armée secrète,
au Comité national, à Londres.

De France, 10 juin 1943.

J'ai l'honneur de vous adresser, à titre de compte rendu, le
texte de l'Instruction (no 5) que je viens de donner à l'Armée secrète,
au sujet de ses missions et de son organisation, conformément
aux directives du général de Gaulle.

« L'Armée secrète est une armée française de l'intérieur, adaptée
aux circonstances présentes, armée de volontaires dont la mission
essentielle est de se battre pour libérer notre sol du joug allemand...
La seconde mission de l'Armée secrète est d'aider le général de
Gaulle à maintenir l'ordre au moment de la libération et à instaurer en France un régime démocratique conforme aux aspirations du peuple français.

L'Armée secrète est une armée de volontaires, dont tous les
membres doivent se considérer comme liés par un engagement
formel. Seules les exigences de la clandestinité empêchent de faire
signer à tous l'acte d'engagement dans les Forces Françaises Combattantes. Ayant comme structure initiale les formations paramilitaires des mouvements de résistance, elle accueille également
dans ses rangs, sans distinction de confession ou d'opinions, tous

les Français qu'anime un même souffle patriotique, une même
volonté de se battre, et qui reconnaissent le général de Gaulle
comme leur chef.

. . . .

Commandement et organisation.

L'Armée secrète est placée sous les ordres d'un Général commandant en chef désigné par décret du général de Gaulle pour
l'ensemble du territoire et disposant d'un état-major et de services
qu'il est inopportun de divulguer. Elle comprend :
1) Des troupes techniques (chemins de fer, P. T. T., etc...) et
des groupes francs ayant un encadrement particulier et relevant
directement du commandant en chef, ou des chefs qu'il a
désignés dans les deux zones.
2) Les troupes du territoire : éléments fixes résidant à proximité
de leurs objectifs et corps francs mobiles. Les troupes du territoire
sont sous les ordres des chefs de l'Armée secrète des régions,
départements, cantons. Elles sont organisées en groupes, tren-
taines, compagnies... Certains maquis, où se donne une instruction
militaire poussée en vue de missions spéciales, relèvent directement du commandant de l'Armée secrète.

Mission générale actuelle de l'Armée secrète.

La mission actuelle de l'Armée secrète est de mener une guerre
de guérilla, qui prendra un maximum d'intensité lors du débarquement des troupes alliées sur notre territoire. A ce moment
(jour J), elle devra comprendre :
En premier échelon : 50 000 hommes (parachutistes à terre),
stationnés à proximité de leurs objectifs, nettement orientés sur
ceux-ci et pourvus des moyens d'agir (états-majors, moyens de
transmissions, moyens de communication, dépôts divers, terrains
d'atterrissage, défense côtière).
En deuxième échelon : *a)* 150 000 volontaires, ossature de la
future armée mobilisée ; *b)* des troupes techniques, prêtes à utiliser
le matériel spécial qui leur sera apporté.

Situation actuelle.

Le travail de préparation est déjà en très grande partie réalisé :
plans d'action, mise en place des responsables, etc...
L'armement manque encore en grande partie. Nos alliés, qui
ont déjà accru leur effort de livraison, sont disposés à l'intensifier,
sous réserve que cet armement ne servira pas à la guerre civile
mais à « bouter » les Allemands hors de la France. Les membres
de l'Armée secrète, quels que soient leurs sentiments d'impatience
et d'inquiétude, que je suis le premier à comprendre et à partager,
doivent s'abstenir absolument de toute action politique susceptible de diminuer... ou de paralyser ces envois d'armes et de maté-

riel. Il s'agit de la France d'abord et il s'agit, pour elle, de se battre
contre l'ennemi.

Ceux de Bir-Hakeim, du Fezzan, de Tunisie, ont relevé l'honneur du drapeau. Notre tour viendra bientôt.

*Télégramme de délégation France Combattante au Canada
à délégation France Combattante à Alger.*

Ottawa, 11 juin 1943.

Selon un haut fonctionnaire des Affaires étrangères, ce Département aurait reçu des lettres de plusieurs ministres du Canada,
— ceux de Kouibychev et de Rio de Janeiro ont été cités, — rapportant « la réaction absolument émotionnelle et irrationnelle
des diplomates américains, dès que le sujet de la France Combattante et du général de Gaulle est abordé. »

Le ministre du Canada en Russie aurait signalé à son gouvernement qu'il éprouve des difficultés à se maintenir en bons termes
avec M. Roger Garreau, sous peine de voir ses relations avec les
membres de l'ambassade américaine se refroidir considérablement.

Le sentiment du fonctionnaire dont il s'agit est que, dans le
monde entier, l'attitude des diplomates américains à l'égard de la
France Combattante a fait l'objet d'instructions particulières.

*Télégramme du général de Gaulle
à René Cassin et Jacques Soustelle, à Londres.*

Alger, 12 juin 1943.

Comme il était à prévoir, nous sommes ici en pleine crise.

La cause profonde est la dualité persistante entre Giraud et
nous... La cause immédiate est la question militaire ; Giraud
voulant conserver tous ses pouvoirs actuels, tandis que nous-mêmes
prétendons renouveler à la fois le système et l'armée elle-même.

En attendant le dénouement, l'émotion est profonde dans
l'opinion, qui est presque unanime en notre faveur, et le trouble
s'accentue dans l'armée où règne un grand désir de rajeunissement... Les ralliements aux troupes de Larminat continuent
malgré leur éloignement. On peut évaluer à 7 ou 8 000 Français
le nombre de ceux qui les ont rejointes ou sont en route pour les
rejoindre, avec la complicité générale...

MacMillan, que je vois souvent, paraît avoir, maintenant, compris
les réalités. Murphy demeure fuyant et difficile à pénétrer.

... Je prie Cassin, Soustelle, d'Argenlieu, Legentilhomme, d'Astier de la Vigerie, Valin, de former un conseil pour l'expédition
des affaires sous la présidence de Cassin.

Télégramme de délégation France Combattante à Londres
au général de Gaulle, à Alger.

Londres, 14 juin 1943.

Suivant, évidemment, une consigne, la presse britannique, y compris « France », adopte un ton acerbe et, parfois, menaçant, qui contraste fortement avec son attitude antérieure.

Elle déplore « l'intransigeance et l'intolérance » du général de Gaulle, qu'elle accuse de visées dictatoriales...

Dans un article manifestement inspiré, le *Manchester Guardian* met ses lecteurs en garde contre l'illusion selon laquelle il y aurait deux politiques à l'égard de la France : celle de Washington et celle de Londres. Il n'y a, en fait, dit ce journal, qu'une seule politique déterminée en commun...

Beaucoup de commentaires se terminent sur une menace voilée, laissant entrevoir la possibilité d'une intervention alliée...

Lettre du général de Gaulle au général Giraud.

Alger, le 15 juin 1943.

Mon Général,

Par ma lettre du 9 juin, je vous avais demandé, ainsi qu'aux autres membres du Comité restreint, de ne plus me considérer ni comme président, ni comme membre, du Comité tel qu'il fonctionnait.

En effet, l'impossibilité m'était apparue de résoudre, à l'intérieur de cet organisme, les problèmes posés par les nécessités de l'action gouvernementale.

Par contre, la présence à Alger de tous les membres du Comité plénier qui est l'organisme gouvernemental, à l'exception d'un seul (M. Henri Bonnet), offre, pour la première fois, la possibilité de le réunir.

Je propose que nous le convoquions aujourd'hui même à 15 heures, au lycée Fromentin, afin qu'il soit mis à même de résoudre les difficultés actuelles qui paralysent le pouvoir central.

Si vous êtes d'accord avec cette proposition, je vous serais reconnaissant de signer avec moi la convocation ci-jointe et de la faire parvenir à tous les commissaires.

Je vous prie de croire, mon Général, à mes sentiments les meilleurs.

Télégramme du général de Gaulle
à René Cassin et Jacques Soustelle, à Londres.

Alger, 15 juin 1943.

Nous sommes toujours au point mort.

L'arrivée de Pleven, de Diethelm et de Tixier permet, cependant, de réunir le Comité en séance plénière. Pour ma part, j'y suis disposé, car ma lettre de retrait s'appliquait au Comité des Sept tel qu'il fonctionnait, mais non au Comité plénier dont je suis prêt à faire l'expérience. La question est de savoir si Giraud et les siens s'y prêteront.

S'ils s'y prêtent, le Comité pourrait tenter de trancher, en séance plénière, la question militaire. S'ils ne s'y prêtent pas, ou si le Comité plénier aboutit à la même impuissance totale que le Comité des Sept, il n'y aura plus qu'à constater la carence du système. Alors, je ferai une déclaration publique annonçant que la France Combattante continue et je m'efforcerai de gagner Brazzaville pour y attendre la suite.

Télégramme du général de Gaulle
à délégation France Combattante à Washington, Londres, Moscou.

Alger, 17 juin 1943.

Les négociations se poursuivent, depuis plusieurs jours, autour de deux problèmes essentiels : la réorganisation du haut-commandement et le fonctionnement du Comité de la libération nationale.

Voici, pour éclairer votre action personnelle, un bref exposé de l'état actuel des discussions...

Le général de Gaulle demande que soit établie une séparation entre le commandement en chef et le commissariat à la Défense nationale. Ce commissariat serait chargé de l'organisation et de l'administration de l'armée... Le général Giraud s'oppose à cette séparation et prétend exercer, à la fois, les attributions de commandant en chef et celles de commissaire à la Défense nationale, tout en conservant le rôle de co-président du Comité de la libération nationale.

Malgré des discussions prolongées, le Comité des Sept n'a pas réussi à donner une solution à ce problème. D'autre part, les multiples tentatives de conciliation des deux thèses faites par Jean Monnet et le général Catroux n'ont donné aucun résultat.

C'est pourquoi le général de Gaulle a décidé de ne plus participer aux travaux sans espoir du Comité des Sept et a demandé que la question de principe, concernant l'organisation du haut-commandement, soit soumise à la décision du Comité de la libération nationale qui devrait être convoqué d'extrême urgence en séance plénière.

Le général de Gaulle est d'avis que, si on n'aboutissait pas à une entente, le Comité devrait prendre sa décision par un vote à la majorité.

Mais le général Giraud s'oppose à l'intervention du Comité de la libération nationale, car il estime que le problème du haut-commandement et celui de l'organisation de l'armée ne peuvent être traités que par des militaires.

Cette attitude est en contradiction avec les traditions françaises et avec l'article 2 de l'ordonnance du 3 juin qui prévoit que le Comité de la libération nationale dirige l'effort de guerre français sous toutes ses formes et en tous lieux.

En résumé, le général de Gaulle défend le principe de la suprématie du gouvernement sur le commandement, ainsi que l'établissement d'une procédure démocratique et pratique pour le fonctionnement normal du Comité de la libération nationale. Il estime qu'une des tâches les plus importantes et les plus urgentes du nouveau pouvoir central français est l'organisation de l'armée de la libération...

Télégramme du général de Gaulle
à René Cassin et Jacques Soustelle, à Londres.

Alger, 19 juin 1943.

Eisenhower m'a prié de venir le voir ce matin avec Giraud. Il nous a déclaré en substance, qu'en sa qualité de commandant en chef et en raison des opérations en cours, il demandait, d'une manière pressante, que rien ne soit changé au système militaire actuel en Afrique du Nord.

Il a précisé que Giraud devrait rester le commandant en chef avec les mêmes pouvoirs personnels et absolus qu'auparavant, aussi bien pour les opérations que pour l'organisation et l'administration des forces.

Il a, en outre, fait le chantage de l'armement.

J'ai été amené à placer la question sur le terrain de l'indépendance de la France.

J'ai dit à Eisenhower que je soumettrais l'affaire au Comité, mais que, pour ma part, je ne consentirais pas à participer à un gouvernement qui subirait une ingérence étrangère aussi caractérisée, aussi contraire à l'unité des forces de la France à l'intérieur et à l'extérieur, aussi nuisible à notre puissance militaire.

Je vous demande de prévenir de ceci, de ma part, nos gouverneurs de territoires, nos chefs de troupes en Grande-Bretagne et ailleurs et nos représentants à l'étranger, afin qu'en cas de crise tous en connaissent la vraie raison.

Dans cette éventualité, il faudrait que notre radio de Brazzaville parlât clairement et nettement, car l'étouffement par la censure serait, ici, absolu.

Je prie Soustelle de prendre, en outre, tous moyens d'informer,
éventuellement, l'opinion publique en France et à l'étranger.

*Mémorandum remis au Comité français de la libération nationale
par le Grand-Quartier américain en Afrique du Nord.*

TRADUCTION

20 juin 1943.

Une demande ayant été formulée par des autorités françaises,
quant à la position du commandement allié concernant ses rapports avec les autorités militaires françaises, le Commandant en
chef allié suggéra au Comité français de la libération nationale
de se rencontrer avec les généraux Giraud et de Gaulle. Au cours
de la réunion du 19 juin, le Commandant en chef allié fit connaître
aux généraux Giraud et de Gaulle ce qui suit :

Le maintien du commandement actuel des forces françaises
en Afrique du Nord et en Afrique occidentale françaises est une
nécessité militaire vitale, en raison du fait que des opérations militaires importantes sont en cours, lesquelles font que le facteur
temps est un facteur déterminant et vital.

Le Commandant en chef allié s'intéresse exclusivement à la
conduite de la guerre depuis les bases établies en Afrique du Nord
et en Afrique occidentale françaises, ainsi qu'à la sécurité des
grandes forces sous son commandement dont la responsabilité
lui a été confiée par les gouvernements alliés. Il est de nécessité
urgente que les préparatifs poursuivis actuellement assurent l'intégration la plus rationnelle de l'armée française à l'effort allié
et que les bases à partir desquelles les armées alliées vont opérer
jouissent d'une sécurité complète.

L'expérience acquise au cours des six derniers mois par le
Commandant en chef allié a montré la nécessité de traiter avec un
seul chef responsable des forces françaises en Afrique du Nord
et en Afrique occidentale, tant dans des buts d'opérations que pour
toute autre raison, au cours de la période des opérations actuelles
ou projetées sur ce théâtre.

Le Commandant en chef allié a la responsabilité d'assurer aux
forces françaises l'aide matérielle et le réarmement maximum
eu égard aux besoins d'ensemble. Il désire voir les projets
concernant le réarmement se réaliser d'une manière effective et il
se déclare satisfait des accords conclus entre les commandements
français et allié actuels et leurs états-majors qui sont déjà intégrés
dans les plans d'opérations.

Il est évident que des considérations d'ordre militaire demandent

que les accords actuels conclus avec les commandants militaires
alliés demeurent en vigueur jusqu'à ce que de nouveaux accords
soient conclus d'une manière satisfaisante.

En raison des considérations sus-indiquées, le Commandant en
chef allié estime qu'il est essentiel au succès de la phase actuelle
des opérations alliées que cette situation continue, aussi longtemps
que les régions de l'Afrique du Nord et de l'Afrique occidentale
françaises demeurent des bases nécessaires d'où de nouvelles opérations sont projetées.

Par conséquent, en raison de la nécessité que présente la poursuite des opérations militaires, le Commandant en chef allié estime
qu'il n'a d'autre alternative que de demander que lui doit donnée
l'assurance qu'aucun changement important ne sera apporté dans
le commandement des forces françaises sur ce théâtre. Tout changement de ce genre pourrait entraîner une nouvelle incertitude
et un doute entravant les plans militaires alliés dans lesquels la
France doit jouer un rôle si important.

Le fait de rejeter ou de modifier matériellement un commandement ou une organisation, qui a coopéré d'une manière si effective
avec les alliés au cours des six derniers mois et qui a apporté une
contribution importante à notre grande victoire en Tunisie, constituerait une sérieuse faute militaire.

Le Commandant en chef allié demande, par conséquent, des
assurances à l'effet que le commandant en chef français continuera
à garder le commandement effectif de ces forces françaises et que
ce commandement comprendra, entre autres, l'autorité de disposer
des troupes, de fournir aux forces alliées les facilités portuaires,
de transport et de ravitaillement nécessaires et de prononcer les
nominations ou mises en congé des commandants supérieurs.

Le Commandant en chef allié apprécie pleinement et s'associe
à ce qu'il croit être le désir du Comité français de la libération
nationale de réorganiser et de donner une énergie nouvelle à ces
forces.

La phase actuelle en Afrique du Nord et en Afrique occidentale
françaises constitue une situation où les nécessités d'ordre militaire
dominent. La sécurité et le calme sont d'importance primordiale.
Si l'effort militaire échoue, d'autres facteurs qui, en temps de relations normales, sont de premier ordre ont alors une importance
minime ou nulle.

Le Commandant en chef allié tient à souligner les assurances
qui ont été données par les Gouvernements américain et britannique garantissant que la souveraineté française, dans les territoires de l'Afrique du Nord et de l'Afrique occidentale françaises,
sera respectée et maintenue.

*Télégramme de délégation France Combattante aux États-Unis
au commissaire à l'Information, à Alger.*

Washington, 22 juin 1943.

La presse américaine déclare : « Giraud reçut un appui inattendu. »

Lindley, écrivant de Washington, dit : « Giraud fit savoir aux autorités américaines et britanniques que, si la demande de de Gaulle d'être ministre de la Guerre était approuvée par le Comité, il donnerait sa démission de commandant des forces françaises. Le général Eisenhower et ses conseillers politiques : MacMillan et Murphy, informèrent Giraud qu'ils ne voulaient pas qu'il démissionne. »

La campagne anti-de Gaulle dans la presse et la radio reprend plus forte que jamais. L' « United Press » dit, de Londres, que, si de Gaulle s'en allait, ce serait la plus belle contribution qu'il pourrait apporter à l'effort de guerre allié. Certains commentateurs à la radio, parlant de Londres vers les États-Unis, suggèrent que les alliés prennent les colonies françaises en tutelle jusqu'à la fin de la guerre.

Helen Lombard écrit : « Staline a donné 100 millions de francs à de Gaulle pour sa propagande et sa presse. »

Scripps Howard affiche en titres, caractères gras : « Les alliés, dégoûtés, envisagent de gouverner les territoires français. »

. . . .

Télégramme de l'ambassadeur Henri Hoppenot, délégué du Comité français de la libération nationale aux États-Unis, au commissaire aux Affaires étrangères, à Alger.

Washington, 22 juin 1943.

L'inspiration de l'article de M. Constantine Brown se retrouve dans un certain nombre de chroniques de courriéristes et de commentaires de radio. La campagne destinée à discréditer le général de Gaulle aux yeux de l'opinion publique américaine se développe depuis quelques jours avec une ampleur croissante. Dans une chronique de Kingsbury-Smith, il est rapporté, « de source irrécusable, » que les milieux gaullistes de Londres emploient des méthodes de la Gestapo pour empêcher leurs adhérents de se rallier aux forces du général Giraud, provoquant parmi eux plusieurs suicides et un certain nombre de « disparitions ».

. . . .

Télégramme de Pierre Viénot, délégué du Comité français de la libération nationale en Grande-Bretagne, au commissaire aux Affaires étrangères, à Alger.

Londres, 22 juin 1943.

Toute la presse annonce « l'intervention alliée à Alger... » Le correspondant du *Times* à Alger souligne que l'intervention semble avoir été « conduite par un coup de bluff, pour ne pas dire de manière brutale, plutôt qu'avec les délicatesses diplomatiques d'usage... Cette méthode a humilié autant les partisans de de Gaulle que ceux de Giraud... Pourquoi, après les assurances que les alliés laisseraient travailler les Français à leur propre salut, l'intervention « si blessante » (*sic* en français) de samedi matin? »

« — Cependant », ajoute le *Times* sur un ton apologétique et mal assuré, « il faut se rendre compte des nécessités militaires et également de la fermentation parmi les jeunes Français qui expriment leur opinion d'une manière qui devrait leur être interdite en temps de guerre... »

Le *Daily Mirror*, après un court commentaire des événements, ajoute qu'en cas de séparation en deux camps « une occupation alliée pour maintenir la paix et sauvegarder nos lignes d'approvisionnement serait nécessaire... »

Alexander Clifford, dans le *Daily Mail*, note ... « qu'il ne s'agit pas d'une lutte pour être le chef, ou de jalousie sur les titres et fonctions, mais d'une différence importante sur la conduite des affaires françaises, pendant la guerre et après la guerre. » M. Clifford souligne l'immense popularité du général de Gaulle dans l'opinion française... « De toutes façons, ajoute-t-il, le principe qui triomphera inspirera la conduite des affaires françaises pendant la guerre et les influencera inévitablement après. »

Télégramme de Pierre Viénot
au commissaire aux Affaires étrangères, à Alger.

Londres, 23 juin 1943.

J'ai été reçu, aujourd'hui, par M. Eden.

Je l'ai entretenu de la question de la reconnaissance du Comité français de la libération nationale par le Gouvernement britannique et de l'effet que ne pouvaient manquer de produire en France les critiques publiées par la presse britannique sur la situation en Algérie.

Bien entendu, j'ai parlé, non pas au nom de l'un or l'autre des éléments dont la fusion s'est opérée à Alger, mais au ncm du Comité de la libération nationale tout entier.

. . . .

Au sujet de la reconnaissance, M. Eden m'a déclaré qu'il était d'accord avec le Premier Ministre pour penser que celle-ci ne pouvait pas intervenir avant un certain temps, afin de permettre au Gouvernement britannique de juger « comment les choses évolueraient. »

Je lui ai fait remarquer que Vichy ne manquerait pas de tirer de ce retard un argument de propagande dangereux.

Il m'a répondu que le Gouvernement britannique ne pouvait pas agir autrement, après ce qui s'était passé à Alger depuis la constitution du Comité. Il a insisté sur la déception du Gouvernement anglais devant la renaissance des divisions françaises, alors que M. Churchill et lui-même « avaient eu si bonne impression à la suite de leur séjour à Alger. »

Je lui ai fait observer qu'il était remarquable que le Comité ait survécu à la brutalité de la récente intervention américaine. Sans se solidariser avec celle-ci, il l'a excusée en parlant « de toutes les maladresses qui avaient été commises vis-à-vis de l'Amérique. » Il a, cependant, reconnu que l'Amérique nous en voulait des erreurs qu'elle-même avait commises à notre égard. Il a ajouté « qu'une situation de ce genre était particulièrement délicate et qu'il aurait fallu gagner du temps... »

Au sujet de la formule qui serait employée pour la reconnaissance, je lui ai fait remarquer le danger qui découlerait d'une formule qui paraîtrait ne reconnaître au Comité de la libération nationale qu'un pouvoir limité à l'Empire, suivant une indication qui m'avait été donnée par M. Peake. En effet, dans cette hypothèse, le gouvernement de Vichy pourrait prétendre que les alliés eux-mêmes le considéraient implicitement comme le pouvoir régulier en France. Il a paru frappé par cette remarque.

J'ai attiré, ensuite, l'attention de M. Eden sur l'effet produit en France par une campagne comme celle qui venait d'être menée par la presse anglaise pour faire accepter, par le public britannique, une intervention accentuée dans les affaires intérieures françaises... M. Eden n'a pas cherché à nier qu'une orientation avait été donnée à la presse. Il m'a demandé seulement « de ne pas grossir les choses. » Mais sa gêne était certaine.

. . . .

Télégramme de Philippe Baudet, délégation du Comité français de la libération nationale aux États-Unis, au commissaire aux Affaires étrangères, à Alger.

Washington, 24 juin 1943.

J'ai eu, ce matin, un entretien avec Dunn, qui est chargé des affaires françaises au Département d'État.

Après avoir échangé des impressions personnelles, d'ailleurs pessimistes, sur la situation actuelle en Afrique du Nord et sur l'intervention récente du général Eisenhower, nous avons abordé le fond de la question.

Tandis que je faisais toutes réserves sur les réactions du peuple français à l'intervention américaine dans nos affaires, M. Dunn ramenait toujours le problème à celui de l'effort de guerre allié.

« Considérez-vous donc si important, lui ai-je demandé, d'écarter le général de Gaulle de toute participation au commandement des troupes françaises en Afrique du Nord? »

La réponse, surprenante de crudité, fut à peu près la suivante : « Les Gouvernements anglais et américain considèrent qu'aucune collaboration n'est possible, dans quelque domaine que ce soit, avec un homme dont les sentiments antianglais et antiaméricains sont aussi notoirement prouvés. »

L'entretien s'est achevé dans une atmosphère tendue malgré les visibles efforts faits par M. Dunn pour atténuer l'effet d'une affirmation aussi péremptoire.

Au moment de prendre congé, M. Dunn m'a dit, à brûle-pourpoint : « Mais pourquoi le général de Gaulle ne veut-il pas comprendre qu'il ne lui reste plus qu'à prendre le commandement d'une division de tanks? Ce geste ferait de lui, non seulement le plus grand héros français, mais aussi l'homme qui aurait le plus contribué à assurer dans l'avenir la coopération indispensable entre la France d'une part et, d'autre part, les pays anglo-saxons, dont la tâche sera d'assurer la paix du monde. »

J'ai retiré de cette pénible conversation l'impression que le Gouvernement américain n'est pas satisfait du compromis actuel, parce qu'il ouvre la porte à des difficultés sans nombre qui seront autant de nouveaux prétextes pour l'opinion américaine à critiquer sa politique. Je suis de plus en plus convaincu que l'on souhaite ici l'élimination totale du général de Gaulle, élimination d'où résulterait infailliblement la mise en tutelle des intérêts français.

Télégramme du général de Gaulle
à René Cassin et Jacques Soustelle, à Londres.

Alger, 23 juin 1943.

La question militaire étant actuellement insoluble, par suite de l'obstination de Giraud soutenu par l'intervention ouverte d'Eisenhower et aidé par l'impuissance organique du Comité à arrêter aucune décision catégorique, il ne restait que deux solutions : rupture ou statu quo.

Compte tenu de l'évolution favorable qui se produit partout, notamment dans l'armée, ainsi que des contingences internationales et de l'imminence de grandes opérations anglo-américaines, j'ai jugé que la moins mauvaise solution était le statu quo.

Le Comité a donc décidé de ne rien décider.

Les deux armées sont maintenues séparément. Toutefois, il est créé un Comité militaire permanent : général de Gaulle-général

Giraud, avec leurs chefs d'état-major, pour tenter de résoudre les questions communes et, soi-disant, de préparer la fusion.

En fait, le problème n'est que différé.

Il y a lieu de penser que l'annonce publique de la co-existence des deux armées va précipiter la dislocation interne des troupes de Giraud. Nous n'encourageons nullement cette dislocation, mais elle est spontanée et générale, en raison de la rupture morale qui s'accentue entre la masse militaire et le commandement...

Télégramme du colonel de Chevigné,
mission militaire française aux États-Unis,
au général de Gaulle, à Alger.

Washington, 26 juin 1943.

Les militaires évadés des Antilles françaises et formés en détachement à la Dominique sont arrivés hier à New York. Ce détachement de 957 hommes, commandé par le commandant Sarrat, comprenait 625 recrues pour le Bataillon des Antilles, 238 marins de la marine de guerre provenant des bâtiments des Antilles et 94 de la marine marchande...

Les marins sont passés, à leur débarquement, devant une commission mixte constituée par des représentants de la mission de la France Combattante et des représentants de la mission du général Giraud...

Il a été demandé à chaque marin s'il désirait aller dans les forces navales du général de Gaulle ou dans celles du général Giraud. Environ 50 personnalités, navales et civiles, américaines assistaient à cette option...

Sur les 238 de la marine nationale, 182 ont affirmé leur désir de servir dans les forces navales de la France Combattante... Sur les 94 marins de commerce, 78 ont demandé à servir dans la flotte de la France Combattante.

Cette proportion de 80 pour 100 en faveur de la France Combattante a fait une énorme impression sur l'assistance américaine.

... Quant aux 625 hommes destinés au Bataillon des Antilles, après avoir assisté à l'interrogatoire des marins, ils ont tous rejoint le dépôt de la France Combattante à Fort-Dix.

Pas un seul n'a exprimé le désir de rejoindre les forces du général Giraud...

Télégramme de la délégation du Comité français
de la libération nationale aux États-Unis,
au commissaire à l'Information, à Alger.

Washington, 25 juin 1943.

Le *New York Herald Tribune* consacre son éditorial aux relations entre de Gaulle et les alliés. Il dit notamment :

« La conséquence la plus malheureuse des difficultés récentes
n'est pas la nature imprécise de la solution adoptée mais l'élargissement de la brèche qui semble s'être ouverte entre le général de
Gaulle et son mouvement d'une part, la Grande-Bretagne et les
États-Unis d'autre part. L'étendue du dommage dépendra, évidemment, du jugement que le peuple français portera sur le
Général. Si les Français estiment que de Gaulle a été un représentant digne de la nation dans ses malheurs, ils auront peine à comprendre pourquoi les hommes d'État anglais et américains ont
pensé différemment... Toutes les fois que le Général prit une position de principe, depuis son appel au peuple français, il y a trois
ans, jusques et y compris l'actuel débat au sujet de l'armée française, toujours il eut raison à en être déconcertant... Tel paraît
être le jugement porté par la plupart des Français qui purent exprimer une opinion... et grâce à qui le général de Gaulle, malgré
l'hostilité américaine et la froideur britannique, a pu atteindre
une position dominante. Cette ascension vient d'être arrêtée par
une intervention alliée directe. Il est encore impossible de porter
un jugement sur cette intervention. L'importance en demeure
cachée dans le passé opaque des relations entre de Gaulle et les
alliés et dans l'avenir qui n'est pas moins secret. Tout dépendra
de la réaction d'une France, devenue, un jour, indépendante,
quand elle connaîtra l'histoire des jours de la dépendance tragique.
Alors, la réaction de la France sera d'une grande importance pour
l'Europe et pour le monde d'après-guerre. »

Lettre d'Albert Darnal,
président du Conseil général de la Guyane,
au général de Gaulle, à Alger.

Cayenne, le 28 juin 1943.

Monsieur le Président,

En juillet 1940, vous avez reçu les télégrammes par lesquels nous
protestions contre l'armistice. Puis, il m'a été remis le vôtre, me
demandant d'attendre vos instructions.

Celles-ci ne me sont jamais parvenues et les réponses aux questions que je posais au gouverneur de la Guyane britannique étaient
trop évasives pour me permettre d'engager mes compatriotes dans

une action où ils risquaient d'être écrasés par les forces de la Martinique.

. . . .

Mais je vous dois le récit des faits qui nous ont amenés à vous.

La censure dite militaire, que nous subissons encore et qui, au fond, est restée comme sous le Gouvernement de Vichy une censure politique, a empêché, jusqu'à présent, cette communication.

En janvier 1943, un incident nous a mis en contact, le capitaine Freuchet et moi. Nous constations une possibilité d'accord. Huit jours après, nous nous retrouvions et le capitaine Freuchet acceptait de tenter l'aventure à mes côtés.

Le médecin-capitaine Le Goff, qui n'attendait qu'une occasion, vint nous rejoindre ; puis, ce fut le tour du capitaine de gendarmerie Teullières et de l'inspecteur des Eaux et Forêts Gazonneau. Notre Comité était complété par mon ami, le colon Léon Marchenay...

Tout était prêt, dès le 11 mars. La population était décidée à agir. Mais il y avait, au Maroni, un aviso dont on pouvait tout craindre. Il y avait la Martinique.

... Le 16, la foule impatiente manifestait devant l'Hôtel du Gouvernement après avoir défilé devant le consulat américain qui, bien que prévenu, gardait ses portes closes.

Le 17, sur l'initiative de M. A. Boudinot, une réunion de notables a lieu à la mairie. Elle n'a pas le temps de formuler son programme que le gouverneur Veber nous fait annoncer son adhésion au général Giraud.

Protestations très vives parmi les 60 notables réunis à la mairie...

Grâce aux intelligentes mesures prises par le capitaine Freuchet, la troupe ne peut donner... Le gouverneur, impuissant, accepte de se retirer.

Un Comité provisoire est constitué rapidement.

Qui présidera?... M. Matis, chef du service de l'Enregistrement, propose le maire en fonction... Il est accepté parce qu'il ne portera ombrage à personne.

... Vous connaissez la suite par nos dépêches.

Mais nous avons dû être maladroits, puisque les intrigues du consul américain, qui a toujours refusé de vous faire parvenir mes plis, ont réussi. Après le colonel Lebel, venu de Washington, arrivait M. Rapenne, qui devançait le gouverneur Bertaut recommandé par notre compatriote Éboué.

... Les Américains sont en train de faire de notre Guyane française ce qu'ils ont fait de la hollandaise. Notre actuel gouverneur, pour ne pas voir, se promène à Paramaribo, Belem, Rio de Janeiro, bientôt à New York. Pendant son absence, il est interdit au secrétaire-général de correspondre avec Alger et Washington.

... Il n'y a pas lieu de s'étendre, il faut réparer et préparer l'avenir.

. . . .

*Télégramme de la délégation française aux États-Unis
au commissaire à l'Information, à Alger.*

Washington, 29 juin 1943.

La presse américaine annonce que Giraud a été invité par la
Maison-Blanche... Elle souligne que le général a été invité à titre
militaire et non pas en tant que président du Comité d'Alger.

Commentant cette nouvelle, le correspondant du *New York
Herald Tribune* déclare que cette visite « marque le désir de l'administration de renforcer Giraud vis-à-vis de de Gaulle... »

La plupart des titres des journaux proclament : « Le voyage de
Giraud est un coup contre de Gaulle. » — « Rebuffade des Américains à de Gaulle, » etc...

*Télégramme du général de Gaulle à Henri Hoppenot,
ambassadeur de France à Washington.*

Alger, 3 juillet 1943.

Dans sa séance d'aujourd'hui, le Comité de la libération nationale vous a désigné comme délégué extraordinaire aux Antilles.

Vous disposerez localement des pleins pouvoirs pour l'accomplissement de cette mission.

Des instructions complémentaires vous sont adressées par le
commissaire aux Colonies.

Amitiés.

*Télégramme de Jean Massip,
délégué France Combattante pour les Antilles,
au Comité de la libération nationale, à Alger.*

Sainte-Lucie, 4 juillet 1943.

Sévère, député de la Martinique, m'a adressé le message suivant
pour le Comité français de la libération nationale :

« Le ralliement est officiellement proclamé. La Martinique
célèbre, dans un enthousiasme indescriptible, sa fusion avec la
France Combattante. Je vous prie de prendre immédiatement
toutes les mesures voulues pour changer les autorités locales. »

*Télégramme de Philippe Baudet,
délégation française aux États-Unis,
au commissaire aux Affaires étrangères, à Alger.*

Washington, 8 juillet 1943.

Dans leur souci extrême de marquer qu'elles n'ont pas reconnu
le Comité français de la libération nationale et que le général

Giraud ne vient, par conséquent, ici, ni en qualité de co-président, ni en qualité de membre du Comité, les autorités américaines ont introduit, dans le programme de sa visite, un certain nombre de dispositions que leur portée politique me fait un devoir de vous signaler.

Les principales conséquences de ces décisions sont les suivantes : la présentation au général des membres de la mission n'a pas eu lieu, comme il était prévu et comme il aurait été normal, au siège de la mission, mais à Blair House où le général Giraud est logé.

Le dîner qui devait être offert par M. Cordell Hull est supprimé.

Opposition est faite à toute participation du général Giraud aux manifestations anglo-françaises et franco-américaines, le 14 juillet, à New-York, notamment la cérémonie collective de City Hall.

Les autorités américaines ont également demandé que le général tienne sa conférence de presse au ministère de la Guerre et qu'il déclare, en l'ouvrant, qu'il ne répondra qu'aux questions d'ordre strictement militaire.

... J'ajoute que ni moi, ni Hoppenot, dont le statut est pourtant assimilé à celui de M. Murphy à Alger, n'avons été invités à aucune des réceptions, ni à aucun des entretiens, auxquels le général Giraud a été invité par des personnalités officielles américaines. En particulier, nous ne sommes pas invités au dîner de la Maison Blanche...

Ce télégramme est rédigé d'accord avec M. Hoppenot.

Télégramme de la délégation française aux États-Unis au commissaire aux Affaires étrangères, à Alger.

Washington, 8 juillet 1943.

L'attitude américaine semblerait seulement bizarre si elle ne s'accompagnait des indices suivants, qui sont franchement inquiétants :

1) Sur instruction du Département d'État, l'*United Press* a repris hier, à l'occasion de l'arrivée du général Giraud, une campagne venimeuse contre le général de Gaulle au sujet de la soi-disant allégeance personnelle exigée des agents de la France Combattante.

2) Les journalistes officieux, comme Harold Callender, ont reçu des instructions renouvelées pour faire valoir la nécessité dans laquelle le Gouvernement américain se trouve de limiter les droits de la souveraineté française jusqu'à la libération de la France, afin d'assurer la bonne conduite des opérations militaires.

3) Le Gouvernement américain a donné, soudain, à l'affaire de la Martinique une orientation qui implique son intention bien

arrêtée de garder la haute main sur les Antilles françaises.

4) A la suite de la séance du *Combined Chiefs of Staff Committee*, à laquelle assistait ce matin le général Giraud, il semble que le Gouvernement américain ne souhaite prendre de décision sur l'envoi des équipements nécessaires à notre armée que s'il obtient des garanties quant à l'assouplissement des prétentions du Comité de la libération en matière de souveraineté.

. . . .

Télégramme de la délégation française aux États-Unis
au commissaire aux Affaires étrangères, à Alger.

Washington, 9 juillet 1943.

... Voici le texte du passage de la déclaration que le général Giraud avait arrêtée hier soir et qu'il devait lire à sa conférence de presse.

« Je suis aussi ici, aujourd'hui, en qualité de représentant de l'unité française que j'ai toujours recherchée, en tant que co-président du Comité français de la libération nationale, conformément aux aspirations naturelles de notre pays. Le Comité français de la libération nationale s'est engagé à se démettre de ses fonctions, selon les lois constitutionnelles françaises, dès que le pays sera en mesure d'exprimer sa libre volonté. »

Ce texte, pourtant bien faible, a été jugé trop fort par le War Department qui, au dernier moment, l'a censuré...

À l'ouverture de la conférence, un officier supérieur américain a donné lecture aux journalistes de l'avis suivant : « Le général Giraud étant ici en mission militaire, cette conférence est tenue sous les auspices du War Department... En conséquence, les journalistes présents sont priés de ne pas poser d'autres questions que celles concernant les affaires militaires... »

Message du Conseil national de la résistance en France
au Comité de la libération nationale, à Alger.

En France, 9 juillet 1943.

Le Conseil national de la résistance fait confiance au Comité de la libération nationale pour en finir, une fois pour toutes, avec les survivances de Vichy et pour garder sa stricte fidélité aux principes fondamentaux dont se réclament, depuis trois ans, toutes les forces de la résistance, principes qui ont été définis clairement par le général de Gaulle dans son manifeste de mai 1942. Il rappelle que l'idéal de la France Combattante répond à une triple volonté :

1) volonté de libérer la patrie du joug de l'ennemi et de ses complices ;

2) volonté de rendre la parole au peuple français qui est décidé à rétablir sans retard le libre jeu des institutions républicaines ;

3) volonté de rénovation, morale, politique, économique, sociale et militaire.

Le Conseil national de la résistance fait, enfin, appel au Comité de la libération nationale, dont il attend toute l'aide qui est en son pouvoir dans la lutte sans merci contre la déportation et l'anéantissement de la jeunesse et des vraies élites françaises, lutte dont l'issue décidera du sort de la France.

. . . .

Télégramme du colonel de Chevigné au général de Gaulle, à Alger.

Washington, 12 juillet 1943.

J'ai été invité, ainsi que le général Béthouart, au dîner donné par la Maison-Blanche pour le général Giraud.

Pour marquer que le général Giraud n'était reçu ici qu'en tant que chef militaire, ni M. Hoppenot, ni M. Baudet, n'étaient présents.

… Dans un assez long toast, le Président, après avoir annoncé le débarquement en Sicile, parla de la collaboration passée et future des troupes américaines avec celles du général Giraud. Celui-ci répondit très brièvement. A aucun moment, ni dans le toast du Président, ni dans la réponse du général Giraud, il n'a été fait mention du général de Gaulle, ni du Comité de la libération, ni de l'unité française…

Discours prononcé par le général de Gaulle à Alger,
le 14 juillet 1943.

Ainsi donc, après trois années d'indicibles épreuves, le peuple français reparaît. Il reparaît en masse, rassemblé, enthousiaste, sous les plis de son drapeau. Mais, cette fois, il reparaît uni. Et l'union, que la capitale de l'Empire démontre aujourd'hui d'une éclatante manière, c'est la même que révéleront demain toutes nos villes et tous nos villages dès qu'ils auront été arrachés à l'ennemi et à ses serviteurs.

Oui, notre peuple est uni. Il l'est, d'abord, pour faire la guerre. Certes, nous avons pu fléchir, submergés par la mécanique allemande, mal préparés au choc terrible qui nous assaillait, presque isolés sur un territoire dépourvu de sécurité naturelle, trahis en dernier ressort par les exploiteurs du désastre qui cultivaient notre désespoir afin d'étrangler à la fois notre honneur et nos libertés.

Mais quoi? Envers et contre tout, il y eut toujours une souveraineté française dans la guerre, des Français sur tous les champs de bataille, des territoires français belligérants, des voix françaises pour exprimer librement la volonté de la nation. Envers et contre tout, il y eut toujours une France Combattante. Et, lorsque les événements portèrent la flamme du combat sur les terres de notre Afrique du Nord, il y eut, envers et contre tout, une armée française pour servir glorieusement d'avant-garde aux alliés en Tunisie, des forces françaises pour accourir à la bataille depuis la Syrie et depuis les bords du Tchad, des navires français pour participer sur toutes les mers à la lutte gigantesque des communications, des escadrilles françaises pour attaquer l'ennemi dans tous les ciels. Envers et contre tout, il y a, aujourd'hui, un Empire français réuni dont les ressources et les énergies sont au service de la patrie. Pour peu que soient maintenant fournies des armes à nos armées, comme, de 1914 à 1918, nous en fournîmes tant nous-mêmes, fraternellement et sans conditions, aux vaillantes armées américaine, russe, belge, serbe, grecque, roumaine, polonaise, tchécoslovaque, nous répondons que notre part dans les épreuves communes ne cessera pas de grandir. En vérité, quand on fera le bilan de nos efforts et de nos pertes, depuis le 3 septembre 1939 jusqu'au dernier jour de cette guerre, et qu'on le rapprochera des affreuses conditions dans lesquelles nous fûmes jetés, on mesurera toute l'étendue de la trahison qui s'acharna à stériliser tant d'élans et de sacrifices, mais on connaîtra en même temps quel fut, à les fournir quand même, l'insigne mérite de la France.

Je dis bien, de la France ! Car c'est du plus profond de l'instinct national que procède le redressement de la grande nation que nous sommes. Dans le monde, certains esprits ont pu croire qu'il était possible de considérer l'action des armées françaises indépendamment du sentiment et de la volonté des masses profondes de notre peuple ; ils ont pu imaginer que nos soldats, nos marins, nos aviateurs, différant en cela de tous les soldats, de tous les marins, de tous les aviateurs de l'univers, iraient au combat sans se soucier des raisons pour lesquelles ils affronteraient la mort, de l'esprit dans lequel ils auraient à déployer leurs sacrifices. Bref, ces théoriciens, prétendument réalistes, ont pu concevoir que, pour les Français, et pour les Français seulement, l'effort de guerre de la nation était susceptible d'exister en dehors de la politique et de la morale nationales. Nous déclarons à ces réalistes qu'ils ignorent la réalité. La masse des citoyens français qui combattent ou qui s'y apprêtent, que ce soit depuis quatre années ou depuis huit mois, le font à l'appel de la France, pour atteindre les buts de la France, d'accord avec ce que veut la France. Tout système, qui serait établi sur d'autres bases que celles-là, mènerait à l'aventure ou bien à l'impuissance. Mais la France, elle, qui joue sa vie, sa grandeur et son indépendance, n'admet, dans cette grave matière, ni l'impuissance, ni l'aventure.

Elle les admet d'autant moins que la nation est engagée sur son territoire dans la même lutte que mènent au-dehors ses admirables alliés qui, de l'Ouest et de l'Est, donnent l'assaut à l'Europe. Si cette bataille de France est sombre, nous pouvons dire, cependant, que jamais la résistance française n'a tant fait ni tant subi. Jamais ne furent plus nombreux, ni plus fructueux, les coups de main menés sur notre sol par les héroïques groupes de combat de nos organisations, jamais l'opposition publique ou dissimulée à tout ce qu'exigent l'envahisseur ou ses amis n'a été mieux organisée, ni plus efficace, sous la direction de notre Conseil de la résistance qui agit, en France même, en fraternel accord avec nous. Jamais l'insurrection nationale, qui vise à apporter au moment voulu aux armées alliées un concours très important, ne fut préparée avec plus de méthode et de résolution. Jamais, non plus, les pertes ne furent plus lourdes. Sous l'action combinée de l'ennemi et des traîtres qui le servent, c'est par dizaine de milliers que se comptent les braves, morts pour la France aux poteaux d'exécution, c'est par centaines et centaines de mille que sont pris et déportés nos ouvriers, nos paysans, nos bourgeois, c'est par millions et millions que nos enfants, nos femmes, nos hommes subissent le régime de la faim et de la terreur. Ah ! puisse ne point trop tarder la libération de ce peuple qui tend les bras vers ses amis dont il fut hier et sera demain l'avant-garde ! Puissent les forces françaises être mises en mesure d'y participer au plus tôt ! Puisse, en toute occasion, être ménagée, comme il se doit, la dignité de la France !

Oui, notre peuple est uni pour la guerre. Mais il l'est d'avance aussi pour la rénovation nationale. Les bonnes gens qui se figurent, qu'après tant de sang répandu, de larmes versées, d'humiliations subies, notre pays acceptera, au moment de la victoire, soit d'en revenir simplement au régime qui abdiqua en même temps que capitulaient ses armées, soit de conserver le système d'oppression et de délation qui fut bâti sur le désastre, ces bonnes gens, dis-je, feront bien de dépouiller leurs illusions. La France n'est pas la princesse endormie que le génie de la libération viendra doucement réveiller. La France est une captive torturée, qui, sous les coups, dans son cachot, a mesuré, une fois pour toutes, les causes de ses malheurs et l'infamie de ses tyrans. La France, délivrée, ne voudra, ni reprendre la route de l'abîme, ni demeurer sur celle de l'esclavage. La France a d'avance choisi un chemin nouveau.

Si elle entend désormais être libre, ne connaître de souveraineté que celle qui procède d'elle-même, directement et sans entraves, bref, se livrer à la grande lumière de la pure démocratie, elle voudra aussi que ses volontés, à mesure qu'elle les fera connaître, soient exécutées avec suite, avec force, avec autorité, par ceux qu'elle en aura chargés. Elle voudra que ses gouvernants gouvernent, que ses fonctionnaires ne rusent pas avec leurs fonctions, que ses soldats s'occupent seulement de sa défense, que ses magis-

trats rendent une réelle justice, que sa diplomatie ne redoute rien
tant que de mal soutenir ses intérêts. La IVᵉ République française
voudra qu'on la serve et non pas qu'on se serve d'elle. Mais encore,
elle abolira toutes les coalitions d'intérêts ou de privilèges, dont
on n'a que trop vu comment elles la mettaient en péril, introduisaient dans son sein les jeux de l'étranger, dégradaient la moralité
civique et s'opposaient au progrès social.

Oui, après la chute du système d'autrefois et devant l'indignité
de celui qui s'écroule, après tant de souffrances, de colères, de
dégoûts, éprouvés par un nombre immense d'hommes et de
femmes de chez nous, la nation saura vouloir que tous, je dis tous,
ses enfants puissent désormais vivre et travailler dans la dignité
et la sécurité sociales. Sans briser les leviers d'activité que constituent l'initiative et le légitime bénéfice, la nation saura vouloir
que les richesses naturelles, le travail et la technique, qui sont les
trois éléments de la prospérité de tous, ne soient point exploités
au profit de quelques-uns. La nation saura faire en sorte que toutes
les ressources économiques de son sol et de son Empire soient
mises en œuvre, non pas d'après le bon plaisir des individus, mais
pour l'avantage général. S'il existe encore des bastilles, qu'elles
s'apprêtent de bon gré à ouvrir leurs portes ! Car, quand la lutte
s'engage entre le peuple et la Bastille, c'est toujours la Bastille
qui finit par avoir tort. Mais c'est dans l'ordre que les Français
entendent traiter leurs affaires et ne point sortir de la guerre pour
entrer dans les luttes civiles.

Uni pour la guerre, uni pour la rénovation, le peuple français
l'est encore dans la volonté de reprendre dans le monde à la fois
sa place et sa grandeur. Ah ! certes, nous ne savons que trop
combien la nation paie cher, devant ses ennemis et, peut-être
même, dans l'esprit de ses amis, les erreurs de naguère, les défail-
lances d'hier et les trahisons d'aujourd'hui. Le Comité de la libération nationale est le dernier à l'ignorer, lui qui est responsable
vis-à-vis du pays de son honneur et de ses intérêts et qui gouverne
en portant, pour le service de la France, la charge des fautes commises par d'autres. Mais nous connaissons notre Histoire, nous
mesurons les réalités du présent et nous sommes sûrs de l'avenir.

Sans prétendre au don de prophétie, nous n'avons qu'à regarder
la carte, à revoir en esprit nos villes et nos campagnes, à nous
rappeler quels trésors d'intelligence et d'ardeur recèle au fond notre
race, nous n'avons même qu'à écouter battre aujourd'hui nos
cœurs pour affirmer hautement ceci : On ne se trompe jamais à
terme quand on veut croire en la France, on ne regrette finalement jamais de l'avoir aidée et de l'avoir aimée.

Inversement, la France nouvelle, aussi instruite que quiconque
de la nécessité sacrée d'organiser la solidarité des peuples, de créer
dans le monde un ordre susceptible de garantir la sécurité de
chacun, de mettre rationnellement en œuvre les richesses de l'univers et de rapprocher entre eux tous les hommes de notre terre,

sera, de par son génie, son expérience et sa capacité, l'un des meilleurs artisans de la paix universelle. Intégrée à la vieille Europe, qui retrouvera après tant d'épreuves son équilibre et son rayonnement, mais étendue sur le monde entier par ses territoires et par son influence humaine, la France de demain sera au premier rang des nations qui sont grandes et qui se doivent d'autant plus au droit et à la liberté de tous.

Français, ah ! Français ! Il y a quinze cents ans que nous sommes la France et il y a quinze cents ans que la patrie demeure vivante dans ses douleurs et dans ses gloires. L'épreuve présente n'est pas terminée, mais voici qu'au loin se dessine la fin du pire drame de notre Histoire. Levons la tête, serrons-nous fraternellement les uns contre les autres et marchons tous ensemble, par la lutte et par la victoire, vers nos nouvelles destinées !

Télégramme de Philippe Baudet
au commissaire aux Affaires étrangères, à Alger.

Washington, 15 juillet 1943.

Le 14 juillet a été marqué, ici, par diverses célébrations. ... A New York, la manifestation collective, qui devait avoir lieu avec la participation d'éléments militaires, n'a pas eu lieu par suite de l'insistance des autorités américaines tendant à ce que le général Giraud n'y assiste pas. Elle fut remplacée par une réception privée du général Giraud au Waldorf Astoria...

Au cours de la réunion, le général Giraud prononça une allocution. Il a parlé de la guerre et de la nécessité de réorganiser l'armée française pour délivrer au plus vite le pays. Il n'eut pas un seul mot sur l'union, ni sur le général de Gaulle, malgré l'insistance que le général Béthouart, M. Hoppenot et moi-même avions apportée à lui démontrer que ces références étaient indispensables pour le regroupement des Français de New York.

.   .   .   .

Télégramme du général de Gaulle à René Masssigli,
commissaire aux Affaires étrangères, en mission à Londres.

Alger, 17 juillet 1943.

Les conversations au sujet de la Syrie où vous vous engagez à Londres sont pour nous un sujet de préoccupation. La déclaration de forme que Churchill a faite sur la position de la France au Levant ne nous rassure pas. Il ne semble pas que vous soyez dans de très bonnes conditions pour négocier à Londres, dans cette très grave matière, loin du Comité de la libération et sans informations suffisantes. Vous estimerez certainement qu'il serait fâcheux que le général Catroux, qui a une connaissance exceptionnelle du sujet et qui est rentré de Syrie hier, ne pût être consulté à mesure de la négociation, ce qui est pratiquement impossible si celle-ci a lieu à Londres. Enfin, il semble difficile que nous entrions avec les Britanniques dans des conversations d'importance concernant les États du Levant sous mandat français aussi longtemps que le Gouvernement de Londres n'aura pas reconnu le Comité de la libération...

Télégramme de la délégation française en Grande-Bretagne au commissaire à l'Information, à Alger.

Londres, 17 juillet 1943.

Dans la *Whitehall Letter* du 16 juillet, figure une remarquable analyse de la campagne menée par la Maison-Blanche contre de Gaulle...

Un passage essentiel de cette analyse se rapporte à... un mémorandum rédigé à Londres par le Premier Ministre. « Pour l'avenir des relations entre les nations de langue anglaise et la France, dit la *Whitehall Letter*, rien ne pourrait être pire que cette tentative transparente et plutôt maladroite de désarçonner le général de Gaulle et de veiller ainsi à ce qu'il ne puisse jouer un rôle dans la politique future de son pays. »

Télégramme de la délégation française en Grande-Bretagne au commissaire aux Affaires étrangères, à Alger.

Londres, 22 juillet 1943.

M. Boothby, député conservateur, a demandé aujourd'hui au Premier Ministre, à la Chambre des Communes, s'il avait examiné le mémorandum dont la copie lui avait été communiquée, document qui paraît émaner de source officielle et avoir pour objet d'informer les fonctionnaires britanniques et la presse des vues du Premier Ministre à l'égard du général de Gaulle. M. Boothby a demandé, par la même occasion, quelles mesures le Premier Ministre comptait prendre, en vue de mettre fin à la propagation de semblables inexactitudes, préjudiciables aux relations de la Grande-Bretagne avec l'une des Nations Unies.

M. Churchill a répondu... qu'il prenait l'entière responsabilité du mémorandum. « Mais, a-t-il dit, ce document est confidentiel et je ne suis disposé à en discuter qu'en séance secrète et à la condition que l'Assemblée exprime le désir qu'une pareille séance ait lieu. »

M. Boothby a observé, alors, qu'un document, présenté comme étant un mémorandum confidentiel, avait été publié par les journaux de Washington. Il a demandé si le Premier Ministre ne pensait pas que de telles attaques contre le général de Gaulle étaient nuisibles aux alliés...

Télégramme de Pierre Viénot
au Comité de la libération nationale, à Alger.

Londres, 28 juillet 1943.

Je me suis rendu cet après-midi au Foreign Office pour y recueillir l'impression produite par les déclarations faites à la radio par le général de Gaulle et pour y défendre, à nouveau, la thèse de la nécessaire participation de la France à la négociation d'un éventuel armistice avec l'Italie.

J'aurais désiré avoir cet entretien avec sir Alexander Cadogan, mais je ne connaissais pas encore, au moment où j'ai demandé mon rendez-vous, la nomination officielle dont j'ai fait l'objet et j'ai vu, une fois de plus, M. Strang.

M. Strang a été d'accord avec moi pour déclarer que le général de Gaulle « avait parlé comme tout Français doit le faire nécessairement dans la situation actuelle. » Il a ajouté : « Il est seulement malheureux, vis-à-vis de l'Amérique, que ce ne soit pas le général Giraud qui ait fait le discours. »

J'ai ensuite remis à M. Strang une liste des intérêts français dont le Comité de la libération nationale sera amené à faire assurer le respect par des stipulations appropriées de la convention d'armistice, notamment en ce qui concerne les évacuations territoriales, les prisonniers et déportés, les restitutions, etc...

M. Strang a été frappé par l'étendue et l'importance de ces intérêts et a facilement admis qu'il ne pouvait être question pour nous de les faire défendre par l'intermédiaire de nos alliés.

. . . .

Lettre du général de Gaulle au général Giraud
qui l'a remercié de l'avoir fait nommer commandant en chef de
toutes les forces françaises par le Comité de la libération nationale.

Alger, le 2 août 1943.

Mon cher Général,

Votre lettre m'a vivement touché. Elle sera profondément sensible aux Forces Françaises Libres.

Après les malheurs de la bataille de France, elles ont été l'arrière-garde de nos armées.

Les événements, dont elles n'ont jamais désespéré, firent que

cette arrière-garde est devenue l'avant-garde. Dans l'organisation
militaire française, désormais reconstituée, elles conserveront leur
figure et leur caractère en même temps que leur ardeur.

Le Comité de la libération nationale vous a conféré le commandement en chef de tout ce que notre armée comporte de forces
disponibles. Elles vous suivront, j'en suis sûr, avec la confiance
et le dévouement que mérite le grand soldat et le grand chef que
vous êtes. Demain, avec l'aide de Dieu, vous les mènerez à la
bataille décisive qui libérera la patrie.

Bien amicalement à vous.

*Note adressée aux Gouvernements américain et britannique
par le Comité français de la libération nationale.*

Alger, le 2 août 1943.

Au moment où se précise l'éventualité d'une prochaine capitulation italienne, qui aurait pour toute l'Europe occupée et, notamment, pour la France les répercussions les plus étendues, le Comité
français de la libération nationale a l'impérieux devoir d'attirer
l'attention des Gouvernements américain et britannique sur l'importance essentielle d'une participation française, d'abord aux
négociations d'armistice, puis aux délibérations et aux décisions
des organismes auxquels il appartiendra d'assurer l'exécution
des conditions qui seront imposées à l'Italie.

L'effondrement du fascisme marque une première et décisive
victoire des puissances démocratiques. La nation française est
fière de ce que son effort militaire et ses sacrifices aient pu y
contribuer et tous les Français, ceux de l'Empire aussi bien que
ceux qui sont encore sous le joug ennemi, verraient avec la plus
vive satisfaction le Comité de la libération associé demain aux
pourparlers qui consacreront la défaite italienne, puis la restauration d'un régime démocratique, qu'avec les Gouvernements
américain et britannique il juge indispensable.

Cette restauration implique, d'ailleurs, la disparition totale de
l'armature juridique de l'État fasciste. C'est seulement à cette
condition qu'un des buts essentiels de la guerre pourra être atteint
et qu'il deviendra possible au peuple italien, par le rétablissement
intégral de ses libertés, de retrouver parmi les nations européennes
une place digne de lui.

. . . .

Indépendamment de ces considérations..., la demande du
Comité de la libération nationale trouve dans la protection des
intérêts français une ample justification.

Il appartiendra, sans doute, à une commission de caractère
interallié, dans laquelle le commandement français serait représenté, d'élaborer les clauses d'armistice auxquelles, le moment

venu, le Gouvernement italien aurait à soucrire. La délégation française dans cette commission fera valoir les préoccupations du Comité de la libération. Il n'en a pas moins paru opportun d'attirer, dès maintenant, l'attention sur quelques-uns des intérêts français en cause :

a) Il va de soi, d'abord, que le territoire italien doit pouvoir servir immédiatement de base aux armées alliées pour leurs opérations ultérieures, en particulier pour la libération de la France dont les troupes italiennes auront à évacuer le territoire.

b) Les prisonniers de guerre, peu nombreux d'ailleurs, les ressortissants français condamnés politiques, devront être immédiatement libérés...

c) Le matériel de guerre français, ainsi que les navires de commerce et les autres matériels, outillages et équipements de toute nature, les uns livrés en vertu de l'armistice de 1940 ou d'accords ultérieurs, les autres purement et simplement saisis, devront être restitués...

d) Le séquestre mis sur les biens français, publics ou privés, devra être levé ; les importantes propriétés de l'État français à Rome, confisquées en juin 1940, devront être restituées.

. . . .

Il n'a pu échapper aux Gouvernements américain et britannique que, si l'on a le souci de fonder pour l'avenir les rapports franco-italiens sur la base solide hors de laquelle aucune collaboration durable ne pourrait s'instituer, il importe que, dès l'origine, la France occupe sa place dans les conversations qui vont s'engager. Le Comité français de la libération nationale ne doute pas des intentions des gouvernements alliés en ce qui concerne le but à atteindre...

Télégramme du général de Gaulle
au général Legentilhomme, haut-commissaire à Tananarive.

Alger, 4 août 1943.

Vous avez été nommé commissaire-adjoint à la Défense nationale avec participation au gouvernement.

Si le général Giraud était amené à s'éloigner du siège du Comité et à prendre un commandement effectif, il cesserait de faire partie du Comité. Dès ce moment, vous auriez la charge entière du Département de la Défense nationale.

Je vous prie de venir en Algérie d'extrême urgence. Amitiés.

Lettre du général de Gaulle au général Giraud.

Alger, le 23 août 1943.

Mon cher Général,

Les grandes unités qu'il m'a été donné d'inspecter, avant-hier et hier, constituent une force puissante, dont l'organisation fait grand honneur à vous-même et aux chefs qui y ont procédé.

L'ennemi s'apercevra bientôt de ce qu'elles valent, grâce à l'ardeur des troupes et des cadres et à leur instruction, aussi bien qu'à l'excellent matériel mis à leur disposition par nos alliés américains.

Sur le champ de bataille où vous allez la conduire, l'armée française retrouvera sa vieille amie la gloire.

Je vous prie de croire, mon cher Général, à mes sentiments sincèrement dévoués.

Rapport de l'ambassadeur Henri Hoppenot,
délégué extraordinaire aux Antilles,
à René Pleven, commissaire aux Colonies, à Alger.

Fort-de-France, 26 août 1943.

... La *Jeanne d'Arc* part demain, emmenant le gros des réfractaires. Pour la majorité d'entre eux, leur siège est déjà fait et ils rallieront la cause de l'Empire, dès qu'ils pourront le faire sans paraître se démentir aux yeux de tous ceux qui les ont vus, pendant trois ans, dans un autre rôle. A quelques rares exceptions près, tous les autres suivront.

Les esprits ont bien évolué depuis cette matinée de 14 juillet où il s'en est fallu de bien peu que les choses ne prennent une autre tournure. Nous nous trouvions en présence d'un problème complexe et douloureux dont les aspects moraux ne pouvaient être négligés et j'ai ressenti un grand soulagement quand votre premier télégramme m'a appris que le Comité l'abordait dans le même esprit de réalisme et de compréhension avec lequel je m'efforçais de le faire évoluer.

J'avais reçu, deux jours auparavant, des télégrammes du général Béthouart et de l'amiral Fenard m'enjoignant, de la part de Giraud, de traiter les réfractaires comme des déserteurs. J'ai cru pouvoir leur répondre poliment que je n'avais d'ordre à recevoir que du Comité. Ce n'eût pas seulement été courir le risque d'un conflit sanglant, — et aux conséquences imprévisibles, — entre Français : c'eût été également une lourde faute morale. Il y a, parmi ces réfractaires, un grand nombre de garçons que j'estime plus que certains des « ralliés » qui encombrent mon antichambre. Nous les retrouverons, demain, aux postes d'honneur, quand ils auront été désintoxiqués de cette inconcevable propagande qu'ils

ont exclusivement connue pendant trois années, quand ils auront
été soustraits à cet isolement, peuplé d'idées fausses, où on les
maintenait. Paul Claudel verrait quelque chose de diabolique dans
ce détournement, opéré par Vichy, de forces honnêtes, de cœurs
droits, au service des ennemis de la France.

Je vous remercie de vos décisions au sujet de Bertaut et de
Ponton. L'on ne pouvait faire de meilleur choix. Il faudrait les
compléter, dans le même esprit, sur le plan militaire et sur le
plan naval.

... Si j'insiste particulièrement pour que les principaux postes
de commande, civils et militaires, soient confiés ici à des Français
Combattants, c'est parce qu'eux seuls peuvent posséder, auprès
de l'opinion publique locale qui les saura politiquement à son
diapason, un crédit suffisant pour résister à certains de ses entraî-
nements, calmer bien des impatiences, faire comprendre la nécessité de certains compromis inévitables. Le changement de régime
s'est fait ici, sans doute, sous les auspices du Comité, mais sous
le signe de la Croix de Lorraine, aux cris de « Vive de Gaulle ! »
« Vive la République ! » Ces sentiments sont peut-être plus naïfs
ici qu'ailleurs et les « blancs » ont beau jeu de sourire de certaines
de leurs manifestations. Ils n'en sont pas moins infiniment tou-
chants, profondément enracinés dans l'âme de la quasi-unanimité
des populations.

Tous ces gens ont souffert, non pas seulement physiquement,
mais moralement, du régime auquel ils ont été soumis et dont le
paternalisme masquait mal les visées de caste et les préjugés
raciaux. Les meilleurs, et ils sont plus nombreux que l'on ne le
dit, ont conscience que la République leur rend leur dignité
d'homme et de citoyen. La grande masse trouve qu'elle ne les
débarrasse pas assez vite de tous ceux qui ont tenu le haut du
pavé pendant trois années et qui ont encore part à l'administration du pays. Grâce à l'aide de ses dirigeants, qui comptent des
hommes tout à fait remarquables, comme M. Sévère, nous avons
pu éviter toute représaille, toute vengeance individuelle. Mais
il y a, il y aura toujours, des réclamations, les unes injustifiées,
les autres parfaitement légitimes en soi, auxquelles la nécessité
d'assurer la bonne marche de l'administration, de ne pas braquer
contre elle certains membres du clergé ou du monde des affaires,
ne permettra pas de donner satisfaction. Seuls des hommes,
tirant de leur passé national et politique le crédit nécessaire,
pourront le faire...

J'aurais bien d'autres questions encore dont vous entretenir :
situation économique en général, des plus médiocres, mais dont
les circonstances de guerre limitent forcément les possibilités de
redressement ; organisation de notre information que j'ai confiée
à Perrel ; attitude du clergé, encore fort réservée ; de la société
« blanche », sourdement hostile... ; relations avec les États-Unis.
Ces relations sont bonnes, mais je crois bien que j'ai été, un peu,

une déception pour eux ici. J'ai senti que si je n'étais pas, dès le début, d'une grande intransigeance sur certains points, nous glisserions, sous couleur de coopération, sur une planche savonnée, jusqu'au régime de contrôle et de mainmise déguisés, que l'opinion ici ne nous aurait pas pardonné et que nous pouvons d'autant moins envisager que la faiblesse de nos moyens matériels nous fait un devoir de ne rien céder, même passagèrement, sur le terrain de notre souveraineté...

Lettre de Victor Sévère, député-maire de Fort-de-France, à René Pleven, commissaire aux Colonies, à Alger.

Fort-de-France, 26 août 1943

Monsieur le Ministre,

Je me fais un devoir, comme président du Comité martiniquais de la libération nationale, qui a réalisé le ralliement des Antilles à la France Combattante, de charger M. Calvy, trésorier-payeur, qui a vécu avec nous ces journées historiques, de vous apporter les hommages et les vœux de la Martinique républicaine.

Il vous dira, spécialement, quels soins nous avons mis à donner à notre action un caractère strictement et exclusivement français et, à ce sujet, il mettra sous vos yeux la copie d'une lettre que le Comité a adressée, le 3 juillet, à S. E. M. le Secrétaire d'État aux Affaires extérieures de la République des États-Unis d'Amérique.

Cette lettre, comme plusieurs télégrammes qui vous étaient destinés à Alger, parvinrent à Washington par la voie la plus sûre ; mais Washington les retint, vous laissant dans l'ignorance des événements, jusqu'au jour où nous pûmes vous toucher par la Dominique et Londres.

Un vif mécontentement nous fut manifesté pour avoir eu recours à cette tierce intervention.

Vous tirerez la déduction de ces faits.

Ici, nous demeurons inquiets des visées impérialistes dont notre pays pourrait être l'objet ; mais, mettant notre sort entre vos mains, nous faisons toute confiance à la France pour que soient sauvegardés, quoi qu'il advienne, les liens séculaires qui nous unissent à la seule patrie que nous voulions connaître.

Les circonstances me retiennent impérieusement ici. Mais tout mon espoir est de pouvoir vous rejoindre et vous apporter une documentation plus complète avant l'heure où sera débattu le sort de la plus vieille des colonies françaises et de la plus française des vieilles colonies.

Dans l'attente de cette heure, je vous prie, monsieur le Ministre, d'agréer l'assurance de ma haute considération et de mes sentiments dévoués.

*Lettre de René Massigli, commissaire aux Affaires étrangères,
à MM. MacMillan et Murphy.*

Alger, le 7 septembre 1943.

Monsieur le Ministre,

J'ai l'honneur de vous adresser, ci-joint, le texte d'un projet
d'accord entre le Gouvernement de Sa Majesté britannique (ou
le Gouvernement des États-Unis) et le Comité français de la libération nationale qui a pour objet de préciser les modalités de la
coopération à établir, du jour où les forces alliées débarqueront en
France, entre ces forces d'une part, les autorités et la population
d'autre part.

En établissant ce texte, le Comité de la libération a obéi au souci
dominant de faciliter, par tous les moyens dont il dispose, la tâche
du commandement allié et des troupes placées sous ses ordres.
L'institution, auprès du Commandant en chef, d'un délégué,
ayant à sa disposition une mission de liaison administrative, lui
a paru, en effet, la meilleure manière de manifester, sans équivoque possible, la volonté de coopération qui existe entre la nation
britannique (ou américaine) et la nation française. Cette affirmation
de solidarité effective, qu'implique la conclusion d'un accord
touchant directement à la libération de la France, aura un retentissement considérable auprès de tous les Français.

Je serais heureux que vous vouliez bien transmettre aussi rapidement que possible ces documents au Foreign Office (ou au State
Department). Le Comité français de la libération nationale estime, en effet, qu'il serait utile que les questions soulevées dans le
projet d'accord fussent résolues d'urgence...

Veuillez agréer, monsieur le Ministre, l'assurance de ma haute
considération.

(Suit le texte du projet d'accord.)

Rapport de René Massigli au général de Gaulle.

Alger, 8 septembre 1943.

Les représentants américain et britannique m'ont rendu visite
à 17 h. 30. Ils m'ont fait une communication orale qui peut se
résumer comme suit :

« Il y a quelques jours, nous vous avons dit qu'il y avait lieu
d'envisager l'éventualité d'un armistice italien et qu'il ne fallait
pas exclure l'hypothèse d'un armistice brusqué. Nous vous avons
demandé pour le Commandant en chef l'autorisation de le signer,
éventuellement, au nom du Comité de la libération comme des
autres Nations Unies. Depuis, la situation a évolué ; à la suite de
contacts pris avec deux officiers qualifiés pour traiter au nom du
maréchal Badoglio, le général Eisenhower a été amené à signer un

armistice purement militaire, en quelques articles, et contenant une seule clause politique qui donne simplement pouvoir au Commandant allié pour imposer, le moment venu, telles clauses générales d'armistice, politiques, économiques, etc., qui sembleront convenables.

« Nous ignorons si le Gouvernement de Rome, qui paraît désemparé, acceptera, ou non, la capitulation militaire ; nous voulons, du moins, essayer d'en obtenir un résultat : à 18 h. 30. le général Eisenhower va faire une déclaration dont voici le texte :

« Le Gouvernement italien a capitulé sans condition. Comme « Commandant en chef allié, je lui ai accordé un armistice mili- « taire dont les termes ont été approuvés par les Gouvernements « britannique, américain et soviétique. J'agis ainsi dans l'intérêt « des Nations Unies. Le Gouvernement italien s'est engagé a « se conformer sans réserves aux termes imposés. L'armistice à « été signé par mon représentant et celui du maréchal Badoglio. « Il devient effectif à l'instant même. Les hostilités entre les forces « armées des Nations Unies et les forces italiennes cessent immé- « diatement. Tous les Italiens qui agiront désormais pour aider « à expulser l'agresseur allemand du sol italien auront l'assistance « et l'appui des Nations Unies. »

« Cette déclaration va être diffusée par la radio pour jeter le trouble au moment précis où va commencer, d'autre part, une grande opération, fort risquée, de débarquement. L'acte militaire qui vient d'être conclu est une manœuvre pour tâcher d'obtenir un grand résultat militaire. »

J'ai répondu à MM. Murphy et MacMillan que je prenais acte de leurs explications..., mais que je devais déplorer que nous n'ayons pas été mis au courant. M. MacMillan m'a interrompu pour me dire que le général Giraud était au courant. Cette remarque m'a quelque peu gêné et a enlevé sûrement quelque force à la suite de mes observations.

Après avoir posé, sans obtenir de réponse précise, la question : « Quand a-t-on signé? » j'ai poursuivi en disant que je devais, néanmoins, regretter qu'elle eût été prise sans que le Comité ait été mis en rien dans la confidence. Des troupes françaises ont pourtant pris part à la campagne de Tunisie, elles ont fait des prisonniers, etc... L'effet produit sur le Comité et l'opinion, — ici et en France, — serait, je le craignais, désastreux. Un seul mot ajouté à la déclaration aurait tout changé. Tout ce que je pouvais ajouter, c'est que j'insistais de la manière la plus sérieuse pour que la même méthode ne continuât pas à être pratiquée et pour que les clauses politiques de l'armistice ne nous fussent pas, un jour, notifiées de la même manière. Il était essentiel que nous les connaissions à l'avance et que nous soyons mis à même de les discuter.

M. MacMillan s'est engagé, alors, dans de longues et vagues explications, insistant sur le caractère de la manœuvre tentée et

exprimant, d'ailleurs, des doutes sur son résultat final. Le Gouvernement italien est entre les mains des Allemands. La Gestapo est
partout... Un groupe de généraux italiens tente d'obtenir une capitulation militaire et les alliés exploitent ce désir pour disloquer le
front italien et les arrières allemands. C'est tout ce qu'on peut dire
à l'heure actuelle. On ne pourra parler d'armistice que lorsqu'il
y aura un pouvoir politique avec qui on pourra traiter.

J'ai pris acte de ces explications supplémentaires et ai maintenu
mes observations.

Rapport de René Massigli au général de Gaulle.

Alger, 9 septembre 1943.

N'ayant pas trouvé dans les déclarations que m'avaient faites,
dans l'après-midi d'hier, MM. MacMillan et Murphy de justification suffisante de l'attitude prise par les Gouvernements américain et britannique dans la question de l'armistice et ayant, d'autre
part, appris en fin de journée, par un coup de téléphone de la Résidence de Tunis, que des dispositions étaient prises dans cette ville
qui paraissaient présager une prochaine conférence, (réquisition
de villas, etc.), j'ai demandé à M. MacMillan de le rencontrer dans
la soirée du 8 septembre.

... Cet entretien m'a permis d'obtenir, sur les circonstances de
la négociation avec l'Italie, de nouveaux et importants éclaircissements.

C'est le 20 août que sont arrivés par la voie aérienne, dans les
lignes alliées, deux officiers italiens... L'atterrissage a eu lieu en
Sicile...

Du côté allié, on éprouvait les plus grands doutes sur les pouvoirs réels des délégués italiens tant on trouvait ceux-ci indiffé-
rents aux clauses mêmes auxquelles ils étaient appelés à souscrire
et uniquement soucieux de se faire rassurer sur les possibilités
d'action des Anglo-Américains. Par ailleurs, ils donnaient l'impression d'hommes dont le moral était brisé et qui étaient inca-
pables de toute réaction.

Ce n'est que le 3 septembre au matin qu'a été déposé, à Lisbonne, le document établissant leur qualité de ministres plénipotentiaires. Dans l'après-midi même, l'accord était signé.

La tactique alliée a comporté une large part de bluff. Il s'agissait, en effet, d'utiliser au maximum l'impression produite par
l'annonce soudaine de la capitulation italienne pour renforcer les
chances de succès du débarquement... Si le Comité de la libération
avait été consulté, il aurait été, selon M. MacMillan, difficile de
ne pas consulter également les Grecs, les Yougoslaves, avec toutes
les chances d'indiscrétions qui en seraient résultées. Sans doute

les Russes ont-ils été mis dans la confidence, mais il y avait pour le faire un intérêt politique majeur...

Le 8 au matin, tout parut remis en question : les Italiens déclaraient que les positions allemandes en Italie étaient trop fortes, qu'eux-mêmes ne pourraient se dégager, etc... C'est alors que, du côté allié, a été pratiqué un bluff audacieux. Sur l'initiative de M. MacMillan, il a été répondu aux plénipotentiaires italiens qu'il était trop tard pour revenir en arrière et qu'à 18 h. 30, comme il était convenu, la déclaration du général Eisenhower serait radiodiffusée. Elle serait, ensuite, suivie du texte des paroles que le maréchal Badoglio devait, — suivant l'accord intervenu, — prononcer deux heures plus tard...

En ce qui concerne l'avenir, M. MacMillan déclare qu'il n'est pas question de signer la convention d'armistice avant qu'on ne sache s'il est une autorité avec qui on puisse traiter. En tout cas, il n'y aura pas de discussion avec les Italiens. Une clause de l'armistice est formelle à cet égard : tous les articles, politiques, économiques, etc., ne donneront lieu à discussion qu'entre alliés.

J'ai pris acte de ces assurances, mais insisté aussi, comme je l'avais fait dans l'après-midi, sur l'effet pénible que ne manquerait pas de produire sur l'opinion française la manière dont la France était tenue à l'écart, alors, qu'aussi bien pour des raisons politiques qu'en considération de son rôle dans la guerre, son intervention était nécessaire. J'ai insisté pour que, dans les jours prochains, cette situation se modifie rapidement et pour que le droit de la France à intervenir dans les négociations soit pleinement reconnu.

Déclaration publiée par le Comité français de la libération nationale.

Alger, 9 septembre 1943.

Le Comité français de la libération nationale a pris acte de la déclaration faite le 8 septembre par le général Eisenhower et annonçant la conclusion d'un armistice militaire avec le gouvernement du maréchal Badoglio. Il a pris acte également du fait, qu'aux termes de cette déclaration, les conditions de l'armistice avaient reçu, au préalable, l'approbation des Gouvernements de la Grande-Bretagne, des États-Unis et de l'Union des Républiques socialistes soviétiques.

Le Comité se réjouit de la capitulation du gouvernement actuel de l'Italie, capitulation à laquelle les armées et la résistance françaises ont glorieusement contribué aux côtés des vaillantes troupes alliées, grâce à leurs efforts et à leurs sacrifices ininterrompus depuis le 10 juin 1940. Ces efforts et ces sacrifices seront poursuivis et développés jusqu'à la victoire totale sur toutes les puissances de l'Axe.

Le Comité avait déjà eu l'occasion de faire connaître aux trois Gouvernements de Londres, de Washington et de Moscou la position de la France quant aux stipulations de l'armistice en préparation. Il a été décidé de renouveler et de préciser, auprès de ces gouvernements ainsi que des gouvernements des autres États en guerre avec l'Italie, l'exposé des conditions indispensables à la sauvegarde des intérêts vitaux de la Métropole et de l'Empire, intérêts qui impliquent la participation de la France à toute convention concernant l'Italie.

Rapport de René Massigli au général de Gaulle.

Alger, 9 septembre 1943.

J'ai vu, aujourd'hui à 15 heures, MM. Murphy et MacMillan. J'ai insisté sur les points suivants :

1) Nécessité de nous communiquer d'urgence le texte de l'armistice militaire.

Mes interlocuteurs ont répondu qu'ils croyaient que cette communication avait été faite, le matin même, par l'état-major du général Eisenhower au général Dewinck, chef d'état-major du général Giraud.

2) Nécessité de nous renseigner exactement, dans le plus bref délai possible, sur l'état des pourparlers interalliés concernant les clauses, politiques, financières, etc., de l'armistice. Nous souhaiterions vivement recevoir le plus tôt possible le projet pour être en mesure de formuler nos observations en temps utile.

3) Opportunité d'une communication publique, dans le plus bref délai, à Londres et à Washington, marquant que c'est pour des raisons particulières de secret résultant de la situation militaire que le Comité n'a pu être renseigné touchant les pourparlers engagés avec le commandement italien ; mais qu'il n'est nullement dans l'intention des Gouvernements américain et britannique de le tenir à l'écart des affaires italiennes et, qu'en conséquence, le Comité sera associé aux prochaines étapes.

MM. Murphy et MacMillan ont promis d'envoyer immédiatement en ce sens un télégramme à leurs gouvernements respectifs.

Au cours de la conversation, MM. Murphy et MacMillan m'ont redit qu'ils étaient convaincus que le commandement interallié tenait le commandement français au courant des pourparlers.

Dans la soirée du même jour, j'ai vu successivement MM. Murphy et MacMillan. Je leur ai dit que le général Giraud avait déclaré, à la séance du Comité tenue à 17 heures, que, contrairement aux allégations des représentants anglais et américain, il n'avait été, à aucun moment, tenu au courant des pourparlers et qu'il ne connaissait pas, à l'heure actuelle encore, les clauses militaires de l'armistice.

M. Murphy m'a répondu qu'il croyait que ces clauses avaient
été communiquées au général Giraud dans la matinée, mais qu'il
allait vérifier ce point...

M. MacMillan m'a dit à peu près la même chose. M'exprimant
son sentiment confidentiel, il ne m'a pas caché qu'il craignait que
les liaisons ne fussent pas toujours aussi intimes qu'elles devraient
l'être : le général Bedell Smith ne savait pas le français et le général
Dewinck ne savait pas l'anglais. Cela ne facilitait pas les conversations...

Rapport de René Massigli au général de Gaulle.

Alger, 10 septembre 1943.

J'ai rencontré MM. Murphy et MacMillan à 14 h. 45. Ils m'ont
fait, l'un et l'autre, une déclaration qui peut se résumer ainsi :

« Nous vous avons dit, avant-hier, que le commandement en
chef français avait été mis au courant de la négociation de l'armistice. Telle était, en effet, notre conviction...

« A la suite de la communication que vous nous avez faite,
hier, touchant le démenti formel du général Giraud, nous avons
procédé à une enquête. Nous avons constaté que nous nous étions
trompés et que ce n'était qu'aujourd'hui que les termes de l'armistice avaient été communiqués au commandant en chef français.

« Nous déplorons ce malentendu. Nous vous prions de présenter,
au général Giraud nos excuses. Nous invoquons, à notre décharge,
le fait que, durant dix jours, nous avons été soumis à un travail
extrêmement intense qui ne nous a pas permis de vérifier ce qui
nous semblait aller de soi. »

J'ai pris acte de ces explications... Il reste l'erreur politique qu'a
constituée le fait de tenir le Comité de la libération à l'écart. J'ai
exprimé l'espoir que les actes prochains permettraient d'effacer
ce mauvais souvenir.

Extraits du discours prononcé par le général de Gaulle
à Oran, le 12 septembre 1943.

Dans l'enthousiasme grandiose que manifeste aujourd'hui la
ville d'Oran, il y a... une manifestation publique de la volonté du
pays qui entend à la fois redoubler d'efforts pour hâter la défaite
de l'ennemi et voir la France prendre part, à son rang, au règlement progressif du conflit et à la reconstitution du monde.

. . . .

Certes, la France, si elle croit que sa voix doit être écoutée,
ne sait que trop qu'en la cinquième année de la guerre elle n'est
pas, hélas ! en mesure d'aligner beaucoup de ces divisions, de ces

navires, de ces escadrilles, par quoi l'on décompte sommairement la contribution militaire des États aux grandes batailles communes. Mais la France sait que la guerre est un tout, dont la fin est liée avec ce qui eut lieu dans son commencement. Elle se souvient que, pendant toute une année, ce sont ses forces, à peu près seules, qui firent face à Hitler. La France sait que chaque effort et chaque sacrifice, fussent-ils muets et obscurs, pèsent dans la balance du destin. La France sait, qu'à l'heure qu'il est, 135 000 Français sont morts sur les champs de bataille, que 55 000 ont été tués aux poteaux d'exécution, que plus de 100 000 ont succombé dans les camps et les prisons de l'ennemi ou de ses complices, que 2 millions sont prisonniers de guerre ou déportés, que près d'un million de nos petits enfants ont péri faute de nourriture suffisante, que le peuple français tout entier vit sous un régime effroyable de famine, de délation et d'oppression.

Voilà la contribution de sang, de larmes et de misères que notre pays sait avoir déjà fournie dans cette guerre à la cause des nations libres, après avoir au long des siècles, notamment il y a vingt-cinq ans, tant lutté et tant souffert pour le même idéal qu'aujourd'hui.

Il est vrai que l'esprit d'abandon d'une fraction de ce qu'il était convenu d'appeler nos élites et la trahison que quelques misérables d'envergure commirent à la faveur du désastre militaire ont en partie saboté l'effort national dans la guerre. Le peuple français, qui est juge, et j'ajoute seul juge, en la matière, se fera rendre à ce sujet tous les comptes qui lui sont dus.

Mais, pour combien ont pesé, dans cette défaillance d'un moment, les pertes incomparables que nous avait coûtées notre effort prépondérant d'un bout à l'autre de la dernière guerre? Nous avons chancelé, oui, c'est vrai! Mais n'est-ce pas d'abord à cause de tout le sang que nous venions de répandre, vingt-deux ans auparavant, pour la défense des autres autant que pour notre défense?

Cette fois encore, que serait-il advenu du monde si, malgré tout, la nation française n'était pas demeurée fidèle à la liberté? C'est pourquoi, la France, connaissant ce qu'elle doit à ses amis et ce que ses amis lui doivent, est résolue, non seulement à retrouver sa grandeur parce qu'elle sent qu'elle en aura la force, mais encore à la retrouver dans un monde qui réponde à la fois à la justice et au bon sens. La France prétend, dans l'intérêt de tous, à la place qui lui revient dans le règlement du drame dont la liquidation commence.

Le Comité de la libération nationale, en même temps qu'il gouverne pour conduire le peuple et l'Empire français dans le combat vers la victoire, a conscience de son devoir sacré de faire entendre au-dehors la voix claire de notre pays. En cela il est unanime, comme l'est la nation elle-même, car les Français sont d'accord dès qu'ils ne veulent écouter que l'appel de la patrie.

*Note adressée par le général de Gaulle
aux membres du Comité de la libération nationale.*

25 septembre 1943.

Les conditions dans lesquelles ont été préparées et sont actuellement exécutées, presque totalement en dehors du Comité de la
libération nationale, les opérations de toute nature tendant à la
libération de la Corse montrent une fois de plus que le Comité,
tel qu'il est constitué et tel qu'il fonctionne, n'est pas à même de
jouer réellement son rôle d'organe de gouvernement.

Cette impuissance procède, à mon avis, de deux causes, d'ailleurs
conjuguées. La première est l'absence d'une direction reconnue de
tous et organisée, d'où il résulte que le Comité ne parvient pas à
fixer sa politique sur les affaires capitales, ou, — s'il l'a fixée pour
l'une d'elles, — qu'aucun contrôle effectif n'en suit la réalisation.
L'affaire de Corse est caractéristique à cet égard.

La seconde raison est l'indépendance du commandement militaire par rapport à l'organe de gouvernement. Cet état de choses,
formellement contraire à nos institutions séculaires et à nos lois
en vigueur, a pour conséquence que deux politiques coexistent et
s'opposent. De multiples et graves incidents dont le Comité a eu
connaissance l'établissent surabondamment.

J'ai, maintes fois, appelé d'une manière pressante l'attention du
Comité sur ces vices fondamentaux. Mais, faute d'avoir eu le courage d'aller au fond des choses dans nos décisions, nous n'avons
rien résolu et nous nous sommes contentés de remplacer la réforme
nécessaire par des formules ou des fictions.

Sans doute, les circonstances dans lesquelles le Comité de la libération nationale s'est constitué, ainsi que la pression de l'étranger,
ont-elles lourdement pesé sur cette mauvaise organisation et ces
tergiversations déplorables. Mais la période des tâtonnements n'a
maintenant que trop duré. Le pays, dont la vie même est en jeu
et qui se fie au Comité de la libération nationale pour diriger son
effort dans la guerre et préparer l'œuvre à accomplir à mesure de
la victoire, ne nous pardonnerait pas de la prolonger davantage.
Les responsabilités doivent être prises et connues. Quant à moi, je
ne puis porter les miennes plus longtemps dans de telles conditions.

La solution qui paraît s'imposer est la suivante :

1) Élection par le Comité d'un président, exerçant ses fonctions
pour une durée déterminée et disposant de pouvoirs réels et définis
quant à la direction des travaux du Comité et quant au contrôle
des diverses activités, y compris, naturellement, les activités
militaires. Ceci, aux lieu et place de la double présidence qui a pu
être un moment tolérée comme procédé de circonstance mais qui
gêne l'exercice du pouvoir, entretient la division des esprits,
impose au Comité une figure phénoménale et n'est naturellement
pratiquée par aucun gouvernement dans le monde.

2) Dans l'ordre militaire, séparation du pouvoir de gouvernement (commissariat) et de l'autorité de commandement.

Tels sont les motifs qui ont inspiré le projet d'ordonnance et le projet de décret ci-joints qui sont portés à l'ordre du jour du Comité de la libération nationale.

Lettre du général Giraud au général de Gaulle.

Alger, le 25 septembre 1943.

Mon Général,

Le Comité français de la libération nationale a décidé ce matin, malgré mon opposition, d'abroger les décrets du 3 juin et du 4 août 1943, fixant son organisation et son fonctionnement.

Le rôle qui m'est réservé, en ma qualité de co-président, dans le projet de décret que je n'ai pas voulu accepter, serait désormais limité, d'une part à une signature qui, vous l'avez dit vous-même, ne présente qu'un caractère de « copie conforme » et, d'autre part, à remplacer provisoirement le véritable président du Comité quand il décide de s'absenter.

Ces dispositions ne respectent ni la lettre, ni l'esprit, des accords que nous avons passés ensemble avant votre venue en Afrique du Nord et qui sont à la base de la constitution du Comité. Je ne saurais les accepter.

Veuillez agréer, je vous prie, l'assurance de mes meilleurs sentiments.

Lettre du général de Gaulle au général Giraud.

Alger, le 26 septembre 1943.

Mon Général,

Le chef du Secrétariat du Comité de la libération nationale doit vous présenter l'ordonnance et les décrets qui ont été adoptés, le 25 septembre, par le Comité, afin de recueillir votre signature. Je me permets de vous redire à quel point tous les membres du Comité qui ont signé la communication que j'ai eu l'honneur de vous remettre hier en compagnie du général Catroux, de M. Massigli et de M. Tixier souhaitent que vous ne vous sépariez pas de nous et que vous consentiez à signer les décrets.

Je vous prie d'agréer, mon Général, l'expression de mes sentiments les meilleurs.

*Ordonnance du 3 octobre 1943 au sujet de l'organisation
et du fonctionnement du Comité français de la libération nationale.*

Article Premier. — Le Comité français de la libération nationale
élit son président. Le président du Comité de la libération nationale est en fonctions pour la durée d'une année. Il est rééligible.

Art. 2. — Le président dirige les travaux du Comité, contrôle
l'exécution de ses décisions et assure la coordination entre les
commissaires. Toutes les décisions de politique générale sont prises
par le Comité dont la responsabilité est collective.

Art. 3. — Les ordonnances et les décrets sont signés du président. Ils sont contresignés par le commissaire ou les commissaires intéressés.

Art. 4. — Les projets d'ordonnances et de décrets sont soumis
en premier lieu à l'examen du président.

Les projets d'ordonnances, ainsi que ceux des projets de décrets
qui affectent directement la politique générale, sont délibérés
par le Comité.

Les autres projets de décrets sont traités entre le président et
les commissaires intéressés. Chaque commissaire a la faculté de
demander au Comité l'inscription à l'ordre du jour de toute question qui n'y serait pas portée.

Le président constitue par arrêté les commissions nécessaires
à la coordination des travaux entre plusieurs commissaires.

Art. 5. — Le président arrête l'ordre du jour du Comité. Il
assure la notification et, s'il y a lieu, la publication des décisions
du Comité. Tous éléments nécessaires pour en vérifier l'exécution
lui sont fournis par les commissaires intéressés.

Art. 6. — Pour ses rapports avec les commissaires, le président dispose du Secrétariat du Comité et des organismes qui lui
sont rattachés. La composition du Secrétariat et son fonctionnement sont fixés par arrêté du président.

. . . .

Signé : C. de Gaulle.
H. Giraud.

Décret du 3 octobre 1943 sur l'organisation des forces armées.

Article Premier. — Il est créé un Commissariat à la Défense
nationale.

Art. 2. — Le commissaire à la Défense nationale est chargé
de l'administration et de l'entretien des forces de Terre, de Mer et
de l'Air. Il a sous son autorité directe celles de ces forces qui ne
sont placées par la Comité français de la libération nationale à la
disposition du commandant en chef. Il pourvoit à leur organisa-

tion conformément au plan d'ensemble établi par le Comité et dont il est parlé à l'article 5 ci-après.

Art. 3. — Le commandant en chef est nommé par décret délibéré en Comité français de la libération nationale. Il exerce le commandement direct des forces qui sont mises à sa disposition par le Comité et assure avec le commandement militaire allié les liaisons nécessaires à ce sujet.

Il participe avec le commandement interallié à l'établissement des plans d'opérations et des programmes d'armement des forces. Il oriente et contrôle la formation et l'instruction des unités en vue de leur emploi tel qu'il est à prévoir ou prévu par les plans interalliés d'opérations.

A l'égard des forces qui ne sont pas sous son commandement direct il exerce les attributions d'Inspecteur général.

Art. 4. — Les attributions respectives du commissaire à la Défense nationale et du commandant en chef, ainsi que les rapports du commandant en chef avec le gouvernement demeurent régis par la loi du 11 juillet 1938 sur l'organisation de la nation en temps de guerre et les textes pris pour son application.

Art. 5. — Le Comité de Défense nationale comprend :

— le président du Comité français de la libération nationale, chargé de la direction de l'action gouvernementale ;

— le commandant en chef ;

— le commissaire à la Défense nationale.

Il peut inviter à assister à une séance déterminée toute autre personnalité dont la participation est jugée par lui nécessaire à ses débats.

Art. 6. — Dans le cadre des directives du Comité français de la libération nationale, il arrête les plans d'ensemble concernant l'organisation, la répartition et l'emploi des forces françaises. Il assure, avec les organismes alliés compétents, les liaisons nécessaires.

Signé : C. DE GAULLE.
H. GIRAUD.

*Discours prononcé par le général de Gaulle
à Ajaccio, le 8 octobre 1943.*

Au milieu de la marée d'enthousiasme national qui nous soulève tous aujourd'hui, nous pourrions ne connaître rien que l'émouvante satisfaction d'être emportés par la vague. Mais, mesurant le dur chemin qui nous sépare encore du but, nous savons qu'il ne suffit pas de nous livrer à la joie et qu'en vérité nous devons, sur-le-champ, tirer la leçon qui se dégage de la page d'Histoire que vient d'écrire la Corse française.

La Corse, que l'héroïsme de sa population et la valeur de nos

soldats, de nos marins, de nos aviateurs, viennent d'arracher à
l'envahisseur au cours de la grande bataille que les alliés mènent
en ce moment, la Corse a la fortune et l'honneur d'être le premier
morceau libéré de la France. Ce qu'elle fait éclater de ses sentiments et de sa volonté, à la lumière de sa libération, démontre
ce que sont les sentiments et la volonté de la nation tout entière.

Or, il est prouvé que, pas un jour, la Corse n'a cru à la défaite.
Il est prouvé qu'elle n'attendait que l'occasion pour se lever,
combattre et vaincre. Cette fraction du pays savait bien, comme
la patrie, que les revers essuyés par nos armées, en mai et juin 1940,
n'étaient qu'un épisode cruel, mais passager, d'une guerre grande
comme le monde. Ce que ne discernaient pas les chefs indignes ou
sclérosés qui se ruèrent au désastre, le peuple ici le comprit aussitôt.
D'où la résistance obstinée qu'il ne cessa d'opposer à l'ennemi,
passivement d'abord, puis, au moment favorable, activement,
les armes à la main.

Pourtant, voyant la chance tourner et l'envahisseur faiblir,
les patriotes corses auraient pu attendre que la victoire des armées
alliées réglât heureusement leur destin. Mais ils voulaient eux-
mêmes être des vainqueurs. Ils jugeaient que la libération ne
serait point digne de son nom si le sang de l'ennemi ne coulait
de leurs propres mains et s'ils n'avaient point leur part dans
la fuite de l'envahisseur. Ils étaient, d'avance, ralliés à cette
foi dans la patrie, à cet esprit de lutte à outrance, qui maintinrent
sur les champs de bataille, au nom de la France tout entière, les
soldats de la France Combattante et qui animent, aujourd'hui,
notre vaillante armée d'Afrique dont l'avant-garde vient de
recevoir, à Saint-Florent et à Bastia, le baiser brûlant de la
gloire.

Mais, par le fait même que la Corse n'a, pas plus que la patrie,
jamais admis que la France fût vaincue, elle n'a point accepté
davantage la coupable usurpation que les apôtres du désastre
en ont tirée à leur profit. Qu'est devenu ici, je le demande, le
régime dit de Vichy? Où en est la fameuse Révolution nationale?
A quoi tenait donc cette bâtisse de mensonges, de police et de
délation? Comment se fait-il que tant de portraits, d'insignes et
de devises aient cédé la place en un clin d'œil à l'héroïque Croix
de Lorraine, signe national, s'il en fut, de la fierté et de la délivrance? Il a suffi que l'ennemi ait reculé pour que fût, en un instant, balayé le pitoyable échafaudage. Il a suffi que le peuple
ait pu relever la tête pour qu'il criât : « Liberté, nous voilà ! »
Il a suffi que le premier frisson libérateur ait parcouru la terre
corse pour que cette fraction de la France se tournât, d'un seul
mouvement, vers le Comité de la libération nationale, gouvernement de la guerre, de l'unité et de la République. Si ce qui vient
de se passer dans chacune des villes et dans chacun des villages de
la Corse a révélé au grand jour que la nation française entend
redevenir à la fois victorieuse et souveraine d'elle-même, nous

avons vu y paraître aussi l'union merveilleuse de tous dans l'ardeur du renouveau. Oui, en Corse aujourd'hui, comme demain dans toute la France, c'est un peuple rajeuni qui émerge de ses épreuves. Il n'est que de voir la flamme des regards parmi les foules rassemblées, sans distinction de classe, de clan ni de parti, pour crier leur joie et leur confiance ; il n'est que d'entendre les hommes, les femmes, les enfants, chantant d'une seule voix, les larmes aux yeux, notre ardente *Marseillaise;* il n'est que de constater la dignité et l'ordre qui règnent partout, malgré les douleurs, les angoisses, les privations, pour être bien convaincu que notre peuple, notre grand peuple, a commencé le sourd travail d'où sortira la rénovation.

Tandis que nous autres Français éprouvons la certitude qu'après tant de leçons une ère nouvelle de grandeur doit s'ouvrir pour notre pays, il semble que le monde en prenne, lui aussi, conscience. En tous cas, chacun peut constater à quel point étaient absurdes les ambitions d'un voisin latin qui prétextait notre décadence pour tâcher de saisir la Corse, en même temps d'ailleurs que d'autres terres françaises. Nous ne sommes pas de ceux qui piétinent les vaincus, mais, devant certains effondrements, nous nous devons de souligner la vanité des prétentions qui s'affichaient à notre détriment et qui poussaient une nation apparentée à la France dans une alliance monstrueuse avec la cupidité germanique.

Est-ce à dire, qu'une fois la victoire remportée et la justice rendue, la France de demain voudra se figer dans une attitude de rancœur à l'égard d'un peuple longtemps dévoyé mais que rien de fondamental ne devrait séparer de nous ? Non, certes, et je le dis à dessein ici même. Car, ici, nous nous trouvons au centre de la mer latine ; de cette mer par où nous est venue notre civilisation ; de cette mer que bordent : au Nord la France et, au Midi, l'Empire français d'Afrique ; de cette mer où tant d'influences séculaires nous ont acquis vers le Levant d'indestructibles amitiés ; de cette mer qui pénètre et relie à nous de vaillants peuples balkaniques ; de cette mer, enfin, qui est l'un des chemins vers notre alliée naturelle, la chère et puissante Russie. Tâchant de porter nos pensées au delà des combats, des douleurs, des colères du présent, et regardant au loin vers l'avenir, c'est d'Ajaccio que nous voulons crier notre espoir de voir la mer latine redevenir un lien au lieu d'être un champ de bataille. Un jour viendra où la paix, une paix sincère, rapprochera, depuis le Bosphore jusqu'aux colonnes d'Hercule, des peuples à qui mille raisons aussi vieilles que l'Histoire commandent de se grouper afin de se compléter.

Mais ce ne sont là que rêves pour le futur. Le présent exige autre chose. Le présent exige la guerre, car l'ennemi principal n'est pas encore abattu. A cet égard, c'est d'Ajaccio que nous affirmons la volonté de la France de déployer sa force renaissante

aux côtés des vaillantes forces de l'Angleterre et des États-Unis
sur les rivages, sur les flots, dans les ciels de la Méditerranée. C'est
d'Ajaccio que nous renouvelons notre serment de combattre
jusqu'au terme avec tous les peuples qui, comme nous, luttent
et souffrent pour écraser la tyrannie. La victoire approche. Elle
sera la victoire de la liberté. Comment voudrait-on qu'elle ne
fût pas, aussi, la victoire de la France ?

Décision du Comité de la libération nationale.

Alger, 6 novembre 1943.

Au cours de sa séance du 6 novembre 1943, le Comité de la
libération nationale, à l'unanimité de ses membres, a demandé
à son Président, le général de Gaulle, — qui a accepté, — de procéder à tous changements dans la composition du Comité qu'il
jugera nécessaires pour assurer :

1º la représentation et la collaboration, au sein du gouvernement, de personnalités déléguées à l'Assemblée consultative par
les organisations de résistance en France ;

2º l'unité et la cohésion du Comité dans les meilleures conditions possibles ;

3º la séparation complète du pouvoir de gouvernement et de
l'action du commandement militaire, ainsi que la subordination
de celui-ci à celui-là.

Signé : C. DE GAULLE,
H. GIRAUD,
TIXIER, MASSIGLI, MONNET, PLEVEN,
ABADIE, DIETHELM, BONNET,
COUVE DE MURVILLE, DE MENTHON,
René MAYER.

POLITIQUE

Ordonnance du 17 septembre 1943
portant constitution d'une Assemblée consultative.

Article Premier. — Il est institué une Assemblée consultative provisoire chargée de fournir une expression aussi large que possible, dans les circonstances présentes, de l'opinion nationale.

Cette assemblée sera dissoute de plein droit à la date où sera constituée l'assemblée chargée de désigner le gouvernement provisoire.

Art. 2. — ...

Art. 3. — L'Assemblée consultative comporte :
1) 40 représentants des organismes de résistance métropolitaine ;
2) 12 représentants de l'ancienne résistance extra-métropolitaine ;
3) 20 membres du Sénat et de la Chambre des députés ;
4) 12 représentants des Conseils généraux.

Articles 4, 5,... 22.

. . . .

Signé : C. de GAULLE.
H. GIRAUD.

LISTE DES MEMBRES DE L'ASSEMBLÉE CONSULTATIVE (1).

1º *Représentants des organismes de résistance métropolitaine :*

MM.	MM.
Paul ANXIONNAZ	René FERRIÈRE
Marcel ASTIER	Max FRANCKE
Raymond AUBRAC	Henri FRÉNAY
Hyacinthe AZAÏS	(suppléé par Émile VALLIER)

(1) De Novembre 1943 à Août 1944.

MM.

Jean BORDIER
Albert BOSMAN
Albert BOUZANQUET
Georges BUISSON
Pierre CLAUDIUS
Ambroise CROIZAT
Michel DUMESNIL DE GRAM-
 MONT
Pierre FAYET
Just ÉVRARD
André LE TROQUER
(suppléé par Georges MISTRAL)
Henri MAILLOT
Jacques MATHIEU-FRÉVILLE
Pierre MAURRIER
Jean-Jacques MAILLOUX
Jacques MÉDÉRIC
André MERCIER

MM.

Édouard FROMENT
Noël GANDELIN
Albert GAZIER
Arthur GIOVONI
Fernand GRENIER
(suppléé par Joanny BERLIOZ)

André HAURIOU
Jean JACQUES
Charles LAURENT
Marcel POIMBŒUF
Robert PRIGENT
Henri POURTALET
Pierre RIBIÈRE
Marc RUCART
Louis VALLON
Paul VIARD

2o *Représentants de la résistance extra-métropolitaine :*

MM.

Henri d'ASTIER DE LA VIGERIE
Paul AUBRANGE
Ernest BISSAGNET
Félix BOILLOT
Guy DE BOISSOUDY
Jean BOURGOIN
René CAPITANT
(suppléé par Paul TUBERT)
Le R. P. Anselme CARRIÈRE
René CASSIN
Joseph COSTA

MM.

Jean DEBIESSE
Roger GERVOLINO
Joseph GIROT
Albert GUÉRIN
Pierre GUILLERY
René MALBRANT
Pierre PARENT
Francis PERRIN
Henri SEIGNON
Mme Marthe SIMARD

3o *Membres du Sénat et de la Chambre des députés :*

MM.

Paul ANTIER
Vincent AURIOL
François BILLOUX
(suppléé par Étienne FAJON)
Florimond BONTE
Pierre COT
Paul GIACOBBI
Félix GOUIN

MM.

Louis JACQUINOT
Pierre-Olivier LAPIE
André MARTY
Jules MOCH
Jean PIERRE-BLOCH
Henri QUEUILLE
Joseph SERDA

4° Représentants des Conseils généraux :

MM.

Mohamed BENDJELLOUL
Raymond BLANC
Pierre CUTTOLI
Albert DARNAL
Maurice DESETAGES
Marcel DUCLOS

MM.

Ély Manel FALL
Pascal MUSELLI
Auguste RENCUREL
Paul VALENTINO
Michaël de VILLÈLE
Deiva ZIVARATTINAM

Délégués complémentaires :

Algérie	*Tunisie*	*Maroc*
MM.	MM.	MM.
LAKHDARI	CASABIANCA	BRUN
LOMBARDI	TAHAR BEN AMMAR	DEBARE
RAOUX		DE PERETTI
TAMZALI		
VEGLER		

Secrétaire général : M. KATZ-BLAMONT.

Télégramme du général de Gaulle à Pierre Viénot, à Londres.

Alger, 28 septembre 1943

Je vous prie de faire oralement, je répète oralement, à Fernand Grenier une communication de ma part sur les bases suivantes.

Il est possible que le Comité de la libération nationale soit amené prochainement à modifier dans une certaine mesure son caractère et sa composition en s'incorporant des représentants des grandes tendances politiques françaises rassemblées actuellement dans la lutte pour la libération de la France, le châtiment des traîtres et la restauration du régime démocratique.

Dans ce cas, le Comité désirerait sans doute voir le parti communiste représenté dans son sein. Je serais obligé à Fernand Grenier de me faire connaître d'urgence : 1) quelle est son opinion à cet égard ; 2) si, éventuellement, il serait lui-même disposé à entrer dans le Comité de la libération remanié. Je n'ai pas besoin de dire pour Fernand Grenier que cette communication doit rester entièrement secrète, étant entendu cependant qu'il serait normal que Fernand Grenier tienne à consulter très discrètement ses amis avant de me répondre explicitement.

Tel est le sens de la communication à faire à Fernand Grenier. Je m'en remets à vous pour la lui présenter pour ce qu'elle est, je veux dire une consultation précise, ni plus ni moins. Amitiés.

*Discours prononcé par le général de Gaulle
à la séance inaugurale de l'Assemblée consultative,
le 3 novembre 1943, à Alger.*

En saluant à sa première séance l'Assemblée consultative provisoire, le Comité de la libération nationale entend, d'abord, marquer sa profonde satisfaction de voir réaliser, malgré d'extraordinaires obstacles, une réunion qu'il a provoquée et que souhaîte la nation luttant pour sa vie et pour sa liberté. Le Comité veut, en même temps, manifester sa résolution de collaborer de la manière la plus large et, je n'ai pas besoin d'ajouter, la plus confiante avec une assemblée qui lui apporte, dans sa grande et lourde tâche, le concours d'une opinion qualifiée, autant que les circonstances le permettent, pour exprimer ce que désirent et ressentent les Français. Enfin, le Comité tient à témoigner hautement toute la considération qu'il éprouve à l'égard des représentants de l'héroïque résistance française et d'hommes qui, chargés naguère d'un mandat du peuple, savent s'en montrer dignes dans les terribles dangers courus par la France et par la République.

En vérité, il serait vain, dans les conditions sans exemple où se trouve actuellement le pays, de vouloir chercher un précédent historique à la création de l'Assemblée consultative ou bien des textes législatifs qui puissent lui fournir une base littéralement légale. L'invasion et l'occupation ont détruit les institutions que la France s'était données. Abusant de la détresse du peuple stupéfié par le désastre militaire et violant, d'ailleurs leurs propres engagements, des hommes ont établi, d'accord avec l'ennemi, sur le sol de la Métropole, un régime abominable de pouvoir personnel, de mensonge et d'inquisition. Appuyés sur l'envahisseur, avec lequel ils se vantent de collaborer, usant de tous les moyens imaginables de pression sur les corps de l'État et les individus, ces gens ont, littéralement, mis au cachot la nation souveraine. Dès lors, le salut de la patrie devenait la loi suprême. Il nous a fallu créer des pouvoirs provisoires, afin de diriger l'effort de guerre de la France et de soutenir ses droits. Ces pouvoirs sont, par avance, soumis au jugement de la nation et, en attendant, respectent et font respecter, partout où ils s'exercent, les lois qu'elle s'est données quand elle était libre.

Tels sont les principes que nous nous sommes fixés, dès le 18 juin 1940, auxquels nous sommes restés immuablement fidèles et que nous observerons jusqu'au jour où le peuple français libéré pourra exprimer ses volontés normalement, c'est-à-dire par le suffrage universel. En le faisant, nous n'avons en vue que de sauvegarder, au milieu de la plus grave tourmente de notre Histoire, l'unité nationale, en lui offrant le centre autour duquel elle se maintient moralement et matériellement.

Mais, s'il est vrai que des élections générales constituent la seule voie par où doive, un jour, s'exprimer la souveraineté du peuple, il reste que le pays, quoique écrasé et bâillonné, manifeste par mille signes évidents quels sont ses sentiments profonds.

La résistance, sous ses multiples formes, est devenue la réaction fondamentale de la masse des Français. Sans doute, étant donnés les moyens terribles de destruction dont disposent l'ennemi et ses complices, la pénurie d'armement de nos combattants de l'intérieur, la captivité en Allemagne de plus de 2 millions d'hommes, la continuelle décimation des chefs, la mort de beaucoup sur les champs de bataille et aux poteaux d'exécution, l'inquisition permanente, la famine généralisée, l'impossibilité des réunions, les extrêmes difficultés de circulation et de correspondance, la nature même de notre pays si perméable aux mouvements militaires c'est-à-dire à la répression, la résistance intérieure française ne se présente-t-elle pas comme une armée livrant des combats réguliers.

Cependant, elle est partout, acharnée et efficace. Elle est dans l'organisation réalisée en France même et que synthétise notre Conseil national de la résistance, auquel nous adressons notre salut fraternel. Elle est dans les usines et dans les champs, dans les bureaux et dans les écoles, dans les rues et dans les maisons, dans les cœurs et dans les pensées. Elle est dans les groupes héroïques qui saisissent chaque occasion de nuire à l'ennemi et de châtier les traîtres. Elle est dans ces hommes et ces femmes qui, depuis trois ans, trois mois et seize jours, viennent, par d'incroyables évasions, rejoindre nos forces en campagne. Si l'on ajoute que l'Empire, à mesure qu'il fut libéré, a apporté à la guerre toutes ses ressources en effectifs, en travail, en matières, que jamais nos drapeaux n'ont déserté les champs de bataille, qu'à l'heure qu'il est 500 000 combattants attendent, avec quelle impatience ! que leur soit donnée la possibilité physique de rencontrer l'ennemi au delà de la mer, nul n'a le droit de nier que la nation ait choisi la lutte, qu'elle offre à son idéal des sacrifices incalculables et qu'elle ait mis toute sa résolution dans la victoire, toute sa foi dans la liberté, tout son espoir dans un avenir de justice et de renouveau. La résistance, telle est aujourd'hui l'expression élémentaire de la volonté nationale.

C'est pourquoi, bien que la démocratie ne puisse être restaurée dans ses droits et dans ses formes que dans une France libérée, le Comité de la libération nationale a jugé nécessaire, dès que les événements le lui eurent permis, de donner aux pouvoirs publics provisoires un caractère aussi démocratique que possible en appelant à l'éclairer et à le soutenir une Assemblée consultative, où les représentants de la résistance nationale se trouvent côte à côte avec des élus du peuple, tous pourvus d'un mandat qualifié.

Pour mesurer à la fois l'étendue de la tâche qui attend l'Assemblée et celle des difficultés qu'elle affronte pour l'accomplir, il n'est que de se représenter ce que seront les étapes qui séparent encore la nation de son but. Ces étapes, nous pouvons dès à présent les définir.

D'abord, nous faisons la guerre! Voir l'ennemi chassé de chez nous, le frapper jusqu'à ce qu'il ait capitulé à la discrétion des vainqueurs, faire en sorte que la contribution de la France à l'effort commun soit aussi forte que nous le permettent les moyens dont nous disposons, c'est pour nous un impératif catégorique. La France a pu fléchir, naguère, tandis que d'autres ont pu tergiverser. Mais aujourd'hui, pour la France comme pour toutes les nations qui sont liguées contre l'Axe, c'est **un** devoir sacré de déployer le plus grand et le plus rapide effort possible. Au surplus, notre redressement ne sera réalisable que dans l'atmosphère d'une victoire à laquelle la nation aura participé.

Or, dans cette lutte totale, l'effort de guerre est un tout qui exige la cohésion morale autant que matérielle. La France qui se bat n'admet qu'une seule politique, dont tous les éléments de ses forces doivent être les instruments. Avec nous, vous exprimerez cette politique. Aujourd'hui, nos armées renaissantes, nos armées que naguère une préparation mauvaise et une stratégie défaillante avaient jetées dans le désastre, nos armées que la trahison de Vichy avait tout fait pour dévoyer, mais nos armées qui, malgré tout, n'ont jamais souhaité que la bataille contre l'ennemi, sont purement et simplement les armées de la nation. Nos drapeaux, d'abord redressés par les exploits de Keren, de Bir-Hakeim et du Fezzan, par les prouesses de nos escadrilles de Grande-Bretagne, de Libye, de Russie, par les durs services à la mer de nos bâtiments à Croix de Lorraine, ont vu l'épreuve et la gloire les réunir dans les batailles de Tunisie et lors de la libération de la Corse. Je puis dire que des unités ardentes et pourvues du meilleur matériel s'apprêtent, sur terre, sur mer et dans les airs, à faire sentir, une fois de plus, à l'ennemi le poids des armes de la France. L'effort de nos bons soldats sera conjugué, au moment voulu, avec celui des combattants qui se préparent en secret sur le sol de la patrie. Dans les uns comme dans les autres, notre peuple a placé son amour et son espérance. Les uns comme les autres ne sont au service de personne, excepté de la nation. Est-il besoin d'ajouter que le Comité de la libération, soutenu par l'Assemblée, saura veiller, s'il en était besoin, à ce que rien ne vienne, désormais, séparer du peuple français aucune fraction de ses soldats.

Tandis que la France s'unit de toute son âme et de toutes les forces qui lui restent à l'action des peuples qui luttent pour la liberté, elle garde, malgré ses malheurs, la conscience d'être ce qu'elle est, je veux dire une grande nation. De là, chez elle, le sentiment profond que la méconnaissance de ses droits et de sa dignité constituerait d'abord une injustice, ensuite et surtout une erreur. Parmi toutes les fautes et toutes les faiblesses qui ont mené le monde à l'épreuve inouïe qu'il traverse, notre pays ne se dissimule pas les siennes. Mais, faisant à l'avance le terrible bilan

de ce que cette guerre lui aura coûté et mesurant, d'autre part,
à quel point se sont accrues, dans le sang et dans les larmes, sa
résolution d'être grand et son ardeur à entreprendre, il sait devoir
retrouver les éléments séculaires de sa valeur. En outre, les événements présents l'ont confirmé dans le sentiment qu'il devait
reprendre, à l'avantage de tous, son grand rôle international. La
France croit que toute affaire européenne et toute grande affaire
mondiale, qui seraient réglées sans elle, ne seraient pas de bonnes
affaires. Elle le croit pour des raisons qui sont inscrites sur la
carte, dans l'Histoire et dans la conscience universelle. Elle le
croit, aussi, parce que de tels règlements se trouveraient inadé-
quats au moment où, tôt ou tard, elle aura retrouvé ces éléments
indispensables à l'équilibre général que sont sa puissance et son
influence. C'est pourquoi le Comité de la libération nationale
revendique, dès à présent, la possibilité de présenter, parmi les
grandes nations, les solutions que la France estime nécessaire
de voir apporter aux règlements de cette guerre et à l'organisation du monde qui la suivra. En cette matière, notamment, l'appui
et le concours prêtés par l'Assemblée consultative au Comité de
la libération seront comme la voix perçant son bâillon.

S'il serait vain de préciser le nombre de semaines ou de mois
qui séparent encore le pays du jour de sa libération, la tournure
de la guerre est telle que l'échéance peut être assez proche. Mais,
que la durée de l'épreuve doive être encore longue, ou courte, son
terme placera le pays devant une situation, physique, politique,
morale et extérieure d'une extrême complexité. La nécessité de
vivre, alors que la fin des combats laissera notre sol blessé par
d'innombrables destructions et vidé de toutes réserves d'aliments
et de matières premières, l'obligation de rétablir partout, comme
nous le faisons ici, dans l'ordre et dans la dignité, l'autorité de la
République sur les ruines honteuses du régime de Vichy, le devoir
d'assurer rapidement et rigoureusement la justice de l'État, qui
est la seule valable et admissible, les changements à opérer dans
les administrations centrales et locales, le retour de notre jeunesse
prisonnière ou déportée, poseront au Comité de la libération de
nombreux et difficiles problèmes, en présence de forces, amicales
certes, mais étrangères et dont il est inévitable que la psychologie
ne coïncide pas toujours exactement avec la nôtre. Il est vrai
que nous sommes assurés d'être aidés dans cette tâche par la
confiance générale du peuple français, qui comprend d'avance
parfaitement bien la nécessité vitale de se serrer d'enthousiasme
et avec discipline autour du pouvoir central. Il est vrai aussi que,
dès que possible, une représentation provisoire du peuple permettra au gouvernement consacré par elle de s'affirmer et de
s'affermir. Il n'en demeure pas moins urgent et nécessaire de
préparer, dès à présent, les dispositions à prendre à tous égards.
Les travaux et les avis de votre Assemblée nous seront, dans cet
ordre d'idées, d'un prix inestimable.

Tout ce que nous ferons dans le présent et préparerons pour l'avenir n'aurait aucune valeur, ni aucune signification, si nous ne nous inspirions directement de l'ardent mouvement de renouveau qui anime en secret la nation française. Les hommes qui, au-dedans et au-dehors de chez nous, imagineraient que la France, une fois libérée, retrouvera la même figure, politique, sociale, morale, qu'ils lui ont naguère connue, commettraient une complète erreur. La France aura subi trop d'épreuves et elle aura trop appris sur son propre compte et sur le compte des autres pour n'être pas résolue à de profondes transformations. Elle veut faire en sorte que, demain, la souveraineté nationale puisse s'exercer entièrement, sans les déformations de l'intrigue et sans les pressions corruptrices d'aucune coalition d'intérêts particuliers. Elle veut que les hommes qu'elle chargera de la gouverner aient les moyens de le faire avec assez de force et de continuité pour imposer à tous, au-dedans, la puissance suprême de l'État et poursuivre, au-dehors, des desseins dignes d'elle. Elle veut que cesse un régime économique dans lequel les grandes sources de la richesse nationale échappaient à la nation, où les activités principales de la production et de la répartition se dérobaient à son contrôle, où la conduite des entreprises excluait la participation des organisations de travailleurs dont, cependant, elle dépendait. Elle veut que les biens de la France profitent à tous les Français, que sur ses terres, pourvues de tout ce qu'il faut pour procurer à chacun de ses fils un niveau de vie digne et sûr, complétées par un Empire fidèle et doté de vastes ressources, il ne puisse plus se trouver un homme ni une femme de bonne volonté qui ne soient assurés de vivre et de travailler dans des conditions honorables de salaire, d'alimentation, d'habitation, de loisirs, d'hygiène, de pouvoir multiplier, faire instruire, voir rire joyeusement leurs enfants. La France veut que soient honorées et favorisées les valeurs qui ont fait sa grandeur et son rayonnement. Sans nul doute, la nation elle-même décidera de ces grandes réformes. Mais l'étude des projets et des modalités, l'orientation des esprits et des âmes vers leur réalisation, voilà ce que d'ores et déjà le peuple attend de vous. Il sait que vous vous assemblez tout imprégnés de ses ardeurs et de ses rêves et que ceux-là même qui, parmi vous, ont pu figurer au milieu de systèmes anciens seront les premiers à montrer jusqu'à quelle profondeur se sont renouvelés les Français.

Sur la route cruelle que gravit la nation et qui la mène pas à pas vers le salut et vers la grandeur, la réunion de l'Assemblée consultative marque une étape capitale dont la signification n'échappe pas au monde. Cette réunion est, en effet, ni plus ni moins qu'un début de résurrection des institutions représentatives françaises. Il suffit de constater cela pour mesurer l'étendue des responsabilités de l'Assemblée. De son action, de sa valeur, de son dévouement au service du pays, dépendront en partie l'avenir de notre démocratie, en même temps que le maintien de l'unité nationale dans une période sans précédent. Le Comité de la libération est, d'avance, certain du résultat, car vingt siècles d'Histoire sont là pour attester qu'on a toujours raison d'avoir foi en la France.

Lettre de Vincent Auriol au général de Gaulle, à Alger.

Alger, le 7 novembre 1943.

Cher Général,

Arrivé à l'instant sur cette terre française libérée grâce à votre initiative du 18 juin 1940, je tiens à vous exprimer mon admiration personnelle et la gratitude de tous mes compatriotes que je représente depuis près de trente années et qui, aujourd'hui, sont unis étroitement, au-dessus de toute divergence d'opinions, pour la libération de la patrie.

Délégué par le parti socialiste, où je milite depuis 1905, à l'Assemblée consultative, je lui apporterai les dures leçons d'une expérience mûrie par des déceptions et des souffrances. Je n'ai aucune ambition personnelle et j'ai pris l'engagement à l'égard de ma famille et de moi-même de n'accepter aucune fonction officielle quelconque. Je veux me donner tout entier à la cause de la patrie dont vous avez sauvegardé les intérêts et préservé l'avenir.

Au cours de mon séjour à Londres, j'ai vu quelques personnalités, britanniques, belges, américaines, etc., auxquelles me lie une vieille amitié et avec qui j'ai été en relations pendant l'exercice de mes fonctions ministérielles.

Si vous voulez bien m'accorder un entretien, je vous ferai part de ce qui m'a été dit, de ce que j'ai répondu, et je serai très heureux de vous confirmer de vive voix les sentiments des Français que je représente ici et avec lesquels je me dis votre dévoué.

Décret du 9 novembre 1943, fixant la composition du Comité français de la libération nationale.

Article Premier. — La composition du Comité français de la libération nationale est déterminée ainsi qu'il suit :

Président.

Général de GAULLE.

Membres.

MM.

Emmanuel D'ASTIER DE LA VIGERIE, Commissaire à l'Intérieur ;
Henri BONNET, Commissaire à l'Information ;
René CAPITANT, Commissaire à l'Éducation nationale ;

Le général CATROUX, Commissaire d'État chargé des Affaires musulmanes ;

André DIETHELM, Commissaire au Ravitaillement et à la Production ;

Henri FRÉNAY, Commissaire aux Prisonniers, Déportés et Réfugiés ;

Louis JACQUINOT, Commissaire à la Marine ;

André LE TROQUER, Commissaire à la Guerre et à l'Air ;

René MASSIGLI, Commissaire aux Affaires étrangères ;

René MAYER, Commissaire aux Communications et aux Transports ;

Pierre MENDÈS-FRANCE, Commissaire aux Finances ;

François DE MENTHON, Commissaire à la Justice ;

Jean MONNET, Commissaire en mission ;

André PHILIP, Commissaire chargé des rapports avec l'Assemblée consultative ;

René PLEVEN, Commissaire aux Colonies ;

Henri QUEILLE, Commissaire d'État chargé des commissions interministérielles ;

Adrien TIXIER, Commissaire au Travail et à la Prévoyance sociale.

Art. 2, 3...

Signé : C. DE GAULLE.

Extraits du discours prononcé par le général de Gaulle à Constantine, place de la Brèche, le 12 décembre 1943.

... Si après cette guerre, dont l'enjeu est la condition humaine, chaque nation aura l'obligation d'instaurer au-dedans d'elle-même un plus juste équilibre entre ses enfants, des devoirs plus vastes encore s'imposent aux pays qui, comme le nôtre, se sont, depuis l'âge des grandes découvertes, associé d'autres peuples et d'autres races. Il appartient à la France de faire honneur au contrat. En prouvant, dans les conditions effroyables de ces quatre dernières années, leur unité profonde, tous les territoires de la communauté impériale française ont fait crédit à la France. A la France, c'est-à-dire à l'évangile de la fraternité des races, de l'égalité des chances, du maintien vigilant de l'ordre pour assurer à tous la liberté.

Cette volonté de renouveau, qui anime la nation tutélaire à mesure qu'elle voit approcher la fin du drame et s'entrouvrir la porte de l'avenir, l'Afrique du Nord nous offre l'occasion, nous impose le devoir, de lui donner sereinement carrière. Les événements font en sorte que l'Afrique du Nord est le terrain où commencent à s'épanouir la force renaissante et l'espérance immortelle de la France. Ici, reparaissent ses libertés. Ici, siège son gouvernement de guerre. Ici, s'est formée l'Assemblée qui donne à l'opinion une expression qualifiée. Ici, s'assemblent les premiers éléments de ses armées de demain. Ici, se trouvent les représentants que de nombreuses puissances étrangères ont délégués auprès d'elle, marquant ainsi qu'elles savent bien, par-delà certaines formules de circonstance, avec qui bat le cœur de la patrie. Ici, auront été prodiguées à la France, par l'ensemble des populations, les preuves d'une fidélité à quoi l'étendue de ses propres malheurs donne un caractère décisif qui, non seulement l'émeut jusque dans ses profondeurs, mais, dès à présent, l'oblige.

Oui, l'oblige, à l'égard notamment des Musulmans de l'Afrique du Nord. La France, en accord et par traités conclus avec leurs souverains, a donné au Maroc et à la Tunisie un développement qu'il s'agit de poursuivre en y associant chaque jour plus largement les élites de la société locale. Dans les trois départements de l'Algérie française, la tâche comporte des exigences différentes.

Quelle occasion meilleure pourrais-je trouver d'annoncer que le gouvernement, après un examen approfondi de ce qui est souhaitable et de ce qui est actuellement possible, vient de prendre, à l'égard de l'Algérie, d'importantes résolutions? Le Comité de la libération a décidé, d'abord, d'attribuer immédiatement à plusieurs dizaines de milliers de Français musulmans leurs droits entiers de citoyens, sans admettre que l'exercice de ces droits puisse être empêché, ni limité, par des objections fondées sur le statut personnel. En même temps, va être augmentée la proportion des Français musulmans dans les diverses assemblées qui traitent des intérêts locaux. Corrélativement, un grand nombre de postes administratifs seront rendus accessibles à ceux qui en auront la capacité. Mais, c'est aussi à l'amélioration absolue et relative des conditions de vie des masses algériennes que le gouvernement a résolu de s'attacher par un ensemble de mesures qu'il fera très prochainement connaître. Personne ne peut contester que ce soit là une œuvre de longue haleine que l'état de guerre et la situation présente de la Métropole ne laissent pas de compliquer à l'extrême. Personne ne peut, d'autre part, mettre en doute que certaines dispositions utiles aient déjà été prises à cet égard. Personne ne peut, enfin, nier que rien ne serait concevable sans le labeur acharné des colons qui fit jaillir du pays les richesses de la nature. Mais ce plan d'ensemble, concernant l'Algérie et dont l'exécution sera commencée aussitôt avec les moyens disponibles, montrera à tous que la France nouvelle a mesuré ici tous ses devoirs.

Dans cette phase, la plus rude de notre rude existence de peuple, à chaque jour suffit sa tâche, mais une tâche doit remplir chaque jour. Entre Français de bonne volonté, ce n'est point l'heure des doutes, ni des querelles. Pour atteindre le but, c'est sur nous-mêmes, Français, qu'il nous faut d'abord et essentiellement compter. Qu'est-ce à dire, sinon que nous avons besoin de compter les uns sur les autres?

Lettre du général de Gaulle
à chacun des membres du Comité de la libération nationale.

Alger, le 22 décembre 1943.

Mon cher Commissaire,

Comme suite à ma lettre circulaire du 3 novembre, je vous prie de me faire parvenir d'urgence les projets concernant votre administration et se rapportant aux mesures à prendre au moment de l'arrivée en France...

Il serait, en particulier, nécessaire que vous fassiez procéder, dans les plus brefs délais, à l'examen de tous les textes concernant votre département, promulgués à Vichy depuis le 10 juillet 1940. Pour faciliter votre travail, je demande au président du Comité juridique d'entreprendre, en liaison avec les services des différents commissariats, un dépouillement systématique du *Journal officiel* de Vichy, afin de déterminer, d'une façon aussi précise et complète que possible, le sort qui devra être réservé au moment de la libération à la législation de Vichy.

· ·

Je vous prie, d'autre part, de vouloir bien, — sans attendre les résultats de ce dépouillement, — préparer les projets d'ordonnances et de décrets destinés à remplacer les textes de Vichy dont l'annulation ne saurait être mise en doute ou qui ne pourraient être repris qu'avec d'importantes modifications.

Je compte que vous soumettrez ces projets au Comité au fur et à mesure de l'avancement de vos travaux...

· ·

D'autre part, le Comité a décidé que chaque commissaire doit choisir, dès maintenant, un fonctionnaire qui sera son représentant en France. Je vous prie de me communiquer, avec toutes les précautions nécessaires, le nom de votre représentant. Le Directeur général des Services spéciaux est chargé d'établir le contact avec lui si votre représentant se trouve en territoire métropolitain ou, dans le cas contraire, de faire rentrer ce fonctionnaire en France.

Veuillez agréer, etc...

Communiqué du Comité de la libération nationale
au sujet de l'action entreprise par la Justice.

Alger, le 23 décembre 1943.

Dans sa séance du 3 septembre 1943, le Comité français de la libération nationale a décidé d'assurer l'action de la Justice à l'égard du maréchal Pétain et des membres ou anciens membres de l'organisme de fait se disant gouvernement de l'État français.

Tous les personnages visés dans cette décision ont, en effet, de leur propre aveu, collaboré avec l'Allemagne, c'est-à-dire avec l'ennemi. Aucun traité de paix n'ayant été signé par la France avec l'Allemagne et la France n'ayant jamais cessé la guerre, il est certain que, d'après les principes du droit international public, l'Allemagne demeure l'ennemi pour la France comme pour l'ensemble des Nations Unies. Dès lors, ceux qui collaborent avec l'Allemagne tombent sous le coup des articles 75 et suivants du Code pénal.

En conséquence, une action de justice a été entreprise contre les anciens membres de l'organisme de fait se disant gouvernement de l'État français, qui résident sur les territoires français libérés de l'occupation ou du contrôle des puissances de l'Axe. En outre, des mandats d'amener ont été décernés contre de hautes personnalités de l'administration de l'Empire, qui se sont rendues coupables d'atteintes à la sûreté extérieure de l'État en s'opposant publiquement et par les armes à la rentrée dans la guerre, aux côtés des alliés, des territoires français soumis à leur autorité.

La Justice est saisie. L'action publique suivra librement son cours. Conformément au principe de la séparation des pouvoirs, le Comité français de la libération nationale laissera en la matière une indépendance pleine et totale au pouvoir judiciaire.

Pour garantir intégralement les droits des inculpés, le Comité, avant de faire décerner les mandats d'amener, a rétabli complètement, par une série d'ordonnances, les droits de la défense qui avaient été altérés par la législation de Vichy. Les inculpés seront assistés d'avocats librement choisis par eux. Les règles de la loi du 8 décembre 1897 sur l'instruction préalable seront strictement suivies. C'est ainsi, qu'à la veille de chacun des interrogatoires, la procédure sera mise à la disposition des conseils qui connaîtront les charges qui pèsent sur les accusés et pourront librement les discuter.

Pour faire face, d'autre part, aux circonstances de fait exceptionnelles dans lesquelles l'action publique est introduite, le Comité français de la libération nationale a adopté une ordonnance nouvelle. Dans le cas où il existe des charges suffisantes contre l'accusé, mais où l'accusation et la défense invoquent des instruments de preuve qui se trouvent en France et que le juge estime indispensables à la manifestation de la vérité, cette ordonnance permet au magistrat de suspendre l'information jusqu'à la date où la libération du territoire métropolitain permettra de la compléter.

Pour l'hypothèse où, au contraire, l'information aboutirait à une ordonnance de renvoi devant la juridiction de jugement, le Comité français de la libération nationale a également adopté une ordonnance qui fixe la composition du Tribunal d'armée compétent. Cette ordonnance garantit, pour la phase ultime du procès, les droits des accusés que le rétablissement des libertés de la défense assurait déjà dans l'instruction préparatoire.

Il convient de souligner en effet que, d'après l'article 555 du

Code d'instruction criminelle, les crimes et les délits contre la sûreté extérieure de l'État sont de la compétence des tribunaux militaires, même lorsqu'ils sont commis en temps de paix par des civils. La seule différence est, qu'en temps de paix, le tribunal est composé d'un magistrat et de juges militaires, alors qu'en temps de guerre tous les juges sont militaires.

Tout en maintenant les juges militaires en majorité conformément au droit commun, le Comité français de la libération nationale, eu égard au caractère des procès, a décidé d'augmenter le nombre des magistrats professionnels. Le Tribunal militaire d'armée, lorsqu'il jugera les hautes personnalités ci-dessus désignées, sera présidé par un premier président de Cour d'Appel assisté d'un conseiller de Cour d'Appel et de trois officiers généraux.

Ainsi, le Comité français de la libération nationale, tout en garantissant les droits de la défense, s'est efforcé de réaliser les conditions d'une justice stricte et impartiale depuis l'instruction préparatoire jusqu'au jugement. Le peuple français peut être certain que les verdicts qui seront rendus le seront en pleine connaissance de cause et en toute sérénité.

Message de Noël du général de Gaulle
au peuple français, le 24 décembre 1943.

Devant l'étoile de la victoire qui brille maintenant à l'horizon, Français! Françaises! unissons-nous! Unissons-nous pour les efforts suprêmes! Unissons-nous pour les suprêmes douleurs!

L'ennemi, l'ennemi qui recule, l'ennemi dont la nation ne sépare pas les quelques traîtres qui le servent, voilà qui nous devons, par tous les moyens en notre pouvoir, maudire, attaquer, détruire!

Mais ce soir, ce soir de Noël, que chacun de nous pense aux autres Français et aux autres Françaises qui, comme lui, souffrent pour la France, luttent pour la France, espèrent en la France! Qu'il y pense amicalement! Qu'il y pense fraternellement!

Que chacun de nous porte son âme vers nos soldats, nos marins, nos aviateurs, aux prises avec l'Allemand, sur le sol d'Italie, sur toutes les mers du monde, dans les ciels de Méditerranée, de Russie, d'Angleterre, ou qui s'apprêtent à gagner, à leur tour, les champs de bataille; vers nos combattants de France, hommes et femmes héroïques qui luttent comme ils peuvent, tant qu'ils peuvent, sous le joug de l'ennemi et de ses collaborateurs; vers nos garçons prisonniers et déportés qui se rongent de fureur là où l'Allemagne les détient!

Que chacun de nous lève son cœur vers nos jeunes gens, nos jeunes filles, humiliés, nos petits enfants malheureux, vers les mamans françaises que l'angoisse ne quitte pas.

Ces soldats, ces combattants, ces jeunes et ces vieux, tous ils sont notre peuple, le fier, le brave, le grand peuple français, dont nous sommes. Qu'importent, dans le drame présent, nos divergences et nos partis ! Estimons-nous ! Aidons-nous ! Aimons-nous !

D'abord, nous le méritons ! Et puis, pour refaire ensemble la chère, grande et libre France, il nous faut, oui il nous faut ! marcher la main dans la main.

Que chacun de nous, enfin, adresse en lui-même ses souhaits ardents de Noël à nos vaillants alliés, à ces millions d'hommes et de femmes qui, dans le monde, combattent, résistent, travaillent, comme nous, avec nous, pour la même victoire que nous.

Ce soir, ce soir de Noël, les mêmes vœux montent en même temps du cœur de tous les Français. Comme nous découvrons bien, ce soir, dans notre épreuve commune et dans notre effort rassemblé, que nous avons une seule fierté et une seule espérance, parce que nous sommes frères et sœurs, oui, tous et toutes, pareillement, les fils et les filles de la France !

Ordonnance du 10 janvier 1944
créant les Commissaires de la République.

Titre I

DIVISION DU TERRITOIRE
EN COMMISSARIATS RÉGIONAUX DE LA RÉPUBLIQUE

Article Premier. — Le territoire métropolitain est divisé provisoirement en Commissariats régionaux de la République, correspondant, en principe, aux organismes de fait dits préfectures régionales...

Art. 2. — ...

Titre II

CRÉATION DES COMMISSARIATS RÉGIONAUX DE LA RÉPUBLIQUE

Art. 3. — Le représentant du pouvoir central dans chaque commissariat régional est le Commissaire régional de la République nommé par décret rendu sur la proposition du Commissaire à l'Intérieur.

Les commissaires régionaux constituent un corps administratif provisoire dont les membres sont révocables *ad nutum.*

Ils sont essentiellement chargés, sous réserve des pouvoirs dévolus à l'autorité militaire, de prendre toutes mesures propres à assurer la sécurité des armées françaises et alliées, à pourvoir à l'administration du territoire, à rétablir la légalité républicaine et à satisfaire aux besoins de la population.

Art. 4. — Outre les pouvoirs définis dans les textes dits lois et décrets de l'État français, publiés depuis le 22 juin 1940 en ce qui concerne les fonctionnaires dits « Préfets régionaux », dans le cas où les communications seraient interrompues avec l'autorité supérieure, il est conféré aux commissaires régionaux de la République, jusqu'au rétablissement des dites communications, les pouvoirs exceptionnels suivants :

1) Suspendre l'application de tous textes législatifs ou réglementaires qui se trouvent en fait en vigueur, à charge d'en référer au commissaire à l'Intérieur dès que possible.

2) Ordonner toutes mesures et prendre toutes décisions nécessaires pour assurer le maintien de l'ordre, le fonctionnement des administrations et services publics, des entreprises privées, ainsi que la sécurité des armées françaises et alliées.

3) Suspendre de leurs fonctions tous élus et tous fonctionnaires ou agents des administrations, collectivités, régies, services publics ou d'intérêt public, contrôlés ou subventionnés, et leur désigner des intérimaires.

4) Suspendre l'application et les effets de toutes sanctions pénales ou de toutes poursuites judiciaires.

5) Procéder ou faire procéder à toutes opérations de police judiciaire dans les conditions prévues à l'article 10 du code d'instruction criminelle.

6) Bloquer tous comptes privés.

7) Employer toutes personnes ou ressources et réquisitionner tous biens ou services dans les conditions prévues par la loi du 11 juillet 1938 sur l'organisation de la nation en temps de guerre.

Art. 5, 6, 7, 8 ...

Signé : C. DE GAULLE.

Liste des premiers Commissaires de la République.

Lyon	Michel FARGE
Lille	François CLOSON
Marseille	Raymond AUBRAC
Rennes	Victor LE GORGEU
Rouen	Henri BOURDEAU DE FONTENAY
Dijon	Jean BOUHEY, remplacé après sa blessure par Jean MAIREY
Angers	Michel DEBRÉ
Toulouse	VERDIER, tué à l'ennemi et remplacé par Jean CASSOU, lui-même remplacé après sa blessure par Pierre BERTAUX
Montpellier	Jacques BOUNIN
Poitiers	Jean SCHUHLER
Laon	Pierre PENE

Bordeaux	Gaston CUSIN
Limoges	André FOURCADE, tué à l'ennemi et remplacé par Pierre BOURSICOT
Clermont-Ferrand	Henry INGRAND
Strasbourg	Charles BLONDEL
Nancy	Paul CHAILLEY-BERT
Orléans	André MARS
Châlons-sur-Marne	GRÉGOIRE

Discours prononcé par le général de Gaulle
à l'ouverture de la Conférence de Brazzaville, le 30 janvier 1944.

Si l'on voulait juger des entreprises de notre temps suivant les errements anciens, on pourrait s'étonner que le Gouvernement français ait décidé de réunir cette conférence africaine.

« Attendez ! » nous conseillerait, sans doute, la fausse prudence d'autrefois. « La guerre n'est pas à son terme. Encore moins peut-on savoir ce que sera demain la paix. La France, d'ailleurs, n'a-t-elle pas, hélas ! des soucis plus immédiats que l'avenir de ses territoires d'outre-mer ? »

Mais il a paru au gouvernement que rien ne serait en réalité moins justifié que cet effacement, ni plus imprudent que cette prudence. C'est qu'en effet, loin que la situation présente, pour cruelle et compliquée qu'elle soit, doive nous conseiller l'abstention, c'est au contraire l'esprit d'entreprise qu'elle nous commande. Cela est vrai dans tous les domaines, en particulier dans celui que va parcourir la Conférence de Brazzaville. Car, sans vouloir exagérer l'urgence des raisons qui nous pressent d'aborder l'étude d'ensemble des problèmes africains français, nous croyons que les immenses événements qui bouleversent le monde nous engagent à ne pas tarder ; que la terrible épreuve que constitue l'occupation provisoire de la Métropole par l'ennemi ne retire rien à la France en guerre de ses devoirs et de ses droits ; enfin, que le rassemblement, maintenant accompli, de toutes nos possessions d'Afrique nous offre une occasion excellente de réunir, à l'initiative et sous la direction de M. le commissaire aux Colonies, pour travailler ensemble, confronter leurs idées et leur expérience, les hommes qui ont l'honneur et la charge de gouverner au nom de la France ses territoires africains. Où donc une telle réunion devait-elle se tenir, sinon à Brazzaville qui, pendant de terribles années, fut le refuge de notre honneur et de notre indépendance et qui restera l'exemple du plus méritoire effort français ?

Depuis un demi-siècle, à l'appel d'une vocation civilisatrice vieille de beaucoup de centaines d'années, sous l'impulsion des gouvernements de la République et sous la conduite d'hommes tels que : Gallieni, Brazza, Dodds, Joffre, Binger, Marchand,

Gentil, Foureau, Lamy, Borgnis-Desbordes, Archinard, Lyautey, Gouraud, Mangin, Largeau, les Français ont pénétré, pacifié, ouvert au monde, une grande partie de cette Afrique Noire que son étendue, les rigueurs du climat, la puissance des obstacles naturels, la misère et la diversité de ses populations, avaient maintenue depuis l'aurore de l'Histoire douloureuse et imperméable.

Ce qui a été fait par nous pour le développement des richesses et pour le bien des hommes, à mesure de cette marche en avant, il n'est, pour le discerner, que de parcourir nos territoires et, pour le reconnaître, que d'avoir du cœur. Mais, de même qu'un rocher lancé sur la pente roule plus vite à chaque instant, ainsi l'œuvre que nous avons entreprise ici nous impose sans cesse de plus larges tâches. Au moment où commençait la présente guerre mondiale, apparaissait déjà la nécessité d'établir sur des bases nouvelles les conditions de la mise en valeur de notre Afrique, du progrès humain de ses habitants et de l'exercice de la souveraineté française.

Comme toujours, la guerre elle-même précipite l'évolution. D'abord, par le fait qu'elle fut, jusqu'à ce jour, pour une bonne part une guerre africaine et que, du même coup, l'importance absolue et relative des ressources, des communications, des contingents d'Afrique, est apparue dans la lumière crue des théâtres d'opérations. Mais, ensuite et surtout, parce que cette guerre a pour enjeu ni plus ni moins que la condition de l'homme et que, sous l'action des forces psychiques qu'elle a partout déclenchées, chaque individu lève la tête, regarde au delà du jour et s'interroge sur son destin.

S'il est une puissance impériale que les événements conduisent à s'inspirer de leurs leçons et à choisir noblement, libéralement, la route des temps nouveaux où elle entend diriger les 60 millions d'hommes qui se trouvent associés au sort de ses 42 millions d'enfants, cette puissance c'est la France.

En premier lieu et tout simplement parce qu'elle est la France, c'est-à-dire la nation dont l'immortel génie est désigné pour les initiatives qui, par degrés, élèvent les hommes vers les sommets de dignité et de fraternité où, quelque jour, tous pourront s'unir. Ensuite parce que, dans l'extrémité où une défaite provisoire l'avait refoulée, c'est dans ses terres d'outre-mer, dont toutes les populations, dans toutes les parties du monde, n'ont pas, une seule minute, altéré leur fidélité, qu'elle a trouvé son recours et la base de départ pour sa libération et qu'il y a désormais, de ce fait, entre la Métropole et l'Empire un lien définitif. Enfin, pour cette raison que, tirant à mesure du drame les conclusions qu'il comporte, la France est aujourd'hui animée, pour ce qui la concerne elle-même et pour ce qui concerne tous ceux qui dépendent d'elle, d'une volonté ardente et pratique de renouveau.

Est-ce à dire que la France veuille poursuivre sa tâche d'outre-mer en enfermant ses territoires dans des barrières qui les isoleraient du monde et, d'abord, de l'ensemble des contrées africaines? Non, certes! et, pour le prouver, il n'est que d'évoquer comment dans cette guerre l'Afrique équatoriale et le Cameroun français n'ont cessé de collaborer de la façon la plus étroite avec les territoires voisins : Congo belge, Nigéria britannique, Soudan anglo-égyptien, et comment, à l'heure qu'il est, l'Empire français tout entier, à l'exception momentanée de l'Indochine, contribue dans d'importantes proportions, par ses positions stratégiques, ses voies de communications, sa production, ses bases aériennes, sans préjudice de ses effectifs militaires, à l'effort commun des alliés. Nous croyons que, pour ce qui concerne la vie du monde de demain, l'autarcie ne serait, pour personne, ni souhaitable, ni même possible. Nous croyons, en particulier, qu'au point de vue du développement des ressources et des grandes communications, le continent africain doit constituer dans une large mesure un tout. Mais, en Afrique française, comme dans tous les autres territoires où des hommes vivent sous notre drapeau, il n'y aurait aucun progrès si les hommes, sur leur terre natale, n'en profitaient pas moralement et matériellement, s'ils ne pouvaient s'élever peu à peu jusqu'au niveau où ils seront capables de participer chez eux à la gestion de leurs propres affaires. C'est le devoir de la France de faire en sorte qu'il en soit ainsi.

Tel est le but vers lequel nous avons à nous diriger. Nous ne nous dissimulons pas la longueur des étapes. Vous avez, messieurs les Gouverneurs généraux et Gouverneurs, les pieds assez bien enfoncés dans la terre d'Afrique pour ne jamais perdre le sens de ce qui y est réalisable et, par conséquent, pratique. Au demeurant, il appartient à la nation française et il n'appartient qu'à elle de procéder, le moment venu, aux réformes impériales de structure qu'elle décidera dans sa souveraineté. Mais, en attendant, il faut vivre, et vivre c'est chaque jour entamer l'avenir.

Vous étudierez ici, pour les soumettre au gouvernement, quelles conditions, morales, sociales, politiques, économiques et autres vous paraissent pouvoir être progressivement appliquées dans chacun de nos territoires, afin que, par leur développement même et le progrès de leur population, ils s'intègrent dans la communauté française avec leur personnalité, leurs intérêts, leurs aspirations, leur avenir.

Messieurs, la Conférence africaine de Brazzaville est ouverte.

Ordonnance du 7 mars 1944
relative au statut des Français musulmans d'Algérie.

Article Premier. — Les Français musulmans d'Algérie jouissent de tous les droits et sont soumis à tous les devoirs des Français non musulmans.

Tous les emplois civils et militaires leur sont accessibles.

Art. 2. — La loi s'applique indistinctement aux Français musulmans et aux Français non musulmans. Toutes dispositions d'exception applicables aux Français musulmans sont abrogées.

Toutefois, restent soumis aux règles du droit musulman et des coutumes berbères, en matière de statut personnel, les Français musulmans qui n'ont pas expressément déclaré leur volonté d'être placés sous l'empire intégral de la loi française. Les contestations en la même matière continuent à être soumises aux juridictions qui en connaissent actuellement.

Le régime immobilier reste fixé par les lois en vigueur.

Art. 3. — Sont déclarés citoyens français, à titre personnel, et inscrits sur les mêmes listes électorales que les citoyens non musulmans et participent aux mêmes scrutins les Français musulmans du sexe masculin âgés de vingt et un ans et appartenant aux catégories ci-après :

Anciens officiers ; titulaires d'un des diplômes suivants... ; fonctionnaires ou agents de l'État, des départements, des communes, des services publics ou concédés, en activité ou en retraite... ; membres actuels et anciens de chambre de commerce et d'agriculture ; bachaghas, aghas et caïds... ; personnalités exerçant ou ayant exercé des mandats de délégué financier, conseiller général, conseiller municipal de commune de plein exercice, ou président d'une djemââ ; membres de l'Ordre national de la Légion d'honneur ; compagnons de l'Ordre de la Libération ; titulaires de la médaille de la résistance ; titulaires de la médaille militaire ; titulaires de la médaille du travail et membres actuels et anciens des conseils syndicaux des syndicats ouvriers... ; conseillers prud'hommes actuels et anciens ; oukils judiciaires ; membres actuels et anciens des conseils d'administration des S. I. P. artisanales et agricoles ; membres actuels et anciens des conseils de section des S. I. P. artisanales et agricoles.

Art. 4. — Les autres Français musulmans sont appelés à recevoir la citoyenneté française. L'Assemblée nationale constituante fixera les conditions et les modalités de cette accession.

Dès à présent, ceux d'entre eux qui sont âgés de plus de vingt et un ans et du sexe masculin reçoivent le bénéfice des dispositions du décret du 9 février 1919 et sont inscrits dans les collèges électoraux appelés à être la représentation spéciale aux conseils municipaux, conseils généraux et délégations financières prévues par ledit décret.

Cette représentation sera pour les conseils généraux et les délégations financières égale aux deux cinquièmes de l'effectif total de ces assemblées. Pour les conseils municipaux, elle sera également des deux cinquièmes, sauf dans le cas où le rapport entre la population française musulmane et la population totale de la commune n'atteindrait point ce chiffre. Elle sera alors proportionnelle au chiffre de la population musulmane.

Art. 5. — Tous les Français sont indistinctement éligibles aux assemblées algériennes, quel que soit le collège électoral auquel ils appartiennent.

Art. 6. — Est réservé le statut des populations du M'Zab, ainsi que des populations des territoires proprement sahariens.

Art. 7, 8. — ...

Signé : C. DE GAULLE.

Ordonnance du 14 mars 1944 concernant la délégation du pouvoir et l'exercice de l'autorité militaire sur le territoire métropolitain au cours de sa libération.

Article Premier. — Pour chacun des théâtres d'opérations militaires dont la création peut entraîner la libération, même partielle, du territoire métropolitain, un délégué du Comité de la libération nationale est chargé d'exercer en territoire libéré l'ensemble des pouvoirs réglementaires et administratifs détenus par le Comité de la libération nationale et ses commissaires, jusqu'au jour où le Comité de la libération nationale sera en mesure d'y pourvoir directement.

Art. 2. — Sur le théâtre d'opérations militaires pour lequel il est désigné, le délégué représente l'ensemble du Comité de la libération nationale.

Art. 3. — Le délégué dispose :

a) d'une part, d'une délégation administrative, composée de représentants des commissariats civils dont l'activité doit s'exercer sur le territoire métropolitain... ;

b) d'autre part, d'un officier général, délégué militaire, nommé par décret. Le délégué militaire représente les départements ministériels militaires et le commandement. Il est, en outre, chargé d'assurer avec le haut-commandement allié les liaisons qu'exigent la préparation et l'exécution de ses missions.

Art. 4. — Les territoires sont partagés en deux zones : zone de l'avant et zone de l'intérieur.

Éventuellement et suivant les besoins des opérations, des zones militaires peuvent être créées dans les zones de l'intérieur.

Les limites de ces zones sont fixées par le Comité de la libération nationale.

Art. 5, 6, 7, 8, 9, 10, 11...

Signé : C. DE GAULLE.

Discours prononcé par le général de Gaulle
devant l'Assemblée consultative à Alger, le 18 mars 1944.

La situation de la France dans la guerre, les causes qui l'y ont
conduite, les conséquences à prévoir pour l'avenir, telles sont les
données de fait qui servent de bases à la politique par laquelle
le gouvernement entend conduire le pays vers son salut, sa libération et sa rénovation.

Je voudrais, aujourd'hui, exposer devant vous les conditions
et les buts de cette politique, aux points de vue de la guerre elle-
même, de la libération du pays, de nos rapports extérieurs, enfin
de l'orientation de l'avenir de la France.

Quand, au milieu du tumulte de la guerre, il s'agit de décider
de ce qu'il faut faire pour incliner la balance du conflit, les hommes
qui portent la charge de diriger l'effort national doivent, quelles
que puissent être leurs douleurs et leurs ardeurs, considérer les
froides et dures réalités sur lesquelles se bâtit l'action. Une nation
qui, comme la nôtre, joue sa vie n'admet, de la part de ses chefs,
ni la faiblesse, ni l'illusion. Où en sommes-nous? Quelles sont nos
forces, actuelles et virtuelles? Que voulons-nous faire pour tirer
de ces forces, dans la coalition dont nous faisons partie, la plus
grande efficacité possible? Dans ce domaine terrible, il n'y a pas
d'autres questions.

Les moyens militaires dont la France dispose, en dépit de la
situation dans laquelle l'ont placée l'invasion et la trahison, sont
de nouveau importants en nombre et en qualité. Sans doute, au
cours d'une guerre où rien ne compte, dans les batailles terrestres,
aériennes et navales, sinon des unités pourvues d'un matériel
moderne et dotées, par conséquent, de cadres bien instruits et
de multiples spécialistes, le gouvernement ne peut-il actuellement
songer à aligner des forces de campagne comparables à celles dont
la France disposait naguère et à celles dont elle saurait disposer
plus tard si, par malheur, les démocraties devaient une fois encore
se dissocier dans la paix.

Cependant, à l'heure qu'il est, notre effort de mobilisation des
éléments européens de l'Empire, effort qui atteint 14 pour 100
de cette population, la bravoure et le dévouement de nos soldats
nord-africains et coloniaux, l'armement livré à notre armée, les
navires fournis à notre marine par les gouvernements américain
et britannique, les appareils mis à la disposition de notre armée
de l'Air par ces mêmes gouvernements et par celui de la Russie
soviétique, enfin les aptitudes guerrières de notre race, aptitudes
qui se révèlent intactes partout où nos troupes s'engagent, font
que les forces françaises jouent, en ce moment même, un rôle
notable là où l'on se bat à l'Ouest et sont en mesure d'en jouer un
qui peut être considérable dans la bataille décisive de France.

Je dis : considérable, et d'autant plus, qu'à l'intérieur, de multiples éléments de combat, dont beaucoup sont déjà à l'œuvre

dans des actions de détail, ne manqueront pas, nous en répondons, de participer au grand effort militaire des armées françaises et alliées, en attaquant l'ennemi sur ses arrières suivant les ordres qui leur seront donnés par le commandement français d'après le plan d'opérations du commandement interallié. Il est évidemment impossible de prédire ce que sera au juste l'efficacité militaire de nos organisations combattantes de l'intérieur, efficacité qui dépendra de leur armement, du rythme de la progression alliée et de la date plus ou moins proche de la grande offensive. Mais il est également impossible de contester que leur action, appuyée au moment voulu par l'insurrection nationale contre l'envahisseur, pèsera lourdement sur la décision stratégique. Si, chez les Nations Unies, quelques organismes ont pu se montrer incertains quant à la puissance éventuelle de ce concours français, l'ennemi n'en doute aucunement, lui qui fait prendre par sa Gestapo et par ses collaborateurs et continuera de faire prendre jusqu'au dernier jour de sa déroute les mesures préventives de la plus féroce répression. En vérité, malgré tous ses malheurs, la France guerrière est debout avec tout ce qu'elle peut mettre en ligne. Je ne doute pas que, dans une situation semblable, d'autres nations en eussent fait autant. Mais je dis que ce que la France a réalisé par-delà son désastre et ce qu'elle est capable de réaliser demain pour la victoire commune lui donnent le droit d'avoir, à l'avantage général, voix délibérative dans la politique et la stratégie du camp de la liberté.

En ce qui concerne l'emploi de ces forces françaises, le gouvernement s'efforce de faire en sorte qu'elles soient mises en œuvre sans réserve, au plus tôt, et qu'elles le soient, en tous cas, dans la bataille que la nation appelle de tous ses vœux, je veux dire dans la bataille de France. Le peuple français n'ignore pas quel surcroît de douleurs le grand choc jettera sur sa terre et sur sa chair. Mais ces douleurs, d'avance, il les accepte, comme toutes celles qu'il a supportées, du moment que l'offensive concertée et résolue de la coalition vise à la victoire complète et rapide. Sans que je puisse entrer ici dans le secret des plans d'opérations, je dois dire à l'Assemblée — et je souhaite que m'entendent par-delà cette enceinte tous nos soldats, nos marins, nos aviateurs et tous nos combattants des maquis, des villes et des usines — que l'effort du gouvernement dans la coalition consiste à les amener, comme ils le veulent et l'espèrent, à combattre tous ensemble, le plus tôt qu'il se pourra, pour chasser de notre sol l'envahisseur détesté.

Je dis : combattre tous ensemble. Vous avez compris que j'entends par cette expression, non seulement la simultanéité de l'engagement, mais aussi l'union des esprits et des âmes de tous nos combattants. A ce point de vue, qui fut délicat mais qui, s'il mérite encore l'attention, ne justifie point l'inquiétude, le gouvernement apporte tous ses soins. Après les épreuves morales indicibles que nos armées ont traversées, il était inévitable que, çà et là, certaines tendances divergentes s'y fissent jour. Mais, quand on a vu à l'œuvre nos magnifiques troupes d'Italie, quand on a mesuré les trésors d'ardeur que recèlent nos unités qui se préparent pour les grandes batailles, quand on a regardé, les yeux dans les yeux, les équipages de nos navires, quand on connaît les sentiments et souvent les prouesses de nos vaillantes escadrilles, quand on a vu passer l'image des héroïques garçons qui dans les maquis sans uniforme et presque sans armes, mais animés de la plus pure flamme militaire, ont repris possession de lambeaux de la terre natale, on a le devoir de proclamer que nos armées n'ont qu'une âme de même qu'elle n'ont qu'un drapeau, et que cette âme est maintenant, comme aux plus grandes heures de notre Histoire, noblement soumise aux volontés de la nation et humblement dévouée au service de la patrie.

Quels que doivent être la date et le rythme de la libération du territoire métropolitain, les problèmes immédiats que le gouvernement devra alors résoudre revêtiront un caractère d'ampleur et de difficulté que l'assemblée mesure parfaitement bien.

Ces problèmes, pour ne parler que des principaux, concernent : la poursuite de la guerre aux côtés des alliés, l'indispensable participation française à l'élaboration et à l'application des armistices européens, le maintien de l'ordre public, la mise en place d'une administration épurée, le fonctionnement de la justice, le ravitaillement, la monnaie, les salaires, le régime du travail, l'organisation de la production, des échanges extérieurs et des communications, la sauvegarde de la santé publique, le rétablissement des libertés essentielles : liberté individuelle, liberté syndicale, liberté de la presse, le régime de l'Information, le retour de nos prisonniers et de nos déportés, les mouvements des réfugiés, enfin la préparation matérielle de la grande consultation nationale d'où sortira l'Assemblée nationale constituante qui construira le régime de la IVe République.

Il suffit que la nation évoque ces problèmes — et elle le fait, nous le savons, dans la nuit de l'oppression — pour discerner à la fois leur importance vitale pour le pays et l'étendue des responsabilités du gouvernement qui devra les résoudre avec le concours de votre assemblée et de celle qui lui succédera.

Bien qu'il soit impossible de prévoir exactement les conditions physiques et psychiques dans lesquelles se trouvera alors le peuple français et qui dépendront des multiples épreuves qu'il aura encore à traverser avant de pouvoir se dresser au soleil de la liberté, nous avons pensé que, dans de telles matières, la préparation des solutions d'ensemble devait être poussée à fond, en dépit de tout ce qui nous manque ici en fait de moyens d'études.

Votre assemblée est déjà saisie d'un certain nombre de projets du gouvernement. Elle sera saisie des autres. Il y a là un travail d'ordre législatif absolument nécessaire et urgent pour lequel vos travaux et vos conclusions sont essentiels. Sans vouloir pré-

juger des dispositions précises qui sont à adopter, cependant, au
plus tôt, je dois faire connaître à quelles conditions le gouvernement juge indispensable qu'elles répondent, aujourd'hui dans leur
conception et demain dans leur application.

Tout d'abord, rien ne pourra être fait que dans l'ordre. C'est
la loi de toutes les réalisations, mais combien impérieuse dans la
situation où la bataille sur son sol, la retraite de l'ennemi, les
destructions de toute nature, l'effondrement du système actuel
d'oppression, vont placer notre pays ! Il ne saurait donc y avoir,
je le déclare avec force, aucune autre autorité publique que celle
qui procède du pouvoir central responsable. Tout essai de maintien, même partiel ou camouflé, de l'organisme de Vichy, comme
toute formation artificielle de pouvoirs extérieurs au gouvernement, seraient intolérables et, par avance, condamnés. Localement, dès l'instant où se feront connaître les autorités désignées
par le Comité français de la libération nationale, les citoyens
auront la stricte obligation de se conformer à leurs instructions,
sans préjudice, bien entendu, du rôle à jouer auprès d'elles par
les organismes consultatifs que leur fourniront certainement nos
comités de libération, en attendant que soient constituées les
assemblées locales prévues. Malheur à qui attenterait à l'unité
nationale !

En second lieu, la vie même du pays, dans les conditions économiques très difficiles où il se trouvera forcément plongé au cours
de cette période initiale de son rétablissement, exclura, il faut
qu'on le sache, toute facilité en matière d'approvisionnement et,
par suite, de distribution. Il est, certes, pénible de dire à la nation,
qui aura si durement souffert, que l'arrivée des forces françaises
et alliées ne marquera pas du tout le commencement de l'euphorie.
Mais le gouvernement a le devoir de le proclamer dès à présent,
comme il aura celui de prendre les mesures rigoureuses qui s'im-
poseront, quant au rationnement, aux prix, à la monnaie, au crédit,
afin que chacun, je dis chacun, puisse recevoir sa part de ce qu'il
est vital de consommer. A mesure que la production reprendra
son activité, que les denrées et matières premières parviendront
à la Métropole de l'étranger ou de l'Empire, suivant les plans
auxquels le gouvernement collabore en ce moment même avec les
organismes internationaux qualifiés, et que les communications
intérieures et extérieures se trouveront rétablies, cette dure situation ira en s'améliorant. Mais il faut savoir et admettre que l'amélioration sera lente et progressive. Je suis sûr que le bon sens de
notre peuple, la confiance généreuse qu'il place en ceux qui
assument la charge de le conduire hors du tunnel, la preuve qui
lui sera donnée de l'équité dans la répartition et sa propre volonté
de témoigner, une fois de plus, qu'il est un grand peuple, permettront de faire des rigueurs du moment la prime d'assurance de
l'avenir.

Mais si, sur la base et sous la couverture de ce système initial de répartition, le gouvernement entend s'appliquer à stimuler, par tous les moyens possibles, la production agricole et la reconstruction industrielle, il va de soi qu'il ne tolérera pas les coalitions d'intérêts, les monopoles privés, les trusts, dont la persistance dans la période de démarrage compromettrait par avance les réformes de structure économiques et sociales que veut aujourd'hui l'immense majorité des Français et dont décidera la représentation nationale. Dans un ordre d'idées connexe, les excès d'enrichissement réalisés à l'occasion et, parfois, à la faveur du malheur général, ceux-là surtout qui auront été obtenus par des activités déployées à l'avantage direct de l'ennemi, devront être purement et simplement supprimés. La France nouvelle reconnaît l'utilité d'un juste profit. Mais elle ne tiendra plus pour licite aucune concentration d'entreprises susceptible de diriger la politique économique et sociale de l'État et de régenter la condition des hommes.

L'action du gouvernement, pour assurer la vie du pays et la remise en vigueur des lois de la République, n'attendra évidemment pas pour s'exercer que la totalité du territoire national ait été libérée de l'ennemi. C'est à mesure de la progression des armées de la liberté que commencera l'œuvre de rétablissement. A cet égard, il est évident que l'exercice de l'administration dans les zones où passera la bataille exigera la collaboration entre le commandement militaire allié et les autorités locales instituées par le gouvernement. Une telle collaboration, pour être aisée et efficace, doit comporter des arrangements préalables entre le Comité français de la libération nationale et nos alliés américains et britanniques. Le Gouvernement français a fixé et fait connaître à Washington et à Londres les projets de ces arrangements pour ce qui le concerne et, d'autre part, il a arrêté ses décisions quant à la manière dont il procédera à l'administration des territoires progressivement intéressés.

Ces décisions, comme ces projets d'arrangements, répondent à notre volonté d'assurer aux armées sur notre territoire tous les concours et toutes les facilités dont elles auront besoin pour la conduite des opérations dont dépend le sort du monde et auxquelles les forces françaises de l'extérieur et de l'intérieur participeront de tous leurs moyens. Ils répondent également, ai-je besoin de le dire? aux conditions de la souveraineté française dont nous avons la charge et à notre devoir d'assurer l'ordre public et la vie des populations.

Nous touchons par ce point particulier à ce qui fait la difficulté des relations extérieures de la France dans les conditions du moment. Tandis que le gouvernement doit faire valoir au-dehors les droits et les intérêts du pays, c'est-à-dire des droits et des intérêts qui s'étendent à toutes les parties du monde et se prolongent dans un vaste avenir, les conditions dans lesquelles il se trouve placé ne lui procurent pas, vis-à-vis des autres grandes

puissances, une audience proportionnée à ses obligations sacrées.
Il en résulte, dans certains des grands problèmes politiques ou
stratégiques posés par la guerre ou par ses conséquences, une sorte
d'absence relative de la France que ressentent profondément la
nation elle-même et beaucoup de ses amis. Vous sentez bien qu'en
la matière c'est moins une question de formules, — car les formules peuvent attendre, — qu'une question de pratique, car la
pratique, elle, n'attend pas.

Dans cette situation délicate, la politique du gouvernement
consiste à tâcher de se faire entendre et comprendre à travers les
obstacles, en apportant à l'effort commun la plus grande collaboration possible, et à réserver entièrement la position de la France dans
toutes questions qui l'intéressent et qu'on tenterait de trancher
sans sa participation. En même temps, le gouvernement entend
faire en sorte, par son attitude et par sa patiente vigilance, que
cet état transitoire de choses ne vienne pas altérer l'amitié fondamentale et indispensable que le peuple français ressent à l'égard
des grands peuples alliés.

Dans la guerre de trente ans que, depuis 1914, la tyrannie fait
à la liberté, la France a sauvé le monde sur la Marne, à Verdun
et, enfin, en 1918 par l'énergie indomptable des Poincaré, des
Clemenceau, des Foch. La Grande-Bretagne le sauva à son tour,
lorsqu'à l'appel du Premier Ministre Churchill elle décida héroï-
quement de tenir tête seule à l'enfer. La Russie soviétique est en
train de le sauver par l'effort immense et magnifique de ses armées
et de son peuple sous la direction du maréchal Staline. Les États-
Unis l'auront sauvé par l'appoint décisif qu'ils apportent à la
cause commune sous l'impulsion ardente et réaliste du président
Roosevelt. En somme, il n'y aurait pas eu de salut sans la puissance de ces quatre États. L'intérêt de l'humanité tout entière
exige qu'ils soient et demeurent amis. Ils le sont et le demeureront.

Il n'est que trop clair que ce qui, dans la politique actuelle du
camp de la liberté, gêne l'équilibre désiré c'est l'absence de la
plus grande partie de l'Europe. La force, qu'a su se donner, grâce
à la faiblesse et à la dispersion des démocraties, l'Allemagne éternelle, devenue en notre temps pour les besoins de sa cause celle
d'Hitler, a réussi à submerger la Pologne, la Tchécoslovaquie,
l'Autriche, la Norvège, la Belgique, les Pays-Bas, le Danemark,
le Luxembourg, la Yougoslavie, la Grèce et à refouler dans notre
Empire ce qui demeure de la puissance militaire de la France.
Elle a pu, en combinant la menace avec le sombre attrait de ses
doctrines, dévoyer les dirigeants de la Hongrie, de la Finlande, de
la Roumanie et de la Bulgarie. Elle a pu se conjuguer avec les
ambitions du fascisme italien. Il en est résulté que les nations de
l'Europe, quoique beaucoup d'entre elles soient des États belligérants et que plusieurs autres, annexées ou subjuguées, demeurent
acquises à notre idéal, ne peuvent dans le camp de la liberté soutenir leur voix par le rayonnement et par le concours de leur

puissance entière, alors que la guerre ne peut croire qu'aux forces et aux productions susceptibles d'entrer en ligne sur-le-champ.

Et, cependant, l'Europe existe, consciente de ce qu'elle vaut dans l'ensemble de l'Humanité, certaine d'émerger de l'océan de ses douleurs, de reparaître mieux éclairée par ses épreuves et susceptible d'entreprendre pour l'organisation du monde le travail constructif, — matériel, intellectuel, moral, — dont elle est éminemment capable, lorsqu'aura été arrachée de son sein la cause capitale de ses malheurs et de ses divisions, c'est-à-dire la puissance frénétique du germanisme prussianisé. C'est alors que l'action, l'influence et, pour tout dire, la valeur de la France, seront, comme le veulent l'Histoire, la Géographie et le bon sens, essentielles à l'Europe pour s'orienter et renouer avec le monde. L'attitude et la politique du gouvernement s'efforcent de ménager, tout en combattant, ce rôle européen que, demain, saura jouer la France pour l'avantage de tous.

Mais, pour que le vieux continent renouvelé puisse trouver un équilibre correspondant aux conditions de notre époque, il nous semble que certains groupements devront s'y réaliser, sans que doive être, bien entendu, entamée la souveraineté de chacun. Pour ce qui concerne la France, nous pensons qu'une sorte de groupement occidental, réalisé avec nous, principalement sur la base économique et aussi large que possible, pourrait offrir de grands avantages. Un tel groupement, prolongé par l'Afrique, en relations étroites avec l'Orient et, notamment, les États arabes du Proche-Orient qui cherchent légitimement à unir leurs intérêts, — et dont la Manche, le Rhin, la Méditerranée, seraient comme les artères, — paraît pouvoir constituer un centre capital dans une organisation mondiale des productions, des échanges et de la sécurité. Comme toutes les œuvres de proche avenir celle-là doit être préparée. Le Gouvernement français est, dès à présent, disposé à entreprendre, en commun avec les autres États intéressés, toutes études et négociations nécessaires.

Le terme de la tâche du Gouvernement provisoire de la République est marqué par la date même où la souveraineté nationale aura pu se faire entendre. Dès ce moment, le jeu de nos institutions, interrompu par la force majeure de l'invasion et de l'usurpation, reprendra son cours légitime et les pouvoirs de fait dont nous avons assumé la charge pour diriger l'effort national dans la guerre et pour assurer la liberté du souverain — je veux dire du peuple — captif, cesseront aussitôt d'avoir leur justification.

Le fond et la forme définitifs de la société française de demain ne sont donc pas du ressort du Gouvernement provisoire, non plus que d'aucune assemblée qui ne procéderait pas d'élections libres, directes, générales, effectuées dans des conditions suffisantes de stabilité et de sécurité nationales. Mais, si les événements forcent la France à attendre pour pouvoir librement décider d'elle-même, un immense travail des esprits s'accomplit parmi ses enfants.

Par-delà leurs douleurs, leurs angoisses, leur combat, les Français regardent vers l'avenir. Il se dégage de ce qu'ils expriment tout haut ou tout bas une sorte d'orientation commune où il semble déjà possible de discerner les grandes lignes de notre rénovation.

C'est la démocratie, renouvelée dans ses organes et surtout dans sa pratique, que notre peuple appelle de ses vœux. Pour y répondre, le régime nouveau devrait comporter une représentation élue par tous les hommes et toutes les femmes de chez nous, s'astreignant à un fonctionnement politique et législatif très différent de celui qui finit par paralyser le Parlement de la IIIe République. Quant au gouvernement, à qui la confiance de la représentation nationale conférerait la charge du pouvoir exécutif, il serait mis à même de la porter avec la force et la stabilité qu'exigent l'autorité de l'État et la grandeur extérieure de la France. Mais la démocratie française devra être une démocratie sociale, c'est-à-dire assurant organiquement à chacun le droit et la liberté de son travail, garantissant la dignité et la sécurité de tous, dans un système économique tracé en vue de la mise en valeur des ressources nationales et non point au profit d'intérêts particuliers, où les grandes sources de la richesse commune appartiendront à la nation, où la direction et le contrôle de l'État s'exerceront avec le concours régulier de ceux qui travaillent et de ceux qui entreprennent. Enfin, les hautes valeurs intellectuelles et morales dont dépendent les ressorts profonds et le rayonnement du pays devront être mises à même de collaborer directement avec les pouvoirs publics.

Un tel régime, politique, social, économique, sera certainement complété par l'aménagement à l'intérieur de la communauté française du destin des peuples liés à notre destin. Il devra être enfin conjugué avec une organisation internationale des rapports de toute nature entre toutes les nations, telle que, dans un monde dont l'interdépendance est désormais la loi, chaque peuple puisse se développer suivant son génie propre et sans subir aucune oppression politique ni économique.

Je ne pense pas que des mots puissent exprimer la tâche immense que la France doit accomplir pour aller de l'abîme aux sommets. S'il y a un drame du peuple français, c'est parce que la ruée mécanique d'un ennemi mieux préparé a gagné la première manche, mais c'est aussi pour cette raison que des hommes, trop assurés de leur gloire passée ou enivrés par leurs ambitions, ont profité de sa stupeur pour saisir le pouvoir de fait, afin d'entraîner le pays dans la capitulation, la servitude, la collaboration avec l'envahisseur. Cela, la nation le condamne! Si elle en était venue à admettre ou à exercer de telles atteintes délibérées à son honneur, à sa grandeur, à son indépendance, elle ne serait plus la France. Mais elle l'est! Et nous, qui n'avons cessé de le croire et que la confiance nationale charge du poids des plus vastes responsabilités, nous devons dire aujourd'hui, comme naguère Clemenceau : « La guerre ! Rien que la guerre ! La Justice passe. Le pays connaîtra qu'il est défendu. »

Mais, à l'abri de cette justice de l'État, rendue à l'égard de la poignée de ceux qui entreprirent de diriger l'État contre lui-même, le peuple français tout entier doit marcher, d'un seul cœur, d'un seul élan, d'une seule discipline, vers son salut et vers son avenir. L'erreur, l'illusion de beaucoup ne furent, hélas ! que trop explicables et d'autant plus qu'elles procédaient, dans presque tous les cas, de l'espérance secrète en un redressement calculé. Mais, à présent, la preuve est faite. L'enjeu est évident. Le devoir est clair.

Ai-je besoin de dire que le gouvernement en appelle, pour accomplir sa tâche sacrée, à la collaboration étroite et à l'appui de l'assemblée? Il en appelle à la masse immense de tous ceux qui veulent lutter et travailler pour le pays. Il les adjure de mépriser les querelles d'intérêts, de partis, de groupes ou de classes, qui ne sauraient exister en comparaison du péril et des épreuves de la patrie. Il veut associer à son action et même à sa composition des hommes de toutes — je dis : de toutes — les origines et de toutes les tendances, de ceux-là notamment qui prennent dans le combat une lourde part d'efforts et de sacrifices, pourvu qu'ils veuillent poursuivre avec lui, sans réserves et sans privilèges, l'intérêt général dont chacun n'est que le serviteur. Le gouvernement que j'ai l'honneur de diriger appelle tous les Français au rassemblement national.

Lettre adressée par la délégation du Comité central du parti communiste français au général de Gaulle.

Alger, le 24 mars 1944.

Monsieur le Président,

A la suite de votre discours du 18 mars exprimant le désir de rassembler, dans le gouvernement que vous présidez, les représentants de toutes les forces en lutte pour la libération de la France, nous avons l'honneur de vous confirmer notre déclaration lue à l'assemblée le même jour, déclaration par laquelle nous avons affirmé à nouveau que notre parti est prêt à participer au Comité français de la libération nationale.

Dans ces conditions, il nous apparaît qu'un échange de vues entre vous-même et notre délégation serait nécessaire. Nous vous prions donc de bien vouloir recevoir nos délégués dont les noms suivent :

MM. Billoux, député de Marseille ;
Bonte, député de Paris ;
Fajon, député de la Seine ;
Grenier, député de la Seine ;

MM. Lozeray, député de Paris ;
Marty, député de Paris.

Veuillez agréer, monsieur le Président, nos respectueuses salutations.

Pour la délégation du Comité central
du parti communiste français en Afrique du Nord.

Signé : François Billoux,
Florimond Bonte,
André Marty.

Lettre du général de Gaulle
à MM. François Billoux, Florimond Bonte, André Marty.

Alger, le 24 mars 1944.

Messieurs,

J'ai bien reçu votre lettre du 24 mars me suggérant un échange de vues à la suite de la séance de l'Assemblée consultative du 18 mars.

Tout en réservant mon appréciation quant à certaines considérations contenues dans la déclaration qui a été faite ce jour-là par M. Billoux, je serai heureux de m'entretenir avec vous à la villa des Glycines, le 28 mars, à 10 h. 30...

Veuillez agréer, etc...

Décret du 4 avril 1944 portant nomination de commissaires du Comité français de la libération nationale.

Article Premier. — M. François Billoux, député, est nommé Commissaire d'État.

Art. 2. — M. André Diethelm, précédemment Commissaire au Ravitaillement et à la Production, est nommé Commissaire à la Guerre.

Art. 3. — M. Fernand Grenier, député, est nommé Commissaire à l'Air.

Art. 4. — M. Paul Giacobbi, sénateur, est nommé Commissaire au Ravitaillement et à la Production, en remplacement de M. André Diethelm.

Art. 5. — M. André Le Troquer, député, précédemment Commissaire à la Guerre et à l'Air, est nommé Commissaire à l'Administration des territoires métropolitains libérés.

Art. 6. — Le présent décret sera publié au Journal officiel de la République française.

Signé : C. de Gaulle.

Lettre du général de Gaulle au général Giraud.

Alger le 8 avril 1944.

Mon cher Général,

J'ai eu l'honneur de vous remettre ce matin le texte du décret qui vous attribue les hautes fonctions d'Inspecteur général des Armées aux lieu et place de celles que vous exerciez comme Commandant en chef. Je vous ai exposé en même temps les raisons qui ont déterminé le Comité de la libération nationale à considérer, qu'étant donné, d'une part l'organisation actuelle du commandement interallié pour les opérations, d'autre part la nécessité, dans la période qui s'ouvre, de placer au plan du gouvernement les décisions principales concernant l'organisation et l'emploi de nos forces, il convenait de modifier et de préciser dans ce sens vos attributions.

En faisant de vous son haut conseiller militaire, en vous associant à toutes ses décisions concernant la mise sur pied, le commandement, l'encadrement et l'utilisation de nos forces de Terre, de Mer et de l'Air, en vous mettant à même, comme Inspecteur général, de demeurer en contact étroit avec les armées, qu'elles soient au combat ou à l'intérieur, ainsi qu'avec le commandement allié, le gouvernement marque à la fois la confiance qu'il vous porte, son intention de continuer à utiliser vos éminentes qualités militaires dans la phase décisive des opérations qui libéreront le territoire national et sa reconnaissance pour les services exceptionnels que vous avez rendus comme Commandant en chef, notamment lors de la bataille de Tunisie et de la libération de la Corse.

Je vous prie de croire, mon cher Général, à mes sentiments cordialement dévoués.

Lettre manuscrite et personnelle du général de Gaulle au général Giraud.

Alger, le 8 avril 1944.

Mon Général,

A la lettre que je vous adresse ci-joint officiellement, je joins celle-ci, tout à fait personnelle et que je vous demande de recevoir comme venant simplement d'un de vos anciens subordonnés qui a conservé à votre égard tout son respect et tout son attachement.

Mon Général, vous ne *pouvez* pas, dans la situation où se trouve notre pauvre et cher pays, prendre, — pour une raison personnelle, — une attitude de refus vis-à-vis de ceux qui ont la terrible charge de gouverner devant l'ennemi et au milieu des étrangers. Quels que soient les griefs que l'on puisse avoir, *il faut*, quand on est le général Giraud, donner jusqu'au bout l'exemple de l'abnégation et, je dois ajouter, de la discipline (au sens le plus élevé du mot).

J'attends votre réponse avec confiance et vous prie de croire, mon Général, à mes sentiments profondément et fidèlement dévoués.

Ordonnance du 21 avril 1944
portant organisation des pouvoirs publics en France après la libération

Article Premier. — Le peuple français décide souverainement de ses futures institutions. A cet effet, une Assemblée nationale constituante est convoquée dès que les circonstances permettront de procéder à des élections régulières, au plus tard dans le délai d'un an après la libération complète du territoire. Elle est élue au scrutin secret à un seul degré par tous les Français et Françaises majeurs sous la réserve des incapacités prévues par les lois en vigueur.

Art. 2. — Pendant la période transitoire précédant la convocation de l'Assemblée nationale constituante, le rétablissement progressif des institutions républicaines est réalisé comme il est prévu aux articles ci-dessous.

TITRE I

CONSEILS MUNICIPAUX

Art. 3. — Jusqu'au jour où il sera possible de procéder dans chaque commune à des élections régulières, les conseils municipaux élus avant le 1er septembre 1939 sont maintenus ou remis en fonction.

En conséquence, les conseils municipaux dissous, les maires, adjoints, conseillers, révoqués ou suspendus après cette date, sont immédiatement rétablis dans leurs droits sauf le cas d'indignité pour délit de droit commun et sous réserve des dispositions qui suivent.

Art. 4. — Corrélativement, sont dissoutes, en vertu de la loi du 5 avril 1884 et du décret du 26 septembre 1939, les assemblées communales nommées par l'usurpateur ainsi que les délégations municipales créées depuis le 1er septembre 1939. Sont révoqués de leurs fonctions : les maires, adjoints et conseillers municipaux, qui ont directement favorisé l'ennemi ou l'usurpateur.

Art. 5, 6, 7, 8...

Art. 9. — Dès l'installation de la municipalité ou de la délégation spéciale, l'administration communale entreprend la révision ou la reconstitution des listes électorales et procède à l'inscription sur ces listes des femmes devenues électrices.

Un décret fixera les délais de procédure applicables à cette révision.

TITRE II

CONSEILS GÉNÉRAUX

Art. 10. — Les conseils généraux sont rétablis.

Art. 11. — Le mandat des conseillers généraux en fonction le 1er septembre 1939 est prorogé jusqu'aux élections prévues à l'article 16 ci-dessous.

Art. 12. — Les conseillers généraux qui ont directement servi ou favorisé les desseins de l'ennemi ou de l'usurpateur seront révoqués par le ministre de l'Intérieur, sur avis du préfet et après avis du Comité départemental de libération.

Art. 13, 14...

TITRE III

CONSEIL MUNICIPAL DE PARIS
CONSEIL GÉNÉRAL DE LA SEINE

Art. 15. — Une ordonnance spéciale, rendue après avis de l'Assemblée consultative provisoire, réglera l'administration municipale de Paris et l'administration départementale de la Seine pendant la période transitoire et fixera le régime électoral applicable provisoirement au Conseil municipal de Paris et au Conseil général de la Seine.

TITRE IV

ÉLECTIONS

Art. 16. — Lorsque, dans un département, l'établissement des listes électorales est terminé, le préfet convoque le collège électoral pour procéder aux élections des municipalités et d'un conseil général provisoire.

Art. 17. — Les femmes sont électrices et éligibles dans les mêmes conditions que les hommes.

Art. 18. — Ne peuvent faire partie d'aucune assemblée communale ou départementale, ni d'aucune délégation spéciale ou délégation départementale :

a) Les membres ou anciens membres des prétendus gouvernements ayant leur siège dans la Métropole depuis le 17 juin 1940.

b) Les citoyens qui, depuis le 16 juin 1940, ont directement, par leurs actes, leurs écrits ou leur attitude personnelle, soit favorisé les entreprises de l'ennemi, soit nui à l'action des Nations Unies et des Français résistants, soit porté atteinte aux institutions constitutionnelles et aux libertés publiques fondamentales, soit tiré sciemment ou tenté de tirer un bénéfice matériel direct de l'application des règlements de l'autorité de fait contraires aux lois en vigueur le 16 juin 1940.

c) Les membres du Parlement ayant abdiqué leur mandat en votant la délégation du pouvoir constituant à Philippe Pétain le 10 juillet 1940.

d) Les individus ayant accepté de l'organisme de fait se disant « gouvernement de l'État français », soit une fonction d'autorité, soit un siège de conseiller national, de conseiller départemental nommé ou de conseiller municipal de Paris.

Pourront cependant être relevés par le préfet, après enquête, de la déchéance prévue aux alinéas *c*) et *d*) du présent article les Français qui se sont réhabilités par leur participation directe et active à la résistance, participation constatée par décision du Comité départemental de libération.

Titre V

COMITÉS DÉPARTEMENTAUX DE LIBÉRATION

Art. 19. — Dans chaque département, il est institué, dès sa libération, un comité départemental de la libération chargé d'assister le préfet.

Il est composé d'un représentant de chaque organisation de résistance, organisation syndicale et parti politique affiliés directement au Conseil national de la résistance et existant dans le département.

Le Comité départemental de libération assiste le préfet en représentant auprès de lui l'opinion de tous les éléments de la résistance.

Il est obligatoirement consulté sur tous les remplacements des membres des municipalités et du Conseil général.

Il cesse ses fonctions après la mise en place des conseils municipaux et des conseils généraux, selon la procédure prévue aux articles ci-dessus.

Titre VI

ASSEMBLÉE REPRÉSENTATIVE PROVISOIRE ET GOUVERNEMENT PROVISOIRE

Art. 20. — L'Assemblée consultative provisoire se transportera en France en même temps que le Comité français de la libération nationale et sera convoquée dans la ville où siégeront les pouvoirs publics.

Elle s'y complétera immédiatement de délégués des diverses organisations adhérentes au Conseil national de la résistance désignés par les comités directeurs de ces organisations dans la proportion actuellement en vigueur et en nombre égal...

Art. 21, 22, ... 29. —

. . . .

Art. 30. — Dès son arrivée en France, l'assemblée est consultée sur l'institution d'une Haute-Cour de Justice.

Art. 31. — L'assemblée est chargée d'établir en plein accord avec le gouvernement le mode de représentation à l'Assemblée constituante des territoires de l'Empire.

Elle est consultée sur la fixation de la date et des modalités des élections à l'Assemblée constituante.

Art. 32...

Art. 33. — La présente ordonnance sera publiée au *Journal officiel* de la République française et exécutée comme loi.

Signé : C. DE GAULLE.

Ordonnance du 19 mai 1944
portant création de secrétaires-généraux provisoires.

Article Premier. — Les départements ministériels de l'autorité de fait dite « gouvernement de l'État français » seront, dès que les circonstances le permettront, placés sous la direction de secrétaires-généraux provisoires, nommés, après consultation du Conseil national de la résistance, par décret du Comité français de la libération nationale et responsables devant lui.

Art. 2. — Chaque secrétaire-général provisoire cessera ses fonctions dès que le commissaire compétent prendra possession du département ministériel intéressé.

Art. 3. — ...

Art. 4. — ...

Signé : C. DE GAULLE.

Ordonnance du 3 juin 1944
substituant au nom du Comité français de la libération nationale celui de Gouvernement provisoire de la République française.

Article Premier. — Le Comité français de la libération nationale prend le nom de Gouvernement provisoire de la République française.

Art. 2. — L'adoption de cette nouvelle dénomination ne modifie en rien les dispositions des textes en vigueur relatives, d'une part, à l'institution et au fonctionnement des pouvoirs du Comité français de la libération nationale, d'autre part, à la constitution du Gouvernement provisoire lors de la libération de la France suivant les termes de l'article 3 de l'ordonnance du 3 juin 1943 et de l'article 25 de l'ordonnance du 21 avril 1944.

Art. 3. —...

Signé : C. DE GAULLE.

*Allocution prononcée par le général de Gaulle
devant l'Assemblée consultative, le 18 juin 1944.*

Je ne me permettrai pas d'évoquer, dans cette grande séance, quoi que ce soit de personnel.

Si l'appel du 18 juin 1940 a revêtu sa signification, c'est simplement parce que la nation française a jugé bon de l'écouter et d'y répondre, c'est parce que, malgré ses malheurs, l'honneur, la victoire, la liberté, demeuraient au fond de son instinctive volonté. Tant il est vrai que rien ne vaut excepté de lui obéir.

Mais, puisqu'il fut démontré depuis par tant de combats obscurs ou éclatants, puisqu'il est démontré aujourd'hui même par le témoignage magnifique de votre assemblée, comme par l'immense concours du peuple, que c'est bien dans les voies indiquées il y a quatre ans que le pays entend accomplir sa libération et sa rénovation, il appartient à tous ceux qui le servent — et d'abord à son gouvernement — d'être fidèles à ces intentions.

Oh! ce n'est pas que la tâche soit facile! L'effort de la France, pour se redresser sous le poids des armes de l'ennemi, est un effort sans exemple. S'il est vrai que la coalition, tardivement mais enfin accomplie, des grandes forces de la liberté apporte désormais à la France la possibilité du salut, comme réciproquement son sacrifice d'hier et son concours d'aujourd'hui leur permettent maintenant de triompher à côté d'elle, il n'est pas moins évident que la phase suprême de la lutte comporte pour elle, encore une fois, les sacrifices les plus grands sans lui assurer toujours la compréhension des autres.

Mais le rassemblement national pour la guerre et pour la grandeur que symbolise cet anniversaire a été accompli en toute connaissance de cause. Les Français, à mesure qu'ils l'ont réalisé, pas à pas, jusqu'à son terme, avaient bien mesuré quelles difficultés immenses cette entreprise comportait pour leur pays.

Vieux peuple façonné par les leçons d'une dure Histoire, ils n'ignorent pas combien il est pénible de remonter la pente de l'abîme. Nation qu'une longue expérience humaine a éclairée sur la psychologie des autres, ils savaient bien que l'appui extérieur serait quelquefois tâtonnant, que leurs meilleurs amis, si nombreux qu'ils fussent dans le monde, ne leur fourniraient pas toujours un concours immédiat et complet. La France peut le regretter, elle ne s'en trouble ni ne s'en étonne. Si les obstacles qui lui barraient la route, le 18 juin 1940, ne l'ont pas empêchée de se remettre en marche, comment ceux qu'il lui reste à franchir pourraient-ils maintenant l'arrêter?

C'est qu'en effet, voici qu'elle voit paraître, avec l'aube d'une victoire dont elle ne douta jamais, le renouveau qui lui permettra d'ajouter quelque chose encore à tout ce qu'elle fit pour le monde.

Décision du 16 juillet 1944 concernant la politique économique, financière et sociale du Gouvernement provisoire de la République lors de la libération.

Saisi des propositions des ministres des Finances, des Affaires sociales, du Ravitaillement et de la Production, concernant l'ensemble des dispositions d'ordre économique, financier et social à prendre lors de la libération de la France, le gouvernement constate les conditions dans lesquelles se trouve et se trouvera le pays et arrête ses décisions.

I

CONDITIONS

Appauvrissement général du marché métropolitain :

En France, depuis l'armistice, l'appauvrissement général du marché a été croissant, l'outillage est frappé de vétusté, la production est altérée, les transports désorganisés, la pénurie des denrées alimentaires est un état permanent ; au total, les moyens de consommation sont inférieurs aux besoins. Cet état de choses a entraîné un strict rationnement. Mais ce rationnement de la consommation ne s'accompagnant pas du rationnement des moyens de paiement développe l'injustice sociale.

Insuffisance des salaires :

La hausse des prix officiels a été considérable, alors que la hausse des salaires permise par les réglementations successives édictées par le régime de Vichy a été beaucoup plus faible. Dans l'ensemble, les salaires des travailleurs français avaient déjà perdu, de juillet 1940 à octobre 1943, environ la moitié de leur capacité d'achat. Ils ont, depuis, perdu une nouvelle et importante fraction de leur valeur réelle.

Hausse de la circulation fiduciaire :

La hausse des moyens monétaires a été constante. La circulation fiduciaire a plus que triplé depuis 1939 et les dépôts ont plus que doublé depuis la même date.

Effort militaire :

La libération de la France sera marquée à la fois par la présence de troupes alliées nombreuses sur le sol national et par le développement de l'effort de la France pour participer à la victoire commune. De là des charges considérables, malgré la fin des prestations fournies à l'ennemi.

Groupements économiques et groupements d'organisations :

Il sera impossible, en fait, d'improviser de nouveaux services économiques. Il faudra donc, dans les premiers temps, utiliser, après élimination des éléments indésirables, les groupements et organisations existants en associant à leur activité les représentants des organisations ouvrières et de la résistance.

II

DÉCISIONS

Dans le domaine de la consommation :

Maintenir un strict rationnement. La population doit être d'ores et déjà prévenue du caractère inéluctable de cette mesure. Mais le système de rationnement sera amélioré et lié à la politique financière de telle sorte que l'achat des denrées indispensables soit accessible à tous et que l'amélioration, au fur et à mesure qu'elle se produira, soit assurée à tous également.

Les distributions collectives d'aliments préparés seront prévues dans l'organisation du rationnement.

Dans le domaine des salaires :

A la libération, il y aura lieu de procéder à une majoration immédiate et substantielle des salaires dans leur ensemble.

Cette première majoration sera déterminée par l'établissement du salaire minimum vital du manœuvre ordinaire. Ce salaire comprendra deux parties :

1) la somme en espèces nécessaire à l'achat des produits et services rationnés, compte tenu des quantités et des prix officiels du ravitaillement ;

2) la somme en espèces nécessaire à l'achat des produits et services non rationnés, mais indispensables à l'existence, et qu'un travailleur doit se procurer au marché libre.

Les salaires des autres catégories professionnelles sont déterminés par l'affectation, au salaire du manœuvre ordinaire d'un coefficient correspondant aux diverses qualifications profession- nelles prévues, soit par la réglementation, soit par des conventions collectives.

Les révisions ultérieures des salaires devront intervenir en fonction :

1) de la hausse éventuelle des prix ;
2) de l'amélioration du ravitaillement...

Ces révisions seront effectuées par le gouvernement, après consultation d'une commission nationale et de commissions régio- nales et départementales des salaires, de caractère tripartite, composées de représentants des pouvoirs publics, de représentants des organisations professionnelles de travailleurs et de représen- tants des organisations professionnelles d'employeurs.

La réunion de ces commissions sera de droit sur l'initiative d'un de leurs trois éléments constitutifs.

Dans le domaine monétaire :

Limiter la circulation fiduciaire et faire une importante ponction dans les moyens de règlements excédentaires, afin de réaliser un assainissement monétaire immédiat :

1) par une réglementation des dépôts en banque et par l'échange des billets. Les porteurs recevront sur-le-champ une somme cor- respondant à leurs besoins immédiats ; le déblocage du surplus se faisant progressivement sur justification des besoins. Le retrait de la plus grande partie des billets portera sur les catégories for- tunées de la population.

2) par une politique fiscale, comprenant notamment la taxa- tion rigoureuse de tous les enrichissements et la confiscation de ceux de ces enrichissements qui ont une origine illicite.

Dans le domaine de la production et notamment de la production agricole :

Des réajustements des prix payés aux producteurs seront con- sentis, afin de stimuler les productions indispensables et d'assurer un approvisionnement régulier du consommateur.

Des subventions spéciales pourront être consenties pour que les prix à la consommation de certains produits essentiels puissent, dans une première période, être maintenus à un niveau artifi- ciellement bas.

Au total :

Régler la consommation, exclure le luxe, créer parmi les Fran- çais l'égalité de la capacité d'achat en un moment où le ravitaille- ment est insuffisant.

Cette politique sera menée de telle sorte qu'elle ne paralyse pas la capacité de production et de transactions de la classe moyenne et qu'elle facilite les investissements nécessaires à la reprise de la production.

Elle comportera la conclusion, avec les alliés, d'accords réglementant la consommation et les disponibilités monétaires des troupes séjournant sur le sol français.

Signé : C. DE GAULLE.

*Discours prononcé par le général de Gaulle
devant l'Assemblée consultative, le 25 juillet 1944.*

Après de longues années d'indicibles épreuves, personne au monde ne doute plus aujourd'hui que nous marchions à grands pas vers la victoire. Le cours qu'ont pris les événements est tel que, pour la France, comme pour les autres nations de l'Europe momentanément submergées par l'invasion germanique, la libération, qui ne fut longtemps que le rêve d'une invincible espérance, apparaît aujourd'hui comme une échéance imminente. Sur un fragment du territoire métropolitain la libération a commencé. Il en résulte que notre pays se trouve aujourd'hui, non plus dans la période où les problèmes immenses que vous savez se posaient comme éventuels, mais bien dans la phase où ils doivent être effectivement et progressivement résolus. De la façon dont la nation saura les résoudre, de l'esprit dans lequel elle le fera, de l'ordre qu'elle y apportera, dépend littéralement son destin. C'est dire quelle est l'étendue de la tâche qui incombe au gouvernement et à laquelle je crois bien qu'on ne trouverait dans notre Histoire aucun précédent comparable.

Je vais exposer à l'assemblée quelle politique le gouvernement entend suivre pour remplir sa tâche à mesure de la libération. Bien que les aspects divers de cette politique soient évidemment conjugués, la logique de l'exposé m'oblige à les présenter successivement. Je le ferai donc en montrant quelle route nous suivons et continuerons de suivre, au point de vue de l'effort guerrier, puis de la réorganisation intérieure du pays, enfin de sa position et de son action dans le monde.

Le gouvernement est plus convaincu que jamais que la solution du conflit doit être obtenue par les armes, c'est-à-dire par une complète victoire militaire, et qu'en dépit de la situation dans laquelle l'invasion et la trahison ont jeté notre pays, il est d'importance vitale que la France participe à la grande bataille d'Europe avec toutes les forces dont elle dispose. Il n'est pas moins nécessaire que le rôle joué par nos forces soit un rôle proprement français. Il est enfin indispensable que tous nos efforts, qu'ils se développent au-dedans ou au-dehors du pays, constituent un tout,

c'est-à-dire l'effort rassemblé de la nation luttant sous l'autorité
unique de l'État.

La géographie a déterminé les puissances de l'Ouest à répartir
actuellement leurs opérations en Europe entre deux théâtres,
celui du Nord et celui de la Méditerranée. Il a paru au gouvernement que c'était sur le second qu'il convenait de porter le principal
effort de nos armées. Non seulement pour des raisons pratiques,
puisque la plupart de nos unités de combat étaient stationnées
ou formées en Afrique, mais encore pour des raisons d'ordre
national, car il convient que la puissance militaire française, en
grande partie refoulée dans l'Empire par la défaite provisoire
en Europe et dans la Métropole, livre, à partir de l'Empire, les
combats pour la libération de la Métropole et de l'Europe.

A cet égard, il faut noter que la conduite générale de l'effort
militaire français depuis les jours funestes de juin 1940 a suivi
une ligne continue et que notre participation aux batailles de
Tunisie, puis d'Italie, comme la libération de notre Corse par
nous-mêmes et la prise de l'île d'Elbe par nos troupes, n'étaient
que le prolongement par des moyens progressivement croissants
de ce que nous avions fait auparavant, en Érythrée, au Levant,
en Libye et au Fezzan. Au total, depuis le soi-disant armistice conclu par les gens de Vichy, les forces françaises combattant hors de la Métropole ont perdu, sous le feu de l'ennemi,
61 000 hommes tués, blessés et disparus. Elles ont fait prisonniers
près de 100 000 soldats ennemis. Il est bon, semble-t-il, pour le
présent et pour l'avenir, de souligner comment, malgré d'incroyables malheurs, s'est maintenue et se maintiendra dans le
domaine militaire comme dans les autres la continuité des desseins de la France.

C'est donc dans le bassin de la Méditerranée que nous déployons
en ce moment notre effort principal. Cette politique nous a conduits
à prendre part largement et, je le crois, glorieusement à la grande
bataille d'Italie. Il est vrai que, de ce fait, la participation de nos
forces de l'extérieur à la bataille de Normandie s'est trouvée
jusqu'à présent limitée à l'engagement, d'ailleurs brillant et efficace, de certaines forces aériennes et navales et de quelques éléments débarqués ou aéroportés. Mais je puis assurer, sans préciser, bien entendu, aucune date ni aucun chemin, que la libération de notre Métropole sera effectuée avec le concours de toutes
les forces françaises de Terre, de Mer et de l'Air susceptibles de
combattre sur les champs de bataille modernes. Cela est le principe même de notre coopération avec les alliés. J'ajoute que,
comme il avait été fait pour les opérations récentes en Italie, les
plans stratégiques relatifs à la bataille actuelle d'Europe et spécialement à la bataille de France ont été portés en temps voulu
à la connaissance du gouvernement et du haut-commandement
français, que la participation des forces françaises a été arrêtée
d'accord avec nous et que nos états-majors prennent part nor-

malement à l'établissement des plans d'emploi des forces interalliées qui comportent le concours des nôtres. Ainsi, sans nuire
aucunement à l'unité de commandement que nous avons acceptée
dans l'intérêt commun, et compte tenu de la puissance relative
des effectifs et du matériel engagés dans la période actuelle de la
guerre, respectivement par les États-Unis, la Grande-Bretagne
et la France, le gouvernement peut répondre qu'il a fait et fera
en sorte que notre effort militaire se déploie directement au service
des intérêts nationaux, ce qui est, d'ailleurs, en pratique, la meilleure façon de servir l'intérêt militaire de la coalition.

Rien ne peut illustrer ce principe d'une manière plus éclatante
que l'action puissante actuellement menée par nos forces de l'intérieur au profit de la bataille commune. Au reste, nous nous
plaisons à constater que le haut-commandement interallié a
hautement reconnu la valeur de cette action, dès lors qu'il a
mesuré la valeur du concours qu'elle apportait aux opérations
d'ensemble. Du même coup, les insuffisances cruelles et prolongées
de l'armement des combattants français tendent à s'atténuer.
L'assemblée apprendra avec quelque satisfaction que les quantités
d'armes et d'équipements parvenues aux forces de l'intérieur dans
le courant de chacun des mois de juin et de juillet sont, en moyenne,
sept fois plus élevées que celles qui leur parvinrent pendant le
mois le plus favorable avant le commencement de la bataille de
France. En même temps, le système des communications établies
avec les diverses régions intéressées s'est beaucoup perfectionné.
Il faut dire que, parallèlement, les effectifs engagés ou susceptibles
de l'être ont plus que triplé en trois mois et atteignent actuellement plusieurs centaines de mille hommes, dont un tiers seulement
est doté d'un armement convenable. C'est dire, à la fois, quel effort
reste à faire pour l'équipement de ces forces et quel rôle elles sont
susceptibles de jouer à mesure des opérations si l'on en juge par
ce qu'elles ont déjà fait.

Chacun comprend que le caractère, très mouvant et très dispersé, de la lutte menée par nos forces de l'intérieur interdit de
leur appliquer les procédés de commandement habituellement
usités. Il est évident que la direction doit s'y exercer principalement sur le plan local. L'impulsion d'ensemble qui incombe, bien
entendu, au gouvernement et aux organismes qu'il en a chargés
consiste à prescrire l'attitude générale que doivent observer les
forces de l'intérieur suivant les phases de la bataille et les possibilités, à leur fixer certains objectifs essentiels, à organiser les
secours et les communications, à susciter et à éclairer les initiatives des éléments divers et de leurs chefs. C'est ainsi que, pour
la première phase, marquée par les débarquements des alliés en
Normandie et l'établissement de la tête de pont sur la ligne de
Saint-Lô à Caen, les consignes données, par le moyen de liaisons
préalablement établies, visaient à l'interception des communications ennemies sur des axes et en des points d'avance déterminés

et à l'attaque dans toutes les régions des détachements ennemis isolés, soit dans leurs cantonnements, soit sur les routes, sans accepter cependant d'engagements généraux et prolongés. En même temps et tout en combattant, les forces de l'intérieur avaient à unifier et à compléter leur organisation, en fonction des effectifs croissants qu'elles incorporaient, du matériel d'armement qui leur parvenait, des cadres, des spécialistes et des renforts qui leur étaient envoyés de l'extérieur.

Les résultats déjà obtenus ont entièrement répondu à ce qu'attendait le gouvernement. Il est littéralement vrai que tout l'ensemble du réseau des communications ferrées en France a été et demeure bouleversé par l'action de nos forces, depuis le début de juin, et que l'arrivée des réserves allemandes a subi de ce fait des retards très graves, dépassant une semaine pour certaines unités, comme, par exemple, la Division « Das Reich ». D'autre part, des zones très étendues, autant parfois que des départements entiers, se sont trouvées à tel ou tel moment entièrement contrôlées par les troupes françaises opérant au grand jour. Ainsi en fut-il dans l'Ain, la Drôme, l'Ardèche, l'Aveyron, la Corrèze, la Dordogne, l'Isère, les Hautes-Alpes, les Basses-Alpes, le Vaucluse, la Haute-Loire, la Lozère, le Cantal, la Creuse, la Haute-Vienne, le Lot, les Hautes-Pyrénées, la Haute-Garonne, la Bretagne intérieure, les Vosges, la Vienne, la Franche-Comté. Dans le Vercors, l'Ain, l'Ardèche, la Savoie, le Dauphiné, la Haute-Provence, l'ennemi a dû ou doit monter de puissantes offensives militaires pour tenter de se rétablir. En ce moment même, il attaque le massif du Vercors avec des forces de toutes armes et une aviation importante. D'après des rapports indiscutables, les Allemands ont perdu déjà, dans cette lutte incessante, depuis le début de juin, au moins 8 000 morts, plus de 2 000 prisonniers et une quantité très grande de matériel. Il est certain que les effectifs que les Allemands sont contraints d'employer à lutter contre nos troupes sur le sol métropolitain atteint la valeur de 7 ou 8 divisions au moins. Encore, malgré la répression féroce à laquelle ils se livrent contre les populations sans défense, ne parviennent-ils aucunement à dominer la situation.

Nous avons des raisons de croire que les pertes et les difficultés qui leur sont causées par nos forces de l'intérieur iront en se multipliant par nos attaques progressivement accentuées, par le nombre et l'importance croissante des destructions causées à tout ce qu'ils utilisent, par le refus du travail dans les entreprises dont ils se servent, enfin par ces mille et mille actions de détail exécutées contre eux en tous points de nos villes et de nos campagnes et qui contribuent à ruiner leur puissance en même temps que leur valeur morale. Ah ! certes, la France sait ce que cette forme de guerre lui coûte à elle-même en fait de vies humaines et de ruines matérielles. Il appartient au gouvernement de proportionner autant que possible les pertes avec les résultats. Mais il

lui appartient aussi de faire en sorte que l'ennemi garde, pour
des générations, le souvenir de ce qu'il en coûte d'envahir les terres
de nos pères. C'est pourquoi je réponds que notre effort à l'intérieur ne cessera pas de grandir comme contribution capitale à la
libération du pays, jusqu'au jour du soulèvement général par
lequel la nation, dressée tout entière sous l'autorité du Gouvernement de la République et de ses représentants, saura faire en
sorte, en liaison avec ses armées et celles de ses alliés, qu'aucun
Allemand sur son sol ne soit autre chose qu'un cadavre ou un prisonnier.

Mais, à mesure qu'émergent hors des fumées de la bataille et
de la nuit de l'oppression les zones de notre territoire, la restauration nationale étale devant le gouvernement tout l'ensemble
des problèmes qu'elle comporte. Il s'agit à la fois de rétablir
l'État, de faire vivre la nation et de créer les conditions favorables
aux grandes réformes qui seront à la base du renouvellement de
la France. Et il s'agit d'accomplir cette tâche immense dans les
conditions les plus difficiles. Nous n'avons aucun embarras à
annoncer par avance que beaucoup des mesures que nous pren-
drons, comme beaucoup de celles que nous avons déjà prises, ne
paraîtront pas toujours et à chacun entièrement satisfaisantes.
Nous concédons immédiatement que nous n'attendons la perfec-
tion ni des hommes, ni des choses. Si je disposais de loisirs suffi-
sants je me ferais fort de dresser, dès maintenant, la liste des critiques qui pourront être articulées à mesure du redressement et je
crois bien que cette liste remplirait plusieurs dictionnaires. Mais,
en dépit de tout ce qu'il a déjà rencontré, de tout ce qu'il rencontre
et de tout ce qu'il rencontrera d'obstacles ou d'insuffisances, le
gouvernement a la certitude de pouvoir accomplir sa tâche au
service de la nation parce qu'il a, une fois pour toutes, fixé ses
buts et son chemin et parce qu'il est assuré de trouver jusqu'au
terme le concours ardent et raisonné de la masse immense des
Français.

J'ai dit : rétablir l'État. Dans l'ordre politique, nous avons
choisi. Nous avons choisi la démocratie et la république. Rendre
la parole au peuple, autrement dit organiser dans le plus court
délai possible les conditions de liberté, d'ordre et de dignité,
nécessaires à la grande consultation populaire d'où sortira l'Assemblée nationale constituante, voilà vers quoi nous allons. En
attendant, nous appliquerons ce que nous avons décidé, c'est-à-
dire la réunion d'une assemblée consultative plus complète et
ensuite, s'il y a lieu, d'une assemblée représentative provisoire,
afin que le gouvernement trouve auprès de lui une expression
aussi qualifiée que possible de l'opinion des citoyens. D'autre
part, nous procéderons à la réorganisation, puis à la réélection des
municipalités, dont le rôle est absolument capital dans cette
période bouleversée, ainsi qu'à celle des conseils généraux. Nous
devrons encore restaurer la justice de l'État et livrer à ses équi-

tables jugements ceux qui ont trahi la patrie. Enfin, nous aurons
à remettre sur pied, soit autour du gouvernement, soit localement,
l'administration française, sans le labeur et le dévouement de
laquelle il ne saurait y avoir que désordre et confusion.

À ce sujet, je tiens à dire que si le gouvernement entend procéder dans la Métropole, comme il le fait ailleurs, aux éliminations
nécessaires, s'il compte puiser pour pourvoir aux remplacements
parmi les éléments idoines des organisations de résistance, si,
pour le reste, il veut mettre en œuvre certaines réformes qui s'imposent dans le recrutement et dans l'emploi de plusieurs, sinon
de toutes, les catégories de fonctionnaires, il n'a aucunement l'intention de faire tout à coup table rase de la grande majorité des
serviteurs de l'État, dont la plupart, pendant les années terribles
de l'occupation et de l'usurpation, ont avant tout cherché à servir
de leur mieux la chose publique. Le dénigrement de tels et tels
membres ou de telles et telles catégories de l'administration française est une chose facile, mais trop souvent injuste ou exagérée.
D'ailleurs, les pouvoirs publics ont les auxiliaires qu'ils méritent
et c'est en donnant eux-mêmes l'exemple de la compétence, du
désintéressement et du goût des responsabilités qu'ils ont le plus
de chances d'être servis comme il faut.

L'établissement de l'autorité publique, du haut en bas de l'État,
est d'autant plus urgent et indispensable que nous allons nous
trouver soudain devant des problèmes très graves et très compliqués en ce qui concerne la vie même de la nation. Un pays
couvert de ruines, privé, par les pertes des combats intérieurs et
extérieurs, par la détention chez l'ennemi ou par la mobilisation
militaire, d'une grande partie de ses éléments actifs, dépouillé
de tous stocks de vivres et de matières premières, profondément
ravagé dans ses moyens de transport et son outillage industriel
et agricole, ébranlé dans sa santé physique, inévitablement sur-
chargé par les services qu'il entend rendre aux armées libératrices, voilà ce que sera d'abord la France victorieuse. D'accord
avec l'assemblée, le gouvernement a fixé d'avance les grandes
lignes de l'action à mener pour maintenir ou rétablir la vie de la
nation et, en même temps, imposer une discipline rigoureuse dans
la production, la consommation et la répartition, afin de ménager
les conditions de notre renaissance. Par le rationnement, le maintien des prix, la restriction des signes monétaires, la direction des
importations et des exportations, le contrôle du crédit, la fixation
des salaires à un niveau relatif, plus équitable certes, mais sans
aucun bouleversement, le gouvernement entend atteindre, sans
laisser se déchaîner l'inflation, ni la disparition des denrées, le
moment où la production et les possibilités du commerce extérieur
auront atteint le niveau qui permettra à l'offre de se rapprocher
de la demande.

Dans l'intervalle, le concours de nos alliés, notamment américains, tel que nous l'avons négocié pour la période où les condi-

tions de l'existence en France intéresseront les nécessités militaires, et l'appoint déjà préparé par nos territoires d'outre-mer, nous aideront à faire face à ces grandes difficultés. Mais je dois répéter avec force que la libération n'apportera nullement une euphorie rapide. Je suis, d'ailleurs, convaincu que le grand peuple français en a pleinement conscience et qu'il est résolu à supporter vaillamment les contraintes du présent pour établir au plus tôt et pour un long avenir son équilibre intérieur, sa puissance économique et sa bonne santé sociale.

Car n'est-ce pas de cela qu'il s'agit en dernier ressort? Si nous devions, au retour de l'abîme, soit restaurer honteusement les défauts et injustices anachroniques qui nous avaient affaiblis, divisés, démoralisés, soit nous jeter dans de ruineuses convulsions, il serait bien inutile d'avoir tiré de nous-mêmes l'extraordinaire effort qui nous ramène au seuil de la liberté et de la grandeur. Non! Non! La nation française a discerné quelle est la route de sa rénovation et c'est cette route qu'elle entend suivre. Assurément, les grandes réformes qui donneront à la France sa figure et son élan nouveaux, aux points de vue notamment de sa démographie, de son activité économique et de sa structure sociale, ne pourront et ne devront être réalisées que par la nation elle-même, c'est-à-dire par les représentants qu'elle aura librement élus. Mais le gouvernement a le devoir de prendre à temps les mesures, en quelque sorte conservatoires, sans lesquelles certains faits accomplis, certains abus installés, certaines positions prises, risqueraient, s'ils étaient acceptés par nous, d'être par la suite assez puissants pour faire échouer de force les changements qui s'imposent. En combinant les séquestres et les réquisitions, la loi nous donne, d'ailleurs, tous les moyens nécessaires pour mettre à la disposition de la nation la direction et l'exploitation des grandes sources de la richesse commune et suspendre le jeu de ces vastes conjonctions et combinaisons d'intérêts qui n'ont que trop pesé sur l'État et sur les citoyens. En même temps, nous aurons à préparer le grand effort de natalité et de santé publique qui est pour la patrie une question de vie ou de mort.

Les grandes épreuves d'un peuple, s'il n'en tire ni grandes leçons, ni grands desseins, pèsent indéfiniment sur lui. Elles l'exaltent, au contraire, s'il sait en faire l'origine d'une nouvelle grandeur. D'autre part, si aucune nation ne se trouve plus isolée dans un monde de plus en plus réduit, la France, géographiquement, intellectuellement, moralement, est et demeurera la moins isolée de toutes. C'est dire que, de l'attitude qu'elle prendra vis-à-vis des autres et de celle que les autres prendront à son égard, dépendent, non seulement son propre avenir, mais aussi, dans une large mesure, l'avenir de l'humanité.

Quand nous disons que notre politique extérieure a pour but de remettre la France à sa place et dans des conditions qui lui permettent de la tenir, nous sommes convaincus que nous ser-

vons l'intérêt d'un grand nombre d'hommes, en même temps que
celui de notre propre pays. Je me permettrai d'ajouter que nous
sommes confirmés dans cette opinion par la constatation de ce que
l'invasion de la France a coûté stratégiquement et politiquement
dans cette guerre au camp de la liberté, par la stupeur et l'effroi
que sa disparition possible ont naguère provoqués dans tous les
continents, enfin par l'émouvant enthousiasme que suscite maintenant dans des masses immenses la preuve qu'elle réapparaît.

C'est donc d'une voix claire que le gouvernement affirme sa
politique qui consiste à maintenir intégralement la souveraineté
française partout où elle est en droit de s'exercer, à obtenir pour
notre pays les conditions réelles de sécurité propre, faute desquelles
trois invasions dans l'espace d'une vie d'homme auront failli
l'anéantir, à jouer le rôle de premier plan qui lui revient dans la
réorganisation de l'Europe, enfin à participer au premier rang à
la coopération internationale.

Les visites qu'il m'a été donné de faire en Grande-Bretagne
au cours du mois dernier et, récemment, aux États-Unis avaient
de ma part pour premier but d'apporter l'hommage de la France
à ces deux grands et vaillants alliés dont le magnifique effort de
guerre aura tant fait pour la victoire commune et pour la libération
de notre propre pays. Ces visites tendaient également, de part et
d'autre, à déterminer dans nos rapports mutuels une situation
plus nette et à servir ainsi l'intérêt commun du camp de la liberté.

J'ai trouvé, auprès du Gouvernement britannique, puis auprès
du président Roosevelt et du Gouvernement américain, l'occasion
des conversations les plus larges et les plus franches. Il y a, entre
l'Angleterre et nous, une communauté évidente d'intérêts européens et mondiaux, que ne devrait pouvoir troubler aucune rivalité périmée sur tel ou tel point de la terre. Il y a, entre les États-
Unis et nous, une identité d'idéals, une amitié à la fois instinctive
et raisonnée, qui doivent être, à mon avis, des éléments essentiels
dans la prochaine réorganisation du monde. J'ajoute que la position si favorable prise à notre égard depuis longtemps par le
maréchal Staline et le Gouvernement de l'Union soviétique, dont
le rôle dans la guerre est capital comme il le sera demain dans la
paix, nous donne lieu d'espérer que la France et la Russie pourront, dès que possible, fixer entre elles les modalités de l'étroite
collaboration dont dépendent, je le crois, la sécurité et l'équilibre
futurs de l'Europe.

Comment pourrais-je manquer d'évoquer l'entretien confiant
que m'a accordé le pape Pie XII? Comment ne mentionnerais-je
pas les conversations très amicales que j'ai pu avoir à Londres avec
les chefs d'État ou les gouvernements, hollandais, belge, luxembourgeois, polonais, tchécoslovaque, norvégien, yougoslave, ainsi que
l'accueil extrêmement chaleureux qu'ont bien voulu me faire le gouvernement et le peuple du Canada? A la vérité, chacun des États
qui ont à faire valoir des intérêts continentaux plutôt que mon-

diaux, et avant tout les États de l'Europe, semblent prêts à tenir
plus que jamais la France comme une amie particulièrement
compréhensive, désintéressée, rompue par une expérience millénaire à mesurer parfaitement bien les conditions et les avantages
de l'équilibre du vieux continent et aussi de celui du monde.

Ces progrès indiscutables dans la situation internationale de la
France vont être très prochainement marqués, nous l'espérons,
par la conclusion d'un accord pratique avec Londres et Washington en ce qui concerne la collaboration si longuement discutée de
l'administration française avec les armées alliées en territoire
métropolitain délivré. Cet accord assurera, comme il est nécessaire, à la fois le respect entier de la souveraineté de la France et
de l'autorité de son gouvernement et le droit reconnu au haut-
commandement de trouver chez nous tous concours et toutes
facilités dont il aura besoin pour mener à la victoire les braves
soldats de nos alliés et les nôtres. Nous souhaitons, dans l'intérêt
de tous, qu'un tel accord soit le point de départ d'une collaboration organisée entre nous et nos alliés, en premier lieu pour ce qui
est des conditions d'armistice qu'il pourrait, un jour ou l'autre,
y avoir lieu d'imposer à l'Allemagne vaincue et, d'une manière
générale, pour la préparation de tous règlements futurs.

Mais, pour atteindre à l'avenir que la France veut s'ouvrir,
il lui reste à livrer de dures batailles, à subir de cruels sacrifices,
à déployer d'immenses efforts. Certes, l'ennemi paraît chanceler.
Encore faut-il l'abattre. Quelque figure que prenne l'Allemagne,
nous ne pourrions faire fond sur rien si elle ne devait pas être
complètement, irrémédiablement battue. Côte à côte avec tous
nos chers et vaillants alliés, redoublons donc nos coups. Portons
nos pensées, notre amour, notre confiance, sur nos armées renaissantes, celles du dehors et celles du dedans, qui vont incessamment se rejoindre dans le combat décisif. Soyons droits, fermes,
unis. De nos grandes épreuves, tirons fraternellement, tous ensemble, de grandes leçons et de grands desseins. Les malheurs
qui faillirent emporter la patrie, c'est à nous, ses fils, d'en faire,
pour elle, l'origine d'une nouvelle grandeur.

DIPLOMATIE

*Télégramme du général de Gaulle
à René Massigli, en mission à Tunis.*

Alger, 14 septembre 1943.

J'ai mis ce matin le Conseil au courant de la communication que M. Makins m'avait faite de la part du Premier Ministre britannique, au sujet de notre éventuelle admission au Comité de la Méditerranée. Le Conseil a eu également connaissance du télégramme que vous m'avez adressé après votre conversation avec M. MacMillan sur le même sujet. Je dois vous dire que le Conseil, tout en appréciant l'intérêt de la perspective que nous ouvrira peut-être le Comité de la Méditerranée, a estimé devoir s'en tenir à sa décision de faire connaître aux alliés notre mécontentement quant aux conditions dans lesquelles l'armistice italien avait été conclu et quant à la forme qu'avait revêtue la déclaration Eisenhower.

Il y a donc lieu de faire parvenir de toute urgence aux gouvernements de Londres, Washington et Moscou la note française relative à l'armistice italien...

Pour ce qui concerne l'idée, que vous suggérez, d'un télégramme que j'adresserais à M. Churchill pour le remercier du rôle qu'il aurait, suivant Makins, joué dans cette affaire, le Conseil estime, comme moi, que ce serait excessif, étant donné que nous ne savons pas dans quelles conditions exactes nous serons admis à faire partie du Comité de la Méditerranée, ni même quelles seront au juste les attributions de ce Comité. J'ai, d'ailleurs, répondu verbalement d'une manière aimable pour M. Churchill à la communication de Makins. C'est suffisant pour le moment. D'autant plus que M. Bogomolov, qui est venu me voir hier en grand mystère à son passage vers Moscou, m'a donné, quant à l'initiative qui aurait fait admettre notre participation, des indications assez différentes de celles qu'a fournies Makins de la part de Churchill.

Au total, nous pensons qu'il faut maintenir et faire connaître nettement notre déception quant à la façon dont a été réglé l'armistice italien et voir venir la suite avec prudence.

Note du Comité français de la libération nationale
adressée aux Gouvernements américain et britannique
et communiquée au Gouvernement soviétique.

Alger, le 17 septembre 1943.

La capitulation italienne a marqué une nouvelle et importante étape sur la voie qui doit mener les alliés à la victoire finale. Le Comité de la libération nationale en a reçu la nouvelle avec une joie d'autant plus vive qu'à toutes les phases des opérations qui se sont déroulées contre l'Italie les forces françaises ont eu leur part de sacrifice et de gloire. Mais le Comité manquerait à la sincérité qui doit présider aux rapports entre alliés s'il laissait ignorer aux Gouvernements américain et britannique la déception que lui ont causée les conditions dans lesquelles l'armistice a été conclu et les termes de la déclaration par laquelle le général Commandant en chef allié l'a annoncé au monde.

Les affaires italiennes présentent, en effet, pour la France, une importance primordiale. C'est pour frapper et dépouiller la France que l'Italie fasciste est entrée en guerre. La France n'a pas cessé, depuis le 10 juin 1940, d'être associée à la lutte armée contre les forces italiennes. C'est, enfin, pour la France une question vitale que rien de ce qui concerne les affaires italiennes ne soit traité sans elle. Le Comité français de la libération nationale estime que ces considérations, qu'il avait fait valoir dans son mémorandum du 2 août adressé aux Gouvernements américain et britannique et communiqué au Gouvernement soviétique, lui donnent le droit à être associé aux négociations relatives à l'armistice.

. . . . Le Comité se doit de souligner la nécessité pour ses délégués d'être, dès maintenant, habilités à faire partie de l'organisme d'armistice interallié. Il n'est pas moins essentiel à ses yeux d'être, dès maintenant, mis à même de faire valoir le point de vue français, touchant les clauses d'ordre politique, économique ou financier, dont l'observation doit être imposée à l'Italie... Le mémorandum joint à la présente note précise, à cet égard, les revendications françaises déjà visées dans le document du 2 août...

Enfin, le Comité a la certitude d'être en accord avec les vues des gouvernements alliés en marquant, qu'associé à l'élaboration de l'armistice, il doit être de même associé à l'application de ses clauses par la participation d'officiers ou de fonctionnaires français aux organismes qui seront chargés d'assurer cette application. Il ne leur incombera pas seulement, en effet, de régler les rapports avec l'administration et la population italiennes ou d'assurer la défense des intérêts alliés. Leur responsabilité sera beaucoup plus étendue au fur et à mesure que sera restaurée en Italie une vie normale. Il est, en effet, essentiel que cette restauration s'opère dans des conditions qui, ni sur le plan politique, ni sur le plan économique, ne risquent de compromettre l'avenir en laissant subsister le moindre vestige du régime qui vient de s'effondrer ou en ramenant le système d'isolement économique qui a si gravement nui à la vie européenne dans les années précédant la guerre... Dans leur collaboration à ces travaux, les représentants français apporteront leur concours sans réserve dans l'esprit même dont est animé le Comité de la libération qui ne sépare pas l'intérêt français de l'intérêt commun des Nations Unies.

Mémorandum, concernant la participation française à l'administration du territoire libéré en France métropolitaine, remis par le Gouvernement des États-Unis au Gouvernement britannique et parvenu à la connaissance du Comité français de la libération nationale.

TRADUCTION

Septembre 1943.

1) Le territoire libéré en France métropolitaine sera traité en ami. Cependant, le Commandant en chef des forces alliées aura tous les droits d'occupation militaire résultant de la guerre. Il agira sur la base qu'il n'existe pas de gouvernement souverain en France. Il ne négociera pas avec le Gouvernement de Vichy, sauf pour transférer l'autorité dans ses propres mains.

2) L'administration civile sous l'autorité suprême du Commandant en chef sera, autant que possible, française de caractère et de personnel. Elle sera dirigée par des officiers supérieurs de son état-major d'administration civile. Le Commandant en chef et ses délégués autorisés nommeront ou confirmeront dans des fonctions temporaires les fonctionnaires français et le personnel judiciaire. Leur choix dépendra uniquement de l'efficacité et de la loyauté à la cause des alliés.

3) Ces mesures ont pour but de créer, aussitôt que possible, des conditions qui permettent le rétablissement d'un Gouvernement français représentatif et conforme aux vœux librement exprimés du peuple français. Les droits civils seront protégés ; les seules restrictions à ces droits étant causées par des intérêts militaires prépondérants. Les organisations politiques gênantes seront supprimées et leurs chefs internés par le Commandant en chef lorsque les intérêts de la cause alliée ou du maintien de l'ordre l'exigeront.

4) Le système judiciaire français de mai 1940 sera conservé ou rétabli. Le Commandant en chef peut imposer les restrictions

qui lui paraîtront nécessaires pour préserver la loi et l'ordre dans l'intérêt des opérations militaires.

5) Le Comité français de la libération nationale sera invité à attacher à l'état-major du Commandant en chef des officiers français qualifiés d'administration civile qui constitueront une mission militaire de liaison. Autant que possible, ces officiers seront consultés au sujet des nominations de citoyens français à des postes administratifs ou judiciaires. Ces officiers d'administration civile pourront aussi être employés comme intermédiaires entre les autorités militaires alliées d'une part, les autorités locales et les populations civiles françaises d'autre part.

6) Dans le cas où une partie du territoire serait libérée par l'évacuation ou la désintégration des forces de l'ennemi, les chefs de l'état-major combiné décideront si la défaite de l'ennemi sera mieux réalisée par la prise en charge de ces régions. Dans les régions qui ne sont pas entièrement contrôlées par le Commandant en chef, celui-ci gardera les contacts nécessaires avec les autorités locales françaises qui pourront assumer la charge temporaire de l'administration. Le Commandant en chef ne leur accordera qu'une reconnaissance « de facto » et sera libre d'intervenir à tout moment et dans la mesure requise par les nécessités militaires.

Rapport de René Massigli au général de Gaulle, à Alger.

Alger, 27 septembre 1943.

MM. Makins et Reber, en l'absence de MM. MacMillan et Murphy, m'ont fait cet après-midi à 17 heures une communication verbale qui peut se résumer comme suit :

Se référant à la communication faite le 30 août, concernant la conclusion de l'armistice avec l'Italie, ils ont exposé que leurs gouvernements avaient préparé les termes d'une convention complète d'armistice... Ce projet d'armistice, remanié pour tenir compte de la situation nouvelle, allait être remis aujourd'hui même au maréchal Badoglio. Les représentants des deux gouvernements avaient mission de communiquer ce document au Comité français de la libération nationale.

MM. Makins et Reber m'ont alors remis un projet en 44 articles. Ils ont ajouté que leurs gouvernements avaient la conviction que ce projet couvrait tous les points sur lesquels nous avions attiré l'attention et ne préjugeait d'aucune solution qui irait à l'encontre de nos vues.

J'ai répondu en marquant mon étonnement que ce projet nous fût communiqué si tardivement, contrairement à toutes les promesses qui nous avaient été faites. La réponse a été qu'il y avait eu beaucoup d'hésitations à Londres et à Washington sur la procé-

dure à suivre et que la décision finale venait seulement d'être
prise. A quoi j'ai répliqué que les projets auraient pu m'être communiqués à tout hasard, ainsi que la promesse m'en avait été faite.
Réservant les observations que pourrait appeler l'examen d'un
document dont la rédaction n'est pas simple, j'ai fait valoir que
nous risquions d'être mis une fois de plus en présence du fait accompli... Enfin, j'ai fait observer que, dans l'hypothèse qui avait
été envisagée d'un armistice précipité, les alliés s'étaient montrés
disposés à nous faciliter à tout le moins la présence à la signature.
Sur ce point je n'ai obtenu aucune réponse précise. En revanche,
on m'a répété que notre participation à la commission d'armistice
méditerranéenne devait nous donner tous apaisements.

Je n'ai pas dissimulé que ces explications me paraissaient insuffisantes. J'ai marqué que c'était une erreur politique que de signer
actuellement un armistice avec le maréchal Badoglio et que je
regretterais que l'on eût, à Londres et à Washington, modifié à
cet égard la manière de voir qu'on m'avait exposée il y a quelques
jours... Enfin, j'ai dit à MM. Makins et Reber que je me réservais
de préciser et de compléter mes observations lorsque j'aurais pu
prendre connaissance du document qui m'était communiqué...

Télégramme du général de Gaulle à Pierre Viénot, à Londres.

Alger, 9 octobre 1943.

J'ai pris connaissance de votre rapport relatif à l'affaire Dufour
et à la communication que vous a faite à ce sujet un haut fonctionnaire du Foreign Office.

Un premier point concerne Dufour lui-même. Il s'agit d'un individu qui a contracté un engagement dans les Forces Françaises
Libres en usurpant un grade d'officier et une Légion d'honneur
qu'il n'avait pas. Il a été naturellement puni pour ce fait et a signé
un nouvel acte d'engagement sous son véritable grade qui était
celui de sergent. Ayant déserté deux fois, il a été condamné par
le tribunal militaire à une peine de prison. Tout cela est parfaitement régulier. Dufour est actuellement déserteur en Grande-Bretagne. Il devrait être purement et simplement livré à l'autorité
française par les autorités britanniques.

Les interrogatoires de Dufour par le B. C. R. A. ont établi son
imposture quant au grade et aux décorations qu'il prétendait
détenir. S'il a été maltraité au cours des interrogatoires, il a,
comme tout militaire français, le droit de réclamation devant les
autorités supérieures françaises qui feront enquêter sur le cas.
Mais aucune réclamation de sa part ne peut évidemment être reçue
tant qu'il ne s'est pas constitué prisonnier.

Quant à son affirmation que son acte d'engagement serait contraire aux lois françaises, c'est une affaire dont seuls peuvent juger ceux qui ont la charge de ces lois. Je note, qu'en la matière et pour ce qui le concerne, le Gouvernement britannique est lié par l'accord Churchill-de Gaulle qui a prévu la formation des Forces Françaises Libres par la voie d'engagements volontaires précisément dans la forme où Dufour a signé le sien comme des milliers d'autres.

Je ne devrais pas avoir besoin de vous dire qu'à aucun prix je ne consentirais à envisager un arrangement dit amiable avec Dufour. On ne traite pas avec un imposteur et un déserteur.

Le second point est l'attitude britannique, telle qu'elle ressort des propos tenus par M. Strang. Je regrette de noter dans ces propos une sorte de menace par évocation d'une campagne de presse scandaleuse. De la part de certains éléments britanniques et américains, une telle attitude peut avoir pour but, soit de sauver Dufour qui est de son propre aveu un agent anglais, soit de faire pression sur le B. C. R. A., soit même de porter moralement atteinte au général de Gaulle. Il me paraît inutile de vous dire que la perspective d'une pareille campagne ne m'intimide aucunement. Nous serions, d'ailleurs, en mesure de publier sur cette affaire tout ce qui serait nécessaire pour éclairer l'opinion sur la qualité de Dufour et sur les intentions d'une campagne qui serait engagée à son sujet à l'étranger contre moi-même et contre la France Combattante.

Je vous prie de faire connaître nettement au Foreign Office quelle est ma position et de me tenir informé.

Télégramme du général de Gaulle à Pierre Viénot, à Londres.

Alger, 25 octobre 1943.

Je reçois votre dernier télégramme relatif à l'affaire Dufour.

Dufour est un agent de l'Intelligence Service. A ce titre, il se trouve à la discrétion britannique. Il est donc évident que, pour intenter une action en justice contre moi, il est d'accord avec ses maîtres et que le Premier Ministre lui-même a donné son assentiment.

Il s'agit là, comme vous le dites, d'une affaire politique montée dans le but de m'atteindre et de dégager plus ou moins les hautes personnalités de Washington et de Londres qui ont pris à mon égard une attitude qui devient pour elles intenable.

Les instigateurs de l'affaire ont déjà réussi par mensonges, fausses promesses et intimidation à obtenir de petites gens, d'ailleurs non responsables, des concessions qui maintenant se retournent contre nous. A aucun prix je ne ferai le jeu des adversaires en négociant avec le déserteur Dufour une transaction qui me diminuerait et

qui, au moment voulu, échouerait en me laissant l'apparence
d'avoir reculé faute d'une conscience tranquille.

Je prends l'affaire telle qu'elle est, c'est-à-dire pour une infamie.
Je vous charge de dire au Foreign Office et de faire comprendre à
l'opinion anglo-saxonne en quoi elle consiste réellement et quelles
intentions elle révèle de la part de ceux qui l'ont engagée. Je suis
d'ailleurs sûr de la suite. Ce n'est pas moi qui serai atteint.

En conclusion, j'interdis qu'aucune transaction soit essayée avec
le déserteur Dufour. Je tiens d'avance pour sans valeur l'action
de la justice anglaise dans une affaire intérieure de l'armée française et où la souveraineté de la France est, par conséquent, engagée. Je défends qu'aucun solicitor réponde pour moi ou pour mes
subordonnés.

J'attends sans alarme le développement public de ce très clair
« mystère de New York » ou de Washington.

Télégramme de Henri Hoppenot
au Comité de la libération nationale à Alger.

Washington, 30 octobre 1943.

D'une source très sûre, j'apprends que M. Cordell Hull aurait
fait part ici de l'impression très heureuse qu'il aurait rapportée de
son entretien récent avec le général de Gaulle.

Le secrétaire d'État aurait ajouté que le Gouvernement américain paraissait avoir été jusqu'ici mal informé relativement à la
personnalité du Général et à ses idées...

Rapport de René Massigli au général de Gaulle, à Alger.

Alger, 10 novembre 1943.

M. Eden, revenant de Moscou et du Caire, a passé quelques
heures à Alger dans la soirée d'hier. J'ai eu un long entretien avec
lui et M. MacMillan.

1) *Conférence de Moscou.*

M. Eden confirme les impressions déjà données sur le succès de
la conférence et sur l'esprit de coopération que les Russes y ont
apporté. C'était son quatrième ou cinquième voyage à Moscou
et il a été très frappé... de l'attitude des délégués russes qui se
sont montrés beaucoup plus ouverts et confiants qu'à l'ordinaire.
Leur volonté de coopération avec les puissances occidentales était
manifeste. Le secrétaire d'État attribue ce changement au fait que

les Russes ont pris conscience de l'énormité de la tâche qui s'impose à eux pour reconstruire leur pays... Staline et ses collaborateurs se rendent compte que, pour cela, le concours de l'industrie occidentale sera indispensable.

. . . .

Les Russes n'ont pas dissimulé leurs prétentions territoriales : les États baltes, les territoires polonais à l'est de la ligne Curzon, la Bessarabie, etc... Mais aucune véritable négociation... n'a pu être entreprise à cet égard, le Gouvernement polonais ayant fait connaître antérieurement au secrétaire d'État qu'il écartait toute discussion sur les frontières jusqu'à la paix.

D'une manière générale, M. Eden ne croit pas que Staline cherche à pousser à l'application d'un programme impérialiste. Il constate, par exemple, qu'en ce qui concerne les Balkans, les Russes lui ont demandé d'intervenir pour faire entrer la Turquie dans la guerre. Or, plus la Turquie se rangera activement aux côtés des alliés, plus elle sera en mesure de faire valoir la politique que résume la formule : « Les Balkans aux Balkaniques. »

M. Eden note, enfin, que les Russes sont préoccupés de voir se dessiner les grandes lignes d'une organisation internationale de sécurité pour l'après-guerre.

M. Eden a été très fortement impressionné par la personnalité de M. Vichynsky...

2) *Commission européenne et Commission des affaires italiennes.*

J'ai dit à M. Eden quel mécontentement avaient causé dans l'opinion française et au sein du Comité les décisions prises à Moscou concernant la constitution à Londres d'une Commission européenne, où nous ne serions pas. Il m'a répondu qu'elle allait avoir pour première tâche de poursuivre les discussions entamées entre les trois alliés et il est normal qu'elles se poursuivent entre les mêmes partenaires. « Mais, m'a-t-il dit, vous y serez bientôt... »

Je n'ai pas caché à M. Eden que, s'il fallait en croire les témoignages américain et russe, la proposition de constituer la Commission, avec les représentants de trois puissances seulement et à l'exclusion de la France, émanait des délégués britanniques. M. Eden m'a répondu qu'il était exact que les propositions finales avaient été faites par les Anglais. « Mais, a-t-il ajouté, personne n'a demandé l'inclusion de la délégation française. »

. . . .

Touchant la Commission des affaires italiennes, M. MacMillan indique que lui et M. Murphy ont suggéré à leurs gouvernements de faire auprès de nous, avec M. Bogomolov, une démarche officielle en vue de nous communiquer le mandat de la Commission tel qu'il est actuellement prévu et de nous demander de désigner un représentant.

. . . .

3) *Conversations du Caire.*

M. Eden s'est montré assez réservé en ce qui concerne les conversations qu'il a eues au Caire avec le ministre des Affaires étrangères de Turquie... M. Numan Menemencioglu... a été favorablement surpris de l'état d'esprit qui se manifeste à Moscou. Il a été beaucoup plus prudent concernant l'intervention turque...

4) *Remaniement du Comité français de la libération nationale.*

M. Eden m'a parlé du remaniement récent du Comité. Personnellement, il n'en est point ému. Mais il n'est pas sûr que l'élimination des généraux Giraud et Georges ne provoquera pas, de la part de M. Churchill et de Washington, des réactions fâcheuses.

Lettre du général de Gaulle au général Catroux.

Alger, le 13 novembre 1943.

Mon cher Général,

Au moment où vous allez partir (pour Beyrouth), je vous communique le rapport que je reçois de M. Helleu.

Vous lirez aussi une lettre de Baelen qui vous indiquera l'état d'esprit des Français du Levant avant l'incident.

Je crois qu'en passant au Caire vous pourrez vous méfier de l'alarmisme que Casey et autres ne manqueront pas d'affecter. Je crois aussi, qu'à l'arrivée à Beyrouth, il y aura lieu de ne rien dire publiquement qui paraisse blâmer Helleu. Car, au total, même si son geste a été trop vif, la France est solidaire de ce qu'il a fait. Je crois, enfin, que vous devez repousser absolument toute proposition éventuelle d'enquête franco-britannique car ce serait accepter le condominium.

Le but à atteindre est de remettre la constitution en vigueur avec un gouvernement que nous puissions accepter. Si les Anglais rendent cela impossible, — ce que je ne crois pas, du moment que nous sommes fermes, — nous devrons nous en aller.

Veuillez croire, mon cher Général, à mes sentiments dévoués.

Note « verbale » remise à René Massigli par M. Roger Makins, suppléant de M. MacMillan.

TRADUCTION

Alger, 13 novembre 1943.

Selon les instructions de mon gouvernement, j'ai l'honneur de faire la déclaration suivante :

1) Le Gouvernement de Sa Majesté dans le Royaume-Uni ne

peut accepter aucune nouvelle aggravation de la situation au Levant. C'est pourquoi, il a décidé de faire savoir au Comité français
de la libération nationale qu'il ne peut tolérer aucun trouble sérieux de l'ordre public pendant la guerre. Aussi, les troupes britanniques agiront-elles en conséquence, conjointement avec les autorités, quelles qu'elles soient, qui agissent pour empêcher le désordre.
Mais, si les forces britanniques sont obligées de prendre de telles
mesures et à moins que le Comité français puisse donner au Gouvernement de Sa Majesté dans le Royaume-Uni des assurances auto-
risées qu'il est disposé à discuter immédiatement d'un *modus
vivendi* pour la durée de la guerre, le Gouvernement de Sa Majesté
se chargera immédiatement de convoquer une conférence à laquelle
des représentants français, libanais, syriens et américains seront
invités, dans le but de définir les termes d'un arrangement provisoire à conclure entre les États du Levant et la France pour la
durée de la guerre. C'est l'intention du Gouvernement de Sa Majesté que ces conditions soient respectées par les deux parties tant
que la guerre durera et qu'elles stipulent la restauration d'un régime parlementaire, au cas où celui-ci serait interrompu.

2) Étant donné l'aggravation de la situation causée par les
événements des 11 et 12 novembre, j'ai, en outre, pour instruction
de recommander le rappel immédiat de M. Helleu de son poste de
délégué général et de demander l'élargissement des membres du
Gouvernement libanais. Pour le moment, jusqu'à ce que le calme
soit rétabli, le Gouvernement de Sa Majesté est d'accord pour
admettre la prolongation de la suspension du Parlement, mais
il compte que la réunion de celui-ci sera autorisée aussitôt que
possible. Entre-temps, le Gouvernement de Sa Majesté autorisera
l'emploi des troupes britanniques pour maintenir l'ordre si la situation semble l'exiger ; c'est-à-dire s'il advenait que les autorités
françaises fissent la preuve qu'elles ne sont pas capables de maintenir l'ordre seules et sans prendre des mesures excessives.

J'ai l'honneur d'être, monsieur, votre très obéissant serviteur.

Télégramme du général de Gaulle à Jean Helleu,
délégué général et plénipotentiaire à Beyrouth.

Alger, 13 novembre 1943.

Je réponds à votre télégramme personnel d'hier. Les mesures
de force que vous avez cru devoir prendre étaient peut-être nécessaires. En tout cas, je dois considérer qu'elles l'étaient puisque
vous les avez prises. Vous êtes couvert à cet égard et nous ne vous
désavouerons pas.

La réaction du Gouvernement de Londres est très vive. Le représentant de ce gouvernement à Alger nous a communiqué une

note verbale très âpre qui laisse présager de grandes difficultés
du côté anglais. Cependant, je suis convaincu qu'il y a beaucoup
de bluff de la part de Londres, car les Anglais ont tout intérêt à
ce que des désordres ne se produisent pas au Liban et en Syrie.
Ceci leur interdit de pousser les choses à l'extrême. Ils essaieront
vraisemblablement de nous entraîner, par la menace, dans une conférence à plusieurs, ce que nous ne voulons pas.

Le général Catroux va effectivement à Beyrouth. Il ne s'y rend
pas pour vous désavouer mais pour vous appuyer au nom du Comité de la libération. Je vous adresse mes amitiés.

*Communiqué du Comité français de la libération nationale
au sujet de l'indépendance de l'Autriche.*

Alger, 15 novembre 1943.

Ayant pris connaissance de la déclaration faite au sujet de
l'Autriche par les Gouvernements américain, soviétique et britannique à l'issue de la Conférence de Moscou, le Comité français de
la libération nationale tient à rappeler que la France a toujours
pris position en faveur de l'indépendance autrichienne.

Le Comité français de la libération nationale ne doute pas que
les patriotes autrichiens serviront la cause de leur indépendance
en luttant eux-mêmes pour la libération et la renaissance de leur
pays.

Télégramme du général Catroux au général de Gaulle, à Alger.

Beyrouth, 19 novembre 1943.

J'ai rencontré, le 18 au soir, Bechara Khoury que j'ai trouvé
éprouvé physiquement mais qui s'est montré objectif et digne
dans son langage, même quand il a fait allusion aux conditions de
son arrestation. Il m'a présenté ses justifications.

. . . .

Pour conclure, Bechara Khoury déclara qu'il s'était comporté
en chef d'État constitutionnel et qu'il avait dû céder à l'opinion
de la Chambre, opinion qui s'était exprimée de façon quasi unanime
lors du vote de la révision.

Il a protesté contre les accusations de complot qui ont motivé
son arrestation et s'est défendu vivement du grief d'infidélité envers la France et de celui d'adhésion aux causes anglaise et arabe.
Il demeurera, en dépit de son internement, le serviteur de l'union
franco-libanaise.

Après avoir entendu le Président, je lui fais connaître les instructions dont Helleu était revenu porteur. Je lui ai demandé s'il accepterait le programme que je lui tracerais. Je lui ai dit, qu'en pareil cas, il pourrait être rétabli dans sa charge, mais qu'il devrait changer son cabinet.

Bechara Khoury m'exposa qu'il serait diminué dans son autorité si, après avoir été frappé solidairement avec Riad Solh, il renvoyait ce dernier. Il pense que nous perdrions alors le bénéfice moral d'un geste généreux... J'ai répondu qu'il pourrait être suggéré à Riad Solh d'offrir sa démission... Je compte voir le président du Conseil ce soir...

Télégramme du général Catroux au général de Gaulle, à Alger.

Beyrouth, 20 novembre 1943.

Au sujet du mémorandum dont Casey m'a fait remise le 19 au soir, je consigne ci-dessous les remarques que j'ai été conduit à lui faire.

1) Je me suis étonné de ce que ce document, ayant le caractère d'une mise en demeure et appelant une décision du Comité de la libération, ce Comité et non moi-même n'en ait pas été saisi par M. MacMillan. Je me suis objectivement reconnu comme non qualifié pour répondre.

2) J'ai remarqué, en outre, qu'en faisant toute diligence, l'envoi de ce texte à Alger, son examen et la notification des décisions qu'il provoquera exigeraient un délai supérieur à celui qui était fixé...

3) Quant à l'esprit qui anime le mémorandum, j'ai déclaré qu'il me reportait à l'époque de Fachoda...

4) Quant au droit de proclamer la loi martiale, j'ai observé qu'en conformité des accords Lyttelton-de Gaulle il appartenait au commandement territorial français et non au commandement britannique.

J'ai souligné, d'ailleurs, que la situation au Liban ne justifiait en aucune manière l'institution d'un pareil régime.

5) En ce qui touche le rappel de M. Helleu, j'ai dit que le Comité l'avait, en principe, décidé mais qu'il ne serait rendu effectif qu'à la date que le Comité jugerait convenable.

Quant à la libération des internés, j'ai fait observer... que j'avais les meilleures intentions à leur égard mais que les procédés apparents des Britanniques me paralysent.

6) Sur le projet de conférence tripartite, j'ai déclaré que nous entendions traiter sans intermédiaire nos affaires avec les Libanais.

7) Ceci dit, il appartient au Comité de se prononcer. Voici mon avis : nous pouvons répondre par un refus, déclarer que, ne pouvant faire obstacle à l'arbitraire et aux empiétements britanniques, nous nous retirerons provisoirement et replierons notre personnel.

Cette solution sauvegarderait la dignité nationale et réserverait théoriquement nos droits.

Elle entraînerait, cependant, la perte définitive du Levant, car, aux yeux de l'opinion publique libanaise dont je vous ai dit la sensibilité actuelle sur le point d'honneur national, nous partirions pour ne pas avoir voulu réparer un acte de violence considéré comme illégal...

D'autre part, nous serions couverts de discrédit si nous laissions l'Angleterre libérer elle-même le personnel gouvernemental et rétablir les libertés constitutionnelles.

C'est pourquoi, malgré le caractère odieux des exigences britanniques, j'estime que nous devons faire nous-mêmes le geste généreux d'oubli et de réparation que le Liban attend de nous...

Après avoir tout pesé et avoir vu aujourd'hui Riad Solh, je le crois juste et opportun et je pense qu'en raison de la situation personnelle dont je jouis ici je peux l'accomplir au nom du Comité sans faire subir à la France une perte de prestige.

Que le Comité décide. J'attends de toute urgence ses instructions.

Télégramme du Comité de la libération nationale
au général Catroux, à Beyrouth.

Alger, 21 novembre 1943.

Vos télégrammes ont été communiqués ce matin au Comité. Le Comité estime :

1) Que l'incident doit être réglé d'urgence.

2) Que le règlement doit être purement franco-libanais à l'exclusion de toute ingérence britannique.

3) Que le mandat subsiste, de même que subsistent nos engagements concernant l'indépendance que consacrera la conclusion du traité franco-libanais.

4) La vie constitutionnelle sera rétablie dès que possible, étant entendu que tout vote du parlement contraire au mandat serait annulé par le délégué général.

5) Sur ces bases, le Comité adopte votre solution...-

6) En ce qui concerne M. Helleu, faites-nous connaître votre avis sur la solution à adopter après que l'incident aura été réglé.

Communiqué du Comité de la libération nationale.

Alger, 21 novembre 1943.

Le Comité a pris connaissance des plus récents rapports et propositions du général Catroux concernant le règlement de l'incident du Liban et constatant que l'ordre règne dans le pays.

Le Comité a décidé de donner suite à la proposition du général Catroux tendant au rétablissement dans ses fonctions de M. Bechara Khoury, Président de la République, avec lequel le Commissaire d'État en mission est invité à négocier les mesures nécessaires au rétablissement rapide de la vie constitutionnelle au Liban. M. Helleu, Délégué général et plénipotentiaire de France, est prié de se rendre en consultation à Alger.

Le Comité a décidé, d'autre part, la mise en liberté des anciens ministres libanais en fonction le 8 novembre dernier.

Le Comité a confirmé sa décision antérieure d'ouvrir, avec le Gouvernement de la République syrienne, les négociations nécessaires à la mise en harmonie du mandat de la France et du régime d'indépendance promise par la France aux États du Levant par les proclamations de 1941. Dès le rétablissement de la vie constitutionnelle au Liban, des négociations analogues seront entamées avec le Gouvernement de Beyrouth.

Télégramme de Pierre Viénot
au Comité de la libération nationale, à Alger.

Londres, 24 novembre 1943.

Au cours de mon entretien d'hier avec sir Orme Sargent, j'ai attiré de la façon la plus ferme l'attention de mon interlocuteur sur la gravité des procédés employés par le Gouvernement britannique dans l'affaire du Liban et, avant tout, sur l'ultimatum qui avait été remis au général Catroux, quarante-huit heures après son arrivée à Beyrouth, par M. Casey.

Il est inutile que je vous répète les arguments que j'ai fait valoir et qui vont de soi. Mais je les ai développés avec la force que donne, dans une semblable occasion, le fait que nul n'ignore ici combien je suis attaché personnellement à l'entente franco-anglaise.

Mon interlocuteur n'a défendu qu'assez mollement l'attitude prise par le Gouvernement britannique et j'ai l'impression que l'emploi vis-à-vis de nous de procédés aussi brutaux a été inspiré par M. Churchill et non pas par le Foreign Office.

Voici plusieurs des raisons qui me paraissent avoir dicté l'attitude britannique.

1) L'inquiétude inspirée à l'Angleterre par les réactions du monde arabe. La politique anglaise, dans ce domaine, joue avec le feu... Le Gouvernement anglais... aurait pu se désolidariser de nous... Mais, au lieu de sauvegarder seulement son prestige, il a pensé que l'occasion se présentait de l'accroître à nos dépens...

2) Le Gouvernement britannique a douté que M. Helleu ait

agi sans instructions. Il a cru qu'il se trouvait devant un « coup de
tête » du Comité et, plus particulièrement, du général de Gaulle...

La manière insistante dont sir Orme Sargent m'a fait ressortir
ce point... signifiait clairement que le Gouvernement britannique
s'était trompé sur l'origine de la crise et que sir Orme Sargent
déplorait que cette erreur ait entraîné une conduite aussi brutale
et aussi précipitée...

3) Les préventions personnelles de M. Churchill contre le général de Gaulle et celles d'une large part du public britannique
ont joué un rôle important. Beaucoup d'Anglais dirigeants en sont
arrivés à croire que le général de Gaulle « n'est pas un ami de l'Angleterre. » Croyant qu'il s'était personnellement engagé dans les
incidents du Levant, ils n'ont pas éprouvé le besoin de le ménager.

4) Le Gouvernement britannique et, très particulièrement,
M. Churchill n'ont pas encore admis les changements récemment
apportés par le général de Gaulle à la composition du Comité de la
libération...

En résumé, les Anglais se sont montrés brutaux, hâtifs et peu
clairvoyants.

Sir Orme Sargent et sir William Strang, à qui je l'ai expliqué
sans ambages, s'en rendent compte.

L'un et l'autre ont manifesté le vif désir de voir se liquider et
s'effacer l'incident et les relations franco-britanniques reprendre
leur cours normal ; celui d'une alliance que des rivalités locales
au Levant ne sauraient affecter gravement et qui demeure au premier plan des préoccupations fondamentales de l'Angleterre.

J'ai l'espoir que l'excès même des réactions de l'opinion britannique au moment aigu de la crise entraînera un choc de retour qui
nous sera favorable. Dès aujourd'hui, je vois s'indiquer le premier
signe de cette évolution. Beaucoup reconnaissent « qu'on est allé
trop loin. » Une gêne se manifeste. On peut espérer que, demain,
ce sera un regret, sinon un remords.

Je m'efforcerai d'en tirer quelque bénéfice pour notre politique...

*Note établie par le cabinet du général de Gaulle
au sujet de son entretien avec M. Vichynsky, le 23 novembre 1943.*

I. — M. Vichynsky indique qu'il va représenter son gouvernement à la Commission de la Méditerranée. Celle-ci prend le titre
de « Conseil consultatif pour les Affaires italiennes ».

« Il est important, dit M. Vichynsky, que cette Commission se
rende le plus rapidement possible en Italie. Son objet doit être
double. L'objet immédiat, c'est l'application des clauses de l'armistice. Mais, d'une manière générale, elle doit préparer la création
en Italie d'un régime démocratique susceptible de mettre l'Italie

dans la guerre contre l'Allemagne et de conduire le pays vers un destin pacifique. Il convient donc d'étudier les courants politiques qui partagent le peuple italien et de dégager un gouvernement italien qui mérite le nom de gouvernement. »

Le général de Gaulle répond en définissant notre politique italienne.

Malgré les difficultés et les malheurs qui ont frappé la France, il n'existe, à son avis, aucune hostilité fondamentale entre les deux peuples. Cependant, il y a depuis longtemps en Italie une tendance antifrançaise qui a été cause de graves dissentiments. Cette tendance, qui avait jadis pris le dessus avec Crispi, s'est atténuée ensuite en raison de la menace allemande. Elle a reparu depuis la première guerre mondiale et avant même l'éclosion du fascisme et s'est accentuée sous Mussolini, qui a vu dans la haine de la France le tremplin nécessaire pour lancer son peuple dans une politique belliqueuse et conquérante. Enfin, la guerre entre l'Italie et la France a éclaté dans les circonstances que l'on sait. Mais, en dépit de tout, cet antagonisme est dû, moins à une hostilité profonde, qu'à la mauvaise politique adoptée par l'Italie et qui l'a menée à la catastrophe.

Pour l'avenir, le général de Gaulle ne croit pas à la nécessité d'écraser l'Italie. Par contre, il faut sanctionner et réparer, ce qui préparera les fondements d'une bonne entente. C'est pourquoi, il nous est nécessaire de voir s'instaurer en Italie un gouvernement démocratique. Nous pourrons nous entendre avec un gouvernement populaire italien. Mais le gouvernement du maréchal Badoglio n'est pas le gouvernement de l'Italie. Nous pouvons le tolérer dans le cadre des nécessités passagères, mais, à notre sens, ce n'est pas un gouvernement qui doive durer en Italie.

M. Vichynsky marque son accord.

II. — Le général de Gaulle explique la position actuelle du Comité de la libération nationale. Cette position est toujours difficile. La situation du Comité vis-à-vis des Français n'est nullement contestée par eux. La difficulté provient de l'intervention de certaines puissances étrangères. D'où vient le désaccord ? C'est que le Comité considère comme indispensable, pour établir une autorité nationale, que cette autorité puisse s'exercer en toute indépendance. Or, certaines puissances n'ont jamais accepté cela. Les conditions qui règnent en Afrique du Nord, où nous vivons pêle-mêle avec des forces étrangères, apportent certes une difficulté supplémentaire à l'exercice de cette indépendance. Mais le Comité ne l'en estime pas moins indispensable pour l'exercice de l'autorité nationale. Toutes les accusations qui ont été exprimées contre le Comité viennent de là. Elles tendent à justifier ces interventions étrangères que nous ne pouvons accepter.

M. Vichynsky indique son espoir que la Russie n'est pas comprise parmi ces puissances étrangères auxquelles le Général fait allusion. En effet, la reconnaissance du Comité par la Russie n'a-t-elle pas montré son souci de respecter l'indépendance du Comité?

Le général de Gaulle acquiesce et ajoute : « Il est vrai que nous ne vivons pas avec la Russie dans le pêle-mêle qui suscite frictions et interventions. »

III. — Le général de Gaulle aborde le sujet des relations entre les États-Unis d'Amérique et l'U. R. S. S. Il rappelle qu'il a dit à M. Cordell Hull, lors du passage de ce dernier à Alger, qu'aucune puissance ne désire plus que nous l'établissement de bonnes relations entre l'U. R. S. S. et les États-Unis. En effet, la France est à la fois puissance européenne et puissance mondiale. Comme puissance européenne, elle tient à être d'accord avec la Russie. Dans la mesure où elle est puissance mondiale, elle doit avoir de bonnes relations avec les États-Unis. Nous trouverions donc intolérable une situation d'hostilité entre ces deux pays.

M. Vichynsky déclare que cette position de la France est très satisfaisante pour la Russie soviétique. Les rapports entre les États-Unis et l'U. R. S. S. doivent être bons et des progrès sont encore à faire dans ce sens. Il ajoute qu'aucune question européenne ne pourra être réglée sans la France. Ceci, c'est le maréchal Staline qui l'a déclaré lui-même. M. Bogomolov intervient et souligne l'importance de cette déclaration personnelle du maréchal Staline.

M. Vichynsky ajoute que c'est la Russie qui a pris l'initiative de l'entrée de la France dans la Commission méditerranéenne.

IV. — En ce qui concerne l'Allemagne, M. Vichynsky déclare qu'elle doit être affaiblie de telle sorte qu'elle ne puisse préparer une nouvelle agression. « C'est là, dit-il, notre politique. »

Le général de Gaulle répond que la France, elle aussi, tient par-dessus tout à faire en sorte que l'Allemagne ne puisse l'attaquer encore une fois. Il espère que, du côté américain, il n'y aura pas de difficultés quant aux mesures à prendre à cet égard.

M. Vichynsky répond qu'il l'espère également.

V. — Le général de Gaulle demande à M. Vichynsky s'il s'intéresse à la question du Liban. M. Vichynsky répond qu'il s'y intéresse beaucoup.

Le général de Gaulle explique que la question du Liban, en soi, est sans grande importance. Elle est importante à cause de la rivalité franco-britannique en Orient qui gâte tout.

Le Liban et la Syrie doivent être indépendants comme tous les États arabes. Mais l'Angleterre, à cause de sa position en Orient, manœuvre pour reporter sur nous l'aversion dont elle est l'objet de la part des Arabes. M. Helleu n'est pas entré en conflit avec le Liban, mais avec l'Angleterre.

M. Vichynsky répond : « C'est là ce que pensent beaucoup et cela ne me surprend pas. Mais comment se fait-il que M. Helleu n'ait pas consulté son gouvernement avant d'agir? »

Le général de Gaulle explique que c'est en raison d'une manœuvre britannique qui acculait le représentant de la France à l'action

immédiate et il appelle l'attention de M. Vichynsky sur le torrent
de fausses nouvelles qui ont été systématiquement répandues
par les sources britanniques au sujet de l'affaire du Liban.

VI. — M. Vichynsky indique qu'il a eu une conversation avec
M. Massigli au sujet de la nomination d'un représentant français
à la Commission consultative. Il manifeste le désir que l'U. R. S. S.
et la France marchent d'accord dans cette Commission.

Télégramme de Henri Hoppenot
au Comité de la libération nationale, à Alger.

Washington, 2 décembre 1943.

Au cours d'un entretien que j'ai eu avec lui, avant-hier, M. Dunn
m'a exposé ses vues sur les problèmes connexes au débarquement...
Ce qu'il m'a dit peut se résumer ainsi :

Les conversations poursuivies à ce sujet entre les Américains
et les Britanniques n'ont pas encore abouti à un accord définitif.
Le texte de l'accord, quand il sera acquis, sera sans doute communiqué au Comité qui pourra présenter ses observations, mais
aucune négociation proprement dite ne sera ouverte avec nous à
ce sujet. En particulier, aucune discussion ne sera engagée avec
nous sur la base du projet d'arrangement qui a été communiqué
le 27 septembre par le Comité de la libération à MM. MacMillan et
Murphy...

Au sujet de la monnaie qui sera utilisée en France par les alliés,
M. Dunn n'a pas été moins catégorique. Il m'a déclaré que la question était purement d'ordre militaire et que la décision de pourvoir
les troupes d'invasion d'une monnaie du commandement interallié
venait d'être confirmée par M. Stimson et était irrévocable. A une
observation de ma part sur le régime différent adopté pour les
troupes qui entreraient en Belgique et en Hollande, M. Dunn
m'a répondu : « Ces deux nations ont un gouvernement, vous n'en
êtes pas un... »

Comme je voulais poursuivre la conversation sur ce sujet,
M. Dunn m'a interrompu en disant : « Il est inutile que nous en
parlions plus longtemps. Le Département d'État n'a rien à voir
avec la question. Elle ne regarde que les autorités militaires. »

Je lui ai répondu que ce n'était pas mon avis et que j'estimais,
qu'au contraire, le Département d'État était qualifié pour apprécier
les répercussions politiques du problème. « Il est de mon devoir
de vous signaler, ai-je ajouté, la réaction du peuple français quand
il verra des armées alliées faire usage, non d'une monnaie nationale,
émise et garantie par l'autorité française, mais d'une monnaie
étrangère. Il aura le sentiment d'être traité en nation occupée et
un rapprochement forcé se fera dans son esprit entre ces billets
et les marks militaires introduits par les armées allemandes. »

M. Dunn s'est exclamé avec vivacité qu'il espérait que les
Français feraient tout de même une différence entre les armées
américaines et allemandes. Je lui ai répondu que c'était évident,
mais que, dans l'état de tension morale où se trouvait un peuple
dont les nerfs ont été mis à vif par des années de souffrance et de
résistance à l'ennemi, la moindre erreur psychologique risquerait
d'avoir les conséquences les plus graves et de jeter entre Français
et alliés des germes de malentendus prolongés. La monnaie était
peut-être le signe le plus visible et le plus répandu de l'indépendance et de la souveraineté nationale. Les alliés pourraient difficilement commettre une faute plus lourde, plus propre à être exploitée
contre eux, que de donner aux Français l'impression qu'ils sont
traités sur ce plan comme les populations italiennes et allemandes.

Aucune de ces considérations n'a paru ébranler M. Dunn dont
le siège était fait...

Télégramme de Henri Hoppenot
au Comité de la libération nationale, à Alger.

Washington, 3 décembre 1943.

Au cours de la visite que je lui ai faite hier, M. Cordell Hull
a fait une allusion aimable aux entretiens qu'il avait eus avec le
général de Gaulle et avec le commissaire aux Affaires étrangères.
Il m'a dit ensuite que le gouvernement et le peuple américains
souhaitaient vivement voir la France libérée reprendre sa place
dans le monde, que le sentiment dominant dans les relations entre
les alliés devait être la confiance et que ce sentiment devait être
assez fort pour que l'on ne s'arrête pas aux difficultés ou divergences secondaires. Il s'est longuement étendu ensuite sur les
critiques auxquelles l'avait exposé sa politique à l'égard de Vichy,
bien qu'il l'eût toujours poursuivie en parfait accord avec M. Churchill et que les événements d'Afrique l'aient ensuite, selon lui,
justifiée. C'est un point qui lui tient à cœur et qu'il évoque à chacune de nos rencontres. A travers ses propos percent, à la fois, la
rancune qu'il garde aux éléments français qui ont attaqué cette
politique et le désir de dissiper entre lui et nous un malentendu
prolongé...

Télégramme de Pierre Viénot
au Comité de la libération nationale, à Alger.

Londres, 7 décembre 1943.

J'ai profité de mon entretien d'hier avec sir Orme Sargent
pour vérifier auprès de lui les indications données à M. Hoppenot
par M. Dunn.

Je croyais, lui ai-je dit, que les conversations poursuivies par les Gouvernements anglais et américain au sujet de conventions à passer avec nous en vue du débarquement se heurteraient à certaines difficultés et je demandais de me renseigner à ce sujet.

Il m'a confirmé que ces conversations traînaient en longueur et que le point de vue du Comité rencontrait des oppositions. Le problème étant d'ailleurs complexe, il pose toute la question... et, comme mon interlocuteur cherchait ses mots avec une gêne évidente, j'ai moi-même dit : « Question de savoir si le Comité est habilité à administrer les territoires reconquis. » — « Exactement cela », m'a-t-il répondu.

J'ai abordé alors le fond du problème avec la plus grande franchise. « En somme, lui ai-je dit, vous envisagez à nouveau un projet d'A. M. G. O. T. pour la France. » Et comme mon interlocuteur se récriait, j'ai répondu : « Je comprends bien que vous évitiez d'employer le mot... Mais, en fait, dès l'instant où l'on ne reconnaîtrait pas l'autorité du Comité en France, il y aurait administration directe par l'autorité militaire, c'est-à-dire régime d'A. M. G. O. T. Outre que ce régime provoquerait des répercussions en France, le Comité qui est, comme son nom l'indique, un Comité de libération n'aurait plus de raison d'être. Je serais alors le premier... à conseiller au Comité de ne pas servir de camouflage à vos entreprises. Si vous devez faire l'A. M. G. O. T. en France, vous le ferez seuls, sans mission de liaison et sans collaboration aucune du Comité. C'est vous qui aurez à faire face aux troubles que seule l'autorité du Comité, reconnu comme gouvernement par la presque unanimité du pays, peut éviter. En outre, vous aurez compromis gravement toute collaboration future de la France avec les alliés. »

Mon interlocuteur a été visiblement ému par ces perspectives. Il m'a assuré que jamais les choses n'en arriveraient là. Il s'est efforcé de me rassurer sur les intentions anglo-américaines... Je suis resté très ferme sur mes positions, quel que fût le ton courtois et amical de la conversation.

. . . .

On ne peut se passer de nous et on le sait. Nous sommes sur un terrain solide.

Déclaration du général de Gaulle au sujet de l'Indochine, le 8 décembre 1943.

L'entreprise de guerre et de conquête engagée par le Japon pour imposer sa domination aux terres libres d'Extrême-Orient et du Pacifique s'est, en 1940, abattue sur l'Indochine. Privée de tous secours extérieurs, n'ayant pu recevoir des grandes démocraties, alors insuffisamment solidaires et organisées, l'aide qui lui eût été nécessaire, l'Indochine s'est vue contrainte, après une

héroïque mais vaine résistance, de subir les exigences de l'ennemi.
La cession au Siam, allié du Japon, des provinces de Battambang,
Siem Reap et Sisophong, et de la rive droite laotienne du Mékong,
l'institution du contrôle japonais sur le Tonkin, puis l'infiltration
progressive des troupes nippones sur tout le territoire de l'Indochine, ont marqué les étapes de l'invasion japonaise.

Devant cette œuvre de conquête et de force, la France Libre ne
s'est jamais inclinée. Le 8 décembre 1941, le Comité national
français se déclarait en état de guerre avec le Japon, au lendemain
de l'agression nippone sur Pearl Harbor. La France répudie solennellement tous les actes et abandons qui ont pu être consentis au
mépris de ses droits et intérêts. Liée aux Nations Unies, elle poursuivra, à leurs côtés, la lutte jusqu'à la défaite de l'agresseur et la
libération totale de tous les territoires de l'Union indochinoise.

La France, alors, de même qu'elle gardera présentes à l'esprit
la noblesse et la droiture des souverains régnants d'Indochine,
saura se souvenir de l'attitude fière et loyale des peuples indochinois, de la résistance qu'ils ont, à nos côtés, opposée au Japon et
au Siam, de la fidélité de leur attachement à la communauté
française. A ces peuples, qui ont su ainsi affirmer à la fois leur sentiment national et leur sens de la responsabilité politique, la France
entend donner, au sein de la communauté française, un statut
politique nouveau où, dans le cadre de l'organisation fédérale,
les libertés des divers pays de l'Union seront étendues et consacrées ; où le caractère libéral des institutions sera, sans perdre la
marque de la civilisation et des traditions indochinoises, accentué ;
où les Indochinois, enfin, auront accès à tous les emplois et fonctions de l'État.

A cette réforme de statut politique correspondra une réforme de
statut économique de l'Union qui, sur la base de l'autonomie doua-
nière et fiscale, assurera sa prospérité et contribuera à celle des
pays qui lui sont voisins.

Des relations d'amitié et de bon voisinage avec la Chine et le
développement avec ce grand pays de nos relations intellectuelles
et de nos rapports économiques achèveront de promettre à l'Indochine, dans le rôle qui va devenir le sien, un avenir sûr et fécond.

Ainsi la France entend-elle poursuivre, en association libre et
intime avec les peuples indochinois, la mission dont elle a la charge
dans le Pacifique.

*Note établie par le Cabinet du général de Gaulle
au sujet de son entretien avec M. de Hougen
représentant de la Norvège, le 17 décembre 1943.*

M. de Hougen déclare au général de Gaulle que son gouvernement
est très préoccupé par deux questions : 1) les conditions futures de
la sécurité de la Norvège ; 2) la question du débarquement.

1) *Les conditions futures de la sécurité de la Norvège.*

Le Gouvernement norvégien avait pensé qu'un accord entre les puissances du Nord suffirait à assurer sa sécurité. Cet accord aurait pu comprendre outre la Norvège : la Suède, le Danemark et, peut-être, la Grande-Bretagne.

Mais le Gouvernement norvégien est amené à constater que cet accord ne serait sans doute pas assez large. La Suède, en effet, ne paraît pas prête à s'engager dans un tel accord qui risquerait de provoquer une réaction défavorable de la Russie. La Norvège est donc amenée à envisager un accord plus large sous la forme, par exemple, d'un accord Atlantique.

Le général de Gaulle déclare, qu'à son avis, le critérium essentiel pour apprécier les problèmes de sécurité stratégique dans l'avenir est la sécurité aérienne.

Or, un accord étroit ne comporte pas une telle sécurité. La sécurité aérienne de n'importe quel pays d'Europe est à l'échelle de l'Europe.

Par ailleurs, au point de vue des communications maritimes, la sécurité ne se conçoit également qu'à très grande échelle. La sécurité des communications maritimes contre les attaques des sous-marins, par exemple, doit également être prévue à l'échelle européenne.

A défaut d'une sécurité européenne, comprenant aussi bien la Russie que les puissances de l'Ouest, on est conduit à imaginer une sécurité Atlantique, mais alors, il faut qu'elle soit largement Atlantique et comprenne, bien entendu, la France.

M. de Hougen dit que son gouvernement serait d'accord pour comprendre la France dans un accord conclu sur cette base, mais qu'un doute subsiste sur l'attitude qu'observent les États-Unis. S'ils n'acceptent pas d'entrer dans un tel accord, ils voudront conserver une hypothèque sur l'Islande et risquent ainsi de mettre en cause toute l'économie du système.

Le général de Gaulle dit au représentant de la Norvège qu'il partage cette manière de voir.

C'est, à son avis, une raison de plus pour justifier les préoccupations du Gouvernement norvégien et la conception d'une sécurité européenne.

2) *La question du débarquement.*

Le Gouvernement norvégien croit être arrivé à un accord satisfaisant avec le Gouvernement britannique et les États-Unis au sujet du débarquement.

M. de Hougen demande s'il pourrait savoir à quel point les négociations entreprises par nous sur cette question sont arrivées.

Le général de Gaulle répond que le Comité français de la libération nationale poursuit des négociations à ce sujet mais n'a pas encore obtenu de résultat positif. Cela nous contrarie parce qu'il

y a là, non seulement une source de désordres possible à l'intérieur
de la France, mais aussi une source sérieuse de difficultés pour les
alliés eux-mêmes au moment de leur débarquement.

Note établie par le Cabinet du général de Gaulle
au sujet de son entretien avec M. Morawski
ambassadeur de Pologne, le 20 décembre 1943.

M. Morawski, dès le début de l'entretien, dit au général de Gaulle
qu'il est venu le voir parce que la France est à la fois l'amie et
l'alliée traditionnelle de la Pologne et qu'il désire l'informer de la
situation diplomatique de son pays.

Beaucoup d'interprétations fausses ont été publiées dans le
monde à ce sujet et M. Morawski se réfère, notamment, à quelques
articles de la presse d'Alger.

On dit que la Pologne ne veut pas envisager un accord avec la
Russie pour l'avenir, en particulier qu'elle ne veut pas entrer dans
une fédération ou dans une association avec la Tchécoslovaquie
et la Russie. M. Morawski affirme, qu'au contraire, la Pologne
souhaite une telle association.

Il rappelle qu'en 1941, quand Sikorski et Benès ont inauguré
une politique de fédération des États de l'Europe orientale qui
devait comprendre la Pologne, la Tchécoslovaquie et, éventuellement, d'autres États, comme la Hongrie, certains commentaires
ont évoqué un retour à la formule du « cordon sanitaire ». Cette
interprétation est inexacte : la Pologne a eu pour but de résoudre
plus facilement, dans le cadre d'une fédération, certains problèmes
qui se posent entre les pays de l'Europe orientale, comme la question de Teschen. Mais le Gouvernement polonais ne voit pas pourquoi une telle fédération ne pourrait pas s'associer avec la Russie.
M. Morawski ajoute que cette fédération constituerait également
un avantage pour la politique des puissances occidentales qui se
trouveraient ainsi en présence d'un groupe cohérent d'États avec
lequel il leur serait plus facile de traiter.

L'ambassadeur de Pologne décrit alors au général de Gaulle
la situation très difficile dans laquelle se trouve son gouvernement.
Il ne sait pas encore ce que M. Eden a pu dire au Gouvernement
polonais à son retour de Téhéran, ni quelle sera la réaction du Gouvernement polonais. Il affirme, cependant, à nouveau que la Pologne n'exclut pas un accord avec la Russie et, qu'au contraire,
elle le souhaite, étant donné que l'accord russo-tchèque qui vient
d'être signé prévoit le retour de la Tchécoslovaquie aux frontières de 1938 et une garantie réciproque de non-intervention dans
les affaires intérieures des États contractants.

Il réfute également la critique adressée souvent au Gouvernement polonais auquel on reproche de ne pas représenter véritable-

ment l'opinion polonaise. Or, le Gouvernement polonais actuel représente les quatre plus grands partis politiques de Pologne, qui sont des partis de gauche. « Nous savons, dit-il, que nous sommes en accord avec notre pays. »

En conclusion, l'ambassadeur de Pologne dit au général de Gaulle que sa démarche a un double but : connaître notre impression sur l'avenir des questions qui intéressent la Pologne et suggérer que le général de Gaulle dise un jour quelque chose sur la Pologne.

Le général de Gaulle assure l'ambassadeur que la France désire une grande et forte Pologne. Ce désir ne correspond pas seulement à un sentiment, mais à une nécessité. Naturellement, il n'est pas sûr que l'opinion française prenne position sur la question d'assurer à la Pologne une frontière orientale plus ou moins étendue vers l'Est. Mais la masse française reste attachée au principe de la restauration d'une Pologne forte.

Notre situation diplomatique actuelle ne nous permet pas d'intervenir d'une façon officielle sur cette question. Nous ne disposons, pour le moment, que d'une influence morale.

Toutefois, le général de Gaulle affirme à M. Morawski, qu'à son avis, ce serait pour la Pologne le plus mauvais moment pour poser la question de ses frontières avec la Russie et avec ses autres voisins. Cela pour plusieurs raisons : d'abord, la Pologne est faible ; les Russes, au contraire, dans l'enthousiasme de leurs victoires, sont peu enclins à faire des concessions ; les Anglais et les Américains qui désirent peut-être aider la Pologne — ce qui n'est pas certain — ne le feront pas actuellement de peur de s'opposer aux Russes ; quant à la France, qui pourra peut-être dans l'avenir aider les États européens, elle n'en a pas actuellement le pouvoir.

Au contraire, plus tard, le Gouvernement polonais pourra faire la preuve, en Pologne même, qu'il est soutenu par l'opinion du pays. D'autre part, les Russes, après la victoire, se heurteront aux difficultés énormes que posera la reconstruction de leur pays, peut-être aussi à des difficultés avec leurs alliés. Ils seront peut-être moins absolus dans leurs exigences vis-à-vis de la Pologne. La France, enfin, aura peut-être elle-même recouvré une partie de sa puissance.

L'ambassadeur de Pologne se range au même avis. Ce n'est pas le moment pour son pays de poser la question des frontières et il pense être d'accord sur ce point avec son gouvernement.

Le général de Gaulle, revenant à la demande que lui a présentée M. Morawski, déclare qu'il pense pouvoir dire quelque chose pour la Pologne à l'occasion de l'entrée en ligne des troupes polonaises, qui doivent, à nouveau, combattre prochainement côte à côte avec les troupes françaises sur les champs de bataille d'Italie, comme elles ont combattu en 1940 sur les champs de bataille de France.

Télégramme circulaire de René Massigli
aux postes diplomatiques étrangers.

Alger, 31 décembre 1943.

L'accord de principe intervenu avec les Anglo-Américains sur
l'intervention de l'armée française dans la bataille de France a
été consacré par des lettres que je viens d'échanger avec MM. Wilson et MacMillan et qui vous seront communiquées par valise.
Tous deux m'ont dit combien ils s'en félicitaient et quelle heureuse
préface ils y voyaient pour les conversations ultérieures.

Le général Eisenhower, qui se rend à Washington, s'est exprimé
dans le même sens dans un entretien avec le général de Gaulle et
il n'a pas caché son intention de faire part au président Roosevelt et à M. Churchill, qu'il doit voir à son passage, de l'impression
très favorable qu'il emporte de ses derniers contacts... M. Wilson,
de son côté, va faire prochainement le voyage de Washington pour
préparer la suite des conversations. Enfin, M. MacMillan, qui
éprouve peut-être quelque satisfaction personnelle à voir ainsi la
situation améliorée avant l'arrivée de son successeur, entend continuer à travailler énergiquement à dissiper, dans les délais les
plus courts, les nuages qui ont assombri les relations franco-
britanniques.

. . . .

Note au sujet des conversations du président Benès avec le général
de Gaulle et René Massigli à Alger, les 2 et 3 janvier 1944. (Établie
par le cabinet du général de Gaulle et le commissaire aux Affaires
étrangères.)

1) *Impressions sur l'Union soviétique*

M. Benès revient de Moscou satisfait. Il a été traité avec de
grands égards. Sa connaissance du russe et du personnel politique lui a permis d'avoir des entretiens fréquents et intimes avec
les principales personnalités. Il a vu à maintes reprises Staline et
s'est entretenu avec lui aussi bien dans des conférences que dans
des conversations familières.

Les dirigeants russes donnent avant tout l'impression d'être
conscients de leur victoire et décidés à aller jusqu'au bout. Bien
plus que les puissances occidentales, l'U. R. S. S. éprouve le sentiment d'avoir abattu l'Allemagne. Elle a conscience de l'énorme
force économique et militaire qu'elle représente. Par ailleurs, on
se rend compte qu'on est en présence d'une révolution victorieuse,
qui songe à consolider ses conquêtes beaucoup plus qu'à poursuivre
un développement révolutionnaire. On est en présence d'un grand

courant nationaliste (notamment en Ukraine et en Russie blanche).

La vie est sévère pour tout le monde ; tout luxe est banni ; les soldats sont bien nourris ; l'indispensable existe partout ; les transports ont fait des progrès énormes ; quant à l'armée, on ne peut être que frappé par l'abondance du matériel et l'efficacité des cadres.

M. Benès attire l'attention sur le rapprochement qui s'est opéré entre les Soviets et l'Église orthodoxe. Le régime de la séparation sera certainement maintenu, mais il est clair que l'on entend se servir, pour des fins nationales, de la puissance d'expansion et de la source d'influence que représente l'Église. Dans le même esprit, M. Benès a la conviction que les Soviets chercheront à s'entendre avec le Vatican, en ce qui concerne les populations catholiques qui passent sous leur autorité. Il pense que, si le Vatican le veut bien, un compromis sera facilement trouvé.

2) *Traité russo-tchécoslovaque.*

Le Président a rappelé par quelles phases a passé l'élaboration du traité russo-tchécoslovaque. La négociation a commencé avec M. Bogomolov, en mars 1943. C'est M. Benès qui a montré au Gouvernement soviétique l'intérêt d'une prise de position officielle contre le « Drang nach Osten ». Une fois le principe admis, il a rédigé lui-même la clause à la demande des Russes. Quant à la clause polonaise, c'est M. Benès qui l'a demandée, mais il a souhaité qu'elle fût rédigée par les Russes. Pour lever l'opposition de M. Eden contre la conclusion du traité, M. Benès a demandé à M. Molotov de communiquer le projet à M. Cordell Hull et à M. Eden au cours de la conférence de Moscou. M. Cordell Hull a tout de suite donné son approbation. M. Eden n'a pas pu la refuser.

M. Benès souligne que l'indépendance et l'intégrité de la Tchécoslovaquie se trouvent pleinement assurées. L'accord est complet avec Moscou sur les frontières, (celles d'avant Munich), y compris le règlement de la question slovaque et de la Karpato-Russie. De même pour les Sudètes.

3) *Question polonaise.*

Pour la Russie la question des frontières polonaises est réglée. Elle entend recouvrer la Russie blanche et la Galicie orientale et devenir limitrophe de la Russie sub-karpatique. Cela ne veut pas dire que, sur certains points, les Russes ne soient pas prêts à des concessions et à renoncer au tracé résultant de l'accord germano-russe pour la ligne Curzon. Ils ne désirent pas détruire la Pologne, ni l'absorber dans l'Union soviétique. Mais ils n'acceptent qu'une Pologne qui ne leur soit pas hostile. Ils auront satisfaction puisque, en somme, Anglais et Américains leur ont laissé toute possibilité de discuter en tête à tête avec les Polonais.

Cela ne veut pas dire que Moscou prononce l'exclusive contre tous les membres du Gouvernement polonais de Londres. Au contraire, M. Benès a insisté auprès des Russes pour qu'ils s'entendent avec le président du Conseil Mikolajczyk et il lui a été dit expressément, encore que confidentiellement, que l'on pouvait imaginer un gouvernement qui grouperait, avec des éléments recrutés en Pologne même, certains membres du gouvernement exilé. En tout cas, les Russes sont d'accord pour que la Pologne reçoive à l'Ouest d'amples compensations. La Prusse-Orientale ne sera plus allemande, — c'est d'ailleurs l'intérêt russe, — et la Silésie deviendra polonaise.

4) *Yougoslavie et Balkans.*

En ce qui concerne la Yougoslavie, M. Benès se félicite d'avoir enregistré le plein accord des Russes pour qu'une Yougoslavie subsiste. Si Serbes et Croates doivent se quereller, ils le feront à l'intérieur d'un même État. Cela ne préjuge en aucune manière de l'attitude définitive du Gouvernement soviétique dans la question de l'organisation intérieure de l'État yougoslave.

Interrogé sur la question de savoir si Moscou préconise l'union de tous les Slaves du Sud, y compris les Bulgares, M. Benès répond qu'il n'a rien recueilli à ce sujet. D'une manière générale, il ne croit pas à des ambitions soviétiques de ce côté, au moins pour le moment.

De même en ce qui concerne la Turquie. S'il souligne que les Russes sont agacés par le jeu turc, le Président indique aussi qu'ils n'ont nullement l'intention de formuler des prétentions au sujet des Détroits.

5) *Rapports hongaro-roumains.*

Le sort de la Hongrie semble réglé. Elle est incapable, suivant M. Benès, de faire elle-même l'évolution nécessaire. Elle manque de personnel politique et elle va nécessairement au-devant des plus grandes difficultés, faute d'avoir réalisé entre les deux guerres la réforme agraire. Quelles que soient les vicissitudes de sa politique intérieure, elle ne gardera rien des agrandissements qu'elle a réalisés, pas plus du côté tchécoslovaque que du côté yougoslave.

Quant à la Roumanie, M. Benès est en mesure d'indiquer, à titre très confidentiel, que M. Maniu lui ayant demandé d'agir comme son intermédiaire auprès de Staline il a reçu de celui-ci l'assurance que, dans le différend hongaro-roumain sur la Transylvanie, la Russie sera du côté roumain.

6) *Question allemande.*

Ayant signalé ces divers points, le Président tchécoslovaque souligne qu'il ne faut pas, cependant, considérer que les Soviets entendent régler à leur guise les affaires européennes et que les alliés anglo-saxons n'aient qu'à acquiescer à leurs décisions. M. Benès précise notamment le point suivant : Si l'on est, à Moscou,

décidé à briser pour plusieurs générations la machine de guerre
allemande et à mettre l'Allemagne dans l'impossibilité d'entreprendre une nouvelle guerre, si les Russes sont décidés, en particulier, à aller à Berlin, ils n'entendent en aucune manière préjuger
de la méthode par laquelle l'Allemagne sera rendue inoffensive.
Ils ont, au contraire, donné à M. Churchill et au président Roosevelt l'assurance qu'ils ne prendront en Allemagne aucune initiative. La politique qui sera suivie résultera de décisions prises en
commun. Moscou n'a pas de vues préconçues, notamment sur la
question d'un morcellement éventuel.

7) *Attitude à l'égard du Comité de la libération.*

M. Benès ne cache pas que l'on a maintenant tendance, à Moscou,
à adopter une attitude assez réservée à l'égard du Comité de la
libération. La réserve des alliés anglo-saxons peut avoir contribué
à provoquer cette attitude, mais il n'y a sans doute pas que cela.
En réalité, on éprouve quelques doutes sur les conditions dans lesquelles se poursuit l'évolution française. La France ira-t-elle jusqu'au bout de son rajeunissement ou va-t-on de nouveau se trouver
en présence, en France, de deux groupes de forces à peu près égales
qui se neutraliseront et qui paralyseront la politique du pays?
M. Benès a noté cette réserve soviétique. Il indique que la même
incertitude pèse sur la politique que la Tchécoslovaquie est amenée
à envisager pour l'avenir et qui vient de le conduire lui-même à
Moscou, faute qu'il y ait, pour lui, une autre solution, tant qu'on
n'est pas assuré du redressement durable de la France.

*Télégramme d'Emmanuel d'Astier, commissaire à l'Intérieur
au général de Gaulle, à Alger.*

Londres, 22 janvier 1944.

Je vous rends compte sommairement des conversations que j'ai
eues avec M. Churchill à Marrakech, le 14 janvier, après votre
départ. Je vous adresse par courrier un exposé plus complet.

Le Premier Ministre s'est montré satisfait de ses entretiens avec
vous. Il fait de votre personne et de ce que vous représentez un vif
éloge.

Pour lui, vous êtes incontestablement « l'Homme de la France »,
vous avez réussi », etc...

Il a naturellement assaisonné son discours de remarques amères
sur votre « xénophobie » et votre « esprit agressif » à son égard
depuis la campagne de Syrie. »

Il en est venu très vite à la question, pour lui essentielle, de
l'épuration. Il n'a pu que se défendre péniblement sur le terrain
des principes et m'a laissé voir clairement que, s'il attendait que

nous montrions de la mansuétude à l'égard de Boisson, Peyrouton et Flandin, (dans cet ordre de préférence), c'était en quelque
sorte pour que nous tenions à l'égard de ces trois personnages les
engagements pris par Roosevelt et par lui-même.

Je lui ai répondu que le peuple français ne saurait s'embarrasser
des conséquences des promesses faites à des justiciables français
par des hommes d'État étrangers.

J'ai parlé à M. Churchill de la fourniture d'armes à la résistance,
invoquant d'anciennes promesses jamais tenues.

Il me répondit que vous auriez satisfaction, qu'au surplus il
avait apprécié la séance de l'Assemblée à ce sujet, les interpellations, votre réponse et la mienne. Il ajouta que les ordres nécessaires seraient donnés à l'Air marshal Harris.

Il se propose de me revoir en Angleterre et d'y poursuivre la
discussion.

En terminant, j'insiste sur une impression qui doit confirmer
celle que vous avez retirée de vos propres entretiens avec le Premier Ministre.

Si étrange que cela soit, il apparaît que le seul obstacle sérieux
à une entente complète est le sort réservé à Boisson, Peyrouton
et Flandin...

Ici, je constate une sensible amélioration dans nos rapports avec
les services britanniques ; ceux-ci utilisent dès maintenant à notre
profit des moyens accrus.

Télégramme de René Massigli à Henri Hoppenot, à Washington.

Alger, 23 février 1944.

Je me réfère à votre télégramme relatif à l'avis de M. Edwin
Wilson et d'autres personnalités américaines quant à l'opportunité
d'un voyage du général de Gaulle aux États-Unis.

Vous savez que, dans le passé et à deux reprises au moins, on a,
du côté américain, lancé le projet d'un voyage du général de Gaulle,
qu'en une occasion le voyage a été décommandé au dernier moment et que, d'autre part, les ouvertures faites par M. Sumner
Welles au printemps dernier ne se sont pas précisées en une invitation. Étant donné ces précédents et alors que les sentiments des
milieux officiels américains à l'égard du président du Comité ne
se sont pas davantage précisés, aucune initiative ne peut être prise
de notre part. En revanche, il va de soi que le jour où le président
Roosevelt inviterait le général de Gaulle à lui rendre visite l'invitation serait acceptée volontiers...

Lettre du général de Gaulle à René Massagli, à Alger.

Alger, le 24 février 1944.

...L'évolution de la situation et, notamment, la position prise publiquement par l'U. R. S. S. le mois dernier et qui vise le démembrement de l'Allemagne m'amènent à penser que le gouvernement doit fixer maintenant son orientation générale quant au règlement de la question allemande. Il y aurait lieu que le Comité fût saisi par vous, dans le moindre délai possible, des éléments essentiels du problème, notamment en ce qui concerne le sort de la Rhénanie si l'effondrement du Reich venait à poser cette question.

J'estime qu'il conviendrait que votre rapport sur les clauses de l'armistice avec l'Allemagne fût complété par une note qui exposerait notamment :

1) les conditions stratégiques et économiques dans lesquelles la « séparation » de la Rhénanie et de l'Allemagne placerait la France, la Belgique, les Pays-Bas et l'Angleterre ;

2) les conditions dans lesquelles pourrait vivre une Rhénanie séparée du Reich et fédérée avec l'Ouest aux points de vue stratégique et économique.

Bien entendu, par le terme Rhénanie, il convient de comprendre non seulement la rive gauche du Rhin mais aussi les territoires qui, sur la rive droite, en sont le complément stratégique ou économique.

. . . .

Dans l'étude des répercussions qu'aurait une telle éventualité sur les pays occidentaux, il y aurait lieu de considérer que le rattachement de la Rhénanie à un bloc occidental, aux points de vue stratégique et économique, serait lié à la réalisation d'une fédération stratégique et économique entre la France, la Belgique, le Luxembourg et les Pays-Bas, fédération à laquelle pourrait se rattacher la Grande-Bretagne...

Lettre du général de Gaulle à S. E. Choukri Kouatly, Président de la République syrienne. (Lettre identique adressée à S. E. Bechara Khoury, Président de la République libanaise.)

Alger, le 6 mars 1944.

Monsieur le Président,

Le général Beynet, que le Comité français de la libération nationale a nommé aux fonctions de Délégué général et plénipotentiaire de France au Levant, apporte à Votre Excellence le salut amical de la France et les vœux que forme le Comité pour le bonheur et la prospérité de la nation syrienne (ou libanaise).

Au cours de sa mission, le général Beynet poursuivra, avec

le Gouvernement de Votre Excellence, et mènera — je n'en doute pas — à bonne fin les négociations entreprises par le général Catroux et continuées par M. Chataigneau en vue de l'accomplissement des promesses qui ont été faites au peuple syrien (ou libanais) et auxquelles le Comité entend rester inébranlablement fidèle. L'amitié qui, de si longue date, unit la Syrie (ou le Liban) et la France nous garantit qu'une compréhension libérale des nécessités d'un juste équilibre entre les aspirations nationales et les exigences de l'heure conduira à l'heureux aboutissement des pourparlers en cours.

Je prie Votre Excellence d'agréer, avec l'assurance de mon sincère attachement pour la nation aux destinées de laquelle Elle préside, l'expression de mes sentiments de fidèle amitié.

Télégramme de la Délégation française au Liban au Comité de la libération nationale, à Alger.

Beyrouth, 10 mars 1944.

Le général Beynet est arrivé hier, dans l'après-midi. Le Gouvernement libanais s'était fait représenter...

L'assistance à la cérémonie des représentants civils et militaires britanniques, du délégué apostolique, de l'attaché militaire des États-Unis, des missions : polonaise, tchèque, turque et suisse, enlevait toute portée à l'abstention de l'Égypte et de l'Irak qui mérite seulement d'être retenue à titre d'indication.

Le texte des lettres personnelles adressées par le général de Gaulle aux présidents des Républiques syrienne et libanaise a permis de préciser, dans le texte du communiqué établi pour la presse, que le général Beynet était chargé des fonctions de délégué général et plénipotentiaire de France en Syrie et au Liban. Dans ces conditions, l'entente a été immédiatement réalisée avec les États et la crise est dissipée.

Le général se rendra aujourd'hui chez le président de la République, Bechara Khoury, qui lui fera visite en retour dans l'après-midi.

Il recevra, ce même jour, la visite de Mgr Tappouni et de Mgr Mobarak, archevêque de Beyrouth. Le Patriarche maronite avait délégué hier deux de ses évêques pour saluer le représentant de la France à son arrivée...

Le Gouvernement syrien, tenu informé, a marqué à notre délégué à Damas qu'il prépare une réception chaleureuse au général Beynet.

Télégramme de Henri Hoppenot
au Comité de la libération nationale, à Alger.

Washington, 20 mars 1944.

D'une source très sûre, j'apprends que le général Eisenhower se serait refusé à accepter la responsabilité dont la décision présidentielle voulait l'investir. Le général estime que c'est aux gouvernements alliés, et non à lui, qu'il incombe de désigner l'autorité civile française avec qui traiter lors du débarquement...

Télégramme de Pierre Viénot
au Comité de la libération nationale, à Alger.

Londres, 21 mars 1944.

J'ai eu cet après-midi avec M. Oliver Harvey un entretien qui ne laisse aucun doute sur la nature du projet d'instructions au général Eisenhower.

Ces instructions laisseraient au Commandant en chef toute liberté pour entrer en relations avec n'importe quelle prétendue autorité en France.

. . . .

J'ai dit à mon interlocuteur que je n'imagine pas que le Comité de la libération puisse se déclarer d'accord avec les instructions données au général Eisenhower, si elles devaient contenir l'autorisation de s'adresser à d'autres autorités françaises que celles que le Comité aura lui-même instituées.

. . . .

Extraits de l'intervention du général de Gaulle
à l'Assemblée consultative, le 27 mars 1944.

Au cours de ce débat, on a parlé, à diverses reprises, de l'importance que pouvait avoir vis-à-vis de l'étranger la prise de position de l'assemblée et celle du gouvernement en ce qui concerne l'organisation des pouvoirs publics en France lors de la libération.

A cet égard, le gouvernement vous demande, certain d'ailleurs de rencontrer votre propre intention, de ne tenir compte absolument que de ce qui ressort de la volonté nationale. Un point, c'est tout.

La France, qui a apporté la liberté au monde, qui a été et en est toujours le champion, la France n'a pas besoin, pour décider de la façon dont elle rétablira chez elle la liberté, de consulter les opinions qui lui viendraient de l'extérieur de ses frontières. Et, quant au Gouvernement provisoire de la République, lui qui, depuis juin 1940, n'a pas cessé de se tenir fermement sur le terrain de la démocratie en même temps que de la guerre, il se passe, je vous assure, de toute leçon qui ne lui viendrait pas de la nation française qu'il est, au surplus, seul qualifié pour diriger.

Télégramme de la Délégation française aux États-Unis au Comité de la libération nationale, à Alger.

Washington, 28 mars 1944.

Le discours d'hier du général de Gaulle à l'Assemblée consultative est reproduit dans toute la presse sous les titres suivants : « De Gaulle déclare qu'il ne prêtera attention qu'à la volonté de la France. » — « La France n'a pas à recevoir de leçon de l'extérieur, déclare de Gaulle. » — « De Gaulle critique le programme des alliés. »

Callender commence son article en reproduisant la phrase du général de Gaulle indiquant que le Gouvernement français n'a à recevoir de leçon de personne, sauf de la nation française.

« C'est la première fois, écrit-il, au moins dans ces derniers mois, que le général de Gaulle a appelé le Comité : Gouvernement provisoire de la France. Plusieurs de ses ministres ont souligné récemment que le Comité n'avait pas demandé la reconnaissance en tant que gouvernement et le général de Gaulle exprimait la même idée dans son discours du 18 mars en déclarant que les formules n'avaient pas d'importance. »

« Sa déclaration solennelle sur l'autorité du Comité et son conseil, également solennel, donné à l'assemblée de ne pas prêter attention à l'opinion étrangère paraissent prendre une signification spéciale, en raison des informations qui indiquent que Washington ne se propose pas d'accepter le Comité comme la seule autorité en France. »

Sonia Tamara, dans le *New York Herald Tribune*, écrit : « Le général de Gaulle a déclaré publiquement aujourd'hui, pour la première fois, que ce que l'étranger pensait de lui lui importait peu et que seule la volonté du peuple français comptait pour lui. »

Elle note la réaction enthousiaste de l'assemblée aux paroles du général de Gaulle et déclare : « Le général de Gaulle, comme d'habitude, dominait l'assemblée... »

Télégramme de Roger Garreau au Comité de la libération nationale, à Alger.

Moscou, 31 mars 1944.

Ma conversation d'hier avec M. Dekanosov s'est engagée sur la question qu'avait soulevée le président du Comité de la béra-

tion nationale dans son discours du 18 mars devant l'Assemblée
consultative et au sujet de laquelle M. Bogomolov était venu
vous demander des éclaircissements. Quelle était la portée exacte
du plan évoqué par le général de Gaulle d'un groupement d'États
de l'Europe occidentale, qui pourrait éventuellement s'étendre
jusqu'aux pays arabes du Proche-Orient et dont les artères seraient
constituées par la Manche autant que par le Rhin et la Méditerranée?

J'ai renouvelé au vice-commissaire du peuple les explications
que vous-même aviez données à M. Bogomolov. Il ne s'agissait
encore que d'une évocation des problèmes de reconstruction de
l'Europe, dont on se préoccupait partout et qui faisaient l'objet,
dans les pays intéressés, d'études dont les résultats n'avaient pas
encore été confrontés. Aucun des nombreux projets suggérés ici
ou là n'avait encore pris de forme concrète et le Comité de la libération n'avait engagé aucune négociation dans ce domaine. Il n'y
avait pas eu là matière à informer le Gouvernement de l'U. R. S. S.

. . . .

Passant sur un plan plus général, j'ai tenu à faire remarquer
à M. Dekanosov que, si l'on a pu parfois regretter à Moscou de
n'être pas suffisamment informé par le Comité de la libération, à
titre amical, des négociations en cours, Alger estimait n'avoir pas
toujours été encouragé dans cette voie par l'extrême réserve du
Gouvernement de l'U. R. S. S. qui, de son côté, omettait souvent
de nous faire part de ses intentions ou de ses initiatives touchant à
des questions qui intéressent directement la France. J'ai invoqué
l'exemple le plus récent de cette insuffisance d'information mutuelle : le rétablissement des relations directes et l'échange de
représentants entre l'U. R. S. S. et le Gouvernement Badoglio.

. . . .

M. Dekanosov aborda ensuite en ces termes le problème général
des relations entre le Comité de la libération et son Gouvernement :

« Le Comité de la libération ne doit pas perdre de vue que
l'U. R. S. S. a adopté, à l'égard de la France Combattante, une position fondamentale qui est de lui apporter toute l'assistance possible. Sa sympathie envers le peuple français est profonde et in-
tangible. Dès 1941, elle a reconnu dans le général de Gaulle le
représentant qualifié de la résistance nationale et, ensuite, dans
le Comité national français un organisme gouvernemental capable
d'assurer la gestion des intérêts de la France dans le monde. Puis,
elle a reconnu également le Comité de la libération en des termes
qu'il suffit de comparer avec ceux des déclarations britannique et
américaine pour en apprécier toute la valeur. C'est le Gouvernement
de l'U. R. S. S. qui a demandé et obtenu que la France soit admise
à prendre place dans la Commission consultative pour les Affaires
italiennes. C'est lui qui a proposé, à la Conférence de Moscou, que
la France fût également admise à participer aux travaux de la

Commission consultative de Londres. Si cette proposition n'a pas été retenue, c'est que les deux autres partenaires l'ont repoussée. »

. . . .

M. Dekanosov a délibérément écarté tous les reproches qui pouvaient être formulés, à tort ou à raison, de part et d'autre, en ce qui concerne l'insuffisance des informations échangées et le manque d'intimité qui s'est manifesté dans les rapports du Comité avec le Gouvernement soviétique. Il a visiblement tenu à marquer que, dans les circonstances présentes, cet aspect regrettable de nos relations ne présente qu'un intérêt secondaire. Ce qui importe essentiellement pour les deux pays alliés, c'est une volonté commune de mettre tout en œuvre sur le plan intérieur et sur le plan extérieur pour hâter la libération de l'Europe, anéantir l'Allemagne et rétablir la France dans sa puissance indispensable à l'équilibre du monde. L'U. R. S. S. a adopté à l'égard de notre pays, au lendemain de l'agression allemande, une ligne politique parfaitement nette et qui n'a jamais varié. Si elle a dû parfois tenir compte de certaines conjonctures, éviter de heurter les susceptibilités de ses deux grands alliés, s'abstenir ainsi de nous apporter tout l'appui que nous souhaitions recevoir et qu'elle aurait été heureuse de pouvoir nous dispenser, ce ne sont là que des modalités d'adaptation aux nécessités momentanées d'une politique qui, sur le fond et dans l'essentiel, ne s'est jamais dérobée à notre attente.

. . . .

Télégramme de Pierre Viénot
au Comité de la libération nationale, à Alger.

Londres, 4 avril 1943.

J'ai eu cet après-midi un long entretien avec le Premier Ministre. Je vous en enverrai le compte rendu détaillé par la valise.

Pour M. Churchill, la question politique que soulèvera le débarquement ne se pose pas d'une manière urgente, la première phase des opérations devant avoir un caractère essentiellement militaire. Mais il a ajouté que le président Roosevelt est très attaché à sa proposition *(very much addicted to his proposal)* qu'il a remaniée plusieurs fois. M. Churchill semble croire qu'il sera difficile de le faire revenir sur la formule choisie.

Qu'on le veuille ou non, ai-je fait remarquer à M. Churchill, la question est maintenant publiquement posée et doit recevoir une solution. Il est impossible de l'esquiver. J'ai en outre repris tous les arguments dont je m'étais déjà servi avec M. Eden.

Le Premier Ministre a conclu l'entretien en m'assurant qu'il réfléchirait à ce que je lui avais dit.

. . . .

*Télégramme de la Délégation française aux États-Unis
au Comité de la libération nationale, à Alger.*

Washington, 4 avril 1944.

Le périodique *The News* écrit : « M. Roosevelt n'est pas favorable à l'idée que la France devrait récupérer intact l'Empire qu'elle a abandonné sans faire un effort pour le défendre. Ce fait, plus que tout autre, influence l'attitude du Président à l'égard du Gouvernement du général de Gaulle qui, s'il était reconnu, pourrait revendiquer ses possessions d'avant-guerre. Les possessions françaises en Afrique et dans le Pacifique ont une grande importance stratégique pour les États-Unis. M. Roosevelt n'oublie pas que l'Indochine française a été rapidement livrée aux Japonais avec des conséquences désastreuses pour nous... »

*Note établie par le général de Gaulle au sujet de ses entretiens
avec M. Duff Cooper, les 14 et 17 avril 1944, et communiquée
aux membres du Comité de la libération nationale.*

I. — M. Duff Cooper est venu me voir le 14 avril. L'ambassadeur m'a dit, en grand secret, qu'il avait reçu de M. Winston Churchill un télégramme extrêmement confidentiel l'invitant à me représenter ceci :

Le moment est venu où il semble possible et où il est nécessaire que les rapports entre le Comité de la libération et le Gouvernement des États-Unis — et plus particulièrement les relations entre le président Roosevelt et le général de Gaulle — s'établissent sur un plan nouveau et confiant. Le Premier Ministre veut s'y employer activement. Il croit que, pour y parvenir, il faudrait que le général de Gaulle se rendît à Washington pour voir le Président, M. Cordell Hull et d'autres. Il pense pouvoir obtenir du Président que celui-ci propose au général de Gaulle de venir le voir si le général est d'accord.

J'ai répondu à l'ambassadeur que j'étais reconnaissant au Premier Ministre de ses intentions. Il me paraissait, comme à lui-même, indispensable que la France pût se mettre d'accord avec les États-Unis et la Grande-Bretagne avant l'entrée de nos armées en Europe continentale, non point sur une formule de reconnaissance du Comité de la libération, — formule qui n'avait plus désormais d'intérêt, — mais sur la coopération militaire et politique, et que cela impliquait, évidemment, des relations normales entre le Gouvernement français et les Gouvernements de Londres et de Washington. J'étais prêt, pour ma part, — certain de répondre en cela au sentiment du Comité de la libération, — à me rendre aux États-Unis et à m'entretenir de toutes affaires communes avec le Président et son gouvernement.

J'ai rappelé, toutefois, les deux occasions antérieures où, le président Roosevelt ayant manifesté le désir de me voir venir aux États-Unis, moi-même ayant aussitôt répondu que j'étais prêt à m'y rendre et toutes dispositions pratiques étant déjà prises pour mon voyage d'accord avec le Gouvernement américain, j'avais été prié au dernier moment de m'abstenir. J'ai indiqué qu'une troisième « remise » du même genre pourrait avoir, le cas échéant, des inconvénients réellement sérieux pour le présent et pour l'avenir. Quel que fût, en effet, du côté français, notre désir d'aboutir à des arrangements pratiques, pourvu que ces arrangements fussent compatibles avec notre entière souveraineté, et de ne pas compliquer par formalisme une situation devenue vraiment difficile pour tout le monde, nous tenions à ce que fût ménagée la dignité du Gouvernement français.

M. Duff Cooper a paru satisfait de ma réponse et a dit qu'il télégraphierait immédiatement au Premier Ministre.

II. — Le 17 avril, l'ambassadeur d'Angleterre m'a rendu de nouveau visite.

Il m'annonça que M. Winston Churchill venait de lui adresser un nouveau télégramme comme suite au compte rendu qu'il lui avait fait de notre conversation du 14. Le Premier Ministre demeurait pressant quant à la rencontre entre le président Roosevelt et le général de Gaulle. Mais, modifiant ce qu'il m'avait antérieurement fait dire, il proposait maintenant que le voyage à Washington ait lieu sur ma demande. Si j'agréais cette procédure, lui-même se chargerait d'obtenir d'abord l'accord personnel du Président. Après quoi, ayant été averti par M. Churchill qu'une demande de ma part, — si elle était faite, — recevrait une réponse favorable, le Comité de la libération adresserait cette demande au Gouvernement des États-Unis par son représentant à Washington.

M. Duff Cooper me développa, au sujet de cette procédure insolite, des explications qu'il déclara lui être personnelles. « Le président Roosevelt, me dit-il, se trouve dans une impasse en ce qui concerne sa politique française. Tout a tourné contre l'attitude à laquelle il s'était fixé et dans laquelle il s'est obstiné. Il est maintenant seul de son avis. C'est ainsi que la contradiction entre ses déclarations à la presse au sujet de la France et le discours fait deux jours plus tard par M. Cordell Hull est apparue au monde entier. Le Président est donc obligé de quitter une position devenue intenable.

Mais il est, d'autre part, contraint de le faire avec prudence. Car il est déjà pratiquement en pleine période électorale et il ne veut à aucun prix perdre la face, surtout à propos du général de Gaulle et du Comité français de la libération nationale, dont l'opinion publique aux États-Unis est extrêmement occupée. Le fait que le général de Gaulle serait invité en ce moment par le président Roosevelt serait probablement interprété comme une sorte d'aveu d'erreur dont les adversaires du Président tireraient largement parti. Le général de Gaulle ne peut manquer d'apprécier cette considération.

J'ai répondu à l'ambassadeur de Grande-Bretagne que la nouvelle proposition de M. Churchill différait notablement de la précédente. Je demeurais, quant à moi, convaincu, — autant que le Premier Ministre, — de la nécessité d'un changement radical dans les relations des États-Unis et de l'Angleterre avec la France. Le Gouvernement français était disposé à s'y prêter sans souci excessif de formalisme, malgré tout ce que les procédés depuis longtemps employés à son égard avaient de profondément désobligeant. Mais la procédure suggérée, cette fois encore, pour organiser une rencontre entre le président Roosevelt et moi-même ne me paraissait pas satisfaisante. Je n'en mesurais pas moins l'importance extrême que présenterait pour les alliés et pour la France un accord réel et public, si cet accord était possible.

Le lendemain, après avoir consulté M. Massigli, j'ai adressé à l'ambassadeur la lettre suivante, qui n'est, évidemment, qu'une manière de laisser la porte ouverte sans, toutefois, franchir le seuil.

« Monsieur l'Ambassadeur,

« Au sujet de l'affaire dont vous m'avez fait l'honneur de me parler hier, je puis vous dire que je suis d'accord pour que le projet que vous m'avez exposé puisse suivre son cours.

« Je vous prie de croire, monsieur l'Ambassadeur, etc... »

Télégramme du baron de Vaux, délégué français en Égypte, au Comité de la libération nationale, à Alger.

Le Caire, 20 avril 1944.

Hier, un de mes collaborateurs fut convoqué par le secrétaire-général du ministère des Affaires étrangères. Celui-ci lui remit, pour être transmise au général de Gaulle, une lettre du Président du Conseil, ministre des Affaires étrangères (Nahas-Pacha), posant la question des droits de tous les peuples arabes et concluant par la demande formelle de la déclaration par le Comité de la libération nationale de l'indépendance du Maroc, de l'Algérie et de la Tunisie...

Le secrétaire-général ajouta que la lettre, datée du 16 de ce mois, avait déjà été communiquée aux Gouvernements britannique, américain et belge, ainsi qu'au ministre soviétique au Caire.

Il ne pouvait donc être question de refuser ce singulier document puisque, par une incorrection familière à Nahas-Pacha, les gouvernements alliés en avaient déjà eu connaissance...

J'ai entretenu de cet incident lord Killearn, ambassadeur de Grande-Bretagne. Celui-ci, aussi conscient des graves défauts de Nahas-Pacha qu'embarrassé par sa situation vis-à-vis de lui, m'a dit qu'il lui ferait des représentations sur le caractère extraordinaire d'une demande qui ne tend à rien de moins qu'à amputer la France de trois départements et qui s'adresse, au surplus, au Comité de la libération que le Gouvernement égyptien déclare ne pouvoir reconnaître.

. . . .

A mon avis, ce document ne comporte aucune réponse.

Télégramme (en clair) de René Massigli
à Pierre Viénot, à Londres.

Alger, 20 avril 1944.

Veuillez m'informer, par télégramme en clair, des démarches que vous n'avez certainement pas manqué d'entreprendre pour attirer l'attention des autorités britanniques sur la situation extraordinaire où nous placent les mesures qu'elles viennent d'édicter. (Interdiction faite aux missions françaises en Grande-Bretagne de communiquer par chiffre avec le Gouvernement d'Alger).

Inconciliables avec les principes de droit international, incompatibles avec les nécessités évidentes de notre participation à l'effort de guerre, elles nous mettent au surplus dans une situation moralement injustifiable, puisqu'elles nous assimilent tant à des pays limitrophes de l'Allemagne qu'aux neutres les plus suspects. De fait, l'activité du Comité de la libération nationale se trouve pratiquement paralysée, tous nos services étant atteints par les mesures dont il s'agit.

J'ai déjà, de mon côté, signalé à M. Duff Cooper combien me préoccupe une situation à laquelle je ne puis croire que les autorités britanniques n'envisagent la nécessité de mettre fin dans les plus brefs délais en ce qui nous concerne.

Conférence de presse du général de Gaulle,
à Alger, le 21 avril 1944.

Si je vous ai demandé de venir me rendre visite, c'est parce qu'il m'a semblé que dans la situation actuelle de guerre, notamment celle de la France en guerre, il pouvait y avoir quelques points importants sur lesquels l'opinion française et étrangère méritait quelques éclaircissements.

Il est possible — et je crois même qu'il est probable — que nous soyons à la veille d'événements militaires très importants et peut-être décisifs. Il m'a semblé aussi que dans ces événements, à partir du moment où les canons auront commencé à tonner tous ensemble, on ne s'entendra pas. Il y a donc intérêt à parler dès aujourd'hui.

De la bataille, qui je le crois est assez proche, dépend naturellement le sort, la vie de la France. Cette bataille est vitale pour nous
s'il fut jamais bataille vitale dans notre Histoire. Elle est vitale
parce qu'il s'agit de la substance française. Chaque jour, chaque
semaine, chaque mois qui passent altèrent cette substance de notre
nation. Elle est vitale aussi parce que, du rôle que jouera la France,
dépendent son avenir immédiat et son avenir lointain, la façon
dont elle se jugera elle-même et la façon dont la jugeront les autres.

Eh bien ! je puis dire, sans crainte de me tromper, que jamais
en aucune bataille de notre dure Histoire les armées françaises,
dont je ne sépare pas, bien entendu, les forces de l'intérieur,
ne seront allées au combat avec plus de résolution et plus
d'ardeur.

J'ajoute que le Gouvernement français a pleine confiance, pour
diriger les opérations alliées, dans les grands chefs que tous les
alliés, y compris la France, ont été d'accord pour mettre à la tête
de l'ensemble de leurs armées. Je veux parler du général Eisenhower pour le théâtre d'opérations occidental et du général Wilson
pour ce qui concerne le théâtre d'opérations méditerranéen. Ce
sont là de grands chefs, que nous connaissons, dont nous estimons
beaucoup les capacités militaires et dans lesquels, je vous le répète, le Gouvernement français a pleine confiance pour la conduite
stratégique des opérations.

Ceci dit, je serais heureux, pour l'opinion que vous contribuez
à éclairer, que vous vouliez bien me poser des questions auxquelles
je m'efforcerai de répondre.

Question. — *On aimerait que vous vouliez bien dire ce que vous
pensez du discours du secrétaire d'État américain, le 9 avril, et surtout si vous voyez un moyen de concilier les divergences entre ce discours et l'ordonnance du Comité français de la libération nationale
du 14 mars.*

Réponse. — Nous avons apprécié très vivement ce discours,
notamment pour ce qu'il a de constructif. Il nous a paru essentiel
que les États-Unis, par la bouche du secrétaire d'État aux Affaires
étrangères, affirment qu'après la victoire ils continueront à collaborer avec les autres nations pacifiques pour l'établissement et
le maintien de la paix et qu'ils ne veulent pas, tour à tour, entrer
dans cette collaboration et en sortir. Cette déclaration de M. Cordell Hull a réjoui, je crois, tous les hommes qui ont longtemps pensé
et qui pensent encore qu'il ne peut y avoir de paix durable et réelle
dans le monde d'aujourd'hui sans une organisation mondiale pour
le maintien de la paix et que, pour tout État quel qu'il soit, c'est
un strict devoir humain que de participer à une telle organisation
mondiale et à ses obligations.

A ce point de vue, comme à d'autres, M. Cordell Hull a eu bien
raison de dire que la Charte de l'Atlantique n'apporte pas de réponse aux questions qui peuvent se poser et qu'elle n'est pas une

solution par elle-même. Nous croyons, comme lui, que la paix de
demain ne peut avoir comme base simplement une ou plusieurs
déclarations, mais qu'il lui faut une organisation concrète avec
le tribunal, la procédure et le bras séculier.

Nous trouvons également excellente l'affirmation de M. Cordell
Hull au sujet de la nécessité d'une entente et d'une coopération
étroite entre les États-Unis, la Grande-Bretagne, l'U. R. S. S. et
la Chine. Il nous paraît, d'ailleurs, également nécessaire que la même
entente et la même coopération soient établies entre chacun de
ces États et d'autres États, tels que, par exemple, la France...

Il existe en Europe plus de trois cents millions d'hommes qui
ne sont ni Anglais, ni Russes, ni Chinois, ni citoyens des États-
Unis. Il y en a davantage encore en Amérique, en Afrique, en Asie
qui se trouvent dans le même cas. Pour réaliser une organisation
vraiment efficace, il faut évidemment que cette organisation soit
large. Est-il besoin de dire que la France est particulièrement disposée à s'y prêter? Il nous semble même qu'elle est, géographiquement, historiquement, moralement, un élément tout à fait essentiel dans une telle collaboration mondiale.

Le discours prononcé, le 9 avril, par M. Cordell Hull nous a
paru également constructif quant aux possibilités qu'il semble
offrir de réaliser entre nous-mêmes et nos alliés américains et britanniques des arrangements pratiques pour les questions que posera
la présence de leurs armées sur le sol français dans la bataille commune. Comme vous le savez, le Gouvernement français a adressé,
en septembre, à Washington et à Londres, des propositions précises à ce sujet. Nous savons tous que des arrangements de cette
nature doivent répondre à deux conditions : procurer au commandement militaire interallié le maximum de facilités pour les
opérations communes et respecter entièrement la souveraineté
française sur le territoire français.

La seconde question que vous m'avez posée, à propos des déclarations de M. Cordell Hull, a trait à l'ordonnance du Comité français de la libération en date du 14 mars. Je vous avoue que je ne
vois pas de lien entre ces deux faits. Le Gouvernement français
organise le fonctionnement de l'administration publique en territoire libéré au fur et à mesure de la libération. Cela est une chose.
Et puis, des arrangements pratiques sont nécessaires pour la coopération dans les territoires français entre les armées alliées et l'administration et la population françaises. Cela est une autre chose.

Question. — *Quand vous avez déclaré tout à l'heure qu'il était
nécessaire de fournir le bras séculier à l'organisation internationale,
que vouliez-vous dire par là? Aviez-vous dans l'esprit l'organisation
d'une force armée internationale, telle que l'avaient prévue Léon
Bourgeois, puis Aristide Briand?*

Réponse. — Je ne sais si, à l'heure actuelle, les réflexions des
hommes d'État et des gouvernements sont déjà assez précisées

pour que l'on puisse apprécier comment devrait être organisée cette sécurité internationale, car c'est de cela qu'il s'agit. Mais je remarque — et, pour ma part, avec beaucoup d'intérêt et de satisfaction — la déclaration du secrétaire d'État aux Affaires étrangères des États-Unis, qui affirme la nécessité d'une organisation mondiale et des moyens propres à l'imposer. Je crois d'ailleurs que ces moyens, par le fait même que le monde a un peu changé depuis Léon Bourgeois, seront assez différents de ceux que pouvaient prévoir les hommes qui ont conçu la Société des Nations. Mais, quels que soient ces moyens, il faudra que l'organisation mondiale de la paix comporte une réelle sécurité internationale.

Question. — *Que pensez-vous de la situation internationale en Méditerranée et de l'efficacité de la Commission interalliée de contrôle pour les affaires italiennes?*

Réponse. — Nous sommes les premiers intéressés à l'évolution des affaires italiennes parce que nous sommes voisins de l'Italie au nord et au sud. Et puis, aussi, parce qu'il y a beaucoup de liens historiques consanguins entre ce peuple latin et notre peuple latin, parce que la France et l'Italie se doivent beaucoup dans le passé l'une à l'autre. Ce qui a corrompu les rapports entre les deux pays, ce qui a amené les grands malheurs que vous savez, n'est pas venu de la France, cela est venu des hommes qui se sont emparés du pouvoir en Italie ; pour trancher le mot, du régime fasciste. Dans l'avenir, évidemment, la France ne peut imaginer des rapports satisfaisants d'aucune manière avec une Italie qui ne serait pas une Italie nouvelle, c'est-à-dire démocratique, et dont on n'aurait pas chassé le fascisme sous toutes ses formes. C'est pourquoi, nous espérons voir se développer en Italie une évolution démocratique, qui, un jour ou l'autre, permettra à la France de régler ses affaires avec cette Italie-là. En attendant, nous faisons la guerre en territoire italien.

Question. — *Vous avez fait allusion dans votre discours du 18 mars à ce que vous appeliez le groupement occidental des nations. Pourriez-vous préciser votre pensée là-dessus?*

Réponse. — Je parle au nom du Gouvernement français en disant que nous comptons voir reparaître une Europe qui, actuellement, est opprimée et ne peut parler, mais qui, un jour ou l'autre, reparaîtra. J'ai dit que, dans cette Europe et à l'intérieur de l'organisation mondiale de la paix dont nous parlions précédemment, il nous paraissait souhaitable, qu'au point de vue économique notamment, se réalisât à l'ouest de l'Europe une sorte de groupement dont les artères pourraient être : Manche, Méditerranée et Rhin. Il me semble qu'il y aurait là un élément d'organisation européenne à l'intérieur de l'organisation mondiale qui présenterait pour tous, notamment pour les États intéressés, des avantages certains. Je crois que nous sommes à une époque de concentration.

Question. — *Est-ce qu'après le discours de M. Cordell Hull la situation est telle que les autorités françaises pourraient organiser l'administration de la France?*

Réponse. — L'administration française à établir en France ne dépend naturellement que des Français. Soyez certains que les Français n'accepteront en France d'autre administration qu'une administration française. Par conséquent, cette question est tranchée d'avance. La seule question qui se pose est celle de la coopération entre l'administration française et le commandement allié pour les nécessités des opérations.

Question. — *Pouvez-vous donner des renseignements sur l'état de la Résistance, surtout sur l'armement des résistants?*

Réponse. — Je puis vous dire avec beaucoup de satisfaction que, depuis trois mois, les efforts de nos alliés britanniques, — car c'est eux qui en ont le mérite, — pour armer la Résistance française ont été grands et couronnés de succès. Il y a une grande différence dans la situation de l'armement des éléments de combat de la résistance aujourd'hui et il y a trois mois. A cet égard et à d'autres égards, les sentiments qui ont été exprimés, vous vous en souvenez, par l'assemblée à ce sujet ont été un des éléments qui ont amené cette amélioration.

Question. — *Êtes-vous satisfait vous-même de la situation entre la France et les alliés?*

Réponse. — Je ne crois pas que personne soit satisfait de cette situation tant que les arrangements nécessaires ne seront pas réalisés. Mais, si ces arrangements sont réalisés, tout le monde en sera satisfait, excepté Hitler.

Question. — *On a prétexté, au sujet des réserves et des réticences alliées sur le Comité français de la libération nationale et son président, la crainte de voir s'établir votre dictature en France après la libération?*

Réponse. — C'est là une vieille histoire ! Vous savez que, depuis quatre ans que je joue ce jeu terrible, beaucoup de reproches ont été dirigés d'abord contre le Comité national français et, maintenant, contre le Comité français de la libération nationale et son président. Certains ont dit que le général de Gaulle veut rétablir la IIIᵉ République avec les hommes du passé. D'autres affirment que le général de Gaulle va livrer la France au communisme. Quelques-uns disent que le général de Gaulle est l'homme des Américains, ou des Anglais, ou de Staline. Peut-être un jour toutes ces contradictions s'accorderont-elles. En attendant, je ne me fatiguerai pas à leur répondre. Les Français n'accepteraient aucune dictature française, « a fortiori », je vous le garantis, aucune dictature étrangère. Mais les Français veulent que leur gouvernement les gouverne. C'est ce qu'il s'efforce de faire.

Vous ne m'avez pas posé la question que j'attendais, cependant, ce qui me fait penser que vous êtes à mon égard d'une discrétion dont je vous remercie. Je la poserai donc moi-même et j'y répondrai. Il s'agit du départ du général Giraud. Je voulais dire à ce sujet, pour que cela soit bien compris, que l'organisation actuelle du commandement interallié ne comporte pas la possibilité de maintenir, en ce moment, un commandement en chef français. Le gouvernement n'aurait pu le faire qu'en attribuant au Commandant en chef certaines de ses propres responsabilités, quant à la direction générale, à l'organisation, à la répartition des forces françaises. Mais cela était évidemment impossible. Le gouvernement aurait souhaité que le général Giraud continuât à lui apporter le concours de ses conseils et de son expérience. Il a préféré demeurer disponible et le gouvernement a, avec regret, accédé à son désir. Dans tous les cas, je dis bien haut que la magnifique carrière militaire du général Giraud fait extrêmement honneur à l'armée française. Je dis bien haut que son évasion légendaire de la forteresse allemande de Kœnigstein, sa volonté immuable de combattre l'ennemi, sa participation éminente à la bataille de Tunisie et à la libération de la Corse, lui assurent, dans cette guerre même, une gloire qui ne sera pas oubliée. Quand nos troupes, qui seront victorieuses en partie grâce à lui, entreront dans sa chère ville de Metz, il prendra, j'en suis sûr, leur tête et recevra, le premier, les acclamations de nos Lorrains délivrés

Télégramme de la Délégation française aux États-Unis au Comité de la libération nationale, à Alger.

Washington, 22 avril 1944.

Toute la presse reproduit les déclarations faites par le général de Gaulle aux journalistes. Ces informations paraissent sous gros titres, tels que :

— « De Gaulle proclame sa confiance dans les chefs alliés et dit que les Français entreront dans la bataille avec une ardeur sans précédent. »

— « Les chefs alliés donnent satisfaction au général de Gaulle. Ils insistent pour que l'administration civile en France libérée soit française. »

— « Les Français doivent gouverner la France, dit le général de Gaulle. »

— « Le général de Gaulle demande que les Français se gouvernent eux-mêmes. »

— « Le général de Gaulle promet une aide française en Extrême-Orient. »

Hill, correspondant du *New York Herald Tribune*, donne un excellent compte rendu de cette conférence de presse. Il souligne en particulier la déclaration du général de Gaulle sur les chefs alliés et sur le général Giraud.

Callender présente ces déclarations en les reliant à la déclaration de politique américaine faite, le 9 avril, par M. Cordell Hull : « Le général de Gaulle à sa conférence de presse, dit-il, a réaffirmé d'une manière ferme les droits souverains de la France et la volonté du Comité d'administrer la France après la libération... Le général de Gaulle a invité les journalistes à le questionner. Il n'a paru embarrassé par aucune question, même les plus délicates, et a répondu très complètement à la plupart d'entre elles. »

. . . .

Note établie par le cabinet du général de Gaulle au sujet de son entretien avec M. Bogomolov, le 28 avril 1944.

I. — Dès le début de l'entretien, M. Bogomolov fait part de ses impressions d'Italie. A son avis, les affaires ne marchent pas mal là-bas, Badoglio a l'air de renforcer sa situation. La question de la monarchie se tasse. D'ailleurs, le Gouvernement soviétique ne fait pas d'opposition au régime monarchique. Ce qui importe à ses yeux c'est l'union de toutes les forces antifascistes pour la guerre de libération contre l'Axe.

« Et vous ? » demande alors au général de Gaulle M. Bogomolov.

« — Pour nous, dit le général de Gaulle, la situation est différente. Nous avons été attaqués directement par l'Italie. Les Italiens ont longtemps fait valoir des revendications frénétiques contre une partie de notre Empire et de notre territoire métropolitain. Dans l'avenir, nous espérons arriver à une entente avec l'Italie. Mais, en attendant, nous n'avons aucune raison de procéder à des négociations avec le gouvernement Badoglio dont nous ne savons même pas encore ce qu'il représente dans la péninsule. »

« En fait, beaucoup de questions sont déjà réglées par les événements. Les prétentions de l'Italie sur la Corse, sur Nice, sur la Savoie, sur la Tunisie, sur Djibouti, apparaissent comme des plaisanteries. La question de l'Empire italien est tranchée. »

II. — M. Bogomolov, quittant alors le sujet des affaires italiennes, change de ton pour parler de certaines publications qui ont été faites dans la presse d'Afrique du Nord.

L'Écho d'Alger a fait paraître récemment une carte des opérations en cours, sur laquelle étaient portées les frontières de Pologne de 1939, donnant à croire ainsi que ces frontières sont celles de l'État soviétique. Or, la question des frontières soviétiques a été tranchée par la constitution et ne peut être résolue d'une autre manière.

« Je suis chargé par mon gouvernement, dit M. Bogomolov, de

protester contre la publication de cette carte qui est en contradiction avec la constitution soviétique. »

Le général de Gaulle tient d'abord à préciser que le gouvernement ne revendique pas la responsabilité des cartes que peut publier *l'Écho d'Alger*. Mais, puisque M. Bogomolov lui parle de cette façon de la question des frontières, il doit savoir que la frontière polono-soviétique de 1939 est la seule dont nous ayons actuellement et officiellement connaissance. Le Gouvernement de l'Union soviétique ne nous a jamais notifié un arrangement international quelconque au sujet du changement de cette frontière. Nous ignorons même comment, au juste, la question est tranchée pour lui et s'il a arrêté ses intentions précises à ce sujet.

Si nous faisions paraître une carte fixant une autre frontière que celle de 1939, l'ambassadeur de Pologne viendrait protester le lendemain. Or, nous sommes les alliés de la Pologne, de même que nous le sommes de l'Union soviétique.

« Je vous ai dit maintes fois, dit le général de Gaulle, que nous souhaitions un arrangement entre l'Union soviétique et la Pologne. Nous n'avons pas le désir ni, d'ailleurs, la possibilité d'interférer dans cette affaire, mais nous avons le plus grand désir qu'un règlement intervienne. »

M. Bogomolov dit alors que l'U. R. S. S. considère la question comme réglée. L'U. R. S. S. ne réclame d'ailleurs aucune garantie, car elle n'a besoin de personne pour garantir ses frontières, puisqu'elle dispose de la force des armées soviétiques qui sont en train de libérer victorieusement son territoire.

Le général de Gaulle souligne qu'il se félicite de voir que les forces de l'armée Rouge libèrent victorieusement le territoire de l'Union soviétique.

M. Bogomolov se plaint alors que nous ne sachions pas suffisamment gré au Gouvernement soviétique de ses bons procédés à notre égard. L'U. R. S. S. a pourtant adopté une formule de reconnaissance du Comité de la libération qui est beaucoup plus large que celle qui a été admise par les autres puissances.

III. — Le général de Gaulle reconnaît la valeur de la formule de reconnaissance adoptée par le Gouvernement de l'Union soviétique à l'égard du Comité de la libération. Il fait toutefois observer à l'ambassadeur soviétique que, de même que la garantie des frontières soviétiques c'est la puissance des armées de l'U. R. S. S., ainsi que l'a dit M. Bogomolov, la reconnaissance du Gouvernement français relève, avant tout, du peuple français. Les formules diplomatiques sont secondaires en la matière.

D'autre part, la formule de la reconnaissance est une chose. Mais ce qui nous intéresse plus encore c'est la pratique de cette reconnaissance.

Le général de Gaulle rappelle que l'U. R. S. S. a reconnu le Comité français de la libération nationale comme « chargé des intérêts d'État de la République française. » Or, il y a actuelle-

ment des négociations en cours, auxquelles l'U. R. S. S. participe,
au sujet du règlement de la paix future en Europe. Nous savons
qu'une Commission européenne fonctionne à Londres. Nous croyons
savoir que M. Stettinius a eu des conversations avec l'ambassadeur
soviétique à Londres. Nous avons entendu dire qu'il y avait eu une
conférence à Téhéran. Cependant, le Gouvernement de l'Union
soviétique, pas plus que ceux de Londres et de Washington,
ne nous a jamais informés du but et du cours de ces négociations.
« Les intérêts d'État de la République française » n'ont-ils donc
rien à faire avec le règlement de la paix en Europe et, en premier
lieu, avec le sort futur de l'Allemagne?

M. Bogomolov s'abrite derrière le doute qui existe sur l'objet
même des conversations de M. Stettinius et sur la portée des travaux de la Commission européenne et prend alors congé du général
de Gaulle.

Télégramme du général de Gaulle à Henri Hoppenot, à Washington.

Alger, 9 mai 1944.

Veuillez transmettre, de ma part, le message suivant à M. Edwin
Wilson.

« J'ai appris avec un grand regret les raisons pour lesquelles
vous ne pouvez revenir. Je tiens à vous dire l'excellent souvenir
que je conserverai des relations si franches et si amicales que le
Comité de la libération et moi-même entretenions avec vous.

« J'espère que vos inquiétudes actuelles seront bientôt heureusement terminées et je vous adresse tous mes vœux de succès dans
votre nouveau poste. »

Télégramme du général de Gaulle au général Beynet,
délégué général et plénipotentiaire de France au Levant.

Alger, 11 mai 1944.

Je suis de très près votre action et tiens à vous exprimer ma
satisfaction. Je n'ignore rien de vos difficultés qui se résument,
d'ailleurs, en une seule, celle que vous crée une certaine politique
de l'étranger abusant des circonstances. Toute la question est de
tenir la place et de manœuvrer en attendant que les circonstances
changent... Il s'agit donc pour vous d'éviter les pièges tendus,
l'un après l'autre, par l'intrigue et la pression étrangères. A ce
point de vue, il est essentiel que l'ordre et la discipline soient décidément établis parmi le personnel français, administratif et militaire, au Levant. Je suis décidé à vous appuyer de la manière

la plus ferme à cet égard, sans considération aucune pour des titres prétendument acquis par une fidélité dont certains se recommandent pour éviter précisément d'obéir. Tout fonctionnaire et tout militaire, dont vous jugerez à propos de sanctionner la conduite ou que vous voudrez renvoyer, ne trouvera aucun recours auprès de moi, bien au contraire. Inversement, je ferai ce qu'il faut pour vous faire envoyer, si c'est possible, ceux que vous demanderez nommément. Amitiés.

Télégramme du général de Gaulle à Pierre Viénot, à Londres.

Alger, 25 mai 1944.

J'ai reçu hier votre télégramme relatif à la communication que vous a faite M. Eden au sujet de mon voyage à Londres. J'avais moi-même consenti à recevoir le 23, sur ses vives instances, M. Duff Cooper, à qui j'avais été amené à fermer ma porte depuis que nos communications avec vous se trouvaient coupées. Ce que l'ambassadeur d'Angleterre m'a dit était analogue aux propos que vous a tenus M. Eden. Sur le principe de mon voyage à Londres, j'ai répondu affirmativement, car je ne vois pas de raison pour que nous nous dérobions aux conversations qui nous sont offertes à la veille de la bataille décisive, du moment que nous avons à Londres toutes facilités de chiffre pour toutes destinations, ce qui m'a été formellement garanti. Toutefois, l'ambassadeur n'a pu me donner aucune précision sur la date du voyage... Quant aux conversations futures, voici ce que j'en ai dit à M. Duff Cooper.

Nous ne sommes demandeurs sur aucun point. Les formules de reconnaissance du Gouvernement français par ceux de Londres et de Washington nous intéressent dorénavant très peu. Le moment est passé où des formules aimables auraient pu être utiles. Nous ne réclamons rien à cet égard. Le fait essentiel pour nous c'est la reconnaissance par le peuple français et c'est là, maintenant, un fait accompli.

Nous avons décidé de satisfaire, au moment que nous jugerons opportun, le vœu unanime de l'Assemblée consultative et du Conseil national de la résistance quant à notre changement de dénomination. C'est là une affaire qui nous regarde seuls et pour laquelle nous ne considérons que les désirs et les intérêts du peuple français. Si le président Roosevelt et M. Churchill ont des scrupules à nous reconnaître comme gouvernement, nous estimons que c'est leur affaire et nous ne leur demandons rien. Les réalités françaises n'en seront pas changées. Peut-être même ces réalités apparaîtront-elles encore plus fortement du fait de l'attitude prise par les deux autres grandes puissances de l'Ouest.

En ce qui concerne l'attribution et l'exercice de l'administration française en territoire métropolitain libéré, il n'y a non plus aucune question. Nous sommes l'administration française. Les instructions dubitatives qui seraient données en la matière au général Eisenhower, ou les interventions directes de sa part en dehors du champ de bataille, ou les obstacles systématiquement apportés à nos communications avec la France peuvent nous gêner dans l'exercice du gouvernement. Elles gêneront davantage encore les chefs alliés dans l'exercice du commandement. Mais il n'y a pas la moindre chance qu'il apparaisse en France libérée une autre administration effective que la nôtre, ni que cette administration fonctionne indépendamment de notre autorité. En cela encore, nous ne demandons rien. Il y a nous, ou bien le chaos. Si les alliés de l'Ouest provoquent le chaos en France, ils en auront la responsabilité et, en définitive, seront, croyons-nous, les perdants.

Il est de fait que, pour la bataille commune sur le sol français, le commandement militaire a besoin du concours de l'administration française. C'est lui qui demande que ce concours lui soit apporté. Nous sommes prêts à le lui accorder. Nous avons pris à l'avance toutes dispositions et fait depuis longtemps toutes offres nécessaires. Mais il est certain que nous n'accepterons aucune supervision, ni aucun empiétement, sur l'exercice de nos pouvoirs. En particulier, cette prétention maintenue par Washington que le commandement étranger pourra battre monnaie en France ne sera pas admise par nous. Plutôt que d'y consentir, nous préférons ne conclure aucun accord. D'autre part, j'ai dit à M. Duff Cooper que nous ne conclurions d'accord que directement et simultanément avec l'Angleterre et avec les États-Unis et que nous nous abstiendrions si l'acte auquel on aboutissait devait être soumis ensuite à l'approbation de M. Roosevelt.

Il est possible que l'invitation que m'adresse le Gouvernement britannique procède en partie, comme vous le pensez, de son désir d'un rapprochement réel avec la France. Toutefois, je suis sur ce point plus réservé que vous. J'ai fait souvent l'expérience de témoignages apparents de bonne volonté prodigués soudain du côté anglais et qui avaient pour résultat, sinon pour objet, soit un avantage concret recherché à nos dépens, soit une facilité procurée à une manœuvre tentée par M. Roosevelt sur l'opinion publique et qui ne visait pas à nous favoriser. Je vous signale que M. Duff Cooper a évoqué devant moi la possibilité que le Président des États-Unis vienne, lui aussi, à Londres. Ma réserve est, d'ailleurs, confirmée par le discours du Premier Ministre aux Communes et dans lequel divers points me paraissent d'assez mauvais augure, notamment l'évocation d'un contrôle du général Eisenhower sur l'action du gouvernement en France.

Le gouvernement étudiera posément, dans sa séance du 26 mai, tout l'ensemble de cette affaire et précisera les positions qui seront prises par nous dans les négociations de Londres... Amitiés.

Lettre du général de Gaulle à S. S. le Pape Pie XII.

Alger, le 29 mai 1944.

Très Saint Père,

Placé à la tête du Gouvernement provisoire de la République française, je tiens à apporter à Votre Sainteté l'assurance du respect filial de notre peuple et de son attachement filial au Siège apostolique.

Les épreuves endurées par la France depuis de longues années, les souffrances de chacun de ses enfants, ont été atténuées par les témoignages de Votre paternelle affection. Nous entrevoyons la fin du conflit.

Mais nos malheurs pourraient se prolonger après le terme des combats, si les bouleversements moraux, économiques et sociaux consécutifs à cette guerre ne nous trouvaient pas prêts à éviter tous désordres et à travailler dans la paix rétablie entre les peuples et entre les diverses catégories sociales. Parmi celles-ci, nous pensons, suivant l'enseignement qui nous a été donné, que les plus déshérités méritent la sollicitude la plus grande.

En ce moment, les opérations militaires dans lesquelles sont engagées nos armées sont et seront menées avec tout le respect que nous portons aux souvenirs les plus chers de notre foi chrétienne, ainsi qu'au patrimoine religieux, intellectuel et moral qu'ils représentent. Nous comptons que ces opérations, avec la permission de Dieu, nous conduiront bientôt à la victoire.

Des circonstances, peut-être providentielles, ont groupé derrière nous, en une seule volonté de vaincre et de refaire la France, non seulement l'Empire français, mais aussi la masse de tous ceux qui, dans la Métropole, défendent contre l'envahisseur l'unité et la souveraineté nationales. Il n'y a pas, à l'heure présente, de Gouvernement français sur le sol de la Métropole. Mais, forts de l'aide matérielle que nous apportent nos alliés et soutenus par l'appui moral des peuples, nous envisageons le présent avec calme et l'avenir avec une grande confiance.

Dès la délivrance, les intérêts spirituels du peuple français retrouveront leur primauté que met en péril l'oppression de l'ennemi. Nous sommes résolus à les sauvegarder et nous souhaitons infiniment pouvoir être en mesure de le faire en profitant de la spéciale bienveillance que Votre Sainteté veut bien accorder à la France.

Daigne Votre Sainteté bénir nos projets et la foi du peuple français, dont je dépose ce témoignage à Ses pieds.

Lettre du général de Gaulle à M. Duff Cooper, à Alger.

Alger, le 29 mai 1944.

Mon cher Ambassadeur,

J'ai bien reçu votre lettre du 27 mai.

J'ai pris note de l'invitation que vous voulez bien me transmettre de la part du Gouvernement de Sa Majesté britannique et dont je vous prie de bien vouloir le remercier.

Je vous sais gré, d'autre part, de m'assurer que, dans le cas où je me trouverais en Grande-Bretagne, j'y disposerais d'une entière liberté de mouvement et de communication.

Bien sincèrement à vous.

Télégramme de Henri Hoppenot
au Comité de la libération nationale, à Alger.

Washington, 1er juin 1944.

J'ai demandé hier soir à M. Cordell Hull une audience qu'il m'a accordée cet après-midi.

J'ai dit au secrétaire d'État, qu'en présence des nouvelles si diverses et contradictoires répandues par les agences et dans la presse et dont certaines paraissaient prendre le contre-pied de ses déclarations du mois dernier, j'avais cru désirable de venir m'éclairer auprès de lui sur la position du Gouvernement américain afin d'être à même de vous renseigner… J'ai évoqué, notamment, la question de la participation américaine aux conversations (prochaines) de Londres et la dépêche de l'agence « Reuter » d'après laquelle le général Eisenhower assumerait la responsabilité de l'administration civile en France…

M. Cordell Hull m'a répondu qu'il venait de recevoir un télégramme de M. Chapin lui rendant compte d'un entretien qu'il avait eu hier avec vous et avec le Commissaire aux Affaires étrangères et au cours duquel celui-ci lui avait exprimé des préoccupations analogues aux miennes. Il allait envoyer ce télégramme à la Maison-Blanche car c'était au Président seul, a-t-il répété plusieurs fois avec beaucoup de force, qu'il appartenait de répondre aux questions posées. Il a ajouté qu'il ne savait pas si le Président répondrait, s'il répondrait « un peu », ou s'il répondrait pleinement, ni par quelle voie ces réponses seraient portées à votre connaissance. Toutes les affaires françaises étaient à la décision exclusive du Président. Personnellement Cordell Hull ne pouvait absolument rien me dire.

Message de M. W. Churchill au général de Gaulle,
remis par M. Duff Cooper le 2 juin 1944.

TRADUCTION

Venez maintenant, je vous prie, avec vos collègues, aussitôt que possible et dans le plus grand secret. Je vous donne personnellement l'assurance que c'est dans l'intérêt de la France. Je vous envoie mon propre York, ainsi qu'un autre York, pour vous.

Lettre de M. W. Churchill au général de Gaulle,
remise au Général à son arrivée en Angleterre.

TRADUCTION

Dans le train, 4 juin 1944.

Mon cher **général** de Gaulle,

Bienvenue sur ces rivages ! De très grands événements militaires vont avoir lieu. Je serais heureux que vous puissiez venir me voir ici, dans mon train, qui est près du quartier général du général Eisenhower, et que vous ameniez une ou deux personnes de votre groupe. Le général Eisenhower espère votre visite et vous exposera la situation militaire qui est extrêmement importante et imminente. Si vous pouvez être ici pour 13 h. 30, je serais heureux de vous offrir à déjeuner ; nous nous rendrions ensuite au quartier général du général Eisenhower. Faites-moi parvenir de bonne heure un message par téléphone de façon à ce que je sache si cela vous convient ou non.

Sincèrement à vous.

Télégramme de René Massigli au général de Gaulle, à Londres.

Alger, 8 juin 1944.

Le gouvernement unanime vous exprime son complet accord avec les positions que vous avez prises pour défendre l'indépendance et l'intérêt français.

Nous vous adressons par télégramme séparé le texte de la protestation, dont le gouvernement a arrêté ce matin les termes, touchant l'émission des billets sans notre accord. Ce document est remis aujourd'hui même aux représentants américain et britannique. Copie en est donnée, d'autre part, à l'ambassadeur soviétique. Enfin, je ferai, en fin de journée, aux représentants à

Alger des pays européens occupés, une communication orale et confidentielle sur la situation.

. . . .

Note du Comité français de la libération nationale,
adressée aux Gouvernements américain et britannique
et communiquée au Gouvernement soviétique.

Alger, le 8 juin 1944.

Le Gouvernement provisoire de la République française a été informé de la mise en circulation par le commandement interallié, dans les premiers territoires français libérés, de billets libellés en francs.

Le gouvernement s'étonne de ce que le commandement interallié ait pris cette initiative qui, dans le passé, n'a jamais été le fait d'une armée amie. Le gouvernement provisoire est pleinement conscient de l'exigence pratique qui s'impose au commandement militaire de disposer d'une monnaie au cours des opérations. Dans l'ensemble des territoires de la France d'outre-mer, les autorités militaires ont toujours reçu, sur l'heure et sans limite, les fonds qu'elles ont demandés. Le même système pouvait et devait être mis en vigueur dans les territoires français métropolitains au moment où ceux-ci sont appelés à retrouver leur pleine souveraineté. Le Gouvernement français demeure prêt, dans le cadre de l'accord dont il recherche depuis des mois la conclusion avec les gouvernements alliés, à prendre dans ce sens l'ordonnance nécessaire.

Le droit de battre monnaie ayant traditionnellement appartenu en France à l'autorité nationale et à elle seule, le Gouvernement provisoire de la République ne peut reconnaître aucune valeur légale aux vignettes qui ont été mises en circulation sans son avis. Il fait donc toutes réserves quant aux suites financières, morales et politiques qui peuvent résulter du fait qui a été porté à sa connaissance.

Dans cet esprit, il attire la plus instante attention du Gouvernement des États-Unis d'Amérique (ou du Gouvernement britannique) sur les conséquences graves qu'entraînerait en France, dans les circonstances présentes, la constatation, qui serait en l'espèce inévitable, d'une absence d'accord entre les gouvernements alliés et l'autorité française dont se réclament et dépendent les forces françaises de l'intérieur.

Télégramme du général de Gaulle
à Henri Queuille et René Massigli, à Alger.

Londres, 9 juin 1944.

J'ai eu hier soir, chez moi, une longue conversation avec M. Anthony Eden, en présence de M. Duff Cooper et de Viénot. M. Eden sortait d'une réunion du Cabinet britannique qui avait décidé de nous proposer une négociation concernant les affaires administratives françaises. M. Eden annonça qu'il allait nous écrire une lettre à ce sujet.

Son idée serait, si nous aboutissions entre Anglais et Français à un projet d'accord, que je me rende ensuite à Washington pour le soumettre au président Roosevelt. Lui-même, Eden, pourrait s'y trouver en même temps afin d'apporter, dans les conversations de Washington, le point de vue britannique.

Dans la conversation avec Eden, j'ai marqué très fortement que la proclamation d'Eisenhower au peuple français, introduisant en principe l'A. M. G. O. T. en France, et l'émission de la fausse monnaie actuellement en cours créaient une situation susceptible de compromettre toute possibilité d'accord en ce qui concerne la coopération de l'administration française avec l'armée alliée. J'ai ajouté que le parti obstinément pris par Londres et Washington d'exclure la France d'actes internationaux aussi vitaux pour elle que l'armistice italien et, éventuellement, l'armistice allemand rendrait, à échéance, impossible tout système international fondé sur la coopération de la France avec l'Angleterre et les États-Unis.

M. Eden a protesté de la volonté de son gouvernement d'aboutir à un accord avec la France et les États-Unis. Au sujet de l'administration des territoires libérés et de l'orientation vers des rapports de coopération franco-britanniques plus étroits pour l'avenir, il n'a pas caché les difficultés qu'il rencontrait du côté américain, non seulement au sujet des questions françaises, mais encore de beaucoup d'autres, de celles notamment qui concernent l'Extrême-Orient. Je dois dire qu'un homme politique aussi avisé que lui peut difficilement prendre une position qui nous soit défavorable, étant donné l'état de l'opinion publique en Grande-Bretagne. Seul Churchill est provisoirement assez fort pour pouvoir passer outre à cette pression de l'opinion.

La lettre d'Eden à Viénot a été remise à celui-ci ce matin. Le texte vous en est adressé par télégramme séparé. Il est vrai que le Gouvernement français a décidé, le 3 juin, qu'en l'absence de plénipotentiaire américain à Londres, mon voyage ne pouvait être que militaire et symbolique et qu'il n'y avait pas lieu que le gouvernement lui-même vînt négocier un projet ici, en dehors des Américains. Mais ceci ne signifie naturellement pas que nous devions refuser de causer avec les Anglais puisqu'ils nous le proposent cette fois formellement.

Il convient donc, jusqu'à nouvelle décision du gouvernement, que notre ambassadeur à Londres entre en communication avec le Foreign Office sur la base de notre mémorandum de septembre, afin d'établir, si possible, un projet commun avec les Anglais.

Notre gouvernement étudiera ensuite ce projet. S'il nous convient, nous verrons ce que nous aurons à faire pour ce qui concerne Washington. Bien entendu, si, comme Anthony Eden affecte de l'espérer, les États-Unis se décidaient finalement à envoyer à Londres un membre de leur gouvernement pour prendre part à la négociation, nous en ferions part aussitôt à Alger. Mais, en tout cas et jusqu'à nouvelle délibération du gouvernement en ma présence, je considère comme indispensable que mon voyage conserve strictement le caractère qui lui a été fixé et qu'aucun autre membre du gouvernement ne vienne lui-même négocier ici. Viénot va répondre dans ce sens.

La bataille est lente, comme prévu, mais en bonne voie. Je compte me rendre en Normandie très prochainement et rentrer à Alger dans le courant de la semaine prochaine. L'amiral Fenard est venu ici m'apporter un nouveau message du président Roosevelt dans le même sens que le premier, mais avec quelques précisions sommaires quant aux dates possibles... Au total, je suis convaincu que nous réussirons à franchir avantageusement les difficultés actuelles, pourvu que nous conservions la cohésion et la fermeté. Je prie M. Queuille de donner communication de ce télégramme au gouvernement.

Texte de l'interview du général de Gaulle
par le représentant de l'Agence « A. F. I. » à Londres, le 10 juin 1944.

Question. — *Êtes-vous satisfait du développement des opérations militaires en Normandie?*

Réponse. — La première partie de la bataille consistait en une opération de débarquement direct sur les plages normandes d'effectifs très importants et d'un matériel considérable. J'estime que cette opération très difficile a été parfaitement réussie, malgré les conditions atmosphériques et l'état de la mer qui n'étaient pas favorables et malgré la résistance de l'ennemi. Quant à la suite, nous en parlerons plus tard. Pour le moment, il faut être calme, prêt à tout et avoir confiance.

Question. — *Où en sont les pourparlers entre les alliés et la France au sujet de l'administration française en territoire libéré?*

Réponse. — Actuellement, il n'existe aucun accord entre le Gouvernement français et les Gouvernements alliés au sujet de la coopération de l'administration française et des armées alliées en

territoire métropolitain français libéré. Bien plus, la proclamation
du général Eisenhower a paru annoncer une sorte de pouvoir du
commandement militaire allié sur la France. Évidemment, cette
situation est inacceptable pour nous et risque de provoquer, en
France même, des incidents qu'il nous paraît nécessaire d'éviter.

D'autre part, l'émission en France d'une monnaie soi-disant
française, sans aucun accord et sans aucune garantie de l'autorité
française, ne peut conduire qu'à de sérieuses complications.

Au moment où la bataille est engagée sur le sol de la France, le
Gouvernement français a hâte de voir se terminer, dans l'intérêt
commun, une telle confusion et de tels empiétements.

La France fait la guerre comme ses alliés et avec ses alliés. Elle
apporte à la grande bataille de libération du monde le concours
de toutes les forces intérieures et extérieures dont elle dispose
et supporte pour la victoire commune une grande somme de souffrances. Elle contribuera dans l'avenir au règlement du conflit.
Mais c'est, évidemment, dans sa souveraineté qu'elle entend faire
aujourd'hui la guerre et demain la paix.

Question. — *Le général de Gaulle a-t-il pris connaissance de la
communication qui vient d'être faite par le président Roosevelt au
sujet de son voyage aux États-Unis?*

Réponse. — Oui. J'ai naturellement lu cette communication.
Il n'est pas besoin de dire que je serais très honoré d'aller aux
États-Unis rendre visite au président Roosevelt. Le Président a
bien voulu charger l'amiral Fenard, qui se rendait à Alger pour le
service, de me faire savoir, le 31 mai, qu'il serait heureux de me
voir à Washington si je voulais y aller. Je n'ai pas manqué de répondre que je serais moi-même heureux de m'entretenir avec le
Président des problèmes qui intéressent en commun les États-Unis
et la France. M. Roosevelt m'a alors proposé comme dates possibles
celles qui viennent d'être publiées.

*Communiqué du Gouvernement français
au sujet de la visite du général de Gaulle à la région de Bayeux.*

15 juin 1944.

Le général de Gaulle, président du Gouvernement provisoire
de la République française, s'est rendu le 14 juin dans la zone libérée
de Normandie. Il était accompagné de M. Viénot ambassadeur de
France, du général Béthouart chef d'état-major général de la
Défense nationale, du général Kœnig délégué militaire pour le
théâtre d'opérations du Nord, du contre-amiral d'Argenlieu commandant les forces navales françaises en Grande-Bretagne, de
MM. Gaston Palewski et Geoffroy de Courcel de son cabinet, des

colonels Billotte et de Boislambert et du capitaine Teyssot.

Le Chef du gouvernement a traversé la Manche à bord du contre-torpilleur français *la Combattante*, qui s'est particulièrement distingué au cours des opérations de débarquement et auquel il a remis la croix de Guerre devant l'équipage rassemblé, dès le mouillage près de la côte de France.

Ayant pris pied sur le sol métropolitain, le général de Gaulle s'est arrêté, tout d'abord, au quartier général du général Montgomery, avec lequel il s'est longuement entretenu et qui lui a exposé les événements les plus récents de la bataille en cours. Puis, le Chef du gouvernement a gagné Bayeux, où il a été reçu par M. François Coulet, commissaire de la République pour la Normandie et le colonel de Chevigné commandant les subdivisions libérées de la 3e Région militaire, entourés du sous-préfet, du maire et de la municipalité de Bayeux.

Le général de Gaulle a traversé la ville à pied au milieu de l'émotion et de l'enthousiasme indescriptibles de la population, bouleversée par son arrivée inattendue.

Après avoir reçu à la sous-préfecture Mgr Picaud, évêque de Bayeux et de Lisieux, les autorités locales et les dirigeants de la résistance, le Président s'est rendu sur la place du Château où, au cours d'une allocution frénétiquement acclamée, il a évoqué l'effort du peuple français, de son Empire et de ses armées dans la bataille décisive, exalté l'action héroïque de la résistance et adressé aux alliés le salut du pays tout entier.

Le général de Gaulle a visité ensuite Isigny, particulièrement éprouvé et dont la population lui a prodigué les plus émouvants témoignages de courage et de dévouement. Grandcamp et plusieurs autres localités ont reçu également et dans la même ambiance d'immense ferveur la visite du président du Gouvernement de la République.

Le Chef du gouvernement a partout laissé les premières instructions relatives à la reprise de la vie administrative, au ravitaillement et aux secours.

Lettre de S. S. le Pape Pie XII au général de Gaulle, à Alger.

C'est avec grand plaisir que Nous avons pris connaissance, cher Fils, du message solennel que vous Nous avez adressé d'Alger, en date du 29 mai, et que le commandant de Panafieu Nous a remis ces jours-ci de votre part.

Il Nous a été agréable de voir en quels termes filialement reconnaissants vous rendiez hommage à l'œuvre de charité que Nous avons accomplie avec l'aide de Dieu, en faveur de tous Nos fils éprouvés par la guerre, au nombre desquels vous placez à bon droit ceux de France qui Nous sont particulièrement chers, soumis —

comme ils l'ont été depuis plus longtemps que d'autres — à des privations et à des souffrances de toutes sortes.

D'autre part, Notre cœur paternel, attristé par la récente destruction — occasionnée par la guerre — d'insignes et séculaires monuments d'une haute valeur religieuse, artistique et historique, ne pouvait manquer d'être sensible au louable dessein que vous Nous manifestez d'éviter, pendant les opérations militaires en cours, de porter atteinte à ces précieux souvenirs de la civilisation chrétienne, semés comme des phares lumineux de foi, de culture et de vrai progrès le long des chemins que parcourent les armées.

Nous implorons chaque jour la Divine Miséricorde pour que la terrible tragédie, qui a déjà fait tant de victimes, arrive bientôt à sa fin et formons des vœux particulièrement affectueux pour que la France, qui Nous est si chère, sorte de la douloureuse épreuve spirituellement renouvelée et continue sa marche à travers l'Histoire sur la trace glorieuse des traditions chrétiennes qui la rendirent jadis forte, grande et respectée parmi les nations.

Comme vous l'observez justement, la fin des combats ne suffirait pas à redonner à la France l'ordre et la tranquillité de la paix, qu'elle désire si vivement, si elle conservait dans son sein des germes funestes de discordes civiles et de conflits sociaux qui pourraient lui faire perdre tout le fruit des sacrifices imposés par la plus dure des guerres. Aussi est-ce avec ferveur que Nous demandons à Dieu d'épargner à votre patrie ces troubles néfastes, d'éclairer ceux qui seront chargés de la conduire et de faire prévaloir, dans le cœur de tous, des sentiments, non de rancœur et de violence, mais de charité et de réconciliation fraternelle.

C'est avec cette prière et ces vœux dans le cœur que Nous vous envoyons, cher Fils, en retour de votre filial hommage et en gage des grâces de choix que Nous appelons d'en haut sur vous et sur votre patrie, Notre Bénédiction apostolique.

Du Vatican, le 15 juin 1944.

Lettre du général de Gaulle à M. W. Churchill, à Londres.

Londres, le 16 juin 1944.

Monsieur le Premier Ministre,

En quittant le territoire de la Grande-Bretagne, où vous avez bien voulu m'inviter dans un moment d'une importance décisive pour l'issue victorieuse de cette guerre, je tiens à vous exprimer mes très sincères remerciements pour l'accueil qui m'a été réservé par le Gouvernement de Sa Majesté britannique.

Après une année écoulée depuis mon dernier séjour dans votre noble et vaillant pays, j'ai pu voir et sentir que le courage et la puissance du peuple de Grande-Bretagne étaient au degré le plus élevé et que ses sentiments d'amitié à l'égard de la France se trouvaient plus forts que jamais. Je puis vous assurer, réciproquement, de la confiance profonde et de l'attachement indissoluble que la France porte à la Grande-Bretagne.

A l'occasion de ma visite, il m'a été également possible de mesurer le magnifique effort que sont en train d'accomplir la Marine, l'Armée et l'Aviation britanniques dans l'action engagée maintenant sur le sol français par les alliés et par la France et qui, j'en suis certain, aboutira à la victoire commune. Pour votre pays, qui fut dans cette guerre sans exemple le dernier et imprenable bastion de l'Europe et qui en est à présent l'un des principaux libérateurs, comme pour vous-même, qui n'avez cessé et ne cessez pas de diriger et d'animer cet immense effort, c'est là, permettez-moi de vous le dire, un honneur immortel.

Je vous prie de bien vouloir agréer, Monsieur le Premier Ministre, l'expression de mes sentiments de très haute considération et de très sincère dévouement.

Lettre de M. W. Churchill au général de Gaulle.

TRADUCTION

Londres, le 16 juin 1944.

Cher général de Gaulle,

Je vous remercie de votre lettre du 16 et des expressions flatteuses qu'elle contient. Lorsque vous êtes arrivé, j'avais de grands espoirs que nous pourrions parvenir à établir une base de collaboration et que je pourrais aider le Comité français de la libération nationale à être en meilleurs termes avec le Gouvernement des États-Unis. Je déplore que ces espoirs ne se soient pas réalisés. Il peut se faire, cependant, que les discussions à l'échelon des experts arrivent à une amélioration de l'impasse actuelle.

Dès 1907, dans les bons et dans les mauvais jours, j'ai été un ami sincère de la France, comme le montrent mes paroles et mes actes ; aussi est-ce pour moi un grand chagrin qu'aient été et soient élevés des obstacles à une association qui m'était chère. Ici, grâce à votre visite, que j'ai personnellement organisée, j'espérais qu'il y aurait une chance d'arrangement. Maintenant, il ne me reste plus qu'à espérer que ce n'ait pas été la dernière chance.

Si je peux, néanmoins, me permettre de donner un conseil, ce serait celui que vous fassiez la visite prévue au président Roosevelt et que vous essayiez d'établir, pour la France, ces bonnes relations avec les États-Unis qui sont une part très précieuse de son héritage. Vous pouvez compter sur tout l'appui que je pour-

rais vous donner en cette matière qui est d'une grande importance
pour l'avenir de la France.

Croyez-moi

Votre...

*Télégramme de Henri Hoppenot
au ministre des Affaires étrangères, à Alger.*

Washington, 16 juin 1944.

Comme vous l'avez constaté par nos revues de presse de ces
derniers jours, la presse américaine s'est déchaînée à nouveau
contre le général de Gaulle.

Les bases de cette campagne de presse sont techniquement les
mêmes que celles qui avaient suivi le débarquement en Afrique
du Nord en novembre 1942, savoir : les forces françaises ne participent pas aux opérations ; les Américains se font tuer pendant
que les Français font de la politique ; le général de Gaulle continue
à gêner l'effort allié, etc...

Certains commentateurs vont si loin dans cette direction qu'ils
n'hésitent pas à faire bon marché de la réception enthousiaste du
général de Gaulle par les Français de la Normandie libérée ; selon
eux, cette manifestation ne signifie pas qu'ils approuvent le Général. C'est chez eux une simple réaction sentimentale à la vue d'un
képi.

... Cette campagne a pris son origine au Département d'État,
à la suite du refus par le général de Gaulle de mettre le corps d'officiers de liaison français à la disposition du commandement allié...

A l'heure actuelle, nous assistons donc à une véritable manipu-
lation de la presse par les organes officiels du gouvernement.
Maison-Blanche en tête. A deux reprises, sur la question de la
monnaie et sur la question des officiers de liaison, le Président a
fait, à sa conférence de presse, des déclarations non provoquées
condamnant en termes sévères l'attitude du général de Gaulle,
Ces déclarations ont été reproduites en première page dans tous
les journaux.

. . . .

Télégramme du général de Gaulle à Henri Hoppenot, à Washington.

Alger, 24 juin 1944.

Après mûre réflexion et avant de donner au président Roosevelt
une réponse définitive au sujet de mon voyage à Washington et
de sa date, je vous expose ci-dessous, pour vous permettre d'en
faire état et, réciproquement, de m'éclairer, comment j'envisage
cette affaire. Il me paraît nécessaire, d'ailleurs, que vous laissiez

au Département d'État, sous telle forme qui vous paraîtra convenable, une paraphrase de ce qui suit pour que les choses soient fixées à leur date, ce qui pourrait être une bonne précaution.

1) Comme j'ai eu l'honneur de le faire dire au Président par l'amiral Fenard qui lui portait ma réponse de principe, je serais heureux de me rendre à Washington pour m'entretenir avec lui des problèmes qui intéressent en commun les États-Unis et la France. Je considérerais, en tout cas, ce voyage comme un hommage rendu par la France en guerre au Président lui-même, ainsi qu'au peuple américain et aux armées américaines qui ont fait et font tant d'efforts et subissent tant de sacrifices pour contribuer puissamment à la libération de l'Europe et de l'Asie.

2) Compte tenu de l'état actuel des relations officielles franco-américaines, ainsi que de l'atmosphère assez obscure et chargée qui les entoure en ce moment, il me paraît capital que mon voyage soit attentivement préparé et que tout ce qui aura lieu d'essentiel au cours de mon séjour soit à l'avance réglé d'accord. Je vous prie de demander et de me transmettre d'urgence des précisions complètes sur ce qui est envisagé du côté américain, notamment pour ce qui concerne ma rencontre ou mes rencontres avec le Président.

3) Je ne sais naturellement pas de quoi au juste le Président a l'intention de m'entretenir. Quant à moi, sans rien exclure à priori des conversations et sans méconnaître aucunement la valeur inappréciable du concours actuel et éventuel des États-Unis dans la libération et dans la reconstruction de la France ainsi que dans l'organisation du monde de demain, je ne compte rien demander, ni rien réclamer, spécifiquement. En particulier, la reconnaissance formelle du gouvernement provisoire par les États-Unis est une question qui m'intéresse peu et que je ne soulèverai pas. L'économie pratique des rapports franco-américains me paraît beaucoup plus importante et urgente.

4) La période du 6 au 14 juillet n'est pas pour moi la meilleure ; d'une part pour des raisons d'obligations pressantes de gouvernement et de commandement ; d'autre part pour ce motif que je dois, de toutes façons, me trouver à Alger le jour de la fête nationale. Par déférence pour le Président, qui a proposé ces dates, je pourrais néanmoins me rendre à Washington pour y être arrivé le 6 et rester aux États-Unis jusqu'au 9, soit trois jours pleins. Mais j'ai besoin, avant de répondre définitivement, de connaître exactement le programme du séjour.

Télégramme de Henri Hoppenot au général de Gaulle, à Alger.

Washington, 26 juin 1944.

J'ai effectué cet après-midi, au Département d'État, la démarche prescrite par votre télégramme et j'ai laissé entre les mains de

M. Dunn un aide-mémoire exposant, sous le forme la plus exacte et la plus nuancée possible, votre position.

M. Dunn m'a répondu avec une visible satisfaction. Il va saisir immédiatement la Maison-Blanche et m'a promis une prompte réponse.

Tout dépend donc aujourd'hui du fond et de la forme que le Président donnera à cette réponse. Je ne serai à même de vous donner mon impression définitive sur le déplacement que lorsque nous la connaîtrons. Le Département d'État ne s'opposera certainement pas à ce que cette réponse soit conçue dans un esprit favorable et à ce qu'elle engage le Président dans une voie qui permettrait à votre venue éventuelle d'atteindre les résultats que vous recherchez.

La procédure que vous m'avez prescrite est certainement la meilleure. Ce matin encore, un de nos amis américains les plus autorisés m'a mis en garde contre toute intervention auprès de la Maison-Blanche, où l'amiral Leahy, m'a-t-il dit, « ne cherchera qu'à vous jouer des tours. »

Je souhaiterais connaître, le plus tôt possible, vos intentions au sujet des contacts que vous désireriez prendre éventuellement avec les colonies françaises et les divers milieux américains.

Prévoyez-vous une visite à New York?

Le Président vous saurait certainement gré, dans cette période électorale, de réduire au minimum votre participation aux manifestations publiques, que certains de nos amis américains, qui ne sont pas des siens, se proposent d'organiser en votre honneur dans cette grande ville.

Télégramme de Gabriel Bonneau, délégué français au Canada, au ministre des Affaires étrangères, à Alger.

Ottawa, 29 juin 1944.

... Le sous-secrétaire d'État aux Affaires étrangères m'a dit hier soir que, si le général de Gaulle se rendait aux États-Unis, le Gouvernement canadien l'inviterait certainement à venir également en ce pays.

La question a d'ailleurs été évoquée à la Chambre des Communes avant-hier...

Si, le cas échéant, le Général acceptait cette invitation, l'accueil qu'il recevrait de la population canadienne serait certainement très chaleureux et sans rapport avec la timidité qu'a montrée à notre égard le Gouvernement canadien dans son souci de ne pas devancer Washington.

Télégramme du général de Gaulle à René Massigli, à Alger.

Rome 30 juin 1944.

1) Mon intention est, décidément, de me rendre à Washington en ne donnant à mon voyage qu'un caractère de contact personnel avec le président Roosevelt, d'hommage rendu par la France au peuple américain et à ses armées et d'information générale.

Je suis tout à fait décidé à n'entreprendre et à n'accepter aucune négociation proprement dite sur aucun sujet.

Viendront avec moi : le général Béthouart, M. Palewski, un diplomate comme Paris, le colonel de Rancourt, MM. Teyssot et Baubé.

2) Je désire être à Washington le 6 juillet dans la soirée et j'accepte, pour le 6, le 7 et le 8, le programme établi par Hoppenot avec le State Department pour Washington et, pour le 9, sa proposition pour New York.

Toutefois, à New York, j'entends recevoir très largement la colonie française en n'excluant que les adversaires réellement déclarés et acharnés. Hoppenot doit organiser cela d'une manière très très libérale, je dis très très libérale. Ceci n'empêchera d'ailleurs pas ma visite spéciale à « France for ever ».

3) Je désire me rendre au Canada, aussitôt après New York. Il faudrait que vous arrangiez cela sans délai avec le général Vanier et que vous préveniez Bonneau.

. . . .

4) Il faut que je sois rentré à Alger au plus tard le 14 juillet au matin.

. . . .

Lettre de Pierre Viénot au général de Gaulle, à Alger.

Londres, le 30 juin 1944.

Mon Général,

Cette lettre vous sera portée par Paris en même temps que le projet d'accord auquel nous sommes arrivés, M. Eden et moi, et une note du professeur Gros sur la question.

Je ne veux ici que vous donner une impression d'ensemble sur toute cette négociation.

Je crois pouvoir dire que nous sommes arrivés à ce « succès à 90 pour 100 » que je vous avais laissé espérer : un accord qui constitue, en pratique, une véritable reconnaissance du Gouvernement provisoire ; une affirmation catégorique de la souveraineté française ; la disparition de toute idée de « supervision » du Commandant en chef, même dans la zone de l'avant ; l'affirmation d'une complète égalité du gouvernement provisoire avec les gouvernements alliés, dont nous devons, dans l'avenir, pouvoir tirer d'importantes conséquences sur le terrain international, (par exemple dans la question de l'armistice avec l'Allemagne).

La question qui se pose est de savoir si nous pouvons essayer de nous assurer de nouveaux avantages et d'améliorer encore le projet qui vous est soumis.

En ce qui concerne les clauses politiques, je ne crois pas que ce soit possible.

. . . .

Je suis convaincu qu'un accord avec les alliés nous grandira vis-à-vis de la France.

Il ne faut pas nous y tromper. La France, en même temps qu'elle est derrière vous, est avec les alliés. C'est d'ailleurs tout naturel, puisque vous êtes vous-même, à ses yeux, le symbole de notre fidélité à nos alliances. L'immense majorité des Français seraient profondément troublés s'ils devaient découvrir que, pendant le temps même de la libération, un accord n'a pas pu se réaliser.

Et même si, le jour où ils seraient suffisamment informés, ils devaient rendre les alliés responsables de cet état de choses, nous ne nous trouverions pas pour cela renforcés. (Seuls les communistes en tireraient profit et de la façon la plus malsaine).

Je n'hésite donc pas sur le fond de la question. Sans aucun amour-propre d'auteur, je vous assure, je crois devoir vous conseiller d'accepter l'accord qui nous est proposé.

Veuillez agréer, mon Général, l'assurance de mon respectueux dévouement.

Télégramme du général de Gaulle à Henri Hoppenot, à Washington.

Alger, 2 juillet 1944.

Je vous confirme que j'arriverai à Washington le 6 après-midi.

J'accepte le programme proposé pour ce jour-là par les Américains, c'est-à-dire : thé chez le Président et dîner chez M. Cordell Hull.

J'accepte également, pour le 7, la conversation et le déjeuner à la Maison-Blanche. Par contre, je n'entends pas négocier, je dis négocier, sur l'affaire des billets.

Je crois nécessaire d'organiser, à la délégation, une grande réception officielle. Faites les invitations sous la forme que vous jugerez la meilleure.

Déclaration du général de Gaulle faite à son arrivée
à l'aérodrome de Washington, le 6 juillet 1944.

« I am happy to be on American soil to meet President Roosevelt. I salute and pay tribute to all those American men and women who at home are relentlessly working for the war and, also, those brave American boys : soldiers, sailors and airmen, who abroad are fighting our common enemies.

« The whole French people is thinking of you and salutes you, Americans, our friends.

« The war goes well. When the Germans and Japanese have been crushed, the world will have to be organised for freedom and peace. Our ardent desire is that the United States and France continue working together in every way, as to-day our fighting men are marching together to the common victory. »

Lettre de M. Bonomi, président du Conseil des ministres italien,
au général de Gaulle, à Alger.

Salerne, le 6 juillet 1944.

Mon Général,

Le ministre Prunas m'a rendu compte en détail de la conversation que vous avez eue il y a quelques jours à Naples et des paroles aimables, que j'ai beaucoup et vivement appréciées, que vous avez prononcées à mon intention.

Je désire aussitôt vous dire que votre proposition d'avoir à Rome, au palais Farnèse, en la personne de M. Couve de Murville, un représentant du Gouvernement provisoire français avec lequel il sera possible, sans intermédiaire étranger ni tierce personne, d'entamer des conversations sur les relations italo-françaises présentes et futures, me semble être, à tous égards, une proposition excellente qui, comme telle, rencontre mon complet agrément. Il sera certainement possible, au moment et à l'occasion propices, d'avoir du côté italien quelque chose de parallèle auprès de vous.

Je désire aussi vous confirmer ce que le ministre Prunas vous a déjà dit : qu'une clarification des rapports entre l'Italie et la France et le raffermissement progressif de leur amitié constituent une des tâches fondamentales de mon gouvernement. Et je suis très heureux que vous partagiez ma conviction profonde sur ce point.

Il ne me paraît pas douteux que les Latins d'Europe doivent s'appuyer réciproquement l'un l'autre dans la tourmente qui menace de les engloutir et qu'ils la surmonteront certainement s'ils ont — comme j'en suis profondément convaincu — les moyens et le courage de se redresser et de se renouveler.

Je vous adresse à mon tour, mon Général, les mêmes vœux que

vous avez bien voulu exprimer à mon intention et à l'intention de
mon gouvernement et je tiens à vous exprimer, d'une façon toute
particulière, mes sentiments de vive et profonde solidarité pour le
succès des opérations militaires qui amèneront, sans aucun doute,
la libération de la France que vous représentez avec tant d'éléva-
tion.

Veuillez croire à mes sentiments les meilleurs.

*Télégramme de Maurice Couve de Murville,
délégué français en Italie,
au ministre des Affaires étrangères, à Alger.*

Naples, 8 juillet 1944.

J'ai eu, hier, un entretien avec le secrétaire-général des Affaires
étrangères, qui a porté essentiellement sur les répercussions du
récent voyage du général de Gaulle en Italie.

1) D'une manière générale, la déclaration faite à Rome aux
journalistes par le Général a produit une grande impression,
tant par l'allusion faite à un rapprochement franco-italien que par
les sentiments exprimés au sujet de la Ville éternelle comme foyer
de la latinité et centre de l'Église catholique. Cette impression a
été largement traduite par les journaux de la capitale. Elle est
partagée, en particulier, par les milieux du Vatican.

2) Le Président du Conseil a été extrêmement sensible aux paroles prononcées par le général de Gaulle au cours de son entretien
avec M. Prunas. Il est, tout d'abord, reconnaissant de ce qu'aucune parole n'ait été dite par le Général concernant le passé que
tout le monde maintenant condamne. Surtout, il est satisfait de
ce qu'il considère comme un geste vis-à-vis de son gouvernement
et de l'Italie. Il est entièrement d'accord sur le programme d'une
entente entre les pays latins et considère qu'il est de l'intérêt de
son pays que la France reprenne aussitôt que possible sa place de
grande puissance.

Rien ne sépare, selon M. Bonomi, la France de l'Italie ; il reste
seulement à régler là question tunisienne. Il est prêt à en parler
et M. Prunas m'a demandé si nous pourrions commencer à nous
en entretenir une fois que son gouvernement sera installé à Rome.
Je lui ai répondu que je pensais qu'il n'y avait pas d'objections,
étant donné que le point de départ est la disparition de tous les
privilèges italiens en Tunisie.

M. Prunas lui-même va, d'ailleurs, plus loin et n'hésite pas à
penser qu'une formule générale de compréhension et d'aide réciproque pour la période d'après-guerre pourrait être trouvée. Je
me suis abstenu de relever cette suggestion.

Il est évident, en tout cas, que les Italiens sont très contents de

pouvoir ajouter une carte nouvelle à un jeu diplomatique devenu
déjà plus complexe depuis que les Soviets ont décidé d'établir des
relations directes entre Moscou et Salerne.

Dans l'esprit de ce qui précède, M. Bonomi a tenu à écrire une
lettre au général de Gaulle pour le remercier de ce qu'il avait bien
voulu dire à M. Prunas, accepter son offre concernant des contacts
franco-italiens directs par mon intermédiaire et affirmer son espoir
de voir s'établir dans l'avenir de bonnes relations franco-italiennes.

. . . .

Télégramme du général de Gaulle
à Henri Queuille et René Massigli, à Alger.

Washington, 9 juillet 1944.

Mes conversations avec le président Roosevelt se sont terminées,
hier, par un long entretien très intéressant et très cordial. Je
crois que les affaires de la coopération en France, du Lend-Lease
et de la monnaie pourront être maintenant rapidement réglées par
la voie diplomatique dès mon retour à Alger. Quant aux principaux problèmes d'avenir, je crois que nous pouvons penser qu'on
ne cherchera plus à les régler sans la France. Toutefois, les points
de vue évoqués doivent nous faire prévoir sur certains points,
notamment à propos des bases, d'assez pénibles et prochaines
discussions. Je serai demain à New York, après-demain au Canada.
Amitiés.

Déclaration faite par le général de Gaulle
à sa conférence de presse du 10 juillet 1944, à Washington.

Avant de quitter Washington, je résumerai mes sentiments en
disant que j'emporte de mon séjour dans la capitale fédérale des
États-Unis d'Amérique la meilleure impression possible. Il m'a
été donné d'avoir avec le président Roosevelt les entretiens les
plus confiants et les plus larges. J'ai pu, d'autre part, prendre
contact avec plusieurs secrétaires d'État, notamment avec M. Cordell Hull, des sous-secrétaires et assistants secrétaires d'État, des
membres éminents du Congrès, en particulier M. le sénateur
Connally et M. le représentant Sol Blom, le général Marshall,
l'amiral King, le général Arnold, un grand nombre de fonctionnaires, des membres éminents des états-majors généraux et beaucoup d'autres hautes personnalités. Je crois donc que nous avons
atteint le but principal que le président Roosevelt et moi-même
avions fixé à ce voyage, c'est-à-dire des conversations franches
et objectives sur les graves questions qui intéressent en commun

les États-Unis et la France dans cette grande guerre et après la
guerre. Je suis sûr que, désormais, le règlement de tous les problèmes communs qui se posent et se poseront au Gouvernement
américain et au Gouvernement français, à mesure du progrès des
armées alliées et, plus tard, à mesure de la réorganisation du monde,
sera plus facile parce que, maintenant, nous nous comprenons
encore mieux.

Nous avons à réduire à la capitulation totale l'Allemagne et le
Japon, puis à construire un univers meilleur, dans lequel la solidarité internationale ne soit pas seulement un mot mais bien une
chose pratique et organisée dans l'intérêt et dans le respect des
droits de tous. Le rôle des États-Unis dans cet effort de guerre et
dans cette œuvre de paix est réellement immense et comporte
pour le peuple américain de très grandes responsabilités. Le président Roosevelt m'a parlé de tout cela avec une largeur de vues,
une connaissance des problèmes et un idéalisme qui m'ont particulièrement frappé. De mon côté, je lui ai exposé, le mieux possible,
comment la France, émergeant peu à peu de ses malheurs provisoires, entend participer, avec ses alliés et à son rang, à la guerre
d'abord, et puis, à la vie du monde dans la paix.

Il existe un élément séculaire et traditionnel qui doit être au
plus haut point utile dans tout ce qui nous reste à faire en commun.
Cet élément, c'est la bonne vieille amitié franco-américaine. Or,
j'ai trouvé ici cette amitié bien vivante et mille preuves émouvantes
m'en ont été données. Croyez bien que, du côté français, rien ne
nous est plus cher que cela. Je crois bien, qu'en parlant ensemble
du présent et de l'avenir, le président Roosevelt et moi-même nous
nous trouvions exactement dans la même psychologie que vos
braves boys américains et nos bons soldats français, qui se trouvent
côte à côte, engagés dans le même dur combat pour la même magnifique cause.

Discours prononcé par le général de Gaulle
à Ottawa, le 11 juillet 1944,
devant le Gouvernement et le Parlement canadiens.

L'accueil émouvant que vous voulez bien me faire me semble
procéder d'une double inspiration. Sans doute entendez-vous,
d'abord, témoigner de cette solidarité réconfortante qui unit dans
le monde, par-dessus les frontières, les océans et les continents,
les hommes qui luttent ensemble pour la liberté. Sans doute, aussi,
avez-vous jugé bon de marquer qu'ici la France ne fut, n'est et ne
sera jamais oubliée.

Eh bien ! je viens attester parmi vous que le Canada est, pour
la France, un ami plus cher que jamais.

Certes, le passé compte pour une large part dans cette mutuelle sympathie. D'une part, votre peuple qui, dans aucun événement de l'Histoire, ne s'est opposé au nôtre, votre peuple où les hommes ont, de tout temps, ouvert leur intelligence et leur cœur aux idées et aux sentiments qui s'élevaient de l'âme française, votre peuple où dans les veines de beaucoup coule un sang qui vient de France, d'autre part, mon pays qui se souvient d'avoir le premier apporté la civilisation chrétienne et européenne sur ces terres immenses, mon pays qui n'a jamais cessé de suivre et d'admirer l'effort magnifique de vos pères et le vôtre pour arracher à la nature la prospérité humaine, pour développer les esprits aux points de vue intellectuel, spirituel et moral, pour créer enfin un État uni dans la conscience de sa valeur propre et dans la fidélité au Commonwealth dont il fait partie, votre peuple et mon pays, que de liens puissants les relient à travers le temps !

Rien n'a paru plus naturel à la vieille France que de voir combattre sur son sol pour la même cause, dans la précédente guerre mondiale, les soldats du Canada et d'ensevelir pieusement dans sa terre tous ceux dont le monument de Vimy symbolise l'héroïque mémoire. Et permettez-moi de dire que rien n'a paru plus émouvant à l'homme qui a l'honneur de vous parler que de voir récemment, en Italie, les troupes du Corps canadien engagées sur les rives du Liri, côte à côte avec l'armée française, ou de trouver d'abord sur la plage de Normandie, où il prenait pied au début de la grande bataille, un beau et brave régiment canadien.

Mais, si le passé comporte pour la France et le Canada tant de raisons particulières de se comprendre, je dis bien haut que le présent y a beaucoup ajouté. Ce sont les mauvais jours qui font les preuves de l'amitié. Or, la France aura, pendant ces dures années, traversé de bien mauvais jours ! Submergée par l'ennemi, stupéfiée par le désastre, trahie ou trompée par ceux qui s'étaient saisis de l'État et qui n'usaient de leurs pouvoirs ou de leur réputation que pour la jeter et la maintenir dans la honte de l'abaissement, la France a pu, quelque temps, offrir aux observateurs malveillants ou superficiels les apparences d'une de ces chutes dont une nation ne se relève pas lorsqu'elle y a consenti. Mais d'autres, mieux avertis parce qu'ils étaient plus favorables, ont eu vite fait de discerner que mon pays, dans ses profondeurs, refusait de s'abandonner. Ceux-là ont compris bientôt que la volonté, l'espérance, l'âme du peuple français demeuraient fermement du côté de ceux qui refusaient d'abaisser le drapeau et qui prétendaient maintenir, coûte que coûte, leur patrie dans le camp de la liberté.

Je me garderai de décrire ce qu'une telle entreprise a comporté d'efforts, de pertes, souvent d'amertume, pour les Français qui l'ont accomplie dans tous les domaines où se déroulait, soit à l'intérieur, soit au-dehors du pays, cette lutte farouche pour l'indépendance et pour l'unité nationale.

Mais j'ai le devoir de dire quel réconfort et quel appui ils ont trouvé auprès du Canada, de son gouvernement et de son peuple.

Les aviateurs français que vous avez instruits ici, les forces françaises que vous contribuez à armer, les prisonniers français que
vous aidez à nourrir et à habiller, par-dessus tout, peut-être,
les innombrables Français qui ont perçu, dans leur misère et
dans leur combat, l'écho de la sympathie canadienne, sont là pour
en témoigner. Maintenant, la France est debout, rassemblée. Si
cette amitié vivante a directement contribué à soutenir et à redresser mon pays dans ses épreuves et, par suite, à rendre plus
puissante matériellement et moralement la coalition des peuples
libres contre leurs ennemis acharnés, elle apparaît maintenant
comme un élément très important dans l'œuvre d'organisation
du monde qui devra sortir de cette terrible guerre.

A présent que la lumière de la victoire commence à dorer l'horizon, on sent, dans les profondeurs des peuples qui se sont unis
pour faire triompher le droit et la liberté, une immense aspira-
tion vers un avenir meilleur. Car, si tant d'hommes et de femmes,
dans le monde libre, ont volontiers souffert, combattu, travaillé,
si tant de bons et braves soldats sont morts sans murmurer, si
tant de villes et de villages se sont offerts en holocauste pour le
salut commun, il ne serait pas tolérable, il ne serait même pas possible, qu'il ne sortît point, de tant de deuils, de sacrifices et de
ruines, un grand et large progrès humain.

Mais, dans un monde où tout concourt à resserrer sans relâche
l'interdépendance des nations en même temps que celle des individus, comment concevoir un tel progrès, sinon dans un système
de réelle coopération internationale? Pour les mêmes raisons qu'une
seule et même guerre couvre toute l'étendue de notre terre, devenue
si petite, la paix que nous aurons à faire devra être une seule et
même paix. Pour les mêmes raisons que ce qui se pense, se produit,
se fabrique, en n'importe quel point de l'univers, a des conséquences
inévitables sur le destin du plus obscur combattant, ainsi, demain,
la condition de l'homme dans le monde, quels que soient sa race,
son pays, son activité, dépendra dans quelque mesure de ce qui
sera réalisé, où que ce soit, dans les domaines politique, économique,
social, spirituel, intellectuel, moral. C'est-à-dire qu'on ne peut plus
imaginer, pour aucun peuple de notre planète et pour aucun de
nos semblables, ni sécurité assurée, ni progrès solide et durable,
si toutes les nations entre elles et, dans chaque nation, tous les
citoyens entre eux ne consentent pas à collaborer normalement
et fraternellement.

La France qui, peu à peu, émerge de ses malheurs provisoires,
la France éclairée par ce qu'elle a souffert, la France qui entend,
non plus opposer, mais désormais conjuguer, sa passion du progrès
et sa traditionnelle sagesse se déclare prête à prendre, dans cette
œuvre universelle, toute la part dont elle est capable. Elle est
sûre d'y trouver, à côté d'elle et d'accord avec elle, tous les peuples
qui la connaissent bien. Elle est sûre d'y trouver, d'abord, le Canada.

*Télégramme de la délégation française aux États-Unis
au ministre des Affaires étrangères, à Alger.*

Washington 15 juillet 1944.

Le voyage du général de Gaulle à Washington a été abondam-
ment commenté par la presse américaine. Son arrivée, le programme de ses journées, sa conférence de presse à Washington,
son voyage à New York, ont été annoncés en première page de tous
les journaux avec photographies à l'appui.

Les décisions annoncées par le président Roosevelt à sa conférence de presse et concernant le rôle dévolu au Gouvernement
provisoire en France libérée sont mises en aussi bonne place et
rencontrent une sympathie générale.

New York Times, 12 juillet : « Roosevelt donne à Alger le premier rôle. »

Chicago Daily News, 10 juillet : « Le Général a fait revivre, ici
à Washington, la vieille amitié entre la France et les États-Unis. »

Chicago Daily News, 11 juillet : « Le Président a dissipé les nuages
qui pesaient sur nos relations avec les armées du général de Gaulle
et régularisé une situation qui avait causé, pour le moins, un malaise depuis le jour où nos troupes débarquèrent en Afrique du
Nord. »

The Nation, 15 juillet : « Quant à M. Roosevelt, il s'est enfin
retiré d'une position intenable, quelles que soient les réserves
diplomatiques par lesquelles il cherche à masquer cette retraite.
Soyons lui en donc reconnaissants. Mais il ne reste pas moins le
fait pénible que ce pays a été forcé, une fois de plus, par les événements d'adopter une politique à laquelle il aurait dû venir d'em-
blée. »

Plus aigres et parfois perfides sont les commentaires de *News-
week,* qui est bien forcé de faire contre mauvaise fortune bon visage : « Un de Gaulle plus humble consent maintenant à rencontrer
Roosevelt à mi-chemin. »

. . . .

L'article ci-dessous d'Ann MacCormick, dans le *New York
Times* du 12 juillet, exprime très bien l'opinion des milieux dirigeants :

« Le général de Gaulle, en chair et en os, paraît subtilement
différent de ses photographies. Il est plus humain, moins austère,
moins formidable au sens français du terme. En comportement,
comme en stature, il n'a rien du type habituel du Français.

« Le compromis auquel on a abouti à Washington est de l'essence même de bonne politique puisque chacune des parties a
obtenu ce à quoi elle tenait. Dans les conférences de presse qui ont
suivi leurs conversations, le Général, comme M. Roosevelt, ont
admis que c'était le résultat d'une « meilleure compréhension, »

mais, s'ils se sont mieux compris, c'est qu'ils étaient l'un et l'autre
d'humeur différente et dans des situations différentes de celles
de Casablanca. La conférence d'Anfa avait eu lieu à un moment de
grande tension et d'anxiété pour le Gouvernement américain,
au début d'une des aventures les plus risquées qui aient jamais
été entreprises. M. Roosevelt était trop absorbé par les problèmes
militaires pour écouter avec patience les revendications du général
de Gaulle...

« Le Général, de son côté, était bien forcé de crier, car la voix
de la France, à cette époque, était si étouffée et si faible !

« Il a continué ainsi, depuis lors, s'imposant, se rendant insuppor-
table, afin que les alliés n'oublient pas que la France est une puissance dont il faut tenir compte. Ses actes font que son pays parle,
alors que les autres sont muets, que les gouvernements en exil
ne sont que des symboles, que le destin de millions d'êtres se décide
dans les conférences secrètes de quelques individus.

« Le général de Gaulle peut aujourd'hui parler plus doucement
parce qu'il sait que la France ne saurait plus tarder à se faire entendre elle-même. Nulle part, sauf parmi ses compatriotes, il n'a
reçu les acclamations qui l'ont accueilli ici et cela seul aura suffi
à le convaincre des sentiments chaleureux des États-Unis pour la
France. L'homme qui, dans des jours d'humiliation profonde, a
tant fait pour maintenir la dignité de son pays n'aura pas manqué
d'être touché par ces ovations...

« Le Président, de son côté, était mieux à même de compter sur
la France. Le résultat essentiel des conversations de Washington
fut de dissiper des malentendus nés d'un tas de bavardages chau-
vins au sujet des desseins de l'Amérique sur les territoires français... Il est bien entendu que le Gouvernement américain a envisagé la sécurité à venir de bases aussi importantes que Dakar,
par exemple, mais seulement en collaboration avec les Français,
dans des conditions semblables à celles qui régissent notre coopération avec les Anglais aux Caraïbes. C'est pourquoi, à sa conférence de presse, le général de Gaulle a déclaré qu'il était rassuré
sur la question coloniale, mais que « l'avenir de la sécurité internationale pourrait affecter des territoires français et conduire ainsi
à des discussions.

« Ceci implique la reconnaissance du fait que la sécurité de la
France, comme la nôtre, dépendent d'une nouvelle conception
et que l'homme d'État français soit certain maintenant que la
France sera associée à l'organisation du système. Cela signifie,
en d'autres termes, que, tant que la France était dépendante,
elle devait affirmer son indépendance, mais qu'au fur et à mesure
qu'elle recouvrera sa liberté d'action et qu'elle sera traitée sur
un pied d'égalité elle inclinera, de plus en plus, à accepter les nécessités de l'interdépendance. »

Télégramme de Henri Hoppenot à René Massigli, à Alger.

Washington, 12 juillet 1944.

J'ai pris ce matin, avec Alphand, un premier contact avec
M. MacCloy et ses collaborateurs.

Un projet d'accord sur les rapports de l'administration civile
française et du commandement allié, s'inspirant étroitement du
texte rédigé à Londres, nous a été remis. Des éclaircissements nous
ont été fournis sur les raisons et la portée de certaines modifications proposées. Nous devons nous réunir demain pour ce travail
préliminaire d'exploration. Les Anglais assisteront, sans doute, à
cette seconde conversation... La participation anglaise fera que
les améliorations que nous obtiendrons vaudront aussi bien pour
Londres que pour Washington. Vous estimerez sans doute désirable,
dans ces conditions, que les négociations... soient désormais entièrement concentrées à Washington...

*Télégramme de Pierre Mendès-France, commissaire aux Finances,
au général de Gaulle, à Alger.*

Washington, 13 juillet 1944.

J'ai vu, le 12 juillet, M. Morgenthau qui m'a fait un excellent
accueil. Il m'a indiqué, entre autres, combien il était désolé que
les difficultés survenues le mois dernier au sujet de la monnaie
militaire aient minimisé les résultats obtenus lors de ma précédente visite et aient causé un préjudice à l'atmosphère qui s'en
était dégagée.

Conformément aux instructions du général de Gaulle, je n'ai
pas laissé la conversation s'aiguiller vers une négociation concrète.
Toutefois, M. Morgenthau m'a indiqué qu'il avait obtenu du Président la décision catégorique de régler d'une manière favorable
le problème de la monnaie et de nous reconnaître comme l'autorité
émettrice. Il m'a indiqué qu'il y a, toutefois, quelques détails à
mettre au point, par exemple les conditions dans lesquelles le
commandement militaire pourrait obtenir les billets qui lui seraient nécessaires pour ses besoins. Il m'a dit qu'aucune de ces
questions à régler ne soulèverait, d'ailleurs, de difficultés. Je n'ai
pas cherché à obtenir des précisions. Mais j'ai été impressionné favorablement des conversations.

Lettre du président Roosevelt à M. Joseph Clark Baldwin,
Chambre des Représentants,
(venue à la connaissance du général de Gaulle.)

TRADUCTION

Washington, le 19 juillet 1944.

Cher Joe,

Je regrette beaucoup de ne pas avoir eu la possibilité de vous voir pendant les deux dernières semaines surchargées que j'ai passées à Washington, mais cela m'a été impossible pendant la visite de de Gaulle, etc. Lui et moi avons examiné, en gros, les sujets d'actualité. Mais nous avons causé, d'une manière approfondie, de l'avenir de la France, de ses colonies, de la paix du monde, etc... Quand il s'agit des problèmes futurs, il semble tout à fait traitable, du moment que la France est traitée sur une base mondiale. Il est très susceptible en ce qui concerne l'honneur de la France, mais je pense qu'il est essentiellement égoïste.

Quand vous recevrez ceci, je voudrais que vous alliez voir Jerry Land au sujet des questions de la « French Line ». Je ne doute pas de la loyauté du directeur de la Compagnie. Mais de Gaulle n'hésiterait pas à le mettre à la porte si ce directeur lui était un obstacle. De plus, il ne serait pas mauvais que vous appreniez, par Jerry, qui s'occupe de cette affaire au Département d'État et que vous teniez celui qui s'en occupe au courant par l'entremise de M. Hull ou d'Ed. Stettinius.

J'espère beaucoup vous voir à mon retour.

Toujours sincèrement,

Lettre du général de Gaulle au général Kœnig,
délégué militaire pour le théâtre d'opérations du Nord, à Londres.

Alger, le 16 août 1944.

Ainsi que vous le savez, des accords ont été négociés et conclus, à Londres et à Washington, en vue de préciser les rapports du Commandant suprême interallié et des autorités civiles en France continentale.

Ces textes doivent être signés, d'une part par le Commissaire aux Affaires étrangères et le Secrétaire d'État britannique aux Affaires étrangères, d'autre part par vous-même et le Commandant suprême interallié.

Par la présente lettre je vous donne, au nom du Gouvernement de la République, pleins pouvoirs, en tant que de besoin, pour signer avec le général Eisenhower les dits accords ainsi que tous les arrangements spéciaux d'application qui ont été négociés et paraphés, soit à Londres, soit à Washington.

COMBAT

Lettre des généraux de Gaulle et Giraud
au président Roosevelt et à M. W. Churchill.
(Communiquée le même jour au maréchal Staline.)

Alger, le 18 septembre 1943.

Monsieur le Président,
(ou Monsieur le Premier Ministre)

Pour orienter l'effort de guerre français dans le cadre de la coopération interalliée, il nous paraît nécessaire de vous demander certaines précisions qui intéressent directement l'organisation des forces françaises, terrestres, aériennes et navales.

Ces précisions concernent :
— le réarmement de ces forces,
— ainsi que leur répartition dans l'espace et dans le temps sur les divers théâtres d'opérations.

Le mémorandum ci-joint, que nous adressons par ailleurs aux gouvernements de Grande-Bretagne (ou des États-Unis) et de l'Union des Républiques socialistes soviétiques, expose notre conception à ce sujet.

D'autre part, nous serions heureux de connaître votre point de vue quant à l'équitable participation du commandement français aux conseils militaires interalliés, tout au moins pour les cas où la mise en œuvre des forces françaises serait envisagée ou pour ceux qui toucheraient aux intérêts français en général.

Nous ajoutons que toutes les dispositions de caractère militaire, que vous voudrez bien nous communiquer, seront strictement limitées, quant à leur diffusion, aux seuls organes de commandement militaire appelés à en connaître et vous prions, Monsieur le Président (ou monsieur le Premier Ministre), d'agréer les assurances de notre haute considération.

Mémorandum adressé par les généraux de Gaulle et Giraud
au président Roosevelt et à M. W. Churchill
et communiqué au maréchal Staline.

Alger, 18 septembre 1943.

I. — Le Comité français de la libération nationale est en mesure
de réunir en Afrique du Nord les effectifs nécessaires à la mise
sur pied de :

— 7 divisions d'infanterie,
— 4 divisions blindées légères,
— divers éléments de réserve générale,
— 30 groupes d'aviation :

      16 de chasse,
       9 de bombardement,
       1 de reconnaissance,
       4 de sécurité,

— 4 bataillons de parachutistes.

D'après les accords conclus, la fourniture du matériel nécessaire
à l'armement de ces forces terrestres et aériennes doit être assurée
essentiellement par le Gouvernement américain et, en partie,
par le Gouvernement britannique :

— avant le 1er janvier 1944 pour le gros des forces terrestres,
— pour la fin de l'été 1944 en ce qui concerne les forces aériennes.

II. — Cependant, aucune décision n'a encore été prise en commun quant à la répartition dans l'espace et dans le temps de ces
forces sur les divers théâtres d'opérations. Or, cette répartition
conditionne :

— la réunion du personnel,
— la destination exacte à donner au matériel,
— les transports,
— l'instruction des troupes.

Le point de vue français à cet égard est inspiré par le souci
de voir intervenir la majeure partie des forces françaises sur les
théâtres d'opérations de la France métropolitaine et d'assurer,
ensuite, une participation substantielle à la libération de l'Indochine française.

a) Pour les opérations militaires qui seront dirigées vers la
France méridionale, en prenant pour base l'Afrique du Nord,
il n'apparaît pas que des difficultés puissent s'y opposer. Dans
cet ordre d'idées, une participation française importante est,
d'ores et déjà, consacrée à la libération de la Corse.

b) Mais la question se pose d'une manière pressante pour les
opérations dirigées vers la France septentrionale en prenant pour

base la Grande-Bretagne qui, logiquement, doivent aboutir à la libération de Paris.

Actuellement, les effectifs français en Grande-Bretagne ne dépassent pas 2 000 hommes et sont loin d'être à la mesure d'une opération d'une telle portée morale, non plus que de l'effort global fourni par l'Empire français. Cependant, l'intérêt psychologique que comporte la libération de Paris par des troupes françaises assez nombreuses et bien équipées ne peut échapper à personne, surtout après les trois années de martyre que cette capitale a endurées.

Le point de vue français est que notre participation aux opérations dans le Nord de la France devrait comporter :

— 2 divisions blindées,
— si possible 1 division d'infanterie,
— 7 groupes d'aviation :
    4 de chasse,
    3 de bombardement,
— 2 bataillons de parachutistes.

La réalisation de ce projet pose naturellement des problèmes de transport, d'organisation et d'instruction. Les points, en tout cas, sur lesquels il conviendrait de prendre, dès à présent, une décision à cet égard, sont les suivants :

— armement en Angleterre des forces précitées, soit avec le matériel américain actuellement prévu qui serait en partie dirigé des États-Unis sur l'Angleterre, soit avec du matériel britannique ;
— transport du personnel français nécessaire, d'Afrique du Nord en Angleterre ;
— instruction de ce personnel, en Grande-Bretagne.

En dernier ressort et pour tenir compte du désir du Gouvernement britannique de ne pas voir stationner d'unités indigènes sur le sol de la Grande-Bretagne, il pourrait, semble-t-il, être envisagé, une fois installées les premières têtes de pont sur le littoral de la Manche ou de la mer du Nord, de transporter directement d'Afrique du Nord en France une division d'infanterie française. Dans ce cas, les unités françaises à armer en Angleterre seraient seulement : 2 divisions blindées et 7 groupes d'aviation.

Les décisions à prendre à cet égard sont urgentes.

III. — L'attention des gouvernements et du commandement alliés doit être attirée, d'autre part, sur la situation des forces aériennes françaises.

Des 30 groupes prévus pour ces forces, 19 seulement pourront être mis en ligne à partir du 1er avril 1944.

Il n'est pas douteux que la puissance aérienne des alliés sera largement suffisante. Mais il serait regrettable que les 30 000 hommes que comptent les forces de l'Air françaises et qui comprennent d'excellents éléments ne soient pas utilisés au mieux.

Le Comité français de la Libération nationale insiste pour que le réarmement de ses forces aériennes soit accéléré. La production américaine et britannique est devenue telle qu'il semble que cette demande puisse recevoir satisfaction.

IV. — Il faut observer que, dans le même ordre d'idées, le plan de réarmement des forces navales françaises doit tenir compte des possibilités offertes par les ressources en personnel dont dispose la marine française, soit 45 000 marins.

Or, une fraction notable de ce personnel demeurerait inutilisée s'il n'était pas donné satisfaction aux demandes essentielles présentées aux alliés depuis le mois de novembre 1942, soit par les forces navales françaises libres, soit par les forces maritimes d'Afrique du Nord. Ces demandes portent essentiellement :

— sur la cession de divers bâtiments neufs, ainsi que d'appareils d'aéronavale ;
— sur la modernisation des bâtiments de fort tonnage utilisables.

En matière d'emploi, le Comité français de la libération nationale tient à voir l'ensemble de ces moyens participer :
— aux opérations de libération de la Métropole. Les forces navales françaises étant utilisées, dans toute la mesure du possible, en groupes organiques s'appuyant sur des bases françaises. Cette intention, fondée sur des raisons à la fois techniques et morales, tend à l'emploi en Méditerranée du gros des forces navales françaises ; leur participation aux opérations basées sur la Grande-Bretagne étant limitée à des éléments légers ;
— aux opérations d'Extrême-Orient, pour lesquelles la France est prête à engager le maximum de son armée de Mer.

Plan d'armement de la Marine, arrêté par le général de Gaulle en Comité de défense nationale, le 14 octobre 1943.

Le plan d'armement de la Marine, pour la période du 1er octobre 1943 au 1er mai 1944, comprend les forces suivantes :

Forces maritimes

1) Tous les bâtiments actuellement armés.
2) Les bâtiments neufs dont la cession, annoncée officiellement par les alliés, doit avoir lieu d'octobre à mai.

Cessions américaines : 6 torpilleurs d'escorte,
                                    6 escorteurs,
                                    6 chasseurs de sous-marins,
                                    4 remorqueurs.
Cessions britanniques : 4 frégates.

3) Le contre-torpilleur *Tigre* et le torpilleur *Trombe* retrouvés à Tarente.

4)   Soit : 271 000 tonnes de bâtiments de combat (104 bts),
           47 000 tonnes de bâtiments auxiliaires (104 bts).
Au TOTAL : 318 000 tonnes.

5) Les formations armées par la Marine pour le Corps expéditionnaire français :
— 1er Régiment de fusiliers-marins,
— Régiment blindé de fusiliers-marins
— 1er Groupe de canonniers-marins.

Aéronautique navale

— 6 flottilles (groupes) d'aviation navale,
— 1 flottille d'exploration en cours de cession par la marine américaine.
Au TOTAL : 7 flottilles (groupes) d'aviation navale.

Défense du littoral

7) Artillerie de côte :
— 10 batteries lourdes (100 m/m et au-dessus),
— 12 batteries légères,
— 7 batteries de D. C. A.

8) Défense fixe des ports suivants (déjà assurée par la Marine) :
Casablanca - Safi - Philippeville - Bougie - Bône - Tunis - La Goulette - Sfax.
Défense fixe des ports où nous serons appelés à remplacer les marines alliées :
Oran - Sousse.
Défense fixe (à installer) d'Ajaccio et de Bastia.

Personnel

9) Effectifs correspondant au plan d'armement ci-dessus
        Officiers   : 3 088
        Officiers-Mariniers et équipages : 46 000

Plan d'armement de l'Aviation, arrêté par le général de Gaulle en Comité de défense nationale, le 22 octobre 1943.

a) *Unités de combat :*
— 17 groupes de chasse dont : 7 réarmés par les Anglais,
                              9 réarmés par les Américains,
                              1 réarmé par les Russes *(Normandie),*

— 9 groupes de bombardement

> dont : 1 léger réarmé par les Anglais,
> 6 moyens réarmés par les Américains,
> 2 lourds réarmés par les Anglais,

— 1 groupe de reconnaissance réarmé par les Américains,
— 2 groupes de transport réarmés par les Américains,
— 3 groupes de « reconnaissance générale », armés par le personnel de l'Aéronautique navale et équipés de matériel anglais,
— 4 escadrilles de police et de sécurité, équipées de matériel ancien,
— 1 régiment de parachutistes à 2 bataillons.

b) *Unités auxiliaires :*

États-majors et organes de commandement,
Organes de guet et de défense aérienne,
Artillerie de l'Air,
Organes de réparations,
Unités de transmissions.

Nota : Ces unités de combat et ces unités auxiliaires figurent au programme de réarmement qui a été élaboré d'accord avec les alliés. (« Joint Air Commission »)

Note établie par le cabinet du général de Gaulle au sujet de ses entretiens avec M. Wilson, les 16 et 17 décembre 1943, et avec M. MacMillan, le 17 décembre 1943.

16 décembre 1943.

Le général de Gaulle avait invité l'ambassadeur Wilson à venir s'entretenir avec lui ce jour-là.

Le général de Gaulle, se référant dès le début de l'entretien à la lettre que le général Eisenhower a adressée au général Giraud au sujet de l'incident relatif à l'envoi en Italie de la 1re Division, lettre que le général Giraud a remise au gouvernement, déclare à M. Wilson que, dans cette affaire, il y a divers points à considérer.

Un premier point concerne l'aspect proprement technique de la question : utilisation en Italie d'une division possédant un certain armement, non point une autre.

Le général Eisenhower, commandant en chef, a parfaitement le droit, dit le général de Gaulle, d'adresser des demandes ou de faire des objections à cet égard. Mais il est regrettable que les liaisons du général Eisenhower avec l'état-major français soient aussi défectueuses. C'est ainsi que le général de Gaulle n'avait jamais été avisé que le général Eisenhower suggérait que la 1re Division fût armée en matériel américain et non en matériel anglais.

Un deuxième point dans cette affaire a un aspect plus général. Il ne s'agit, en effet, de rien de moins que de la souveraineté française.

Le général Eisenhower, dans sa lettre, demande que le Comité de la libération lui donne « certaines assurances. » Malgré la haute estime que nous avons pour le général Eisenhower, en sa qualité de Commandant en chef allié, le Comité ne saurait lui donner d'assurances. Il peut en donner au Gouvernement des États-Unis, non pas au Commandant en chef qui est un chef militaire chargé par le Gouvernement français de l'emploi d'une partie des forces françaises concurremment avec des forces alliées.

D'autre part, le général Eisenhower invoque le fait que l'armement remis aux troupes françaises l'est en vertu d'un « accord personnel. » Il n'est évidemment pas possible au Comité d'accepter cette interprétation d'un accord relatif à l'armement des troupes françaises. L'armement est remis à la France, c'est-à-dire à son gouvernement. D'ailleurs, le Gouvernement des États-Unis a signé avec le Comité de la libération un accord de lease-lend qui règle entre les deux gouvernements l'échange des armes contre des services.

Enfin, le général Eisenhower écrit qu'il a été entendu à Anfa, entre les alliés et le général Giraud, qu'au fur et à mesure que les troupes françaises seraient armées par les Américains le commandement en chef interallié en disposerait à son gré.

Le général de Gaulle dit que ceci, par-dessus tout, est inacceptable. Le Gouvernement français admet parfaitement qu'il appartient au seul commandement interallié de diriger les opérations des forces qui lui sont confiées. Mais, pour les forces françaises, il ne s'agit que de celles que le Gouvernement français lui a lui-même attribuées. Encore entendons-nous être consultés sur l'emploi qui en est fait. Mais nous rejetons absolument la conception suivant laquelle l'armée française appartiendrait, comme en toute propriété, au commandement américain, parce qu'elle aurait reçu des armes américaines. C'est au Gouvernement français — et à lui seul — qu'appartient l'armée française. Si, pour un but stratégique, nous mettons certaines de nos forces à la disposition du commandement allié, c'est dans des conditions que nous fixons nous-mêmes.

Par exemple, si dans le plan des opérations en France, au Nord et au Sud, la participation de nos armées n'était pas prévue d'une manière qui nous paraisse répondre à l'intérêt national, nous reprendrions nos armées et notre liberté d'action.

En conclusion, le général de Gaulle déclare que le Comité ne fera, ni ne fera faire, de réponse à la lettre du général Eisenhower.

M. Wilson demande alors ce que l'on peut faire.

Le général de Gaulle indique à M. Wilson qu'il faut reprendre la question sur le plan des gouvernements, en vue d'aboutir à un accord fixant les conditions dans lesquelles le commandement interallié peut employer les forces alliées, notamment les forces françaises. Le Comité de la libération est prêt à en discuter avec les ambassadeurs des gouvernements intéressés.

M. Wilson demande au Général de l'autoriser à étudier cet aspect de la question. « Je crois revenir demain, dit-il, vous en entretenir à nouveau. »

17 décembre 1943.

M. Wilson déclare au général de Gaulle qu'il s'est entretenu de la question, notamment avec le général Eisenhower. Celui-ci a dû quitter Alger ce matin. Mais il reviendra sans doute le 23 décembre et, à son retour, une conférence pourrait être réunie où M. Wilson représenterait le Gouvernement des États-Unis, le général Eisenhower le commandement en chef et à laquelle M. Mac-Millan a demandé à participer pour représenter son gouvernement.

En attendant, il est entendu que :
— la remise des armes aux troupes françaises continue ;
— la décision d'envoyer, ou non, la Division Brosset, ou une autre, en Italie est ajournée jusqu'à cette conférence.

M. MacMillan, peu après, demande à être reçu par le général de Gaulle.

Il déclare, au nom du Gouvernement britannique, qu'il demande à participer à la conférence prévue.

Il ajoute, qu'ayant mené à bonne fin jusqu'à présent les principaux accords réglant les questions en suspens entre son gouvernement et le Comité de la libération : accord monétaire, accord de lease-lend, etc., il sera personnellement heureux de représenter la Grande-Bretagne dans la prochaine négociation.

Le Général répond qu'il est d'accord pour une négociation à trois et qu'il se félicite d'y voir participer M. MacMillan. Il est entendu qu'il s'agit d'un accord à établir entre les trois gouvernements.

Note établie par le cabinet du général de Gaulle au sujet de la conférence tenue le 27 décembre 1943, sous la présidence du général de Gaulle, concernant l'emploi des troupes françaises dans le cadre des opérations interalliées.

Étaient présents :

du côté français : le général DE GAULLE,
               M. René MASSIGLI,
               le général GIRAUD
               le général DEWINCK,

du côté allié   : M. Edwin WILSON,
                  M. Harold MacMILLAN,
                  le major-général W. BEDELL SMITH (chef
                      d'état-major du général EISENHOWER),
                  le major-général Everett S. HUGHES,
                  le major-général John F. M. WHITELEY.

En ouvrant la conférence, le général de Gaulle rappelle qu'elle
a pour but de conclure un accord sur les conditions dans lesquelles
les forces françaises pourront participer aux opérations alliées.
Il y a des divergences. Il faut les résoudre.

Un projet d'accord a été proposé du côté français. Le général
de Gaulle demande aux représentants alliés de faire connaître leur
point de vue sur ce projet.

M. Wilson dit que le projet français a été étudié par les alliés,
qu'ils sont d'accord sur beaucoup de points, que certains autres
doivent être soumis à l'appréciation de leurs gouvernements, ce
qui provoquera nécessairement un délai.

Mais une question se pose immédiatement, celle de l'emploi des
forces françaises sur le théâtre méditerranéen.

M. Wilson demande au général B. Smith de dire en quoi consiste
le problème.

Le général B. Smith expose que le commandement interallié ne
fait pas d'objection de principe au projet d'accord d'ensemble
proposé par les Français. Mais il s'agit là d'une négociation entre
les gouvernements. Or, tandis que se poursuit cette négociation, le
général Eisenhower demande qu'on s'accorde tout de suite au
sujet de la Méditerranée. En effet, une vaste opération est prévue
sur le sud de la France et, pour l'exécuter, le commandement
interallié aura besoin de toutes les divisions françaises, y compris
celles qui sont ou qui seront engagées en Italie. Le temps presse,
car les opérations en France sur les deux théâtres du Sud et du
Nord-Ouest sont liées.

C'est pourquoi, le commandement suggère que les ambassadeurs
des États-Unis et de Grande-Bretagne demandent au Comité
français de la libération nationale de donner aux gouvernements
alliés l'assurance que l'emploi des divisions françaises peut être
prévu dans les plans de ces opérations.

Sinon, le commandement interallié serait obligé de prévoir,
dès maintenant, le transport de divisions supplémentaires à ache-
miner des États-Unis, ce qui serait évidemment déplorable. Au
total, pour arrêter le plan de ses opérations, le commandement
allié a besoin de savoir sur quelles forces françaises il peut compter.

Le général de Gaulle observe que c'est là, pour le commandement,
la bonne manière de poser le problème et que c'est la première fois
qu'on le pose de cette façon. Il appartient, en effet, au Gouvernement français de mettre, ou de ne pas mettre, ses forces à la disposition du commandement interallié ; ce qui implique que ce

gouvernement sache pour quelle opération, au juste, les forces
françaises lui sont demandées.

M. Wilson souligne, à son tour, que la demande présentée par
le commandement paraît répondre aux conditions que le général
de Gaulle avait évoquées dans ses récents entretiens avec l'ambassadeur, savoir :

1) garantie que les forces françaises seront toutes employées
en France, principalement par le sud ;

2) consultation entre le commandement interallié et le commandement français préalablement à l'emploi des troupes françaises ;

3) en cas de désaccord entre les commandements, consultation
entre les gouvernements alliés et le Comité français de la libération
nationale.

Le général de Gaulle déclare que ce sont bien là les conditions
nécessaires.

« Pour nous, dit-il, l'entrée des troupes françaises en France est
capitale. Nous entendons que cette entrée ait lieu par le Sud pour
la plus grande partie de nos forces et par le Nord pour une fraction. »

Le général B. Smith, abordant un problème d'organisation, dit
que le Commandant en chef comprend très bien le souci qu'a le
Gouvernement français de voir les troupes françaises qui participeront à l'opération dans le sud de la France réunies sous un commandement français. C'était le même souci qu'éprouvaient pour eux-
mêmes les Américains durant la première guerre mondiale. C'est
pour répondre à cette condition que le général Eisenhower avait,
naguère, prévu la présence d'un corps expéditionnaire français en
Italie et prévoit, maintenant, la présence d'une armée française
dans l'opération de Provence.

Le général de Gaulle prend acte avec plaisir de cette intention
qui répond très bien à celle du Gouvernement français.

Le général Giraud en prend acte également et précise qu'il est
capital que les troupes françaises qui seront employées dans le
Midi de la France soient groupées sous un commandement français. Ceci ne doit pas empêcher qu'une force française soit comprise
dans les forces alliées qui opéreront à partir de l'Angleterre.

Le général B. Smith dit que les «Combined Chiefs of Staff» excluent
la possibilité de transporter une division blindée française sur le
front du nord-ouest. La raison de ce refus est le manque de moyens
de transport. En conséquence, toutes les divisions françaises seraient utilisées sur le front sud.

Le général de Gaulle relève aussitôt que cette solution ne lui
agrée pas. La participation d'une fraction des troupes françaises
à l'opération en France par le Nord est justement une de ces questions où le point de vue stratégique allié est en contradiction avec
le bon sens sur le plan national. Si les troupes alliées entrent
à Paris sans les troupes françaises, les conséquences seront très
graves à tous égards.

Le Général rappelle qu'un mémorandum a été remis, il y a trois mois, aux alliés pour attirer leur attention sur cet aspect du problème et qu'aucune réponse n'a été faite.

Le général B. Smith affirme que le général Eisenhower compte bien attirer sur ce point l'attention des « Combined Chiefs of Staff ». De l'avis du général Eisenhower, il faut qu'une force française — une division si possible — participe à l'opération au Nord-Ouest. Mais ce ne pourra sans doute pas être une division blindée.

M. MacMillan, auquel le général de Gaulle demande son avis, répond qu'il y a trois mois, quand le mémorandum français a été remis aux alliés, la question était encore dans le domaine théorique mais qu'on est maintenant dans la phase des réalités et qu'on doit pouvoir, du côté du commandement allié, répondre à la demande française.

Le général de Gaulle déclare : « Si le Gouvernement français reçoit des gouvernements alliés l'assurance que, d'une part, une armée française comprenant la majorité de nos divisions participera aux opérations en France sur le théâtre du Sud, d'autre part, qu'au moins une division blindée française participera aux opérations du Nord-Ouest à partir de l'Angleterre, alors nous donnerons notre accord. Sinon, nous ne pourrons donner ni notre accord, ni nos troupes. »

Le général B. Smith répète que le désir formel du général Eisenhower, au moment où il va prendre le commandement du théâtre d'opérations du Nord-Ouest, c'est qu'une force française, une division si possible, participe à ses opérations.

Le général de Gaulle demande alors au général B. Smith comment le commandement allié envisage les opérations par le nord et par le sud de la France.

Le général B. Smith expose le plan général des opérations. Il insiste sur l'importance que le commandement allié attache à la participation des forces françaises et sur les raisons qui le conduisent, conformément d'ailleurs à l'intention du général de Gaulle, à prévoir cette participation essentiellement par le Sud. Il insiste sur le désir du commandement interallié de voir le commandement français constituer des services de ravitaillement et d'entretien assez étoffés pour justifier la création d'une armée française autonome.

En tout cas, il demande une décision rapide sur les questions qui ont été posées, afin que les plans d'opérations puissent être arrêtés, notamment en ce qui concerne l'emploi des forces françaises.

« Le général Eisenhower, dit le général B. Smith, regrette de n'avoir pas eu sur ce sujet un entretien avec le général de Gaulle, voici quelques semaines. Lui-même se reproche de n'avoir pas demandé à le voir. »

Le général de Gaulle pense que les difficultés naissent, la plupart du temps, du fait qu'on ne s'est pas expliqué. C'est pourquoi il a convoqué la présente réunion.

Le général de Gaulle et M. Massigli disent, pour conclure, que le Comité français de la libération nationale va écrire à MM. Mac-Millan et Wilson pour prendre acte et demander confirmation des assurances qui lui ont été données au cours de la réunion. Si la réponse de MM. MacMillan et Wilson répète les assurances voulues, la mise à la disposition des forces françaises qui sont demandées pour les opérations en France sera, *ipso facto*, garantie au commandement allié.

Note établie par le Cabinet du général de Gaulle
au sujet de l'entretien du général de Gaulle et du général Eisenhower,
à la villa des Glycines, le 30 décembre 1943.

Le général DE GAULLE. — Je suis très heureux de vous voir, mon Général.

Le général EISENHOWER. — J'avais d'abord pensé, mon Général, rester quelque temps encore en Afrique du Nord. Cela m'aurait permis de vous rendre visite à loisir. Mais je suis appelé à partir immédiatement pour les États-Unis et, craignant qu'il me soit plus difficile, à mon retour, de venir vous voir, — il se peut que je ne repasse ici que quelques heures, — j'ai jugé souhaitable de vous faire aujourd'hui cette visite « impromptu ».

Le général DE GAULLE. — Je tiens à vous dire la satisfaction que nous, Français, éprouvons à vous voir prendre le commandement qui vient de vous être confié. Les opérations que vous allez avoir à diriger en France sont vitales pour mon pays.

Pour ce qui est des forces françaises, mon souci constant est celui-ci : qu'elles soient prêtes toutes et à temps. La réalité est que nous serons en mesure, le 1er avril, de mettre en ligne :

5 ou 6 divisions d'infanterie,

3 divisions blindées,

et 3 états-majors de corps d'armée.

Mon gouvernement et moi-même nous en tenons à cette réalité, pour modeste qu'elle puisse paraître.

Le général EISENHOWER. — Puisque vous me parlez : organisation, je m'excuse, mon Général, de dire ce que je pense et comme je le pense.

J'ai reçu avant-hier la visite du général de Lattre. Il m'a parlé de ce qu'il allait faire. Je n'en ai pas retenu le détail et je ne connais pas les antécédents du général de Lattre. Toutefois, il m'a parlé de ses projets de telle manière que j'en ai retiré une grande confiance. Il me paraît avoir mesuré, en particulier, la complexité de l'organisation des services et des arrières des unités.

Le général DE GAULLE. — Le général de Lattre, en effet, est

désigné pour prendre en main cette affaire et organiser les divisions et les services. Je le crois très qualifié.

Le général EISENHOWER. — J'emporterai donc aux États-Unis une impression de confiance. En ce qui concerne les divisions françaises à organiser, il me semble qu'il ne faut pas être obnubilé par leur nombre. Je crois qu'il vaut mieux avoir une division complètement organisée que plusieurs qui le soient mal.

Le général DE GAULLE. — Je suis d'accord avec vous sur ce point. Si vous vous en souvenez, c'est ce que je vous avais dit quand je vous ai vu dans ce bureau dans les premiers jours de juin.

Le général EISENHOWER. — C'est vrai.

Le général DE GAULLE. — Le général de Lattre procédera à l'organisation. C'est une affaire à mener minutieusement et en profondeur.

Le général EISENHOWER. — Voudriez-vous me dire quelle est l'importance de vos forces terrestres actuellement en Grande-Bretagne?

Le général DE GAULLE. — Pour ainsi dire, rien. Disons : 2 000 hommes comme forces terrestres.

Le général EISENHOWER. — Il faudrait, pourtant, que je puisse disposer de troupes françaises pour l'opération du Nord. Or, je ne crois pas possible de soustraire des grandes unités du théâtre d'opérations méditerranéen qui est la principale zone d'action des forces françaises. D'ailleurs, combien difficile serait le problème de leur transport en Angleterre! Surtout s'il s'agit d'une division blindée.

Le général DE GAULLE. — Oui! Mais il nous faut au moins une division française en Angleterre. Or, nos divisions d'infanterie comprennent de nombreux indigènes et les Anglais feraient opposition à leur présence. Au contraire, nos divisions blindées sont composées essentiellement d'éléments français.

Le général EISENHOWER. — Il y aura peut-être une solution. Je ne sais pas ce que je vais trouver en Angleterre. Mais il se pourrait que j'y trouve du matériel disponible. Dans ce cas, il suffirait de transporter le personnel à partir d'ici. Cela simplifierait beaucoup le problème.

Le général DE GAULLE. — Vous verrez cela sur place. Mais, je vous le répète : « N'arrivez pas à Paris sans troupes françaises. »

Le général EISENHOWER. — Soyez certain que je n'imagine pas d'entrer à Paris sans vos troupes.

Je demanderai maintenant au général de Gaulle de me permettre de m'expliquer avec lui sur le plan personnel.

On me fait une réputation de brusquerie et je crois, mon Général, qu'à votre arrivée à Alger, vous vous êtes quelque peu fondé sur cette réputation dans vos rapports avec moi. J'ai eu, à ce moment-là, l'impression que vous me jugiez sans tenir suffisamment compte des problèmes qui se posaient à moi dans l'exécution de ma mission et vis-à-vis de mon gouvernement. Je n'ai qu'un but : mener la guerre à bonne fin. Il m'a semblé, alors, que vous ne vouliez pas m'apporter votre entier concours. Je comprenais bien que vous-même et le Comité français de la libération nationale aviez, en tant que gouvernement, vos très difficiles problèmes. Mais les responsabilités du Commandant en chef des forces alliées pour la conduite des opérations sur ce théâtre me semblaient dominer tout.

Je reconnais aujourd'hui que j'ai commis une injustice à votre égard et j'ai tenu à vous le dire.

Le général DE GAULLE. — *You are a man.*

Tout cela compte peu. Prenons les choses au point où elles en sont. En conscience, moi-même, le Gouvernement français, l'armée française, sommes satisfaits de vous voir appelé à commander l'opération décisive. Nous ferons tout pour vous aider. Quand une difficulté surgira, je vous prie de me faire confiance et de prendre contact avec moi. Par exemple, je prévois déjà — et vous aussi — que c'est cela qu'il faudra faire quand se posera sur le terrain la question de Paris.

Le général EISENHOWER. — Il nous appartient, en effet, d'aplanir entre nous les frictions quand elles se produisent.

Je doute qu'aux États-Unis il me soit possible de me taire sur la question de nos rapports communs. De même que le Comité a ses responsabilités devant l'opinion des Français, nous avons à tenir compte de l'opinion publique aux États-Unis. Cela est très important. Ce sont les opinions publiques qui gagnent les guerres.

Si j'en trouve l'occasion, je suis prêt à faire une déclaration exprimant la confiance que j'emporte de nos contacts, reconnaissant l'injustice que j'ai commise à votre égard et ajoutant que vous vous êtes déclaré prêt, en ce qui vous concerne, à m'aider dans ma mission. Pour la prochaine campagne de France, j'aurai besoin de votre appui, du concours de vos fonctionnaires, du soutien de l'opinion française. Je ne sais encore quelle position théorique mon gouvernement me prescrira de prendre dans mes rapports avec vous. Mais, en dehors des principes, il y a les faits. Je tiens à vous dire que, dans les faits, je ne connaîtrai en France d'autre autorité que la vôtre.

Le général DE GAULLE. — Si nous avons éprouvé quelques difficultés dans nos rapports, ce n'est ni de votre faute, ni de la mienne. Cela a dépendu de conditions qui ne sont pas en nous-mêmes mais qui résultent de la situation très compliquée dans laquelle se trouvent nos deux pays, l'un par rapport à l'autre, dès lors que la France n'est plus établie dans sa puissance. Mais tout cela n'est que momentané. Quand nous aurons gagné la guerre, il n'en restera plus trace, sauf, naturellement, pour les historiens.

Décret du 7 janvier 1944,
concernant l'organisation des forces terrestres expéditionnaires.

Article Premier. — Les forces terrestres expéditionnaires, dont la mise sur pied doit être achevée avant le 1er juillet 1944, comprennent :
— un commandement de détachement d'armée « A »
— un commandement d'armée « B »,
— trois commandements de corps d'armée,
— six divisions d'infanterie, dont une de montagne
— quatre divisions blindées,
— des unités de soutien appartenant aux différentes armes et aux services.

Art. 2. — En sus des forces déjà engagées à la date du 1er janvier 1944, un premier échelon de forces comprenant au minimum :
— deux divisions d'infanterie,
— deux divisions blindées,
— un commandement de corps d'armée,
sera mis en condition d'être engagé dans le plus court délai.

Un deuxième échelon de forces comprenant le complément du programme défini à l'article 1er ci-dessus, à l'exception d'une division blindée et de certaines unités de soutien, sera mis sur pied pour le 1er avril 1944.

L'ensemble du programme sera achevé pour le 1er juillet 1944.

Art. 3. — Le commissaire à la Guerre et à l'Air est chargé de l'exécution du présent décret, qui ne sera pas publié au *Journal officiel* de la République française.

Signé : C. DE GAULLE.

Décision du général de Gaulle,
au sujet de l'organisation des forces terrestres.

Alger, 7 janvier 1944.

Le texte du décret adopté aujourd'hui en Comité de Défense nationale définit les unités des forces terrestres à mettre sur pied avant le 1er juillet 1944 et le rythme des réalisations.

L'exécution de ce programme implique :
— la dissolution des 10e D. I. C. et 8e D. I. A. ;
— l'assignation et le transport de nouveaux matériels d'armement américain en sus des programmes en cours ;
— des mesures supplémentaires d'augmentation de nos effectifs impliquant notamment :
    — la mobilisation des classes 19 à 25 en Afrique du Nord, en Corse et dans l'Empire,

— le rappel de 3 000 hommes en appel différé,

— la mobilisation de 2 400 femmes,

— le détachement temporaire de mécaniciens de la marine nationale ;

— de nouvelles négociations avec les alliés sur les conditions d'emploi de nos forces en Italie et en territoire métropolitain.

Le Commissaire à la Guerre et à l'Air et le Commandant en chef, chacun en ce qui le concerne, sont chargés de l'exécution de ces dispositions dont il me sera rendu compte à mesure de l'exécution.

Lettre du général Juin au général de Gaulle, à Alger.

D'Italie, le 8 janvier 1944.

Mon cher de Gaulle,

Bernède m'a remis ton petit mot à son retour d'Alger. J'ai été très sensible à ce message encourageant du Chef.

Tu peux compter sur le dévouement absolu de tous ceux qui servent ici sous mes ordres. Ce sont de braves gens qui ne pensent qu'à leur bataille mais qui savent juger les hommes et faire confiance au meilleur.

Giraud et Le Troquer ont dû te rapporter leurs impressions d'Italie. La campagne d'hiver s'y avère dure, très dure. Nous avons, nous Français, à combattre dans la neige et le froid contre un Allemand tenace et toujours habile en son art. Nous l'avons tout de même assez fortement étrillé et j'espère que nous ferons mieux encore.

Cette stratégie péninsulaire pèche par le manque de moyens. Il faudrait dix divisions de plus sur ce théâtre pour la mener à bonne fin en montant vraiment des manœuvres d'armées et de groupes d'armées, les seules qui se conçoivent en Europe. Et encore n'y arrivera-t-on qu'en combinant l'action frontale avec de puissantes actions amphibies.

Quoi qu'il en soit, tu peux être assuré que les Français feront honneur à leurs couleurs. Il en coûtera seulement un surcroît de fatigue, de privations et de sacrifices.

J'ai maintenant mon créneau sur le flanc des Abruzzes et, par conséquent, la responsabilité directe d'une petite bataille française. C'est te dire que je suis privilégié.

Je compte toujours sur la Division Brosset équipée à l'américaine. Sans doute n'arrivera-t-elle ici que fin février ou commencement de mars. Elle ne serait guère utilisable avant cette époque à cause de ses Noirs. En mars, il me sera possible de l'engager en prenant certaines précautions.

Nous comptons sur ta visite. Préviens-moi suffisamment à temps... Le général Clark, lui aussi, sera heureux de te voir.

Je te renouvelle mes vœux, tant pour toi et les tiens que pour le succès de la tâche que tu as entreprise. Nous sommes derrière toi, conscients des difficultés énormes semées sur ton chemin, mais confiants.

Ton fidèle

JUIN.

Décision du général de Gaulle, au sujet du renforcement du Détachement d'armée d'Italie.

Alger, 5 février 1944.

I. — L'envoi de renforts au Détachement d'armée d'Italie est admis en principe.

Toutefois, cet envoi doit comporter les conditions suivantes, au sujet desquelles le général Giraud doit s'entendre sans délai avec le général Wilson :

1) Il ne saurait être envisagé de renforcer la 3e Division marocaine et la 3e Division nord-africaine, chacune par un régiment de tirailleurs prélevé sur les divisions actuellement en Afrique du Nord, comme le général Wilson le demande. Ce serait contraire au plan d'organisation de nos grandes unités.

2) Par contre, nous sommes disposés à renforcer le Détachement d'armée d'Italie par la 4e Division marocaine tout entière, pourvu que les alliés prennent l'engagement de la transporter en totalité et dès que possible, afin qu'elle ne soit pas disloquée.

3) Il sera rappelé au commandement allié que cette grande unité est, comme les autres, destinée essentiellement aux opérations de libération de la France. A moins de circonstances du moment absolument exceptionnelles et dont il devra m'être référé, la 4e Division marocaine devra donc, pour le déclenchement de ces opérations, être relevée de sa mission en temps opportun, au même titre que les autres unités du Détachement d'armée d'Italie.

II. — L'envoi en Grande-Bretagne d'une division d'infanterie composée exclusivement d'Européens, comme le suggère le général Eisenhower, n'est pas retenu. En effet, la formation de cette division bouleverserait le plan d'organisation de nos grandes unités.

Nous sommes prêts à envoyer en Angleterre une division nord-africaine et, surtout, une division blindée. Mais, de toute manière, il y faut une division blindée.

Le général Mathenet portera cette décision à la connaissance du général Eisenhower.

Lettre du général de Gaulle au général Mordant.
commandant supérieur des troupes en Indochine.

Alger, le 29 février 1944.

Mon Général,

Vous n'avez jamais éprouvé de doute, je le sais, sur ce qu'exigeaient l'honneur et l'intérêt de notre pays dans l'épreuve immense qu'il traverse. Aujourd'hui, vous vous trouvez personnellement en mesure d'exercer une action dont les résultats peuvent être essentiels pour la libération de l'Indochine. Des informations et des instructions vous sont nécessaires. Je vous adresse les unes et les autres, en ma qualité de président du Comité français de la libération nationale.

I. — Le Comité est le Gouvernement français. Les ordres qu'il vous donne aujourd'hui seront homologués demain par le Gouvernement de la République.

Vous savez comment s'est constitué le Comité. Il a été formé en accord entre le Comité national de Londres et les éléments qui se trouvaient, depuis novembre 1942, exercer l'autorité en Afrique du Nord. L'immense majorité de la nation l'approuve, en attendant d'être placée sous son autorité. Les attributions des départements ministériels à l'intérieur du gouvernement sont les attributions traditionnelles. Le commissaire aux Colonies, en particulier, — qui est M. René Pleven, — exerce son autorité sur tous les territoires coloniaux français à la seule exception, provisoire, de l'Indochine.

II. — En ce qui concerne notre représentation diplomatique et militaire en Extrême-Orient, l'organisation est la suivante :

. . . .

III. — Sur le plan international d'Extrême-Orient, vous n'ignorez pas que la France rencontre des difficultés qu'expliquent, sans les justifier, la défaite et la capitulation de Vichy. Le bénéfice moral des combats livrés par l'Indochine contre les Siamois et les Japonais a été gravement compromis du fait des accords passés avec le Japon par Vichy. Seule notre participation effective et par les armes à la libération de l'Indochine pourra nous rétablir dans la plénitude de nos droits.

IV. — En ce qui concerne le statut futur que la France entend donner à l'Indochine, la politique du Comité de la libération a été solennellement définie par la déclaration du 8 décembre 1943. Veuillez en trouver ci-joint le texte officiel.

V. — On peut, dès à présent, estimer que l'Allemagne a perdu la guerre ; la seule inconnue qui subsiste étant celle du temps qui sera nécessaire aux alliés pour consommer sa défaite.

En tout état de cause, un jour viendra où de grandes forces alliées, libérées en Europe, pourront être transportées en Extrême-Orient pour y poursuivre et précipiter la défaite du Japon. Sans parler des forces françaises, cette remarque s'applique surtout aux forces britanniques et américaines. Je ne saurais faire état, quant à présent, des forces soviétiques ; la position que prendra l'U. R. S. S. vis-à-vis du Japon, à l'expiration du pacte de non-agression qui lie actuellement les deux puissances, étant impossible à prévoir.

VI. — L'effondrement de l'Allemagne se produira vraisemblablement avant celui du Japon. Par suite, le gouvernement de Vichy aura cessé d'exister alors que l'Indochine sera encore occupée. Les Japonais pourront déclarer caducs les accords conclus avec Vichy et vouloir abolir, ou tout au moins asservir, l'administration française dans l'Union. Ils pourront prétendre s'emparer de l'Indochine, en prendre en mains le gouvernement et la défense. Il se peut qu'ils entreprennent le désarmement successif ou simultané des troupes françaises, comme on semble le craindre en ce moment même. Peut-être ces troupes seront-elles placées dans des camps de concentration, tandis que les Japonais procéderont à la libération des militaires indochinois, à la mainmise sur les dépôts de vivres, de munitions, etc... Ces diverses éventualités sont évidemment l'objet de vos lourdes et constantes préoccupations.

VII. — Dans ces conditions, quelles mesures pouvons-nous envisager pour nous assurer, d'une part la participation qui nous revient dans la libération de l'Indochine, d'autre part la sauvegarde de nos droits dans cette partie de notre Empire?

Ces mesures sont d'ordre diplomatique et militaire.

VIII. — En ce qui concerne les premières, nous nous efforçons sans cesse de rappeler aux alliés les titres de la France et de rectifier les opinions tendancieuses fréquemment mises en circulation sur les circonstances qui ont amené notre impuissance momentanée en Extrême-Orient et ses conséquences. Nous rappelons constamment que nous sommes, nous Français, qualifiés plus que quiconque pour jouer un rôle de premier plan dans la libération de l'Indochine. Nous ne perdons aucune occasion d'exposer quels sont les moyens que nous pouvons mettre en œuvre. Nous nous efforçons d'influer sur les activités alliées ayant l'Indochine pour objectif, qu'il s'agisse de propagande ou de bombardements. Nous luttons, enfin, pour mettre les alliés en garde contre toute action isolée ou prématurée, telle que l'irruption d'éléments chinois au Tonkin ou le déclenchement d'opérations de commandos exclusivement américains ou britanniques.

IX. — Quant aux mesures d'ordre militaire, voici d'abord celles que le Comité de la libération a décidées et qui ont été portées à la connaissance des alliés :

1) Un Corps expéditionnaire, sous les ordres du général Blaizot, est en voie de constitution, pour participer, avec les forces alliées, à la reconquête de l'Indochine. Dès maintenant, ses moyens, indépendants de ceux qui sont destinés à la lutte en Europe, comprennent une quinzaine de mille hommes, à savoir :

— un Corps léger d'intervention, destiné à être transporté au
moment voulu (par avions ou sous-marins) dans certaines
régions de l'Indochine pour y renforcer l'action de la résistance intérieure ;
— deux brigades d'infanterie, dont l'une se trouve à Madagascar
et l'autre en Afrique du Nord.

Les cadres de l'avant-garde de ces forces se trouvent déjà aux
Indes, où ils sont instruits et entraînés avec de scadres britanniques
spécialisés pour le combat dans la jungle.

2) Le premier échelon de nos forces, qui sera prêt vers l'automne de cette année, sera, dès la libération de la France, augmenté
de nouvelles unités prélevées :
— sur les grandes unités coloniales engagées en Europe ou demeurées en Afrique ;
— sur les éléments que fournira la Métropole.

Au total, une cinquantaine de mille hommes, prêts dans le premier
semestre 1945, si la libération se produit cette année.

Un troisième échelon pourra être constitué ensuite.

3) Lorsque l'évolution de la guerre permettra d'envisager une
action importante de nos forces navales sur des théâtres extérieurs,
nous entendons consacrer celles qui nous restent et celles que nous
sommes en train d'acquérir aux opérations en Extrême-Orient.
Nous disposerons, le moment venu, en bâtiments de ligne, porte-
avions, croiseurs et sous-marins, d'un total d'environ quinze
navires neufs ou modernisés.

4) Aux forces ci-dessus énumérées s'ajouteront d'importantes
formations aériennes, terrestres et maritimes.

X. — Une seconde catégorie de mesures de caractère essentiellement militaire se rapporte à la résistance susceptible d'être organisée à l'intérieur de l'Indochine contre les Japonais. Ces mesures
sont elles-mêmes, pour le moment, fonction de celles que l'ennemi
viendrait à prendre contre les troupes françaises. Comment ces
troupes devraient-elles réagir ?

Il y a lieu, semble-t-il, de distinguer entre les troupes du Tonkin
et celles du Centre et du Sud de la Fédération.

Pour les premières, il vous appartient de déterminer :
— si elles pourront se retirer dans des zones de refuge, que vous
auriez à indiquer au Comité de la libération en vue du ravitaillement aérien en armements, munitions et vivres ;
— ou bien, si elles se retireront en territoire chinois où les ravitaillements seraient facilités, mais ce qui impliquerait la coopération chinoise dans les opérations offensives ultérieures, avec
toutes les conséquences qu'entraînerait la pénétration en Indochine de troupes chinoises, si l'on tient compte de desseins plus
ou moins latents concernant le Tonkin.

Pour les forces de l'Annam, de la Cochinchine et du Cam-
bodge, il semble qu'elles ne puissent envisager qu'une « guérilla »

basée sur l'organisation de zones de refuge à déterminer.

A cet égard, la possession d'une vaste région en pays Moï paraît s'imposer, en raison du loyalisme des indigènes, de la situation stratégique favorable sur les voies de communication nord-sud et des difficultés du terrain, d'ailleurs bien connu des cadres du Corps léger d'intervention dont l'emploi a précisément été prévu dans cette région.

XI. — Pour l'œuvre de la libération, nous n'envisageons pas le seul concours des troupes. Celui de l'administration civile et des populations françaises et indochinoises nous apparaît comme essentiel. Sans doute avez-vous étudié les conditions d'organisation et de mise en œuvre de leur intervention.

XII. — Le moment est venu pour l'Indochine de se subordonner, comme tout le reste de l'Empire, mais compte tenu de l'occupation japonaise, à l'autorité du Comité français de la libération nationale, en vue d'arrêter un programme d'action précis envisageant toutes les hypothèses et comportant pour chacune d'elles une solution déterminée. En dehors des problèmes d'ordre général, de multiples questions spéciales doivent être mises au point : envoi de matériel et de munitions à la résistance indochinoise, orientation de la propagande, désignation des chefs, etc... C'est, en fait, à vous-même qu'il appartient d'étudier et de proposer tout ce qui concerne l'organisation et la conduite de la résistance et les dispositions qu'il faut prendre à l'extérieur pour l'aider et la renforcer jusqu'à l'intervention du gros des forces alliées. Je vous ai fait connaître comment le Comité de la libération envisageait son rôle. Vous aurez à lui soumettre vos propositions et, en maintenant la liaison avec lui, à provoquer ses directives pour chaque cas particulier.

Je tiens à préciser, en terminant, que c'est surtout de l'efficacité de cette résistance intérieure de l'Indochine que dépendront, non seulement, pour une grande partie, la libération militaire du territoire de la Fédération, mais encore son retour incontesté à l'Empire français. Il a pu n'être pas inutile de tenir la position, comme cela a été fait jusqu'ici, mais il est nécessaire de faire plus. Il importe que l'Union, qui s'est déjà battue contre le Siam et le Japon en 1940, se batte encore pour la victoire. Il est nécessaire que tous, en Indochine, soient pénétrés de l'importance capitale et de la grandeur de la mission nationale qui leur incombe.

Il est indispensable qu'ils soient prêts à consentir tous les sacrifices que la patrie est en droit de leur demander, y compris le sacrifice suprême. J'ajoute que, si l'ennemi tentait de désarmer nos troupes, elles devraient opposer le maximum de résistance possible, celle-ci dût-elle être sans espoir immédiat.

Le gouvernement, mon Général, compte sur vous et sur vos troupes.

Veuillez croire à mes sentiments cordialement dévoués.

Extraits du rapport du général Juin au général Giraud.
(Communiqué au général de Gaulle.)

9 mars 1944.

Le général de Gaulle vient de visiter le front. Sa venue a produit la meilleure impression et il a dit à tous ce qu'il fallait leur dire.

Il s'est entretenu avec les généraux Alexander et Clark de l'emploi des forces françaises et il a, naturellement, entendu le son de cloche que j'avais annoncé, à savoir que les alliés, préoccupés de renforcer leurs moyens en Italie en vue d'une action décisive, ont maintenant les yeux fixés sur les réserves françaises d'Afrique du Nord.

Il en a été ému ; car il n'est plus question, bien entendu, d'une opération de débarquement sur les côtes sud de la France tant qu'on ne se sera pas élevé dans la péninsule jusqu'à l'Apennin toscan ou ligure et la grande invasion par le Nord est toujours hésitante.

Or, pour le général de Gaulle, il est absolument indispensable, si les alliés débarquent un jour ou l'autre en France, que nos forces soient à leurs côtés. Il exprime ainsi le vœu de tous les Français et ce point est indiscutable.

Mais, alors, que faire dans l'incertitude où nous sommes des desseins de nos alliés ? Si on leur refuse des moyens supplémentaires pour l'Italie, ils s'en indigneront et, d'autre part, il faut compter avec la fièvre obsidionale qui ne va pas manquer de s'emparer des combattants français maintenus en Afrique du Nord.

Dans cette situation, le mieux, à mon avis, est de faire la part des choses. Accorder une quatrième division française au théâtre d'opérations d'Italie (Division Brosset ou 1re Blindée) et réserver les quatre dernières pour profiter, éventuellement, d'une ligne d'ouverture sur le théâtre proprement français. Exiger même une hypothèque d'emploi sur ce théâtre des forces engagées en Italie. C'est une solution moyenne qui concilie tous les points de vue en attendant une éclaircie.

Pour ma part, si j'ai toujours désiré, pour des raisons de durée et de meilleure efficacité de l'effort français en Italie, qu'on mette à ma disposition un corps carré de quatre divisions, j'estime que notre contribution peut se borner à cela. Je ne crois pas, du reste, que les alliés soient en mesure d'exiger plus.

Décision du général de Gaulle.

Alger, 28 mars 1944.

1) Par application de l'ordonnance du 14 mars 1944 concernant l'exercice des pouvoirs civils et militaires sur le territoire métropo-

litain au cours de sa libération, une réorganisation du commandement en Grande-Bretagne a été arrêtée par le gouvernement.

Le général de division Kœnig, chef d'état-major général adjoint des forces terrestres, est nommé commandant supérieur des
forces françaises en Grande-Bretagne et désigné comme délégué
militaire pour le théâtre d'opérations Nord. Il rejoindra son poste
sans délai.

2) Le général de division aérienne Cochet est nommé délégué
militaire pour le théâtre du Sud.

Ordonnance du 4 avril 1944,
concernant l'organisation de la Défense nationale.

Article Premier. — Le Comité français de la libération nationale assure la direction générale de la guerre. Il assume l'autorité
sur l'ensemble des forces terrestres, navales et aériennes.

Art. 2. — Le président du Comité français de la libération
nationale est Chef des armées. Les pouvoirs dévolus au président
du Conseil des ministres par la loi du 11 juillet 1938 sur l'organisation de la nation en temps de guerre, en ce qui concerne la direction
et la coordination de la Défense nationale, sont exercés par le
président du Comité français de la libération nationale.

Art. 3. — Le président du Comité français de la libération
nationale, Chef des armées :

a) décide en dernier ressort de la composition, de l'organisation
et de l'emploi des forces armées ;

b) oriente et coordonne l'activité des Départements militaires
et règle les dispositions intéressant en commun leur activité et
celle d'autres Départements ;

c) dirige l'activité des missions militaires à l'étranger.

Art. 4. — Le président du Comité français de la libération
nationale, Chef des armées, est assisté du Comité de la Défense
nationale (prévu par le décret du 16 décembre 1943 portant organisation du Haut-commandement).

Il dispose de l'état-major de la Défense nationale dont il fixe
la composition. Le chef d'État-major de la Défense nationale est
nommé par décret et assure les fonctions de secrétaire du Comité
de la Défense nationale.

Art. 5, 6. — ...

Signé : C. DE GAULLE.

Lettre du général Leclerc au général de Gaulle, à Alger.

Casablanca, le 9 avril 1944.

Mon Général,

Avant de quitter l'Afrique pour une nouvelle étape vers l'objectif final poursuivi depuis trois ans, je ne peux m'empêcher de vous remercier très profondément.

Si, demain, nous rentrons en France, la tête haute, et retrouvons sans rougir nos parents et nos enfants, c'est à vous que nous le devons. Votre décision de 1940 a d'abord sauvé l'honneur national, elle sauvera demain son unité et son intégrité. Jamais nous n'aurons assez de reconnaissance envers vous.

Soyez assuré, mon Général, de mon dévouement absolu, le mien et celui des vrais Français, ceux qui placent l'intérêt général du pays avant leur intérêt particulier. Votre visite, il y a deux jours, a marqué dans la Division.

. . . .

En terminant, je ne forme qu'un souhait, mon Général, c'est de pouvoir vous accueillir et vous saluer un jour dans une grande ville française libérée, comme à Douala en 1940.

Respectueusement.

Décision du général de Gaulle
au sujet des attributions du général de Lattre.

Alger, 15 avril 1944.

1) Le général d'armée de Lattre de Tassigny, commandant l'Armée « B », est désigné pour assurer, ultérieurement et en temps utile, le commandement de l'ensemble des forces terrestres françaises appelées à participer à l'opération « Anvil ».

A ce titre, il assurera, dès à présent, en liaison avec le commandement interallié, la préparation de l'entrée en action de ces forces.

2) Celles de ces forces qui ne font pas partie du Détachement d'armée d'Italie et qui sont désignées dans le plan du 23 janvier 1944 pour l'opération envisagée sont placées sous les ordres directs de cet officier général en ce qui concerne leur mise en condition et leur instruction au fur et à mesure de leur mise sur pied.

3) Les forces terrestres françaises stationnées en Corse sont placées sous les ordres du général commandant l'Armée « B ».

2) *Situation à 17 heures* :

2e D. I. M. — Après des combats acharnés, s'est emparée du Mont Majo, clef de la position allemande, et l'a dépassé de 1 500 mètres à l'Ouest.

1re D. M. I. — Se liant à gauche avec la 2e D. I. M., a contourné San Andrea par l'Est et investi San Ambrogio au Nord et à l'Ouest.

4e D. M. M. — Profitant de l'avance de la 2e D. I. M., s'est emparée par une action Nord-Sud de la ligne de crêtes Sud de Feuci-Ceschito.

3e D. I. A. — Son Groupement blindé a achevé le nettoyage de Castelforte qu'il a dépassé d'un kilomètre en direction de Coreno.

3) Cinq cents prisonniers au minimum ont été jusqu'à présent dénombrés. Nombreux matériel capturé.

. . . .

4) La progression continue sur tout le front. Nos unités talonnent l'ennemi en retraite. La manœuvre prévue se déroule normalement.

Toutes les troupes font preuve d'une énergie et d'un courage magnifiques...

Directive donnée par le général de Gaulle au sujet des opérations des forces de l'intérieur. (Plan « Caïman ».)

Alger, 16 mai 1944.

I. — BUT A ATTEINDRE.

Divers plans fixent déjà les actions de sabotage à exécuter sur l'ensemble du territoire au cours de la bataille de France.

Mais, indépendamment de ces destructions, les forces de l'intérieur devront, dès le débarquement des alliés, intervenir directement dans la bataille, en liaison avec les forces alliées, par des actions visant à la libération de zones entières du territoire.

II. — ZONES PRINCIPALES D'ACTION.

1) *Sud-Ouest-Centre* (quadrilatère : La Rochelle - Clermond-Ferrand - Foix - Bayonne).

Tout en accrochant et, si possible, en détruisant, partout où elles se trouvent, les forces ennemies qui occupent cette zone, les forces de l'intérieur prendront comme objectifs :

a) l'ouverture, au profit de forces alliées débarquées sur le littoral méditerranée, de l'axe : Alès - Clermont-Ferrand, permettant le débordement par l'ouest du couloir du Rhône ;

l'ouverture de l'axe : Carcassonne - Toulouse, permettant d'amorcer le débordement par l'ouest du Massif Central ;

b) la libération des plates-formes aériennes et des ports, en vue d'actions offensives que les alliés décideraient d'entreprendre à partir de cette zone en direction du Nord-Est ;

T. II.   44

c) le cisaillement des communications ferroviaires, suivant le tracé général : Limoges - Clermont-Ferrant - Le Puy - Albi - Foix, en vue, soit d'isoler la zone sud-ouest, soit d'encager des opérations de débarquement qui seraient effectuées dans le Languedoc ou le Roussillon.

2) *Sud-Est* (Jura - Savoie - Dauphiné - Provence).

Dans cette zone, les objectifs seront :

a) l'ouverture, au profit de forces alliées débarquées en Provence, de l'axe : Sisteron - Grenoble - Bellegarde, en direction de Besançon, permettant le débordement par l'est du couloir du Rhône ;

b) des actions de harcèlement sur les communications ferroviaires du couloir du Rhône ;

c) le cisaillement des communications entre la France et l'Italie ;

d) ultérieurement, l'ouverture des passages des Alpes au profit de forces alliées venant d'Italie.

3) *Bretagne.*

Objectif : ouverture des ports aux forces alliées (Saint-Malo - Brest - Lorient).

4) *Agglomération parisienne.*

Pour des raisons évidentes, l'intervention armée de la Résistance dans l'agglomération parisienne ne devra être déclenchée qu'en cas de démoralisation prononcée de l'ennemi, ou bien en cas de retraite rapide de l'ennemi devant les troupes alliées débarquées.

L'intervention prendra, alors, comme objectif la prise de possession et la protection des points sensibles et essentiels : ponts, centrales, services publics, ministères.

Communiqué du commissariat à l'Information.

Alger, 19 mai 1944.

Le général de Gaulle, accompagné par M. André Diethelm commissaire à la Guerre, le général d'armée de Lattre de Tassigny, le général Béthouart chef d'État-major de la Défense nationale, s'est rendu le 17 mai sur le champ de bataille d'Italie.

Le président du Comité français de la libération nationale a parcouru, avec le général Juin, le terrain des opérations du Corps expéditionnaire français. Il a assisté, notamment, aux combats livrés aux abords d'Esperia et de San Oliva et pris contact avec les troupes engagées ainsi qu'avec tous les échelons du commandement. Le général de Gaulle a, d'autre part, inspecté les formations aériennes françaises engagées dans la bataille. Il a conféré, en présence du général Juin, avec les généraux : Wilson commandant supérieur interallié du théâtre d'opérations méditerranéen, Alexander commandant en chef interallié en Italie, et Clark commandant la Ve Armée.

Le général de Gaulle est rentré à Alger aujourd'hui... A sa descente d'avion, le chef du gouvernement a dit :

« Je n'ai aucune déclaration à faire. Le terrain pris par nos troupes et par nos alliés, les prisonniers faits, le matériel conquis et l'ardeur de tous parlent suffisamment par eux-mêmes. D'ailleurs, la bataille n'est qu'à son début. »

Télégramme du général Eisenhower au général de Gaulle, à Alger.

Londres, 23 mai 1944.

Bien que je n'aie jamais douté un instant que la nouvelle armée française se distinguerait dès le moment de son entrée dans la bataille et que, par conséquent, j'aie toujours insisté pour le réarmement des divisions françaises, il m'est particulièrement agréable, ainsi qu'il doit l'être à vous-même, de voir notre confiance confirmée d'une manière aussi frappante et aussi spectaculaire.

Je désire que vous sachiez personnellement combien je suis heureux de la courageuse action du Corps expéditionnaire français en Italie. J'envoie, d'autre part, un message au général Juin pour le féliciter de la tenue superbe des troupes sous ses ordres.

A vous et à tous ceux qui ont pris part à la préparation de ces belles divisions pour la lutte contre l'ennemi commun j'adresse mes meilleurs vœux et mes sincères félicitations.

Extraits d'une note du Comité de la libération nationale au Gouvernement britannique.

Alger, 24 mai 1944.

... Le 22 novembre 1943, M. Viénot faisait savoir au Comité de la libération que le War Office et le Foreign Office donnaient leur accord de principe à l'envoi en temps utile d'un Corps expéditionnaire français dans l'océan Indien, mais que la décision formelle appartenait au Premier Ministre.

En mars dernier, le général Pechkoff, délégué du Comité de la libération en Chine, qui, lors de son passage à New-Delhi, avait entretenu de la question lord Louis Mountbatten, a fait savoir au commissariat aux Affaires étrangères que le Commandant en chef britannique dans l'océan Indien, sous la réserve de l'approbation de son gouvernement, avait donné son accord sur les trois points suivants :

1) envoi immédiat d'une mission militaire française qui serait accréditée auprès du Commandant en chef pour discuter des ques-

tions relatives à l'Indochine et à l'emploi du Corps léger d'intervention français ;

2) envoi aux Indes du Corps léger d'intervention...

3) envoi en temps utile d'un Corps expéditionnaire français.

. . . .

L'attention du Gouvernement britannique est appelée de la
façon la plus sérieuse sur l'importance que le Comité français de
la libération nationale attache à recevoir une prompte réponse à
ces propositions.

En effet, tous les renseignements concourent à démontrer que
la résistance intérieure indochinoise, de caractère surtout militaire,
est prête à entrer en action en temps utile si, dès maintenant, elle
est organisée et ravitaillée de l'extérieur. Au cas où l'on tarderait
à le faire, la disparition de Vichy, du fait de la libération de la
France par les armées alliées, inciterait sans doute les Japonais à se
débarrasser par la violence de l'administration et des forces armées
françaises en Indochine et leur permettrait d'étouffer ainsi toute
résistance ultérieure. Il est du devoir du commandement allié de
veiller à ce que les hommes qui l'animent ne soient pas exposés à
un massacre inutile.

L'appoint de la résistance indochinoise sera capital pour le
succès des opérations visant l'Indochine. Or, les alliés ne seront capables d'en tirer le meilleur rendement qu'autant qu'elle sera organisée et dirigée par des officiers français. A cet effet, il convient donc
que la mission du général Blaizot soit installée sans retard auprès
du Commandant en chef du *South Eastern Asia Command* sous
les ordres duquel opèrent déjà d'importantes unités de la marine
française.

Au cas où l'accord du Gouvernement britannique concernant
le départ immédiat pour les Indes de tout l'état-major du Corps
expéditionnaire français ne pourrait être obtenu sans quelque délai,
il est suggéré que le général Blaizot soit autorisé le plus tôt possible
à se rendre auprès de lord Louis Mountbatten en vue d'une première prise de contact.

Lettre du général Béthouart, chef d'État-major de la Défense nationale,
au général sir Henry Maitland Wilson,
Commandant en chef des forces alliées en Méditerranée.

Alger, le 24 mai 1944.

J'ai l'honneur de porter à votre connaissance, qu'à la suite de
l'entrevue qu'il a eue avec vous-même, le général Alexander et
le général Juin en Italie, au sujet des renforts à envoyer au Détachement d'armée français, le général de Gaulle a pris la décision
suivante :

Le Détachement d'armée du général Juin sera renforcé, dès que possible, par les éléments suivants :
— 2e Régiment de tirailleurs algériens (part incessamment) ;
— un bataillon colonial...
— renforts en blindés pour recompléter les régiments de reconnaissance et de tanks-destroyers (sont prêts à partir) ;
— un régiment de chars moyens (ce régiment sera envoyé dès que le matériel nécessaire aura été remis par les services alliés).

. . . .

Lettre du général Juin au général de Gaulle, à Alger.

P. C., 26 mai 1944.

Mon cher de Gaulle,

La première manche est gagnée. La jonction avec les Américains d'Anzio, qui ont bien démarré, est faite et les Britanniques, que nous avons puissamment aidés, commencent à s'aligner.

L'Allemand est en retraite partout et j'en arrive à douter qu'il puisse tenter encore une dernière bataille devant Rome. Je t'en donne les raisons dans mon rapport officiel de ce jour.

Les troupes sont admirables, bien que fatiguées. Monsabert et Brosset soufflent un peu. Sevez et Dody continuent.

C'est une magnifique victoire et de marque bien française. Cette guerre de mouvement, dans laquelle nous ne sommes pas manchots et qui a suivi la phase de rupture, a comblé d'aise tous ceux qui n'ont vécu militairement que pour ça.

. . . .

Ton fidèle et dévoué

JUIN.

P.-S. — J'ai reçu ici Bénouville, de la Résistance. J'ai l'impression que Brosset voudrait l'accaparer à son seul profit. Il y aurait intérêt à ce qu'il se mêlât aussi aux autres divisions. Du reste il ne demande que ça.

Lettre du général Béthouart au général Wilson.

Alger, le 27 mai 1944.

Mon cher général Wilson,

Par lettre du 25 mai 1944, vous avez bien voulu me préciser vos prévisions concernant l'organisation du commandement des forces françaises qui doivent participer à l'opération « Anvil » et demander à ce sujet l'accord du haut-commandement français.

J'ai l'honneur de vous faire connaître que le général de Gaulle, président du Comité français de la libération nationale, Chef des armées, a donné son accord à ces prévisions.

. . . .

Bien sincèrement à vous.

Télégramme du général de Gaulle au général Alexander,
Commandant en chef des forces alliées en Italie.

Londres, 5 juin 1944.

Je vous adresse, en mon nom et au nom des armées françaises, mes très vives et cordiales félicitations pour votre grande victoire de Rome. Je vous prie d'en transmettre leur part aux généraux Clark et Leese.

Télégramme du général de Gaulle au général Juin, à Rome.

Londres, 5 juin 1944.

L'armée française a sa large part dans la grande victoire de Rome. Il le fallait ! Vous l'avez fait ! Général Juin, vous-même et les troupes sous vos ordres êtes dignes de la patrie.

Ordonnance du 9 juin 1944
fixant le statut des Forces Françaises de l'Intérieur.

Article Premier. — Les Forces Françaises de l'Intérieur sont constituées par l'ensemble des unités combattantes ou de leurs services qui prennent part à la lutte contre l'ennemi sur le territoire métropolitain, dont l'organisation est reconnue par le gouvernement et qui servent sous les ordres de chefs reconnus par lui comme responsables.

Ces forces armées font partie intégrante de l'armée française et bénéficient de tous les droits et avantages reconnus aux militaires par les lois en vigueur. Elles répondent aux conditions générales fixées par le règlement annexé à la Convention de la Haye du 18 octobre 1907 concernant les lois et coutumes de la guerre sur terre.

Art. 2. — Au fur et à mesure de la libération du territoire, la qualité de membre des F. F. I. est constatée par l'autorité déléguée à cet effet.

Art. 3, 4. — ...

Signé : H. QUEUILLE,
ministre d'État. (Par mandat et délégation
du général DE GAULLE, alors à Londres.)

Lettre du général Juin au général de Gaulle.

Mon cher de Gaulle,

J'espère que ce mot te parviendra à Alger à ton retour de Londres. Je veux, tout d'abord, te remercier de ton télégramme de félicitations qui est allé au cœur de tous les combattants français d'Italie.

La prise de Rome leur a fait connaître des heures d'enthousiasme sans ralentir leur élan. Nous sommes maintenant à près de cent kilomètres plus au nord, toujours en bonne place entre Anglais et Américains. J'ai engagé là un corps de poursuite de deux divisions d'infanterie aux ordres de Larminat qui, ma foi, s'en tire fort bien. Malheureusement, je manque de blindés. Si j'avais eu ce que j'avais demandé, je serais déjà sur l'Arno. Mais il y a freinage... comme il y a freinage chez les alliés d'ici à la suite d'hypothèses mal expliquées qui les indignent eux-mêmes et risquent de faire perdre la bataille d'Italie après la magnifique victoire de Rome. Après celle-ci, l'occasion s'est offerte et s'offre peut-être encore de franchir l'Apennin sur les traces d'un ennemi sévèrement battu, pour dévaler dans la plaine du Pô et, de là, gagner la France sur nos roulettes et nos pieds.

Au lieu de cela, des rumeurs circulent sur la réalisation d'un plan à échéance qui... ferait peser sans tarder de lourdes hypothèques sur les forces engagées ici.

Alexander et Clark en sont ulcérés. Quant à moi, tu devines mon état d'âme... A l'amertume de voir s'échapper les fruits d'une victoire, j'ajouterai celle de quitter le commandement de belles divisions que j'ai dressées et qui ont confiance en moi.

. . . .

Fais ce que tu crois devoir faire. Ma personne est une bien petite chose au regard des intérêts sacrés dont tu as la charge. Il n'y a pas lieu de t'en préoccuper. La stratégie vers laquelle on semble vouloir nous entraîner est, à mon humble avis, plus inquiétante et c'est à cela — et à cela seulement — que je te demande de réfléchir.

Ton fidèle et tout dévoué

JUIN.

Lettre du général de Gaulle au général Kœnig.

Vous m'avez exposé la situation de certains personnels français qui, résolus à combattre l'ennemi mais se trouvant sans liaison suffisante avec l'autorité française, ont été amenés à recevoir et ont commis l'erreur d'exécuter les instructions que leur donnaient abusivement des services étrangers.

A ce sujet, je vous rappelle que le gouvernement a pris, le 9 juin 1944, une ordonnance réglant le statut des forces françaises de l'intérieur. Ce statut légal englobe tous les Français de la Métropole combattant contre l'ennemi, qui se trouvent de ce fait incorporés dans l'armée française. L'ensemble des forces de l'intérieur étant unifié sous commandement français, il en résulte que tous les militaires appartenant à ces forces sont soumis aux mêmes obligations et bénéficient des mêmes droits ou avantages. Ces dispositions s'appliquent également aux personnels qui se trouveraient en situation irrégulière du fait de leur subordination antérieure à des autorités étrangères.

Il va de soi que tout Français incorporé dans les forces françaises de l'intérieur en vertu de l'ordonnance du 9 juin 1944, qui continuerait de se considérer comme dépendant d'une autorité autre que l'autorité française et d'en exécuter les ordres ou instructions, s'exposerait à la rigueur des lois qui interdisent aux militaires français toute subordination par rapport à l'étranger.

Télégramme du général de Lattre au général de Gaulle, à Alger.

Ile d'Elbe, 19 juin 1944.

J'ai l'honneur de vous rendre compte de ce que la conquête de l'île d'Elbe est entièrement réalisée.

Nos troupes, avec le concours des forces navales britanniques et françaises et des forces aériennes américaines et françaises, ont pu avoir raison du système défensif puissamment organisé dans l'île et défendu par une nombreuse garnison. Cette garnison tout entière est anéantie.

Le nombre des prisonniers s'élève actuellement à 1 800, dont 35 officiers. Plus de 500 cadavres ont été dénombrés sur le champ de bataille. Nous nous sommes emparés d'un matériel considérable dont plusieurs batteries.

Je suis profondément heureux que ce succès ait coïncidé avec l'anniversaire historique du 18 juin.

Décision du général de Gaulle, constituant la 1re Armée.

Alger, 3 juillet 1944.

1) Les unités, états-majors, formations et services du Détachement d'armée « A » seront placés sous le commandement du Général commandant l'Armée « B » au fur et à mesure de leur

retrait du front de combat et de leur regroupement sur les arrières du théâtre d'opérations d'Italie.

De même, les unités affectées au Détachement d'armée « A » et qui se trouvent encore en Afrique du Nord passent, ce jour, sous les ordres du général de Lattre de Tassigny.

2) Le Général commandant l'Armée « B » entrera, dès le reçu de la présente instruction, en liaison avec le Général commandant le Détachement d'armée « A » et le haut-commandement allié en vue de régler ces mouvements de regroupement et ceux qui sont liés à l'engagement ultérieur des forces françaises.

. . . .

Télégramme du général Kœnig au général de Gaulle, à Alger.

Londres, 4 août 1944.

La 2ᵉ Division blindée fait mouvement sur la France...

Télégramme du général de Gaulle au général Kœnig, à Londres.

Alger, 12 août 1944.

Vos récents comptes rendus indiquent que la Division Leclerc serait engagée. Je tiens à être constamment et personnellement tenu par vous au courant de ses opérations. Je suppose que vous avez fait le nécessaire auprès du commandement interallié pour recevoir sans délai les rapports de Leclerc ainsi que les informations le concernant.

. . . .

PARIS

Télégramme de la délégation à Paris au gouvernement, à Alger.

Paris, 15 juillet 1944.

Des défilés ont eu lieu à Paris, le 14 juillet, dans plusieurs quartiers. Les manifestants ont défilé, drapeau en tête, au chant de *la Marseillaise* et du *Chant du départ*, criant : « A bas Hitler ! » « De Gaulle au pouvoir ! » « Laval au poteau ! »

Les manifestants, qui portaient des cocardes tricolores, ont observé, dans l'ensemble, une excellente discipline.

Sur certains points, des miliciens qui tentaient d'intervenir ont été lynchés. A Arcueil, les pompiers ont enlevé des drapeaux tricolores à croix de Lorraine et des drapeaux alliés que les manifestants avaient hissés sur divers édifices, mais les ont rendus à la foule qui les réclamait.

Les prisonniers de la Santé se sont révoltés. La milice a fait usage de ses armes en faisant de nombreuses victimes.

Télégramme de la délégation à Paris au gouvernement, à Alger.

Paris, 11 août 1944.

1) Le problème de la libération de Paris met en jeu concurremment l'autorité du gouvernement, du commandement militaire, du préfet de police et du comité parisien de la libération. De graves difficultés proviennent de l'absence, dans les instructions concernant les comités de la libération, de dispositions spéciales pour Paris. La délégation fait tous ses efforts pour arriver à un règlement de cette question.

2) La question de la prise de pouvoir à Paris a été réglée, le 6 août, en accord avec le comité parisien de la libération, à la suite de négociations menées par Roland-Pré. Le secteur gouvernemental, libéré par la force, sera directement aux ordres du gouvernement. Le secteur non gouvernemental sera libéré par les forces

françaises de l'intérieur et mis à la disposition du comité parisien de la libération.

3) La libération de la capitale sera confiée à des forces dont la répartition a été fixée comme suit :
— garde républicaine et gendarmerie, pour les trois quarts ;
— milice patriotique et forces françaises de l'intérieur, pour un quart.

4) Des détachements mixtes sont prévus pour tous les immeubles à caractère symbolique. Les habitations, locaux et bureaux occupés par les Allemands seront mis sous séquestre au jour de la libération. Les inspecteurs de la police judiciaire et les comités de libération de quartier collaboreront à l'exécution de cette mesure.

5) La police elle-même et des éléments de la résistance réaliseront l'occupation de la Préfecture de police. La Préfecture sera immédiatement remise au nouveau préfet et à ses collaborateurs. Pour les commissariats de police, des mesures semblables ont été prévues. La liste des nouveaux commissaires de police est arrêtée par la délégation après avis du comité parisien de la libération.

Décret du 14 août 1944, nommant Alexandre Parodi membre du Gouvernement provisoire de la République.

Article Premier. — M. Alexandre Parodi, dit Quartus, est nommé membre du Gouvernement provisoire de la République française.

Art. 2. — Le présent décret sera enregistré et communiqué partout où besoin sera.

Signé : C. DE GAULLE.

Décret du 14 août 1944, nommant Alexandre Parodi Commissaire délégué aux Territoires occupés.

Article Premier. — M. Alexandre Parodi, dit Quartus, est nommé Commissaire délégué aux Territoires occupés.

Art. 2. — Il exerce l'autorité gouvernementale sur les territoires occupés jusqu'à leur libération.

Dans l'exercice de ses fonctions, il prend les avis du Conseil national de la résistance.

Art. 3. — Il fait exécuter par les fonctionnaires et les organismes de la résistance les consignes générales émanant du gouvernement.

Il est qualifié pour installer les fonctionnaires nommés par le gouvernement.

Il a autorité sur eux.

Art. 4. — Dans le cas où le commissaire aux Territoires occupés serait coupé du gouvernement, il a qualité pour déléguer provisoirement les fonctionnaires dans leurs fonctions par arrêtés.

Signé : C. DE GAULLE.

Télégramme de la délégation en zone Sud au général de Gaulle, à Alger.

14 août 1944.

I. — Le 14 août, Ingrand, commissaire de la République à Clermont-Ferrand, a reçu le capitaine Oliol envoyé par le Maréchal. Le capitaine Oliol a fait connaître ce qui suit :

1) Des pourparlers auraient eu lieu entre le Maréchal et l'état-major d'Eisenhower d'une part et, d'autre part, l'entourage du général de Gaulle par l'intermédiaire d'une personnalité de la résistance.

2) Le Maréchal craint une action des Allemands ou de la milice sur sa personne mais refuse de quitter Vichy. Il a écrit au Nonce que, s'il était emmené par les Allemands, ce serait contre sa volonté.

3) Il propose de se mettre sous la sauvegarde des forces françaises de l'intérieur et de faire une déclaration indiquant qu'il se retire et conseillant aux Français de suivre le général de Gaulle. Cette déclaration, dans son esprit, assurerait la continuité du pouvoir légitime en évitant au Gouvernement provisoire de la République d'être installé par les Américains.

4) Il demande une certaine liberté lui permettant de continuer les conversations mentionnées ci-dessus.

II. — Ingrand, en présence de l'état-major local des forces de l'intérieur, a proposé ce qui suit :

1) Le Maréchal se rendra aux forces françaises de l'intérieur.

2) Les forces de l'intérieur assureront au Maréchal sa sécurité et des conditions d'existence convenables. Elles le tiendront sous leur garde armée.

3) Il ne communiquera pas avec l'extérieur et ne devra faire aucune déclaration préalable.

4) Il pourra conserver près de lui trois ou quatre personnes de sa suite.

5) Il pourra, dès qu'il sera sous notre contrôle, écrire un texte à remettre au gouvernement, celui-ci étant juge de l'utilisation à en faire.

III. — Pour sa part, le commissaire de la République a été d'une réserve absolue...

Télégramme d'André Le Troquer,
commissaire national délégué en territoire libéré,
au général de Gaulle, à Alger.

Bayeux, 18 août 1944.

Arrivé à Bayeux le 12 août, j'ai immédiatement pris contact avec la population et les autorités alliées.

J'ai visité les villes de Caen, Port-en-Bessin, Isigny, Cherbourg, Coutances, Avranches, Rennes et Vannes.

Les rapports de la population et des autorités locales avec le représentant du gouvernement et avec les alliés sont parfaits. Le moral est excellent... Les municipalités élues sont réinstallées rapidement...

Les ressources locales des régions libérées et l'apport allié permettront un premier ravitaillement de la région de Paris ; (entre autres, un kilo de pommes de terre par personne dès la libération.)

J'ai fait prendre toutes mesures et réaliser tous accords pour assurer, au moment voulu, le transport du ravitaillement vers Paris par des camions qui sont en cours de débarquement et par la voie ferrée qui est en cours de réparation.

La répartition à l'intérieur de l'agglomération parisienne sera à la charge des mairies...

J'ai chargé le colonel Laroque de la coordination des organismes de ravitaillement et de répartition pour la région de Paris.

.   .   .   .

Déclaration du général de Gaulle à son arrivée à Cherbourg,
le 20 août 1944.

Le calvaire que nous gravissons est la plus grande épreuve de notre Histoire. Mais nous savons de quel abîme nous émergeons et vers quels sommets nous montons.

Lettre du général de Gaulle au général Eisenhower.

Rennes, le 21 août 1944.

Mon cher Général,

Les informations que je reçois aujourd'hui de Paris me font penser, qu'étant donné la disparition presque complète des forces de police et des forces allemandes à Paris et dans l'état d'extrême disette alimentaire qui y règne, de graves troubles sont à prévoir dans la capitale avant très peu de temps.

Je crois qu'il est vraiment nécessaire de faire occuper Paris au plus tôt par les forces françaises et alliées, même s'il devait se produire quelques combats et quelques dégâts à l'intérieur de la ville.

S'il se créait maintenant dans Paris une situation de désordre, il serait ensuite difficile de s'en rendre maître sans sérieux incidents et cela pourrait même gêner les opérations militaires ultérieures.

Je vous envoie le général Kœnig, nommé gouverneur militaire de Paris et commandant de la Région de Paris, pour étudier avec vous la question de l'occupation, au cas où, comme je le demande, vous décideriez d'y procéder sans délai.

Bien cordialement à vous.

Télégramme du général de Gaulle au gouvernement, à Alger.

Rennes, 21 août 1944, 23 heures.

Après ma visite d'hier à Cherbourg, Coutances et Avranches, j'ai passé à Rennes la journée d'aujourd'hui.

L'administration préfectorale et municipale est partout rétablie dans ces territoires libérés et fonctionne normalement malgré les destructions et les difficultés de communications.

L'esprit des populations est réellement magnifique.

La grande question immédiate est celle de Paris.

Les Allemands n'y ont laissé que quelques éléments militaires.

La police française a disparu.

L'administration de Vichy est impuissante.

Certains éléments de la population ont commencé à piller les stocks de ravitaillement et les boutiques.

Si les forces alliées n'occupent pas Paris à bref délai, des troubles graves peuvent se produire.

J'ai parlé de cela hier au général Eisenhower.

Je lui écris aujourd'hui en le pressant de prendre une décision.

Afin de le fixer immédiatement sur les conditions dans lesquelles sera établie à Paris l'autorité du gouvernement dès l'entrée des troupes alliées et pour permettre d'organiser avec les militaires alliés, le plus tôt possible, le ravitaillement de la capitale, j'ai nommé le général Kœnig gouverneur militaire de Paris, comme j'en avais pressenti le gouvernement.

Je prie M. Diethelm d'établir et de faire publier immédiatement le décret nécessaire...

D'autre part, il est nécessaire que nos fonctionnaires du ravitaillement, qui font partie de la Délégation administrative et qui sont présents en France, soient rattachés au général Kœnig pour tout ce qui concerne la préparation du ravitaillement de Paris. Je les lui ai donc rattachés.

En effet, la situation imprécise où ils se trouvaient ne leur permettait pas de traiter comme il faut avec les organismes militaires alliés compétents.

Dès l'entrée à Paris, je demande que le gouvernement m'y rejoigne sans délai.

Amitiés.

Lettre du général Leclerc au général de Gaulle.

Mon Général,

P. C., le 21 août 1944.

J'ai appris hier que vous avez débarqué à Cherbourg. Je lance donc un officier à votre recherche. Voici la situation de la division à bâtons rompus, car je désire que Trévoux parte sans tarder : après une marche assez acrobatique d'Avranches au Mans, nous avons attaqué droit au Nord et, en quatre jours, atteint l'Orne entre Écouché et Argentan.

Notre attaque, prenant de flanc et successivement plusieurs divisions allemandes, a amené d'excellents résultats. J'ai eu réellement l'impression pendant plusieurs jours de revivre la situation de 1940 retournée, désarroi complet chez l'ennemi, colonnes surprises, etc. Nos voisins américains, surtout de gauche, étaient naturellement un peu en retard.

Le tableau de cette attaque aurait pu être splendide si on s'était décidé à fermer la boucle Argentan - Falaise. Le Haut-commandement s'y est formellement opposé. L'Histoire jugera.

Résultats en ce qui nous concerne. Pertes : 160 tués, 550 blessés environ. C'est peu, étant donné le grand nombre de combats. Le recomplètement est déjà fait.

Au tableau, un minimum de 60 chars homologués ; véhicules, prisonniers et tués allemands très difficiles à estimer.

Le moral de mes gens est des plus élevés et ils se sont bien comportés. Billotte et Langlade sont proposables pour Général. Je ne vois aucun inconvénient à ce que vous les nommiez.

Depuis huit jours, le commandement nous fait marquer le pas. On prend des décisions sensées et sages, mais généralement quatre ou cinq jours trop tard. On m'a donné l'assurance que l'objectif de ma division était Paris. Mais, devant une pareille paralysie, j'ai pris la décision suivante : Guillebon est envoyé avec un détachement léger, chars, auto-mitrailleuses, infanterie, direction Versailles, avec ordre de prendre le contact, de me renseigner et d'entrer dans Paris si l'ennemi se replie. Il part à midi et sera à Versailles ce soir ou demain matin. Je ne peux malheureusement en faire de même pour le gros de ma division, pour des questions de ravitaillement en carburant et afin de ne pas violer ouvertement toutes les règles de la subordination militaire.

Voilà, mon Général ! J'espère que, d'ici quelques jours, vous vous poserez à Paris.

Note du général de Gaulle au général Leclerc.

Laval, 22 août 1944, 12 heures.

Pour le général Leclerc :

J'ai vu Trévoux et lu votre lettre.

J'approuve votre intention. Il faut avoir un élément au moins au contact de Paris sans délai.

J'ai vu Eisenhower le 20.

Il m'a promis que vous alliez recevoir Paris comme direction.

Le général Kœnig est, en ce moment, auprès d'Eisenhower, ainsi que le général Juin. Ils sont au courant.

Je coucherai ce soir au Mans et tâcherai de vous rencontrer demain.

Rapport du général Kœnig au général de Gaulle, au Mans.

Londres, 22 août 1944, 23 heures.

Un câble de Parodi, en date du 22 août 8 heures du matin, nous donne des nouvelles nettement favorables sur la situation à Paris. Les forces de l'intérieur tenaient, à ce moment, l'Hôtel de Ville et le ministère de l'Intérieur. Cependant, l'attaque de la Préfecture de police par les Allemands avait commencé.

La densité des troupes d'occupation semblait avoir beaucoup diminué au cours de la nuit, pendant laquelle de nombreux départs avaient été enregistrés. Toutefois, on continuait à redouter la présence de la Division « Das Reich » à proximité de Paris.

Le 22 août, à 9 heures du matin, l'état-major des forces de l'intérieur, d'accord avec Parodi et Chaban-Delmas, considérait comme imminente la perspective d'une bataille violente dans Paris et demandait d'extrême urgence :

1) l'attaque par l'aviation de toutes les formations allemandes se dirigeant vers Paris ;

2) l'envoi de formations parachutistes munies d'armes antichars, le plus près possible de Paris, pour appuyer les forces de l'intérieur ;

3) le parachutage sur la ville de containers de faible capacité, munis d'armement de toute nature et, en particulier, d'armes antichars...

On peut estimer qu'il existe actuellement à Paris un noyau de 30 000 hommes armés qui combattent avec des moyens de fortune dans les formations de la résistance. Mais beaucoup d'autres attendent avec impatience les armes qui leur permettraient de se joindre au combat.

Un câble de Parodi, daté du 22 août au soir, [nous informe

qu'après trois jours de lutte tous les édifices publics de Paris sont
aux mains de la résistance.

La population parisienne reconnaît entièrement l'autorité du
Gouvernement provisoire. Les représentants du régime de Vichy
sont arrêtés ou en fuite. Les combats continuent et, malgré les
succès remportés par la résistance, l'insuffisance de son armement
rend indispensable l'arrivée rapide des troupes alliées...

Parodi nous rend compte, enfin, des modifications survenues
dans la situation des internés des prisons parisiennes et, en particulier, de Fresnes. Le commandement allemand a consenti à
signer un accord avec le consul de Suède, stipulant que tous les
prisonniers seraient maintenus en France et placés sous la surveillance du consulat de Suède. Une certaine quantité de prisonniers restés à Paris ont été relâchés. Mais, avant cet accord,
un certain nombre d'exécutions avaient eu lieu.

Télégramme du général de Gaulle au gouvernement, à Alger.

Chartres, 23 août 1944, 13 heures.

Je vous télégraphie de Chartres où je viens d'arriver. Voici la
situation, ainsi que les dispositions qu'il convient de prendre
immédiatement.

1) Du point de vue stratégique, les opérations marquent du
décousu. Tandis que les divisions blindées américaines fran-
chissent la Seine au nord et au sud de Paris, le gros des forces alliées
a perdu du temps dans la région Falaise-Argentan, où les restes
de l'armée allemande de Normandie achevaient de se décomposer
sans être attaqués avec assez de résolution pour en finir.
Il en résulte une sorte de divergence dans l'action des armées
alliées. Cette divergence n'est pas de nature à encourager le commandement à régler rapidement l'affaire de Paris.

2) A Paris, la situation est très tendue. Les Allemands occupent
toujours les points qui les intéressent. Les forces françaises de l'intérieur se saisissent progressivement des autres points de la capitale. Le ravitaillement de la population est paralysé. Les services
publics sont en grève.

3) En attendant que l'ensemble du gouvernement vienne à
Paris, il convient de constituer tout de suite autour de moi une délégation pour régler les problèmes immédiats.
Cette délégation doit comprendre : le commissaire à l'Intérieur,
le commissaire au Ravitaillement et à la Production, le commissaire aux Affaires sociales. Je prie donc MM. d'Astier, Giacobbi
et Tixier de venir me rejoindre sans délai et de se faire suivre de
quelques fonctionnaires pour le travail immédiat.

4) La pire difficulté, pour aujourd'hui et pour demain, est le

manque total de charbon qui paralyse les centrales. Cela va être dramatique à Paris. Il est nécessaire d'en saisir immédiatement les gouvernements de Washington et de Londres.

5) L'accord avec les alliés n'est toujours pas signé. Je comprends mal les raisons de ce retard.

6) L'enthousiasme de la polulation est partout extraordinaire. Mais les problèmes demeurent.

Lettre du général Leclerc au général de Gaulle, à Chartres.

23 août 1944, 13 h. 30.

Mon Général,

Trévoux vient de me rejoindre et m'apprend que vous êtes à Chartres. Je vous envoie donc le capitaine Janney en liaison. Je viens d'arriver à Rambouillet avec un petit détachement précurseur de quelques voitures. Malheureusement, les troupes de ma division ne peuvent être là avant ce soir.

Guillebon, que j'avais envoyé à toutes fins utiles, a pris le contact avec pas mal d'Allemands et perdu un char près de Trappes. Les F. F. I. ont peut-être libéré l'intérieur de Paris à l'heure actuelle, mais la périphérie est encore solidement tenue avec chars, antichars, mines, etc.

J'engagerai donc l'opération demain matin au petit jour.
Respectueusement.

Note du général de Gaulle au général Leclerc, à Rambouillet.

Chartres, 23 août 1944, 14 h. 55.

Pour le général Leclerc :

Je reçois le capitaine Janney et votre mot.
Je voudrais vous voir aujourd'hui.
Je compte être à Rambouillet ce soir et vous y voir.
Je vous embrasse.

Lettre du général de Gaulle à Charles Luizet, préfet de police à Paris.

Rambouillet, 23 août 1944, 20 heures.

Monsieur le préfet et cher ami,

Je reçois vos envoyés et votre lettre aujourd'hui.
La journée de demain sera décisive dans le sens que nous voulons.

Quand j'arriverai, j'irai tout de suite « au centre ». Nous organiserons aussitôt le reste avec Quartus (1) et avec vous. Je pense que le général Kœnig sera avec moi et M. Le Troquer aussi.

L'organisation du ravitaillement est en bonne voie, sauf pour le charbon dont nous manquerons quelques jours.

Je vous embrasse. Dites mes sentiments à Quartus et aux autres.

Télégramme du général de Gaulle au gouvernement, à Alger.

Rambouillet, 24 août 1944, 8 heures.

La Division Leclerc entre à Paris aujourd'hui.

Je compte m'y trouver personnellement ce soir.

Parodi a l'autorité bien en main.

Contrairement à ce qui avait été dit, la capitale est en bon état.

Les Allemands tiennent encore certains points, mais leur situation est désespérée.

Je demande à tous les membres du gouvernement de me rejoindre sans délai à Paris.

Le terrain d'aviation du Mans est bon.

. . . .

Amitiés.

Télégramme du roi George VI au général de Gaulle.

Londres, 24 août 1944.

C'est avec une profonde émotion que j'ai appris la nouvelle selon laquelle les habitants de Paris ont chassé l'envahisseur de la ville et ont joint leurs efforts à ceux des armées de la Libération qui repoussent l'ennemi au delà de leurs frontières.

Je me réjouis avec Votre Excellence en cette heure de leur triomphe, comme je me suis associé à eux pendant leurs longues années de souffrance.

Note du général de Gaulle au colonel de Chevigné.

Rambouillet, 25 août 1944, 13 h. 45.

Pour le colonel de Chevigné :

Je partirai de Rambouillet à 15 heures.

Première destination : Gare Montparnasse, où je compte vous trouver.

(1) Il s'agit de Parodi.

Mon itinéraire sera : Porte d'Orléans,
Avenue d'Orléans,
Avenue du Maine,
Rue du Départ,
Hall de la gare Montparnasse
Veuillez prévenir le général Leclerc.

*Allocution prononcée par le général de Gaulle
à l'Hôtel de Ville de Paris, le 25 août 1944.*

Pourquoi voulez-vous que nous dissimulions l'émotion qui nous étreint tous, hommes et femmes, qui sommes ici, chez nous, dans Paris debout pour se libérer et qui a su le faire de ses mains. Non ! nous ne dissimulerons pas cette émotion profonde et sacrée. Il y a là des minutes qui dépassent chacune de nos pauvres vies. Paris ! Paris outragé ! Paris brisé ! Paris martyrisé ! mais Paris libéré ! libéré par lui-même, libéré par son peuple avec le concours des armées de la France, avec l'appui et le concours de la France tout entière, de la France qui se bat, de la seule France, de la vraie France, de la France éternelle.

Eh bien ! puisque l'ennemi qui tenait Paris a capitulé dans nos mains, la France rentre à Paris, chez elle. Elle y rentre sanglante, mais bien résolue. Elle y rentre, éclairée par l'immense leçon, mais plus certaine que jamais de ses devoirs et de ses droits.

Je dis, d'abord, de ses devoirs et je les résumerai tous en disant que, pour le moment, il s'agit de devoirs de guerre. L'ennemi chancelle mais il n'est pas encore battu. Il reste sur notre sol. Il ne suffira même pas que nous l'ayons, avec le concours de nos chers et admirables alliés, chassé de chez nous pour que nous nous tenions pour satisfaits après ce qui s'est passé. Nous voulons entrer sur son territoire, comme il se doit, en vainqueurs. C'est pour cela que l'avant-garde française est entrée à Paris à coups de canon. C'est pour cela que la grande armée française d'Italie a débarqué dans le Midi et remonte rapidement la vallée du Rhône. C'est pour cela que nos braves et chères forces de l'intérieur vont s'armer d'armes modernes. C'est pour cette revanche, cette vengeance et cette justice que nous continuerons de nous battre jusqu'au dernier jour, jusqu'au jour de la victoire totale et complète. Ce devoir de guerre, tous les hommes qui sont ici et tous ceux qui nous entendent en France savent qu'il exige l'unité nationale.

La nation n'admettrait pas, dans la situation où elle se trouve, que cette unité soit rompue. La nation sait bien qu'il lui faut, pour vaincre, pour se reconstruire, pour être grande, avoir avec elle tous ses enfants. La nation sait bien que ses fils et ses filles, tous ses fils et toutes ses filles, — hormis quelques malheureux traîtres qui se sont livrés à l'ennemi et qui connaissent ou connaîtront la rigueur des lois, — oui ! que tous les fils et toutes les

*

filles de la France doivent marcher vers les buts de la France, fraternellement, la main dans la main.

Vive la France !

Note du général Gerow, commandant le 5ᵉ Corps américain, au général Leclerc.
(Communiquée par celui-ci au général de Gaulle.)

TRADUCTION

26 août 1944.

Ordres au général Leclerc.

Opérant sous mon commandement direct, vous ne devez pas accepter d'ordres venant d'autres sources. Je crois savoir que vous avez reçu du général de Gaulle l'instruction de faire participer vos troupes à une parade, cet après-midi à 14 heures. Vous ne tiendrez pas compte de cet ordre et vous continuerez à exécuter la mission qui vous est actuellement assignée de nettoyer toute résistance dans Paris et aux environs, à l'intérieur de votre zone d'action.

Les troupes sous votre commandement ne participeront pas à la parade, ni cet après-midi, ni à aucun autre moment, sauf sur ordre que j'aurais signé personnellement...

Lettre du général Leclerc au général de Gaulle, à Paris.

P. C. avancé, le 27 août 1944.

Mon Général,

. . . .

1) Situation ce soir : l'aérodrome du Bourget a été pris par Dio après un combat sérieux ; Stains, Pierrefitte et Montmagny par Langlade. Quelques-uns de nos bons officiers de la première heure y sont encore restés. (Commandant Corlu grièvement blessé, capitaine Sammarcelli...) Un de mes cousins germains, lieutenant au Régiment du Tchad, a été tué. Je croyais nos types épuisés par les efforts de ces derniers jours. Ils ont, une fois de plus, atteint les objectifs fixés par le commandement allié, pendant que les Américains, à droite et à gauche, sont... en retard.

2) Impression d'ensemble sur la population et les F. F. I. pendant ces derniers jours.

L'énorme majorité de la population, en particulier dans Paris, magnifiquement française et nationale, ne demande qu'à être commandée pour refaire la France. (On veut de l'autorité.)

F. F. I. — Estimation d'ensemble : comme pour les partisans dans la guerre au Maroc. 10 pour 100 très bons, très braves, réellement des combattants ; 25 à 30 pour 100 suivant l'exemple de ceux-là ; le reste, sans valeur ou négatif.

Chefs F. F. I. — J'ai eu des contacts intéressants aujourd'hui avec des officiers F. F. I. combattant effectivement. Ils m'ont affirmé que le *Front national* avait tout essayé pour utiliser au

profit du « parti » l'enthousiasme français. L'affaire a manqué...
3) Impression sur les autorités à mon entrée à Paris.
Les dirigeants, même nommés par votre gouvernement, sont...
bien timides. Voilà, je crois, un des nœuds du problème. L'affaire
ne me regarde nullement. Je suis uniquement un soldat. Mais,
ayant assisté à certaines scènes, je dois vous en rendre compte.
Votre tâche n'en sera pas facilitée, mon Général.
Je m'excuse de ces quelques lignes, écrites en hâte tout près
des Allemands et à quelques kilomètres du cœur de la France.
Veuillez croire, mon Général, à l'assurance de mon entier et
respectueux dévouement, qui n'a fait que croître depuis le Cameroun 1940.

Décision du général de Gaulle.

Paris, le 28 août 1944.

1) Les combats de Paris sont glorieusement terminés. Mais
la victoire n'est pas acquise. Les opérations militaires futures vont
exiger de l'armée française un effort multiplié.
2) En conséquence, les éléments des forces formées à l'intérieur
pour le combat clandestin et qui sont susceptibles de participer
aux opérations ultérieures seront incorporés régulièrement, à
mesure de la libération des zones du territoire sur lesquelles ils
ont agi, pour être affectés, soit aux grandes unités de campagne,
soit aux formations du territoire.
3) Les organismes supérieurs du commandement et les états-
majors des forces de l'intérieur existant à Paris sont dissous à la
date du 29 août 1944. Leurs attributions sont exercées par le général
Gouverneur de Paris. Il en est de même pour les organismes de
commandement et états-majors des forces de l'intérieur existant
dans les départements libérés et dont les attributions sont exercées
par les généraux commandant les régions militaires intéressées.
4) Il sera procédé immédiatement à l'immatriculation de tous
les officiers, gradés et hommes des forces de l'intérieur en territoire libéré, ainsi qu'au recensement des armes et du matériel.
L'armement et le matériel seront réunis dans des conditions à
fixer par les généraux commandant les régions militaires et, pour
Paris, par le général Gouverneur militaire de Paris.

*Allocution prononcée par le général de Gaulle à la radio de Paris,
le 29 août 1944.*

Il y a quatre jours que les Allemands qui tenaient Paris ont
capitulé devant les Français. Il y a quatre jours que Paris est libéré.
Une joie immense, une puissante fierté, ont déferlé sur la nation.
Bien plus ! Le monde entier a tressailli quand il a su que Paris
émergeait de l'abîme et que sa lumière allait de nouveau briller.
La France rend témoignage à tous ceux dont les services ont

contribué à la victoire de Paris ; au peuple parisien, d'abord, qui dans le secret des âmes n'a jamais, non jamais ! accepté la défaite et l'humiliation ; aux braves gens, hommes et femmes, qui ont longuement et activement mené ici la résistance à l'oppresseur avant d'aider à sa déroute ; aux soldats de France qui l'ont battu et réduit sur place, guerriers venus d'Afrique après cent combats ou vaillants combattants groupés à l'improviste dans les unités de l'intérieur ; par-dessus tout et par-dessus tous, à ceux et à celles qui ont donné leur vie pour la patrie sur les champs de bataille ou aux poteaux d'exécution.

Mais la France rend également hommage aux braves et bonnes armées alliées et à leurs chefs, dont l'offensive irrésistible a permis la libération de Paris et rend certaine celle de tout le territoire en écrasant avec nous la force allemande.

A mesure que reflue l'abominable marée, la nation respire avec délices l'air de la victoire et de la liberté. Une merveilleuse unité se révèle dans ses profondeurs. La nation sent que l'avenir lui offre désormais, non plus seulement l'espoir, mais la certitude d'être, bel et bien, une nation victorieuse, la perspective d'un ardent renouveau, la possibilité de reparaître dans le monde au rang où elle fut toujours, c'est-à-dire au rang des plus grands.

Mais la nation sent aussi quelle distance sépare encore le point où elle en est de celui qu'elle veut et peut atteindre. Elle mesure la nécessité de faire en sorte que l'ennemi soit, complètement, irrémédiablement, battu et que la part française dans le triomphe final soit la plus large possible. Elle mesure l'étendue des ravages qu'elle a subis dans sa terre et dans sa chair. Elle mesure les difficultés extrêmes de ravitaillement, de transport, d'armement, d'équipement où elle se trouve et qui contrarient l'effort de combat et l'effort de production des territoires libérés.

Si la certitude du triomphe de notre cause, qui est en même temps celle des hommes, justifie notre joie et notre fierté, ce n'est point du tout l'euphorie qu'elle nous apporte. Bien au contraire, nous comprenons quel dur labeur, quelles pénibles contraintes nous séparent encore du but.

Ce labeur, les Français sont résolus à le fournir, ces contraintes, ils veulent les supporter, parce que c'est là le prix, ajouté à tant d'épreuves, dont il leur faut payer leur salut, leur liberté, leur grandeur.

Peuple averti de tout, depuis deux mille ans que se déroule son Histoire, le peuple français a décidé, par instinct et par raison, de satisfaire aux deux conditions sans lesquelles on ne fait rien de grand et qui sont l'ordre et l'ardeur. L'ordre républicain, sous la seule autorité valable, celle de l'État ; l'ardeur concentrée qui permet de bâtir légalement et fraternellement l'édifice du renouveau. Voilà ce que veulent dire les viriles acclamations de nos villes et de nos villages, purgés enfin de l'ennemi. Voilà ce que fait entendre la grande voix de Paris libéré.